OCT. 2015

Islande

ÉDITION ÉCRITE ET ACTUALISÉE PAR
Carolyn Bain et Alexis Averbuck

BIBLIOTHÈQUE DE DORVAL LIBRARY

PRÉPARER SON VOYAGE

CHRISTIAN KOBER/GETTY IMAGES ©

HALLGRÍMSKIRKJA P. 59

GRANT FAINT/GETTY IMAGES ©

MACAREUX P. 40

SUR LA ROUTE

Sommaire

COMPRENDRE L'ISLANDE

ISLANDE PRATIQUE

COUP DE PROJECTEUR

Bienvenue en Islande

L'énergie est palpable sur cette île magique dont les phénomènes naturels inspirent les habitants, accueillants et créatifs, et dont les splendeurs attirent de plus en plus de visiteurs.

Symphonie des éléments

L'Islande, île peu densément peuplée échouée près du sommet du globe, est en constante évolution. C'est un vaste laboratoire volcanique où des forces puissantes façonnent la terre en permanence, entre geysers, mares de boue, volcans et glaciers. Son extrême beauté semble vouloir rappeler aux visiteurs leur insignifiance à l'échelle de l'univers. Et elle y parvient : l'air pur et frais et les superbes paysages suffiront à vous transformer.

La force de la nature

En Islande, l'ordinaire devient vite extraordinaire. Un plongeon dans une piscine prend la forme d'un bain dans un lagon géothermal, une petite balade se change en trek sur une calotte glaciaire étincelante, et une nuit de camping vous place aux premières loges pour contempler le spectacle des aurores boréales ou les nuances rose tendre du soleil de minuit. L'Islande altère aussi les personnalités – ses sagas ont changé des brutes en poètes, et ses histoires de *huldufólk* (peuples secrets) peuvent rendre croyant un sceptique. Le pays a peut-être la plus grande proportion de rêveurs, d'auteurs, d'artistes et de musiciens au monde – tous nourris par leur environnement.

Une révélation intérieure

On se rend en Islande autant pour ses paysages que pour ses habitants. La chaleur des Islandais est aussi désarmante que leur ardeur au travail – ils font d'énormes efforts pour surmonter la crise économique et pour permettre au pays d'accueillir chaque année le triple de sa population. Considérez une ville moyenne de votre pays ; donnez-lui des universités, des aéroports et des hôpitaux implantés dans des endroits reculés, une trentaine de volcans actifs à surveiller et des centaines d'hébergements touristiques à gérer. Votre ville s'en sortirait-elle aussi bien que l'Islande, tout en ayant encore le temps de créer une musique à donner la chair de poule et d'élégants tricots ?

Le paradis nordique

La vie culturelle islandaise fait la part belle à un patrimoine littéraire qui va des sagas médiévales aux thrillers contemporains, en passant par les prix Nobel. La musique live est partout, tout comme les arts visuels, l'artisanat et la cuisine locavore. Reykjavík, la capitale la plus septentrionale du monde, est un haut lieu de l'égalitarisme, de la conscience écologique et de l'élégance décontractée qui ont assuré la renommée de ses cousines nordiques – avec en plus la personnalité affirmée de l'Islande.

Pourquoi j'aime l'Islande

Carolyn Bain, auteure

Difficile de ne pas recourir aux clichés. J'avoue donc, l'Islande m'a donné envie de devenir tout à la fois volcanologue, ornithologue ET musicienne dans un groupe ! Comme tout le monde, ce sont les paysages qui m'ont frappée pendant mon premier séjour. Et si la beauté de ces mêmes paysages m'émeut aux larmes encore maintenant, ce sont les Islandais qui renforcent mon amour du pays. Leur ingéniosité, leur originalité, leur sens de la solidarité et leur chaleur sont sans équivalent. Lors de mon dernier voyage, chaque jour a apporté une histoire ou un geste d'humanité aussi beau que la nature islandaise.

Pour en savoir plus sur les auteurs, voir p. 416

Ci-dessus : Gígjökull (p. 154), sur la côte sud

Islande

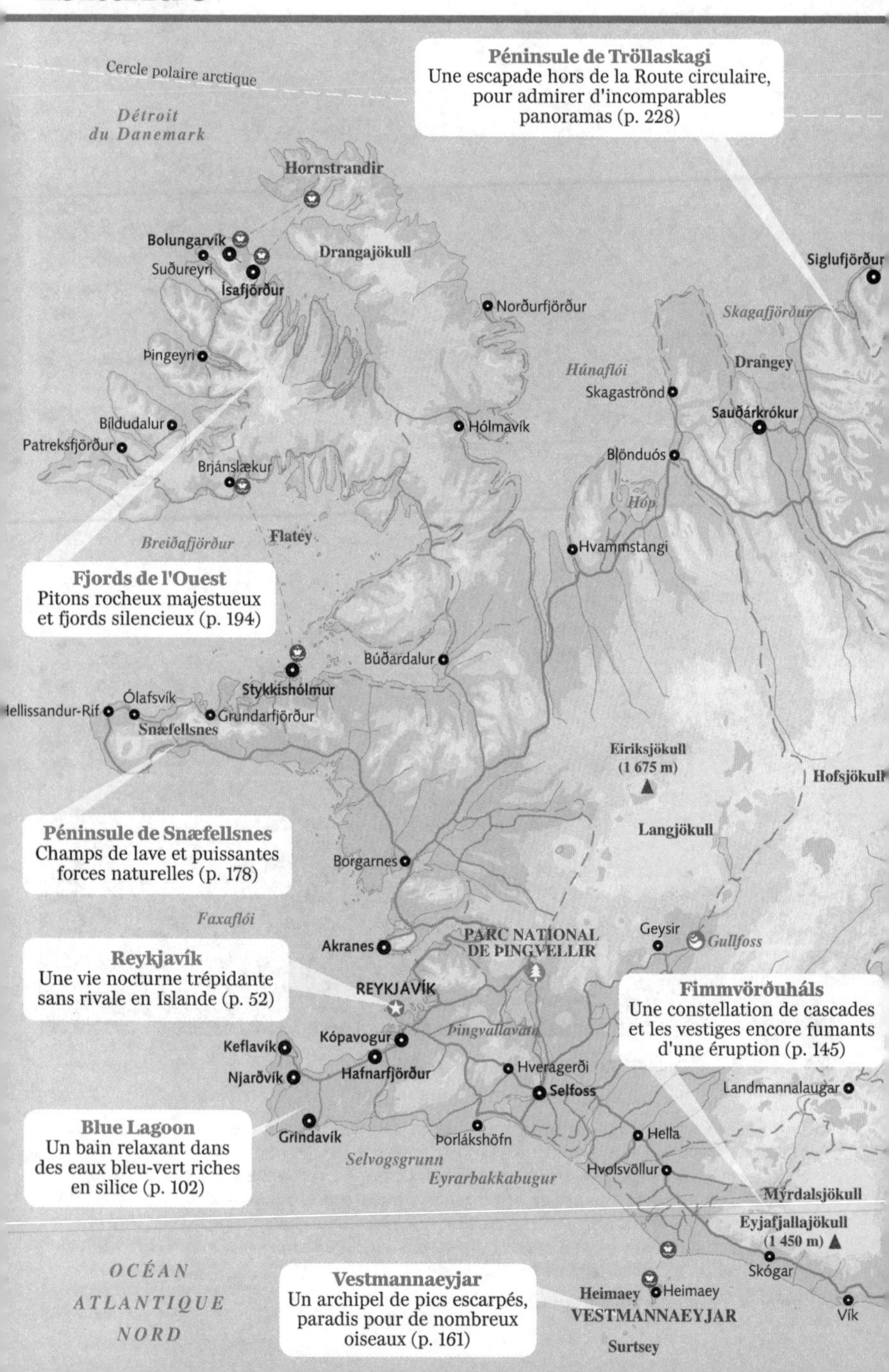

Cercle polaire arctique
Détroit du Danemark
Péninsule de Tröllaskagi
Une escapade hors de la Route circulaire, pour admirer d'incomparables panoramas (p. 228)
Hornstrandir
Bolungarvík
Suðureyri
Ísafjörður
Drangajökull
Norðurfjörður
Siglufjörður
Skagafjörður
Drangey
Húnaflói
Skagaströnd
Sauðárkrókur
Þingeyri
Bíldudalur
Patreksfjörður
Hólmavík
Blönduós
Brjánslækur
Hóp
Breiðafjörður
Flatey
Hvammstangi
Fjords de l'Ouest
Pitons rocheux majestueux et fjords silencieux (p. 194)
Búðardalur
Stykkishólmur
Ólafsvík
Hellissandur-Rif
Grundarfjörður
Snæfellsnes
Eiriksjökull (1 675 m)
Hofsjökull
Langjökull
Péninsule de Snæfellsnes
Champs de lave et puissantes forces naturelles (p. 178)
Borgarnes
Faxaflói
Akranes
PARC NATIONAL DE ÞINGVELLIR
Geysir
Gullfoss
Reykjavík
Une vie nocturne trépidante sans rivale en Islande (p. 52)
REYKJAVÍK
Fimmvörðuháls
Une constellation de cascades et les vestiges encore fumants d'une éruption (p. 145)
Kópavogur
Þingvallavatn
Keflavík
Njarðvík
Hafnarfjörður
Hveragerði
Selfoss
Landmannalaugar
Blue Lagoon
Un bain relaxant dans des eaux bleu-vert riches en silice (p. 102)
Grindavík
Þorlákshöfn
Hella
Selvogsgrunn
Eyrarbakkabugur
Hvolsvöllur
Mýrdalsjökull
Eyjafjallajökull (1 450 m)
OCÉAN ATLANTIQUE NORD
Vestmannaeyjar
Un archipel de pics escarpés, paradis pour de nombreux oiseaux (p. 161)
Skógar
Heimaey
Heimaey
VESTMANNAEYJAR
Vík
Surtsey

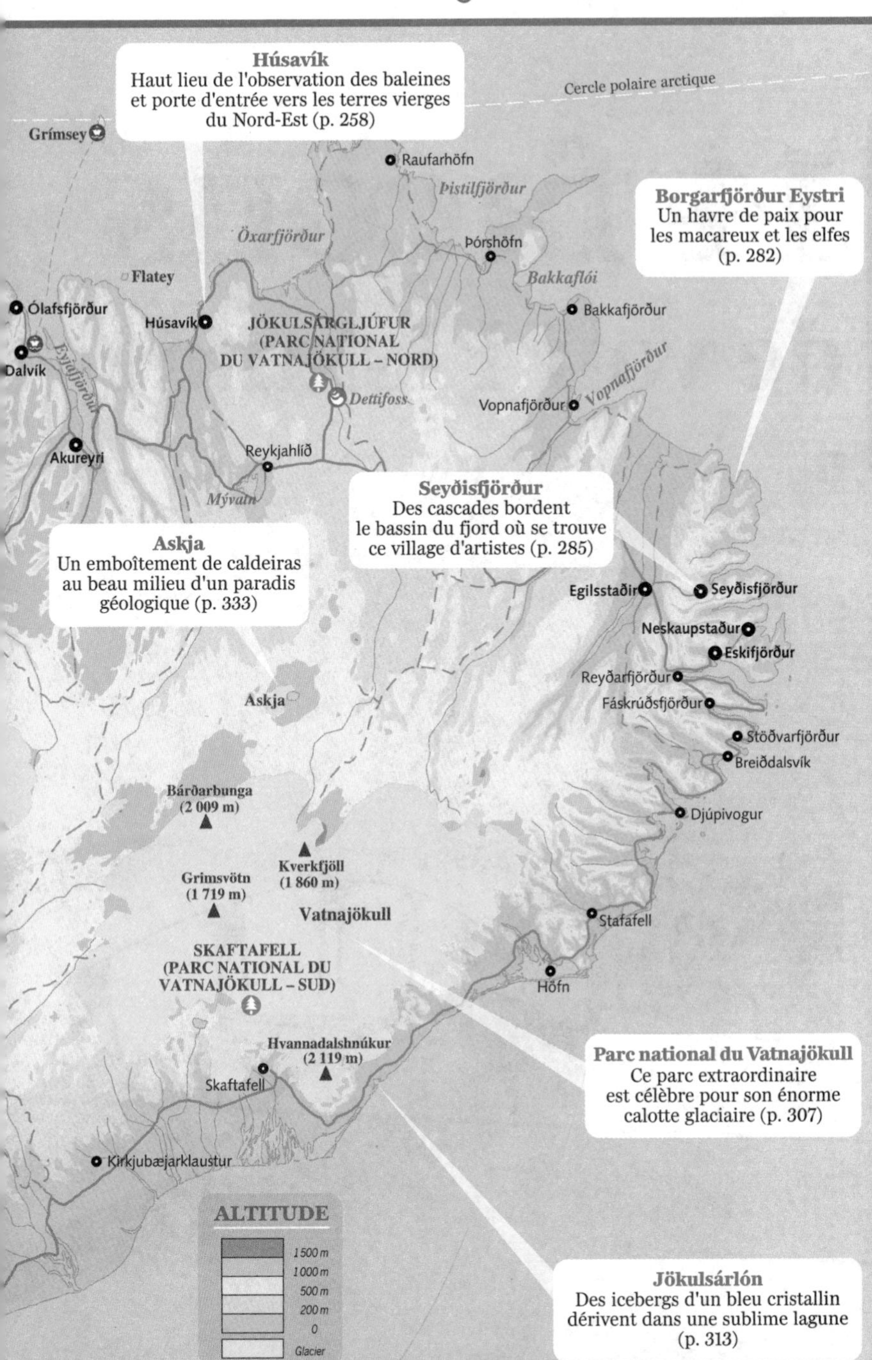
0
100 km
Húsavík
Haut lieu de l'observation des baleines et porte d'entrée vers les terres vierges du Nord-Est (p. 258)
Cercle polaire arctique
Grímsey
Raufarhöfn
Þistilfjörður
Borgarfjörður Eystri
Un havre de paix pour les macareux et les elfes (p. 282)
Öxarfjörður
Þórshöfn
Flatey
Bakkaflói
Ólafsfjörður
Húsavík
JÖKULSÁRGLJÚFUR (PARC NATIONAL DU VATNAJÖKULL – NORD)
Bakkafjörður
Dalvík
Eyjafjörður
Dettifoss
Vopnafjörður
Vopnafjörður
Akureyri
Reykjahlíð
Mývatn
Seyðisfjörður
Des cascades bordent le bassin du fjord où se trouve ce village d'artistes (p. 285)
Askja
Un emboîtement de caldeiras au beau milieu d'un paradis géologique (p. 333)
Egilsstaðir
Seyðisfjörður
Neskaupstaður
Eskifjörður
Reyðarfjörður
Fáskrúðsfjörður
Askja
Stöðvarfjörður
Breiðdalsvík
Bárðarbunga (2 009 m)
Djúpivogur
Kverkfjöll (1 860 m)
Grimsvötn (1 719 m)
Vatnajökull
Stafafell
SKAFTAFELL (PARC NATIONAL DU VATNAJÖKULL – SUD)
Höfn
Hvannadalshnúkur (2 119 m)
Parc national du Vatnajökull
Ce parc extraordinaire est célèbre pour son énorme calotte glaciaire (p. 307)
Skaftafell
Kirkjubæjarklaustur
ALTITUDE
1500 m
1000 m
500 m
200 m
0
Glacier
Jökulsárlón
Des icebergs d'un bleu cristallin dérivent dans une sublime lagune (p. 313)

14 façons de voir l'Islande

1

Les sources d'eau chaude

1 Le passe-temps favori des Islandais consiste à se baigner dans les innombrables sources d'eau géothermale du pays. On trouve des *hot pots* (bassins d'eau chauffée naturellement par la géothermie) partout – du centre-ville de Reykjavík aux péninsules reculées des fjords de l'Ouest. L'idéal pour se détendre tout en liant connaissance avec les habitants ! Incontournables, le Blue Lagoon (p. 102) et sa lagune fumante d'eau siliceuse ont le bon goût de se situer près de l'aéroport de Keflavík, pour finir en beauté votre séjour avant de prendre l'avion. Photo : Blue Lagoon

Les fjords de l'Ouest

2 Les paysages incomparables d'Islande trouvent leur paroxysme ici, dans les fjords de l'Ouest (p. 194), terre d'aventure par excellence. De vastes plages ourlent la côte sud, fief d'innombrables colonies d'oiseaux, dominées par les falaises des fjords qui plongent abruptement dans l'eau. On y accède par un réseau de routes sinueuses qui contribuent à donner une véritable sensation d'expédition. Hornstrandir (p. 211), péninsule la plus au nord, fait un effet de bout du monde, avec ses falaises périlleuses, ses renards arctiques, et ses sentiers de randonnée traversant une nature immaculée qui vous feront toucher du doigt le cercle polaire. Photo : Hornstrandir

SEAN RANDALL/GETTY IMAGES ©

JOHANN S. KARLSSON/GETTY IMAGES ©

Jökulsárlón

3 En procession fantomatique, les icebergs d'un bleu lumineux, après s'être détachés du glacier Breiðamerkurjökull, ramification de l'immense calotte glaciaire Vatnajökull, dérivent doucement à travers la lagune de Jökulsárlón (p. 313) avant de rejoindre la mer. Cette scène irréelle (près de la Route circulaire), vous l'avez vue dans plusieurs films, comme *Batman Begins* et le James Bond *Meurs un autre jour*. La lagune se découvre lors d'une excursion en bateau, ou simplement à pied depuis la rive du lac, en guettant les phoques.

Les aurores boréales

4 En hiver, les aurores boréales (p. 44), véritables kaléidoscopes célestes, enflamment la nuit infinie. Ce phénomène apparaît lorsque les vents solaires sont attirés par le champ magnétique terrestre à travers le pôle Nord. On assiste alors à des feux d'artifice silencieux, voiles féeriques de lumières vertes, blanches, violettes ou rouges. C'est au cœur de l'hiver qu'il y a le plus d'aurores boréales, mais on peut aussi en voir entre octobre (voire septembre) et avril par temps clair.

Photo : Aurore boréale vue de la péninsule de Snæfellsnes.

4

5

6

La Route circulaire

5 Il n'y a pas de meilleur moyen de découvrir l'Islande que de parcourir la Route 1, ou Route circulaire (p. 36). Goudronnée, longue de 1 330 km, elle fait le tour de l'île, à travers vallées verdoyantes constellées de cascades, lagunes glaciaires, plaines arides, et champs de lave couverts de mousse soyeuse. Bien qu'elle soit spectaculaire au plus haut point, prenez-la comme une artère principale et quittez-la pour suivre les veines qui s'en écartent et vous conduisent dans la nature vierge.

Le parc national du Vatnajökull

6 Le plus grand parc national d'Europe (p. 307) couvre presque 14% du territoire de l'Islande, et abrite le Vatnajökull, la plus grande calotte glaciaire du monde en dehors des pôles. D'innombrables glaciers prennent naissance dans cette masse gelée, qui recouvre des volcans actifs et des pics montagneux. Ici se rencontrent le feu et la glace. Le parc offre une incroyable diversité de paysages, de sentiers et d'activités. Les points d'accès sont nombreux. Privilégiez Skaftafell au sud ou Ásbyrgi au nord. Photo : Svínafellsjökull (p. 311), près de Skaftafell.

Borgarfjörður Eystri et Seyðisfjörður

7 Deux fjords de la façade est. Seyðisfjörður (p. 285) accapare toute l'attention. À seulement 27 km (par une route goudronnée) de la Route circulaire, il accueille le ferry hebdomadaire en provenance d'Europe dans son anse bordée de montagnes. Tout aussi splendide, Borgarfjörður Eystri (p. 282) est en revanche bien moins accessible, à 70 km de la Route 1 par un chemin cahoteux. Sa beauté est plus discrète : macareux, elfes cachés et pics de rhyolite. Photo : Chute d'eau près de Seyðisfjörður

8

Fimmvörðuháls

8 Si vous manquez de temps pour une randonnée sur plusieurs jours, une journée de marche (23 km) au Fimmvörðuháls (p. 145) comblera votre envie d'aventure. Partez des cascades argentées de Skógafoss (p. 144) et grimpez dans l'arrière-pays pour découvrir une constellation de chutes d'eau. Sur la pointe des pieds, passez sur les vestiges encore fumants de l'éruption de l'Eyjafjallajökull avant de longer les terrasses de pierre d'un royaume des fleurs jusqu'à Þórsmörk (p. 153), havre de paix pour campeurs, encerclé d'arêtes de glace. Photo : Randonneurs près de Þórsmörk

Les cafés et les bars de Reykjavík

9 La capitale islandaise n'est peut-être pas aussi grande que d'autres métropoles, mais le nombre de cafés par habitant est stupéfiant. La culture locale s'organise autour de ces lieux sans prétention (p. 86), qui s'enflamment en fin de journée, quand on troque son thé contre une bière et que l'on pousse les tables pour danser. Doses de caféine et bières de microbrasseries sont préparées avec la plus grande attention pour des clients branchés sans le vouloir, qui portent à merveille le *lopapeysur* (pull islandais en laine). Photo : Prikið (p. 87)

La péninsule de Tröllaskagi

10 Visiter Tröllaskagi (p. 228) est un vrai plaisir, surtout depuis qu'un tunnel relie les superbes villes de Siglufjörður et Ólafsfjörður. Ce paysage époustouflant rappelle davantage les fjords de l'Ouest que les douces collines du Nord. On vient ici pour la randonnée, mais aussi pour la superbe piscine d'Hofsós, au bord du fjord, les produits locaux de Lónkot et l'exceptionnel musée du Hareng de Siglufjörður, sans oublier le ski, la bière artisanale, l'observation des baleines et les ferries vers les îles de Grímsey et Hrísey. Photo : Siglufjörður (p. 231)

9

10

La péninsule de Snæfellsnes

11 Nature sauvage, plages et champs de lave, la péninsule de Snæfellsnes (p. 178) est l'un des plus beaux endroits d'Islande, à découvrir sur une journée depuis la capitale, ou lors d'un long week-end de détente. Jules Verne a été bien inspiré d'y planter le décor de l'entrée vers le centre de la Terre. Selon les adeptes d'ésotérisme, le volcan dégagerait une énergie mystique. Dans tous les cas, on ne peut nier que de puissantes forces naturelles sont à l'œuvre. Photo : Côte de Snæfellsnes à Arnarstapi (p. 190)

Heimaey et les Vestmannaeyjar (îles Vestmann)

12 À seulement 30 minutes de ferry du continent, les îles Vestmann (p. 161) semblent déjà un autre monde. En bateau, découvrez pics escarpés, îlots peuplés d'oiseaux de mer et falaises abruptes. La majeure partie des 4 000 habitants de l'archipel se concentre à Heimaey (p. 161), bourg balayé par les vents et traversé par une coulée de lave gelée, qui rappelle que le paysage islandais est constamment bouleversé. Photo : Landlyst (p. 163), Heimaey

11

12

STEVE OLDHAM/GETTY IMAGES ©

13

14

PATRICK DIEUDONNE/GETTY IMAGES ©

Askja et ses environs

13 Accessible seulement quelques mois par an, l'Askja (p. 333) est une énorme caldeira entourée de montagnes et emplie d'eau bleu saphir. On y accède soit en 4x4, soit par une marche de quelques jours, ou dans le cadre d'un circuit organisé. Les excursions dans les hautes terres comprennent généralement la traversée de rivières à gué, de vastes champs de lave, de majestueux paysages montagneux, des retraites sauvages et des bains dans des eaux géothermales. Une visite d'autant plus passionnante que le volcan Bárðarbunga connaît actuellement un regain d'activité. Photo : Cratère Víti (p. 334), Askja.

Macareux et baleines

14 Les stars de la faune islandaise sont deux créatures charismatiques (p. 121) : le macareux, qui volète et s'affaire comme un bourdon, et la puissante baleine (notamment la baleine bleue), reine des eaux glacées qui entourent les côtes islandaises. En mer comme à terre, les occasions de les observer sont nombreuses. Le haut lieu de l'observation des baleines est Húsavík, mais d'autres villes du Nord, ainsi que Reykjavík, proposent aussi des croisières. Quant aux macareux, ils se réunissent sur les nombreuses falaises des côtes et des îles, comme à Heimaey, Grímsey, Drangey, Látrabjarg et Borgarfjörður Eystri.

L'essentiel

Pour en savoir plus, voir le Carnet pratique (p. 374)

Devise
Couronne islandaise (ISK).

Langue
Islandais.
L'anglais est très répandu.

Argent
Les cartes bancaires sont reines, même dans les endroits les plus reculés (code PIN requis). Toutes les villes sont pourvues de DAB.

Visas
Les Français, les Belges, les Suisses et les Canadiens n'ont pas besoin de visa pour entrer en Islande.

Téléphones portables
Très bonne couverture réseau. Itinérance possible avec un téléphone GSM. Achetez une carte SIM locale si vous restez longtemps.

Heure locale
Quand il est midi à Paris, il est 10h à Reykjavík en été, 11h en hiver (pas de changement d'heure).

Quand partir ?

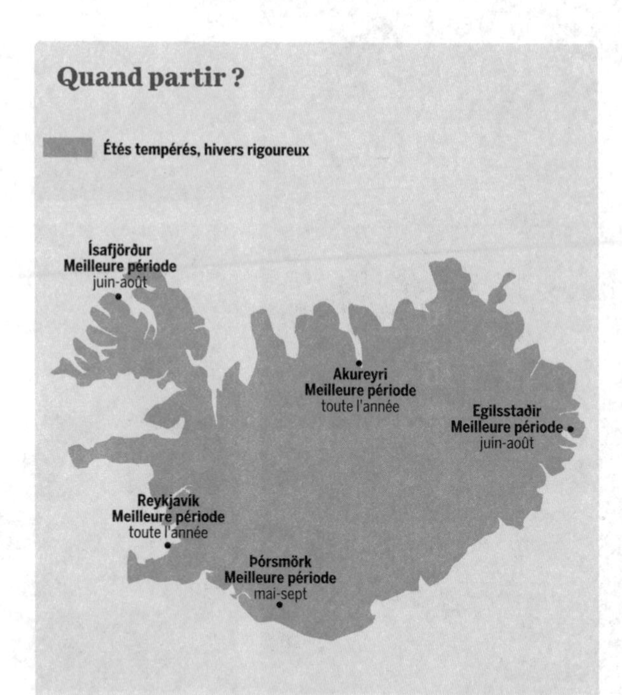

Haute saison
(juin-août)

➡ Prix et fréquentation au plus haut – surtout à Reykjavík et dans le Sud. Réservez vos hébergements.

➡ Jours sans fin, nombreux festivals et activités.

➡ Routes de montagne ouvertes aux 4x4, randonneurs bienvenus.

Saison intermédiaire
(mai et sept)

➡ Le temps est plus venteux et il neige parfois dans les terres.

➡ Période idéale si pour vous le calme et les prix plus bas priment sur la météo.

Basse saison
(oct-avr)

➡ Nombreuses routes secondaires fermées.

➡ De plus en plus d'activités hivernales sont possibles comme le ski, la marche en raquettes et les visites de grottes de glace.

➡ Jours courts, nuits longues et aurores boréales.

Sites Web

Visit Iceland (www.visiticeland.com, en français). Le portail de l'office national du tourisme.

Lonely Planet (www.lonelyplanet.fr). Une présentation de l'Islande à la rubrique *Destinations* et le forum pour poser vos questions.

Visit Reykjavík (www.visitreykjavik.is, en anglais). Le site officiel de la capitale.

Office météorologique islandais (en.vedur.is, en anglais). Prévisions météo.

Icelandic Road Administration (www.vegagerdin.is/english). Tout sur l'état des routes.

Numéros utiles

Pour appeler depuis l'étranger, composez votre code d'accès international, l'indicatif de l'Islande (☎354) puis le numéro à sept chiffres (pas d'indicatifs régionaux en Islande).

Urgences, équipe de recherche et de secours	☎112
Renseignements	☎118
Vers l'Islande (plus code d'accès international)	☎354
Depuis l'Islande (plus code du pays)	☎00
Météo	☎902 0600 (tapez 1)
Informations sur l'état des routes	☎1777

Taux de change

Canada	1 $C	106 ISK
Europe	1 €	150 ISK
Suisse	1 FS	139 ISK

Pour les taux de change actualisés, consultez www.xe.com.

Budget quotidien

Moins de 15 000 ISK

➡ Camping : 1 000-1 400 ISK

➡ Dortoir : 4 000-6 000 ISK

➡ Petit-déjeuner en auberge de jeunesse : 1 500-2 000 ISK

➡ Plat dans un bar ou soupe : 1 200-1 800 ISK

➡ Trajet en bus de Reykjavík à Akureyri : 7 000-8 000 ISK

15 000-30 000 ISK

➡ Chambre double dans une pension : 14 000-20 000 ISK

➡ Repas au café : 2 000-3 000 ISK

➡ Entrée au musée : 1 000 ISK

➡ Location d'une petite voiture, par jour : 14 000 ISK

Plus de 30 000 ISK

➡ Chambre double en hôtel de charme : 30 000-40 000 ISK

➡ Plat dans un grand restaurant : 4 000-7 000 ISK

➡ Location de 4x4, par jour : 30 000 ISK

Heures d'ouverture

Les horaires d'ouverture varient selon la période de l'année. En général, ils sont plus étendus de juin à août, et plus courts de septembre à mai. Quelques horaires usuels :

Banques 9h-16h lun-ven.

Bars 10h-1h dim-jeu, de 10h à entre 3h et 6h ven-sam.

Cafés 10h-18h.

Stations-service 8h-22h ou 23h.

Restaurants 11h30-14h30 et 18h-21h ou 22h.

Boutiques 10h-18h lun-ven, 10h-16h sam ; parfois ouvertes le dimanche dans certains centres commerciaux et à Reykjavík.

Supermarchés 9h-20h (plus tard à Reykjavík).

Vínbúðin (magasins gouvernementaux d'alcool) : variables ; en dehors de Reykjavík, beaucoup n'ouvrent que quelques heures par jour.

Arriver en Islande

Aéroport international de Keflavík (KEF ; p. 93)

➡ Le principal aéroport international est à 48 km à l'ouest de Reykjavík. Flybus, Airport Express et la compagnie low cost K-Express ont des bus reliant l'aéroport à la capitale. Flybus peut vous déposer/récupérer à différents hôtels (1 950 ISK pour Reykjavík, 2 500 ISK pour l'hôtel).

➡ Vous pourrez louer une voiture à l'aéroport, mais mieux vaut réserver.

➡ Des taxis relient KEF à Reykjavík, mais ils sont peu utilisés car ils sont chers (environ 15 000 ISK) – les bus sont en outre très pratiques.

Comment circuler

Voiture C'est le moyen de transport le plus utilisé par les visiteurs. La location est chère mais elle offre une grande liberté. Un véhicule ordinaire permet de circuler presque partout en été – sauf dans les hautes terres et sur les routes F, réservées aux 4x4 (en été, des bus à quatre roues motrices desservent les hautes terres).

Bus De mi-mai à mi-septembre, un réseau de bus permet de rejoindre les destinations les plus importantes, ainsi que les hautes terres. Le reste du temps, les liaisons sont moins fréquentes, voire inexistantes.

Avion Si le temps vous manque, les vols intérieurs peuvent être une bonne solution.

Plus de détails sur **comment circuler** en page 390.

Quoi de neuf ?

Un pays en mutation

Avec une augmentation du nombre de visiteurs de 20% par an depuis 2010, l'Islande est aujourd'hui une destination extrêmement courue. Résultat : le développement des sites, des activités, des tour-opérateurs, des hébergements, des festivals, et des infrastructures de transport. Mais l'accroissement de la demande s'accompagne aussi d'une hausse des prix (les sites Web affichent généralement des tarifs actualisés).

Les charmes de l'hiver

Si la plupart des visiteurs viennent en été, l'hiver a de plus en plus de succès. Un nombre croissant d'hébergements ouvrent toute l'année, et les activités et circuits hivernaux se développent (p. 67).

La nature s'invite sur scène

Alors que la population aménage ses infrastructures pour faciliter le tourisme, la nature modifie le paysage. Ainsi, le volcan Bárðarbunga (p. 334) gronde depuis août 2014, et une éruption fissurale s'est produite à proximité, à Holuhraun.

Un élan pour protéger la nature

Avec le développement du tourisme, la nature sauvage de l'Islande fait face à une augmentation de la circulation (p. 355). L'introduction d'un péage pour les visiteurs ou d'une sorte de pass nature est envisagée : affaire à suivre.

Un meilleur réseau routier

On construit un tunnel à l'est d'Akureyri et un autre dans les fjords de l'Est entre Eskifjörður et Neskaupstaður. On projette aussi de goudronner le tronçon entre Ásbyrgi et Dettifoss, comme l'ont été les routes de la côte sud des fjords de l'Ouest.

Le boom des hôtels

Les pensions se multiplient, et beaucoup de fermes louent désormais des cottages ou des chambres. Les chaînes d'hôtels ont de grands projets : Fosshotel propose deux établissements flambant neufs dans les fjords de l'Est (Fáskrúðsfjörður) et de l'Ouest (Patreksfjörður) et d'autres sont à l'étude. La nouvelle chaîne Stracta projette de s'étendre au-delà de son fleuron d'Hella. Il y a aussi de grands hôtels récents à Mývatn, Siglufjörður, Skógar, Neskaupstaður, Vík et près de Þingvellir. Malgré tout, il reste difficile de trouver une chambre en juillet !

De nouveaux sites et activités

L'ouverture de la grotte de glace du Langjökull (p. 178), prévue pour 2015, est un projet ambitieux. Il y a un superbe musée des Volcans (p. 180) aux Vestmannaeyjar, un musée de la Baleine (p. 59) à Reykjavík, et un musée du Rock'n'roll (p. 104) à Keflavík. On peut aussi découvrir un "lagon secret" (p. 126) à Flúðir et naviguer sur une lagune glaciaire (p. 313) depuis Fjallsárlón, à l'ouest de Jökulsárlón. Enfin, de nouvelles pistes permettent d'accéder aux glaciers entre Jökulsárlón et Höfn (p. 316).

Et ce n'est pas fini...

Nous n'avons même pas évoqué la gastronomie, en pleine évolution, ou encore les festivals : les nouveautés sont pléthore – et ce n'est pas prêt de s'arrêter. Le tout accompli par une minuscule population de 325 000 personnes. Impressionnant, non ?

Plus de conseils
et de bons plans
sur www.lonelyplanet.fr

Envie de...

Vie sauvage

Macareux des Vestmannaeyjar (îles Vestmann) La plus grande colonie de macareux au monde peuple ce sublime archipel. (p. 161)

Baleines d'Húsavík Rejoignez la Mecque de l'observation des baleines pour une inoubliable excursion en bateau. (p. 258)

Renards polaires d'Hornstrandir Le seul mammifère indigène d'Islande règne sur un royaume lointain de falaises abruptes et de pierres mousseuses. (p. 211)

Oiseaux du lac Mývatn Véritable paradis pour les ornithologues, les abords marécageux du lac attirent des oies migratrices et bien d'autres oiseaux. (p. 249)

Phoques de la péninsule de Vatnsnes Guettez ces pinnipèdes lors d'une croisière au départ de Hvammstangi ou en sillonnant la péninsule. (p. 223)

Paysages sublimes

Faire un choix parmi ces panoramas incomparables est presque impossible. La liste est quasi infinie...

De Þingeyri à Bíldudalur Entre ces deux communes, la route est franchement cahoteuse, mais on l'oublie à la vue des fjords, dont les falaises évoquent des bateaux de pierre se livrant une bataille céleste. (p. 201)

Breiðafjörður Des milliers d'îlots émaillent la baie, traversée par un arc-en-ciel à la moindre ondée d'été. (p. 178)

De Skaftafell à Höfn Glaciers scintillants, montagnes sombres et lagune hérissée d'icebergs se succèdent sur ces 130 km de littoral sud, le long de la Route circulaire. (p. 307)

Fjords de l'Est Seyðisfjörður accapare tous les regards, mais les fjords voisins sont tout aussi photogéniques. (p. 282)

Þórsmörk Sublime royaume sylvestre tapi sous d'abrupts pics volcaniques, étendues désertiques et glaciers se profilant à l'horizon. (p. 153)

Askja Un lac isolé bleu saphir au cœur d'une immense caldeira, au bout d'une traversée de vastes champs de lave désolés. (p. 333)

Tröllaskagi La route s'accroche aux flancs des montagnes escarpées, puis débouche des tunnels pour offrir une vue irréelle sur une eau scintillante. (p. 228)

Randonnée

Landmannalaugar et Þórsmörk Accessibles uniquement en 4x4, ces hauts lieux de la marche s'explorent à l'infini. Le sentier qui les relie (le Laugavegurinn) offre la randonnée aventure par excellence. (p. 149)

Hornstrandir La nature immaculée à perte de vue, aux frontières du cercle arctique. (p. 211)

Skaftafell Arpentez des sentiers sinueux sous les bouleaux, ou allez taquiner la calotte glaciaire du Vatnajökull. (p. 305)

Jökulsárgljúfur Une profusion de merveilles géologiques, avec chutes vrombissantes et le Grand Canyon islandais. (p. 264)

Kerlingarfjöll Un massif isolé des hautes terres dont la réputation grandit parmi les randonneurs. (p. 328)

Borgarfjörður Eystri Point de départ d'un superbe réseau de sentiers – découvrez les rochers géants et les petits lacs verts de Stórurð. (p. 282)

Hot pots et piscines

Blue Lagoon Bien que très touristique, difficile de ne pas apprécier un bon bain fumant et siliceux dans cet endroit à l'extraordinaire décor de lave figée. (p. 102)

Mývatn Nature Baths Relaxez vos muscles endoloris dans cet équivalent septentrional du Blue

Lagoon, tout aussi spectaculaire que ce dernier. (p. 256)

Krossneslaug Un Valhalla géothermique, aux confins du monde, où les eaux de l'Arctique se mêlent à des sources brûlantes. (p. 218)

Lýsuholslaug Un bain dans ces eaux riches en minéraux donne une vraie peau de bébé. (p. 191)

Sundlaugin á Hofsós La tranquille et septentrionale Hofsós doit sa renommée à cette piscine superbement située en bordure de fjord. (p. 230)

Gamla Laugin La brume flotte sur le "lagon secret" de Flúðir, entouré de prairies fleuries. (p. 126)

Histoire

Reykjavík 871±2 Une exposition réfléchie, autour des fouilles d'une maison viking. (p. 55)

Musée de la Colonisation Une belle plongée dans l'histoire du peuplement de l'Islande et dans la célèbre *Saga d'Egill*. (p. 169)

Musée de l'Ère du hareng Le hareng assurait jadis l'activité et la richesse de Siglufjörður, un âge d'or qui revit dans ce remarquable musée. (p. 231)

Víkingaheimar Un musée récemment rénové, dont la pièce maîtresse est une reconstitution parfaite du plus ancien vaisseau viking connu. (p. 104)

Lakagígar Pour tenter de comprendre l'une des plus grandes catastrophes volcaniques de l'histoire de l'humanité. (p. 303)

Eldheimar Le nouveau musée de la "Pompéi du Nord" propose un aperçu de l'éruption dévastatrice que connut Heimaey en 1973. (p. 161)

Fáskrúðsfjörður Un nouvel hôtel et un agrandissement du musée viennent souligner l'accent français de ce fjord. (p. 293)

Haut : Seljalandsfoss (p. 142)

Bas : Lindarbakki (p. 283), maison de tourbe traditionnelle de Borgarfjörður Eystri (Bakkagerði)

Gastronomie locale

Soupe de poisson Tout restaurant digne de ce nom propose une soupe de poisson. Sur la péninsule de Snæfellsnes, goûtez celle de Narfeyrarstofa (p. 182) ou de Gamla Rif (p. 187).

Agneau Tendre à souhait, il est à la carte dans d'innombrables restaurants – l'un de nos préférés est Fjallakaffi (p. 258), à l'orée des hautes terres.

Hákarl Un plat viking, à n'en pas douter. Osez goûter cette âcre bizarrerie chez Bjarnarhöfn (p. 184), et jetez un coup d'œil à la cabane du fond, où l'on fait faisander la chair de requin.

Langoustine À Höfn, les pêcheurs rapportent quantité de "homards islandais" (qui sont en fait des langoustines) des eaux glacées. À déguster simplement grillé, avec du beurre. (p. 320)

Skyr Une savoureuse spécialité laitière qui s'achète dans tous les supermarchés. (p. 369)

Hverabrauð Autour de Mývatn, goûtez à ce pain de seigle moelleux, cuit dans la terre grâce à la chaleur géothermique. (p. 252)

Chutes d'eau

Dettifoss Avec le plus fort débit d'Europe, cette chute d'eau est une démonstration de la puissance de la nature. (p. 267)

Goðafoss La "Cascade des dieux", au décor de carte postale, est chargée d'une dimension spirituelle. (p. 248)

Skógafoss Campez à deux pas de cette superbe chute, visible depuis la Route circulaire, puis grimpez dans les hautes terres pour en découvrir 20 autres. (p. 144)

Dynjandi Telle une pièce montée, la cascade d'eau arctique dégringole sur plusieurs terrasses. Retournez-vous et admirez la magnifique vue sur le fjord. (p. 202)

Seljalandsfoss Un sentier (glissant) dans les rochers permet d'accéder aux coulisses de cette chute d'eau idyllique. (p. 142)

Hengifoss Marchez jusqu'à la deuxième plus haute cascade d'Islande, qui plonge dans une superbe gorge zébrée de marron et de rouge. (p. 280)

Hébergements d'exception

Hótel Egilsen Une ancienne maison de marchands restaurée en auberge de charme, bien intégrée dans le port. (p. 182)

Hótel Djúpavík Sur le site d'une ancienne conserverie de hareng, ce repaire légendaire satisfera vos envies de fjord. Le groupe de musique Sigur Rós y a tourné une partie de son documentaire intitulé *Heima*. (p. 217)

Dalvík HI Hostel Cette auberge de jeunesse au charme vintage est vraiment unique en son genre. Quand petit prix rime avec décor soigné. (p. 234)

Silfurberg Faites trempette dans un *hot pot* sous un dôme de verre, dans cette luxueuse pension de charme installée dans la magnifique vallée de Breiðdalur. (p. 294)

Ion Luxury Adventure Hotel Un nouvel hôtel ultra design où vous pourrez nager dans une piscine géothermale et dîner de produits biologiques locaux avant de rejoindre votre chambre avec vue sur le lac. (p. 113)

Skálanes Cette ferme isolée au bord d'un fjord dans une réserve naturelle réjouira les écologistes et les ornithologues amateurs en quête de calme. (p. 289)

Álftavatn À mi-parcours de la randonnée du Laugavegurinn, cette adresse en bord de lac est une bénédiction après une longue journée de marche. L'isolement est palpable et il règne une ambiance particulière parmi les randonneurs. (p. 152)

Architecture et design

Églises Les merveilles architecturales les plus étranges d'Islande sont souvent ses églises. Découvrez celles de Stykkishólmur (p. 178), d'Akureyri (p. 235) et bien sûr de Reykjavík (p. 59).

Iceland Design Centre Véritable vitrine des architectes et des designers islandais, il organise aussi chaque année le festival DesignMarch. (p. 65)

Harpa À la fois centre culturel et salle de concert, l'éblouissant Harpa illumine les nuits reykjavikoises tel le tableau de bord d'un vaisseau spatial. (p. 63)

Maisons de tourbe Symbole de la vieille Islande, ces mignonnes maisons de hobbits ressuscitent le passé. (p. 226)

Boutiques de créateurs de Reykjavík Le penchant affirmé de la capitale pour le design et la création permet d'y faire de superbes achats, de l'élégant porte-monnaie en galuchat au *lopapeysur* (pull de laine islandais) tricoté main, en passant par les bijoux inspirés de la nature environnante. (p. 89)

Þórbergssetur Ce musée du Sud-Est célèbre un écrivain local reconnu. Impossible de ne pas remarquer sa façade aux allures de rayon de bibliothèque géant. (p. 315)

Mois par mois

LE TOP 5

Iceland Airwaves, novembre

Nuit de la culture, août

Þjódhátíð, août

Bræðslan, juillet

Aurores boréales, octobre-avril

Janvier

Après les fêtes de fin d'année, le mois de janvier peut paraître un peu morne. Les nuits interminables et le temps peu clément n'aident pas.

Þorrablót

Pour cette fête viking célébrée au milieu de l'hiver (fin janvier à mi/fin-février), tout le pays met son estomac à rude épreuve en dégustant *hákarl* (chair de requin faisandée), *svið* (tête de mouton bouillie) et *hrútspungar* (testicules de bélier), le tout accompagné de *brennivín* (eau-de-vie surnommée "mort noire"). Une petite faim ?

Février

C'est le mois le plus froid dans la majeure partie du pays. Pour autant, le quotidien de la capitale ne semble pas en souffrir. La campagne sous la neige est somptueuse, mais la lumière du jour ne dure que sept à huit heures.

Winter Lights Festival

À la mi-février, Reykjavík revêt son habit de lumière. Au programme : nocturnes dans les musées et les piscines, illuminations de monuments, concerts, et célébrations en l'honneur de la Journée de l'enfance. (www.vetrarhatid.is)

Food & Fun

Des chefs internationaux font équipe avec des restaurateurs locaux et rivalisent pour obtenir les récompenses. Ils préparent leurs chefs-d'œuvre avec les meilleurs produits d'Islande, dont de l'agneau et du poisson, naturellement. (www.foodandfun.is)

Mars

C'est bientôt la fin de l'hiver, mais ne vous réjouissez pas trop vite. Le pays s'éveille et les sports d'hiver gagnent en popularité à mesure que les journées s'allongent.

Fête de la Bière

Difficile à croire, mais la bière a été interdite en Islande pendant 75 ans. Le 1er mars, on commémore donc ce jour de 1989 où l'interdiction fut levée. Plus encore qu'à l'accoutumée, la bière coule à flots dans les pubs, restaurants et discothèques de Reykjavík.

Iceland Winter Games

Les sports d'hiver sont à l'honneur à Akureyri, leur capitale islandaise. Pour la fête de l'Éljagangur (fête du Blizzard), une compétition internationale de ski *freestyle* et de *slopestyle* est organisée. (www.icelandwintergames.com)

DesignMarch

L'Iceland Design Centre de Reykjavík célèbre les créateurs locaux pendant 4 jours. Mode, mobilier, architecture, gastronomie… Toutes les disciplines sont représentées, du moment qu'il s'agit d'esthétique. (www.designmarch.is)

Avril

Le printemps arrive, les jours rallongent, le thermomètre remonte et l'on célèbre Pâques de manière traditionnelle

(chasse aux œufs, agneau rôti). La nature reprend ses droits à la fonte des neiges et des milliers d'oiseaux migrateurs font leur retour.

Sumardagurinn Fyrsti

Plutôt ambitieux, les Islandais célèbrent le premier jour de l'été (le jeudi suivant le 18 avril) avec défilés et autres animations. Non, l'hiver ne les a pas rendus fous : c'est un clin d'œil à l'ancien calendrier scandinave qui divisait l'année en deux saisons seulement, l'hiver et l'été.

Le retour des macareux

En avril, photographes et ornithophiles se régalent de la comédie divine des nuées de macareux (10 millions d'après les estimations) pour la saison des amours. Ils s'installent un peu partout dans le pays avant de repartir vers des climats plus cléments à la mi-août.

Mai

Cette saison intermédiaire est intéressante pour visiter le pays, juste avant que la véritable invasion touristique ne commence : prix décents, jours qui rallongent, floraison du printemps et des milliers d'oiseaux à observer.

Reykjavík Arts Festival

Le principal festival culturel du pays. Durant 2 semaines, il célèbre le théâtre, le cinéma, la danse, la musique et les arts visuels du pays et d'ailleurs. (www.listahatid.is)

Juin

Voilà l'été, trois mois de courte saison touristique. Avantages : la météo, des jours presque sans fin, la haute saison des circuits et excursions, le meilleur choix d'hébergement. Inconvénients : la foule, la hausse des prix, l'impératif de réserver son logement.

Fête des Marins

La pêche fait partie intégrante de la vie de l'île. Pour le Jour des marins (Sjómannadagurinn), le premier week-end de juin, tous les bateaux restent au port et les villages de pêcheurs font la fête avec boissons, concours d'aviron et de natation, tir à la corde et faux sauvetages en mer.

Festival viking d'Hafnarfjörður

Mi-juin, des hordes de Vikings envahissent cette minuscule ville côtière proche de Reykjavík pour un festival de 5 jours. Joutes, contes, tir à l'arc et musique traditionnelle sont à l'honneur. (www.vikingvillage.is)

Observation des baleines

Quelque 11 espèces de baleines croisent fréquemment dans les eaux islandaises. On peut en voir toute l'année, toutefois, la meilleure période s'étend de juin à août. Des excursions d'observation en bateau partent de Reykjavík et des alentours d'Akureyri, mais Húsavík reste la destination incontournable du pays en la matière.

Fête de l'Indépendance

La création de la république d'Islande, le 17 juin 1944, est célébrée dans une liesse patriotique généralisée lors des plus grosses festivités du pays. Selon la tradition, le soleil ne doit pas briller ce jour-là... ce qui est souvent le cas !

Ouverture des routes de montagne

Les hautes terres restent généralement enneigées une bonne partie de l'été. L'ouverture des routes de montagne réservées aux 4x4 dépend fortement de la météo mais a souvent lieu mi-juin. Elles referment en général fin septembre. (www.vegagerdin.is)

Soleil de minuit

Exception faite de l'île de Grímsey, l'Islande se trouve juste en dessous du cercle arctique. Aux alentours du solstice d'été (21 juin), il est possible de voir le soleil de minuit (lorsque celui-ci ne disparaît pas totalement à l'horizon), surtout dans le nord du pays.

Secret Solstice

Inauguré en 2014 avec Massive Attack en tête d'affiche, ce festival de musique coïncide avec le solstice d'été. De quoi profiter pleinement du jour le plus long de l'année. À Reykjavík, dans le quartier de Laugardalur. (www.secretsolstice.is)

Solstice d'été

Bien qu'il ne revête pas autant d'importance en Islande que dans le reste de la Scandinavie, le jour le plus long de l'année est célébré par des fêtes et des feux de joie (21-24 juin).

Fête de la Langoustine

Le *humar* (homard islandais, qui correspond en fait à notre langoustine) fraîchement pêché est sublimé de diverses façons à Höfn, où l'on fête chaque année le crustacé lors de l'Humarhátíð, fin juin-début juillet.

Juillet

La période des festivals bat son plein tandis que les températures montent et que le nombre de touristes augmente. Routes, sentiers, campings, pensions : tout est pris d'assaut. Pensez à réserver votre hébergement.

Landsmót Hestamanna

La grande compétition équestre islandaise se déroule pendant toute une semaine les années paires (chaque fois dans une ville différente). Événement très populaire, elle fournit le prétexte idéal à une grande fête champêtre. (www.landsmot.is)

Festival de musique folklorique

Début juillet à Siglufjörður, ce merveilleux petit festival de musique traditionnelle accueille des artistes islandais et étrangers. On peut aussi y prendre des cours de musique, de danse et d'artisanat islandais. (www.folkmusik.is)

ATP Iceland

All Tomorrow's Parties organise des festivals de musique intimistes et de qualité partout dans le monde. Après deux éditions islandaises très réussies en 2013 et en 2014 (avec des artistes comme Portishead et Nick Cave), il revient en 2015. À Ásbrú, dans l'ancienne base militaire proche de Keflavík. (www.atpfestival.com)

Concerts d'été à Skálholt

Pendant 5 semaines en juillet-août, ce festival de musique religieuse contemporaine et de musique ancienne organise environ 40 concerts, conférences et ateliers publics dans la cathédrale de Skálholt, centre religieux historique. (www.sumartonleikar.is)

Eistnaflug

Ville reculée des fjords de l'Est, Neskaupstaður voit sa population doubler pour ce festival de heavy metal qui a lieu la deuxième semaine de juillet. Groupes de métal, hardcore, punk, rock et indie rock se partagent la scène. (eistnaflug.is)

Bræðslan

Festival pop/rock de qualité à l'ambiance intime, le Bræðislan fait jouer de grands noms locaux (et quelques internationaux) dans la petite ville retirée de Borgarfjörður Eystri le 3e week-end de juillet. (www.braedslan.com)

Août

La saison touristique se poursuit et il y a encore beaucoup d'animation. Toutefois, les macareux ont déserté à la mi-août (de même que certaines baleines), les petits Islandais reprennent l'école à la fin du mois et les nuits s'allongent.

Verslunar-mannahelgi

Un long week-end férié (1er week-end d'août) durant lequel les Islandais profitent de festivals ruraux, de concerts de rock, de soirées de camping sauvage et de barbecues en famille.

Þjóðhátíð

Festivités très animées à Heimaey (Vestmannaeyjar) en mémoire de ce jour de 1874 où le mauvais temps avait empêché les habitants de l'île de fêter l'adoption de la Constitution islandaise. Plus de 11 000 personnes descendent dans la rue pour boire au son des concerts et des feux d'artifice. (www.dalurinn.is)

Fête du Hareng

Le premier week-end d'août, Siglufjörður commémore son glorieux passé lié à la pêche du hareng : danses, repas, boissons et activités tournant autour de la pêche.

Nuit de la culture

Mi-août, Reykjavík explose lors de la Nuit de la culture (Menningarnótt), une journée et une nuit dédiées à l'art, à la musique, à la danse et aux feux d'artifice. Nombre de galeries, ateliers, boutiques, cafés et églises restent ouverts tard. (www.menningarnott.is)

Marathon de Reykjavík

Pourquoi choisir entre sport et érudition ? Cette course a lieu le même jour que la Nuit de la culture. On a le choix entre marathon, semi-marathon et courses plus accessibles. Plus de 15 600 personnes ont mouillé leur maillot en 2014. (www.marathon.is)

Festival de jazz de Reykjavík

Pendant une semaine à partir de mi-août, de grands noms du jazz islandais et internationaux se produisent sur la scène de Harpa, une salle de concert. (www.reykjavikjazz.is)

Reykjavík Pride

Depuis 1999, cet événement hisse ses couleurs de carnaval dans la capitale le deuxième week-end d'août. En 2014, environ 90 000 personnes (soit plus d'un quart de la population islandaise) ont assisté à cette marche des Fiertés et à ses célébrations. (www.reykjavikpride.com)

Septembre

Le flot des visiteurs se tarit de manière significative et les prix baissent : c'est une bonne période pour profiter du pays. La météo peut être clémente, mais certains hôtels, sites et services baissent le rideau. Toutes les routes des hautes terres sont fermées à la fin du mois.

Réttir

Les paysans rassemblent leurs moutons et chevaux pour l'hiver. Le *réttir* est un événement majeur de l'automne qui se fait généralement à cheval. Une fois rassemblées, les bêtes sont triées (participants et spectateurs sont bienvenus), le tout bien sûr dans une ambiance rurale très festive.

Festival international du film de Reykjavík

À partir de fin septembre, ce festival intime de 11 jours programme des films indépendants, étrangers et islandais. Également : jurys et diverses "master class". (www.riff.is)

Octobre

Octobre marque le début officiel de l'hiver, avec la baisse du thermomètre, les longues nuits et l'apparition des aurores boréales.

Aurores boréales

Ces voiles colorés résultent de l'interaction entre les particules chargées du vent solaire et l'atmosphère de la terre. On ne peut en voir que la nuit, lorsque le ciel est dégagé, entre octobre et avril (peut-être en septembre si vous avez de la chance). C'est de décembre à février que la visibilité est la meilleure.

Novembre

L'été n'est plus qu'un lointain souvenir. Novembre voit les nuits s'allonger (le soleil se couche vers 16h) et le temps se rafraîchir. Mais Reykjavík fait la fête sans faiblir, et rassemble une foule immense lors de son grand festival de musique.

Iceland Airwaves

Depuis sa première édition en 1999, ce fantastique festival est devenu l'un des événements annuels phares de la scène des musiques actuelles d'Islande et d'ailleurs. (www.icelandairwaves.is)

Journées de l'obscurité

L'est de l'Islande (Egilsstaðir et les fjords) célèbre le début de l'hiver lors d'un surprenant festival de 10 jours début/mi-novembre, avec les Journées de l'obscurité (Dagar Myrkurs) : danses sombres, histoires de fantômes, spectacles de magie et processions éclairées à la torche.

Décembre

Heureusement, l'ambiance festive apporte du réconfort au cœur de l'hiver. Marchés de Noël, concerts et fêtes créent une atmosphère joyeuse et douillette. Ils sont suivis par les réjouissances du Nouvel An. Certains hôtels sont fermés entre Noël et le Jour de l'An.

Réveillon du Nouvel An

La fête bat son plein le 31 décembre : festins, feux de joie, feux d'artifice (ces derniers abondent, car leur vente sert de collecte de fonds à l'organisme national de recherche et de sauvetage), libations et sorties en discothèque jusqu'aux petites heures du premier jour de la nouvelle année.

MATT CARDY/GETTY IMAGES ©

Préparer son voyage
Itinéraires

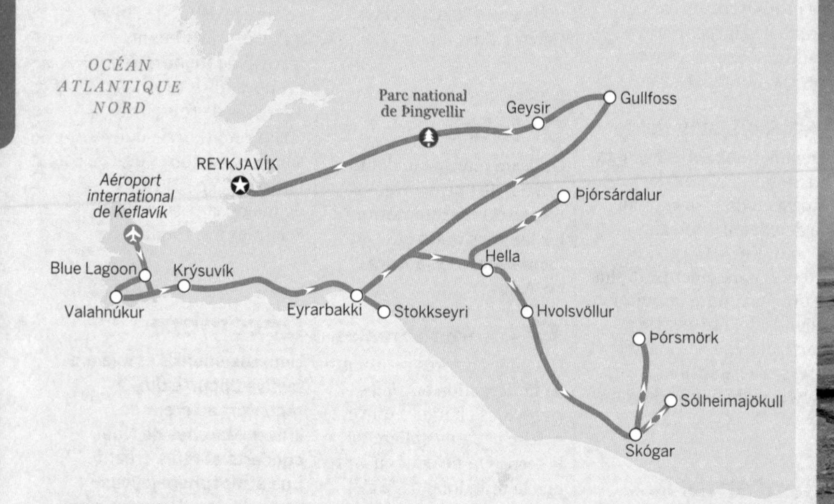

Escapade à Reykjavík

Que vous veniez à Reykjavík pour une longue étape ou pour un week-end prolongé, il serait dommage de ne pas partir à la découverte de la campagne et de quelques-unes des merveilles naturelles aux alentours de la capitale. Vous pourrez facilement combiner les principaux sites, dont le Cercle d'or, avec des détours hors des sentiers battus, et avoir le temps d'apprécier le charme singulier de la ville.

Depuis l'**aéroport international de Keflavík**, allez directement au **Blue Lagoon** pour vous délasser. Arpentez les sols fumants de la péninsule de Reykjanes, près de **Valahnúkur** ou de **Krýsuvík**, avant de filer le long de la route côtière pour savourer du poisson frais à **Eyrarbakki** ou à **Stokkseyri**. Rejoignez ensuite **Hella** ou **Hvolsvöllur** pour une randonnée à cheval à travers la verdoyante vallée de Fljótshlíð, bordée de cascades. Pendant les mois les plus froids, vous pourrez aussi admirer les aurores boréales. Les sportifs apprécieront la splendide randonnée du Fimmvörðuháls

Grand Geysir (p. 115), Geysir

qui monte de **Skógar** et franchit la crête entre deux larges calottes glaciaires (et le site de l'éruption de l'Eyjafjallajökull en 2010), puis descend vers **Þórsmörk** (Thórsmörk), une vallée boisée parsemée de fleurs sauvages. Une autre possibilité consiste à choisir un circuit en Super-Jeep ou en bus amphibie jusqu'à Þórsmörk, puis faire des randonnées d'une journée dans la vallée. Si vous manquez de temps, contentez-vous d'un trek le long de la langue glaciaire du **Sólheimajökull**.

Lors du retour vers l'ouest, explorez le **Þjórsárdalur**, une large vallée fluviale volcanique ponctuée de sites disparates, dont une ferme de l'époque de la colonisation, des cascades et les contreforts du volcan Hekla. À moins de préférer découvrir la rugissante cascade de **Gullfoss**, les colonnes d'eau de **Geysir** et les failles du **parc national de Þingvellir** (Thingvellir) – soit le circuit classique du Cercle d'or. Terminez par **Reykjavík**, la capitale animée qui offre un bel éventail de boutiques branchées, d'intéressants musées et galeries, d'excellents restaurants et de bars fréquentés, sans oublier les sorties d'observation des baleines depuis le vieux port.

Flatey
Stykkishólmur
Grundarfjörður
Öndverðarnes
Arnarstapi
Hellnar
Breiðavík
Borgarfjörður supérieur
Borgarnes
Piste de Kaldidalur
Gullfoss
Geysir
Parc national de Þingvellir
REYKJAVÍK
OCÉAN ATLANTIQUE NORD

HOLGER LEUE/GETTY IMAGES ©

MARTIN MOOS/GETTY IMAGES ©

Haut : Pub de Reykjavík (p. 86)
Bas : Port de Stykkishólmur (p. 178)

Le meilleur de l'Ouest

Avec une semaine devant vous, vous pourrez vous aventurer plus loin que le Cercle d'or et la région Sud-Ouest, particulièrement touristiques. De Reykjavík, partez vers le nord-ouest pour rejoindre l'ouest du pays. Bien moins fréquentée, cette région chargée d'histoire offre des paysages fantastiques composés de champs de lave, de larges fjords et de calottes glaciaires, ainsi qu'une sensation de solitude inégalée.

Après avoir profité des musées, des cafés et des bars de **Reykjavík**, parcourez en une journée le Cercle d'or en faisant halte au **Gullfoss**, à **Geysir**, et au **parc national de Þingvellir**, où vous constaterez l'éloignement progressif des plaques continentales. Les aventuriers s'enfonceront dans les terres par la cahoteuse **piste de Kaldidalur** pour admirer la vue à travers les cimes des glaciers, tel le Langjökull et son nouveau tunnel, et déboucheront dans le **Borgarfjörður supérieur**, où ils pourront passer la nuit et explorer d'énormes tunnels de lave. Si le côté rustique de la piste de Kaldidalur ne vous tente pas, rejoignez **Borgarnes** par la route côtière et découvrez l'histoire des sagas dans son excellent musée de la Colonisation.

Explorez ensuite la splendide péninsule de Snæfellsnes. Commencez par une balade à cheval autour de **Breiðavík** ou faufilez-vous dans l'étrange gorge de Rauðfeldsgjá. Puis rejoignez à l'ouest **Arnarstapi**, où vous pourrez longer à pied le chemin côtier jusqu'à **Hellnar**, ou participer à un circuit sur le glacier de Snæfellsjökull. Le secteur fait partie du parc national du Snæfellsjökull et offre de multiples randonnées vers des falaises peuplées d'oiseaux, des cratères volcaniques, des tunnels de lave et des étendues protégées de fleurs endémiques.

À la pointe de la péninsule près d'**Öndverðarnes**, repérez des bancs d'orques ou choisissez un circuit d'observation des baleines ou des macareux à proximité de **Grundarfjörður**. Gagnez ensuite la charmante **Stykkishólmur**, où vous pourrez visiter d'intéressants musées et vous régaler de moules. Si vous en avez le temps, prenez le ferry *Baldur* pour une excursion d'une journée à l'île de **Flatey** afin de vous couper totalement du monde avant de regagner la capitale.

10 JOURS Le grand classique : la Route circulaire

Merveilleux territoire sauvage, l'Islande est, pour l'essentiel, étonnamment compacte. La Route circulaire passe par la plupart des sites les plus connus. Si vous disposez de plus de temps, vous pourrez ajouter de multiples aventures en chemin. La Route circulaire peut également se parcourir à vélo, mais il faut compter plus de 10 jours.

Profitez un peu de **Reykjavík**, puis entamez le circuit dans le sens des aiguilles d'une montre. Arrêtez-vous à **Borgarnes**, qui possède un fascinant musée de la Colonisation, des sites historiques et d'excellents restaurants. Filez ensuite jusqu'à **Stykkishólmur**, un charmant village en surplomb d'une baie ponctuée d'îlots. Si vous avez le temps, faites un détour par la péninsule de Snæfellsnes. Reprenez la Route circulaire et quittez-la à nouveau pour découvrir les bourgades pittoresques de la péninsule de **Tröllaskagi** avant de rejoindre **Akureyri**, la capitale officieuse du nord de l'Islande. Cap ensuite sur les trésors géologiques de la région de **Mývatn**, avec une halte à la puissante **Dettifoss**. Continuez vers l'est, en bifurquant par **Borgarfjörður Eystri**, où les macareux se rassemblent en été. Faites étape à **Seyðisfjörður** avant d'entamer le trajet sinueux le long des fjords de la côte est.

Arrêtez-vous à **Höfn** pour déguster des langoustines, puis partez à l'assaut du **Vatnajökull** à motoneige. Ne manquez pas la magnifique lagune glaciaire de **Jökulsárlón**, ou celle de Fjallsárlón, voisine. Enchaînez par une marche à **Skaftafell**, puis dirigez-vous vers le sud à travers des champs de lave et d'immenses deltas jusqu'à **Vík**, sa plage ponctuée de colonnes de basalte et ses falaises peuplées de macareux. S'il vous reste assez d'énergie, effectuez la fantastique randonnée de **Skógar** à **Þórsmörk**, une verdoyante vallée intérieure. Ou continuez vers l'ouest par la Route circulaire en passant par d'énormes cascades à **Skógafoss** et **Seljalandsfoss**, puis écartez-vous une dernière fois pour découvrir les sites du Cercle d'or : **Gullfoss**, **Geysir**, et le **parc national de Þingvellir**. Revenez à **Reykjavík** et passez vos derniers jours de vacances à bavarder avec les habitants dans les piscines géothermales de la capitale ou durant de longues soirées dans les pubs.

YEVGEN TIMASHOV/GETTY IMAGES ©

NILS AXEL BRAATHEN, NILSAXEL@NOOS.FR/GETTY IMAGES ©

Haut : Jökulsárlón (p. 313)
Bas : Macareux à Borgarfjörður Eystri (p. 282)

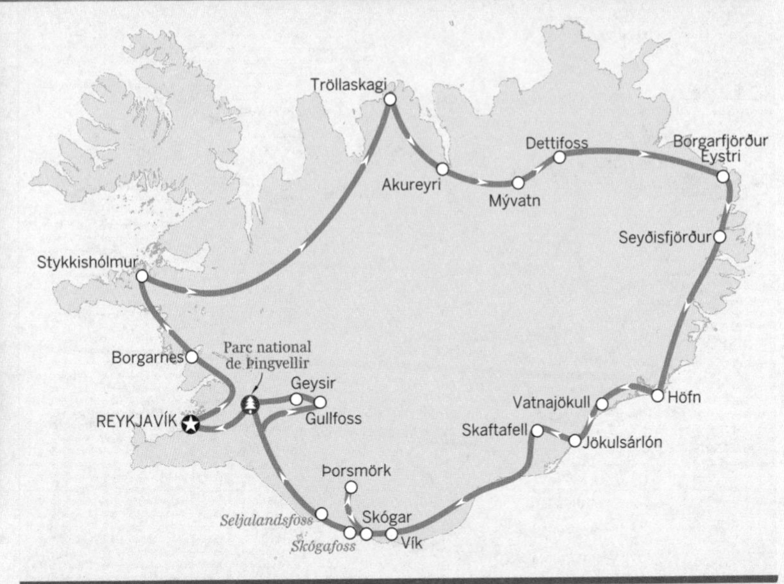
Tröllaskagi
Dettifoss
Borgarfjörður Eystri
Akureyri
Mývatn
Seyðisfjörður
Stykkishólmur
Borgarnes
Parc national de Þingvellir
Geysir
Gullfoss
REYKJAVÍK
Vatnajökull
Höfn
Skaftafell
Jökulsárlón
Þorsmörk
Seljalandsfoss
Skógar
Skógafoss
Vík

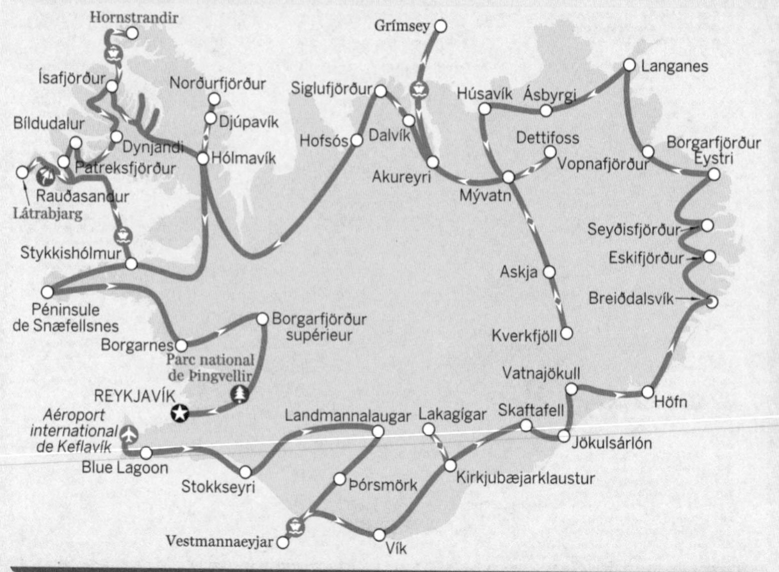
Hornstrandir
Ísafjörður
Norðurfjörður
Djúpavík
Bíldudalur
Dynjandi
Hólmavík
Patreksfjörður
Rauðasandur
Látrabjarg
Stykkishólmur
Péninsule de Snæfellsnes
Borgarnes
Borgarfjörður supérieur
Parc national de Þingvellir
REYKJAVÍK
Aéroport international de Keflavík
Blue Lagoon
Stokkseyri
Vestmannaeyjar
Þórsmörk
Vík
Landmannalaugar
Lakagígar
Kirkjubæjarklaustur
Skaftafell
Jökulsárlón
Vatnajökull
Höfn
Kverkfjöll
Askja
Breiðdalsvík
Eskifjörður
Seyðisfjörður
Borgarfjörður Eystri
Vopnafjörður
Langanes
Ásbyrgi
Húsavík
Dettifoss
Mývatn
Akureyri
Dalvík
Hofsós
Siglufjörður
Grímsey

Le Grand circuit

Un séjour prolongé permet de découvrir les parties les plus reculées et fantastiques du pays. Après la visite des sites majeurs, aventurez-vous au-delà de la Route circulaire, dans les splendides fjords de l'Ouest ou en 4x4 à travers les hauts plateaux.

À **Keflavík**, louez un véhicule et allez vous délasser au **Blue Lagoon**, avant de rejoindre **Stokkseyri**, où vous laisserez votre voiture pour marcher de **Landmannalaugar** à **Þórsmörk**. Prenez ensuite un bateau pour les **Vestmannaeyjar**, puis faites halte à **Vík**.

À **Kirkjubæjarklaustur**, grimpez jusqu'à **Lakagígar** pour en apprendre davantage sur les éruptions du Laki. Faites une randonnée à **Skaftafell**, un tour en bateau à **Jökulsárlón** et un safari à motoneige sur le **Vatnajökull**. Mangez ensuite des langoustines à **Höfn**, puis reposez-vous à **Breiðdalsvík** avant de rallier le paisible **Eskifjörður** et le saisissant **Seyðisfjörður**. Allez observer les macareux de **Borgarfjörður Eystri**, puis montez à travers le **Vopnafjörður** jusqu'aux plaines de **Langanes**. Le circuit nord-est passe par **Ásbyrgi** et le village d'**Húsavík**, parfait pour contempler les baleines. De **Mývatn**, partez à la découverte de la rugissante **Dettifoss** et d'autres trésors des hauts plateaux comme la caldeira d'**Askja** et les grottes de glace du **Kverkfjöll**. Rejoignez **Akureyri**, puis **Grímsey**. Flânez à **Dalvík** et à **Siglufjörður**, puis baignez-vous à **Hofsós**.

Cap ensuite sur les fjords de l'Ouest pour tout apprendre sur la sorcellerie à **Hólmavík**, dormir au bord d'un fjord à **Djúpavík** et vous baigner dans la source géothermale du **Norðurfjörður**. Partez du bel **Ísafjörður** pour visiter la superbe réserve du **Hornstrandir**. Dénichez ensuite les chutes de **Dynjandi**, et explorez des fjords fabuleux à partir de **Bíldudalur** ou de Þingeyri. Rejoignez **Patreksfjörður** pour un bon repas, puis admirez les falaises aux oiseaux de **Látrabjarg** et l'extraordinaire plage de **Rauðasandur**.

Prenez un ferry pour la charmante **Stykkishólmur** et la sublime **péninsule de Snæfellsnes**. Découvrez sagas et grottes secrètes à **Borgarnes** et dans le **Borgarfjörður supérieur**. Le **parc national de Þingvellir** clôt la leçon d'histoire. Terminez ce voyage épique par **Reykjavík**, l'effervescente capitale.

HENN PHOTOGRAPHY/GETTY IMAGES ©

DE AGOSTINI/S. VANNINI/GETTY IMAGES ©

Haut : Randonneurs à Landmannalaugar (p. 146)
Bas : Öskjuvatn (p. 333), Askja

Préparer son voyage

La Route circulaire

Pas évident d'organiser son séjour quand la majeure partie du territoire correspond à de vastes contrées inconnues. Ne vous inquiétez pas, car le chemin est tout tracé : la Route circulaire.

Les meilleurs détours

Péninsule de Snæfellsnes

Une boucle longeant des champs de lave, une côte sauvage et un glacier menaçant ; 200 km.

Péninsule de Tröllaskagi

Suivez les Routes 76 et 82 qui montent vers l'Arctique, ponctuées de vertigineux tunnels routiers et de panoramas spectaculaires ; 90 km.

Borgarfjörður Eystri

Prenez la Route 94 qui longe des falaises de rhyolite et descendez vers ce paisible village peuplé de macareux et entouré de superbes chemins de randonnée ; 150 km.

Vestmannaeyjar (îles Vestmann)

Embarquez dans le ferry à Landeyjahöfn pour découvrir un archipel d'îlots sauvages ; détour de 30 km et traversée en bateau de 30 min.

Þórsmörk (Thórsmörk)

Garez-vous à Seljalandsfoss et prenez le bus pour rejoindre cette vallée boisée propice à la randonnée ; détour de 50 km par une route cahoteuse réservée aux véhicules autorisés ; la marche constitue une autre possibilité.

Le "Cercle de diamant"

Il part au nord du Mývatn pour passer par la baie de Húsavík peuplée de baleines, le grand canyon et les sentiers d'Ásbyrgi, et les chutes grondantes de Dettifoss ; 180 km.

Route 1

La Route 1 (Þjóðvegur 1), ou Route circulaire, est le principal axe routier du pays. Cette nationale, généralement à deux voies et en majeure partie asphaltée, court sur 1 330 km à travers des paysages splendides. D'innombrables joyaux la jalonnent et des routes secondaires conduisent à des destinations plus reculées.

Quand partir

La Route circulaire est généralement accessible toute l'année (sauf durant les tempêtes hivernales) ; nombre de routes secondaires sont fermées pendant les mois les plus froids. Consultez www.vegagerdin.is pour des informations sur les fermetures de route, et www.vedur.is pour les prévisions météo.

Dans quel sens ?

Quel que soit le sens choisi, les paysages de la Route circulaire se dévoilent avec la même intensité dans les deux directions.

Si vous voyagez en fin d'été (d'août à septembre), parcourez-la de préférence dans le sens des aiguilles d'une montre ; visitez d'abord les sites du Nord car le temps reste clément plus longtemps au Sud.

En combien de temps ?

Parcourir la Route circulaire sans s'arrêter demande environ 16 heures. Ainsi, un périple d'une semaine signifie une moyenne de 2 heures 30 de conduite par jour. Cela peut sembler long, mais c'est sans compter sur la beauté des paysages, grâce à laquelle on ne sent pas le temps passer.

Il faut compter au moins 10 jours pour réellement apprécier la Route circulaire (voir p. 32). Si vous partez moins d'une semaine, concentrez-vous sur une ou deux régions (par exemple, Reykjavík et le Sud ou l'Ouest ; ou une semaine dans le Nord), plutôt que de chercher à tout voir.

En voiture

La voiture est de loin le moyen le plus pratique pour explorer le pays. Sans surprise, c'est aussi le plus cher.

Louer une voiture

Mieux vaut s'y prendre tôt pour bénéficier de tarifs avantageux ; Internet constitue le meilleur outil de recherche. Assurez-vous que le nom de l'agence de location apparaît sur la réservation et vérifiez que tous les frais sont compris dans le prix indiqué. Réservez bien à l'avance pour l'été car les agences sont parfois à court de véhicules.

Véhicule ordinaire ou 4x4 ?

Une voiture ordinaire conviendra parfaitement pour la Route circulaire et les principales routes secondaires. En revanche, pour l'intérieur des terres (par les routes de montagne "F"), vous aurez besoin d'un 4x4. Vous pouvez aussi prendre un bus ou choisir un circuit en Super-Jeep pour les régions moins accessibles.

En hiver, il est déconseillé d'utiliser un véhicule ordinaire (les prix de location sont beaucoup plus bas qu'en été ; louez un 4x4 par mesure de sécurité). Des pneus neige équipent les véhicules de location en hiver.

Morceler l'itinéraire

Considérez la Route circulaire comme une ligne directrice offrant la possibilité de détours mémorables. Nous vous recommandons de choisir cinq étapes le long du trajet afin de morceler le voyage, le plus simple étant d'en sélectionner une dans chaque région que traverse la Route circulaire : l'Ouest, le Nord, l'Est, le Sud-Est et le Sud-Ouest.

PAS DE CONFUSION !

➡ Ne confondez pas la Route circulaire, qui fait tout le tour du pays, avec le Cercle d'or, un itinéraire touristique dans le sud-ouest du pays (voir p. 110).

En bus

Bien moins pratique que la voiture, le réseau de bus limité reste la solution la plus économique pour les voyageurs en solo. Il faut néanmoins prévoir le double de temps pour effectuer la boucle et s'attendre à passer la majeure partie du trajet à regarder le paysage à travers une fenêtre. À titre indicatif, le prix d'un forfait de bus autour de l'île pour deux voyageurs équivaut à celui de la location d'une petite voiture pendant une semaine (sans l'essence).

À vélo

Loin de nous l'envie de vous décourager, mais les cyclistes risquent d'en baver plus que prévu sur la Route circulaire. Le temps changeant rend l'exercice éprouvant et, bien que la route soit en majeure partie goudronnée, elle n'est pas assez large pour fournir une distance confortable entre cyclistes et automobilistes. Le vélo peut en revanche être un excellent moyen d'explorer des régions plus rurales.

En stop et covoiturage

Le stop reste la manière la plus économique de parcourir la Route circulaire. Il est assez facile de se déplacer de cette façon en été, mais sachez qu'il existe des risques potentiels.

De nombreuses auberges de jeunesse disposent de tableaux proposant du covoiturage dans leur réception. Vous pouvez aussi consulter le site www.samferda.is, consacré au covoiturage.

Randonneur sur le Kerlingarfjöll (p. 328)

Préparer son voyage

Activités de plein air

L'Islande possède le plus grand parc national d'Europe, la plus vaste calotte glaciaire en dehors des pôles, une mer peuplée de baleines, les plus importantes colonies de macareux au monde, des montagnes majestueuses, des lacs aux eaux cristallines, des cascades rugissantes, des rivières sinueuses et des côtes émaillées de fjords. Découvrir toutes ces merveilles est aussi facile qu'enthousiasmant.

DIRK BLEYER/ROBERT HARDING ©

Meilleure époque pour...

Un trek de plusieurs jours Attendez le dégel ; la période idéale court de juillet à mi-septembre.

L'exploration des hauts plateaux Les routes de montagne ouvrent entre juin et début juillet, et ferment fin septembre.

Le soleil de minuit Aux alentours du solstice d'été (21 juin), il fait jour en permanence (surtout dans le Nord).

Les aurores boréales Par des nuits sombres, sans nuages ; l'hiver est plus propice, mais on peut aussi en voir entre septembre et avril.

Le ski La saison dure de décembre à avril, avec les meilleures conditions (et des jours plus longs) en février et mars.

L'observation des baleines Circuits toute l'année, avec un pic de juin à août.

L'observation des macareux Pic de mi-mai à début/mi-août (parfois un peu plus tôt ; certains arrivent en avril).

Les activités sur glace Les randonnées sur les glaciers et les circuits à motoneige sont généralement possibles toute l'année. Les sorties en bateau sur le Jökulsárlón ont lieu d'avril à octobre. La meilleure période pour les grottes de glace s'étend de mi-novembre à mars.

L'équitation Les saisons intermédiaires (mai, et septembre à début octobre) sont parfaites pour des randonnées de plusieurs jours : le climat est frais mais doux, et les touristes sont moins nombreux.

Activités

Randonnée

Les possibilités sont infinies, des plaisantes balades d'une heure aux treks de plusieurs jours en pleine nature sauvage. Si la marche fait découvrir de vastes étendues inviolées, sachez que le temps est imprévisible ; la pluie, la brume et le brouillard peuvent transformer une fascinante expédition en calvaire. Soyez toujours préparé.

Ressources utiles

➡ **Ferðafélag Íslands** (www.fi.is). Gère des refuges et des campings à travers le pays, organise des treks et fournit d'excellents conseils pour les randonnées, notamment pour le Laugavegurinn.

Les meilleures randonnées courtes

➡ **Skaftafell** (p. 305). Nombreuses possibilités de randonnée autour de glaciers scintillants et d'imposantes cascades dans la plus belle zone du parc national du Vatnajökull.

➡ **Þórsmörk** (p. 153). Une vallée vert émeraude entre les impitoyables montagnes de l'arrière-pays ; randonnées de niveau moyen à difficile.

➡ **Skógar** (p. 144). Grimpez dans l'arrière-pays pour découvrir un chapelet de cascades, continuez jusqu'à Fimmvörðuháls et descendez dans Þórsmörk pour une randonnée d'exception.

➡ **Péninsule de Snæfellsnes** (p. 178). Marches d'une demi-journée à travers des champs de lave accidentés ; ne manquez pas le chemin côtier entre Hellnar et Arnarstapi.

➡ **Mývatn** (p. 249). Plat et facile, le rivage marécageux du Mývatn abrite une variété de merveilles géologiques et une abondante avifaune.

➡ **Borgarfjörður Eystri** (p. 282). De superbes chemins le long des falaises de rhyolite, ou la montée jusqu'à la tête du fjord pour le panorama.

Les meilleurs treks de plusieurs jours

➡ **Laugavegurinn** (p. 149). Ce grand classique vous fera découvrir des dunes couleur caramel, des sols fumants et un désert implacable. Durée : 2 à 5 jours.

➡ **D'Ásbyrgi à Dettifoss** (p. 266). Véritable condensé de géologie, ce trek débute à l'extrémité nord de Jökulsárgljúfur (dans le parc national du Vatnajökull), descend dans la gorge, et s'achève à la plus puissante cascade d'Europe. Durée : 2 jours.

➡ **Corne royale** (p. 213). Le plus bel itinéraire du Hornstrandir est jalonné de vues sur des fjords solitaires et de promontoires vert émeraude. Durée : 4 à 5 jours.

➡ **Fimmvörðuháls** (p. 145). Les cascades cèdent la place à un désert venteux alors que l'on passe entre les glaciers. Puis apparaissent les pierres fumantes de l'éruption de 2010 avant la descente vers Þórsmörk. Durée : 1 ou 2 jours.

➡ **Hringbrautin** (p. 328). Ce circuit dans l'arrière-pays et en grande partie préservé offre des panoramas aussi beaux que ceux du Laugavegurinn, plus fréquenté. Durée : 3 jours.

Observation de la faune

Bien que peu variée, la faune islandaise est d'une indicible beauté.

CONSEILS POUR UNE RANDONNÉE RÉUSSIE EN ISLANDE

- Des outils de navigation adéquats (cartes topographiques et GPS) sont vitaux.
- Il est essentiel de superposer les vêtements. Première couche : sous-vêtements thermaux (en laine ou synthétiques). Deuxième couche : haut en laine légère ou en polaire ; pantalon à séchage rapide. Troisième couche : coupe-vent imperméable (par exemple, en Gore-Tex). Prévoyez aussi une veste de pluie respirante et un surpantalon imperméable. Votre sac à dos doit également être étanche.
- Évitez les vêtements en coton (jeans, T-shirts, chaussettes) ; ils n'isolent plus quand ils sont mouillés et mettent des heures à sécher. Préférez le polypropylène, qui sèche vite (mais est inflammable), ou la laine de mérinos, qui tient chaud même humide (mais sèche lentement).
- Emportez des gants, un chapeau, des lunettes de soleil et de l'écran solaire. Des bottes ou chaussures de marche imperméables et déjà assouplies sont recommandées.

Pour les longues randonnées

- Votre sac doit être protégé par une gaine imperméable ou un sac en plastique pour garder vos affaires au sec. Des vêtements de rechange secs sont indispensables.
- Emportez toujours une trousse de premiers secours, une lampe/torche frontale, et un kit de survie (couverture de survie, sifflet, etc.).
- Votre sac de couchage doit vous protéger des températures négatives. Les campeurs prévoiront une tente (imperméable et résistante au vent), un réchaud et des ustensiles de cuisine (parfois utiles dans les refuges).
- Emportez un maillot de bain (pour les sources thermales), des sandales (pour franchir les rivières et garder vos chaussures au sec), et des bâtons de randonnée.
- Les sacs plastique sont pratiques pour séparer le linge sec et mouillé, et remporter ses détritus.

Location ou achat

- On peut acheter du matériel de randonnée et de camping dans les grandes villes ; Reykjavík est le meilleur endroit et Akureyri compte quelques boutiques. Sachez que les prix sont élevés en Islande ; mieux vaut peut-être apporter son propre équipement, et/ou opter pour la location.
- Quelques agences de location de voitures louent également du matériel de camping (notamment les loueurs de camping-cars). Sinon, **Iceland Camping Equipment** (www.iceland-camping-equipment.com) et **Reykjavík Backpackers** (www.reykjavikbackpackers.is/rentalservices/rentcampingequipment) sont deux bonnes adresses de location à Reykjavík.

Renards arctiques

Le renard arctique est le seul mammifère endémique d'Islande. Il est rare d'en voir, mais voici les meilleurs endroits :

➡ **Hornstrandir** (p. 211). Le principal domaine du renard – joignez-vous à l'équipe de chercheurs qui installe un camp chaque été.

➡ **Suðavík** Site de l'Arctic Fox Center (p. 214), qui recueille souvent des renards orphelins.

➡ **Breiðamerkursandur** (p. 313). L'un des principaux lieux de reproduction des grands labbes (ou skuas), le secteur attire un nombre croissant de renards arctiques en quête d'un repas.

Macareux et oiseaux marins

D'innombrables oiseaux de mer, souvent en immenses colonies, occupent les falaises côtières tout autour du pays. La meilleure période pour les observer s'étend de juin à mi-août, quand se rassemblent macareux, fous de Bassan, guillemots, petits pingouins, mouettes tridactyles et fulmars.

Les meilleures falaises et colonies :

➡ **Vestmannaeyjar** (p. 161). Des volées de macareux vous escortent quand vous entrez dans le port d'Heimaey. Des oiseaux nichent sur le moindre éperon rocheux qui émerge des flots.

Fjallsárlón (p. 313)

➡ **Hornstrandir** (p. 211). Cette réserve comprend une interminable falaise à pic où d'innombrables oiseaux ont élu domicile.

➡ **Borgarfjörður Eystri** (p. 282). Ce village est l'un des meilleurs endroits du pays pour voir les macareux, qui construisent leurs nids élaborés à quelques mètres de la plate-forme d'observation.

➡ **Látrabjarg** (p. 198). Fameux dans les fjords de l'Ouest pour ses falaises peuplées d'oiseaux.

➡ **Mývatn** (p. 249). Écosystème différent des falaises côtières, le paysage marécageux de Mývatn est un paradis pour les oiseaux migrateurs.

➡ **Langanes** (p. 269). Ces lointaines falaises battues par les vents accueillent de multiples oiseaux ; une nouvelle plate-forme d'observation surplombe une colonie de fous de Bassan.

➡ **Ingólfshöfði** (p. 312). Rejoignez en tracteur ce promontoire spectaculaire peuplé de grands labbes et de macareux.

Phoques

Moins nombreux que les oiseaux, les phoques sont amusants à observer.

➡ **Hvammstangi et péninsule de Vatnsnes** (p. 222). Un musée du phoque, des circuits en bateau et une péninsule où se prélassent les pinnipèdes.

➡ **Ísafjarðardjúp** (p. 210). Une côte sinueuse et des plages jonchées de rochers, parfaites pour observer les phoques.

➡ **Jökulsárlón** (p. 313). Outre une splendide lagune glaciaire, vous verrez des phoques nager parmi les icebergs.

Baleines

L'Islande est l'un des meilleurs endroits au monde pour observer des baleines et des dauphins. Les baleines de Minke et les baleines à bosse sont les plus courantes, mais vous pouvez aussi apercevoir des rorquals communs, des rorquals boréaux et des baleines bleues.

➡ **Húsavík** (p. 258). La destination classique pour observer les baleines, avec un excellent musée et un taux de réussite de 99 % en été.

➡ **Eyjafjörður** (p. 240). Les croisières d'observation des baleines sillonnent le plus long fjord d'Islande à partir de Dalvík, d'Hauganes et d'Akureyri.

➡ **Reykjavík** (p. 68). Pratique pour les visiteurs de la capitale, des bateaux partent du vieux port, dans le centre-ville.

Équitation

Les chevaux font partie intégrante de la vie islandaise. Dans la campagne, de nombreuses fermes proposent de courtes promenades. Quelques écuries sont installées à la périphérie de Reykjavík. Comptez environ 6 000/9 000 ISK pour une promenade d'une demi-heure.

Les meilleures régions équestres

➡ **Le sud de Snæfellsnes** (p. 189). Les plages sauvages à l'ombre d'un glacier étincelant sont idéales pour une balade à cheval. Plusieurs écuries primées sont installées ici.

➡ **Hella** (p. 137). Les plaines autour d'Hella, nichée au pied du volcan Hekla, abritent de nombreux ranchs qui proposent des chevauchées de quelques heures à plusieurs jours.

➡ **Skagafjörður** (p. 224). Le seul comté d'Islande où les chevaux sont plus nombreux que les habitants, fier d'une tradition d'élevage et de dressage.

Natation et spas

Grâce à la géothermie, la natation est une institution nationale et quasiment toutes les villes possèdent au moins une *sundlaug* (piscine chauffée). La plupart des piscines comprennent également des *hot pots* (petits bassins d'eau chaude), des saunas et des Jacuzzis. Le droit d'entrée est d'environ 600 ISK (moitié prix pour les enfants).

Tous ces endroits appliquent des règles d'hygiène très strictes : il est obligatoire de se doucher sans maillot de bain *avant* de gagner le bassin.

Pour savoir où faire trempette

➡ **Swimming in Iceland** (www.swimminginiceland.com)

➡ **Thermal Pools in Iceland de Jón G. Snæland et Þóra Sigurbjörnsdóttir**. Guide exhaustif des sources thermales d'Islande ; en vente dans la plupart des librairies.

➡ **Blue Lagoon** (www.bluelagoon.com). Les thermes favoris du pays et une attraction phare.

➡ **Visit Reykjavík** (www.visitreykjavik.is). Cliquez sur "What to Do" pour la liste des piscines de la capitale.

Randonnée et motoneige sur les glaciers

Un trek sur une étendue de glace peut être l'une des expériences les plus mémorables d'un séjour en Islande. Diverses activités offrent un avant-goût de l'hiver même durant les mois les plus chauds.

Des règles de sécurité s'appliquent : n'approchez pas trop près des glaciers et ne les arpentez pas sans l'équipement adéquat et sans guide.

Les meilleurs glaciers et calottes glaciaires à explorer

➡ **Vatnajökull** (p. 307). Sorties à motoneige sur la plus vaste calotte glaciaire d'Europe ; randonnées et escalades guidées sur ses dizaines de glaciers secondaires, à organiser à Skaftafell.

➡ **Eyjafjallajökull** (p. 143). Le site de l'éruption de 2010 ; explorez sa surface glacée à bord d'une Super-Jeep, puis marchez jusqu'à Magni pour voir la terre encore fumante.

➡ **Snæfellsjökull** (p. 188). Le *Voyage au centre de la Terre* de Jules Verne commence ici ; circuits en autoneige au départ d'Arnarstapi.

➡ **Langjökull** (p. 178). Proche de Reykjavík, un glacier parfait pour une balade en traîneau. Un tunnel de glace devrait être bientôt achevé.

➡ **Sólheimajökull** (p. 155). Une langue de glace qui se déploie depuis la calotte glaciaire du Mýrdalsjökull. Parfaite pour une randonnée d'un après-midi : fixez vos crampons !

Bateau, kayak et rafting

Vue depuis la mer ou les rivières, la nature islandaise offre un tout autre visage.

Les meilleurs sites en bateau

➡ **Heimaey** (p. 161). Admirez les falaises escarpées et les oiseaux qui descendent en piqué.

➡ **Stykkishólmur** (p. 178). Faufilez-vous parmi les îles du paisible Breiðafjörður.

➡ **Húsavík** (p. 258). En bateau traditionnel ou en Zodiac, naviguez à travers des eaux peuplées de baleines jusqu'aux îlots voisins (et Grímsey).

Les meilleurs sites de kayak

➡ **Hornstrandir** (p. 211), **Ísafjörður** (p. 205), **Ísafjarðardjúp** (p. 210). Excellents pour le kayak de mer ; expédition de plusieurs jours ou sortie d'une journée jusqu'à l'îlot de Vigur.

➡ **Seyðisfjörður** (p. 285). Le charismatique guide vous charmera tout autant que le fjord.

Les meilleurs sites de rafting

➡ **Varmahlíð** (p. 225). Base du rafting dans le nord de l'Islande, avec deux rivières glaciaires (rapides sages ou turbulents).

Haut : Cavaliers sur la péninsule de Snæfellsnes (p. 178)

Bas : Piscines géothermales de Pollurinn (p. 201), Tálknafjörður

MARTIN MOOS/GETTY IMAGES ©

CHASSER LES AURORES BORÉALES

Les Inuits pensaient qu'il s'agissait des âmes des morts ; dans le folklore scandinave, elles sont décrites comme les esprits de femmes célibataires ; les Japonais croyaient que les enfants conçus sous leurs rayons dansants auraient une vie heureuse. La science moderne offre une toute autre explication des aurores boréales.

Les fabuleux voiles de couleur qui traversent le ciel nocturne du Nord sont le résultat du vent solaire, un flot de particules provenant du Soleil qui entre en collision avec l'oxygène, le nitrogène et l'hydrogène de la haute atmosphère. Ces collisions produisent les envoûtantes traînées vertes et magenta lorsque le champ magnétique de la Terre attire le vent vers les pôles.

Observer une aurore boréale requiert une nuit sombre et (presque) sans nuages, un zeste de chance, et rien de plus. Depuis quelques années, de nombreux tour-opérateurs proposent de coûteux "safaris d'aurores boréales" ; ils se contentent de vous conduire dans un secteur avec peu ou pas de pollution lumineuse pour augmenter vos chances de voir le phénomène. Vous pouvez aisément le faire seul en réservant quelques nuits dans une auberge rurale et en attendant le spectacle dans la soirée. De nombreux hôtels proposent de vous réveiller si les lumières apparaissent au milieu de la nuit.

Les hivers récents ont été riches en aurores boréales, qui ont commencé à apparaître en septembre. Il n'est pas forcément nécessaire de sortir de la ville pour les voir. En octobre 2013, une forte prévision d'aurore boréale a incité la municipalité de Reykjavík à éteindre l'éclairage public dans certains quartiers pendant quelques heures afin d'optimiser la visibilité !

Prédire l'apparition d'une aurore boréale est quasi impossible, mais il existe divers outils et applications qui fournissent des indications. Le site exhaustif de l'Icelandic Met Office (en.vedur.is/weather/forecasts/aurora/) permet de suivre l'activité des aurores, la couverture nuageuse, et les lumières du Soleil et de la Lune, afin d'émettre une prévision (généralement pour la semaine à venir).

➡ **Reykholt** (p. 175). Rafting excitant sur les rapides de la Hvítá, ou poussée d'adrénaline lors d'une sortie en bateau à hydrojet.

Cyclotourisme

Sur de courtes distances, le vélo constitue un moyen amusant d'explorer le pays. Reykjavík compte plusieurs magasins de location ; certains organisent des sorties d'une journée vers les sites alentour, comme le Cercle d'or. On peut louer des vélos dans la plupart des villes.

Visiter l'Islande à vélo peut se révéler éprouvant du fait du temps changeant, des vents parfois violents et de l'absence de bandes d'arrêt d'urgence (notamment sur la Route circulaire, où l'on roule près des voitures).

Plongée et snorkeling

La plongée sous-marine connaît un succès croissant en Islande. L'eau limpide (100 m de visibilité !), une faune passionnante, de spectaculaires ravins de lave, des épaves et des cheminées thermiques en font une destination de plongée incomparable. Les meilleurs sites sont Silfra (p. 113) à Þingvellir (Thingvellir), et les cheminées géothermiques (p. 240) de l'Eyjafjörður.

Un brevet PADI Dry Suit Diver (plongée avec combinaison étanche) est recommandé ; vous pouvez l'obtenir auprès de quelques centres de plongée islandais. Le cours PADI Tectonic Plate Awareness (conçu par Dive.is) permet d'appréhender la tectonique des plaques.

Circuits organisés

Si les circuits organisés séduisent rarement les voyageurs indépendants, la difficulté du terrain et les prix élevés en font une option intéressante en Islande. Ils permettent en outre de gagner du temps et de découvrir des endroits reculés, inaccessibles avec une voiture de location.

Plongeur à Silfra (p. 113), Þingvellir

En hiver, vous aurez probablement besoin d'aide pour voyager en toute sécurité et accéder aux meilleurs sites ; les circuits d'une journée constituent la solution idéale et les habitants connaissent les secrets de l'hiver.

Nombre de circuits s'effectuent en bus, d'autres en 4x4 ou en Super-Jeep, et quelques-uns en autoneige, en quad ou en avion léger. Ils offrent généralement la possibilité d'une activité sportive comme le rafting, l'équitation et la randonnée glaciaire.

Si vous prévoyez de vous installer à Reykjavík et d'explorer le pays au cours d'excursions d'une journée, sachez que vous perdrez beaucoup de temps dans les transports entre la capitale et les trésors naturels de l'île. Mieux vaut séjourner dans la campagne, plus près des sites qui vous intéressent.

L'Islande compte des centaines de tour-opérateurs, des petites agences aux plus importantes. La liste suivante répertorie quelques-uns des principaux ; consultez leurs sites pour une idée des offres.

➡ **Air Iceland** (www.airiceland.is). La plus grande compagnie de vols intérieurs du pays propose un éventail d'excursions d'une journée combinant avion, bus, randonnée et 4x4 dans tout le pays au départ de Reykjavík et d'Akureyri. Elle offre aussi des circuits au Groenland à partir de Reykjavík.

➡ **Arctic Adventures** (www.adventures.is). Spécialiste des circuits sportifs : tourisme classique, VTT, kayak de mer et même surf.

➡ **Gray Line Iceland** (www.grayline.is). Compagnie de bus avec une gamme complète de circuits d'une journée, de nombreuses activités, ainsi que des circuits sur mesure.

➡ **Icelandic Mountain Guides** (www.mountainguides.is). Multiples randonnées et escalades de montagnes et de glaciers. Location d'équipement et guides privés pour grimpeurs confirmés.

➡ **Reykjavík Excursions** (www.re.is). L'agence touristique la plus populaire de Reykjavík, avec un choix complet de circuits toute l'année.

➡ **Saga Travel** (www.sagatravel.is). Agence basée à Akureyri ; un programme divers et innovant toute l'année dans le nord du pays.

Activités de plein air

PATREKSFJÖRÐUR

Une base tranquille pour explorer les péninsules méridionales des fjords de l'Ouest : falaises peuplées d'oiseaux de Látrabjarg, plage aux tons rosés de Rauðasandur et balades à vélo sur la péninsule de Þingeyri (p. 200).

ÍSAFJÖRÐUR

Logez dans la plus grande ville des fjords de l'Ouest ou à proximité pour accéder au Hornstrandir, aux fjords d'Ísafjarðardjúp et aux péninsules centrales (p. 205).

PÉNINSULE DE SNÆFELLSNES

Un véritable concentré d'Islande : sentiers de randonnée, équitation, sources chaudes, croisières, macareux, baleines et un fabuleux glacier (p. 178).

KERLINGARFJÖLL

Cette chaîne de montagnes recèle des merveilles géothermiques et des sommets de rhyolite multicolores ; partez en 4x4 à l'assaut des hautes terres pour accéder à des randonnées reculées (p. 328).

REYKJAVÍK

Plaque tournante d'innombrables circuits organisés et expéditions d'aventure dans l'arrière-pays, en particulier à destination du Sud, de l'Ouest et du Cercle d'or (p. 52).

AKUREYRI

La deuxième ville d'Islande donne accès à des circuits dans tout le nord du pays. Au programme également : observation des baleines, équitation, plongée et, en hiver, de splendides domaines skiables (p. 235).

SEYÐISFJÖRÐUR

Repaire décontracté et bohème, pour faire des randonnées dans les montagnes émaillées de cascades, du kayak sur les eaux du fjord, ou du VTT jusqu'à des falaises peuplées d'oiseaux (p. 285).

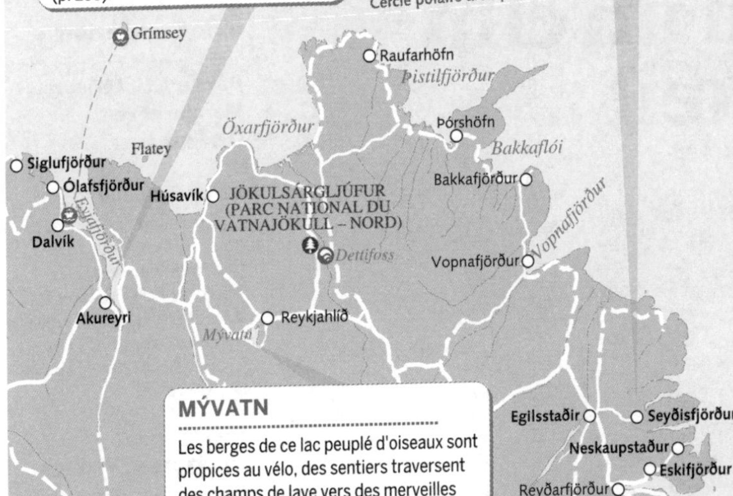

MÝVATN

Les berges de ce lac peuplé d'oiseaux sont propices au vélo, des sentiers traversent des champs de lave vers des merveilles géologiques, et des circuits en Super-Jeep permettent de rejoindre facilement les hautes terres (p. 249).

SKAFTAFELL

La star du parc national, avec ses nombreux sentiers, est tout près des trésors du Vatnajökull : randonnées, navigation dans des lagunes glacées, motoneige et grottes de glace (p. 305).

SKÓGAR

D'Hella à Skógar vous attendent équitation, cascades, incursions à l'Hekla, et le célèbre sentier du Laugavegurinn, qui relie Landmannalaugar à Þórsmörk (p. 144).

Les régions en un clin d'œil

Reykjavík

Pôle culturel
Vie nocturne
Escapades faciles

Capitale culturelle

Cernée par la nature à des kilomètres à la ronde, Reykjavík concentre toute l'activité culturelle du pays avec ses musées primés, ses galeries ultra-branchées, sa scène musicale bouillonnante, ses festivals hauts en couleur et son cercle inspiré d'artisans et de designers.

Nuits blanches

Reykjavík est réputée pour sa vie nocturne enflammée. Les meilleures soirées commencent souvent par un verre dans un café, par un apéro-échauffement chez des amis ou par une tournée des bars à bières, pour s'achever vers 4 heures du matin au rythme des meilleurs tubes.

Escapade de choc

Escapade idéale entre l'Europe et l'Amérique du Nord, Reykjavík est sillonnée de circuits piétons et cyclistes ralliant ses meilleurs sites. Elle permet aussi de rejoindre facilement les paysages magiques de l'Islande, juste au-delà des limites urbaines.

p. 52

Le Sud-Ouest et le Cercle d'or

Paysages intérieurs
Marche et vélo
Oiseaux

Le feu sous la glace

La devise du Sud-Ouest pourrait être "plus c'est loin, meilleur c'est". Explorez l'arrière-pays à la découverte de panoramas démesurés dominés par le grondement d'une poignée de volcans.

Randonnée, cyclisme et Vikings

Là-haut dans les montagnes s'étend un véritable paradis pour randonneurs. En bas, le long de la côte sud et de la péninsule de Reykjanes, quantité de pistes s'offrent aux cyclistes. Ajoutez-y quelques vestiges datant de l'époque viking, et vous obtenez un éventail d'itinéraires à même de combler tous les visiteurs.

Pour les oiseaux

L'archipel de Vestmannaeyjar abrite la plus grande colonie de macareux au monde. L'accueil qu'ils réservent aux ferries, sur lesquels ils s'abattent à leur entrée au port, est mémorable !

p. 99

L'Ouest

Paysages en Technicolor
Sagas et histoire
Équitation

Une infinité d'îlots

La longue péninsule de Snæfellsnes est un paradis coloré formé de coulées de lave durcie, de prairies vertes striées de cascades, d'eaux bleu arctique et d'une éblouissante calotte glaciaire. L'un de ses meilleurs atouts reste néanmoins Breiðafjörður, une baie constellée d'îles réfractant la lumière du soleil à travers les nuages.

Sport et histoire

Les activités ne manquent pas sur la péninsule de Snæfellsnes : promenades en bord de mer, randonnées à travers les champs de lave ou encore excursions sur la calotte glaciaire. Avec son passé viking, l'Ouest ravit aussi les férus d'histoire.

Équitation hors piste

Le littoral sud de la péninsule de Snæfellsnes est l'un des meilleurs endroits pour monter le petit et robuste cheval islandais : suivez les crêtes de sable ou trottez dans les collines en quête de sources géothermiques.

p. 168

Les fjords de l'Ouest

Paysages de fjords
Randonnée dans le Hornstrandir
Renards polaires

Le bout du monde

Sur les cartes, la côte des fjords de l'Ouest ressemble à des pinces de homard géantes tendues vers le cercle arctique. Saisissants, les paysages mêlés de roche et de mer des fjords de l'Ouest évoquent de mystérieuses fables.

À la découverte de l'Arctique

Sise aux frontières de l'Arctique, avec ses péninsules accidentées pointant le Nord, l'Islande est une terre propice au sport : VTT, kayak de mer, navigation et ski. La réserve du Hornstrandir en constitue le joyau central.

Amis des bêtes

Outre les chevaux qui vagabondent, les vedettes ici sont les oiseaux peuplant les falaises et les renards polaires détalant entre les buttes herbeuses. En s'y prenant à l'avance, on peut même se porter bénévole pour aider à surveiller le dernier mammifère endémique d'Islande.

p. 194

Le Nord

Paysages variés
Activités sportives
Observation des baleines

Une nature multiple

Dans le Nord, la variété des paysages est infinie : îlots perdus au large, péninsules désolées, sommets de glace, élevages de chevaux, eaux bouillonnantes, villages de pêcheurs, cascades, champs de lave tortueux, baleines longeant le littoral…

Le Nord à 100 à l'heure

Le Nord-Ouest est la meilleure région pour monter à cheval. Les rives du lac Mývatn sont un observatoire sans pareil pour les oiseaux, bien que la lointaine péninsule de Langanes et l'île arctique de Grímsey ne soient pas en reste. À faire également : explorer à pied les confins du parc national du Vatnajökull ou skier dans la péninsule de Tröllaskagi.

Au paradis des baleines

Húsavík est le lieu par excellence pour observer les baleines, suivi de près par les localités bordant l'ouest de l'Eyjafjörður, notamment Akureyri.

p. 219

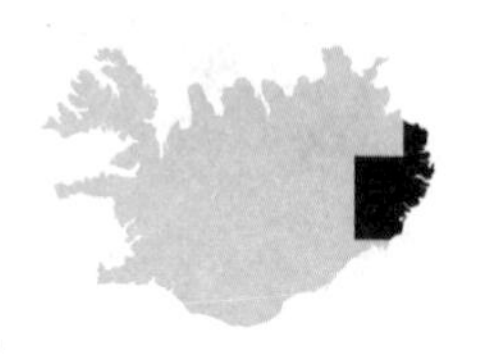

L'Est

Paysages aquatiques
Activités sportives
Faune sauvage

Fan-fjord-tastique

La splendeur des fjords de l'Est est à son comble vers les villages du Norđfjörđur. Dans les terres, le lac Lagarfljót est un superbe terrain d'exploration, tout comme le mont Snæfell (1 833 m), dans le parc national du Vatnajökull.

Terre et mer

Fendre les eaux du Seyðisfjörður en kayak est fabuleux ; ceux qui préfèrent la terre ferme choisiront l'exploration en VTT. Húsey est une destination de choix pour l'observation des oiseaux et l'équitation. Les chemins qui sillonnent les fjords offrent une vue spectaculaire aux randonneurs.

Macareux, rennes et autres espèces

Les montagnes de l'Est sont peuplées de rennes sauvages et les oiseaux sont légion dans la région, notamment du côté des fermes reculées de Húsey et de Skálanes et de la plate-forme d'observation des macareux à Borgarfjörður Eystri.

p. 272

Le Sud-Est

Paysages glacés
Activités sur glace
Oiseaux

Royaume de glace

On comprend pourquoi le Sud-Est figure parmi les régions les plus visitées d'Islande au vu de ses glaciers scintillants, de ses puissantes cascades, des icebergs de la lagune de Jökulsárlón et du parc de Skaftafell, le paradis de la randonnée. Une beauté qui contraste avec les sables foncés des inquiétants *sandar*.

Sports sur glace

Les endroits ne manquent pas pour les expéditions glaciaires, motorisées ou à pied. Faites une sortie en bateau parmi les icebergs d'un lagon glaciaire, explorez le Skaftafell en VTT ou optez pour une activité plus reposante : la dégustation de langoustines à Höfn !

Oiseaux et phoques en folie

Des phoques viennent égayer les somptueux paysages de la lagune de Jökulsárlón, et des grands labbes élisent domicile dans les *sandar*. Ingólfshöfði est envahi de nids de macareux et autres oiseaux marins.

p. 297

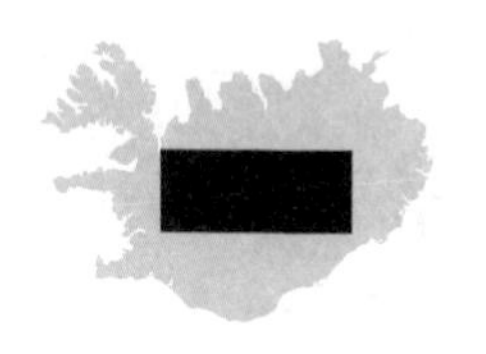

Les hautes terres

Paysages lunaires
Isolement
Randonnées sauvages

Paysages lunaires

La région est pratiquement inhabitée, à l'exception de quelques hébergements et résidences secondaires. Les astronautes de la NASA s'y entraînaient, et les récentes éruptions du Holuhraun ont donné une nouvelle dimension aux anciens champs de lave.

Beauté brute

Les hautes terres donnent tout son sens au mot "désolation". La solitude y est grisante, et les panoramas saisissants. Si certains sont déçus par l'extrême austérité de l'arrière-pays et son infini désert de sable gris, d'autres s'inclinent face au spectacle d'une nature à l'état brut.

Ultime randonnée

Explorer les routes intérieures à pied ou à vélo est éreintant, mais cela en vaut la peine. D'excellentes randonnées sillonnent le massif du Kerlingarfjöll et la région d'Askja, et Hveravellir abrite des sources géothermales. D'autres préféreront découvrir ces sites depuis le confort d'un 4x4 !

p. 324

Sur la route

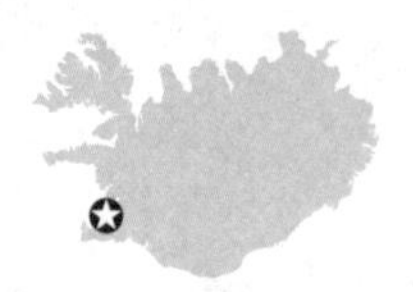

Reykjavík

204 775 HABITANTS

Dans ce chapitre

Le top des restaurants

- Dill (p. 84)
- Þrír Frakkar (p. 83)
- Snaps (p. 83)
- Sægreifinn (p. 82)
- Gló (p. 82)

Le top des hébergements

- Hótel Borg (p. 75)
- Reykjavík Residence (p. 79)
- Icelandair Hotel Reykjavík Marina (p. 76)
- KEX Hostel (p. 77)
- Room With A View (p. 77)

Pourquoi y aller

La capitale la plus septentrionale du monde a de nombreux atouts : sa population créative, des édifices colorés, un penchant pour le design insolite, une vie nocturne endiablée, et une atmosphère marquée par une simplicité enjouée.

À de nombreux égards, Reykjavík est incroyablement cosmopolite pour sa taille. Cette ville, petite selon les critères internationaux, abonde en excellents musées. L'art y a la part belle, de même que la scène gastronomique, foisonnante, ainsi que les cafés et les bars tendance. Au-delà du vernis touristique – la capitale est une base idéale pour les circuits organisés en pleine nature –, le lieu et ses habitants marient esthétique et originalité créatrice, le tout dans la convivialité d'une bourgade où tout le monde se connaît.

Si l'on ajoute les montagnes enneigées en arrière-plan, les eaux agitées et l'air froid et pur, on comprend aisément qu'à peine repartis, nombre de visiteurs songent déjà à revenir.

Distances par la route (km)

	Reykjavík	Borgarnes	Ísafjörður	Akureyri	Egilsstaðir	Höfn
Borgarnes	74					
Ísafjörður	457	384				
Akureyri	389	315	567			
Egilsstaðir	698	580	832	265		
Höfn	459	519	902	512	247	
Vík	187	246	630	561	511	273

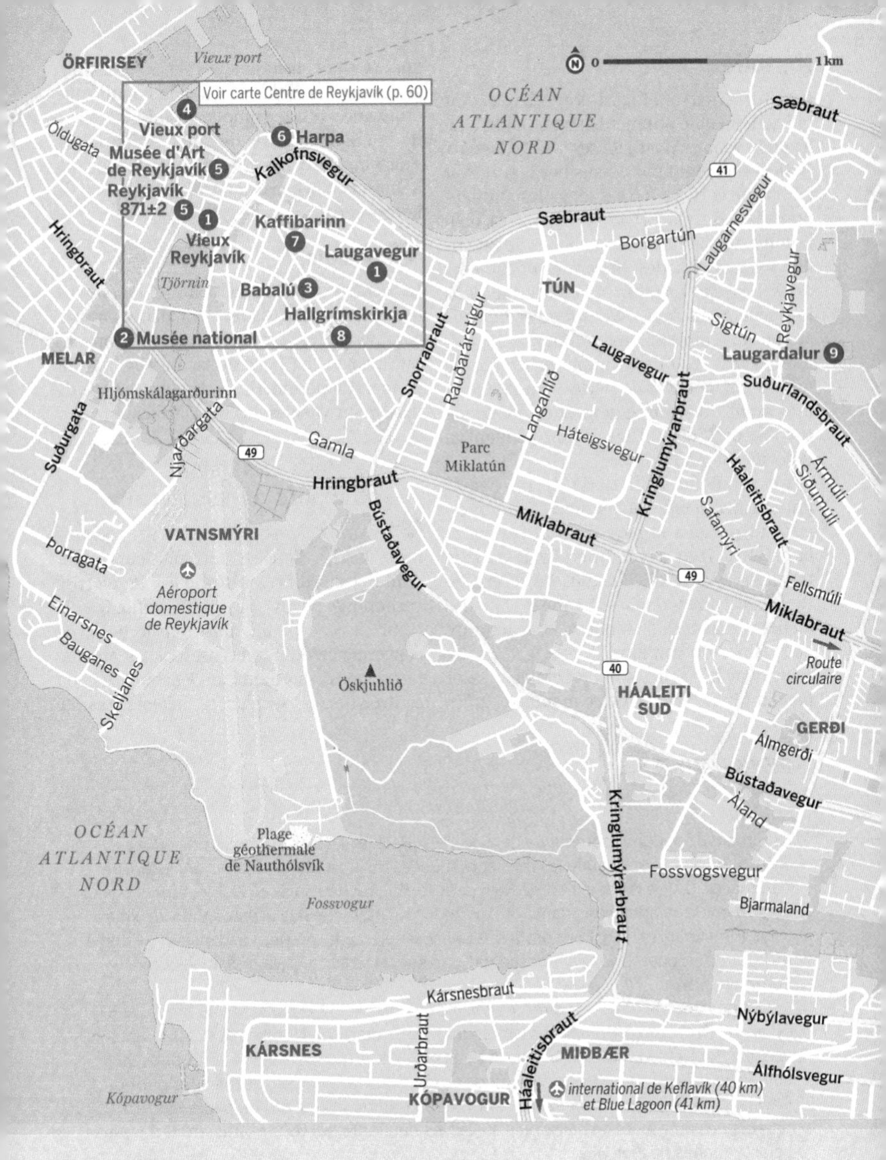

À ne pas manquer

1. Une balade dans le **vieux Reykjavík** (p. 54) et une séance shopping dans **Laugavegur** (p. 89)
2. La visite du fascinant **Musée national** (p. 65)
3. Un verre dans un café insolite comme le **Babalú** (p. 85) en compagnie d'une clientèle cool et branchée
4. La visite des musées ou l'observation des baleines au départ du **vieux port** (p. 58)
5. Une plongée dans l'art ou l'archéologie au **musée d'Art de Reykjavík** (p. 55) ou à **Reykjavík 871±2** (p. 55)
6. Un spectacle ou la simple visite de **Harpa** (p. 63), rutilante salle de concert
7. Le *djammið* (p. 88), tournée des pubs débridée dans des bars minuscules comme le **Kaffibarinn** (p. 86)
8. La vue sur la ville depuis le clocher de la très moderne **Hallgrímskirkja** (p. 59)
9. Un bain réconfortant dans la piscine géothermale de **Laugardalur** (p. 68)

Histoire

Ingólfur Arnarson, fugitif norvégien, devint officiellement le premier Islandais en 871. La légende veut qu'il ait jeté ses *öndvegissúlur* (piliers du trône) par-dessus bord, et se soit établi sur le rivage où les dieux les auraient poussés, à Reykjavík (baie des Fumées), qu'il nomma ainsi à cause des colonnes de vapeur des sources chaudes. Selon des documents du XIIe siècle, Ingólfur bâtit sa ferme dans l'actuelle Aðalstræti, où des fouilles ont mis au jour une maison longue viking.

Reykjavík resta un simple ensemble de fermes au cours des siècles. En 1225, un important monastère augustin fut fondé sur l'île de Viðey ; il fut détruit pendant la Réforme, au XVIe siècle.

Au début du XVIIe siècle, le roi danois imposa à l'Islande un monopole commercial qui plongea le pays dans la famine et la misère. Pour contourner l'embargo, le trésorier royal Skúli Magnússon, "Père de Reykjavík", créa dans les années 1750 des ateliers de tissage, de tannerie et de teinture de la laine, fondant ainsi la ville.

Reykjavík prit son véritable essor pendant la Seconde Guerre mondiale, grâce aux troupes britanniques et américaines stationnées à Keflavík. La ville connut une croissance ininterrompue jusqu'aux revers de la crise mondiale de 2008. Aujourd'hui, grâce au tourisme et à l'implication de ses habitants, Reykjavík a retrouvé le chemin de la prospérité.

À voir

Le centre-ville compact abrite la plupart des curiosités touristiques : balades, artères commerçantes, musées, et promenades pittoresques en bord de lac ou sur le front de mer. En périphérie, on trouve les lieux de détente privilégiés des Reykjavikois.

Le vieux Reykjavík et le nord du lac Tjörnin

Vieux Reykjavík QUARTIER

(carte p. 60). Concentrant plusieurs sites d'intérêt et édifices historiques, le quartier surnommé vieux Reykjavík constitue le cœur de la capitale, ainsi que le point de convergence de nombreuses visites guidées historiques. Bordant le Tjörnin, lac du centre-ville, le secteur se déploie ensuite

REYKJAVÍK EN...

Un jour

Commencez par une promenade dans le vieux Reykjavík (p. 54), à proximité du lac **Tjörnin**. Découvrez ensuite les meilleurs musées de la capitale, notamment le Musée national (p. 65), le musée d'Art de Reykjavík (p. 55), ou Reykjavík 871±2 (p. 55). L'après-midi, baladez-vous dans **Skólavörðustígur**, la rue des artistes, pour rejoindre l'Hallgrímskirkja (p. 59). Pour profiter d'une vue splendide, prenez l'ascenseur qui mène en haut du clocher. Une fois redescendu, cap sur **Laugavegur**, la principale artère commerçante.

Donnez-vous le temps de siroter un verre en observant les passants au Bravó (p. 87) ou au Tiú Droppar (p. 86). Il est maintenant l'heure du dîner. Nombre des restaurants les plus fréquentés – dont le Vegamót (p. 83) et le Kex (p. 86) – se métamorphosent le soir en lieux festifs. Le week-end, abandonnez-vous à la fameuse tournée des pubs de Reykjavík (p. 88). Commencez par le bon vieux Kaffibarinn (p. 86) ou par le Kaldi (p. 86), paradis des amateurs de bière, puis suivez les habitants qui vous entraîneront dans les lieux branchés de leur ville.

Deux jours

Après une soirée pareille, rien de tel qu'un brunch au Bergson Mathús, au Grái Kotturinn ou au Laundromat Cafe. Descendez ensuite au vieux port (p. 58) pour une balade, une visite des musées ou un circuit d'observation des baleines (p. 69). Les sources chaudes, les jardins, le ravissant Cafe Flóra et les belles œuvres d'art de Laugardalur (p. 66) occuperont votre après-midi.

Pensez à réserver si vous avez envie de dîner à l'une des meilleures tables islandaises de la capitale, par exemple le Dill (p. 84) ou Þrír Frakkar (p. 83). Ensuite, cap sur le Loftið (p. 86), l'un des nouveaux bars à cocktails tendance. Sinon, assistez à un spectacle à Harpa (p. 63), ou allez voir un film au Bíó Paradís (p. 89).

jusqu'au parc Austurvöllur. Au nord se dressent le Raðhús (hôtel de ville) et l'Alþing (ou Althing, Parlement).

♥ Reykjavík 871±2 : Exposition sur la colonisation MUSÉE

(carte p. 60 ; ☎411 6370 ; www.minjasafnreykjavikur.is ; Aðalstræti 16 ; adulte/enfant 1300 ISK/gratuit ; ⊙10h-17h, visite en anglais 11h lun, mer et ven juin-août). À la fois site archéologique et musée, ce complexe se déploie autour d'une **maison longue viking** du Xe siècle excavée sur place de 2001 à 2002, ainsi que d'autres vestiges de l'âge de la colonisation découverts dans le centre de Reykjavík. Il marie avec imagination la technologie et l'archéologie, et offre un aperçu objectif et non romancé de la colonisation de l'Islande.

Le musée doit son nom à la date à laquelle remonteraient les roches volcaniques situées sous la maison, 871, avec une marge d'erreur de 2 ans. Remarquez le fragment de **mur d'enceinte** à l'arrière du musée, probablement le plus vieil édifice construit à Reykjavík.

L'exposition utilise avec un réel talent la mise en scène multimédia pour comprendre le travail des fouilles. Un panorama à 360° montre à quoi ressemblaient les lieux à l'époque de la maison longue et une installation permet de “naviguer” à travers les couches datant des différentes étapes de sa construction. Parmi les objets à voir figurent notamment des os de grand pingouin, des lampes à huile de poisson, une hache en fer ainsi qu'une fusaïole (rouelle à rayons) gravée de lettres d'alphabet runique provenant d'un site de l'actuel Alþing.

Le billet d'entrée donne aussi accès au musée en plein air Árbæjarsafn (p. 67), à 4 km à l'est du centre.

♥ Musée d'Art de Reykjavík MUSÉE D'ART

(Listasafn Reykjavíkur ; www.artmuseum.is ; adulte/enfant 1400 ISK/gratuit). L'excellent musée d'Art de Reykjavík est réparti sur trois sites : Hafnarhús (p. 55), vaste et moderne en centre-ville, dédié à l'art contemporain ; Kjarvalsstaðir (p. 64), dans un parc à l'est de Snorrabraut, qui accueille des expositions saisonnières d'art moderne ; et Ásmundarsafn (p. 66), paisible oasis proche de Laugardalur, qui présente les sculptures d'Ásmundur Sveinsson.

Un seul billet vaut pour les trois sites, à visiter dans la même journée.

> **ⓘ TROIS POUR LE PRIX D'UN**
>
> - Le billet du musée d'Art de Reykjavík est valable pour l'ensemble de ses trois sites.
> - Le billet de la Galerie nationale d'Islande est aussi valable pour la collection Ásgrímur Jónsson, située à proximité, et pour le musée Sigurjón Ólafsson, un peu plus éloigné.

♥ Musée d'Art de Reykjavík – Hafnarhús MUSÉE D'ART

(carte p. 60 ; ☎590 1200 ; www.artmuseum.is ; Tryggvagata 17 ; ⊙10h-17h ven-mer, 10h-20h jeu). Cet ancien entrepôt, magnifiquement restauré, habillé d'acier et de béton, a été transformé en vaste espace d'exposition. Celles d'art contemporain islandais (installations, vidéos, tableaux et sculptures) changent fréquemment. La section exposant les peintures d'Erró (Guðmundur Guðmundsson), artiste engagé, est permanente. Le **café** jouit d'une belle vue sur le port.

♥ Tjörnin LAC

(carte p. 60). Ce lac situé dans le centre-ville est parfois surnommé l'Étang. On peut y voir une quarantaine d'espèces d'oiseaux, notamment des cygnes, des oies et des sternes arctiques. Les tout-petits adorent y nourrir les canards. De jolis parcs agrémentés de sculptures, comme **Hljómskálagarður** (carte p. 56), s'étendent sur les rives sud. Les sentiers sont le domaine des cyclistes et des joggeurs. L'hiver, les courageux font du **patin à glace** sur le plan d'eau.

Austurvöllur PARC

(carte p. 60). Ce parc verdoyant appartenait jadis au domaine du premier colon, Ingólfur ngólfur Arnarson. Aujourd'hui, on y vient pour prendre un café, pique-niquer à midi ou bronzer l'été à côté de l'Alþing. Concerts en plein air et manifestations politiques occasionnels. Au centre du parc, s'élève la **statue** de Jón Sigurðsson, leader de l'indépendance de l'Islande.

Alþing ÉDIFICE HISTORIQUE

(Parlement ; carte p. 60 ; www.althingi.is ; Kirkjustraeti). GRATUIT L'Alþing (Althing), premier Parlement islandais, fut créé à Þingvellir (Thingvellir) en 930. Colonisé au XIIIe siècle, le pays retrouva peu à peu son autonomie jusqu'à l'indépendance en 1944.

Reykjavík

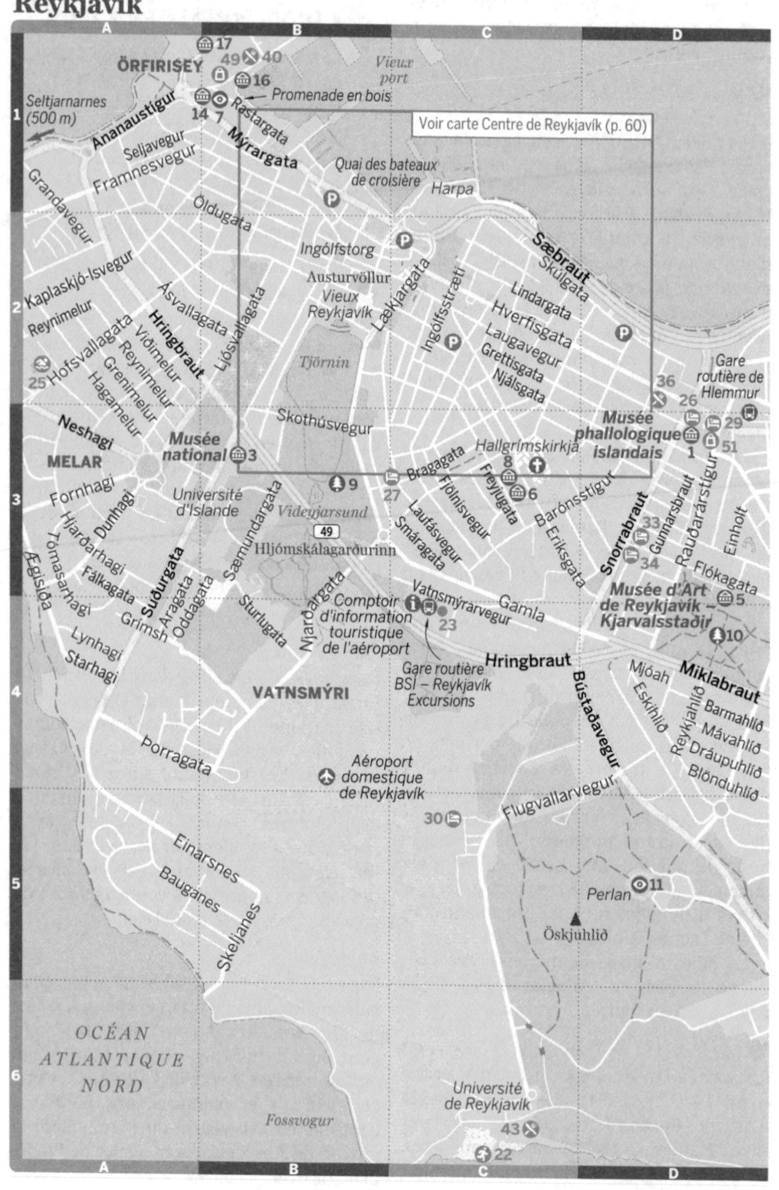

L'Alþing actuel est situé dans un bâtiment en basalte datant de 1881. L'élégante annexe en pierre et en verre fut achevée en 2002. Les **sessions** (4/semaine d'octobre à mai ; précisions sur le site Internet) sont accessibles au public.

Raðhús ÉDIFICE REMARQUABLE

(hôtel de ville ; carte p. 60 ; Vonarstræti ; 8h-19h lun-ven, 12h-18h sam-dim). GRATUIT L'hôtel de ville de Reykjavík, situé sur les berges du lac, est une construction postmoderne. Le bâtiment semble comme sortir de l'eau

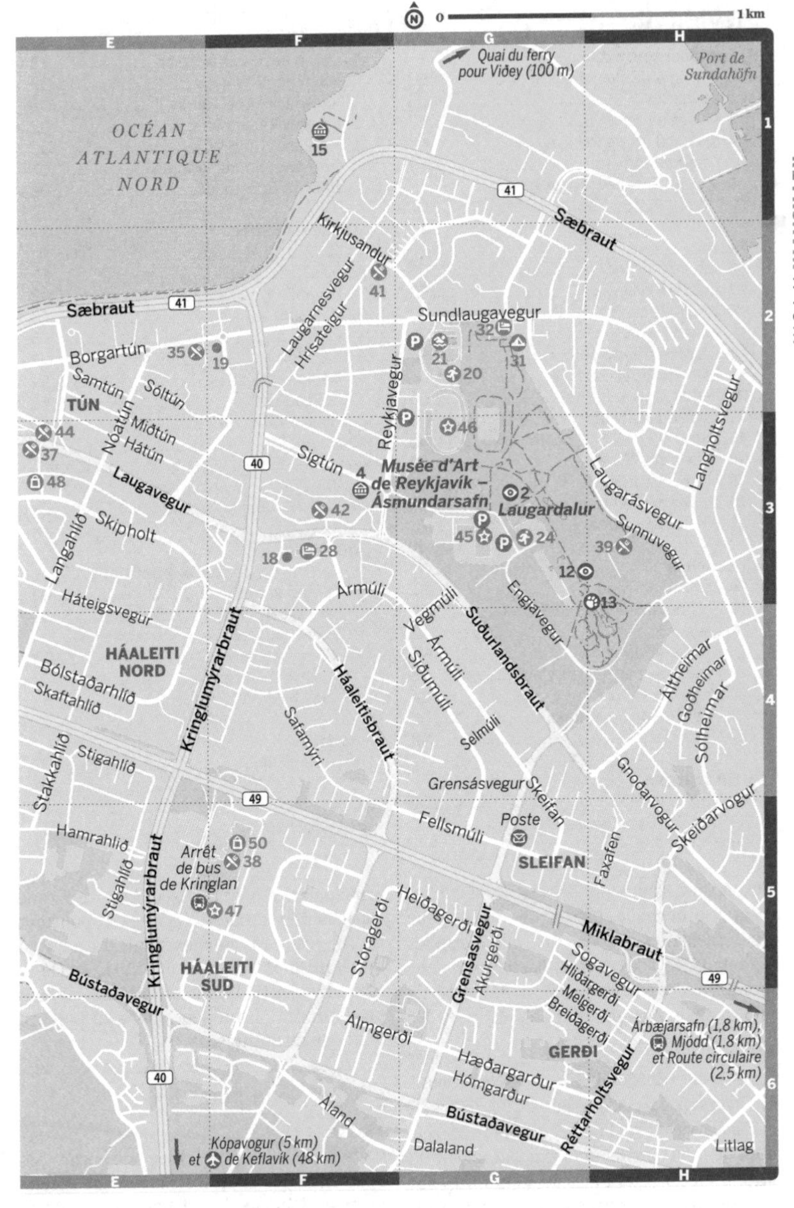

avec ses pilotis en béton, ses fenêtres teintées et son enceinte recouverte de végétation. Il abrite l'un des meilleurs cafés-restaurants de la ville, Við Tjörnina (p. 81), et une intéressante carte en 3D de l'Islande.

Musée de la Photographie de Reykjavík

MUSÉE

(Ljósmyndasafn Reykjavíkur ; carte p. 60 ; ☎ 411 6390 ; www.ljosmyndasafnreykjavikur.is ; Tryggvagata 15, 6e ét, Grófarhús ; ⊙12h-19h lun-jeu, 12h-18h ven, 13h-17h sam-dim). GRATUIT Cette salle

Reykjavík

Les incontournables

1 Musée phallologique islandais D3
2 Laugardalur G3
3 Musée national B3
4 Musée d'Art de Reykjavík – Ásmundarsafn F3
5 Musée d'Art de Reykjavík – Kjarvalsstaðir D3

À voir

6 Musée d'Art ASÍ C3
7 Aurora Reykjavík B1
8 Jardin de sculptures Einar Jónsson C3
Gallerí Fold .... (voir 51)
9 Parc Hljómskálagarður B3
10 Parc Miklatún D4
11 Perlan D5
12 Jardins botaniques de Reykjavík G3
13 Zoo et parc familial de Reykjavík H3
14 Musée des Sagas B1
15 Musée Sigurjón Ólafsson F1
16 Musée maritime viking B1
17 Whales of Iceland B1

Activités

18 Eagle Air Iceland F3
19 Guðmundur Jónasson Travel F2
20 Laugar Spa G2
21 Laugardalslaug G2
22 Plage géothermale de Nauthólsvík C6
23 Reykjavík Excursions C4
24 Patinoire de Reykjavík G3
25 Vesturbæjarlaug A2

Où se loger

26 4th Floor Hotel D3
27 Galtafell Guesthouse C3
28 Hilton Reykjavík Nordica F3
29 Hlemmur Square D3
30 Icelandair Hotel Natura C5
31 Reykjavík Campsite G2
32 Reykjavík City Hostel G2
33 Reykjavík Hostel Village D3
34 Snorri's Guesthouse D3

Où se restaurer

10-11 .... (voir 41)
35 10-11 .... E2
36 Argentína D2
37 Ban Thai E3
38 Bónus F5
39 Café Flóra H3
40 Coocoo's Nest B1
41 Frú Lauga F2
42 Gló F3
43 Nauthóll C6
Valdi's .... (voir 40)
Vox .... (voir 28)
44 Yummi Yummi E3

Où sortir

Compagnie de danse islandaise .... (voir 47)
45 Laugardalshöllin G3
46 Stade national Laugardalsvöllur G3
47 Théâtre municipal de Reykjavík F5

Achats

48 Librairie Iðnú E3
49 Kría B1
50 Kringlan F5
51 Lucky Records D3

d'exposition, située au-dessus de la bibliothèque municipale, mérite une visite pour ses excellentes expos de photographes régionaux. Si vous prenez l'ascenseur pour monter, redescendez par l'escalier orné de photos anciennes en noir et blanc.

Volcano House MUSÉE

(carte p. 60 ; ☎555 1900 ; www.volcanohouse.is ; Tryggvagata 11 ; adulte/enfant 1 990/500 ISK ; ⏲chaque heure 10h-21h). Cette salle moderne, dont le hall abrite une exposition sur la lave, projette deux films de 55 minutes sur les volcans des Vestmannaeyjar (îles Vestmann) et sur l'Eyjafjallajökull. Projection quotidienne en anglais et sur demande en français.

Dómkirkja ÉGLISE

(carte p. 60 ; www.domkirkjan.is ; Kirkjustræti ; ⏲10h-16h30 lun-ven, messe 11h dim). La principale cathédrale islandaise est une construction modeste, qui joua pourtant un rôle clé dans la conversion du pays au luthéranisme. Construit au XVIIIe siècle et agrandi en 1848, l'édifice actuel est joliment proportionné. L'intérieur sobre en bois est rehaussé de dorures.

Le vieux port

Vieux port QUARTIER

(carte p. 60 ; Geirsgata). Bien qu'encore en activité, le vieux port a été reconverti récemment en haut lieu touristique, concentrant plusieurs musées, des salles de projection sur les volcans et les aurores boréales, et de bons restaurants. Les excursions pour observer les baleines et les macareux partent de la jetée. Entre les bateaux de pêche, la salle de concert Harpa et les sommets enneigés en toile de fond, le site dégage beaucoup de charme. Il y a aussi une **aire de jeux** pour enfants le long de Mýrargata.

Musée maritime viking MUSÉE
(Víkin Sjóminjasafnið ; carte p. 56 ; ☎517 9400 ; www.sjominjasafn.is ; Grandagarður 8 ; adulte/enfant 1 200 ISK/gratuit ; ⏲10h-17h juin-mi-sept, 11h-17h mar-dim mi-sept à mai). Ce musée évoque l'histoire maritime de l'Islande et notamment la pêche qui a transformé son économie. Le billet donne aussi accès à une visite guidée du garde-côte *Óðinn*, navire vétéran des "guerres de la morue" (qui opposèrent dans les années 1970 les pêcheurs britanniques et islandais sur les zones de pêche de l'Atlantique Nord), à 13h, 14h et 15h (horaires réduits en hiver, fermé en jan-fév).

Le **café** (Grandagarður 8 ; en-cas 800-1 890 ISK) offre une vue agréable sur les bateaux et dispose d'une belle terrasse pour profiter du soleil. Fermeture possible en 2016 pour une rénovation du musée.

Musée des Sagas MUSÉE
(carte p. 56 ; ☎511 1517 ; www.sagamuseum.is ; Grandagarður 2 ; adulte/enfant 2 000/800 ISK ; ⏲9h-18h). Ce musée conte l'histoire islandaise grâce à d'inquiétants mannequins et une bande-son multilingue comportant des bruits de hache et des cris d'effroi. Ne vous étonnez pas si vous croyez reconnaître des personnages du musée parmi les habitants de Reykjavík. Ces derniers ont servi de modèles, à l'instar des filles du directeur du musée qui sont respectivement la princesse irlandaise et la petite esclave grignotant un poisson !

Comprend aussi un espace où poser en costume viking, un documentaire sur la création du musée, et un café (Kol og Salt).

Whales of Iceland MUSÉE
(carte p. 56 ; ☎571 0077 ; www.whalesoficeland.com ; Fiskislóð 23-25 ; adulte/enfant 2 800/1 550 ISK ; ⏲10h-19h mai-sept, 10h-18h oct-avr). Vous êtes-vous jamais promené sous une baleine bleue ? Ce tout nouveau musée abrite les maquettes grandeur nature de 23 baleines découvertes au large des côtes islandaises. Plus grand musée du genre en Europe, il expose aussi des maquettes de squelettes de baleines. Café et boutique de souvenirs sur place.

Aurora Reykjavík EXPOSITION
(Northern Lights Centre ; carte p. 56 ; ☎780 4500 ; www.aurorareykjavik.is ; Grandagarður 2 ; adulte/enfant 1 600/1 000 ISK ; ⏲9h-21h). Après vous être documenté sur les légendes autour des aurores boréales et sur leur explication scientifique, assistez à une projection panoramique HD à système ambiophonique de 35 minutes recréant les aurores.

Cinema at Old Harbour Village No 2 FILM
(carte p. 60 ; ☎899 7953 ; www.thecinema.is ; Geirsgata 7b ; adulte/enfant 1 500/750 ISK). Cette petite salle est perchée en haut de l'un des entrepôts réhabilités du vieux port. Les films portent sur les volcans (Hekla, Eyjafjallajökull, îles Vestmann), la création de l'Islande, þingvellir et le phénomène des aurores boréales. Films en anglais et programmation sur le site Internet.

Laugavegur et l'est du lac Tjörnin

♥ **Hallgrímskirkja** ÉGLISE
(carte p. 60 ; ☎510 1000 ; www.hallgrimskirkja.is ; Skólavörðustígur ; clocher adulte/enfant 700/100 ISK ; ⏲9h-21h juil-août, 9h-17h sept-juin). Cette immense église blanche en béton (1945-1986), visible à 20 km à la ronde, est l'édifice vedette de Reykjavík, dont elle domine les toits. Pour une vue imprenable sur la ville, prenez l'ascenseur jusqu'au sommet du **clocher** (74,5 m). L'intérieur de cette église luthérienne est d'une sobriété

LA REYKJAVÍK CITY CARD

La **Reykjavík City Card** (24/48/72 heures 2 900/3 900/4 900 ISK) permet d'accéder gratuitement à la piscine municipale et aux piscines géothermales de Reykjavík, ainsi qu'à la plupart des grands musées et galeries d'art. Elle donne également droit à des réductions pour certains circuits organisés, spectacles et boutiques. Enfin, elle permet d'emprunter gratuitement les bus municipaux Strætó et le ferry pour Viðey. En vente à l'office du tourisme, dans certaines agences de voyages, dans les supérettes 10-11, ainsi que dans les auberges de jeunesse affiliées HI et quelques hôtels.

Les enfants ne paient pas dans de nombreux musées. Toutefois, la Children's City Card (1 000/2 000/3 000 ISK pour 24/48/72 heures) leur donne droit à des tarifs réduits sur d'autres services et prestations.

Centre de Reykjavík

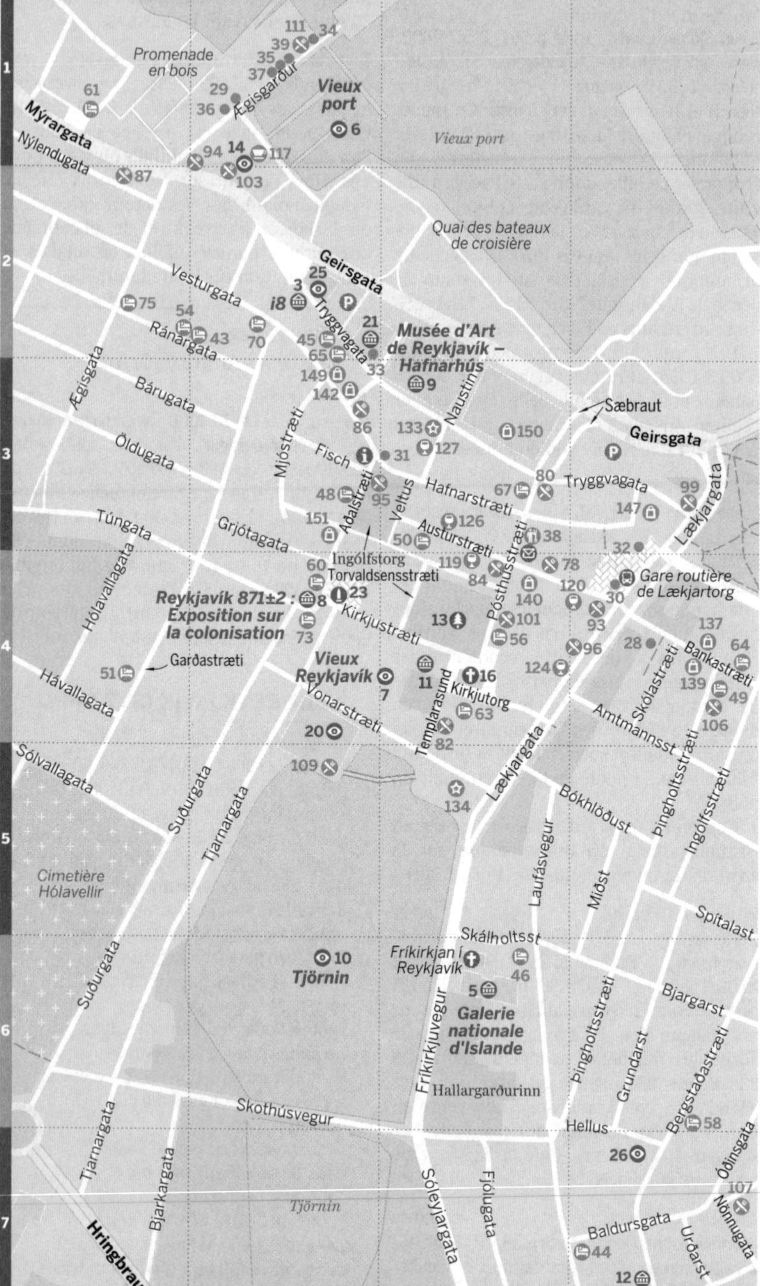

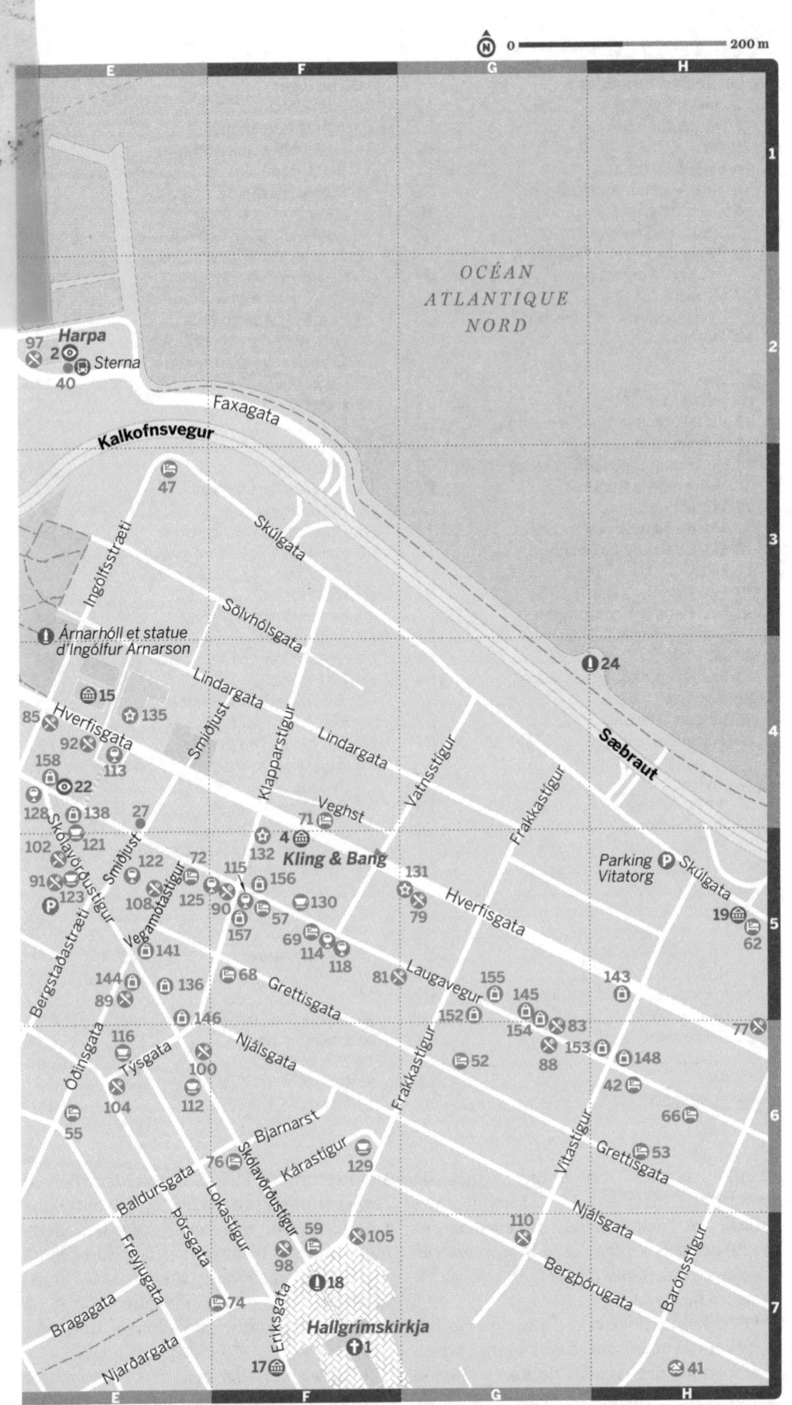
0
200 m
OCÉAN
ATLANTIQUE
NORD
Harpa
Sterna
Faxagata
Kalkofnsvegur
Skúlgata
Ingólfsstræti
Sölvhólsgata
Árnarhóll et statue d'Ingólfur Arnarson
Lindargata
Hverfisgata
Smiðjust
Klapparstígur
Veghst
Vatnsstígur
Frakkastígur
Sæbraut
Kling & Bang
Parking Vitatorg
Skúlgata
Skólavörðustígur
Smiðjust
Vegamótastígur
Bergstaðastræti
Laugavegur
Grettisgata
Njálsgata
Óðinsgata
Týsgata
Bjarnarst
Kárastígur
Baldursgata
Þórsgata
Lokastígur
Freyjugata
Vitastígur
Barónsstígur
Bergþórugata
Bragagata
Njarðargata
Eriksgata
Hallgrímskirkja
E
F
G
H
1
2
3
4
5
6
7

Centre de Reykjavík

Les incontournables
1 Hallgrímskirkja F7
2 Harpa E2
3 i8 B2
4 Kling & Bang F5
5 Galerie nationale d'Islande C6
6 Vieux port B1
7 Vieux Reykjavík C4
8 Reykjavík 871±2 : Exposition sur la colonisation B4
9 Musée d'Art de Reykjavík – Hafnarhús C3
10 Tjörnin B6

À voir
11 Alþing C4
12 Collection Ásgrímur Jónsson D7
13 Austurvöllur C4
14 Cinema at Old Harbour Village No 2 B1
15 Maison de la Culture E4
16 Dómkirkja C4
17 Musée Einar Jónsson F7
18 Statue de Leif Eiríksson F7
19 NÝLO H5
20 Raðhús B4
21 Musée de la Photographie de Reykjavík B2
22 Samtökin '78 E4
23 Statue de Skúli Magnússon B4
24 Sun-Craft H4
25 Volcano House B2
26 Volcano Show D7

Activités
27 Arctic Adventures E4
28 Bike Company D4
29 Elding Adventures at Sea B1
30 Free Walking Tour Reykjavik D4
31 Haunted Iceland C3
32 Iceland Excursions D3
33 Literary Reykjavík B2
34 Reykjavík Bike Tours B1
35 Reykjavík By Boat B1
36 Reykjavík Sea Adventures B1
37 Sea Safari B1
38 Skíðasvæði C3
39 Special Tours B1
40 Sterna E2
41 Sundhöllin H7

Où se loger
42 Alda Hotel H6
43 Álfhóll Guesthouse B2
44 Baldursbrá Guesthouse D7
45 Black Pearl B2
46 Castle House & Embassy Apartments C6
47 CenterHótel Arnarhvoll E3
48 CenterHótel Plaza B3
49 CenterHótel Þingholt D4
50 City Center Hotel C3
51 Embassy Apartments A4
52 Forsæla Apartmenthouse G6
53 Grettisborg Apartments H6
54 Guesthouse Butterfly A2
55 Guesthouse Óðinn E6
56 Hótel Borg C4
57 Hótel Frón F5
58 Hótel Holt D6
59 Hótel Leifur Eiríksson F7
Hótel Óðinsvé (voir 104)
60 Hótel Reykjavík Centrum B4
61 Icelandair Hotel Reykjavík Marina A1
62 KEX Hostel H5
63 Kvosin Downtown Hotel C4
64 Loft Hostel D4
65 Ocean Comfort Apartments B2
66 OK Hotel H6
67 Radisson Blu 1919 Hotel C3
68 REY Apartments F5
69 Reykjavík Backpackers F5
70 Reykjavík Downtown Hostel B2
71 Reykjavík Residence F4
72 Room With A View E5
73 Salvation Army Guesthouse B4
74 Sunna Guesthouse F7
75 Three Sisters A2
76 Villa F6

Où se restaurer
77 10-11 H6
78 10-11 C4
79 Austur Indíafélagið G5
80 Bæjarins Beztu C3
81 Bakarí Sandholt F5
82 Bergsson Mathús C4
83 Bónus G6

attendue hormis son grand **orgue** de 5 275 tuyaux, installé en 1992. L'architecture radicale de l'église et ses dimensions ont suscité de vives controverses. Son architecte, Guðjón Samúelsson (1887-1950), ne la vit jamais achevée.

Les colonnes de part et d'autre du clocher rappellent la régularité des colonnes basaltiques issues des coulées de lave – Guðjón Samúelsson souhaitait créer un style architectural typiquement islandais. Devant l'église trône la **statue** (carte p. 60) du Viking Leif Eiríksson, représenté regardant fièrement au loin. Il fut le premier Européen à fouler le sol américain. Offerte par les États-Unis à l'occasion du millénaire de l'Alþing en 1930, cette statue est l'œuvre d'Alexander Stirling Calder (1870-1945).

L'église d'Hallgrímskirkja (prononcez "*hateul*-krims-*keurk*-ya") tient son nom du pasteur et poète Hallgrímur Pétursson (1614-1674), auteur des plus célèbres cantiques d'Islande, les *Cantiques de la Passion* (*Passíusálmar*).

De mi-juin à mi-août, des **concerts de musique chorale** (2 000 ISK) sont programmés à 12h le mercredi, et des **récitals d'orgue** sont organisés à 12h le samedi et certains jeudis (1 700 ISK), ainsi que le dimanche à 17h (2 500 ISK). La messe a lieu le dimanche à 11h. Des offices plus courts sont également célébrés le mercredi à 8h. Enfin, il y a une messe en anglais le dernier dimanche du mois à 14h.

Harpa ÉDIFICE CULTUREL

(carte p. 60 ; billetterie 528 5050 ; www.harpa.is ; Austurbakki 2 ; billet 9h-18h lun-ven, 10h-18h sam-dim). À la fois salle de concert et centre culturel, Harpa, dont les facettes toujours changeantes se reflètent sur l'eau, est une merveille architecturale invitant à la contemplation. Outre une programmation intéressante (dont certains concerts gratuits), l'édifice mérite une halte pour son intérieur étincelant avec vue sur le port. **Visite guidée** du bâtiment (45 min ; 1 500 ISK ; 9h, 11h, 13h30 et 15h30 tlj juin-août ; 15h30 lun-ven, 11h et 15h30 sam-dim sept-mai).

Ce palais de verre lumineux habillé de courbes concaves et convexes attire inévitablement l'œil. Conçu par plusieurs agences d'architecture et par l'artiste islando-danois Olafur Eliasson, le bâtiment a été inauguré en 2011. Le hall abrite des boutiques de créateurs et le magasin de musique **12 Tónar**, et un restaurant gastronomique (Kolabrautin ; p. 83) est installé au niveau supérieur.

♥ **Musée d'Art de Reykjavík – Kjarvalsstaðir** MUSÉE D'ART

(carte p. 56 ; ☎ 517 1290 ; www.artmuseum.is ; Flókagata, parc Miklatún ; adulte/enfant 1 300 ISK/gratuit ; ⊙10h-17h). Édifice anguleux de verre et de bois, le Kjarvalsstaðir, qui donne sur le **parc Miklatún** (carte p. 56), tient son nom de Jóhannes Sveinsson Kjarval (1885-1972), peintre islandais. Ancien pêcheur, il étudia à l'Académie des beaux-arts de Copenhague grâce aux membres de son équipage, qui lui payèrent ses études. Ses paysages sont exposés aux côtés d'autres œuvres, le plus souvent de la peinture du XXe siècle.

♥ **Musée phallologique islandais** MUSÉE

(Hið Íslenzka Reðasafn ; carte p. 56 ; ☎ 561 6663 ; www.phallus.is ; Laugavegur 116 ; adulte/enfant 1 250 ISK/gratuit ; ⊙10h-18h). Ce musée, unique en son genre et fort bien conçu, abrite une immense collection de pénis. Dans le formol ou en bois pétrifié, 283 attributs différents sont exposés, représentant tous les mammifères islandais. On voit notamment les organes génitaux d'un grand cachalot et d'un ours polaire ; ceux, minuscules, d'une souris ; des moulages en argent de chaque membre de l'équipe nationale de handball ; ainsi que son seul spécimen humain, celui de l'alpiniste Páll Arason.

L'acquisition du "membre" de Páll Arason par le musée est le sujet de *The Final Member* (2012), film documentaire insolite. Cinq autres promesses de don sont en attente, comme en témoignent les certificats de donation affichés sur le mur. Petit détail qui souligne le côté décalé du musée : les légendes en espéranto. Pas de carte bancaire.

♥ **Galerie nationale d'Islande** MUSÉE

(Listasafn Íslands ; carte p. 60 ; www.listasafn.is ; Fríkirkjuvegur 7 ; adulte/enfant 1 000 ISK/gratuit ; ⊙10h-17h mar-dim juin-août, 11h-17h sept-mai). Ce bel ensemble de salles en marbre et de spacieuses galeries donnant sur le Tjörnin abrite des expositions temporaires qui puisent dans la collection de 10 000 pièces du musée. On admire notamment des œuvres de peintres reconnus des XIXe et XXe siècles (dont Jóhannes Sveinsson

GALERIES D'ART

Reykjavík compte quantité de petites galeries d'art contemporain, et les créateurs locaux ont souvent une boutique.

Kling & Bang (carte p. 60 ; ☎ 696 2209 ; www.this.is/klingogbang ; Hverfisgata 42 ; ⊙14h-18h jeu-dim). Jeunes talents prometteurs du monde de l'art d'avant-garde. Une adresse très prisée des Reykjavikois.

i8 (carte p. 60 ; ☎ 551 3666 ; www.i8.is ; Tryggvagata 16 ; ⊙11h-17h mar-ven, 13h-17h sam). La crème des artistes modernes islandais, dont beaucoup exposent aussi à l'étranger.

Gallerí Fold (carte p. 56 ; ☎ 551 0400 ; www.myndlist.is ; Rauðarárstígur 14-16 ; ⊙10h-17h lun, jusqu'à 18h mar-ven, 11h-17h sam, 12h-17h dim). Grand marchand d'art islandais et salle de ventes aux enchères.

Musée d'Art ASÍ (carte p. 56 ; ☎ 511 5353 ; www.listasafnasi.is ; Freyjugata 41 ; ⊙13h-17h mar-dim). Propriété de la Fédération islandaise du travail, ce musée expose de l'art islandais du XXe siècle (pièces issues de sa collection) et accueille des expositions temporaires d'art contemporain.

NÝLO (Nýlistasafnið – Le musée des Arts vivants ; carte p. 60 ; ☎ 551 4350 ; www.nylo.is ; Skúlgata 28 ; ⊙ sur rdv 12h-17h mar-ven). Jeunes talents prometteurs et artistes contemporains déjà établis. Concerts et pièces de théâtre de temps à autre.

Kjarval et Nína Sæmundsson) et des sculptures de Sigurjón Ólafsson. Le billet donne également accès à la collection Ásgrímur Jónsson (ci-dessous) et au musée Sigurjón Ólafsson (p. 67).

Collection Ásgrímur Jónsson MUSÉE D'ART
(carte p. 60 ; ☎ 515 9625 ; www.listasafn.is ; Bergstaðastræti 74 ; adulte/enfant 1 000 ISK/gratuit ; ⏲ 14h-17h mar, jeu et dim mi-mai à mi-sept, 14h-17h dim mi-sept à nov et fév à mi-mai). Ásgrímur Jónsson (1876-1958), fils de fermier, fut le premier peintre en Islande à vivre de son métier. Il résidait et travaillait dans cette maison, et l'on peut visiter son ancien atelier où sont exposées ses œuvres inspirées par les fables et la nature islandaises.

Musée Einar Jónsson MUSÉE D'ART
(Listasafn Einars Jónssonar ; carte p. 60 ; ☎ 561 3797 ; www.lej.is ; Eriksgata ; adulte/enfant 1 000 ISK/gratuit ; ⏲ 13h-17h mar-dim juin à mi-sept, 13h-17h sam-dim mi-sept à nov et fév-mai). Einar Jónsson (1874-1954), l'un des plus grands artistes d'Islande, est célèbre pour ses allégories de l'Espérance, de la Terre et de la Mort, sculptées dans du basalte. Jónsson lui-même a conçu l'édifice, construit entre 1916 et 1923, en pleine campagne. Le bâtiment abrite son logement, austère, et son studio au dernier étage, offrant une belle vue sur la ville.

Dans le **jardin des sculptures** (carte p. 56 ; Freyjugata) GRATUIT, à l'arrière du musée, se dressent 26 de ses bronzes, à l'ombre de l'Hallgrímskirkja.

Maison de la Culture MUSÉE D'ART
(Þjóðmenningarhúsið ; carte p. 60 ; www.thjodminjasafn.is ; Hverfisgata 15 ; adulte/enfant 1 000 ISK/gratuit ; ⏲ 11h-17h). Après un remaniement en collaboration avec le Musée national, la Galerie nationale d'Islande et quatre autres organismes, ce musée rouvrira ses portes fin mars 2015 pour présenter une étude du patrimoine artistique islandais, de l'âge de la colonisation à nos jours.

Volcano Show FILM
(Red Rock Cinema ; carte p. 60 ; ☎ 845 9548 ; Hellusund 6a ; 1 500 ISK ; ⏲ 2/jour). Villi Knudsen, excentrique "chasseur de lave", est à l'origine de cette vidéo projetée dans la petite salle d'une annexe située dans une rue résidentielle (à ne pas confondre avec la Volcano House ; p. 58). Si certains seront fascinés par Villi et ses images qui retracent l'histoire des volcans islandais sur une cinquantaine d'années (on peut voir par exemple la ville de Heimaey engloutie par la lave en fusion), les séquences ont pris un sacré coup de vieux.

ℹ SITES WEB UTILES

Excepté le site de l'Alliance française, les sites ci-dessous sont en anglais.

Alliance française de Reykjavík (www.af.is). Événements culturels et médiathèque.

Grapevine (www.grapevine.is). Excellent journal/site Internet.

Iceland Review (www.icelandreview.com). Actualités quotidiennes en Islande, sorties, etc.

Visit Reykjavík (www.visitreykjavik.is). Site de l'Office national du tourisme islandais.

Iceland Design Centre (Hönnunarmiðstöð ; ☎ 771 2200 ; www.icelanddesign.is ; Vonarstræti 4b). S'attache à promouvoir le travail des designers et architectes locaux : actualités, expos et événements à consulter en ligne, ainsi que le Reykjavík Design Guide, et des menus déroulants pratiques recensant les créateurs (des architectes aux céramistes).

I Heart Reykjavík (www.iheartreykjavik.net). Amusant blog local.

Inspired by Iceland (www.inspiredbyiceland.com). Actualités, bons plans et promotions.

Sun-Craft MONUMENT
(carte p. 60 ; Sæbraut). Reykjavík compte quantité de sculptures fascinantes ; mais les visiteurs ont un faible pour **Sun-Craft**, l'œuvre de Jón Gunnar Árnason. Cette structure installée en bord de mer rappelle l'ossature d'une coque. Elle a pour toile de fond de lointaines montagnes enneigées. Très photogénique.

Au sud du centre

♥ **Musée national** MUSÉE
(Þjóðminjasafn Íslands ; carte p. 56 ; ☎ 530 2200 ; www.thjodminjasafn.is ; Suðurgata 41 ; adulte/enfant 1 500 ISK/gratuit, audioguide 300 ISK ; ⏲ 10h-17h mai–mi-sept, 11h-17h mar-dim mi-sept à avr ; 🚌 1, 3, 6, 12 ou 14). Ce splendide musée expose une collection d'objets, de l'âge de la colonisation à l'époque récente. Il donne

une excellente vue d'ensemble de l'histoire et de la culture islandaises. La section la plus importante détaille la période de la colonisation – y compris la façon de gouverner des chefs de clans et l'avènement de la chrétienté. Nombre d'épées, de cornes à boire, d'objets en argent et un petit bronze de Thor. L'une des pièces majeures de ce musée est la **porte d'église de Valþjófsstaðir** (XIIIe siècle). Sculptée, on y distingue un chevalier, son fidèle lion et une kyrielle de dragons.

À l'étage, les collections datent de 1600 à nos jours. Elles expliquent de façon claire comment l'Islande lutta sous domination étrangère et gagna son indépendance. De modestes objets évoquent également le quotidien sur l'île : jetons en otolithes de morue ou poupée en bois qui faisait office d'ustensile de cuisine.

Visites gratuites en anglais à 11h les mercredi, samedi et dimanche de mi-mai à septembre, et audioguides en français.

Perlan ÉDIFICE REMARQUABLE

(carte p. 56 ; www.perlan.is ; 10h-22h, café jusqu'à 21h ; 18). GRATUIT À 2 km du centre-ville, sur la colline Öskjuhlíð, le dôme de verre du Perlan semble comme posé au-dessus d'immenses citernes d'eau géothermale. La terrasse panoramique offre une vue à 360° sur Reykjavík et les montagnes. Le café (apprécié par les groupes) permet d'admirer la vue bien au chaud en sirotant un café. Au sommet du dôme se trouve un restaurant gastronomique, ouvert uniquement le soir.

Deux **geysers artificiels** raviront les enfants. De nombreux **sentiers pédestres et cyclables** sillonnent la colline. L'un d'eux mène à la plage de Nauthólsvík (p. 68).

Laugardalur

Laugardalur QUARTIER, PARC

(carte p. 56 ; 2, 14, 15, 17 ou 19). Ce parc verdoyant s'étend à 4 km à l'est du centre. C'était autrefois la principale source d'alimentation en eau chaude de Reykjavík : Laugardalur signifie en effet "vallée des Sources chaudes", et l'on voit encore au centre du parc les vestiges d'un ancien lavoir. L'endroit est prisé des Reykjavikois pour sa vaste piscine géothermale (p. 68), son spa, son café (p. 85), sa patinoire, ses jardins botaniques, ses stades (pour les matchs et les concerts) et son zoo/parc de loisirs pour enfants.

Dans les rues alentour vous attendent le marché de petits producteurs Frú Lauga (p. 85), le musée d'Art de Reykjavík – Ásmundarsafn (ci-dessous) et, au bord de l'eau, le musée Sigurjón Ólafsson (p. 67).

Musée d'Art de Reykjavík – Ásmundarsafn MUSÉE D'ART

(musée Ásmundur Sveinsson ; carte p. 56 ; 553 2155 ; www.artmuseum.is ; Sigtún ; adulte/enfant 1 300 ISK/gratuit ; 10h-17h mai-sept, 13h-17h oct-avr ; 2, 14, 15, 17 ou 19). Il y a quelque chose d'espiègle dans la vaste collection de sculptures d'Ásmundur Sveinsson (1893-1982) exposées dans l'atelier et musée qu'il a lui-même conçu, un édifice blanc et circulaire. Les créations monumentales sont disséminées dans le jardin. L'intérieur, un lieu paisible coiffé de coupoles entremêlées, abrite des œuvres en bois, argile et métal (mobiles pour certaines d'entre elles) sur des thèmes variés. Les immenses puits de lumière et le marbre blanc cèdent la place à une amusante coupole à l'acoustique excellente. Chanter n'est pas interdit (c'est le musée qui le dit) !

Pour rester dans l'esprit artistique, un Abribus en forme d'igloo est posté devant le musée.

Jardins botaniques de Reykjavík JARDINS

(Grasagarður ; carte p. 56 ; www.grasagardur.is ; Laugardalur ; 10h-22h mai-sept, 10h-17h oct-avr). GRATUIT Ces jardins recèlent plus de 5 000 variétés de plantes subarctiques et d'innombrables oiseaux (notamment des oies cendrées et leurs oisons duveteux). Le jardin abrite aussi le magnifique Café Flóra (p. 85), ouvert en été.

Zoo et parc familial de Reykjavík ZOO

(Fjölskyldu og Húsdýragarðurinn ; carte p. 56 ; 575 7800 ; www.mu.is ; Laugardalur ; adulte/enfant 750/550 ISK, billet 1/10/20 tours de manège 270/2 300/4 300 ISK ; 10h-18h juin à mi-août, 10h-17h mi-août à mai ;). Ce parc de loisirs dans Laugardalur est un rendez-vous très prisé des familles aux beaux jours. Ici, point de lion ou de tigre, mais des phoques, des renards et d'autres animaux de la ferme dans de simples enclos, ainsi que des aquariums de poissons d'eau froide. La section pour les enfants abrite un circuit de course miniature, des bulldozers à la taille des petits, un trampoline géant, des bateaux et des manèges.

Musée Sigurjón Ólafsson MUSÉE D'ART
(Listasafn Sigurjóns Ólafssonar ; carte p. 56 ; ☎553 2906 ; www.lso.is ; Laugarnestangi 70 ; adulte/enfant 500 ISK/gratuit ; ⌚14h-17h mar-dim juin/mi-sept, 14h-17h sam-dim mi-sept/nov et fév-mai). Le sculpteur Sigurjón Ólafsson (1908-1982) avait transformé ce tranquille édifice de bord de mer en atelier. Le musée expose aujourd'hui ses sculptures. La brise marine souffle à travers les salles modernes. L'endroit est sillonné de sentiers avec vue dégagée sur Reykjavík. **Concerts de musique classique** (2 000 ISK) à 20h30 le mardi au mois de juillet. Le musée étant une annexe de la Galerie nationale d'Islande, le billet est commun pour les deux. Accès par les bus n^os^5 et 12.

Périphérie

Seltjarnarnes QUARTIER
(www.seltjarnarnes.is ; 🚌11). À seulement 5 km à l'ouest du centre de Reykjavík, la zone côtière de Seltjarnarnes semble appartenir à un autre univers. Avec plus d'une centaine d'espèces migratrices recensées, l'île **Grótta**, où se dresse un phare rouge et blanc, est un paradis pour l'observation des oiseaux. Elle est accessible à marée basse, mais fermée de mai à juillet pendant la période de nidification. Pour vous y rendre, suivez le joli **chemin côtier**, prisé des marcheurs, des joggeurs et des cyclistes.

Les vagues viennent lécher la grève composée de roches de lave. Le vent marin n'est pas loin, entre séchoirs à poisson et cri des sternes arctiques. De l'autre côté du fjord, la vue sur le mont Esja (909 m) est sublime.

Árbæjarsafn MUSÉE
(www.minjasafnreykjavikur.is ; Kistuhylur 4, Ártúnsholt ; adulte/enfant 1 300 ISK/gratuit ; ⌚10h-17h juin-août, à 13h uniquement avec visite guidée lun-ven sept-mai ; 👪 ; 🚌12, 19 ou 24). Une vingtaine d'édifices anciens ont été transplantés de leurs sites d'origine jusqu'à l'Árbæjarsafn, un pittoresque musée en plein air à 4 km à l'est du centre-ville, après Laugardalur. Aux côtés des maisons du XIXe siècle se dressent une église au toit gazonné, des étables, des forges, des granges et des hangars à bateaux. On voit des artisans à l'œuvre en été, des animaux domestiques, et les enfants peuvent jouer en toute liberté. Le billet donne également accès au musée Reykjavík 871±2 (p. 55).

Activités

Reykjavík offre un vaste éventail d'activités, allant de la simple balade en vélo (p. 69) en bord de lac ou de front de mer aux circuits en pleine nature.

REYKJAVÍK EN HIVER

Malgré le froid glacial et le soleil qui ne se lève quasiment pas, un séjour hivernal présente certains avantages, notamment celui de pouvoir assister aux aurores boréales. De nombreux circuits organisés en bus restent en activité l'hiver, et permettent d'admirer la cascade Gullfoss gelée, des grottes emplies de stalactites de glace et les montagnes enneigées. Autres activités proposées : motoneige, ski de fond et ski héliporté. En outre, la période est idéale pour éviter la foule (et les prix) de l'été.

La **patinoire de Reykjavík** (Skautahöllin ; carte p. 56 ; ☎588 9705 ; www.skautaholl.is ; Múlavegur 1, Laugardalur ; adulte/enfant 850/600 ISK, location de patins 400 ISK ; ⌚12h-15h lun-mer, 12h-15h et 17h-19h30 jeu, 13h-19h30 ven, 13h-18h sam-dim sept-avr) à Laugardalur est ouverte de septembre à avril. On peut aussi patiner sur le lac Tjörnin lorsqu'il est gelé.

Ski

La saison de ski court de novembre à avril, selon l'enneigement. Les trois domaines skiables proches de Reykjavík (Bláfjöll, Hengill et Skálafell) sont gérés par **Skíðasvæði** (carte p. 60 ; ☎530 3000 ; www.skidasvaedi.is ; Pósthússtræti 3-5).

Bláfjöll (☎561 8400 ; forfait journée adulte/ado/enfant 3 100/1 200/800 ISK ; ⌚14h-21h lun-ven, 10h-17h sam-dim). Les plus belles pistes sont à Bláfjöll, station de 84 km^2 pourvue de 14 remontées mécaniques, ainsi que de pistes de ski de fond et de snowboard. On peut louer un équipement à des prix raisonnables. La station est à 25 km au sud-est de Reykjavík sur la Route 417, près de la Route 1. Une navette (1 500 ISK aller/retour) part de la gare routière Mjódd au sud-est de la ville une fois par jour en saison ; consultez les horaires auprès de **Skíðasvæði** (www.skidasvaedi.is).

Comme ailleurs sur l'île, les sources chaudes sont au cœur de la vie sociale des habitants de Reykjavík. Dans l'eau, les enfants jouent, les ados flirtent, et les adultes discutent et partagent les derniers potins. La température de l'eau avoisine les 29°C et les bains comptent en principe des *heitir pottar* (*hot pots*), sorte de bassins dont la température oscille entre 37 et 42°C. L'entrée des bains publics coûte 600/130 ISK (tarif adulte/enfant). Apportez vos serviettes et maillots de bain, ou louez-les sur place. Pour plus de renseignements et d'autres adresses, consultez www.spacity.is.

Les Islandais sont très pointilleux quant à l'hygiène (et pour cause, l'eau n'est pas traitée chimiquement). Il est donc *impératif* de prendre une douche en se savonnant, et sans maillot de bain, avant de rejoindre la piscine.

Laugardalslaug PISCINE GÉOTHERMALE, HOT POT

(carte p. 56 ; Sundlaugavegur 30a, Laugardalur ; adulte/enfant 600/130 ISK, location maillot/serviette 800/550 ISK ; 6h30-22h lun-ven, 8h-22h sam-dim ;). L'une des plus vastes piscines d'Islande, avec les meilleurs équipements : bassins olympiques intérieurs et extérieurs, 7 *hot pots*, bain d'eau de mer, bain de vapeur, et toboggan aquatique en spirale de 86 m.

Laugar Spa SPA, SALLE DE SPORT

(carte p. 56 ; 553 0000 ; www.laugarspa.is ; Sundlaugavegur 30a, Laugardalur ; forfait journalier 4 990 ISK ; 6h-22h30 lun-ven, 8h-22h sam, 8h-20h dim). L'excellent Laugar Spa, juste à côté de la piscine géothermale Laugardalslaug, offre mille façons de se faire dorloter. Au programme : 6 saunas et bains de vapeur à thème, un bassin d'eau de mer, une immense salle de sport, des cours de fitness, et des dizaines de soins beauté et massages (enveloppements détox, massages faciaux, pierres chaudes). Réservé aux plus de 18 ans, il donne également accès à Laugardalslaug.

Le café du spa sert des smoothies (750 ISK) et un plat du jour (1 690 ISK). Service de garde d'enfants (en islandais).

Árbæjarlaug PISCINE GÉOTHERMALE, HOT POT

(411 5200 ; Fylkisvegur 9, Elliðaárdalur ; 6h30-22h lun-jeu, 6h30-20h ven, 9h-20h sam-dim ; 19). Cette piscine située à 10 km au sud-est du centre est connue comme la meilleure adresse du genre pour les familles : mi-couverte, elle comporte de nombreux jeux aquatiques (toboggans, cascades et jets massants) qui plairont aux petits et aux grands.

Sundhöllin PISCINE GÉOTHERMALE, HOT POT

(carte p. 60 ; 411 5350 ; Barónsstígur 16 ; 6h30-22h lun-jeu, 6h30-20h ven, 8h-16h sam, 10h-18h dim ;). La plus ancienne piscine de Reykjavík, construite en 1937 dans un style Art déco par l'architecte Guðjón Samúelsson, se trouve en plein centre-ville. C'est l'unique bassin couvert de la ville, et, depuis les terrasses, on profite d'une belle vue sur l'Hallgrímskirkja.

Plage géothermale de Nauthólsvík PLAGE

(carte p. 56 ; 511 6630 ; www.nautholsvik.is ; été/hiver gratuit/500 ISK, consigne objets de valeur été/hiver 200 ISK/gratuit, location serviette ou maillot 300 ISK ; 10h-19h mi-mai à mi-août, horaires réduits mi-août à mi-mai ; ; 19). Le petit croissant de sable de la plage géothermale de Nauthólsvík, sur la façade atlantique, est bondé lorsqu'il fait beau. En été uniquement, l'eau de la source géothermale est utilisée pour maintenir la température du lagon entre 15°C et 19°C. Il y a également un *hot pot* très couru (38°C toute l'année), un snack-bar et des vestiaires.

Vesturbæjarlaug PISCINE GÉOTHERMALE, HOT POT

(carte p. 56 ; 411 5150 ; Hofsvallagata ; 6h30-22h lun-jeu, 6h30-20h ven, 9h-20h sam-dim ; 11, 13 ou 15). À courte distance à pied du centre, Vesturbæjarlaug abrite une piscine de 25 m, un bain de vapeur, un sauna et 4 *hot pots*.

Cours

Creative Iceland COURS D'ARTISANAT

(www.creativeiceland.is). Conception graphique, cuisine, art, artisanat, musique... À vous de choisir ! L'occasion d'être en contact avec des artistes et des artisans islandais.

Icelandic Culture and Craft Workshops COURS D'ARTISANAT

(566 8822 ; www.cultureandcraft.com ; cours à partir de 11 900 ISK). Propose, à la demi-journée, des cours de tricot avec de la pure laine islandaise.

Circuits organisés

Les circuits à pied, à vélo et en bus sont les moyens les plus adaptés pour découvrir la ville. Pour prendre le large, optez pour une excursion d'observation des baleines et des macareux, ou pour une sortie sur un bateau de pêche.

Reykjavík est le centre névralgique pour choisir et organiser un circuit ou une activité sur l'île. Ceux qui n'ont pas de véhicule ou manquent de temps pour s'organiser peuvent utiliser la capitale comme camp de base. En effet, toute une gamme de circuits (Super-Jeep, bus, cheval, motoneige, avion) y est proposée. Cela dit, si vous avez du temps, mieux vaut vous lancer seul.

Visites de la ville

L'office du tourisme (p..93) fournit quantité de cartes gratuites et de descriptifs de circuits thématiques à travers la ville (*Literary Reykjavík, The Neighbourhood of the Gods*, etc.). On vous renseignera également sur les visites guidées à pied. On peut aussi se procurer le guide de promenades plus détaillé *Reykjavík Walks* (2014, en anglais), de Guðjón Friðriksson, disponible en librairie.

Il existe plusieurs applications gratuites, dont celles proposées par **Locatify** (www.locatify.com).

♥ **Literary Reykjavík** PROMENADE À PIED
(carte p. 60 ; www.bokmenntaborgin.is ; Tryggvagata 15 ; ⏲15h jeu juin-août). GRATUIT Cette agence profite que Reykjavík soit membre du réseau Unesco des villes littéraires pour proposer des visites guidées sur le thème de l'écriture et des écrivains. Le Dark Deeds, centré sur le roman policier, est l'un de ces parcours. Également : application téléchargeable *Literary Reykjavík*.

Free Walking Tour Reykjavik PROMENADE À PIED
(carte p. 60 ; www.freewalkingtour.is ; ⏲12h et 14h juin-août, moins en hiver). GRATUIT Balade d'une heure (1,5 km) dans le centre, au départ de la petite tour de l'horloge, place Lækjartorg, en français ou en anglais.

Haunted Iceland PROMENADE À PIED
(carte p. 60 ; www.hauntedwalk.is ; adulte/enfant 2 500 ISK/gratuit ; ⏲20h sam-jeu juin/mi-sept). Visite d'une heure et demie sur le folklore et les fantômes, entre autres. Départ de l'office du tourisme principal.

City Sightseeing Reykjavík CIRCUITS EN BUS
(☎580 5400 ; www.city-sightseeing.com ; adulte/enfant 3 500/1 750 ISK ; ⏲toutes les heures 10h-18h juin à mi-sept). Bus touristique avec montée et descente à volonté pour faire le tour des grands sites de la ville. Départ à Harpa.

Circuits à vélo

Reykjavík Bike Tours CIRCUITS À VÉLO
(carte p. 60 ; ☎694 8956 ; www.icelandbike.com ; Ægisgarður 7, vieux port ; location vélo 4 heures à partir de 3 500 ISK, circuits à partir de 5 500 ISK ; ⏲9h-17h juin-août, horaires réduits sept-mai). Cette agence loue des vélos et propose des circuits dans Reykjavík et ses environs. Au programme : Reykjavík classique (2 heures 30, 7 km) ; la côte de Reykjavík (2 heures 30, 18 km) ; le Cercle d'or à vélo (8 heures, dont 1 heure 30 de vélo sur 25 km). Également : visites de Reykjavík en Segway (10 000 ISK) et à pied (à partir de 20 000 ISK).

Bike Company LOCATION DE VÉLO, CIRCUITS À VÉLO
(carte p. 60 ; ☎590 8550 ; www.bikecompany.is ; Bankastræti 2 ; location vélo 5 heures 3 500 ISK ; ⏲9h-17h lun-ven). Circuits à vélo et location ; également représenté chez les tour-opérateurs Icelandic Travel Market et Trip.

Observation des baleines, pêche et croisières

Si les eaux nordiques d'Akureyri et de Húsavík sont réputées pour l'observation

CIRCUITS ORGANISÉS : NOS ASTUCES

- Le nombre de tour-opérateurs et de formules est pléthorique : observation des baleines, circuits en bus ou en Super-Jeep, visites guidées de la ville, circuits multi-activités, etc. Nous n'indiquons ici que quelques exemples. Consultez l'offre complète des agences sur leurs sites Internet respectifs.
- La durée des circuits, leur nature et leurs prix sont ceux en vigueur lors de nos recherches. Mais les choses changent vite en Islande. Renseignez-vous en ligne.
- De nombreux tour-opérateurs proposent un service de prise en charge/retour à l'hôtel.
- Pour vous aventurer plus loin, prévoyez de passer quelques nuits en dehors de Reykjavík. Vous vous épargnerez des allers-retours inutiles en bus.
- Emportez des jumelles et un téléobjectif pour observer les baleines et les macareux.

des baleines, Reykjavík est une alternative moins éloignée.

Les excursions fonctionnent en principe toute l'année, avec davantage de départs en été, qui est aussi la meilleure saison. Si à l'occasion de votre première sortie vous n'apercevez pas de baleines, la plupart des agences vous remettront un bon valable pour une seconde tentative. Les tarifs débutent à 8 500 ISK pour une sortie de 2 ou 3 heures, 4 250 ISK pour les enfants.

Plusieurs agences proposent aussi de la **pêche à la ligne en mer** (adulte/enfant à partir de 11 500/5 750 ISK) ainsi que des circuits d'**observation des macareux** (adulte/enfant à partir de 5 000/2 500 ISK), bien que l'on puisse souvent en apercevoir sur les îlots lors des sorties d'observation des baleines.

Elding Adventures at Sea OBSERVATION DES BALEINES
(carte p. 60 ; ☎519 5000 ; www.whalewatching.is ; Ægisgarður 5 ; ⏲kiosque du port 8h-21h). Une agence reconnue et sensible à l'écologie. Une exposition sur les baleines est incluse dans la visite. Également : sorties de pêche à la ligne et d'observation des macareux, circuits combinés, et ferry pour Viðey.

Special Tours OBSERVATION OISEAUX ET BALEINES
(carte p. 60 ; ☎560 8800 ; www.specialtours.is ; Ægisgarður 13 ; ⏲kiosque du port 8h-20h). Cette agence dispose du bateau le plus petit mais le plus rapide. Sorties de pêche à la ligne, observation des baleines (20 min pour rejoindre le site) et des macareux, circuits combinés.

Fish Partner SORTIE DE PÊCHE
(☎571 4545 ; www.fishpartner.com ; sorties à la journée à partir de 23 900 ISK). Ce spécialiste de la pêche propose une multitude de circuits sur mesure : pêche à la ligne en mer, pêche à la truite, pêche en lac de cratère, pêche en hélicoptère.

Reykjavík By Boat CROISIÈRE
(carte p. 60 ; ☎841 2030 ; www.reykjavikbyboat.is ; Ægisgarður 11 ; adulte/enfant 4 000/1 600 ISK). Croisière d'une heure et demie sur un petit bateau en bois au départ du vieux port, autour de l'îlot d'Engey (colonie de macareux) et jusqu'à Viðey, puis retour.

Reykjavík Sea Adventures OBSERVATION DES OISEAUX, SORTIE DE PÊCHE
(carte p. 60 ; ☎775 5777 ; www.seaadventures.is ; Ægisgarður 3). Sorties de pêche à la ligne (mi-avril à septembre) et d'observation des macareux (mi-mai à août).

Sea Safari OBSERVATION OISEAUX ET BALEINES
(carte p. 60 ; ☎861 3840 ; www.seasafari.is ; Ægisgarður 9). Circuit d'observation des baleines (1 heure/1 heure 30, 15 000 ISK) et des macareux à bord d'un Zodiac.

Iceland Angling Travel SORTIES DE PÊCHE
(☎867 5200 ; www.icelandangling.com). Sorties à la journée et circuits sur mesure pour des sorties de pêche ailleurs en Islande.

Excursions en bus et activités sportives

Si vous disposez de peu de temps, une excursion d'une journée en bus depuis Reykjavík est l'un des moyens les plus efficaces (et parmi les moins coûteux) de profiter des paysages et de la nature. Votre sortie pourra combiner découverte et activités (motoneige, équitation, rafting ou plongée). De nombreux bus sont équipés pour rouler en terrain accidenté, avec de hautes suspensions et des pneus crantés.

La réservation est obligatoire pour ces circuits, qui sont parfois annulés faute d'un nombre suffisant de participants ou à cause des conditions météorologiques. Comptez à partir de 9 000 ISK pour un circuit classique dans le Cercle d'or ou sur la péninsule de Reykjanes, 11 600 ISK pour un circuit sur la côte sud, 39 900 ISK pour une sortie de plongée près de Þingvellir, et 31 900 ISK pour un circuit de 16 heures jusqu'au parc national du Vatnajökull et à la lagune glaciaire de Jökulsárlón. Réductions ou gratuité pour les jeunes enfants.

Les tour-opérateurs sont nombreux dans la capitale islandaise. En voici un échantillon. N'hésitez pas à consulter les programmes sur leur site Internet.

Reykjavík Excursions CIRCUITS EN BUS
(Kynnisferðir ; carte p. 56 ; ☎580 5400 ; www.re.is ; Vatnsmýrarvegur 10, BSÍ Bus Terminal). C'est l'agence la plus prisée (notamment auprès des groupes). Elle propose un vaste éventail de circuits d'hiver et d'été, qui coïncident souvent avec des fêtes ou des festivals. L'agence vend aussi les billets de bus "Iceland on Your Own" et des forfaits de transport.

Iceland Excursions CIRCUITS EN BUS
(Gray Line Iceland ; carte p. 60 ; ☎540 1313 ; www.grayline.is ; Hafnarstræti 20). Tour-opérateur proposant nombre d'excursions en bus à

la journée (les groupes sont conséquents) alliant visites et activités (rafting en eaux vives, équitation, etc.). Réservez en ligne pour bénéficier des meilleurs tarifs.

Sterna CIRCUITS EN BUS
(carte p. 60 ; ☎551 1166 ; www.sterna.is ; salle de concert Harpa ; ⏱7h-18h30). Agence adaptée pour les voyageurs indépendants avec circuits "secs" en bus et forfaits de transport.

Arctic Adventures CIRCUITS AVENTURE
(carte p. 60 ; ☎562 7000 ; www.adventures.is ; Laugavegur 11 ; ⏱8h-22h). Personnel jeune et enthousiaste pour cette agence spécialisée dans les circuits sportifs (kayak, rafting, équitation, quad, randonnées glaciaires, etc.). Possède un guichet de réservation avec boutique de matériel près de Fjallakofinn (p. 91), dans le centre-ville.

Icelandic Mountain Guides CIRCUITS AVENTURE
(☎587 9999 ; www.mountainguides.is ; Stórhöfði 33). Agence spécialisée dans l'alpinisme, le trekking, l'escalade glaciaire... Possède également la marque "Iceland Rovers" pour ses circuits en Super-Jeep.

EXCURSIONS D'UN JOUR

Si vous passez plus qu'une journée dans la capitale, ce peut être l'occasion de faire une excursion dans les environs pour profiter de beaux sites naturels. En été, les sites sont très courus. Si vous louez un véhicule, vous pourrez opter pour des lieux moins fréquentés ou vous organiser en dehors des heures de visites habituelles des groupes de touristes. Question transport, vous pouvez aussi grimper dans les bus Straetó, Sterna, Reykjavík Excursions et Trex (p. 93) en lieu et place des circuits organisés.

Cercle d'or Avec à son actif trois sites très connus – **Þingvellir** (lieu du premier Parlement islandais et de la faille continentale, p. 110), **Geysir** (immense geyser ; p. 115) et **Gullfoss** (chutes d'eau monumentales ; p. 116) –, le Cercle d'or donne un avant-goût irrésistible de l'Islande profonde. On peut combiner le circuit du Cercle d'or avec toutes sortes d'activités, du quad à la spéléo en passant par le rafting. Les excursions à la journée débutent généralement vers 8h30, pour un retour à 18h (les plus courtes partent à 12h avec retour à 19h). En été, des excursions sont même proposées en soirée (de 19h à minuit). Avec son propre véhicule, il faut environ 4 heures.

Blue Lagoon (p. 102). Immensément populaire, et donc toujours bondé. Depuis Reykjavík, de nombreuses excursions vous y amènent, mais vous pouvez très bien y faire halte sur le chemin depuis/vers l'aéroport international de Keflavík. En haute saison, mieux vaut y aller de nuit.

Péninsule de Snæfellsnes (p. 178). Lieu ravissant et moins fréquenté, que l'on peut inclure à la visite du Cercle d'or, ou voir seul. Au programme : courtes randonnées le long des champs de lave, motoneige sur le glacier, villages côtiers, observation des baleines et escapades en bateau vers des îlots peuplés de macareux.

Côte sud (p. 126). Une myriade de merveilles géologiques : volcans actifs, paysages fabuleux et calottes glaciaires à explorer. Circuits toute l'année au départ de Reykjavík et des grandes villes régionales.

Þórsmörk (p. 153). Bien que cette splendide vallée volcanique recèle quantité de sentiers de randonnée nécessitant plus de temps, il est possible d'inclure une courte marche à un circuit en Super-Jeep. En été, on peut aussi y aller en bus (arrivée vers midi, retour en début de soirée).

Landmannalaugar (p. 146). Sur une journée, la visite (très courte) de cette région géothermique ne peut se réaliser que dans le cadre d'un circuit en Super-Jeep ou en bus. Sachez que l'on passe la majeure partie du temps sur la route. En chemin néanmoins, les arrêts des Super-Jeep incluent souvent l'Hekla. Landmannalaugar est bondé en été.

Jökulsárlón (p. 351). Cette splendide lagune glaciaire, assez éloignée de la capitale, fait l'objet de l'une des plus longues excursions. Avec un aller-retour dans la journée, vous arriverez sur le site au moment où il y a le plus du monde. Si possible, mieux vaut passer la nuit sur la côte sud et se rendre à la lagune en dehors des heures d'affluence.

Gateway to Iceland CIRCUITS EN BUS
(☎534 4446 ; www.gatewaytoiceland.is). Excellents échos de la part des voyageurs indépendants pour cette agence qui propose des circuits en minibus accompagnés de guides compétents.

Bustravel CIRCUITS EN BUS
(☎511 2600 ; www.bustravel.is). Très apprécié des voyageurs à petit budget. Les guides-chauffeurs sont compétents et les prix maintenus au plus bas avec des groupes importants.

Go Green CIRCUITS EN BUS
(☎694 9890 ; www.gogreen.is). Petite agence haut de gamme avec une démarche écoresponsable et équipée de véhicules fonctionnant au gaz.

Icelandic Knitter CIRCUITS CULTURELS
(☎661 6230 ; www.icelandicknitter.com). La créatrice Hélène Magnússon organise des visites thématiques incluant filage, tricot, création, folklore, randonnée et tourisme, en partenariat avec Icelandic Mountain Guides.

Extreme Iceland CIRCUITS AVENTURE
(☎588 1300 ; www.extremeiceland.is). Vaste programme en bus, Super-Jeep ou quad, excursions en motoneige, et spéléologie.

Iceland Horizons CIRCUITS EN BUS
(☎866 7237 ; www.icelandhorizon.is). Agence de minibus (14 places maximum). Bons retours des lecteurs sur certains circuits.

Guðmundur Jónasson Travel CIRCUITS EN BUS
(carte p. 56 ; ☎511 1515 ; www.gjtravel.is ; Borgartún 34). Excursions à la journée sur la Route circulaire et dans les hautes terres.

Green Energy Travel CIRCUITS EN BUS
(☎453 6000 ; www.get.is). Récente agence pour petits groupes qui projette de se doter de véhicules plus écologiques.

Season Tours CIRCUITS GUIDÉS
(☎863 4592 ; www.seasontours.is). Vaste choix de circuits guidés (y compris des excursions en ville) autour de diverses thématiques (géologie, cuisine, paysages, histoire, etc.).

Circuits en Super-Jeep et Supertruck

Les circuits en Super-Jeep et Supertruck permettent aux groupes de 4 à 6 personnes de vivre une expérience plus personnalisée. Les véhicules plus rapides offrent un rayon d'action et de découverte beaucoup plus vaste. Les prix sont en conséquence plus élevés (36 900 ISK pour Þórsmörk, et 39 900 ISK pour l'Eyjafjallajökull).

Icelandic Mountain Guides (p. 71) propose aussi des excursions en Super-Jeep. Les brochures de l'office du tourisme recèlent quantité d'autres offres.

Mountaineers of Iceland CIRCUITS AVENTURE
(☎580 9900 ; mountaineers.is). Agence constituée de guides experts dont la plupart font partie de l'équipe de secours nationale. Nombreux circuits en Super-Jeep, Supertruck et à motoneige (dont certains héliportés).

Superjeep.is CIRCUITS EN JEEP
(☎660 1499 ; www.superjeep.is). Gamme complète de circuits en Super-Jeep couplés avec des activités (motoneige, quad, etc.).

Into the Wild CIRCUITS EN JEEP
(☎866 3301 ; www.intothewild.is). Circuit en Super-Jeep, du Cercle d'or à l'Eyjafjallajökull et à Landmannalaugar.

Circuits de spéléologie et d'exploration des tunnels de lave

Explorer le monde souterrain permet de comprendre et d'observer les phénomènes géologiques qui font la particularité de l'Islande. La plupart des tunnels de lave et des grottes ne sont accessibles que dans le cadre de circuits organisés. Les principaux sites à voir au départ de Reykjavík sont sur la péninsule de Reykjanes et dans le haut du Borgarfjörður. **Arctic Adventures**, **Icelandic Mountain Guides** et quantité d'agences de circuits en bus et Super-Jeep proposent des expéditions de spéléologie. Prévoyez environ 15 900 ISK pour l'excursion de 3 heures.

Inside the Volcano CIRCUITS AVENTURE
(☎863 6640 ; www.insidethevolcano.com ; 37 000 ISK ; ⏲mi-mai à sept). Cette attraction unique en son genre conduit les amateurs de sensations fortes dans une chambre magmatique datant de 4 000 ans. Après une randonnée de 50 minutes jusqu'au cratère, on descend sur 120 m de profondeur, par groupes de quatre, dans un wagonnet de mine jusqu'au fond de la faille évasée, autrefois remplie de lave en fusion. Il y fait sombre et l'on reste peu de temps. À partir de 12 ans.

Circuits équestres

Galoper sur un cheval islandais dans les champs de lave sous le soleil de minuit est une expérience unique. Les centres équestres autour de Reykjavík et dans le Sud proposent des sorties pour adultes et enfants pour tous niveaux. Ils peuvent venir vous chercher à l'hôtel. La plupart sont ouverts toute l'année.

Les possibilités sont vastes, de la balade d'une heure et demie à l'expédition de plusieurs jours. On peut combiner l'équitation à d'autres activités, comme la visite du Cercle d'or ou du Blue Lagoon. Certains circuits incluent l'hébergement. Comptez de 9 000 à 12 000 ISK pour une promenade de 1 heure 30.

Eldhestar ÉQUITATION
(☎ 480 4800 ; www.eldhestar.is ; Vellir, Hveragerði). Près de Hveragerði, ce centre est l'un des plus importants d'Islande. Il organise des sorties de quelques heures à plusieurs jours.

Íshestar ÉQUITATION
(☎ 555 7000 ; www.ishestar.is ; Sörlaskeið 26, Hafnarfjörður). Établies de longue date, les écuries Íshestar sont très grandes et proposent de nombreuses sorties, dont des escapades dans les champs de lave.

Laxnes Horse Farm ÉQUITATION
(☎ 566 6179 ; www.laxnes.is ; Mosfellsbær). Cette ferme équestre, sur la route de Þingvellir, existe depuis près de 50 ans. Aujourd'hui, ce sont les neveux des propriétaires qui accompagnent les débutants lors de promenades décontractées. Également circuits combinés.

Íslenski Hesturinn ÉQUITATION
(☎ 434 7979 ; www.theicelandichorse.is ; Surtlugata 3). Proche de la capitale, cette agence composée de guides expérimentés prend grand soin de choisir un cheval adapté à vos capacités. Sorties en petits groupes.

Viking Horses ÉQUITATION
(☎ 660 9590 ; www.vikinghorses.is ; Almannadalsgata 19). Ce centre tenu en famille est très prisé pour ses promenades haut de gamme (14 900 ISK) en petits groupes sur la colline Hólmsheiði et autour des lacs environnants.

Reykjavík Riding Center ÉQUITATION
(☎ 477 2222 ; www.reykjavikridingcenter.is ; Brekknaás 9). Situé non loin du grand centre équestre de la capitale, ce prestataire emmène de petits groupes (10 personnes maximum) de tous niveaux dans les Rauðhólar (Collines rouges) et propose également une sortie sous le soleil de minuit.

Circuits de randonnée et d'escalade glaciaires

Marcher sur un glacier est une expérience exaltante. De Reykjavík, la plupart des circuits emmènent les visiteurs au Sólheimajökull (p. 155), la langue glaciaire la plus accessible de l'immense Mýrdalsjökull. Si on peut y randonner toute l'année, l'escalade sur glace ne se pratique qu'entre septembre et avril et demande un minimum de force physique. Comptez 20 900 ISK pour une courte marche sur le glacier, et 29 900 ISK pour l'escalade. Sachez que les prix sont plus compétitifs lorsque l'on passe par des guides locaux et que l'on réside près des glaciers.

Les agences Arctic Adventures (p. 71) et Icelandic Mountain Guides (p. 71) sont basées à Reykjavík.

Circuits en quad

Les circuits en quad offrent l'occasion d'explorer les champs de lave de la péninsule de Reykjanes. La plupart des tour-opérateurs de circuits en bus et activités sportives (tels Arctic Adventures et Reykjavík Excursions) proposent ce type de prestations. Comptez environ 10 900 ISK/personne pour une sortie d'une heure (2 personnes), et 14 400 ISK en solo. Le circuit de 6 heures débute à partir de 42 000 ISK.

ATV Adventures CIRCUITS EN QUAD
(☎ 857 3001 ; www.atv4x4.is ; Tangasund 1, Grindavík ; à partir de 9 900 ISK/pers). Immense choix de circuits en quad et en buggy, et de formules combinées, dans toute la péninsule de Reykjanes (on vient vous chercher à Keflavík ou à Reykjavík). Permis de conduire obligatoire ou formule avec guide-chauffeur.

Quad Safari CIRCUITS EN QUAD
(☎ 414 1533 ; www.quad.is ; Mosfellsbær). Excursions haut de gamme en véhicule tout-terrain sur les collines de Mosfellsbær. Les sorties du soir permettent d'admirer le soleil couchant et les lumières de la ville.

Circuits de rafting et bateau à moteur

Près de Reykjavík, le fleuve Hvítá, situé sur le Cercle d'or, se prête au rafting et aux excursions en bateau à moteur. Ces circuits appréciés des familles partent de Reykholt (p. 117), mais les agences proposent aussi de venir vous chercher à Reykjavík.

Circuits de plongée et de snorkeling

L'Islande possède certains des spots de plongée et de snorkeling les plus impressionnants au monde. Les agences ci-dessous proposent

UNE JOURNÉE AU GROENLAND

Une excursion au Groenland depuis Reykjavík est réalisable puisque le trajet en avion dure un peu moins de 2 heures. En été, **Air Iceland** (www.airiceland.is) propose des circuits réguliers à destination de Kulusuk, dans l'est du Groenland (à partir de 104 000 ISK). Niché dans un tableau de blancs et de bleus, sur une île montagneuse, le village ne compte que 250 habitants. Ses petites maisons de bois colorées et sa baie glacée se révèlent aux visiteurs durant la splendide marche depuis l'aéroport. Si les danses traditionnelles groenlandaises au son des percussions sont un peu kitsch, vous vivrez le reste de l'expérience comme dans un rêve.

Greenland Travel (☎+45 7873 5069 ; www.greenland-travel.com) propose des circuits de plusieurs jours.

des plongées à Silfra, faille sous-marine aux eaux cristallines proche de Þingvellir (Thingvellir), sur le Cercle d'or. Il est impératif de réserver. Les agences peuvent vous récupérer à votre logement. En juin et juillet, vous pourrez même prendre un bain de minuit.

Comptez environ 19 990 ISK la sortie de snorkeling, et 34 990 ISK pour 2 plongées. Les plongeurs doivent posséder un brevet PADI.

Certaines des agences citées précédemment proposent également des sorties de plongée.

Dive.is PLONGÉE
(☎578 6200 ; www.dive.is ; 2 plongées à Þingvellir 34 990 ISK). L'agence la plus ancienne et la mieux établie d'Islande ; circuits snorkeling, plongée et formules combinées.

Scuba Iceland PLONGÉE
(☎892 1923 ; www.scuba.is ; 2 plongées à Þingvellir 34 990 ISK). Agence appréciée par les petits groupes ; plongées à Silfra, Strýtan (stalagmites et cheminées géothermiques), et sur une épave de l'Eyjafjörður (circuit 2 jours, 60 000 ISK).

Circuits à motoneige

Même si la plupart des sites où faire de la motoneige sont éloignés de la capitale, plusieurs tour-opérateurs pourront vous conduire à Langjökull, tout proche. (Une excursion à Mýrdalsjökull n'est pas faisable sur une seule journée, et les circuits d'une journée au Vatnajökull s'effectuent en avion.) Une heure (avec 2 passagers) coûte environ 19 000 ISK/personne ; pour ceux qui partent en solo, il faudra débourser 24 000 ISK. Les meilleures agences de motoneige à Reykjavík sont Mountaineers of Iceland (p. 72) et Arctic Adventures (p. 71).

Circuits d'observation des aurores boréales

En hiver, la plupart des tour-opérateurs d'excursions en bus et d'activités proposent des circuits pour observer les aurores boréales. Les sites sont éloignés des centres urbains pour éviter la pollution lumineuse. Les excursions durent environ 4 heures, de 22h à 2h. Afin d'optimiser ses chances d'admirer les aurores, dont la formation n'est pas garantie, on peut se rapprocher des sites afin d'y passer une nuit ou deux.

Si votre séjour en Islande ne coïncide pas avec la saison des aurores boréales, une simulation multimédia est visible à l'Aurora Reykjavík (p. 59).

Circuits en avion

Si vous avez un budget conséquent, l'avion permet des excursions à la journée ou des circuits plus longs vers des destinations comme le Mývatn, les fjords de l'Ouest, les phénomènes géologiques de la côte sud et des hautes terres, les Vestmannaeyjar (îles Vestmann), et même le Groenland.

Eagle Air Iceland VOLS PANORAMIQUES
(carte p. 56 ; ☎562 4200 ; www.eagleair.is ; aéroport domestique de Reykjavík). Eagle Air Iceland propose des vols panoramiques au-dessus des volcans et des glaciers. Dessert aussi 5 itinéraires fixes au départ de Reykjavík : Vestmannaeyjar (îles Vestmann) ; Höfn ; Húsavík ; et, dans les fjords de l'Ouest, Bíldudalur et Gjögur.

Air Iceland VOLS PANORAMIQUES
(☎570 3030 ; www.airiceland.is ; aéroport domestique de Reykjavík). La plus grande compagnie islandaise de vols intérieurs propose un vaste choix de circuits combinés à la journée (avion, bus, randonnée, rafting, équitation, observation des baleines et glaciers) dans toute l'Islande au départ de Reykjavík et d'Akureyri. Également : circuits d'une journée au Groenland et aux îles Féroé au départ de la capitale.

Atlantsflug VOLS PANORAMIQUES
(☎854 4105 ; www.flightseeing.is ; aéroport domestique de Reykjavík). Vols panoramiques depuis Reykjavík, Bakki et Skaftafell. Au départ de Reykjavík, on survole le cratère de l'Eyjafjallajökull ou la péninsule de Reykjanes. Autre option : une excursion d'une journée vers le Skaftafell et la lagune glaciaire de Jökulsárlón.

Reykjavík Helicopters VOLS PANORAMIQUES
(☎589 100 ; www.rehe.is ; aéroport domestique de Reykjavík ; vols à partir de 69 000 ISK). Vols en hélicoptère dans tout le pays, notamment au-dessus de Glymur (plus haute cascade d'Islande) et certains volcans comme l'Eyjafjallajökull et l'Hekla.

Norðurflug VOLS PANORAMIQUES
(☎562 2500 ; www.helicopter.is). Vols en hélicoptère au-dessus de Reykjavík, ou au-dessus de cratères, de cascades, de glaciers et d'autres sites naturels. Vaste programme d'excursions (fjords de l'Ouest, Mývatn et Askja).

Fêtes et festivals

Les Reykjavikois célèbrent avec un bel enthousiasme toute une série de fêtes et de festivals. Retrouvez-les dans le chapitre *Mois par mois*, p. 24.

Où se loger

Reykjavík offre un large éventail d'hébergements, où dominent les auberges de jeunesse, les *gistiheimili* (pensions) de catégorie moyenne et les hôtels d'affaires. Toutefois, les hôtels de charme et les appartements haut de gamme sont de plus en plus nombreux. De juin à août, les hébergements affichent vite complet. Il est donc impératif de réserver. Les prix sont élevés, comme dans toute capitale européenne. Si vous avez un budget serré, optez pour l'auberge de jeunesse, le camping ou la location d'appartement. La plupart des établissements sont ouverts toute l'année. D'octobre à avril, ils proposent des promotions tarifaires, visibles sur leur site Internet.

Certaines pensions louent des chambres dans le logement du propriétaire où l'on partage sdb, cuisine et salon TV. L'option duvet (voir p. 380) est parfois proposée.

LOCATIONS DE COURTE DURÉE

Du fait des prix élevés de l'hébergement à Reykjavík en été, certains habitants des quartiers prisés de la capitale louent leur appartement (ou des chambres) aux touristes. Les tarifs sont souvent plus avantageux que ceux qui pratiquent cette activité d'une manière professionnelle. Cependant, la récupération des clés peut s'avérer plus compliquée et il faut parfois s'occuper du ménage. Passez par exemple par **Airbnb** (www.airbnb.com) et misez sur Reykjavík 101 pour loger dans le centre.

Le vieux Reykjavík et le nord du Tjörnin

Salvation Army Guesthouse AUBERGE DE JEUNESSE €
(carte p. 60 ; ☎561 3203 ; www.guesthouse.is ; Kirkjustræti 2 ; dort/s/d à partir de 3 500/9 500/13 900 ISK ; juin-août ; wi-fi). Idéalement située, cette auberge propose des chambres fonctionnelles et propres, de toutes dimensions. Comptez 900 ISK pour les draps.

♥ **Hótel Borg** HÔTEL DE LUXE €€€
(carte p. 60 ; ☎551 1440 ; www.hotelborg.is ; Pósthússtræti 9-11 ; d à partir de 43 600 ISK ; @ wi-fi). Cet hôtel de 1930, le plus ancien de la capitale, décoré de tons beige, noir et crème, de parquets, de têtes de lit en cuir et équipé de TV haut de gamme, a gardé toute son élégance. Belle suite en duplex avec vue panoramique sur la ville. À l'heure où nous écrivons ces lignes, le restaurant gastronomique de l'hôtel est fermé pour travaux. Il doit rouvrir en mai 2015, avec, en cuisine, le chef Völundur Völundarson, dont le bistrot, **Nora Magasin**, se trouve juste à côté.

Kvosin Downtown Hotel APPARTEMENTS €€€
(carte p. 60 ; ☎571 4460 ; www.kvosinhotel.is ; Kirkjutorg 4 ; app petit-déj inclus 43 200-65 000 ISK ; wi-fi). Ces appartements de luxe à l'emplacement exceptionnel affichent toutes les dimensions, et une décoration ne manquant pas d'humour. Du studio (26 m²) à la suite (60 m²), les 42 appartements sont confortables et bien équipés. Petit-déjeuner (inclus) servi non loin au Bergsson Mathús (p. 80).

Hótel Reykjavík Centrum HÔTEL €€€
(carte p. 60 ; ☎514 6000 ; www.hotelcentrum.is ; Aðalstræti 16 ; d et app 25 600-69 400 ISK ; wi-fi). Des mezzanines et un toit vitré rassemblent

ces deux édifices historiques du centre, leur conférant une atmosphère pleine de légèreté. Les 89 chambres et appartements aux proportions soignées ont un petit réfrigérateur, la TV satellite et un nécessaire à café. Les prix en ligne varient considérablement en fonction des dates de séjour.

City Center Hotel HÔTEL €€€
(carte p. 60 ; ☎571 1400 ; www.citycenterhotel.is ; Austurstræti 6 ; d à partir de 30 800 ISK ; @📶). Moderne et plaisant, cet hôtel simple du centre-ville abrite au rez-de-chaussée le Micro Bar (p. 86), idéal pour les amateurs de bière. Les chambres du 5e étage disposent d'un balcon, et toutes sont pourvues de TV et d'un mini-réfrigérateur.

CenterHótel Plaza HÔTEL €€€
(carte p. 60 ; ☎595 8550 ; www.plaza.is ; Aðalstræti 4 ; d petit-déj inclus à partir de 34 000 ISK ; @📶). Cet établissement de la chaîne CenterHótel a été rénové récemment. Bien situé dans le quartier du vieux Reykjavík et fréquenté par une clientèle d'affaires. Parquet ciré et jolie vue depuis les étages supérieurs.

Radisson Blu 1919 Hotel HÔTEL €€€
(carte p. 60 ; ☎599 1000 ; www.radissonblu.com ; Pósthússtræti 2 ; d à partir de 40 400 ISK ; @📶). Bien qu'appartenant à une grande chaîne, cette adresse a beaucoup de charme. Les jolies chambres s'agrémentent de grands lits et de TV. En grimpant l'escalier en fer ouvragé, on atteint les vastes suites douillettes.

Le vieux port

♥ Reykjavík Downtown Hostel AUBERGE DE JEUNESSE €
(carte p. 60 ; ☎553 8120 ; www.hostel.is ; Vesturgata 17 ; dort 4/10 lits 7 900/5 700 ISK, d avec/sans sdb 23 800/20 700 ISK ; @). Bien gérée et d'une propreté irréprochable, cette auberge de jeunesse réputée attire aussi des voyageurs pas forcément adeptes du sac à dos. Service sympathique, cuisine pour les hôtes et excellentes chambres. Remise de 700 ISK pour les membres HI.

Guesthouse Butterfly PENSION €€
(carte p. 60 ; ☎894 1864 ; www.butterfly.is ; Ránargata 8a ; d avec/sans sdb 22 500/17 850 ISK ; ⊙mi-mai à août ; 📶). Dans une rue résidentielle centrale et calme, impossible de manquer la fresque ornant la façade de cette pension. De jolies chambres meublées avec simplicité, une cuisine commune et une ambiance chaleureuse. Le dernier étage comprend 2 appartements bien équipés, avec cuisine et balcon (26 960 ISK).

Álfhóll Guesthouse PENSION €€
(carte p. 60 ; ☎898 1838 ; www.alfholl.is ; Ránargata 8 ; s/d/tr sans sdb 13 500/18 500/23 000 ISK, d 23 000 ISK, app 27 000-34 000 ISK ; ⊙mi-mai à août ; 📶). La "Maison des Elfes", une jolie petite pension, abrite des chambres propres et modernes, avec lavabo et dessus-de-lit aux couleurs vives.

Three Sisters APPARTEMENTS €€
(Þrjár Systur ; carte p. 60 ; ☎565 2181 ; www.threesisters.is ; Ránargata 16 ; app à partir de 24 500 ISK ; ⊙mi-mai à août ; @📶). C'est un ancien pêcheur qui tient cette ravissante maison de ville du vieux Reykjavík, aujourd'hui aménagée en 8 studios. Lits douillets, écran plat et kitchenette pour chaque logement.

♥ Icelandair Hotel Reykjavík Marina BOUTIQUE-HÔTEL €€€
(carte p. 60 ; ☎560 8000 ; www.icelandairhotels.is ; Mýrargata 2 ; d 27 800-35 800 ISK ; @📶). Superbe hôtel au design soigné près du vieux port. La décoration est faite d'œuvres d'art et d'univers marin. Confort moderne et aménagement astucieux des petites chambres. Celles qui sont sous les toits, côté port, offrent une vue splendide. Dans le hall animé, retransmission en direct d'images satellites de sites de tout le pays, et un restaurant tendance, le Slippbarinn (p. 87).

Ocean Comfort Apartments APPARTEMENTS €€€
(carte p. 60 ; ☎571 7555 ; www.oceancomfort.is ; Tryggvagata 18b ; app 31 000-54 000 ISK ; 📶). Dans un immeuble récent situé à un pâté de maisons du front de mer, en plein centre-ville, ces appartements avec vue sur l'océan conviendront idéalement aux familles. Chacun dispose d'un balcon, d'une buanderie et d'un maximum de confort. Ceux avec vue sur la mer débutent à 37 000 ISK.

Black Pearl APPARTEMENTS €€€
(carte p. 60 ; ☎527 9600 ; www.blackpearlreykjavik.com ; Tryggvagata 18 et 18c ; app 61 200-155 400 ISK ; P@📶). Cette adresse récente propose des appartements haut de gamme bien équipés répartis dans des bâtiments à la façade sombre, en retrait du front de mer. La réception propose une gamme complète de services et un accueil personnalisé (voiturier, blanchisserie, garde d'enfants), mais les spacieux appartements à

la décoration épurée (pour 2 à 6 personnes) offrent toute l'indépendance voulue : lits *king size*, mobilier design et balcons, certains donnant sur la mer.

Laugavegur et l'est du lac Tjörnin

KEX Hostel AUBERGE DE JEUNESSE €
(carte p. 60 ; 561 6060 ; www.kexhostel.is ; Skúlagata 28 ; dort 4/16 lits 6 900/3 900 ISK, d avec/sans sdb 28 500/19 700 ISK ;). Véritable QG des globe-trotters et rendez-vous prisé des locaux, le KEX est une immense auberge de jeunesse où règne une ambiance chaleureuse. Un peu moins bien tenue que d'autres adresses comparables (beaucoup de clients par sdb), mais sa cour intérieure et son bar-restaurant très animé avec vue sur la mer lui assurent un franc succès.

Hlemmur Square AUBERGE DE JEUNESSE, HÔTEL €
(carte p. 56 ; 415 1600 ; www.hlemmursquare.com ; Laugavegur 105 ; dort/d à partir de 5 000/38 000 ISK ;). Cette nouvelle adresse logée dans un immeuble des années 1930 abrite une auberge de jeunesse (3e et 4e étages) et un hôtel. Les grands dortoirs sont équipés de draps et affichent diverses configurations. Très luxueuses, les doubles spacieuses sont équipées de lits gigantesques, de sdb modernes et, pour certaines, d'un balcon avec vue sur la mer. Ambiance joyeuse et vaste réception dotée d'un café au rez-de-chaussée.

Loft Hostel AUBERGE DE JEUNESSE €
(carte p. 60 ; 553 8140 ; www.lofthostel.is ; Bankastræti 7 ; dort/d à partir de 6 650/23 800 ISK ;). Perchée au-dessus de l'animation de Bankastræti, cette auberge moderne attire une clientèle jeune. Les Reykjavikois apprécient son bar tendance et son café en terrasse. Ambiance conviviale, dortoirs impeccables avec sdb attenante, et draps inclus. Remise de 700/2 800 ISK sur les dortoirs/doubles pour les membres HI.

Reykjavík Hostel Village AUBERGE DE JEUNESSE €
(carte p. 56 ; 552 1155 ; www.hostelvillage.is ; Flókagata 1 ; dort/d/qua sans sdb à partir de 6 200/15 250/23 000 ISK ;). Au choix : dortoirs, chambres simples, doubles ou quadruples, avec réfrigérateurs et bouilloires. Les hébergements sont disséminés dans 5 endroits. Quelques appartements également. Supplément de 1 500 ISK pour les draps.

Reykjavík Backpackers AUBERGE DE JEUNESSE €
(carte p. 60 ; 578 3700 ; www.reykjavikbackpackers.com ; Laugavegur 28 ; dort/d à partir de 4 990/17 490 ISK ;). Si le Bunk Bar, au rez-de-chaussée, est séduisant, les dortoirs de cet établissement très central mériteraient une rénovation. L'édifice à l'arrière abrite des doubles plus récentes. Cuisine commune.

Room With A View APPARTEMENTS €€
(carte p. 60 ; 552 7262 ; www.roomwithaview.is ; Laugavegur 18 ; app 24 400-67 940 ISK ;). Cette résidence centrale abrite d'élégants studios et des appartements de 1 à 4 chambres (jusqu'à 10 personnes). Décoration scandinave, kitchenettes, lecteurs CD, TV et lave-linge. Vue sur la mer ou sur la ville, accès à un solarium et à un Jacuzzi. Rue bruyante les vendredi et samedi soir. Les appartements sont de tailles variables. Plus de précisions sur le site Internet.

Grettisborg Apartments APPARTEMENTS €€
(carte p. 60 ; 694 7020 ; www.grettisborg.is ; Grettisgata 53b ; app à partir de 25 500 ISK ;). Dans un vrai décor de magazine de design scandinave, cette adresse propose des studios et des appartements astucieusement aménagés.

OK Hotel BOUTIQUE-HÔTEL €€
(carte p. 60 ; 578 9850 ; booking@apartmentk.is ; Laugavegur 74 ; studio à partir de 25 000-93 000 ISK ;). Un vent d'originalité souffle sur cette adresse qui loue des chambres au décor personnalisé, à l'instar de la chambre Mona Lisa, avec meubles dépareillés et tableaux. Les studios pour 2 à 6 personnes, au cadre clair et gai, sont pourvus d'une kitchenette. Le K-Bar (p. 83), au rez-de-chaussée, a beaucoup de succès. Certains clients se plaignent parfois d'un service négligent.

REY Apartments APPARTEMENTS €€
(carte p. 60 ; 771 4600 ; www.rey.is ; Grettisgata 2a ; app 26 500-54 300 ISK ;). Un choix judicieux si vous préférez un endroit plus personnel qu'un hôtel. Plusieurs appartements, du studio au logement de 3 chambres (8 couchages), dans un bâtiment de plusieurs étages.

Galtafell Guesthouse PENSION €€
(carte p. 56 ; 551 4344 ; www.galtafell.com ; Laufásvegur 46 ; d/app petit-déj inclus à partir de 18 500/29 300 ISK ;). Dans un quartier

tranquille au bord du lac, à courte distance à pied du centre-ville, cette maison ancienne abrite 4 appartements d'une chambre avec cuisine toute équipée et salon douillet. Trois chambres doubles se partagent une cuisine. Le jardin et l'entrée sont ravissants.

Forsæla Apartmenthouse PENSION, APPARTEMENTS €€
(carte p. 60 ; ☎551 6046 ; www.apartmenthouse.is ; Grettisgata 33b ; d avec sdb et petit-déj inclus 12 200 ISK, app/maison à partir de 36 000/78 000 ISK). Mention spéciale pour cette maison centenaire, avec poutres apparentes, située dans le vieux Reykjavík. Une adresse qui permet de loger de 4 à 8 personnes. Les 3 appartements abritent de petites chambres douillettes, un salon, une cuisine et un lave-linge. Également : hébergement en B&B, avec sdb commune. Séjour minimum de 3 nuitées dans les appartements et la maison.

Castle House & Embassy Apartments APPARTEMENTS €€
(carte p. 60 ; ☎511 2166 ; www.hotelsiceland.net ; Skálholtsstígur 2a ; app à partir de 20 800 ISK ;). Agréables appartements bien équipés bénéficiant d'un emplacement central et calme. Moins impersonnels qu'un hôtel, ils bénéficient d'un service d'étage : serviettes changées et vaisselle et cuisine nettoyées chaque jour. Les **Embassy Apartments** (carte p. 60 ; Garðastræti 40) se trouvent sur le côté nord-ouest du lac Tjörnin, et la Castle House est à l'est.

Villa PENSION €€
(carte p. 60 ; ☎823 1268 ; www.villa.is ; Skólavörðustígur 30 ; d 20 200-24 800 ISK ;). Dessinée par le célèbre architecte islandais Guðjón Samúelsson, cette élégante villa est située dans une agréable artère commerçante qui mène à une autre de ses constructions : l'église d'Hallgrímskirkja. Récemment rénovées, les chambres sont décorées de meubles blancs et de touches colorées. Emplacement très central.

Guesthouse Óðinn PENSION €€
(carte p. 60 ; ☎561 3400 ; www.odinnreykjavik.com ; Óðinsgata 9 ; s/d avec sdb peti déj inclus 14 500/18 900 ISK, d/app 23 800/39 600 ISK ; juin-août ;). Pension familiale qui propose plusieurs chambres basiques et claires. L'excellent buffet du petit-déjeuner est servi dans une jolie salle avec vue sur la mer. Également plusieurs appartements de 1 ou 2 chambres.

Sunna Guesthouse PENSION €€
(carte p. 60 ; ☎511 5570 ; www.sunna.is ; Þórsgata 26 ; d/app petit-déj inclus à partir de 24 800/29 200 ISK ; P@). Chambres et appartements aux configurations variées (du studio au logement pour 8 personnes). Des espaces simples, ensoleillés, avec un parquet clair. Plusieurs bénéficient d'une jolie vue sur l'Hallgrímskirkja.

Hótel Leifur Eiríksson HÔTEL €€
(carte p. 60 ; ☎562 0800 ; www.hotelleifur.is ; Skólavörðustígur 45 ; d petit-déj inclus à partir de 26 000 ISK). Très bien situé, au bout de la rue *arty* Skólavörðustígur, juste devant l'Hallgrímskirkja, cet hôtel abrite 47 chambres avec une vue imprenable sur l'église. Les chambres sont assez petites et la décoration très basique.

Hótel Frón HÔTEL €€
(carte p. 60 ; ☎511 4666 ; www.hotelfron.is ; Laugavegur 22a ; d/studio petit-déj inclus à partir de 27 000/28 000 ISK ; @). Cet hôtel reconnaissable à sa façade bleue bénéficie d'une excellente situation, donnant sur Laugavegur. Les chambres à l'avant sont parfois bruyantes le week-end. L'aile récente abrite d'agréables chambres doubles, de grands studios avec kitchenette, et un appartement familial. Les chambres plus anciennes sont moins plaisantes.

4th Floor Hotel PENSION €€
(carte p. 56 ; ☎511 3030 ; www.4thfloorhotel.is ; Laugavegur 101 ; d avec/sans sdb petit-déj inclus à partir de 21 600/18 500 ISK, app à partir de 38 500 ISK ; @). Au bout de Laugavegur, côté gare routière de Hlemmur, cet hébergement à l'emplacement central propose des chambres diverses. Les plus économiques, minuscules, ont des sdb communes ; les plus grandes ont une sdb privative (4 ont vue sur la mer, et 2 disposent d'un balcon). Les élégants studios sont d'un bon rapport qualité/prix.

Snorri's Guesthouse PENSION €€
(carte p. 56 ; ☎552 0598 ; www.guesthousereykjavik.com ; Snorrabraut 61 ; d avec/sans sdb 22 600/16 400 ISK ;). À l'angle du grand carrefour de Snorrabraut, cet établissement à la façade en crépi abrite des chambres impeccablement tenues décorées de tons doux. Les chambres familiales et le sympathique propriétaire font de cette adresse une bonne option.

Baldursbrá Guesthouse PENSION €€
(carte p. 60 ; ☎552 6646 ; notendur.centrum.is/~heijfis ; Laufásvegur 41 ; d petit-déj inclus à partir de 18 000 ISK ; 📶). Cette petite pension située dans une rue calme proche du lac Tjörnin est prisée pour ses chambres douillettes aux dimensions correctes et dotées d'un lavabo. Salon TV et jardin avec *hot pot* et barbecue. Pour certains, les propriétaires sont adorables, pour d'autres, c'est l'inverse.

♥ **Reykjavík Residence** APPARTEMENTS €€€
(carte p. 60 ; ☎561 1200 ; www.rrhotel.is ; Hverfisgata 45 ; app à partir de 29 300 ISK ; @📶). Ambiance luxueuse pour ces deux maisons anciennes reconverties en appartements dans le centre-ville. Décoration soignée, service attentif et belle lumière dans les chambres. On trouve aussi bien des suites que des studios avec kitchenette, ou des appartements de 2 ou 3 chambres. Établissement récent bien équipé.

CenterHótel Arnarhvoll HÔTEL €€€
(carte p. 60 ; ☎595 8540 ; www.centerhotels.com ; Ingólfsstræti 1 ; d à partir de 34 700 ISK ; @📶). Un hôtel chic sur le front de mer, avec une vue imprenable sur la baie et le mont Esja – cela vaut vraiment la peine de payer un peu plus pour jouir du panorama. Les chambres au décor scandinave (lignes épurées et grandes fenêtres) sont baignées de lumière. Elles sont plutôt petites, mais les lits, extrêmement confortables, compensent cet inconvénient. Le petit sauna et bain de vapeur, ainsi que le bar Ský, apportent une touche élégante.

CenterHótel Þingholt BOUTIQUE-HÔTEL €€€
(carte p. 60 ; ☎595 8530 ; www.centerhotels.com ; Þingholtsstræti 3-5 ; d à partir de 40 000 ISK, ste à partir de 61 700 ISK ; @📶). Conçu par l'architecte islandaise Gulla Jónsdóttir, cet hôtel empreint de charme et d'originalité met les matériaux naturels à l'honneur dans un décor moderne. Bien que petites, les chambres sont douillettes, ce qu'accentuent encore l'éclairage tamisé, l'élégant revêtement de sol anthracite, ainsi que les têtes de lit et le mobilier gainé de cuir noir. Certaines chambres sont pourvues de belles baignoires.

Alda Hotel BOUTIQUE-HÔTEL €€€
(carte p. 60 ; ☎553 9366 ; www.aldahotel.is ; Laugavegur 66-68 ; d 34 900-59 600 ISK ; 📶). Cette nouvelle adresse dans le centre-ville propose des chambres élégantes et confortables. Les clients ont accès à un spa, un centre de fitness, ainsi qu'un salon spacieux. Toutes les chambres du 4e étage ont un balcon, les suites comptent souvent 2 sdb, et certaines chambres ont vue sur la mer.

Hótel Holt HÔTEL DE LUXE €€€
(carte p. 60 ; ☎552 5700 ; www.holt.is ; Bergstaðastræti 37 ; d à partir de 39 500 ISK ; @📶). Pour une délicieuse plongée dans le luxe d'antan, rendez-vous dans cet établissement construit dans les années 1960. C'est l'un des plus anciens de Reykjavík et sa collection privée de tableaux de peintres islandais serait la plus importante de l'île. Au rez-de-chaussée, un ravissant bar-bibliothèque dans les tons ambre permet de tester l'impressionnant choix de whiskies single malt. Vous pouvez vous restaurer au Gallery Restaurant (p. 84) en contemplant les œuvres d'art.

Hótel Óðinsvé HÔTEL €€€
(carte p. 60 ; ☎511 6200 ; www.hotelodinsve.is ; Þórsgata 1 ; d à partir de 33 600 ISK ; @). Cette adresse de caractère dispose de 43 chambres lumineuses avec parquet et décorées d'œuvres d'art et d'un mobilier classique. Elles sont toutes très différentes – certaines sont aménagées en duplex, tandis que d'autres offrent un agréable balcon. La plupart ont une baignoire.

Au sud du centre

Icelandair Hotel Natura HÔTEL €€
(carte p. 56 ; ☎444 4503 ; www.icelandairhotels.com ; Nauthólsvegur 52 ; d 26 800-35 800 ISK ; P@📶). Un peu excentré, ce grand établissement est une bonne solution pour les passagers qui utilisent l'aéroport domestique. Il abrite des chambres modernes décorées d'œuvres d'art locales.

Laugardalur

Reykjavík City Hostel AUBERGE DE JEUNESSE €
(carte p. 56 ; ☎553 8110 ; www.hostel.is ; Sundlaugavegur 34 ; dort/d à partir de 4 150/17 900 ISK ; P@📶). 🍃 Une auberge de jeunesse spacieuse, originale et écologique à l'ambiance sympathique. À 2 km à l'est du centre, dans Laugardalur, elle jouxte le camping et la piscine, et est desservie par le Flybus ainsi que par de nombreux tour-opérateurs. Location de vélos, 3 cuisines communes et vaste terrasse. Remise de 700 ISK pour les membres HI, et de 1 500 ISK pour les 4-12 ans.

Camping de Reykjavík CAMPING €
(carte p. 56 ; 568 6944 ; www.reykjavikcampsite.is ; Sundlaugavegur 32 ; empl adulte/enfant 1 500 ISK/gratuit ; mi-mai à mi-sept ; P @). L'unique camping de Reykjavík (à 2 km à l'est du centre dans Laugardalur, à côté de la piscine et du Reykjavík City Hostel) est très fréquenté en été. Mais avec une capacité de 650 personnes sur 3 terrains, vous trouverez sûrement de la place. Équipements modernes et très complets, dont douches gratuites, vélos à louer (3 500 ISK/5 heures), cuisines et coins barbecue.

Hilton Reykjavík Nordica HÔTEL €€
(carte p. 56 ; 444 5000 ; www.hilton.com ; Suðurlandsbraut 2 ; d à partir de 26 465 ISK ; @). Vaste hôtel au chic scandinave décontracté, avec entre autres un service d'étage 24h/24, une salle de sport, un spa et un restaurant gastronomique, le Vox (p. 85). Les chambres lumineuses aux lits immenses sont décorées dans de subtiles teintes crème et moka. Celles des étages supérieurs jouissent d'une vue splendide sur la mer. À 2 km du centre, près de Laugardalur. Navettes gratuites à disposition.

Où se restaurer

Du hot dog à emporter au repas gastronomique, la petite Reykjavík surprend par l'étendue de son offre culinaire. D'innombrables restaurants islandais ou "néonordiques" servent des produits de la mer et de l'agneau déclinés à l'infini, mais la capitale est aussi *le* lieu où l'on peut savourer presque toutes les cuisines du monde.

Les cafés sont également florissants. Décontractés et confortables, ils invitent à la détente et à l'oisiveté. En soirée, beaucoup se métamorphosent en bars branchés. La bière remplace alors le café et les DJ prennent les commandes. Certains restaurants se transforment eux aussi en bars. Si la cuisine ferme vers 22h, la fête continue ensuite jusqu'au petit matin.

Enfin, le marché aux puces de Kolaportið (p. 91) comporte une section consacrée aux spécialités islandaises.

Le vieux Reykjavík et le nord du lac Tjörnin

Bergsson Mathús CAFÉ €
(carte p. 60 ; 571 1822 ; www.bergsson.is ; Templarasund 3 ; plats 1 300-2 200 ISK ; 7h-19h lun-ven, 7h-17h sam-dim ;). Un café pratique et très apprécié proposant du pain maison, des produits frais et de copieuses formules déjeuner. Le week-end, les habitants viennent feuilleter des magazines et bavarder en savourant les délicieux brunchs.

Bæjarins Beztu HOT DOGS €
(carte p. 60 ; www.bbp.is ; Tryggvagata ; hot dog 380 ISK ; 10h-2h dim-jeu, 10h-4h30 ven-sam ;). D'après les Reykjavikois, ce camion garé près du port (et fréquenté par Bill Clinton et les noctambules) sert les meilleurs hot dogs de la ville. Prononcez la formule magique *Eina með öllu* ("un avec tout") et on vous remettra le hot dog préféré des clients, avec moutarde sucrée, ketchup et oignons croquants.

Lobster Hut POISSON ET FRUITS DE MER €
(carte p. 60 ; angle Lækergata et Tryggvagata ; plats 990-1 890 ISK ; 11h-20h). Soupe aux langoustines, salade de langoustines, sandwich à la langoustine : ce petit camion de restauration spécialisée régale les convives raffinés et pressés. S'il n'est pas dans Tryggvagata, rendez-vous à l'angle de Hverfisgata.

Jómfrúin SANDWICHS €
(carte p. 60 ; 551 0100 ; www.jomfruin.is ; Lækjargata 4 ; sandwichs à partir de 1 690 ISK ; 11h-18h). Les Danois se pressent dans ce petit restaurant sans prétention pour sa spécialité, le *smørrebrød* (sandwich danois traditionnel présenté ouvert, avec garnitures nordiques).

Hlölla Bátar RESTAURATION RAPIDE €
(carte p. 60 ; www.hlollabatar.com ; Ingólfstorg ; sandwichs 900-1 600 ISK ; 11h-2h dim-jeu, 10h-7h ven-sam). Sandwichs longs bien gras, typiquement islandais, à déguster sur la place Ingólfstorg.

♥ **Nora Magasin** BISTROT €€
(carte p. 60 ; 578 2010 ; Pósthússtræti 9 ; plats 1 900-2 500 ISK ; 11h30-1h dim-jeu, 11h30-3h ven-sam). Dans une salle décloisonnée à l'ambiance branchée, ce bistrot-bar animé sert de savoureux burgers, salades et plats de poisson frais. La carte est conçue avec beaucoup d'imagination par le populaire chef Völundur Völundarson. On peut consommer du café et des cocktails toute la soirée, mais la cuisine ferme vers 22h ou 23h.

Laundromat Café INTERNATIONAL €€
(carte p. 60 ; www.thelaundromatcafe.com ; Austurstæti 9 ; plats 1 000-2 700 ISK ; 8h-24h lun-mer et dim, 8h-1h jeu-ven, 10h-1h sam ;). Cette adresse d'origine danoise très prisée attire Reykjavikois et touristes qui se régalent

de plats généreux dans la bonne humeur, entourés de livres de poche d'occasion. Le "Dirty Brunch" (2 690 ISK) du week-end est le remède parfait après une soirée arrosée. Également : machines à laver et sèche-linge (pris d'assaut) au sous-sol (500/100 ISK par machine/séchage de 15 min).

Við Tjörnina ISLANDAIS €€
(carte p. 60 ; ☎ 551 8666 ; www.vidtjornina.is ; Vonarstræti, Raðhús ; 3 600-4 600 ISK ; ⏲ 12h-17h et 18h-22h). Succès non démenti pour ce restaurant qui a trouvé ses nouvelles marques dans l'hôtel de ville. La salle vitrée offre un beau panorama sur le lac. Au menu : plats de poisson islandais et autres recettes régionales comme le filet d'agneau à l'orge. En journée, c'est un café décontracté.

Icelandic Fish & Chips BIO, POISSON ET FRUITS DE MER €€
(carte p. 60 ; ☎ 511 1118 ; www.fishandchips.is ; Tryggvagata 11 ; poisson 1 450 ISK ; ⏲ 11h30-21h). Choisissez votre poisson, et le voici pané et frit, à accompagner de bière locale, de salades bio (750-950 ISK) et de "Skyronnaises", sauces acidulées à base de *skyr*, le yaourt version islandaise (saveur romarin ou pomme verte, à partir de 280 ISK).

Café Paris INTERNATIONAL €€
(carte p. 60 ; ☎ 551 1020 ; www.cafeparis.is ; Austurstræti 14 ; plats 2 300-5 300 ISK ; ⏲ 8h-1h dim-jeu, 8h-2h ven-sam ;). Adresse prisée en été pour profiter de l'animation de la place Austurvöllur. Le soir, dans la salle garnie de cuir, l'ambiance est plus cosy, en mode musique et verre de vin. Mérite le détour pour l'atmosphère plus que pour la cuisine, sans grand intérêt (sandwichs, salades, burgers).

♥ **Grillmarkaðurinn** FUSION €€€
(Grill Market ; carte p. 60 ; ☎ 571 7777 ; www.grillmarkadurinn.is ; Lækargata 2a ; plats 4 200-7 200 ISK). L'élégance et le style sont de mise dans cet établissement qui offre une cuisine gastronomique et un service impeccable. Clientèle mélangée de touristes et de Reykjavikois venus savourer des produits islandais sublimés avec raffinement et imagination. Le menu dégustation (9 400 ISK) permet de tester les meilleures compositions.

Fiskfélagið INTERNATIONAL €€€
(carte p. 60 ; www.fishcompany.is ; Vesturgata 2a ; plats déj 1 600-2 800 ISK, dîner 3 800-5 400 ISK ; ⏲ 11h30-14h et 18h-23h30). La "Fish Company"

ESPÈCES MENACÉES DANS L'ASSIETTE

De nombreux restaurants et tour-opérateurs attirent le chaland en proposant les spécialités locales les plus insolites : baleine *(hvál/hvalur)*, requin fermenté *(hákarl)* et macareux *(lundi)*. Songez cependant que si ces animaux peuvent nourrir sans problème 325 000 Islandais, tout change lorsqu'il s'agit de régaler un million de touristes chaque année. Les espèces et leurs délicats écosystèmes en souffrent inévitablement :

- 35% à 40% de la consommation de viande de baleine islandaise est due aux touristes.
- 75% des Islandais ne consomment pas de viande de baleine.
- Seulement 20% d'une baleine de Minke pêchée est consommable, le reste est rejeté dans la mer.
- Le rorqual commun est classé comme espèce menacée.
- Le ministère des Industries et de l'Innovation islandais, en dépit de la contestation internationale, assure que la chasse à la baleine est une pêche durable en dessous de 1% des "réserves" locales.
- Le requin du Groenland, dont la viande sert à préparer le *hákarl*, a le statut d'espèce quasi menacée.
- En 2003, on estimait à 8 millions le nombre de macareux en Islande. En 2014, leur population serait de 5 millions, soit une baisse de 37%.
- Lors de nos recherches, les macareux connaissaient de graves problèmes de reproduction dans certaines grandes colonies des îles Vestmann (Vestmannaeyjar).

Nous n'avons pas exclu les restaurants servant ces viandes. Pour autant, vous pouvez décider de ne pas en consommer. Pour identifier les restaurants qui ne servent pas de viande de baleine, consultez le site www.icewhale.is/whale-friendly-restaurants.

propose des plats traditionnels islandais (surtout du poisson) rehaussés d'ingrédients d'horizons plus lointains, de la noix de coco des îles Fidji au chorizo espagnol. On mange dans une salle intimiste habillée de pierre et de bois, agrémentée de lampes en cuivre et d'un mobilier excentrique.

Faire ses courses

10-11 SUPERMARCHÉ
(carte p. 60 ; Austurstræti 17 ; 24h/24). Ouverte 24h/24, cette chaîne pratique des prix très élevés. Autres enseignes dans **Barónsstígur** (carte p. 60 ; Barónsstígur 4), **Borgartún** (carte p. 56 ; Borgartún 26) et **Laugalækur** (carte p. 56 ; Laugalækur 9).

Le vieux port

Sægreifinn POISSON ET FRUITS DE MER €
(Seabaron ; carte p. 60 ; 553 1500 ; www.saegreifinn.is ; Geirsgata 8 ; plats 1 350-1 900 ISK ; 11h30-23h). Rejoignez cette cabane verte sur le port pour savourer la meilleure soupe aux langoustines (1 300 ISK) de la capitale. Le client choisit dans le réfrigérateur les brochettes de poisson à faire griller. Si le seigneur de la mer (Sægreifinn) a changé de propriétaires il y a quelques années, l'endroit conserve son atmosphère chaleureuse et détendue.

Walk the Plank POISSON ET FRUITS DE MER €
(carte p. 60 ; Ægisgarður ; plats 1 500-1 900 ISK ; 10h-20h). Ce camion s'installe le matin par beau temps sur le quai du port. Délicieux sandwichs au crabe à déguster en regardant le ballet des bateaux (et des touristes) qui ont rendez-vous avec les baleines.

Hamborgara Búllan RESTAURATION RAPIDE €
(Hamborgarabúlla Tómasar ; carte p. 60 ; 511 1888 ; www.bullan.is ; Geirsgata 1 ; plats 730-1 400 ISK ; 11h30-21h). Ce petit coin d'Amérique du Nord, dans le vieux port, sert des burgers qui remportent un franc succès. Russell Crowe y a été aperçu alors qu'il était en tournage dans le coin.

Valdi's GLACES €
(carte p. 56 ; 586 8088 ; www.valdis.is ; Grandagarður 21 ; boule 425 ISK ; 11h30-23h mai-août). Les familles se pressent tout l'été chez ce glacier. Prenez un numéro, puis glissez-vous dans la foule qui attend pour faire son choix parmi le vaste éventail de parfums maison. Dans la joie et la bonne humeur.

Coocoo's Nest CAFÉ €€
(carte p. 56 ; Grandagarður 23 ; plats 1 500-2 700 ISK ; 11h-19h mar-ven, 11h-22h sam, 11h-16h dim). Ce sympathique restaurant niché derrière le vieux port est prisé pour son brunch (11h-16h sam-dim) et ses somptueux cocktails (1 800 ISK). Décontracté, branché et à taille humaine, il arbore des tables revêtues de mosaïque. Carte régulièrement renouvelée, mais toujours succulente.

Forréttabarinn TAPAS €€
(Starter Bar ; carte p. 60 ; 517 1800 ; www.forrettabarinn.is ; Nýlendugata 14, entrée dans Mýrargata ; assiettes 1 480-2 250 ISK ; 11h30-22h dim-mer, 11h30-24h jeu-sam). Les tapas sont à la mode à Reykjavík, comme en atteste cette adresse branchée proche du port. Assiettes inventives, à l'instar de celle à la morue et poitrine de porc servie avec une purée de céleri. Coin bar décontracté, meublé de vieilles tables et de canapés profonds.

Laugavegur et l'est du lac Tjörnin

Gló BIO, VÉGÉTARIEN €
(carte p. 60 ; 553 1111 ; www.glo.is ; Laugavegur 20b ; plats 1 700-2 500 ISK ; 11h-21h). Clientèle bohème et branchée pour ce spacieux restaurant situé en étage. Il sert de copieuses formules relevées d'épices et de plantes aromatiques asiatiques. Bien qu'il ne soit pas exclusivement végétarien, on s'y délecte de légumes et crudités bio, grâce au grand bar à salades. Autres enseignes dans **Laugardalur** (carte p. 56 ; 553 1111 ; Engjateigur 19 ; plats 1 700-2 500 ISK ; 11h-21h lun-ven, 11h-17h sam) et Hafnarfjörður (p. 95).

Bakarí Sandholt BOULANGERIE €
(carte p. 60 ; 551 3524 ; www.sandholt.is ; Laugavegur 36 ; plats 250-980 ISK ; 6h30-21h). La boulangerie préférée des Reykjavikois, souvent bondée, propose baguettes, croissants, pâtisseries et sandwichs frais. La soupe du jour (1 300 ISK) s'accompagne d'un délicieux pain au levain.

Ostabúðin POISSON ET FRUITS DE MER, TRAITEUR €
(Cheese Shop ; carte p. 60 ; 562 2772 ; Skólavörðustígur 8 ; plats 1 040-1 540 ISK ; 10h-18h lun-jeu, 10h-18h30 ven, 11h-16h sam). La partie fromagerie/traiteur gastronomique n'est ouverte que du lundi au vendredi de 11h30 à 13h30 ; vous pourrez alors vous attabler dans la salle du fond pour déguster de copieux plats de poisson frais accompagnés

de pain maison. En dehors de ces horaires, rabattez-vous sur l'épicerie fine, qui vend par exemple terrines et confits de canard.

Grái Kötturinn CAFÉ €
(carte p. 60 ; 551 1544 ; Hverfisgata 16a ; plats 1 000-2 500 ISK ; 7h15-15h lun-ven, 8h-15h sam-dim). On peut aisément passer devant ce minuscule café de six tables (que Björk affectionne) sans le remarquer. À mi-chemin entre la librairie excentrique et la galerie d'art, c'est l'adresse idéale pour un petit-déjeuner consistant, avec toasts, bagels, pancakes et œufs au bacon sur d'épaisses tranches de pain frais beurré.

Grænn Kostur VÉGÉTARIEN €
(carte p. 60 ; 552 2028 ; www.graennkostur.is ; Skólavörðustígur 8b ; plats 1 200-1 900 ISK ; 11h30-21h lun-sam, 13h-21h dim ;). Niché dans une petite galerie marchande derrière Skólavörðustígur, ce sympathique petit café sert de savoureuses formules du jour végétariennes et des desserts crus.

Soup Car SOUPE €
(carte p. 60 ; Frakkastígur ; soupe 690-1 000 ISK ; 11h15-19h juin-sept). Dans ce camion garé au pied de l'Hallgrímskirkja, on sert en toute simplicité de délicieux ragoûts d'agneau épicés ou des "soupes végétaliennes énergisantes" accompagnées de pain frais. Tables aux couleurs vives disposées sur le trottoir. Horaires d'ouverture selon la météo du jour.

Vitabar RESTAURATION RAPIDE €
(carte p. 60 ; Bergþórugata 21 ; plats 900-1 600 ISK ; 11h30-23h, bar jusqu'à 1h ou 2h ven-sam). Ce bar au cadre simple (carrelage et formica) sert des burgers grillés à la minute agrémentés de l'éventail complet d'accompagnements et de savoureuses frites maison croustillantes. Rock en fond sonore et clientèle locale venue siroter des pintes d'Einstök et de Viking.

Noodle Station ASIATIQUE €
(carte p. 60 ; 5513199 ; Skólavörðustígur 21a ; plats 1 190 ISK ; 11h-22h lun-ven, 12h-22h sam-dim). De simples soupes de nouilles épicées servies au bol pour cette adresse fiable et appréciée.

The Deli PIZZERIA €
(carte p. 60 ; www.deli.is ; Bankastræti 14 ; parts 400 ISK ; 10h-22h lun-mer, 10h-2h jeu, 10-7h ven-sam). La meilleure adresse de Reykjavík pour déguster une pizza croustillante. Ouvert tard.

Snaps FRANÇAIS €€
(carte p. 60 ; 511 6677 ; www2.snaps.is ; Þórsgata 1 ; plats dîner 3 000-4 000 ISK ; 11h30-23h dim-jeu, 11h30-24h ven-sam). Il faut réserver dans ce bistrot à la française qui fait fureur auprès des Reykjavikois. Son secret ? Des assiettes délicieuses de poissons et de fruits de mer ainsi que des plats classiques de bistrot (steak ou moules-frites) à des prix étonnamment abordables. Autres atouts : les formules du jour (11h30-14h ; 1 890 ISK) et les succulents brunchs (11h30-16h sam-dim ; 900 à 3 300 ISK). Vue sur la cuisine depuis les tables.

K-Bar FUSION €€
(carte p. 60 ; 571 6666 ; Laugavegur 74 ; plats déj 1 600-1 800 ISK, dîner 2 000-3 000 ISK ; 7h30-22h dim-jeu, 7h30-23h30 ven-sam). Les banquettes en cuir et les tables en cuivre martelé de ce bar-restaurant branché sont prises d'assaut par la clientèle, qui adore la cuisine créative de style californien-coréen (tempuras au cabillaud, grillades de bœuf, etc.). Les cocktails sont un régal également, tout comme les bières locales à la pression (950-1 400 ISK). Les plats de brunch de type œufs Bénédicte (1 890 ISK) sont servis jusqu'à 16h.

Þrír Frakkar ISLANDAIS, POISSON €€
(carte p. 60 ; 552 3939 ; www.3frakkar.com ; Baldursgata 14 ; plats 3 200-5 300 ISK ; 11h30-14h30 et 18h-23h30 lun-ven, 18h-23h30 sam-dim). Le chef de ce restaurant, Úlfar Eysteinsson, travaille avec subtilité des plats à base de poisson. En particularité : morue, lotte et *plokkfiskur* (ragoût de poisson) avec du pain noir. Également : nombreuses viandes (guillemot, cheval, agneau et baleine).

Kolabrautin ITALIEN €€
(carte p. 60 ; 519 9700 ; www.kolabrautin.is ; Austurbakki 2, Harpa ; plats 3 400-5 900 ISK ; 11h30-14h et 17h30-22h30 lun-ven, 17h30-22h30 sam-dim). Ce restaurant, situé au-dessus des salles de concert de Harpa, propose des ingrédients islandais cuisinés à la méditerranéenne. Après un cocktail détonant, goûtez aux spaghettis aux langoustines, ou au poisson-chat rôti au feu de bois relevé de parmesan et de piment.

Vegamót INTERNATIONAL €€
(carte p. 60 ; 511 3040 ; www.vegamot.is ; Vegamótastígur 4 ; plats 2 400-4 000 ISK ; 11h30-1h lun-jeu, 11h-4h ven-sam, 12h-1h dim ;). À la fois bistrot, bar et club, le "Carrefour" n'a rien perdu de son succès au fil des années. Idéal pour grignoter, boire, voir et être vu (en soirée, car en journée, c'est le fief des familles). Carte internationale allant

de la salade mexicaine au poulet Louisiane. Les brunchs du week-end (2 000-2 500 ISK) remportent aussi un franc succès.

Ban Thai ASIATIQUE €€
(carte p. 56 ; www.banthai.is ; Laugavegur 130 ; plats 1 890-2 500 ISK ; ⌚18h-22h dim-jeu, 18h-23h30 ven-sam). De loin l'adresse la plus prisée des Reykjavikois pour la cuisine thaïlandaise. Elle est située à l'est de la gare routière de Hlemmur. Toujours en cuisine thaïlandaise, mais plus économique et à emporter, le **Yummi Yummi** (carte p. 56 ; ☎588 2121 ; Hverfisgata 123 ; plats 1 190 ISK ; ⌚11h30-21h lun-ven, 17h-21h sam-dim) est de l'autre côté de la rue.

Hverfisgata 12 PIZZERIA €€
(carte p. 60 ; ☎437 0203 ; Hverfisgata 12 ; pizzas 2 100-2 800 ISK ; ⌚11h30-23h ;). L'absence d'enseigne ne décourage pas les clients de venir se réfugier dans cette maison d'angle, aux tons crème, pour déguster de délicieuses pizzas, parmi les meilleures de la ville, dans une ambiance familiale. Dans la bonne humeur, le personnel s'affaire derrière le comptoir en cuivre. D'agréables tables rondes sont installées derrière des baies vitrées. Le bar ferme à 1h, parfois au-delà et presque tous les jours.

Austur Indíafélagið INDIEN €€
(Compagnie des Indes orientales ; carte p. 60 ; ☎552 1630 ; www.austurindia.is ; Hverfisgata 56 ; plats 3 700-5 000 ISK ; ⌚18h-22h dim-jeu, 18h-23h ven-sam). Le restaurant indien le plus septentrional du monde est un établissement haut de gamme à la carte merveilleuse (mention spéciale pour le saumon tandoori). Atmosphère décontractée et service chaleureux.

♥ Dill SCANDINAVE €€€
(carte p. 60 ; ☎552 1522 ; www.dillrestaurant.is ; Hverfisgata 12 ; menu entrée-plat-dessert à partir de 8 100 ISK ; ⌚19h-22h mer-sam). Restaurant "néo-nordique" élégant qui met en scène les produits du cru. Les propriétaires, amis des chefs du Noma, se sont inspirés du célèbre restaurant étoilé de Copenhague. Adresse très prisée des Reykjavikois et des touristes. Réservation indispensable.

Friðrik V ISLANDAIS €€€
(carte p. 60 ; www.fridrikv.is ; Laugavegur 60 ; plats midi/entrée-plat-dessert soir 1 750/7 500 ISK ; ⌚11h30-13h30 mar-ven et 17h30-22h mar-sam). Une excellente adresse pour faire l'expérience de la gastronomie islandaise. Le chef est reconnu dans tout le pays comme un pionnier du Slow Food. Les produits locaux sont à l'honneur, revisités de manière inventive.

Gallery Restaurant INTERNATIONAL €€€
(carte p. 60 ; ☎552 5700 ; www.holt.is ; Bergstaðastræti 37, Hotel Holt ; plats 4 350-7 000 ISK). Cette table, l'une des meilleures de la capitale, permet de dîner entouré de tableaux islandais. La cuisine raffinée mélange influences islandaise et française. La carte de brasserie servie en journée (plats 2 000-3 000 ISK) est plus basique.

Sushisamba FUSION €€€
(carte p. 60 ; ☎568 6600 ; www.sushisamba.is ; Þingholtsstræti 5 ; plats 1 900-6 000 ISK, menus plusieurs plats 7 000-9 000 ISK ; ⌚17h-23h dim-jeu, 17h-24h ven-sam). Ce spécialiste du sushi a su apporter, grâce à son chef, une touche de modernité en s'inspirant de la gastronomie latino. L'idéal pour manger du poisson frais.

Argentína GRILL €€€
(carte p. 56 ; ☎551 9555 ; www.argentina.is ; Barónsstígur 11a ; plats 4 000-7 200 ISK ; ⌚18h-22h dim-jeu, 17h30-23h ven-sam). Ce restaurant sombre s'enorgueillit à juste titre de son succulent bœuf élevé localement et de son poisson grillé, accompagnés d'une carte de vins ambitieuse. Le bar reste ouvert jusqu'à minuit ou 1h.

Faire ses courses

Frú Lauga – centre-ville MARCHÉ
(carte p. 60 ; ☎534 7185 ; www.frulauga.is ; Óðinsgata 1 ; ⌚11h-18h lun-ven, jusqu'à 16h sam ;). Située en centre-ville, cette enseigne vend des produits des petits producteurs de l'île. Excellent choix de produits laitiers, viandes, légumes, ainsi que divers baumes et onguents de fabrication locale.

Bónus SUPERMARCHÉ €
(carte p. 60 ; Laugavegur 59 ; ⌚11h-18h30 lun-jeu, 10h-19h30 ven, 12h-18h sam). Ce supermarché offre le meilleur rapport qualité/prix en centre-ville. Également dans le **centre commercial Kringlan** (carte p. 56 ; Kringlan Shopping Centre ; ⌚12h-18h30 lun-jeu, 10h-19h30 ven, 10h-18h sam, 12h-18h dim).

Krambúð SUPERMARCHÉ
(carte p. 60 ; Skólavörðustígur 42 ; ⌚8h-23h30 lun-ven, 10h-23h30 sam-dim). Cher mais central et ouvert tard.

Au sud du centre

Nauthóll ISLANDAIS €€€
(carte p. 56 ; ☎599 6660 ; www.nautholl.is ; Nauthólsvegur 106 ; plats 2 290-7 000 ISK ; ⏲11h-22h lun-sam, 11h-17h dim). À côté de la plage géothermale de Nauthólsvík, cette adresse raffinée propose une excellente cuisine avec vue sur la mer. Ambiance décontractée en journée.

Laugardalur

♥ **Café Flóra** CAFÉ €
(Flóran ; carte p. 56 ; ☎553 8872 ; www.floran.is ; jardins botaniques ; gâteaux 850 ISK, plats 950-2 500 ISK ; ⏲10h-22h juin-août ; ✎). Ce café arbore un air particulièrement bucolique grâce à ses tables en bois dressées sous une serre baignée de soleil et débordant sur une terrasse fleurie. Au menu, des plats où le végétal domine. Certains produits sont même cultivés dans le jardin. Les soupes sont servies avec un pain au levain sensationnel, et les en-cas vont de l'assiette de fromage avec noix et miel aux sandwichs au porc. Café et gâteaux maison complètent le tout.

Frú Lauga MARCHÉ
(carte p. 56 ; ☎534 7165 ; www.frulauga.is ; Laugalækur 6 ; ⏲11h-18h lun-ven, jusqu'à 16h sam ; ✎). Ce marché de petits producteurs s'approvisionne dans tout le pays. On y vend ainsi des desserts au *skyr* d'Erpsstaðir (p. 193), des légumes bio, des conserves de rhubarbe, des viandes, du miel, ainsi que des pâtes, des chocolats, du vin et autres produits fins venus de l'étranger. Autre enseigne en centre-ville (p. 84).

Vox ISLANDAIS €€€
(carte p. 56 ; ☎444 5050 ; www.vox.is ; Suðurlandsbraut 2 ; plats 4 100-6 200 ISK ; ⏲11h30-22h30). Le restaurant 5 étoiles du Hilton, récemment

À NE PAS MANQUER

LES CAFÉS DE REYKJAVÍK

Les Reykjavikois adorent leurs cafés. Ces établissements douillets sont innombrables, et l'on peut aussi bien s'y attarder que commander un café à emporter.

Babalú (carte p. 60 ; ☎555 8845 ; Skólavörðustígur 22a ; ⏲8h-21h ; 📶). Un café douillet, un brin excentrique. Nombreux livres et jeux de société, mais les produits de boulangerie, les terrasses et les canapés confortables sont ses principaux atouts. Paninis corrects, sans plus. Mieux vaut opter pour le gâteau au chocolat maison et le crumble aux pommes.

Reykjavík Roasters (carte p. 60 ; www.reykjavikroasters.is ; Kárastígur 1 ; ⏲8h-18h lun-ven, 9h-19h sam-dim). Ce minuscule café branché se repère aisément par beau temps grâce à sa poignée de tables en bois et à ses sacs de pommes de terre jonchant la place pavée. Rien de meilleur qu'un thé *latte* avec un croissant.

Kaffi Mokka (carte p. 60 ; ☎552 1174 ; www.mokka.is ; Skólavörðustígur 3a ; ⏲9h-18h30). Dans le plus ancien café de Reykjavík, la décoration n'a guère changé depuis les années 1950. Les piliers ornés de mosaïques et les lustres en cuivre peuvent paraître agréablement rétro ou terriblement fatigués selon les points de vue. L'endroit attire une clientèle variée de personnes âgées, de touristes et de jeunes artistes branchés. Choix de sandwichs, de gâteaux et de gaufres géantes.

Café Haiti (carte p. 60 ; ☎588 8484 ; www.cafehaiti.is ; Geirsgata 7c ; ⏲8h-20h lun-jeu, 8h-23h ven, 9h-23h sam, 9h-20h dim). Les amateurs de café apprécieront ce minuscule établissement près du port. La propriétaire, Elda, achète ses grains de café en Haïti, son pays natal, puis les torréfie et les moud sur place, pour concocter ce que les habitués considèrent comme le meilleur café du pays.

C is for Cookie (carte p. 60 ; Týsgata 8 ; ⏲7h30-18h lun-ven, 11h-17h sam, 12h-17h dim). Baptisé en hommage à Macaron le glouton (Cookie Monster en anglais) de *1, rue Sésame*, cet établissement joyeux sert un délicieux café, mais aussi d'excellents gâteaux maison, des salades, des soupes et des sandwichs grillés.

Kaffifélagið (carte p. 60 ; Skólavörðustígur 10 ; ⏲7h30-18h lun-ven, 10h-16h sam). Petit troquet populaire pour boire un café sur le pouce. Quelques tables en terrasse également.

rénové et modernisé, attire une clientèle fidèle grâce à sa cuisine néo-nordique et à son fameux brunch du dimanche.

Où prendre un verre et faire la fête

Il n'est pas toujours facile de distinguer cafés, restaurants et bars à Reykjavík. Quand vient le soir (qu'il fasse nuit ou pas), la plupart des cafés et des bistrots de la ville baissent les lumières, montent le son et troquent les cappuccinos contre des cocktails. De nouvelles adresses, souvent haut de gamme, surgissent aux côtés des bars à bières. Certains hôtels et auberges de jeunesse ont également leur bar tendance.

Profitez des prix attractifs pratiqués pendant l'*happy hour*. Sinon, l'addition peut rapidement exploser. Téléchargez l'application pour Smartphone *Reykjavík Appy Hour*. La capitale islandaise est réputée pour sa vie nocturne, en particulier pour ses tournées des bars, qui peuvent se prolonger fort tard.

Kaffibarinn BAR

(carte p. 60 ; www.kaffibarinn.is ; Bergstaðastræti 1 ; 14h-1h dim-jeu, 14h-4h30 ven-sam). Cette vieille maison, dont la porte est surmontée du logo du métro londonien, abrite un bar tendance, qui a joué un grand rôle dans le film *101 Reykjavík* (2000), culte en Islande, avec Victoria Abril. Le week-end, mieux vaut être reconnu pour entrer ; sinon, il faut jouer des coudes.

KEX Bar BAR

(carte p. 60 ; www.kexhostel.is ; Skúlagata 28 ; 12h-23h ;). Fait rare, ce bar-restaurant (plats 1 700-2 500 ISK) d'auberge de jeunesse est fréquenté par les gens du cru (surtout des hipsters). Il est installé dans une ancienne usine à biscuits (*kex*) et dispose de grandes fenêtres face à la mer et d'une agréable cour intérieure où les conversations sont animées. Décor de Las Vegas des années 1920, avec portes de saloon, salon de barbier à l'ancienne et parquet marqué par les années.

Micro Bar BAR

(carte p. 60 ; Austurstræti 6 ; 14h-24h juin-sept, 16h-24h oct-mai). Ce modeste bar près d'Austurvöllur est le meilleur spécialiste des bières dans la capitale. Grand choix de marques de différents pays ainsi qu'une sélection de 10 bières pression fabriquées dans des microbrasseries islandaises. Mini dégustation de 5 bières à 2 500 ISK et bières à 600 ISK pendant l'*happy hour*.

ACHAT ET CONSOMMATION D'ALCOOL

- L'alcool est onéreux dans les bars et les restaurants. Les meilleurs tarifs sont proposés à l'*happy hour*.
- Les seuls magasins autorisés à vendre de l'alcool sont les boutiques de vins et de spiritueux **Vínbúðin** (www.vinbudin.is), qui appartiennent à l'État et dont cinq enseignes se situent autour du centre de Reykjavík.
- Le cas échéant, achetez de l'alcool en arrivant dans la boutique duty free de l'aéroport international de Keflavík. C'est là que vous obtiendrez les tarifs les plus avantageux.

Loftið BAR À COCKTAILS

(carte p. 60 ; 551 9400 ; www.loftidbar.is ; Austurstræti 9, 2e ét ; 14h-1h dim-jeu, 16h-4h ven-sam). Cocktails haut de gamme et art de vivre sont ici les maîtres mots. Une clientèle élégante se donne rendez-vous dans ce lounge spacieux, en étage, doté d'un comptoir en zinc et de carreaux d'époque. Tous les cocktails sont somptueux, même ceux d'entrée de gamme. Groupes de jazz le jeudi soir.

Kaldi BAR

(carte p. 60 ; www.kaldibar.is ; Laugavegur 20b ; 12h-1h dim-jeu, 12h-3h ven-sam). Ambiance cool pour cette adresse aux banquettes et chaises bleu canard dépareillées, et pourvue d'une cour très appréciée des fumeurs. Le Kaldi propose une gamme complète de bières artisanales, introuvables ailleurs. Pendant l'*happy hour* (16h-19h), bière à 650 ISK. Piano disponible pour les clients.

Tiú Droppar CAFÉ

(Dix Gouttes ; carte p. 60 ; 551 9380 ; Laugavegur 27 ; 9h-1h lun-jeu, 10h-1h sam-dim ;). Décoré de théières, ce café douillet, en sous-sol, sert gaufres, brunchs (640-990 ISK) et sandwichs. En soirée, il se transforme en bar à vins et accueille des concerts de temps à autre. Le dimanche soir, le pianiste peut reprendre n'importe quel morceau.

Kiki GAY

(carte p. 60 ; www.kiki.is ; Laugavegur 22 ; 23h-4h30 ven-sam). Ce bar *queer* est

ALCOOLS ISLANDAIS

En hiver, les Islandais ont tout le temps de perfectionner l'art de la distillerie. On ne s'étonnera donc pas de l'apparition de quantité de brasseries et de distilleries de qualité. Voici un bref tour d'horizon qui vous aidera à passer commande :

Brennivín Eau-de-vie vert fluo aromatisée au carvi, et surnommée "mort noire" (80°).

Opal Vodka aromatisée se déclinant en plusieurs variétés au menthol et à la réglisse (52°).

Flóki Whisky single malt islandais.

64° Reykjavík Microdistillerie produisant de la vodka Katla, de l'aquavit, des liqueurs herbacées et de l'eau-de-vie (au genièvre et aux myrtilles, entre autres).

Reyka La première distillerie d'Islande, à Borgarnes, produit une vodka limpide.

Bière

Egils, Gull, Thule et Viking, des lagers, sont les grandes marques de bière islandaise. Toutefois, les brasseries artisanales commencent à se tailler la part du lion. On peut commander leurs bières dans la plupart des bars de Reykjavík et des grandes villes.

Borg Brugghús (www.borgbrugghus.is). Brasserie artisanale primée, fabriquant de délicieuses bières, parmi lesquelles la Brió (pilsner), l'Úlfur (India Pale Ale ou IPA) et la Garún (brune), toutes baptisées de noms espiègles. La Fenrir, une IPA, est fumée à la crotte de mouton...

Einstök Brewing Company (www.einstokbeer.com). Installée à Akureyri, cette brasserie produit une sensationnelle bière Viking et une Icelandic Pale Ale caractéristique, entre autres ales et bières brunes à haute fermentation.

Kaldi (www.bruggsmidjan.is). Fabriquées selon les techniques de brassage tchèques, les bières artisanales de Kaldi sont disponibles partout. Très agréable, le bar Kaldi (p. 86) sert des bières pression de saison introuvables ailleurs.

Steðji Brugghús (www.stedji.com). Cette petite brasserie familiale de Borgarnes fabrique plusieurs bières chaque année (bière parfumée à la fraise, lager, etc.).

Ölvisholt Brugghús (www.brugghus.is). Très bon choix de bières artisanales du sud de l'Islande, dont la fameuse bière Lava.

l'adresse incontournable pour danser (pop et électro). Il faut se souvenir que l'essentiel de la vie nocturne de Reykjavík aujourd'hui tourne autour de l'alcool plutôt que du groove.

Bravó
BAR

(carte p. 60 ; Laugavegur 22 ; ⌚18h30-1h lun-jeu, 18h30-4h30 ven-sam ; 📶). Barmen sympas et connaisseurs, ambiance décontractée idéale pour observer la clientèle, musique cool en fond sonore, bières locales à 500 ISK pendant l'*happy hour* (17h-21h). Que demander de plus ?

Slippbarinn
BAR À COCKTAILS

(carte p. 60 ; ☎560 8080 ; www.slippbarinn.is ; Mýrargata 2 ; ⌚11h30-24h dim-jeu, 11h30-1h ven-sam). Une clientèle huppée se retrouve dans cet hôtel et bar-restaurant du vieux port décoré de platines vintage. On y sert une belle panoplie de cocktails.

Prikið
PUB

(carte p. 60 ; ☎551 2866 ; www.prikid.is ; Bankastræti 12 ; ⌚8h-1h lun-jeu, 8h-4h30 ven, 11h-4h30 sam, 11h-1h dim). C'est l'un des plus anciens bars de la ville, l'idéal si vous aimez les plats qui tiennent au corps (plats 1 700-3 500 ISK) et la convivialité. Pendant une partie de la nuit, l'adresse se transforme en boîte de nuit. Si vous tenez encore debout aux premières heures du matin, régalez-vous avec un petit-déjeuner "hangover killer" ("anti gueule de bois" ; 2 590 ISK).

Boston
BAR

(carte p. 60 ; ☎577 3200 ; Laugavegur 28b ; ⌚16h-1h dim-jeu, 16h-3h ven-sam). Établissement décontracté avec une pointe d'art. Accès par une porte dans Laugavegur qui mène à un lounge, où des DJ mixent à l'occasion.

Dillon
BAR, MUSIQUE LIVE

(carte p. 60 ; ☎578 2424 ; Laugavegur 30 ; ⌚14h-1h dim-jeu, 14h-3h ven-sam). De la bière,

LE DJAMMIÐ : FAIRE LA FÊTE À REYKJAVÍK

Reykjavík est réputée pour ses longues nuits festives le week-end mais aussi parfois en semaine (surtout l'été). Dans la capitale, *djammið* signifie "sortir en ville", ce qu'on pourrait appeler *pöbbarölt* ou "petite tournée des pubs" (à ne pas confondre avec le *rúntur*, tournée des bars qu'effectuent en voiture les jeunes Islandais des campagnes).

La fête a surtout lieu dans les cafés et les bistrots qui se transforment en bars à bières bruyants le week-end, mais aussi dans certains pubs et discothèques. Ce qui rend la vie nocturne de la capitale aussi spéciale, ce n'est pas l'alcool coulant à flots, mais l'incroyable énergie qui s'en dégage.

À cause du prix élevé de l'alcool, la fête commence tard. Les Islandais vont d'abord à la boutique de vins et spiritueux **Vínbúðin** (www.vinbudin.is), puis rentrent chez eux pour la première partie de soirée. Une fois "en forme", ils sortent vers minuit et font la fête jusqu'à 5h, terminent par un hot dog puis rentrent se coucher. Malgré les quantités d'alcool consommées, l'ambiance reste étonnamment bon enfant.

Plutôt que de passer la nuit dans un bar précis, il est d'usage de progresser de bar en bar. Plus les heures passent, plus les inhibitions tombent... Il y a parfois de longues files d'attente devant les clubs les plus en vogue, mais la circulation y est fluide et rapide.

Les réjouissances se concentrent près de Laugavegur et Austurstræti. Les établissements restent ouverts jusqu'à 1h du dimanche au jeudi (jusqu'à 4h ou 5h le vendredi et le samedi). La pinte de bière coûte 800 à 1 200 ISK, et les cocktails entre 1 800 et 2 600 ISK. Certains endroits réclament un droit d'entrée (environ 1 000 ISK) après minuit ; beaucoup pratiquent un *happy hour* en début de soirée qui ramène le prix de la bière entre 500 et 700 ISK. Téléchargez l'application pour Smartphone *Reykjavík Appy Hour*.

Pour vous tenir au courant de l'actualité, consultez *Grapevine*. Même si certains établissements de style pub sont plus décontractés, mieux vaut soigner sa tenue vestimentaire. L'âge minimum légal pour consommer de l'alcool est 20 ans.

des barbus, des bouteilles qui volent de temps à autre... Une adresse pour écouter du rock, dotée d'un plaisant *beer garden*. La petite scène accueille souvent des concerts.

Paloma DISCOTHÈQUE
(carte p. 60 ; Naustin 1-3 ; ⏲ discothèque 22h-4h30 ven-sam, bar en sous-sol tous les soirs à partir de 20h). L'une des meilleures boîtes électro et pop de Reykjavík, avec à l'étage des DJ et au sous-sol une table de billard. Logé dans le même bâtiment que le Dubliner.

Lebowski Bar BAR
(carte p. 60 ; Laugavegur 20a ; ⏲ 11h30-1h dim-jeu, 11h30-4h ven-sam). Baptisé en l'honneur du "Duc" du film culte des frères Coen (*The Big Lebowski*), ce bar grunge est incontournable. Déco à l'américaine et longue liste de *russes blancs* (à partir de 1 500 ISK), le cocktail préféré de Jeffrey Lebowski.

Hressingarskálinn PUB
(carte p. 60 ; www.hresso.is ; Austurstræti 20 ; ⏲ 9h-1h dim-jeu, 10h-4h30 ven-sam ; 📶). De son surnom Hressó, ce grand café-bar propose chaque jour une carte variée servie jusqu'à 22h (allant du porridge au *plokkfiskur* ; plats 1 700-4 500 ISK). Le week-end, il perd son vernis civilisé pour faire la part belle à la bière et à la danse. Des DJ pop et rock officient du jeudi au samedi.

Bast BAR
(carte p. 60 ; ☎ 519 7579 ; www.bast.is ; Hverfisgata 20 ; ⏲ 11h-24h lun-mer, 11h-1h jeu-sam, 11h-20h dim). Une clientèle jeune et enjouée se retrouve après le travail dans cet espace aux airs d'entrepôt. Bonne sélection de DJ.

Lavabarinn DISCOTHÈQUE
(carte p. 60 ; Lækjargata 6 ; ⏲ 17h-1h jeu, 7h-4h30 ven-sam). Cet ancien club clandestin pour hommes est aujourd'hui une boîte de nuit à dominante house, R&B, électro et pop.

English Pub PUB
(Enski Barinn ; carte p. 60 ; www.enskibarinn.is ; Austerstræti 12a ; ⏲ 12h-1h dim-jeu, 12h-4h30 ven-sam). Pour les fans de foot.

☆ Où sortir

La scène musicale de Reykjavík est dynamique. Les bars et les cafés accueillent souvent des concerts, tandis que les salles de

REYKJAVÍK GAY ET LESBIEN

Reykjavík est une ville très *gay friendly*. D'ailleurs, la **Reykjavík Pride** (www.reykjavikpride.com), ou marche des Fiertés, est l'un des événements annuels qui rassemblent le plus de monde (un quart de la population totale du pays a défilé en 2014). Consultez **Gayice** (www.gayice.is) pour des conseils aux voyageurs LGBT.

Literary Reykjavík (p. 69) dispose d'une application avec option Queer Literature (littérature gay). Pour une soirée gay, rendez-vous à la discothèque Kiki.

Samtökin '78 (carte p. 60 ; 552 7878 ; www.samtokin78.is ; Laugavegur 3, 4e ét ; guichet 13h-17h lun-ven, Queer Centre 20h-23h jeu). L'organisation gay et lesbienne Samtökin '78 donne des informations pendant les heures de bureau, et officie comme centre communautaire LGBT le jeudi soir.

Pink Iceland (562 1919 ; www.pinkiceland.is ; Laugavegur 3 ; 9h-17h lun-ven). La première agence de voyages LGBT organise toutes sortes de circuits, événements, mariages et visites guidées, dont une visite à pied de 2 heures dans Reykjavík (5 500 ISK).

spectacle et la salle de concert Harpa (p. 63) programment les arts de la scène.

Pour vous tenir au courant de l'actualité musicale et artistique, consultez les différentes sources suivantes en anglais : le journal gratuit *Grapevine* (www.grapevine.is), les sites Internet **Visit Reykjavík** (www.visitreykjavik.is), **What's On in Reykjavík** (www.whatson.is/magazine) et **Musik.is** (www.musik.is). Rendez-vous également dans les magasins de disques.

Certains billets sont vendus en ligne chez **Midi** (www.midi.is) ou **Dash Tickets** (www.dashtickets.is).

♥ Bíó Paradís CINÉMA

(carte p. 60 ; www.bioparadis.is ; Hverfisgata 54 ; adulte 1 600 ISK ;). Cette salle de cinéma décorée d'affiches de films et de mobilier vintage propose une programmation subtile de films islandais que l'on ne peut pas voir ailleurs (la plupart sous-titrés en anglais). *Happy hour* de 17h à 19h30.

Café Rosenberg MUSIQUE LIVE

(carte p. 60 ; 551 2442 ; Klapparstígur 25-27 ; 15h-1h lun-jeu, 16h-2h ven-sam). Dans cette boutique à la devanture garnie de livres, on s'installe dans les canapés pour écouter des concerts de jazz.

Húrra MUSIQUE LIVE

(carte p. 60 ; Tryggvagata 22 ; 17h-1h dim-jeu, 17h-4h30 ven-sam ;). Dans un décor très nature, ce grand bar dispose d'une arrière-salle qui accueille concerts live ou DJ d'un soir. Tenu par l'équipe du Bravó, il sert plusieurs bières à la pression. *Happy hour* jusqu'à 22h (bière/vin 500/700 ISK).

Théâtre national THÉÂTRE

(Þjóðleikhúsið ; carte p. 60 ; 551 1200 ; www.leikhusid.is ; Hverfisgata 19 ; fermé juil). Sur ses 3 scènes, le Théâtre national programme comédies musicales, opéras ou pièces, allant de Shakespeare à des créations islandaises modernes.

Théâtre municipal de Reykjavík THÉÂTRE, DANSE

(Borgarleikhúsið ; carte p. 56 ; 568 8000 ; www.borgarleikhus.is ; Listabraut 3, Kringlan ; fermé juil-août). Propose des pièces et des comédies musicales. La **Compagnie de danse islandaise** (carte p. 56 ; 588 0900 ; www.id.is) est également ici en résidence.

Théâtre Iðnó THÉÂTRE

(carte p. 60 ; 551 9181 ; www.idno.is ; Vonarstræti 3). Répertoire islandais, plutôt orienté vers la comédie.

Laugardalshöllin SALLE DE CONCERT

(carte p. 56 ; Engjavegur 8, Laugardalur). Immense salle accueillant de gros groupes étrangers.

Stade national Laugardalsvöllur STADE

(carte p. 56 ; 510 2914). L'Islande nourrit une véritable passion pour le football. Les matchs de Coupe de la Ligue et les grands matchs internationaux se jouent au stade national, à Laugardalur. Pour suivre l'actualité, achetez la presse ou consultez l'**Association islandaise de football** (Knattspyrnusamband Íslands - KSÍ ; 510 2900 ; www.ksi.is). Les billets s'achètent au stade.

Achats

Du sac à main en galuchat (peau de poisson tannée) au *lopapeysur* (pull en laine islandais), de la musique au délicieux *brennivín* (eau-de-vie locale), les occasions de ramener des souvenirs d'Islande sont nombreuses. D'autant plus que la culture du design islandais n'est pas un vain mot. On trouve des boutiques uniques dans toute la ville. Cependant, pour la mode, les enseignes sont concentrées dans Frakkastígur et Vitastígur, près de l'extrémité de Laugavegur, la principale artère commerçante. Skólavörðustígur est le fief des boutiques d'artisanat et de bijoux. Bankastræti et Austurstræti comptent de nombreux magasins pour touristes.

NB : tous les visiteurs étrangers ont droit à 15% de détaxe sous certaines conditions (voir p. 375).

Kirsuberjatréð ARTISANAT

(carte p. 60 ; 562 8990 ; www.kirs.is ; Vesturgata 4 ; 10h-19h lun-ven, 10h-17h sam, 10h-16h dim). Ce collectif féminin est installé dans une ancienne librairie ouverte en 1882. Spécialisé dans l'artisanat, il vend des sacs à main en galuchat, des boîtes à musique fabriquées avec de la ficelle et des bols colorés confectionnés avec des tranches de radis (nos préférés). Le "Cerisier" a fêté ses 20 ans et compte désormais une douzaine de créatrices.

Kraum ARTISANAT

(carte p. 60 ; www.kraum.is ; Aðalstræti 10 ; 9h-18h lun-ven, 12h-17h sam-dim). Créé par un groupe d'artistes, Kraum signifie "bouillonner", à l'instar du sous-sol de l'île et de l'esprit inventif de ses habitants. Située dans la plus vieille maison de Reykjavík, l'adresse propose des objets de créateurs, des vêtements en galuchat et du mobilier en bois flotté.

Kiosk VÊTEMENTS

(carte p. 60 ; 445 3269 ; Laugavegur 65 ; 10h-18h lun-ven, 11h-17h sam, 13h-16h dim juin-août, horaires réduits sept-mai). Cette coopérative de créatrices, logée dans une boutique qu'elles tiennent à tour de rôle, propose des vêtements pour femmes.

KronKron VÊTEMENTS, CHAUSSURES

(carte p. 60 ; 562 8388 ; www.kronkron.com ; Laugavegur 63b ; 10h-18h lun-ven, 10h-17h sam). L'adresse haute couture de la ville propose du prêt-à-porter de Marc Jacobs ou de Vivienne Westwood, mais aussi de créateurs scandinaves. Robes de soie, capes, écharpes et même des sous-vêtements en laine.

Kron CHAUSSURES

(carte p. 60 ; 551 8388 ; Laugavegur 48 ; 10h-18h lun-ven, 10h-17h sam). Kron vend de fabuleuses chaussures excentriques fabriquées main. Couleurs vives, matières originales, fabrication islandaise… et tout à fait mettables !

Mál og Menning LIVRES

(carte p. 60 ; 580 5000 ; Laugavegur 18 ; 9h-22h lun-ven, 10h-22h sam). Sympathique, populaire et bien achalandée, cette librairie propose un choix d'ouvrages (en anglais) pour mieux appréhender l'Islande. Vous

LOPAPEYSUR : LES PULLS EN LAINE ISLANDAIS

Incontournables, les *lopapeysur* sont portés aussi bien par les Islandais que par les touristes. Ces fameux chandails en laine hydrofuge, épais et confortables, s'ornent de motifs géométriques simples ou typiquement régionaux. L'époque où ils étaient à très bon prix (les années 1960) est révolue. Aussi, au moment de l'achat, réfléchissez : voulez-vous un pull tricoté main ou à la machine ? Il existe en effet une différence de prix notable (certains coûtent largement plus de 200 €). Quoi qu'il en soit, ces articles, qui allient esthétique et confort, font des souvenirs exceptionnels.

Handknitting Association of Iceland (Handprjónasamband Íslands ; carte p. 60 ; 552 1890 ; www.handknit.is ; Skólavörðustígur 19 ; 9h-21h lun-ven, 9h-18h sam, 10h-18h dim). Association vendant des bonnets, des chaussettes et des pulls en tricot traditionnel, ainsi que de la laine, des aiguilles à tricoter et des patrons pour tricoter soi-même. La seconde boutique (carte p. 60 ; 562 1890 ; Laugavegur 53b ; 9h-19h lun-ven, 10h-17h sam), plus petite, ne vend que des articles en tricot.

Álafoss (carte p. 60 ; 562 6303 ; www.alafoss.is ; Laugavegur 8 ; 9h-22h). Quantité de *lopapeysur* et autres lainages tricotés à la main ou à la machine. La boutique (566 6303 ; www.alafoss.is ; Álafossvegur 23, Mosfellsbær ; 9h-18h lun-ven, 9h-16h sam) vend aussi de la laine et des aiguilles à tricoter.

pourrez feuilleter *Thermal Pools in Iceland* de Jón G. Snæland et Þóra Sigurbjörnsdóttir dans le café animé. Vend également des CD, des jeux et des journaux.

Marché aux puces de Kolaportið MARCHÉ
(carte p. 60 ; www.kolaportid.is ; Tryggvagata 19 ; 11h-17h sam-dim). Véritable institution, ce marché se tient le week-end dans un grand bâtiment industriel près du port. Les articles ne sont pas toujours de qualité, mais on vient pour l'ambiance. Dans la partie consacrée à l'alimentation, on vend des spécialités comme le *rúgbrauð* (pain à la farine de seigle cuit à l'étouffée près d'une source chaude), la *brauðterta* (sandwich au pain à plusieurs couches avec garnitures à la mayonnaise) et le *hákarl* (requin fermenté).

Lucky Records MUSIQUE
(carte p. 56 ; 551 1195 ; www.luckyrecords.is ; Rauðarárstígur 10 ; 9h-22h lun-ven, 11h-22h sam-dim). Cette caverne d'Ali Baba musicale est très bien achalandée en artistes islandais contemporains, tout en proposant aussi quantité de vinyles d'époque. Vaste collection, du hip-hop au jazz, en passant par l'électro. Concerts occasionnels.

12 Tónar MUSIQUE
(carte p. 60 ; www.12tonar.is ; Skolavörðustígur 15 ; 10h-20h). Ce magasin a souvent lancé des groupes qui sont devenus célèbres par la suite. Sur 3 niveaux, on peut écouter des CD, s'attabler au café et parfois assister à un concert. Autre enseigne dans la salle de spectacle Harpa.

Eymundsson LIVRES
(carte p. 60 ; www.eymundsson.is ; Austurstræti 18 ; 9h-22h lun-ven, 10h-22h sam-dim). Cette grande librairie centrale propose un large éventail de livres, de presse et de cartes en anglais, et abrite un excellent café. Autre enseigne dans **Skólavörðustígur** (carte p. 60 ; Skólavörðustígur 11 ; 9h-22h lun-ven, 10h-22h sam-dim).

Leynibuðin VÊTEMENTS
(carte p. 60 ; www.leynibudin.is ; Laugavegur 55 ; 11h-18h lun-ven). Ce véritable mini-marché vend des vêtements créés par de jeunes designers islandais. Style branché ou grunge, tendance "fait maison".

Skúma Skot ARTISANAT
(carte p. 60 ; 663 1013 ; Laugavegur 23 ; 10h-18h mar-ven, 10h-16h sam-dim). Neuf créateurs proposent des articles en porcelaine, vêtements pour femmes et enfants, tableaux et cartes. Situé dans une minuscule maison, derrière l'agence de voyages Booking Lounge.

SÓLEY ORGANICS : ARTICLES DE TOILETTE ISLANDAIS

La marque **Sóley Organics** (www.soleyorganics.com) ne possède pas de boutique. Toutefois, vous trouverez ses produits de beauté et articles de toilette de fabrication locale dans toutes les enseignes de produits naturels **Heilsuhúsið** (carte p. 60 ; 552 2966 ; www.heilsuhusid.is ; Laugavegur 20 ; 10h-18h lun-ven, 11h-16h sam), et dans les pharmacies Lyfja de tout le pays. Vous pourrez également en acheter chez Hagkaup, dans les centres commerciaux Kringlan ot Smáralind, ainsi qu'à la boutique duty free de l'aéroport de Keflavík. Enfin, de nombreux spas haut de gamme utilisent les produits Sóley Organics.

Spark ARTISANAT
(carte p. 60 ; 552 2656 ; www.sparkdesignspace.com ; Klapparstígur 33 ; 10h-18h lun-ven, 12h-16h sam). À la fois galerie et boutique, Spark accueille une gamme changeante d'œuvres de créateurs islandais, de la peinture au tricot. Remarquez les maquettes en os de poisson à monter soi-même !

Gangleri Outfitters MATÉRIEL DE CAMPING
(carte p. 60 ; 583 2222 ; www.outfitters.is ; Hverfisgata 82 ; 10h-19h lun-ven, 11h-17h sam-dim). Tout le matériel pour le camping (location et vente) : tentes, sacs de couchage, réchauds, sacs à dos, chaussures, matériel d'escalade, etc.

Fjallakofinn MATÉRIEL DE CAMPING
(carte p. 60 ; 510 9505 ; www.fjallakofinn.is ; Laugavegur 11 ; 9h-19h lun-ven, 10h-16h sam, 12h-17h dim). Dans le même bâtiment qu'Arctic Adventures, cette boutique propose du matériel (onéreux) de camping et d'escalade de sa propre marque. Également matériel high-tech de vidéo et de photo. **Location de matériel** et second magasin au centre commercial Kringlan.

66° North VÊTEMENTS
(carte p. 60 ; 535 6680 ; www.66north.is ; Bankastræti 5 ; 9h-22h). Fondée en 1926, la célèbre marque islandaise de vêtements a débuté son activité en habillant les pêcheurs de

l'Arctique. Aujourd'hui, l'enseigne propose tout l'équipement utile pour explorer les grands espaces d'Islande et d'ailleurs (blousons, polaires, chapeaux et gants). Les articles pour enfants sont regroupés dans un magasin situé une rue plus loin. D'autres boutiques au centre commercial Kringlan.

Geysir VÊTEMENTS
(carte p. 60 ; ☎ 519 6000 ; www.geysir.com ; Skólavörðustígur 16 ; ⏲ 10h-22h). Articles islandais traditionnels, dont un élégant choix de pulls, couvertures, vêtements, chaussures et sacs.

Gaga VÊTEMENTS
(carte p. 60 ; ☎ 551 2306 ; www.gaga.is ; Vesturgata 4 ; ⏲ 10h-18h lun-ven, 10h-16h sam). Articles en tricot et en feutre signés par la créatrice Gaga Skorrdal.

Aurum BIJOUX
(carte p. 60 ; ☎ 551 2770 ; Bankastræti 4 ; ⏲ 10h-18h lun-ven, 11h-17h sam). Guðbjörg, qui vend ses pièces ici, est l'une des créatrices les plus intéressantes de Reykjavík. Les formes de ses bijoux en argent arachnéens évoquent souvent des feuilles et des fleurs.

Iceland Giftstore SOUVENIRS
(Rammagerðin ; carte p. 60 ; ☎ 535 6690 ; www.icelandgiftstore.com ; Hafnarstræti 19 ; ⏲ 9h-22h lun-ven, 10h-22h sam-dim). Ne soyez pas rebuté par le macareux empaillé dans la vitrine et explorez la meilleure boutique de souvenirs de la ville. Articles en laine, objets artisanaux et objets de collection. Autre enseigne à l'aéroport de Keflavík.

Viking SOUVENIRS
(carte p. 60 ; www.theviking.is ; Laugavegur 1 ; ⏲ 9h-22h). Impossible de manquer cette boutique de souvenirs pleine à craquer. Des trolls géants sont postés à l'extérieur. Autre enseigne au n°1 de Hafnarstræti.

Kría VÉLOS
(carte p. 56 ; www.kriacycles.com ; Grandagarður 7, vieux port ; ⏲ 10h-18h lun-ven, 11h-15h sam). Vente et réparation de vélos.

Reykjavík Foto MATÉRIEL ÉLECTRONIQUE
(carte p. 60 ; ☎ 577 5900 ; www.reykjavikfoto.is ; Laugavegur 51 ; ⏲ 10h-18h lun-ven, 11h-16h sam). Appareils photos, trépieds et étuis imperméables. Personnel très serviable.

Kringlan CENTRE COMMERCIAL
(carte p. 56 ; www.kringlan.is ; 🚌 S1-4, S6, 13 ou 14). À 1 km de la ville, ce centre commercial abrite des dizaines de magasins. Encore plus vaste, le Smáralind (p. 98) se trouve à Kópavogur.

ℹ Orientation

La ville s'étend sur une petite péninsule : l'aéroport domestique de Reykjavík et les gares routières des bus longue distance BSÍ et Mjódd sont dans la moitié sud, le centre-ville et le port occupent la moitié nord. L'aéroport international est situé à 48 km du centre-ville, à Keflavík.

Laugavegur est la principale artère commerçante de la ville. La gare routière de Hlemmur, l'une des deux principales de la ville, se trouve à son extrémité est. En allant vers l'ouest, cette rue étroite à sens unique est bordée de boutiques et de bars. Elle devient la rue Bankastræti, puis Austurstræti en traversant le centre. Partant de Bankastræti en montée et en diagonale, Skólavörðustígur, rue des artistes, aboutit à l'église moderne Hallgrímskirkja.

Très animé, le boulevard Lækjargata croise Bankastræti/Austurstræti. À l'ouest se trouve le vieux Reykjavík. Au nord-ouest se déploie le port, et au sud-ouest, le lac Tjörnin.

ℹ Renseignements

URGENCES

Urgences (☎ 112). Ambulances, pompiers et police.

Hôpital universitaire Landspítali (☎ 543 1000 ; www.landspitali.is ; Fossvogur). Urgences 24h/24, 7 jours/7.

ACCÈS INTERNET

Presque tous les hébergements et de nombreux cafés disposent d'un accès Internet par Wi-Fi. Des ordinateurs avec connexion Internet sont en accès à l'office du tourisme principal et dans les bibliothèques (250 ISK/heure).

Aðalbókasafn (bibliothèque municipale de Reykjavík ; www.borgarbokasafn.is ; Tryggvagata 15 ; ⏲ 10h-19h lun-jeu, 11h-19h ven, 13h-17h sam-dim)

LAVERIES

Laver son linge en Islande est parfois un problème qui peut coûter cher, surtout si l'hébergement ne propose pas de service de blanchisserie. À Reykjavík, on peut se rendre au Laundromat Café (p. 80) qui dispose de lave-linge au sous-sol.

Úðafoss (☎ 551 2301 ; Vitastígur 13 ; 3 380 ISK les 5 kg ; ⏲ 8h-18h lun-ven). L'une des seules blanchisseries du centre de Reykjavík, avec possibilité de récupérer son linge le jour même.

SERVICES MÉDICAUX

Centre médical (☎ 585 2600 ; Vesturgata 7). Sur rendez-vous.

Læknavaktin (☎ 1770 ; ⏲ 17h-8h lun-ven, 24h/24 sam-dim). Conseils médicaux (hors urgences).

ARGENT

Les cartes bancaires sont acceptées partout (sauf dans les bus municipaux). Les DAB sont nombreux. Dans les hôtels et les bureaux de change privés, la commission est parfois très élevée.

POSTE

Poste principale (carte p. 60 ; www.postur.is ; Pósthússtræti 5 ; 9h-18h lun-ven). Service de poste restante.

TÉLÉPHONE

Difficile de trouver des cabines publiques avec la généralisation du portable. Essayez à l'office du tourisme, à la poste, près de l'angle sud-ouest d'Austurvöllur, dans Lækjargata ou au centre commercial Kringlan.

OFFICES DU TOURISME

Outre son excellent office du tourisme principal, Reykjavík compte quantité d'agences de voyages spécialisées dans la réservation de circuits, constituant ainsi des relais d'informations utiles.

Office du tourisme principal (Upplýsingamiðstöð Ferðamanna ; carte p. 60 ; 590 1550 ; www.visitreykjavik.is ; Aðalstræti 2 ; 8h30-19h juin à mi-sept, 9h-18h lun-ven, 9h-16h sam, 9h-14h dim mi-sept à mai). Personnel avenant, innombrables brochures, vente de plans et de billets de bus Strætó. Réservation d'hébergements, de circuits et d'activités. On peut également s'y faire rembourser la TVA sur ses achats.

AGENCES DE VOYAGES

Icelandic Travel Market (552 4979 ; www.icelandictravelmarket.is ; Bankastræti 2 ; 8h-21h mai-août, 8h-19h sept-avr). Renseignements, réservation de circuits et location de vélos (3 500 ISK les 5 heures).

Trip (433 8747 ; www.trip.is ; Laugavegur 54 ; 9h-21h). Réservation de circuits, location de voitures et de vélos.

Depuis/vers Reykjavík

AVION

Aéroport international de Keflavík (KEF ; 425 6000 ; www.kefairport.is ;). À 48 km à l'ouest de Reykjavík. Vols internationaux (sauf vers le Groenland et les îles Féroé). Sur place : renseignements touristiques (carte p. 56 ; 425 0330, réservations 570 7799 ; 6h-20h lun-ven, 12h-17h sam-dim), bureaux de change, supérette 10-11 et cafés.

Aéroport domestique de Reykjavík (Reykjavíkurflugvöllur ; carte p. 56 ; www.reykjavikairport.is ; Innanlandsflug). À 2 km au sud du Tjörnin. Vols intérieurs et à destination du Groenland et des îles Féroé. Air Iceland (570 3030 ; www.airiceland.is) a un guichet sur place, mais vous ferez des économies en réservant en ligne. Eagle Air (562 4200 ; www.eagleair.is) assure des vols panoramiques et des circuits touristiques au départ de cet aéroport.

BUS

Pour le transport au départ de Reykjavík, vous pouvez participer à une excursion à la journée (p. 71 ; beaucoup d'agences viennent chercher les participants à leur hôtel), recourir aux bus Strætó ou encore passer par divers tour-opérateurs, en montant ou descendant dans les bus à horaires et itinéraires fixes. Strætó propose aussi divers forfaits (voir p. 391). La carte gratuite *Public Transport in Iceland* donne une bonne vue d'ensemble des itinéraires.

Les liaisons en bus sont en principe restreintes, voire inexistantes en hiver. Toutefois, l'Islande est un pays où les choses évoluent vite. Pour rejoindre les destinations des régions nord et est du pays (comme Egilsstaðir, Mývatn et Húsavík), on prend généralement une correspondance à Höfn ou Akureyri ; à destination de l'Ouest, le changement s'effectue à Borgarnes.

En 2015, de nouvelles liaisons sont mises en place entre Reykjavík et les fjords de l'Ouest via Holmavík jusqu'à Ísafjörður (toute l'année) ; et via Stykkishólmur et le ferry jusqu'à Brjánslækur et Ísafjörður (l'été uniquement) ou Patreksfjörður (toute l'année). Pour connaître les dernières informations en date, rendez-vous sur www.westfjords.is.

Strætó (540 2700 ; www.straeto.is). Bus longue distance au départ de la gare routière Mjódd (p. 95), à 8 km au sud-est du centre-ville. Celle-ci est desservie par les bus n^os^3, 4, 11, 12, 17, 21, 24 et 28. Strætó gère aussi le réseau de bus municipaux (application pour Smartphone). Pour les bus longue distance (et uniquement pour ceux-ci), il est possible d'utiliser, au choix, des espèces, une carte bancaire, ou un billet de bus.

Gare routière BSÍ – Reykjavík Excursions (carte p. 56 ; 562 1011 ; www.bsi.is ; Vatnsmýrarvegur 10 ;). Reykjavík Excursions (qui gère le Flybus) opère depuis la gare routière BSÍ (prononcez *bi-ess-i*), au sud du centre. Vous y trouverez un guichet, des brochures touristiques, des casiers, une consigne (500 ISK par bagage et par jour), une agence de location de voitures, et une cafétéria avec Wi-Fi. La gare routière est desservie par les bus municipaux n^os^1, 3, 6, 14, 15 et 19. Reykjavík Excursions assure, sur réservation, le transport de l'hôtel à la gare routière.

Sterna (carte p. 60 ; 551 1166 ; www.sterna.is ;). Vente de billets et départs à la salle de concert Harpa. Bus desservant tout le pays sauf l'Ouest et les fjords de l'Ouest.

Trex (☎587 6000 ; www.trex.is ; 📶). Départs de l'office du tourisme principal, de la salle de concert Harpa ou du camping de Reykjavík. Bus pour Þórsmörk et Landmannalaugar dans le Sud.

Comment circuler

DEPUIS/VERS L'AÉROPORT

Le trajet entre l'aéroport international de Keflavík et Reykjavík dure environ 50 minutes. En taxi, prévoyez environ 15 000 ISK. Les 3 lignes de bus, faciles d'accès, qui relient la capitale et l'aéroport, offrent de loin la solution la plus avantageuse ; réductions pour les enfants.

Depuis l'aéroport domestique, il faut parcourir 1 km à pied pour rejoindre la ville, ou bien prendre un taxi. Le bus n°15 s'arrête près du terminal d'Air Iceland, le bus n°19 près de celui d'Eagle Air. Les deux desservent le centre et la gare routière de Hlemmur.

Flybus (☎580 5400 ; www.re.is ; 📶). Géré par Reykjavík Excursions, le Flybus est à l'arrivée de tous les vols internationaux. Un billet aller coûte 1 950 ISK, ou 2 500 ISK si vous voulez qu'on vous prenne/dépose à votre hôtel (avec navette depuis/vers le Flybus à la gare routière BSÍ) ; ce service se réserve la veille. Un bus distinct dessert le Blue Lagoon (d'où l'on peut poursuivre jusqu'au centre ou jusqu'à l'aéroport ; 3 600 ISK). Billets en vente en ligne, dans de nombreux hôtels, ou au comptoir de l'aéroport.

BUS DEPUIS REYKJAVÍK

Voici des exemples d'itinéraires et des indications de tarifs, à vérifier auprès des compagnies. En principe, les bus Strætó sont les plus économiques. Les compagnies privées comme Reykjavík Excursions (RE) et Sterna desservent aussi ces itinéraires, et proposent parfois une prise en charge à votre hôtel. Toutefois, elles pratiquent le plus souvent des prix plus élevés, à moins d'acheter un forfait.

DESTINATION	COMPAGNIE ET LIGNE	PRIX	DURÉE	FRÉQUENCE	TOUTE L'ANNÉE
Akureyri	Strætó n°57	7 700 ISK	6 heures 30	tlj	oui
Blue Lagoon	Sterna/RE	2 000 ISK	45 min	tlj	oui
Borgarnes	Strætó n°57	1 400 ISK	1 heure 15	tlj	oui
Geysir/Gullfoss	RE	5 000 ISK	2 heures 30	tlj	mi-juin à mi-sept
Höfn	Strætó n°51	10 150 ISK	8 heures 30	tlj	oui
Hólmavík	Strætó n°59	5 250 ISK	3 heures 30	tlj	oui
Keflavík	REX/Flybus	1 500 ISK	40 min	plusieurs/j	oui
Kirkjubæjar-klaustur	Strætó 51	8 100 ISK	5 heures	tlj	oui
Landmannalaugar	Trex/RE	8 400/ 9 000 ISK	5 heures 30	tlj	mi-juin à août
Mývatn	RE	20 500 ISK	12 heures	3/sem	juil-août
Selfoss	Strætó n°s 51/52	1 400 ISK	1 heure	plusieurs/j	oui
Skaftafell	Sterna	7 200 ISK	6 heures 30	tlj	oui
Skógar	Strætó n°51/Sterna	200/ 3 600 ISK	3 heures 15	tlj	juin à mi-sept
Stykkishólmur	Strætó n^os^57 à 58	3 150 ISK	3 heures	2/j	oui
Port de Landeyjarhöfn pour les Vestmannaeyjar	Strætó n°52	3 500 ISK	2 heures 15	tlj	oui
Vík í Mýrdal	Strætó n°51	4 900 ISK	4 heures	2/j	oui
Þingvellir	RE	2 500 ISK	45 min	tlj	mi-juin/ mi-sept
Þórsmörk	Trex/RE	800/ 7 500ISK	3 heures 30	2/j	juin à mi-sept

Le Flybus dépose et prend également des passagers dans Garðabær et Hafnarfjörður, au sud de Reykjavík.

K-Express (☎823 0099 ; www.kexpress.is). Lors de nos recherches, K-Express proposait 3 bus quotidiens entre l'aéroport international de Keflavík et la ville de Keflavík, le camping de Reykjavík, l'Hallgrímskirkja et la salle de concert Harpa pour 1 300 ISK. Comptoir (et départ) à 500 m de l'aérogare, au niveau du bâtiment abritant une agence de location de voitures. Les billets s'achètent auprès du chauffeur ou en ligne.

Airport Express (☎540 1313 ; www.airportexpress.is ; 📶). Géré par Gray Line Tours ; circule entre l'aéroport international de Keflavík et la place Lækjartorg, dans le centre de Reykjavík (1 900 ISK) ; possibilité de prise en charge/retour à votre hôtel (2 400 ISK). Horaires sur le site Internet.

VÉLO

Le réseau de pistes cyclables est en constante amélioration et la ville étant compacte, la pratique du vélo est une bonne solution pour se déplacer. Demandez un plan à l'office du tourisme. On a le droit de pédaler sur les trottoirs à condition de ne pas gêner les piétons. Pour louer des vélos, voir p. 69.

BUS

Pratique, le réseau de bus **Strætó** (www.straeto.is/english) dessert régulièrement Reykjavík et ses banlieues (Seltjarnarnes, Kópavogur, Garðabær, Hafnarfjörður et Mosfellsbær). Horaires en ligne, application pour Smartphone, et plan des lignes en vente à la gare routière de Hlemmur (0,50 ISK). Récupérez la *Welcome to Reykjavík City Map* qui affiche les lignes de bus.

Les bus circulent tous les jours de 7h à 23h ou minuit (à partir de 10h le dimanche). Comptez 20-30 minutes d'attente entre chaque passage. Un service de bus de nuit limité fonctionne jusqu'à 2h le vendredi et le samedi. Les bus ne s'arrêtent qu'aux arrêts indiqués par un S jaune.

LES MONDES CACHÉS D'HAFNARFJÖRÐUR

Beaucoup d'Islandais croient que le pays est peuplé de tout un petit monde de créatures cachées : *jarðvergar* (gnomes), *álfar* (elfes), *ljósálfar* (fées), *dvergar* (nains), *ljúflingar* (mignons), *tívar* (esprits de la montagne), *englar* (anges) et *huldufólk* (peuple caché). Nombreux sont ceux qui sont gênés d'avouer cette croyance, mais la plupart refuseraient de jurer la main sur le cœur ne pas y croire. Dans les jardins, on voit souvent des petites *álfhól* (maisons d'elfes) en bois.

Hafnarfjörður (27 400 habitants), à 12 km au sud de Reykjavík, se trouverait à la confluence de plusieurs puissantes lignes *ley* (lignes d'énergie mystique). La ville repose sur une coulée de lave datant de 7 000 ans qui cacherait tout un monde d'elfes, si l'on en croit les habitants. Les visiteurs viennent pour flâner dans **Hellisgerði** (www.elfgarden.is ; 🕐13h-17h mar-dim), un parc paisible parsemé de grottes de lave et l'un des endroits supposés préférés du "peuple caché". La **visite guidée Hidden Worlds** (☎694 2785 ; www.alfar.is ; 3 900 ISK/pers ; 🕐14h30 mar et ven juin-août), promenade d'une heure et demie au prix onéreux, part de l'**office du tourisme** (☎585 5500 ; www.visithafnarfjordur.is ; Strandgata 6 ; 🕐8h-16h lun-ven), qui vend une carte des sites elfiques. Le week-end, renseignez-vous à la Pakkhúsið.

Principale curiosité de la ville, le **musée d'Hafnarfjörður** (☎585 5780) GRATUIT, dédié à l'histoire locale, occupe plusieurs vieilles maisons en tôle ondulée près du port. Commencez par la **Pakkhúsið** (Vesturgata 8 ; 🕐11h-17h juin-août, sam-dim sept-mai), la principale section. Vous trouverez des sources chaudes, des bains de boue et des lacs minéraux au sud de la ville à Krýsuvík (p. 110).

Vous pourrez passer la nuit au **Lava Hostel & Campsite** (☎565 0900, 895 0906 ; www.hafnarfjordurguesthouse.is ; Hjallabraut 51; empl/adulte 1 200 ISK, dort à partir de 4 500 ISK, d sans sdb 13 000 ISK ; 🕐mi-mai à mi-sept ; 📶) et déguster de bons plats au **Súfistinn** (☎565 3740 ; www.sufistinn.is ; Strandgata 9 ; plats 1 200-1 600 ISK ; 🕐8h15-23h30 lun-ven, 10h-23h30 sam, 11h-23h30 dim), un café très apprécié, à moins d'opter pour les délicieuses créations végétariennes de **Gló** (☎553 1111 ; www.glo.is ; Strandgata 34 ; plats 1 700-2 500 ISK ; 🕐11h-21h lun-ven, 11h-17h sam-dim).

Pour vous y rendre, prenez le bus n°1 (30 minutes depuis Reykjavík). Le **Flybus** (www.re.is) en direction de l'aéroport international de Keflavík s'arrête à Hafnarfjörður sur demande préalable.

Billets et tarifs

Un billet coûte 350 ISK ; on peut en acheter à la gare routière ou auprès du chauffeur (qui ne rend pas la monnaie). Les forfaits 1/3 jours (900/2 200 ISK) s'achètent aux deux gares routières, à l'office du tourisme, dans de nombreux hôtels, dans les centres commerciaux Kringlan et Smáralind, et dans les piscines. Si vous devez prendre 2 bus pour rejoindre une destination, procurez-vous des *skiptimiði* (billets de correspondance, valables 75 minutes) auprès du chauffeur.

La Reykjavík City Card sert aussi de pass dans les bus du réseau Strætó.

Gares routières et lignes de bus

Deux gares routières sont situées dans le centre : **Hlemmur** (carte p. 56 ; ☎540 2701 ; ⏱guichet 8h-20h lun-ven, 12h-20h sam-dim), à l'extrémité est de Laugavegur, et celle de la **place Lækjartorg** (carte p. 60). Située en plein centre, celle-ci tient davantage de l'arrêt de bus que de la gare routière. La gare routière **Mjódd** (☎557 7854), au sud-est du centre, sert aux bus longue distance. De nombreux bus font le tour du lac Tjörnin et desservent le centre, le Musée national et la gare routière BSÍ avant de poursuivre leur chemin. Voici des lignes pratiques :

1 Gare routière de Hlemmur, gare routière de Lækjartorg, Musée national, gare routière BSÍ, hôpital, arrêt de bus de Hamraborg (Kópavogur), arrêt de bus de Fjörður (Hafnarfjörður).

14 Vieux port, gare routière de Lækjartorg, Musée national, gare routière BSÍ, hôpital, gare routière de Hlemmur, Laugardalur (pour la piscine, le Reykjavík City Hostel et le camping).

15 Aéroport domestique, gare routière BSÍ, hôpital, gare routière de Hlemmur, Laugardalur, arrêt de bus de Háholt (Mosfellsbær).

VOITURE ET MOTO

Il est inutile d'avoir une voiture à Reykjavík, car on circule très facilement à pied et en bus. On peut louer une voiture ou un camping-car pour découvrir la campagne dans les deux aéroports, à la gare routière BSÍ, ainsi qu'en ville.

Stationnement

Le stationnement dans le centre-ville est payant entre 10h et 18h du lundi au samedi et coûte 120 ISK/heure (pièces ou cartes bancaires).

Parking Vitatorg (1re heure 80 ISK, heures suivantes 50 ISK ; ⏱7h-24h). Parking couvert.

TAXI

Les taxis coûtent cher. La prise en charge commence à environ 660 ISK. Il n'est pas obligatoire de laisser un pourboire. Une course depuis la gare routière BSÍ jusqu'au Reykjavík Downtown Hostel revient à environ 2 000 ISK.

Des taxis attendent devant les gares routières, aux aéroports, et devant les bars les soirs de week-end (dans ce cas, la file d'attente est immense), ainsi que dans Bankastræti, près de Lækjargata.

BSR (☎561 0000 ; www.taxireykjavik.is)

Hreyfill (☎588 5522 ; www.hreyfill.is)

ENVIRONS DE REYKJAVÍK

Viðey

Par beau temps, la petite île de Viðey s'avère une agréable excursion. À seulement 1 km au nord du port de Sundahöfn (Reykjavík), on change d'univers. D'étranges œuvres d'art moderne, un village abandonné et d'excellentes possibilités d'observation des oiseaux ajoutent à son charme mystérieux. Ici, on n'entend que le vent, les vagues et les abeilles qui butinent au milieu des vesces à épis et des épervières.

Viðey fut colonisée vers l'an 900. À partir de 1225, l'île fut le berceau d'un puissant monastère, que les soldats danois anéantirent en 1539, pendant la Réforme. L'île fut cultivée jusqu'aux années 1950.

À voir et à faire

En surplomb du port se dresse l'une des plus anciennes maisons en pierre d'Islande, **Viðeyarstofa** – qui abrite un **café** (plats 800-2900 ISK ; ⏱11h30-18h mer-lun, 11h30-20h mar mi-mai à sept, 13h30-16h sam-dim oct à mi-mai), une **église** en bois du XVIIIe siècle à la décoration originale, ainsi qu'un petit **monument** à Skúli Magnússon. Les fouilles des anciennes **fondations du monastère** ont mis au jour des tablettes de cire du XVe siècle et une lettre d'amour en runes, aujourd'hui exposées au Musée national ; d'autres découvertes sont visibles dans la Viðeyarstofa.

Encore plus haut au-dessus du port, on voit le **Blind Pavilion** (Le Pavillon aveugle, 2003). Cette structure de panneaux de verre est une installation artistique d'Ólafur Eliasson. Non loin, c'est l'**Imagine Peace Tower** (tour Imaginez la paix ; 2007) de l'artiste Yoko Ono, qui projette un faisceau lumineux à une altitude de 4 000 m, chaque soir entre le 9 octobre (anniversaire de John Lennon) et le 8 décembre (date de sa mort). Consultez le site Internet de Viðey (www.videy.com) pour vous renseigner sur les visites organisées de la tour. Un peu plus

EXCURSIONS SUR LES ÎLES FÉROÉ

Par avion ou par bateau, les aventuriers de l'Arctique peuvent partir explorer les îles Féroé pendant 3 ou 4 jours. Voici quelques-unes des curiosités de cet archipel.

Tórshavn Ce que vous apercevrez en premier sont ces incroyables toits gazonnés surmontant presque tous les bâtiments colorés du port. Tórshavn compte peu de sites dignes d'intérêt, mais constitue une excellente base si vous comptez faire plusieurs excursions à la journée.

Gjógv Il est certainement plus facile de tomber sous le charme de ce village que de prononcer son nom : Gjógv ("jaykf"). De minuscules cottages au toit gazonné sont regroupés autour d'un port qui semble avoir été creusé par la foudre. Il y a une jolie auberge sur place et le lieu est propice à la randonnée.

Mykines Marquant l'extrémité occidentale de l'archipel, Mykines (*mi*-ki-ness) se distingue par ses innombrables colonies d'oiseaux (des macareux), ses éperons rocheux de basalte surgissant de la mer et ses falaises solitaires. Considérée comme reculée même selon les normes féroïennes (elle ne compte que 11 habitants), l'île est reliée à Vágar par hélicoptère et ferry.

Hestir Située au sud de Streymoy, Hestir est connue pour ses grottes creusées dans les falaises par le ressac des vagues.

loin, le bungalow Viðeyjarnaust abrite un barbecue. Apportez des provisions pour en profiter.

En été, des visites culturelles de l'île se déroulent le mardi soir.

Sentiers — MARCHE, VÉLO

L'île est sillonnée par des sentiers pédestres. On peut en parcourir certains à vélo, d'autres sont plus dangereux. Une carte, disponible au port, les indique. On peut louer un vélo (location 2/5 heures 2 500/3 500 ISK ; ⏲juin-août), apporter le sien, ou participer à un circuit organisé par Bike Company (p. 69). L'île est aussi un paradis pour les passionnés d'ornithologie (30 espèces) et de botanique (plus d'un tiers de toutes les plantes islandaises se retrouvent ici). Fin août, certains habitants de Reykjavík viennent cueillir le carvi, planté à l'origine ici par Skúli Magnússon.

Du port, les sentiers en direction du sud-est conduisent au réttin (parc à moutons naturel), à la minuscule Paradíshellir (grotte du Paradis), puis au village de pêcheurs abandonné de Sundbakki. L'essentiel de la côte sud est une zone protégée pour les oiseaux, fermée aux visiteurs de mai à juin.

Les sentiers en direction du nord-ouest mènent à des étangs, à des monuments en hommage à plusieurs naufrages, aux falaises basses d'Eiðisbjarg et à Vesturey, à la pointe nord. Cette partie de l'île est émaillée des gigantesques sculptures en basalte qui forment l'œuvre Áfangar (Milestones ; 1990), de l'Américain Richard Serra.

Depuis/vers Viðey

Ferry pour Viðey (☎533 5055 ; www.videy.com ; aller-retour adulte/enfant 1 100/550 ISK ; ⏲chaque heure entre 10h15 et 17h15 mi-mai à sept, services restreints oct à mi-mai). Le ferry pour Viðey effectue la traversée en 5 min au départ de Skarfabakki, à 4,5 km à l'est du centre. En été, deux bateaux partent quotidiennement d'Elding, dans le vieux port, et de la salle de concert Harpa. Le bus n°5 s'arrête près de Skarfabakki. L'endroit est sur l'itinéraire des bus touristiques avec montée et descente à volonté.

Kópavogur

32 300 HABITANTS

Kópavogur, la banlieue la plus proche au sud de Reykjavík, est située à courte distance en bus. Malgré cette proximité, elle échappe au flux touristique. Sur place, on peut partir explorer le complexe culturel Menningarmiðstoð Kópavogs (à côté de l'église en forme d'arche) et se laisser tenter par l'immense centre commercial. Le complexe culturel abrite les 3 sites ci-dessous.

À voir

Musée d'Histoire naturelle de Kópavogur — MUSÉE

(Náttúrufræðistofa Kópavogs ; ☎570 0430 ; www.natkop.is ; Hamraborg 6a ; ⏲10h-19h lun-jeu,

11h-17h ven, 13h-17h sam). GRATUIT Ce musée est consacré à la géologie et à la vie sauvage de l'Islande. À voir en particulier : un squelette d'orque, une belle collection d'animaux empaillés, des roches géologiques et des *marimo* (ou *Aegagropila linnaei* ; boules d'algues vertes) du lac Mývatn.

Salurinn ÉDIFICE CULTUREL
(☎570 0400 ; www.salurinn.is ; Hamraborg 6). La première salle de concert du pays, bâtie avec des matériaux locaux (bois flotté, épicéa et roches), possède une excellente acoustique. Programmation essentiellement classique, à consulter sur son site Internet.

Musée d'Art Gerðarsafn MUSÉE D'ART
(☎570 0440 ; www.gerdarsafn.is ; Hamraborg 4 ; adulte/enfant 500 ISK/gratuit ; ⏲11h-17h mar-dim). À côté de la salle de concert de Kópavogur, ce musée magnifiquement conçu est dédié à l'artiste et sculptrice islandaise Gerður Helgadóttir, spécialiste des vitraux. Il accueille des expositions temporaires d'art moderne, ainsi qu'une remarquable collection permanente d'art islandais du XXe siècle. Son petit **café** dispose d'une belle vue sur les montagnes.

Achats

Smáralind CENTRE COMMERCIAL
(☎528 8000 ; www.smaralind.is ; Hagasmári 1, Kópavogur ; ⏲11h-19h lun-mer et ven, 11h-21h jeu, 11h-18h sam, 13h-18h dim). Le plus grand centre commercial d'Islande. Empruntez les bus n°s 1, 2 ou 28, ou bien la navette gratuite de l'établissement. De mai à août, elle part de l'office du tourisme de Reykjavík et s'arrête aux musées de Kópavogur (consultez les horaires en ligne).

Depuis/vers Kópavogur

Les bus n°s 1 et 2 partent de Hlemmur et de Lækjartorg dans le centre de Reykjavík. Ils font halte à l'arrêt de Hamraborg à Kópavogur (repérez l'église). Le trajet dure environ 15 min.

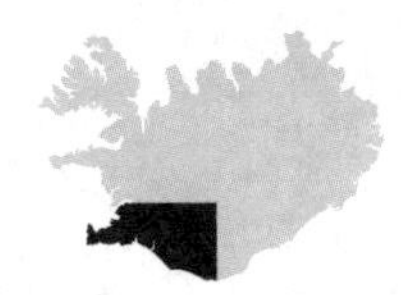

Le Sud-Ouest et le Cercle d'or

Dans ce chapitre

Le top des restaurants

- Lindin (p. 114)
- Slippurinn (p. 166)
- Við Fjöruborðið (p. 132)
- Vitinn (p. 108)
- Suður-Vík (p. 159)

Le top des hébergements

- Ion Luxury Adventure Hotel (p. 113)
- Fljótsdalur HI Hostel (p. 142)
- Efstidalur II (p. 114)
- Héraðsskólinn (p. 114)
- Garðar (p. 156)

Pourquoi y aller

Jaillissement de geysers et chutes d'eau spectaculaires sur fond de plages noires, de volcans menaçants et de scintillantes calottes glaciaires : le Sud-Ouest regroupe bon nombre des merveilles naturelles légendaires de l'Islande. La région est donc relativement fréquentée et de plus en plus bâtie. C'est le Cercle d'or qui attire le plus grand nombre de visiteurs en dehors de Reykjavík ; parcourez-le en dehors des périodes d'affluence ou aventurez-vous alentour et vous découvrirez des splendeurs impressionnantes.

Plus vous vous éloignerez, plus les paysages seront magnifiques. Les eaux siliceuses du Blue Lagoon et l'émouvant Parlement de Þingvellir sont à courte distance de la capitale. Vous traverserez une mer agitée pour rejoindre au large les îles Vestmann. Au-delà, vous trouverez deux imposants volcans, l'Hekla et l'Eyjafjallajökull, ainsi que les localités de Skógar et de Vík, et les vallées secrètes de Þórsmörk et de Landmannalaugar.

Distances par la route (km)

	Keflavík	Selfoss	Gullfoss	Landmannalaugar	Vík
Selfoss	100				
Gullfoss	156	71			
Landmannalaugar	230	130	147		
Vík	226	130	177	218	
Reykjavík	51	57	113	185	186

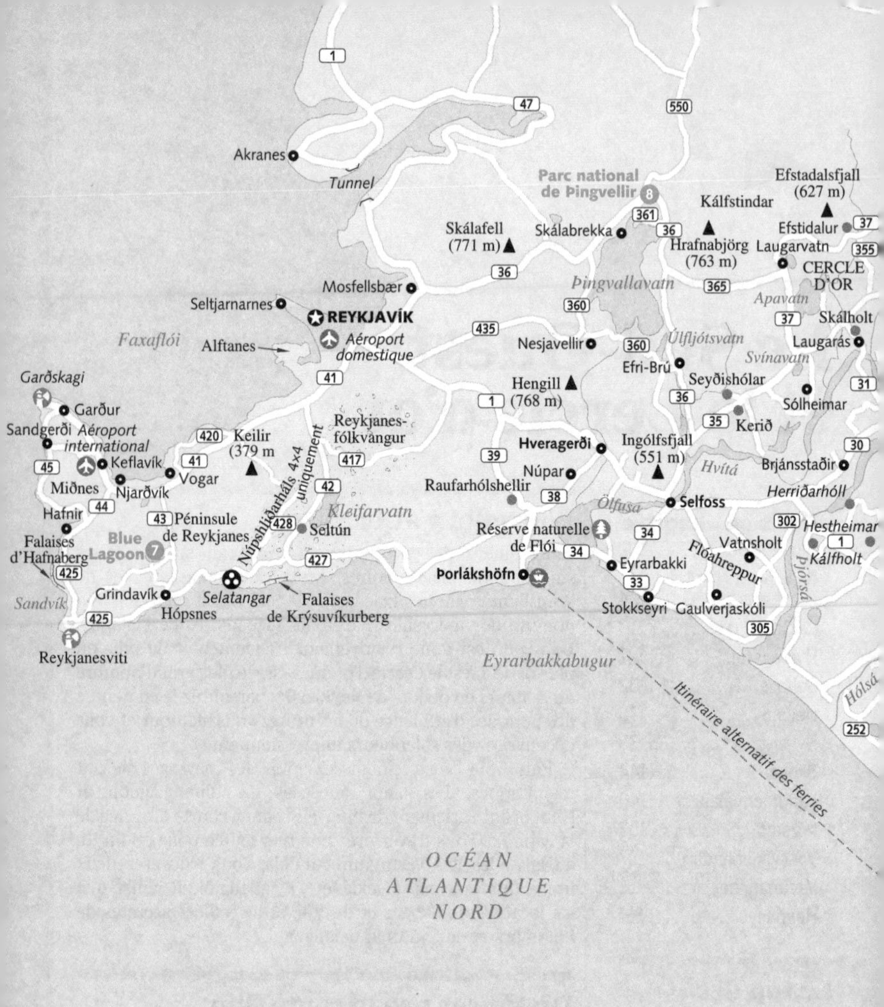

À ne pas manquer

1 Les colonnes de basalte noir, les éperons qui jaillissent de la mer et les buttes rocheuses de **Reynisfjara** (p. 156), près du village animé de Vík

2 Le bateau jusqu'aux **Vestmannaeyjar** (p. 161), célèbres pour leurs colonies de macareux et pour leur petite ville nichée entre des coulées de lave

3 **Þórsmörk** (p. 153), où l'on peut camper dans un paradis de verdure entouré par des remparts de glace

4 La **Þjórsárdalur** (p. 134), une vallée accidentée dont les

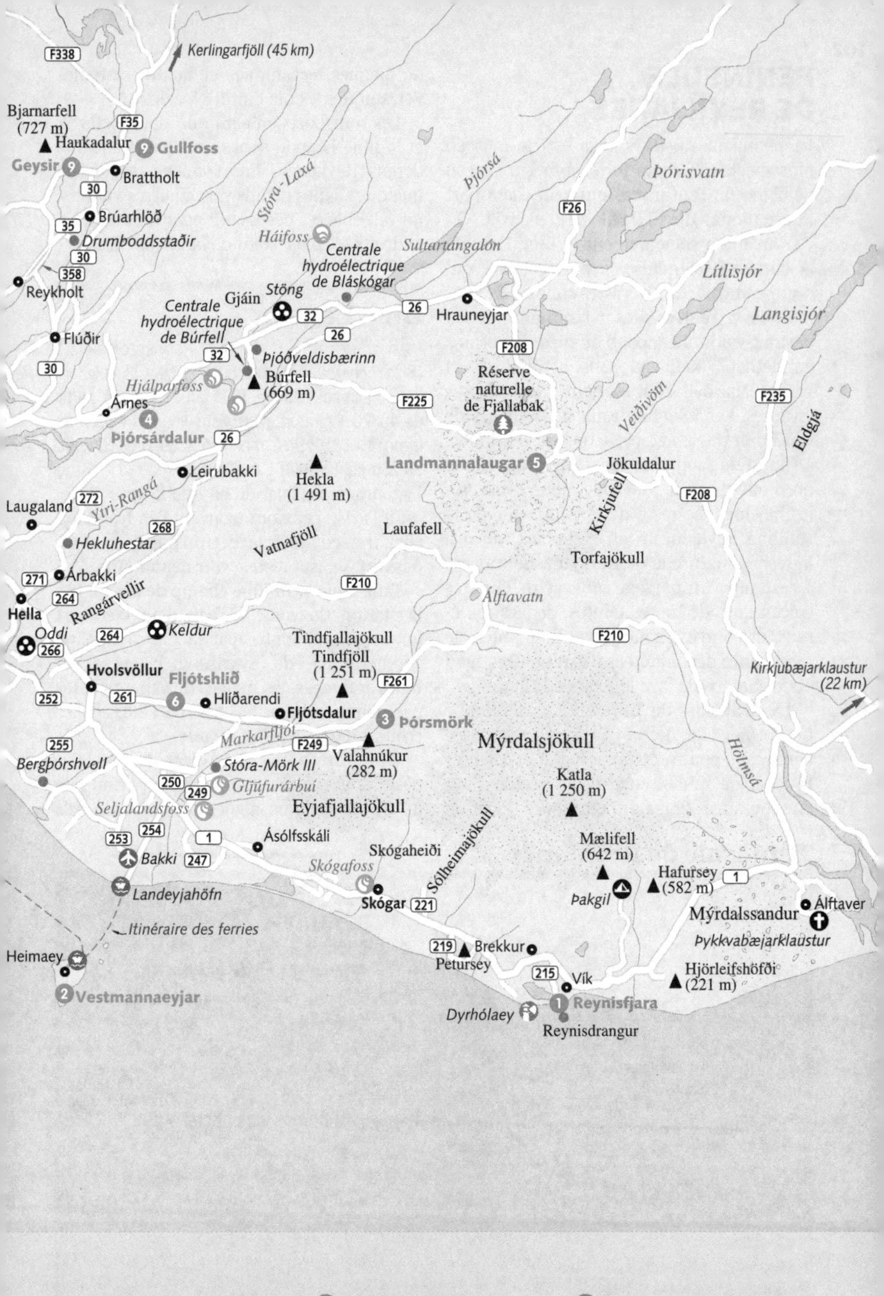

F338
Kerlingarfjöll (45 km)
Bjarnarfell
(727 m)
F35
Haukadalur
9 Gullfoss
Geysir 9
Brattholt
30
Brúarhlöð
35
Drumboddsstaðir
30
358
Reykholt
Stóra-Laxá
Þjórsá
Þórisvatn
F26
Háifoss
Centrale
hydroélectrique
de Bláskógar
Sultartangalón
Lítlisjór
Langisjór
Stöng
Gjáin
Centrale
hydroélectrique
de Búrfell
32
26
Hrauneyjar
26
Flúðir
32
Þjóðveldisbærinn
F208
30
Hjálparfoss
Búrfell
(669 m)
Réserve
naturelle
de Fjallabak
F235
Árnes
F225
Veiðivötn
Eldgjá
4
Þjórsárdalur
26
Landmannalaugar 5
Jökuldalur
Leirubakki
Hekla
(1 491 m)
Kirkjufell
F208
Laugaland
272
Ytri-Rangá
268
Laufafell
Hekluhestar
Vatnafjöll
Torfajökull
271
Árbakki
F210
264
Rangárvellir
Álftavatn
Hella
Oddi
264
Keldur
266
Tindfjallajökull
F210
Tindfjöll
(1 251 m)
Kirkjubæjarklaustur
(22 km)
Hvolsvöllur
Fljótshlíð
F261
252
261
6
Hlíðarendi
Fljótsdalur
3 Þórsmörk
Markarfljót
F249
Mýrdalsjökull
255
Valahnúkur
(282 m)
Bergþórshvoll
Stóra-Mörk III
Hólmsá
250
Gljúfurárbúi
Katla
(1 250 m)
249
Seljalandsfoss
Eyjafjallajökull
Sólheimajökull
254
253
1
Ásólfsskáli
Mælifell
(642 m)
Bakki
247
Skógaheiði
Hafursey
(582 m)
1
Skógafoss
Landeyjahöfn
Skógar
221
Þakgil
Álftaver
Mýrdalssandur
Itinéraire des ferries
Þykkvabæjarklaustur
219
Brekkur
Heimaey
Petursey
Hjörleifshöfði
(221 m)
215
Vík
2 Vestmannaeyjar
1 Reynisfjara
Dyrhólaey
Reynisdrangur

hameaux datent de l'époque des sagas

5 Les sommets de **Landmannalaugar** (p. 146), qui invitent à se lancer dans la randonnée du Laugavegurinn

6 Une balade à cheval derrière les cascades de **Fljótshlíð** (p. 141)

7 Les eaux turquoise du **Blue Lagoon** (p. 102), touristique mais irrésistible

8 Les plaques continentales au **parc national de Þingvellir** (p. 110)

9 Les jaillissements de **Geysir** (p. 115) et les rugissements des eaux de **Gullfoss** (p. 116)

PÉNINSULE DE REYKJANES

La péninsule de Reykjanes est de plus en plus spectaculaire au fur et à mesure qu'on s'éloigne de l'autoroute qui relie l'aéroport international de Keflavík à Reykjavík. On y trouve non seulemement le Blue Lagoon, la curiosité islandaise la plus célèbre, qui occupe une partie des vastes champs de lave, mais aussi d'autres sites magnifiques un peu partout – dont beaucoup au pied de volcans en activité. Keflavík, sans artifice, et sa voisine Njarðvík sont les deux villes les plus vivantes. Les jolis hameaux de pêcheurs de Garður et de Sandgerði, à quelques minutes à l'ouest de l'aéroport sur un éperon orienté nord-ouest, sont parfaits pour observer les baleines. Le reste de la péninsule, de la sublime Reykjanestá au sud-ouest, jusqu'à la réserve naturelle de Reykjanesfólkvangur à l'est, offre un paysage sauvage de cratères volcaniques de toutes teintes, de lacs minéraux, de sources chaudes bouillonnantes, de montagnes déchiquetées à explorer en quad et de champs de lave le long de la côte.

La péninsule de Reykjanes a développé un projet de **géoparc** (reykjanesgeopark.tumblr.com) pour protéger, étudier et célébrer la géologie inhabituelle de la région (lave en coussins, dorsale océanique, jonction de plaques tectoniques et quatre systèmes volcaniques !) et la culture locale.

Les transports en commun pour Keflavík et le Blue Lagoon sont rapides et fréquents depuis Reykjavík. En revanche, s'il existe quelques lignes de bus vers d'autres villages, un véhicule est nécessaire pour atteindre les endroits les plus isolés de la péninsule.

Blue Lagoon

Blue Lagoon PISCINE GÉOTHERMALE

(Bláa Lónið ; ☎420 8800 ; www.bluelagoon.com ; juin-août adulte/14-15 ans/-14 ans à partir de 40/20 €/gratuit, pass visiteur (sans entrée au lagon) 10 € ; ⊙9h-21h en juin et du 11 au 31 août, 9h-23h juil-10 août, 10h-20h sept-mai). Le Blue Lagoon est à l'Islande ce que la tour Eiffel est à Paris : ceux qui trouvent l'endroit trop cher, trop commercial et trop populeux n'ont pas tort, mais il reste à voir néanmoins.

Dans un magnifique champ de lave noire, la station thermale à l'eau d'un bleu-vert laiteux est alimentée par la futuriste usine géothermique de Svartsengi ; entre ses tours argentées, les nuages de vapeurs et les baigneurs enduits de boue de silice, on se croirait dans un autre monde.

L'eau surchauffée (70% d'eau de mer, 30% d'eau douce, à une température parfaite de 38°C) est riche en algues bleu-vert, en sels

Péninsule de Reykjanes

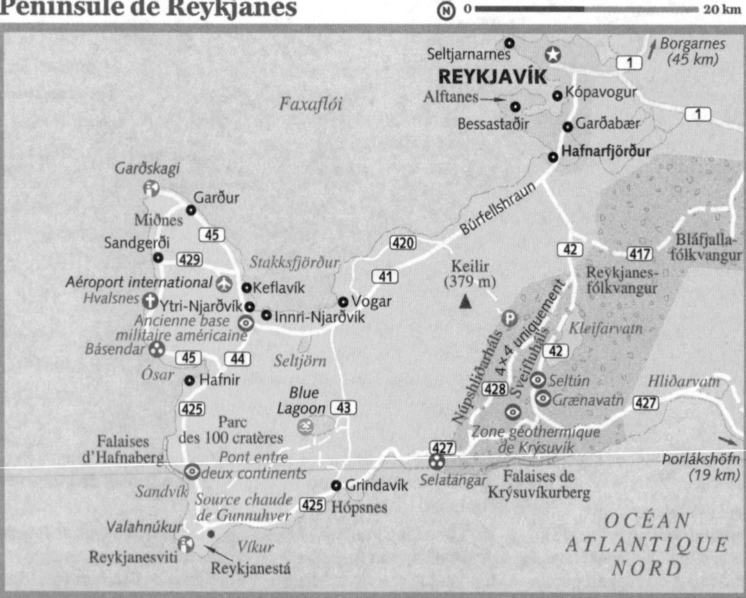

BLUE LAGOON : BON À SAVOIR

- Évitez les longues files d'attente en prenant un e-billet (www.bluelagoon.com) ou en achetant un coupon en agence de voyages (Air Iceland ou Reykjavík Excursions).
- Consultez Internet pour trouver des forfaits, promotions et tarifs réduits hors saison.
- Évitez les cohues de l'été (le pic se situe entre 10h et 14h) en profitant des heures creuses : tôt le matin ou après 19h.
- L'eau du lagon peut corroder l'or et l'argent : laissez montres et bijoux dans votre casier.
- Vous devez respecter la règle islandaise qui vaut dans toutes les piscines : douche préalable au savon dans le plus simple appareil.
- L'entrée au lagon comprend le shampooing et le démêlant (il vous en faudra une bonne dose, car l'eau saumâtre abîme les cheveux).
- Le bracelet qui vous est remis à l'entrée sert, en le scannant, à accéder aux casiers et à régler vos consommations au bar du lagon.
- Vous pouvez rester dans le bassin 30 minutes après l'heure de fermeture, et dans les vestiaires 1 heure après.
- Se rendre au lagon en visite organisée ou en transit vers l'aéroport peut parfois faire gagner du temps et de l'argent. Reykjavík Excursions (p. 104) relie en bus l'aéroport international de Keflavík, le Blue Lagoon et Reykjavík.
- Il y a une consigne au parking (300 ISK par jour et par bagage) ; idéal si vous vous rendez au lagon en venant de l'aéroport ou en y allant.

minéraux et en boue de silice, qui adoucissent et exfolient la peau. L'eau est plus chaude près des orifices d'où elle émerge et il y a plusieurs degrés d'écart entre la surface et le fond.

Le lagon a été aménagé pour les touristes avec un immense ensemble de vestiaires modernes (700 casiers !), des restaurants, une terrasse panoramique et une boutique de souvenirs. Il offre *hot pots*, bains de vapeur, saunas, un bar et une chute d'eau très chaude qui vous fournira un massage hydraulique musclé – comme si un troll vous rouait de coups. Il y a une partie VIP avec un accès à l'eau réservé, un salon et une terrasse.

Pour une détente ultime, laissez-vous flotter sur un matelas pneumatique et offrez-vous un massage (30/60 min 60/95 €). Pensez à réserver les soins bien à l'avance. Location de serviette ou de maillot de bain pour 5 €.

Le complexe est un peu en retrait de la route qui relie Keflavík à Grindavík.

Circuits organisés

Outre les activités thermales du Blue Lagoon, vous pouvez combiner la visite avec des excursions organisées ou y ajouter une randonnée en quad ou à vélo avec ATV Adventures (p. 109 ; 9 900 ISK du Blue Lagoon à travers les champs de lave), ou encore leur louer des vélos, qu'ils peuvent déposer et récupérer au Blue Lagoon.

Où se loger et se restaurer

Le Blue Lagoon compte un bon restaurant, un café, un bar, un hôtel, et une boutique qui vend toutes sortes de savons et de gels de soin.

Blue Lagoon – Clinic Hotel HÔTEL €€€
(☎420 8806 ; www.bluelagoon.com ; s/d petit-déj inclus 38 500/46 200 ISK ; @ wifi). Cet hôtel moderne est à 600 m à pied, en traversant un champ de lave, de la curiosité la plus célèbre d'Islande. Ses chambres sont élégantes et reposantes, avec des sdb chauffées par le sol, et chacune dispose d'une petite véranda pour admirer le paysage lunaire alentour. L'hôtel possède son propre bassin alimenté par l'eau du Blue Lagoon. Accès au lagon inclus dans le prix.

Northern Light Inn HÔTEL €€€
(☎426 8650 ; www.northernlightinn.is ; s/d petit-déj inclus 26 500/34 500 ISK ; @ wifi). Cet hôtel-bungalow offre des chambres spacieuses et stylées. Profitez du salon ensoleillé, et du transport gratuit (de 5h à 23h) vers l'aéroport de Keflavík et le lagon (ce

RENSEIGNEMENTS

South Island Tourist Information (www.south.is) publie un livret détaillé et d'excellentes cartes gratuites de toutes les sous-régions. On les trouve dans les offices du tourisme locaux.

Site Internet de Visit Reykjanes (www.visitreykjanes.is)

dernier se situe à moins de 1 km). Sur place **Max's Restaurant** (plats 3 400-5 000 ISK ; 12h-22h) propose une cuisine nordique, et ses grandes baies vitrées donnent sur le champ de lave et les nuages de vapeur de la centrale géothermique.

Blue Café CAFÉ €
(en-cas 780-1 950 ISK ; 9h-22h juin-août, 9h-21h sept-mai). Nourriture simple de cafétéria au Blue Lagoon, avec smoothies, sandwichs et sushis (préparés à l'avance).

LAVA Restaurant ISLANDAIS €€€
(www.bluelagoon.com ; déj/dîner plats 3 950/5 900 ISK ; 12h-22h, juil-10 août, 12h-20h30 ou 21h le reste de l'année). L'immense salle à manger du Lava est le royaume du chef Viktor Örn Andrésson. Si la pièce peut donner une sensation de hall de gare, la vue sur le lagon est superbe, le service est excellent et les meilleurs plats islandais figurent au menu, préparés selon des recettes ingénieuses.

Depuis/vers le Blue Lagoon

Le lagon est à 47 km au sud-ouest de Reykjavík et à 23 km au sud-est de l'aéroport international de Keflavík. Les bus fonctionnent toute l'année, les circuits organisés aussi (et reviennent parfois moins cher qu'un billet de bus et une entrée au lagon pris séparément). Il faut réserver.

Le Blue Lagoon est partenaire de **Reykjavík Excursions** (580 5400 ; www.re.is), dont les bus relient le lagon à Reykjavík et à l'aéroport. Les liaisons sont fréquentes (11-13/jour juin-août ; voir www.bluelagoon.com pour les détails), et l'on peut faire l'aller-retour depuis Reykjavík ou depuis l'aéroport, ou bien s'arrêter au lagon entre les deux. Aller-retour/aller-retour plus entrée au lagon 3 600 ISK/9 800 ISK.

Reykjanes Express (www.reykjanesexpress.is) propose des bus GRI, qui relient la gare routière de Reykjavík (BSÍ Terminal), le Blue Lagoon et Grindavík (3/jour).

Bustravel (511 2600 ; www.bustravel.is) effectue des liaisons aéroport-Reykjavík (3 200 ISK).

Keflavík et Njarðvík (Reykjanesbær)

Keflavík et Njarðvík, villes jumelles situées sur la côte, à 47 km au sud-ouest de Reykjavík, forment un ensemble disgracieux de maisons de banlieue et de fast-foods, qui porte le nom de "Reykjanesbær". Inutile d'y dormir sauf si vous prenez l'avion très tôt le matin ; il est préférable d'effectuer le trajet de 40 minutes jusqu'à Reykjavík.

À voir

Keflavík

La plupart des hôtels et des restaurants de Keflavík, ainsi que le musée Duushús, sont situés sur le front de mer. À l'est, sur le rivage, se dresse une impressionnante **sculpture d'Ásmundur Sveinsson** que les enfants utilisent comme cage à poule. Un peu plus loin, à la limite du petit port, cherchez une grotte sombre où une **Géante** (Skessa ; port de Gróf ; 13h-17h sam-dim) GRATUIT, personnage des livres pour enfants d'Herdís Egilsdóttir, est assise dans un fauteuil à bascule.

Duushús MUSÉE
(421 3796 ; Grófin ; 12h-17h lun-ven, 13h-17h sam-dim). GRATUIT C'est dans un long entrepôt rouge, près du port, que se trouve le centre culturel historique de Keflavík. Il abrite une collection permanente d'environ 60 bateaux miniatures, dont Grímur Karlsson fabriqua des centaines d'exemplaires toute sa vie. Une galerie accueille également des expositions d'art internationales, et une exposition sur l'histoire locale, renouvelée régulièrement.

Musée du Rock 'n' roll islandais MUSÉE
(Rokksafn Íslands ; 420 1030 ; www.rokksafn.is ; Hjallavegur 2 ; 1 500 ISK ; 12h-17h lun-sam). Ce nouveau musée explore l'histoire de la fantastique scène musicale islandaise : de Björk à Sigur Rós et Of Monsters and Men. L'entrée comprend un audioguide avec de la musique. Il y a un Music Hall of Fame, des instruments à disposition pour improviser, un café, et une boutique où vous pouvez acheter les productions des groupes locaux.

Njarðvík

Víkingaheimar CENTRE D'EXPOSITIONS
(Le monde viking ; 422 2000 ; www.vikingaheimar.is ; Víkingabraut 1 ; adulte/enfant 1 200 ISK/

Keflavík

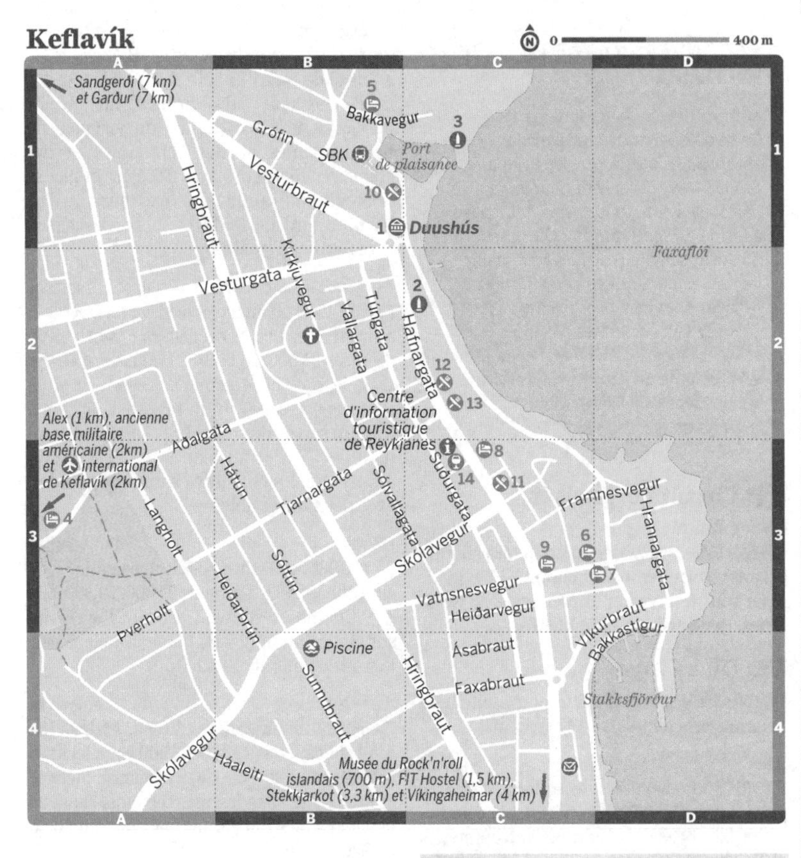

gratuit ; 11h-18h mai-août, 12h-17h sept-avr). À l'extrémité est du front de mer de Njarðvík, le spectaculaire Víkingaheimar est un centre d'expositions scandinave abrité dans une magnifique architecture. La pièce maîtresse est l'*Íslendingur*, reconstitution fidèle du *Gokstad*, drakkar viking de 23 m. Gunnar Marel Eggertsson l'a construit pratiquement seul, avant de rallier New York à son bord, en 2000, pour célébrer le millénaire du voyage en Amérique de Leif Eiríksson.

D'autres reliques anciennes sont présentées, datant probablement du peuplement celte. À l'étage, une exposition pour les enfants est consacrée aux dieux scandinaves.

Stekkjarkot BÂTIMENT HISTORIQUE

(13h-17h mar-dim juin-août, sur rdv l'hiver). Tout près de Víkingaheimar, le petit musée des Arts et Traditions populaires de Stekkjarkot est installé dans une maison au toit gazonné, abandonnée en 1924 puis restaurée, dont une partie date du XIXe siècle.

Keflavík

Les incontournables

1 Duushús B1

À voir

2 Sculpture d'Ásmundur Sveinsson C2
3 Géante C1

Où se loger

4 A10 Deluxe A3
5 Hótel Berg B1
6 Hótel Keflavík C3
7 Pension de l'Hótel Keflavík D3
8 Hótel Keilir C3
9 Icelandair Hotel Keflavík C3

Où se restaurer

10 Kaffi Duus B1
11 Thai Keflavík C3
12 Olsen Olsen C2
13 Ráin C2

Où prendre un verre

14 Paddy's C3

RECONVERSION DE LA BASE MILITAIRE

Keflavík devait une grande partie de sa prospérité à la base militaire américaine voisine, que les avions de l'US Navy utilisaient pour leurs patrouilles anti-sous-marines. La base a fermé en septembre 2006, après 55 ans d'activité (l'armée américaine y passe encore de temps en temps : essayez de repérer ses avions à votre arrivée). Les anciennes casernes ont été réaménagées en résidence pour les étudiants de **Keilir** (www.keilir.net), qui possède une filière aviation, et pour le grand public.

Circuits organisés

Viking Guide CIRCUITS
(☎841 1448 ; www.facebook.com/VikingGuide ; Keflavík). Votre temps est compté ? Un guide local vous fera visiter la péninsule de Reykjanes, Reykjavík ou le Cercle d'or.

Où se loger

La plupart des hôtels assurent gratuitement les transferts depuis/vers l'aéroport.

Alex HÔTEL €
(☎421 2800 ; www.alex.is ; Aðalgata 60 ; d sans sdb petit-déj inclus 14 900 ISK, cottage d petit-déj inclus 15 900 ISK ; @). Sur la route entre Keflavík et l'aéroport (1,5 km), ce complexe offre des chambres avec sdb partagées dans un bâtiment sans prétention, ou des petits cottages sympathiques à l'arrière.

FIT Hostel AUBERGE DE JEUNESSE €
(☎421 8889 ; www.fithostel.is ; Fitjabraut 6a ; dort à partir de 4 000 ISK ; @). Dans une zone industrielle de Njarðvík, sur la Route 41 très fréquentée, cette auberge de jeunesse est pour le moins spartiate et ne plaira pas à tout le monde, mais c'est le choix le moins cher à proximité de l'aéroport. Les bus pour Reykjavík et Keflavík passent juste devant, mais une voiture serait bienvenue.

Icelandair Hotel Keflavík HÔTEL €€
(☎421 5222 ; www.icehotel.is ; Hafnargata 57 ; d à partir de 25 000 ISK ; @). Cet hôtel est le meilleur aux environs de l'aéroport. Ses deux ailes de plusieurs étages, avec leur enseigne "Flughotel" rétro, sont joliment décorées et tout à fait modernes. Restaurant sur place.

Hótel Berg B&B €€
(☎422 7922 ; www.hotelberg.is ; Bakkavegur 17 ; s/d petit-déj inclus 23 100/26 200 ISK ; @). Cette pension très accueillante située au-dessus de la petite crique du port possède de ravissantes parties communes et des chambres modernes avec TV à écran plat et photographies originales aux murs. À l'extrémité nord de Keflavík, la partie la plus agréable de la localité.

Airport Hotel Smári HÔTEL €€
(☎595 1900 ; www.hotelsmari.is ; Blikavöllur 2, aéroport international de Keflavík ; s/d/tr petit-déj inclus 28 500/28 500/32 000 ISK ; P @). C'est le seul hébergement réellement situé à l'aéroport, à 100 m du terminal. Un hôtel d'affaires avec des chambres correctes équipées de TV à écran plat. Dans la catégorie supérieure, les chambres sont plus grandes, avec deux lits doubles.

Hótel Keilir HÔTEL €€
(☎420 9800 ; www.hotelkeilir.is ; Hafnargata 37 ; d/qua petit-déj inclus à partir de 23 000/29 300 ISK ;). Chambres simples, certaines avec vue sur la mer, au milieu de la rue principale sur le front de mer de Keflavík.

A10 Deluxe PENSION €€
(☎568 0210 ; www.a10deluxe.com ; Aðalgata 10 ; d/tr petit-déj inclus 23 400/26 200 ISK, s sans sdb petit-déj inclus 10 900 ISK). Élégance, netteté et simplicité sont les maîtres mots de cette pension située dans une zone résidentielle à l'écart du centre, sur la grand-route.

Hótel Keflavík HÔTEL €€
(☎420 7000 ; www.hotelkeflavik.is ; Vatnsnesvegur 12-14 ; d/f petit-déj inclus 31 000/64 000 ISK ; @). Des chambres pratiques et centrales, dont les tarifs sur Internet sont très variables. L'hôtel gère aussi une petite **pension** (s/d sans sdb 14 700/18 500 ISK) à l'intérieur un peu sombre et décorée de peintures murales, de l'autre côté de la rue.

Bed & Breakfast Keflavík Airport HÔTEL €€
(☎426 5000 ; www.bbkeflavik.com ; Valhallarbraut 761 ; d/qua petit-déj inclus 20 000/26 200 ISK ; @). Dans un des bâtiments de l'ancienne base militaire, ce grand hôtel rénové propose un choix de chambres simples, à proximité de l'aéroport.

Où se restaurer et prendre un verre

Il y a assez de grills graisseux à Keflavík pour faire un infarctus dû à une overdose de hamburgers. Quelques bons établissements jalonnent la rue principale, et le restaurant de l'Icelandair Hotel Keflavík est excellent.

Thai Keflavík THAÏLANDAIS €
(☎421 8666 ; www.thaikeflavik.is ; Hafnargata 39 ; plats 1 690-2 400 ISK ; ⏲11h30-22h lun-ven, 16h-22h sam-dim ; wifi). Une cuisine thaïlandaise authentique. Bon choix lorsque vous serez lassé des sempiternels poisson et agneau. Terrasse extérieure pour les beaux jours.

Olsen Olsen RESTAURATION RAPIDE €
(☎421 4457 ; Hafnargata 17 ; en-cas 950-2 100 ISK ; ⏲11h-22h). Dans les années 1950, grâce au rock and roll introduit par les Américains, Keflavík était l'un des coins les plus branchés d'Islande. Ce *diner* à l'américaine, avec tables argentées, chaises en plastique rouge et photos d'Elvis, ramène à cette glorieuse époque.

Kaffi Duus POISSON, INDIEN €€
(☎421 7080 ; www.duus.is ; Duusgata 10, Duushús ; plats 2 650-4 500 ISK ; ⏲11h-23h). Ce sympathique café-bar-restaurant au thème nautique, décoré notamment de défenses de morse, donne sur le petit port. Il propose des poissons frais, des pâtes, des salades, des burgers généreux et, étonnamment, de la cuisine indienne. Lieu de rencontre fréquenté en soirée.

Ráin ISLANDAIS €€
(☎421 4601 ; www.rain.is ; Hafnargata 19a ; plats 1 700-5 300 ISK ; ⏲11h-22h lun-ven, 16h-22h sam-dim). Décoré comme l'intérieur d'un bateau de croisière des années 1970, le Ráin offre une belle vue sur la mer et de bons classiques islandais.

Paddy's BAR
(☎421 8900 ; Hafnargata 38). Un petit bar qui peut devenir bruyant le week-end, avec des concerts de temps en temps.

Renseignements

Centre d'information touristique de Reykjanes (☎421 5660 ; www.visitreykjanes.is ; Hafnargata 36 ; ⏲9h-17h lun-ven, 10h-14h sam). Informations, cartes et brochures sur la péninsule de Reykjanes. Possède une annexe à l'aéroport.

Comment s'y rendre et circuler

On peut louer des vélos (1 000 ISK/heure) chez Thai Keflavík (p. 107).

DEPUIS/VERS L'AÉROPORT

La plupart des hébergements de Reykjanesbær proposent gracieusement des transferts depuis/vers l'aéroport international à leurs clients. En taxi, comptez environ 5 000 ISK – appelez **Airport Taxi** (☎420 1212 ; www.airporttaxi.is) ou **Hreyfill-Bæjarleiðir** (☎588 5522 ; www.hreyfill.is).

AVION

Hormis les vols pour le Groenland et les îles Féroé, tous les vols internationaux décollent de (et atterrissent à) l'**aéroport international de Keflavík** (www.kefairport.is).

BUS

SBK (☎420 6000 ; www.sbk.is ; Grófin 2-4, Keflavík) est la compagnie des bus locaux. **Reykjanes Express** (www.reykjanesexpress.is) gère les lignes suivantes :

- Le bus REX dessert la gare routière (BSÍ) de Reykjavík (adulte/enfant 1 600/800 ISK, 8/jour lun-ven, 3/jour sam-dim).
- Le bus 4 se rend à Garður et à Sandgerði (570 ISK chaque destination, 6/jour).

Les bus pour l'aéroport peuvent également vous déposer à la périphérie de la ville.

Nord-ouest de la péninsule de Reykjanes

La côte occidentale de la péninsule de Reykjanes est exposée aux éléments. Ce qui est parfait pour les amateurs de falaises et de plages battues par la pluie. Plusieurs villages de pêcheurs sont nichés au milieu des champs de lave.

Garður

1 409 HABITANTS

Depuis Keflavík, en suivant la Route 41 sur 9 km, après le village de Garður (www.sandgerdi.is), vous arrivez au superbe **cap de Garðskagi**, battu par les vents. Zone de reproduction d'oiseaux marins et première escale de nombreux oiseaux migrateurs, c'est un endroit privilégié pour les observer. D'ici, on peut aussi voir des phoques, et parfois des **baleines**.

Deux remarquables **phares**, un grand et l'autre plus petit, ajoutent au décor et l'on a une vue presque à 360° du sommet du plus grand. Un petit **musée folklorique** (☎422 7220 ; www.svgardur.is ; adulte/enfant 500 ISK/gratuit ; ⏲13h-17h avr-oct) présente un joyeux bric-à-brac de bateaux, œufs d'oiseaux et machines à coudre. À l'étage, le **restaurant Tveir Vitar** (☎422 7214 ; Garðurbraut 100 ;

plats 1 950-5 000 ISK ; ⏲8h-12h lun, 8h-22h mar-jeu, 8h-23h ven, 10h-23h sam, 10h-22h dim avr-oct) offre une vue magnifique sur l'océan jusqu'au Snæfellsjökull.

Il y a une zone de **camping** gratuit, au calme, près du phare, équipée de toilettes et d'eau courante, ainsi qu'une pension en ville.

Garður est desservi par le bus n°4 (570 ISK, 15 min, 6/jour) de **Reykjanes Express** (www.reykjanesexpress.is) qui se rend à Sandgerði et Keflavík.

Sandgerði et ses environs

À 5 km au sud de Garður, Sandgerði (1 571 habitants) est un industrieux village de pêcheurs.

Le **centre scientifique et pédagogique de Sudurnes** (☎423 7551 ; thekkingarsetur.is/english/exhibitions ; Gerðavegur 1 ; adulte/enfant 600/300 ISK ; ⏲10h-16h lun-ven, 13h-17h sam-dim mai-sept, 10h-14h lun-ven oct-avril) propose une fascinante exposition sur l'explorateur Jean-Baptiste Charcot, dont le *Pourquoi-Pas ?* se brisa sur des récifs non loin d'ici en 1936 (il n'y eut qu'un seul survivant). On y trouve des objets sauvés du naufrage et d'autres souvenirs. Les autres expositions montrent notamment des animaux d'Islande, empaillés ou conservés en bocaux (repérez le morse et l'étrange *Gorgonocephalus*), ainsi qu'un petit aquarium.

Vitinn (☎423 7755 ; www.vifinn.is ; Vitatorg 7 ; plats 4 100-6 850 ISK ; ⏲11h30-21h mai-sept, horaires réduits oct-avril), de l'autre côté de la rue, est incontournable. Un aimable couple vous y sert différents produits de la mer (conservés dans des aquariums situés dans la cour), dans un décor marin très chic. La bisque de crabe est délicieuse, et les propriétaires installent actuellement une serre pour pouvoir produire leurs herbes aromatiques et leurs légumes.

La côte sud de Sandgerði recèle de belles **plages** et les marais alentour sont fréquentés par plus de 190 espèces d'**oiseaux**. À environ 5 km au sud, vous trouverez à **Hvalsnes** une église isolée citée dans un célèbre poème islandais d'Hallgrímur Pétursson (1616-1674), écrit lors de la mort de sa petite fille, enterrée là.

Deux kilomètres plus au sud, vous atteignez à pied les vestiges d'un village de pêche de l'âge des sagas, **Básendar**, détruit par un raz-de-marée en 1799.

Reykjanes Express (www.reykjanesexpress.is) dessert Sandgerði par le bus n°4 (570 ISK, 15 min, 6/jour) vers Garður et Keflavík.

Sud-ouest de la péninsule de Reykjanes

En sortant de Keflavík, si vous quittez la Route 41 pour la Route 44, vous longerez la **base militaire américaine** désaffectée, avant de rejoindre le petit village de pêcheurs d'**Hafnir**. Il n'y a pas grand-chose à voir, hormis quelques vestiges dans un champ, qui seraient ceux d'une maison du IXe siècle ayant appartenu au frère adoptif d'Ingólfur Arnarson, ainsi que l'ancre du *Jamestown*, "vaisseau fantôme" qui dériva mystérieusement en 1870 avec une pleine cargaison de bois, mais pas d'équipage.

Au sud des **falaises peuplées d'oiseaux** d'**Hafnaberg**, vous arriverez au **pont entre deux continents**, une petite passerelle qui enjambe une fosse remplie de sable et relie les plaques tectoniques nord-américaine et européenne.

À l'extrémité sud-ouest de la péninsule, le paysage alterne entre champs de lave et rochers et cratères volcaniques, d'où son appellation de **parc des 100 cratères**. Plusieurs centrales géothermiques y extraient du sel marin et produisent de l'électricité pour alimenter le réseau national. **Orkuverið Jörð** (La Terre, centrale électrique ; ☎436 1000 ; www.powerplantearth.is ; 1 000 ISK ; ⏲12h30-16h30 sam-dim juin-sept) est une exposition interactive sur les ressources énergétiques. Jetez aussi un coup d'œil à l'immense salle des turbines et aux représentations, à l'échelle, des planètes positionnées autour de la péninsule.

Valahnúkur est l'un des endroits les plus beaux et les plus sauvages de la péninsule, où une voie battue par les vents qui s'écarte de la Route 425 vous fera traverser des champs de lave du XIIIe siècle. Prenez à droite au carrefour en T, continuez sur une route non goudronnée sur 900 m et vous arriverez aux spectaculaires **falaises** (que l'on peut escalader) et au **phare de Reykjanesviti**, le plus ancien d'Islande (1878).

De Valahnúkur et de la côte environnante, on peut voir le petit îlot rocheux d'**Eldey**, à 14 km au large, qui abrite la plus grande colonie de fous de Bassan du monde. Selon certains, c'est ici qu'aurait été tué le dernier grand pingouin, ce que contestent les Féroïens, pour qui ce triste événement aurait eu lieu à Stóra Dímun. Aujourd'hui, Eldey est une réserve d'oiseaux protégée.

Si au contraire vous prenez à gauche au carrefour en T cité plus haut, vous approcherez au bout de 500 m d'une zone géothermique multicolore. Elle compte la source chaude Gunnuhver, du nom de la sorcière-fantôme Gunna, piégée par magie puis ébouillantée.

Grindavík

Grindavík, l'unique localité sur la côte sud de la péninsule de Reykjanes, est l'un des plus importants centres de pêche d'Islande : pontons de déchargement, grues et entrepôts jalonnent le front de mer.

La seule curiosité touristique est le musée Kvíkan (Magma ; ☎420 1190 ; www.visitgrindavik.is ; Hafnargata 12a ; adulte/enfant 1 200 ISK/gratuit ; 10h-17h), qui présente deux expositions : une sur l'industrie du salage du poisson, très bien conçue, et l'autre sur l'énergie de la Terre.

Circuits organisés

ATV Adventures CIRCUITS EN QUAD ET À VÉLO
(☎857 3001 ; www.atv4x4.is). Le plus grand loueur de quad de la péninsule, pour explorer les champs de lave ou aller voir les épaves. À partir de 9 900 ISK/personne avec un chauffeur, ou de 15 000 ISK/personne pour un buggy biplace sans chauffeur (permis de conduire requis). Circuits à vélo depuis le Blue Lagoon (9 900 ISK) et également location de vélos (4/8 heures 2 900/3 900 ISK ; location de 8 heures avec vélo disponible au Blue Lagoon 4 900 ISK).

Salty Tours CIRCUITS
(☎820 5750 ; www.saltytours.com ; Borgarhraun 1, Grindavík). Circuits organisés d'une journée dans la péninsule de Reykjanes (13 000 ISK) et au-delà.

Arctic Horses ÉQUITATION
(☎848 0143 ; www.arctichorses.is ; Hópsheiði 16, Grindavík). Cette petite entreprise familiale propose des balades à cheval dans la péninsule. La randonnée au phare, la plus demandée (adulte/enfant 8 000/5 000 ISK), dure 1 heure-1 heure 30.

Où se loger et se restaurer

Camping municipal CAMPING €
(☎660 7323 ; www.visitgrindavik.is ; Austurvegur 26 ; empl 900 ISK/pers ; mi-mai à mi-sept). Ce camping récent installé près du port offre un espace vert bien équipé avec barbecues et terrains de jeux, ainsi qu'un office du tourisme ; il consent une entrée pour deux au musée de Kvíkan.

Guesthouse Borg PENSION €
(☎895 8686 ; www.guesthouseborg.com ; Borgarhraun 2 ; s/d sans sdb petit-déj inclus 9 000/14 000 ISK ; @ wifi). Une vieille demeure du centre-ville douillette comme chez grand-mère. On peut y faire sa cuisine et sa lessive.

♥ **Bryggjan** CAFÉ €
(port ; en-cas 600-1 400 ISK ; 8h-23h lun-ven, 10h-23h sam-dim ; wifi). Face au front de mer, dans un ensemble d'entrepôts, cet adorable café fréquenté par les gens du coin sert des repas légers dans un décor de vieilles bouées de pêche et de photos encadrées.

Salthúsið POISSON €€
(☎426 9700 ; www.salthusid.is ; Stamphólsvegur 2 ; plats 1 400-3 900 ISK ; 12h-22h mi-mai à mi-sept). Cet élégant restaurant en bois propose des spécialités locales de *saltfiskur* (poisson salé), préparées de différentes manières, ainsi que du saumon, du homard, du poulet et de l'agneau.

Renseignements

Centre d'information touristique (☎420 1190 ; www.visitgrindavik.is ; 10h-17h mi-mai à mi-sept). Deux bureaux, l'un au musée de Kvíkan, l'autre au camping. Avec un accès Internet.

Depuis/vers Grindavík

Le bus GRI de **Reykjanes Express** (www.reykjanesexpress.is) relie la gare routière de Reykjavík (BSÍ), le Blue Lagoon et Grindavík (1 600 ISK, 1 heure, 3/jour).

Reykjanesfólkvangur

À seulement 40 km de Reykjavík, cette réserve de 300 km² offre un bel aperçu de la nature sauvage islandaise. Elle fut créée en 1975 pour protéger les formations de lave nées des volcans de la dorsale de Reykjanes. Ses trois merveilles naturelles sont : le Kleifarvatn, un profond lac gris aux sources chaudes immergées et aux plages de sable noir ; la zone géothermique de Krýsuvík à Seltún ; et la plus grande falaise peuplée d'oiseaux du Sud-Ouest, le Krýsuvíkurberg. Des sentiers de randonnée sillonnent toute la zone. Les offices du tourisme de Keflavík, Grindavík ou Hafnarfjörður vous fourniront de bonnes cartes. Des parkings sont aménagés au départ des chemins les plus fréquentés : la boucle autour du Kleifarvatn et les pistes qui longent les arêtes rocheuses de Sveifluháls et Núpshliðarháls.

Kleifarvatn

Ce lac profond situé dans une fissure volcanique est entouré de falaises de lave et de grèves de sable noir. La légende veut qu'un monstre en forme de ver de la taille d'une baleine hante ses eaux, mais la pauvre créature a de moins en moins de place car le lac rétrécit depuis les deux séismes qui ont secoué la région en 2000. Le thriller d'Arnaldur Indriðason intitulé *L'Homme du lac* (Métailié, 2008) évoque l'événement. Le sentier autour du lac offre une vue splendide.

Krýsuvík et Seltún

La **zone géothermique d'Austurengjar**, à 2 km au sud du Kleifarvatn, est souvent appelée Krýsuvík, du nom de la ferme voisine abandonnée. La température sous la surface est de 200°C, et l'eau qui émerge du sol atteint son point d'ébullition. Un puits de forage y a été creusé dans les années 1990 pour alimenter Hafnarfjörður en énergie, mais il a explosé en 1999 et le projet fut abandonné.

À **Seltún**, des passerelles en bois sinuent au milieu de **sources chaudes**. Les sources de boue fumante et les *solfatares* (soufrières) arborent les couleurs scintillantes de l'arc-en-ciel.

Non loin de là se trouve le lac de **Grænavatn**, un ancien cratère rempli d'une eau à la jolie couleur turquoise, due à une combinaison de minéraux et d'algues qui prolifèrent à la chaleur.

Falaises de Krýsuvíkurberg

À environ 3 km au sud de Seltún en traversant les champs de lave de Krýsuvíkurhraun, un chemin de terre conduit aux falaises de Krýsuvíkurberg (un panneau sur la route indique "Krýsuvíkurbjarg"). Ces falaises noires et austères, longées par un sentier, s'étendent sur 4 km et abritent 57 000 oiseaux marins qui couvent en été, des guillemots aux macareux.

LE CERCLE D'OR

Le Cercle d'or comprend trois sites populaires, tous dans un rayon de 100 km autour de la capitale : Þingvellir, Geysir et Gullfoss. Il s'agit d'un circuit touristique artificiel (aucune vallée ou topographie naturelle ne marque son parcours) que beaucoup adorent (et vendent). Il ne faut pas le confondre avec la Route circulaire, qui fait le tour de tout le pays (il faut une semaine pour la parcourir en totalité). Le Cercle d'or permet de voir un point de rencontre des plaques continentales, le site de l'ancien Parlement islandais (Þingvellir), une source chaude jaillissante (Geysir) et une puissante chute d'eau (Gullfoss), le tout en une boucle faisable en une journée. Le visiter par vos propres moyens vous permettra d'y aller en dehors des périodes de pointe et de découvrir d'autres curiosités un peu plus éloignées. Presque toutes les agences de tourisme de Reykjavík proposent une excursion au Cercle d'or (en bus, à vélo ou en Super-Jeep), qu'on peut souvent combiner avec d'autres itinéraires.

Si vous projetez de passer la nuit dans cette région relativement petite, les environs de Laugarvatn sont une bonne base, ou bien choisissez l'un des hébergements parsemés sur la Route 35.

Þingvellir (Thingvellir)

Le parc national de Þingvellir (www.thingvellir.is), à 23 km à l'est de Reykjavík, est le site historique le plus important d'Islande, et un endroit d'une grande beauté. Les Vikings y établirent le premier Parlement démocratique du monde, l'Alþing (prononcer *ál-thingk*, aussi appelé *Alþingi*), en 930. Les réunions se déroulaient à l'extérieur, et à l'instar de nombreux sites décrits dans les sagas, il n'en reste que les fondations d'anciens campements. Le cadre naturel est superbe, dans une immense vallée d'effondrement créée par la rencontre des plaques tectoniques nord-américaine et eurasienne, où coulent rivières et chutes d'eau. Premier parc national du pays, il fut inscrit au patrimoine mondial de l'Unesco en 2004.

Histoire

Les premiers colons venus de Scandinavie qui s'établirent en Islande ne voulaient plus entendre parler de roi dans leur nouveau pays. Ils mirent en place des *þings* (assemblées locales) où la justice était rendue par et entre les chefs locaux *(goðar)*.

Il fut décidé d'instaurer un *þing* à l'échelle de la nation. Bláskógur – aujourd'hui Þingvellir (la plaine du Parlement) –, situé à une croisée de chemins et proche d'un immense lac poissonneux, parut idéal. Il y

LE CERCLE D'OR À LA CARTE

Il est très facile de visiter le Cercle d'or (en voiture ou à vélo) – et d'y ajouter des éléments en fonction de ses centres d'intérêt. Dans la région du Cercle d'or, les panneaux sont clairs, les routes bien goudronnées et les distances relativement courtes (il faut environ 4 heures pour en faire le tour en voiture sans étape supplémentaire). Vous pouvez aussi concocter un itinéraire en bus (sachez que les bus se rendent dans des endroits des hautes terres inaccessibles aux véhicules ordinaires). L'excellente carte *Uppsveitir Árnessýslu* détaille toute la région.

Les principaux sites sont Þingvellir (un des points de rencontre des plaques continentales, et site de l'ancien Parlement islandais), Geysir (un geyser actif) et Gullfoss (une puissante chute d'eau qui plonge dans un canyon). On peut y ajouter d'autres sites :

Laugarvatn (p. 114). Entre Þingvellir et Geysir, ce petit village lacustre a deux grands pôles d'intérêt : l'excellent restaurant Lindin, et le Fontana, un spa géothermal huppé.

Þjórsárdalur (p. 134). Très peu fréquentée, cette vallée paisible le long du fleuve Þjórsá est parsemée de ruines vikings et de merveilles naturelles comme Gjáin. Elle mène jusqu'aux hautes terres (c'est un des chemins d'accès à Landmannalaugar, le point de départ de la fameuse randonnée du Laugavegurinn).

Reykholt et Flúðir (p. 117 et 126). Au sud de Gullfoss, on peut faire du rafting sur la rivière Hvítá en partant de Reykholt ou obliquer vers la zone géothermique de Flúðir et son nouveau spa naturel, et cueillir des légumes frais pour son dîner.

Eyrarbakki et Stokkseyri (p. 130). Au sud de Selfoss, ces deux villages côtiers sont très différents de leurs voisins. Régalez-vous de produits de la mer et visitez les galeries d'art qui s'y installent chaque année.

Piste de Kaldidalur (p. 178). Tous les véhicules de location ne sont pas autorisés à emprunter cette piste cahoteuse (Route 550), mais avec un véhicule adéquat, vous pourrez explorer cette route isolée qui contourne d'imposants glaciers. Elle commence près de Þingvellir et finit près d'Húsafell, donc si vous avez le temps, prenez le Cercle d'or à l'envers, puis dirigez-vous vers l'ouest, où bien d'autres aventures vous attendent.

Kerlingarfjöll (p. 328). Il faut un 4x4 (ou prendre le bus) pour aller au-delà de Gullfoss. Cela vaut le coup de continuer jusqu'à cette réserve dans les hautes terres, paradis des randonneurs, à 2 heures de route des chutes.

avait là abondance de bois pour se chauffer et un cadre d'une majesté à la mesure du projet. C'est ainsi, dans cette plaine, que furent débattues toutes les décisions importantes concernant l'Islande, que furent adoptées les nouvelles lois, négociés les contrats de mariage et même décidée la religion du pays. La réunion annuelle de l'Alþing était aussi l'occasion d'une grande fête populaire où affluaient marchands et bateleurs.

Au fil des siècles, l'escalade de la violence entre les groupes les plus puissants du pays mit fin au règne des lois et de l'ordre. Prise dans le chaos, l'Islande dut se soumettre à la couronne de Norvège et l'Alþing perdit ses pouvoirs législatifs en 1271. Il ne fonctionna que comme tribunal jusqu'en 1798, avant d'être aboli. Lorsqu'il recouvra ses prérogatives, en 1843, ses membres votèrent son transfert à Reykjavík.

À voir

Depuis le Park Service Centre, sur la Route 36, suivez la Route 361 jusqu'aux seules constructions du grand rift. Les sites se succèdent ensuite naturellement à partir du parking.

Les plaques tectoniques CANYONS, CASCADES

La plaine de Þingvellir se situe à la limite des plaques tectoniques nord-américaine et européenne, qui s'écartent au rythme de 1 à 18 mm par an. La plaine porte donc les cicatrices spectaculaires de fissures, bassins et rivières, et notamment la grande faille d'**Almannagjá**. Un sentier longe la crevasse entre le centre d'accueil au sommet et le site de l'Alþing.

La rivière **Öxará** coupe la plaine occidentale, et de son rebord plongent plusieurs jolies cascades. La plus impressionnante

VAUT LE DÉTOUR

MAISON D'HALLDÓR LAXNESS

Musée Gljúfrasteinn Laxness
(☎586 8066 ; www.gljufrasteinn.is ; Mosfellsbær ; adulte/enfant 800 ISK/ gratuit ; 9h-17h juin-août, 10h-17h mar-dim sept-mai, fermé sam-dim jan, fév et nov). Halldór Laxness (1902-1998), prix Nobel de littérature, a toujours vécu à Mosfellsbær. Sa maison au bord de la rivière est devenue le musée Gljúfrasteinn Laxness, facile d'accès car situé sur la route entre Reykjavík et Þingvellir (Route 36). L'auteur a construit cette luxueuse maison dans les années 1950 et elle est restée intacte, tout comme le mobilier, le bureau et la collection d'œuvres d'art de Laxness (les broderies sont l'œuvre de son épouse, Auður). Un audioguide vous pilotera. Admirez sa Jaguar bien-aimée garée devant.

est celle d'**Öxarárfoss**, à la limite nord du site de l'Alþing. On noyait les femmes reconnues coupables d'infanticide, d'adultère ou d'autres crimes sérieux dans le bassin de **Drekkingarhylur**.

D'autres failles plus petites existent à la lisière est du site. Neuf hommes accusés de sorcellerie furent brûlés sur le bûcher à **Brennugjá** (le Gouffre brûlant) au XVIIe siècle. On trouve non loin de là les fissures de **Flosagjá** (nommée d'après un esclave qui sauta là pour retrouver la liberté) et de **Nikulásargjá** (du nom d'un shérif ivre retrouvé mort dans l'eau). La partie sud de Nikulásargjá porte le nom de **Peningagjá** (faille des Pièces) car on y trouve des milliers de pièces jetées par les visiteurs.

Þingvallabær BÂTIMENTS HISTORIQUES
La petite ferme de Þingvallabær, au fond du rift, a été construite en 1930 par l'architecte d'État Guðjón Samúelsson pour célébrer le millénaire de l'Alþing. Elle sert aujourd'hui de bureau au garde forestier et de résidence d'été au Premier ministre.

Þingvallakirkja ÉGLISE
(9h-19h30 mi-mai à août). Derrière la ferme Þingvallabær se dresse la Þingvallakirkja, l'une des premières églises d'Islande. Elle fut consacrée au XIe siècle, mais le bâtiment en bois actuel date de 1859. L'intérieur recèle plusieurs cloches provenant des églises antérieures, une chaire en bois du XVIIe siècle et un retable peint en 1834. Jónas Hallgrímsson et Einar Benediktsson, poètes de l'époque de l'Indépendance, sont enterrés dans le petit cimetière derrière l'église.

Búðir RUINES
De part et d'autre de la rivière Öxará, vous verrez des ruines de campements temporaires appelées *búðir* (littéralement, cabines). Leurs fondations de pierre étaient couvertes d'un toit pendant les sessions du Parlement, et c'est là que les participants logeaient. Aujourd'hui, on y vend notamment de la bière et de la nourriture lors des festivals de musique. La plupart de ces *búðir* datent des XVIIe et XVIIIe siècles. Le plus grand et l'un des plus anciens, le **Biskupabúð**, qui appartenait aux évêques d'Islande, se situe au nord de l'église.

♥ **Alþing** SITE REMARQUABLE
Près de la spectaculaire faille d'Almannagjá, précédée d'une passerelle, se trouve le **Lögberg** (rocher de la Loi), où l'Alþing se réunissait tous les ans. C'est là que le *lögsögumaður* (diseur de loi) récitait les lois existantes devant le Parlement assemblé (un tiers chaque année). Après la conversion de l'Islande au christianisme, le site fut déplacé au pied des falaises d'Almannagjá, lesquelles amplifiaient la portée de la voix et permettaient aux foules de bien entendre les orateurs. Son emplacement est indiqué par un drapeau islandais.

Les décisions finales étaient prises par la Lögrétta (conseil législatif), un tribunal constitué de 146 hommes (48 votants, 96 conseillers et 2 évêques) qui se réunissaient, pense-t-on, au **Neðrivellir** (Basse Plaine), la plaine au pied des falaises.

Centre d'accueil des visiteurs de Þingvellir CENTRE D'INFORMATION
(Gestastofa ; 9h-17h). GRATUIT Au sommet de la faille d'Almannagjá, ce modeste centre d'information propose une vidéo sur l'histoire et la géographie de l'endroit, ainsi qu'une boutique. La petite passerelle en bois, à côté du centre, offre une belle vue sur la vallée. Un projet d'extension est en cours. Les toilettes coûtent 200 ISK. Vous pouvez vous garer là et descendre à pied, ou bien y monter depuis le site de l'Alþing.

Þingvallavatn LAC
Une bonne partie de la vallée du rift est occupée par le Þingvallavatn, le plus grand

lac d'Islande avec 84 km². Ses eaux pures et glacées, qui proviennent du glacier Langjökull, sont filtrées par 40 km de soubassement rocheux. Sur sa rive nord-est, la source chaude de Vellankatla jaillit de sous le champ de lave. Þingvallavatn est une importante étape pour les **oiseaux migrateurs** (dont le plongeon imbrin, le garrot d'Islande et l'arlequin plongeur).

Le *bleikja* (omble de l'Arctique) abonde dans ses eaux ; il est resté si longtemps isolé qu'il a évolué en quatre sous-espèces.

Activités

L'une des activités les plus dépaysantes en Islande consiste à explorer l'eau cristalline de la **fissure de Silfra**, l'une des failles de la vallée d'effondrement. Vous devez réserver auprès d'un club de plongée de Reykjavík (p. 73). Si vous avez votre propre matériel, il vous faut plonger en groupe d'au moins deux personnes et vous procurer un permis (1 000 ISK) au centre des visiteurs.

Vous pouvez aussi vous adresser à l'un des centres du parc pour connaître la réglementation relative à **la pêche en lac** (certaines zones sont interdites) et acheter un permis (2 000 ISK par canne et par journée ; du 20 avril au 15 septembre).

Dans la vallée, en arrivant de Reykjavík par la Route 36, Laxnes propose des randonnées à cheval (p. 73).

Circuits organisés

Des visites guidées gratuites d'une heure partent de l'église à 10h, de juin à août.

Où se loger et se restaurer

Vous trouverez des hébergements simples au sud du lac près de Bruarholt, comme l'**Hótel Borealis** (561 3661 ; www.hotelborealis.is ; Bruarholt ; d avec/sans sdb petit-déj inclus 27 700/17 800 ISK) et le camp scout d'**Útilífsmiðstöð Skáta Úlfljótsvatni** (482 2674 ; www.ulfljotsvatn.is ; Úlfljótsvatn ; camping/dort 1 200/3 400 ISK par pers).

Campings de Þingvellir CAMPING €
(empl adulte/tente 1 300/100 ISK ; juin-août). Sous l'égide du centre d'information du parc, les deux meilleurs endroits sont situés à Leirar, près du café : Syðri-Leirar, le plus grand, et Nyrðri-Leirar, où l'on peut faire sa lessive. Fagrabrekka et Hvannabrekka n'acceptent que les campeurs (pas les voitures). Vatnskot, au bord du lac, possède des toilettes et l'eau froide (pas d'électricité).

Cottages @ Lake Thingvellir COTTAGES €€
(Skálabrekka ; 892 7110 ; www.lakethingvellir.is ; cottage 16 200 ISK, plus 2 300 ISK/pers/nuit). Quatre cottages en pin, avec vue sur le lac, près de l'entrée du parc sur la Route 36.

Ion Luxury Adventure Hotel BOUTIQUE-HÔTEL €€€
(482 3415 ; www.ioniceland.is ; Nesjavellir vid Þingvallavatn ; s/d 44 000/51 000 ISK ; P @). Leader dans une nouvelle gamme d'hôtels de luxe à la campagne, l'Ion favorise la cuisine locale, les comportements écoresponsables et les décors modernes et tendance. Le **restaurant** (www.ioniceland.is ; Nesjavellir vid, Þingvallavatn ; plats dîner 4 400-6 200 ISK ; 11h30-22h) orienté produits locaux et slow-food, le bar pourvu de grandes baies vitrées, la piscine géothermale et le spa biologique sont somptueux. Les chambres, un peu petites, sont très bien équipées, avec quelques touches d'humour, comme les portraits de chevaux au mur.

L'hôtel est installé dans une vallée géothermale tranquille (près de la centrale électrique), du côté sud de Þingvallavatn.

Café du parc national CAFÉ €
(centre d'information du parc ; soupe 950 ISK ; 9h-22h avr-oct). Cette cafétéria sommaire vend des hot dogs et une soupe du jour servie avec du pain.

Renseignements

Centre d'information du parc (Leirar Þjónustumiðstöð ; 482 2660 ; www.thingvellir.is ; 9h-17h mai-sept). Sur la Route 36, du côté nord du lac, ce centre fournit des renseignements sur le parc national et comprend un café (ci-dessus). Le centre d'accueil des visiteurs de Þingvellir (p. 112) donne aussi des informations.

Depuis/vers le Þingvellir

Le plus simple pour accéder au parc national consiste à se joindre à un circuit organisé autour du Cercle d'or ou à louer une voiture.

Reykajvík Excursions (580 5400 ; www.re.is) :

- Les bus n^{os}6/6a Reykjavík-Gullfoss (2 500 ISK entre la gare routière BSÍ et Þingvellir, 1/jour mi-juin à mi-sept) marquent plusieurs arrêts aux alentours de Þingvellir pendant 1 heure 15, puis continuent vers Laugarvatn, Geysir et Gullfoss, avant de revenir.

Sterna (551 1166 ; www.sterna.is) :

- Les bus n^{os}F35/F35a Reykjavík-Akureyri (1 800 ISK entre Harpa et Þingvellir, 1/jour fin-juin à début sept) s'arrêtent 45 min au centre d'information du parc, puis continuent vers Laugarvatn, Geysir, Gullfoss, les hautes terres de Kjölur, Kerlingarfjöll puis Akureyri.

Laugarvatn

Le Laugarvatn (lac des Sources chaudes) est alimenté par des torrents, mais aussi par la source chaude de Vígðalaug, célèbre depuis le Moyen Âge. Le village du même nom est implanté sur la rive ouest du lac. Il constitue l'un des points de chute les plus agréables de la région du Cercle d'or.

Activités

Fontana PISCINE GÉOTHERMALE
(486 1400 ; www.fontana.is ; adulte/enfant/-12 ans 3 200/1 600 ISK/gratuit ; 10h-23h juin-sept, 13h-21h lun-ven, 11h-21h sam-dim oct-mai). Cette élégante piscine au bord du lac s'enorgueillit de trois bassins et d'un bain de vapeur en cèdre alimenté par un conduit naturel en contrebas. Son agréable café (en-cas 500-1 200 ISK) a vue sur le lac. En cas d'oubli, on peut louer des serviettes ou des maillots de bain (800 ISK).

Piscine de Laugarvatn PISCINE GÉOTHERMALE
(486 251 ; adulte/enfant 500/250 ISK ; 10h-22h lun-ven, 10h-18h sam-dim). Si vous voulez seulement vous baigner, une entrée moins chère donne accès uniquement à la piscine géothermale classique.

Circuits organisés

Laugarvatn Adventures ESCALADE, SPÉLÉOLOGIE
(862 5614 ; www.caving.is). Organise des excursions de spéléologie et d'escalade de 2 ou 3 heures dans les hauteurs alentour.

Où se loger et se restaurer

Héraðsskólinn AUBERGE DE JEUNESSE, PENSION
(537 060 ; www.heradsskolinn.is ; dort/s/d/qua sans sdb à partir de 4 200/12 900/13 900/25 900 ISK ;). Cet établissement tout neuf occupe un immense bâtiment historique rénové, une ancienne école édifiée en 1928 par Guðjón Samúelsson. Ce bel ensemble aux toits pointus, au bord du lac, propose à la fois des chambres privatives (dont certaines peuvent accueillir jusqu'à 6 personnes) avec sdb partagées et des dortoirs, plus un salon-bibliothèque spacieux et un café (7h-22h).

Laugarvatn HI Hostel AUBERGE DE JEUNESSE €
(486 1215 ; www.laugarvatnhostel.is ; dort/s/d sans sdb 4 100/6 300/9 500 ISK, s/d 13 400/16 650 ISK ; @). Cette grande auberge de jeunesse, répartie en plusieurs bâtiments dans la grand-rue du village, est bien tenue et confortable. Un immeuble de 3 étages offre de grands espaces pour cuisiner (on a une belle vue sur le lac en faisant la vaisselle !). D'autres bâtiments plus petits ressemblent plus à des maisons. Remise de 700 ISK pour les membres HI.

Camping du Laugarvatn CAMPING €
(486 1155 ; empl 1 000 ISK/pers ; mai-sept). Près de la route à la sortie du village, l'endroit devient un bruyant lieu de fête à l'islandaise les week-ends d'été.

Efstidalur II PENSION €€
(486 1186 ; www.efstidalur.is ; Efstidalur 2 ; s/d/tr petit-déj inclus à partir de 19 240/23 800/28 500 ISK, plats 1 200-5 000 ISK ;). À 12 km au nord-est de Laugarvatn, dans une ferme laitière en activité, l'Efstidalur offre un hébergement très accueillant, des repas savoureux, et des glaces délicieuses. Les ravissants cottages jumeaux ont une vue splendide sur l'imposant Hekla, et le restaurant propose du bœuf de la ferme et des truites du lac. L'amusant bar à glaces sert des fabrications maison et, par ses fenêtres, on peut voir l'intérieur de la laiterie.

Hótel Edda HÔTEL €€
(444 4000 ; www.hoteledda.is ; juin à mi-août ; @). En été, deux grandes écoles de Laugarvatn se métamorphosent en hôtels. Le ML Laugarvatn offre 98 chambres d'étudiants pratiques (d avec sdb partagée 15 400 ISK). L'ÍKÍ Laugarvatn, plus chic, compte 29 chambres (d 22 300 ISK) avec sdb privative ; la moitié des chambres donnent sur le lac et le restaurant jouit d'une belle vue sur l'Hekla.

Lindin ISLANDAIS €€
(486 1262 ; www.laugarvatn.is ; Lindarbraut 2 ; plats restaurant 3 600-5 500 ISK ; plats bistrot 1 800-4 000 ISK ; 12h-22h mai-sept, horaires réduits oct-avr). Propriété de Baldur, un chef aussi célèbre qu'affable, le Lindin est le meilleur restaurant à des kilomètres à la ronde. Installé dans une petite maison argentée face au lac, ce restaurant gastronomique sert une cuisine islandaise ambitieuse à base de produits locaux et d'animaux pêchés ou chassés (pas d'élevage). Le bistrot, au décor moderne et à l'ambiance décontractée, propose une carte moins formelle affichant des soupes et un étonnant hamburger de

renne. En haute saison, il vaut mieux réserver pour le dîner.

Achats

Gallerí Laugarvatn ARTISANAT
(☎847 0805 ; www.gallerilaugarvatn.is ; Háholt 1 ; 13h-18h). Galerie d'artisanat, de la ferronnerie à la céramique en passant par les lainages. Elle se double d'un petit B&B.

Depuis/vers Laugarvatn

Strætó (☎540 2700 ; www.bus.is) :

- Bus n°73 Selfoss-Flúðir-Reykholt-Laugarvatn-Selfoss (1 400 ISK depuis Selfoss, 75 min, 1/jour).

Reykjavík Excursions (☎580 5400 ; www.re.is) :

- Les bus n^os^6/6a Reykjavík-Gullfoss (1/jour mi-juin à mi-sept, 2 heures 15) continuent jusqu'à Geysir et Gullfoss avant de revenir.
- Les bus n^os^610/610a Reykjavík-Akureyri (1/jour mi-juin à début sept, 1 heure 30) continuent jusqu'à Geysir, Gullfoss, les hautes terres de Kjölur, Kerlingarfjöll et Akureyri.

Sterna (☎551 1166 ; www.sterna.is) :

- Les bus n^os^F35/F35a Reykjavík-Akureyri (3 400 ISK entre Harpa et Laugarvatn, 2 heures 15, 1/jour fin juin-début sept) continuent vers Geysir, Gullfoss, les hautes terres de Kjölur, Kerlingarfjöll et Akureyri.

Geysir

Geysir (qui signifie jaillir) est l'une des curiosités touristiques les plus célèbres d'Islande. C'est la source d'eau chaude jaillissante qui a donné son nom à tous les autres geysers. Découvert dans la **zone géothermique de l'Haukadalur**, le Grand Geysir est en activité depuis près de 800 ans, et il fut un temps où il crachait de l'eau jusqu'à une hauteur de 80 m. Il connaît aussi des périodes plus calmes, ce qui semble être le cas depuis 1916. Les tremblements de terre peuvent stimuler son activité, mais les éruptions restent rares. Heureusement pour les visiteurs, un autre geyser plus "fiable", **Strokkur**, se trouve juste à côté. Il faut rarement attendre plus de 10 minutes pour voir jaillir l'eau à 15 ou 30 m, avant qu'elle ne disparaisse dans son énorme orifice d'origine. Ne vous placez pas dans le sens du vent, à moins de vouloir une douche.

La zone géothermique mouvante et sifflante où se trouvent Strokkur et Geysir était en accès libre à l'heure où nous y sommes allés, mais il était question d'appliquer un droit de visite.

Un grand **Geysir Center** (☎480 6800 ; www.geysircenter.com ; 10h-22h juin-août, 10h-18h sept-mai) a été édifié pour canaliser les foules de l'autre côté de la route. Vous y trouverez trois enseignes de restauration, une boutique de souvenirs de la taille d'un centre commercial qui propose des grandes marques islandaises, et une station-service N1. **Geysirstofa** (☎480 6800 ; 10h-17h mai-août, 12h-16h sept-avril) GRATUIT, à l'intérieur du centre, est une exposition audiovisuelle sur les volcans et les tremblements de terre.

Activités

Terrain de golf de Geysir GOLF
(Haukadalsvöllur ; ☎893 8733 ; www.geysirgolf.is ; 3 000 ISK). Ce parcours de 9 trous bien entretenu donne sur Geysir.

Circuits organisés

Geysir Hestar ÉQUITATION
(☎847 1046 ; www.geysirhestar.com ; Kjóastaðir 2). Parcourez 4 km à l'est de Geysir jusqu'à la ferme équestre de Kjóastaðir pour trouver Geysir Hestar, qui propose des randonnées à cheval dans les environs et le long du canyon de Hvítará jusqu'à Gullfoss, avec des parcours de tous niveaux.

Iceland Safari CIRCUITS EN SUPER-JEEP
(☎544 5454 ; www.icelandsafari.com ; Geysir). Visites du Sud-Ouest en Super-Jeep, dont le point de départ est à 1 km au sud de Geysir.

Où se loger et se restaurer

Trois possibilités s'offrent à vous dans le Geysir Center : un immense restaurant (plats 1 490-2 450 ISK), un café (plats 1 480-2 000 ISK) et un fast-food (990-1 690 ISK).

Skjól Camping AUBERGE DE JEUNESSE, CAMPING €
(☎899 4541 ; www.skjolcamping.com ; camping 1 200 ISK/pers, dort 2/8 lits 8 000/5 000 ISK ; mi-mai à mi-sept ;). Dortoirs simples et terrain de camping avec un bar d'été, à 3,5 km au nord-est de Geysir, à côté de la ferme équestre de Kjóastaðir. Hébergement avec option duvet (4 000 ISK), et instruments de musique à disposition pour faire le bœuf.

Hótel Geysir HÔTEL, CAMPING €€
(☎480 6800 ; www.geysircenter.is ; Geysir ; s/d à partir de 22 000/25 000 ISK, camping 1 500 ISK/pers, buffet déj 3 500 ISK, plats dîner 2 700-5 700 ISK ; fév-déc, camping mai-sept ; @). Cet hôtel alpin de l'autre côté de la

route de Geysir connaît une fréquentation permanente en raison de son emplacement. Il possède une piscine géothermale et deux *hot pots*. En été, le déjeuner-buffet de son bon restaurant peut être totalement pris d'assaut par les groupes de touristes. L'hôtel dispose d'un camping à proximité.

Depuis/vers Geysir

Reykajvík Excursions (580 5400 ; www.re.is) :

- Les bus nos6/6a Reykjavík-Þingvellir-Gullfoss (4 250 ISK entre la gare routière BSÍ et Geysir, 3 heures, 1/jour mi-juin à mi-sept) s'arrêtent pendant 1 heure 30 avant de continuer vers Gullfoss et de revenir.
- Les bus nos610/610a Reykjavík-Akureyri (4 250 ISK, 2 heures, 1/jour mi-juin à début sept) continuent vers Gullfoss, les hautes terres de Kjölur, Kerlingarfjöll et Akureyri.

Sterna (551 1166 ; www.sterna.is) :

- Les bus nosF35/F35a Reykjavík-Þingvellir-Akureyri (4000 ISK entre Harpa et Geysir, 2 heures 30, 1/jour fin juin-début sept) s'arrêtent pendant 35 minutes puis continuent vers Gullfoss, les hautes terres de Kjölur, Kerlingarfjöll et Akureyri.

Gullfoss

Gullfoss, les chutes les plus célèbres et les plus spectaculaires du pays, sont formées par une double cascade, haute de 32 m, qui explose en un vacarme assourdissant et un véritable mur d'écume en plongeant dans un étroit ravin. Par beau temps, le soleil dessine des arcs-en-ciel sur les embruns ; en hiver, la magie provient de la glace qui scintille dans les chutes. Les jours de grisaille et de bruine, la brume qui nimbe la deuxième chute retire au site un peu de son charme.

Ces chutes, que l'on visite depuis 1875, ont failli disparaître dans les années 1920, lorsque des investisseurs étrangers ont voulu construire un barrage hydroélectrique sur la rivière Hvítá. Le propriétaire du terrain, Tómas Tómasson, refusait de le vendre, mais les promoteurs avaient réussi à contourner son accord en obtenant l'autorisation du gouvernement. Sigríður, la fille de Tómasson, décida alors de marcher (pieds nus !) jusqu'à Reykjavík pour protester, en menaçant de se jeter dans les chutes si le projet aboutissait. Heureusement, les investisseurs n'ayant pas payé le bail, l'accord fut annulé et les chutes échappèrent à la destruction. Cédé à la nation en 1975, le site de Gullfoss est depuis lors classé réserve naturelle.

Au-dessus des chutes sont installés un petit **centre d'information touristique, une boutique et un café** (www.gullfoss.is ; plats 750-1 890 ISK ; 9h-21h30 juin-août, 9h-18h sept-mai ;), réputé pour sa soupe à l'agneau bio concoctée avec des produits locaux. Un chemin asphalté praticable en fauteuil roulant mène à un belvédère sur les chutes, tandis qu'une volée de marches descend jusqu'au bord de l'eau.

Quelques kilomètres avant les chutes, l'**Hótel Gullfoss** (486 8979 ; www.hotelgullfoss.is ; d petit-déj inclus 24 700 ISK ;) dispose de chambres propres, avec sdb privatives, orientées vers la lande (demandez-en une face à la vallée) ; il possède deux *hot pots* et un restaurant (plats 2 100-5 000 ISK) avec vue panoramique.

Depuis/vers Gullfoss

Gullfoss est le site qui conclut le traditionnel circuit du Cercle d'or. Vous pouvez continuer sur la Route 35 après les cascades (piste de Kjölur ; p. 325), goudronnée sur encore 15 km ; un 4x4 est ensuite nécessaire pour s'enfoncer dans les hautes terres.

Reykjavík Excursions (580 5400 ; www.re.is) :

- Les bus nos610/610a (Reykjavík-Akureyri, Reykjavík-Gullfoss 5 000 ISK, 1/jour mi-juin à début sept) s'arrêtent 1 heure aux chutes, ainsi qu'à Kerlingarfjöll.
- Les bus nos6/6a (Reykjavík-Þingvellir-Geysir-Gullfoss, 5 000 ISK, 5 heures, 1/jour mi-juin à mi-sept) s'arrêtent 1 heure aux chutes.

Sterna (551 1166 ; www.sterna.is) :

- Les bus nosF35/F35a (Reykjavík-Þingvellir-Akureyri, Reykjavík-Gullfoss 4 900 ISK, 1/jour fin juin-début sept) s'arrêtent 25 minutes aux chutes, ainsi qu'à Kerlingarfjöll.

De Gullfoss à Selfoss (Route 35)

Si vous parcourez le Cercle d'or dans le sens habituel, la portion entre Gullfoss et le retour vers la Route circulaire à Selfoss sera alors votre dernière étape. En chemin, vous trouverez maintes occasions de vous arrêter. La majorité des visiteurs suivent la Route 35, goudronnée, qui traverse Reykholt, où l'on peut faire du rafting sur la rivière. Un petit détour vous mènera à Fluðir, avec ses serres géothermiques et sa source chaude, et à Skálholt, jadis le centre religieux de l'Islande.

Si vous préférez continuer vers l'est plutôt que de revenir à Reykjavík, l'ouest de la

Þjórsárdalur (p. 134) est le prochain secteur à découvrir.

Reykholt

Le village de Reykholt – il y en a plusieurs du même nom dans le pays – est centré sur la source chaude de Reykjahver et possède une piscine géothermale, mais c'est la rivière **Hvítá**, haut lieu du rafting dans le sud de l'Islande, qui attire surtout les visiteurs.

Circuits organisés

Arctic Rafting RAFTING
(☎571 2200 ; www.arcticrafting.com ; ⏱mi-avril à sept). Propose diverses sorties rafting sur la Hvítá, et des excursions combinées (équitation, quad, motoneige). Les randonnées de 3-4 heures commencent à partir de 11 990 ISK/personne, ou 16 990-18 490 ISK avec le transport depuis Reykjavík. Le siège de l'agence se trouve près de Reykholt à Drumboddsstaðir, et son bureau de Reykjavík chez Arctic Adventures (p. 71). Il y a un restaurant au camp de base et un hébergement proche.

Iceland Riverjet HORS-BORD
(☎863 4506 ; www.icelandriverjet.com ; Skólabraut 4 ; ⏱avril à mi-oct). Organise des excursions éclair de 40 minutes en horsbord (adulte/enfant 13 900/8 000 ISK) sur la Hvítá, ainsi que des visites du Cercle d'or. Occupe les mêmes locaux que le Café Mika.

Où se loger et se restaurer

Húsið B&B €
(☎486 8680 ; Bjarkarbraut 26 ; d sans sdb petit-déj inclus 12 300 ISK ; 📶). Petite pension sympathique située dans une impasse calme et disposant d'un *hot tub* (Jacuzzi extérieur), d'un barbecue et d'une cuisine.

♥ **Fagrilundur Guesthouse** PENSION €€
(www.fagrilundur.is ; Skólabraut 1 ; d avec/sans sdb petit-déj inclus 23 000/17 000 ISK ; 📶). Un sentier bordé de fleurs en pots conduit à travers la forêt jusqu'à un chalet en bois digne d'un conte de fées. Chambres confortables, avec des couettes à motifs et une véranda commune. Les propriétaires attentionnés vous accueillent chaleureusement, prodiguent de bons conseils et servent de délicieux petits déjeuners.

Café Mika INTERNATIONAL €€
(☎896 6450 ; Skólabraut 4 ; plats 1 000-3 900 ISK ; ⏱10h-21h ; 📶). Le Café Mika possède un four à pizza extérieur, il sert des sandwichs et des plats islandais, ainsi que du chocolat fait maison.

Depuis/vers Reykholt

Strætó (☎540 2700 ; www.bus.is) :
- Bus n°73 Selfoss-Flúðir-Reykholt-Laugarvatn-Selfoss (1 750 ISK depuis Selfoss, 45 min, 1/jour).
- Bus n°72 Selfoss-Flúðir-Reykholt-Laugarás-Selfoss (1 750 ISK depuis Selfoss, 45 min, 2/jour).

Skálholt et Laugarás

Skálholt est un centre religieux très important. En effet, ce fut jadis le siège de l'un des deux grands évêchés (l'autre était à Hólar, dans le Nord) qui régnèrent sur les âmes islandaises du XIe au XVIIIe siècle. Skálholt acquit son importance sous Gissur le Blanc, qui joua un rôle clé dans la christianisation de l'Islande. L'évêché catholique dura jusqu'à la Réforme, en 1550, date à laquelle l'évêque Jón Arason et ses deux fils furent exécutés sur ordre du roi danois. Skalhólt resta ensuite un important centre luthérien jusqu'en 1797, date du transfert du siège de l'évêché à Reykjavík.

Malheureusement, la grandiose cathédrale qui se dressait sur place fut détruite par un séisme au XVIIIe siècle. Aujourd'hui, il ne reste qu'un **centre théologique** protestant moderne, un **centre d'accueil des visiteurs** (☎486 8870 ; www.skalholt.is ; 500 ISK ; ⏱9h-18h), une **maison de tourbe** (reconstitution de Þorlagsbúð) et une belle **église** dotée, au sous-sol, d'un **musée** renfermant le sarcophage en pierre de Páll Jónsson (évêque de 1196 à 1211). Selon la *Saga de Páll,* des orages et des séismes ébranlèrent la terre au moment de sa mort. Un terrible orage éclata au moment de la réouverture de son cercueil, en 1956. Le centre offre un hébergement calme, un restaurant et des concerts l'été.

Le village voisin de **Laugarás** est un ensemble de fermes, dont plusieurs vendent des produits frais. Visitez **Engi** (☎486 8913 ; www.engi.is ; Laugarás ; ⏱12h-18h), qui propose des fruits et légumes de serre, et de jolis souvenirs. Le lieu est indiqué dès l'entrée de Laugarás en arrivant de Skálholt.

Laugarás est desservi par les bus n[os]72 et 73 de Strætó à partir de Selfoss (1 750 ISK, 40 min, 2/jour) et le bus n°35a de Sterna, qui regagne Reykjavík depuis Akureyri via Laugarás.

(Suite p. 126)

ELLI THOR MAGNUSSON/ GETTY IMAGES ©

1. Grotte de glace, Vatnajökull 2. Zone géothermique près d'Hekla
3. Péninsule de Snæfellsnes 4. Éruption sous l'Eyjafjallajökull

ARCTIC-IMAGES/GETTY IMAGES ©

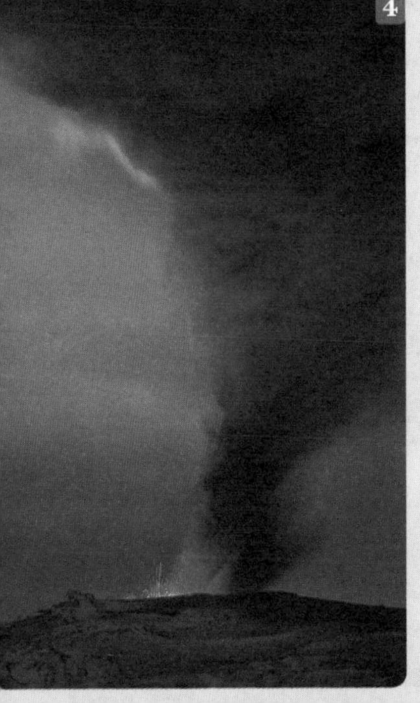

Feu et glace

"Le pays du feu et de la glace" est peut-être un slogan publicitaire éculé, mais il n'a rien d'exagéré. Les paysages majestueux et sereins masquent le cœur explosif de l'Islande : elle compte une trentaine de volcans actifs, dont beaucoup sont enfouis sous une épaisse couche de glace. Lorsque leur furie se libère et qu'ils crachent du feu, le monde n'a souvent d'autre choix que de subir le phénomène : rappelez-vous l'Eyjafjallajökull !

Vatnajökull

Le toit de l'Islande (p. 307), plus grande calotte glaciaire d'Europe, a donné son nom au plus vaste parc national islandais. Ne laissez pas passer l'occasion d'explorer cet infini royaume blanc en motoneige.

Eyjafjallajökull

Pourtant imprononçable, ce nom est désormais associé à une éruption inattendue (p. 143), laquelle a répandu d'épais nuages de cendres sur l'Europe en 2010 qui ont paralysé le trafic aérien.

Hekla et Katla

Telles de vilaines belles-sœurs sorties d'un conte de fées islandais, Hekla (p. 137) et Katla (p. 160) sont deux montagnes capricieuses visibles de maints endroits du sud du pays. Elles menacent de cracher vapeur, fumée et lave en fusion sur les glaciers voisins et les plaines.

Snæfellsjökull

C'est ici que débute le célèbre voyage de Jules Verne au centre de la Terre, dans cette étendue glacée à la pointe de la péninsule de Snæfellsnes (p. 187), visible depuis Reykjavík par temps clair.

Magni et Móði

Les plus jeunes montagnes d'Islande (p. 145) se sont formées à la faveur des éruptions de 2010. Apportez des *pýlsur* (hot dogs) pour l'ascension du Magni – les saucisses cuiront rapidement sur ses flancs encore fumants.

JAMES FARLEY/GETTY IMAGES ©

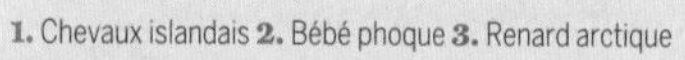

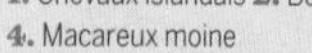

1. Chevaux islandais 2. Bébé phoque 3. Renard arctique
4. Macareux moine

PETUR 'WAZHUR' JONSSON/GETTY IMAGES ©

Observation des animaux

La nature islandaise sert de terrain de jeux à quelques vedettes animales telles que les baleines, les phoques, les renards arctiques et les macareux. Les figurants, moutons errants et chevaux à l'épaisse crinière, restent toujours aussi photogéniques sur un arrière-plan de montagnes digne d'un décor de cinéma.

L'avifaune est abondante en Islande, surtout durant les mois chauds, lorsque les espèces migratrices viennent y nicher. Sur les falaises et les îles alentour, la variété d'oiseaux marins est impressionnante. Les sentiers côtiers donnent accès à des falaises accueillant de grandes colonies d'oiseaux - reportez-vous p. 40 pour savoir où trouver les macareux.

L'observation des baleines est devenue l'un des passe-temps favoris des Islandais ; des bateaux sortent toute l'année (moins souvent pendant les grands froids) dans l'espoir d'en croiser. Les eaux septentrionales d'Húsavík et d'Akureyri sont des havres où viennent se nourrir les baleines de Minke et les rorquals ; pour les plus pressés, des bateaux partent directement du centre de Reykjavík (voir p. 69). En hiver, on peut voir les orques sauter dans les eaux glaciales - le meilleur point de départ est la péninsule de Snæfellsnes (voir p. 178).

LE TOP DE L'OBSERVATION DES ANIMAUX

Vestmannaeyjar (p. 161). Filez parmi les îlots en prenant des photos d'une grande variété d'espèces d'oiseaux.

Borgarfjörður Eystri (p. 282). Le paradis des macareux, parmi lesquels vous pourrez vous aventurer.

Húsavík (p. 258). L'observation des baleines en toute authenticité dans un charmant village de pêcheurs. De nombreux circuits sont proposés, surtout en été.

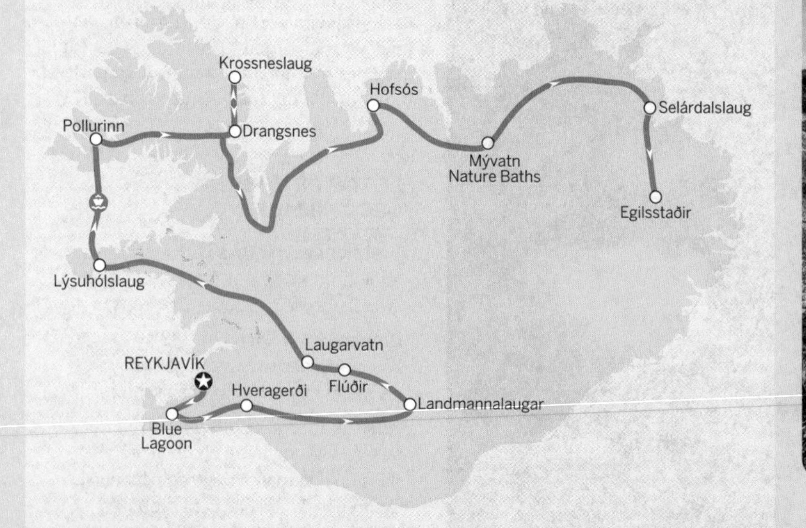
Krossneslaug
Hofsós
Selárdalslaug
Pollurinn
Drangsnes
Mývatn
Nature Baths
Egilsstaðir
Lýsuhólslaug
Laugarvatn
REYKJAVÍK
Hveragerði
Flúðir
Landmannalaugar
Blue
Lagoon

JONATHAN PERCY/GETTY IMAGES ©

PALL JOKULL - WWW.FLICKR.COM/PHOTOS/PALLJOKULL/GETTY IMAGES ©

Haut : Blue Lagoon
Bas : Reykjadalur (p. 127), Hveragerði

2 SEMAINES

La tournée des *hot pots*

Enfilez votre maillot pour goûter au passe-temps préféré des Islandais : barboter dans une eau thermale chaude et fortement minéralisée qui apaise corps et âme. Flânez de source en source pour toutes les apprécier.

- Commencez dès votre arrivée à **Reykjavík** (p. 52) ; muni de votre brosse pour le dos, immergez-vous dans les bassins publics avec les gens du cru.
- Découvrez ensuite le **Blue Lagoon** (p. 102), le Disneyland du barbotage, où vous vous enduirez le visage de boue de silice.
- Faites halte à **Hveragerði** (p. 127), l'une des zones géothermiques les plus actives d'Islande, riche en eaux bouillonnantes.
- Gagnez **Landmannalaugar** (p. 146), dont l'eau fumante soulage tous les maux après une dure randonnée.
- Passez par **Flúðir** (p. 126) pour percer le secret de son lagon naturel entouré de prairies.
- Faites un tour au Fontana, centre branché à **Laugarvatn** (p. 114) doté d'un sauna-geyser naturel (vous verrez !).
- Plongez dans la piscine de **Lýsuhólslaug** (p. 191) et ressortez-en avec une peau douce comme celle d'un bébé.
- Allez voir **Pollurinn** (p. 201), juste à la sortie de Tálknafjörður, où les habitants aiment se retrouver.
- Ouvrez l'œil pour ne pas manquer les *hot pots* en bord de route aménagés dans la digue de **Drangsnes** (p. 216).
- Admirez la beauté surnaturelle de **Krossneslaug** (p. 218), le long du rivage sauvage jonché de galets.
- Passez à **Hofsós** (p. 229) – dans la nouvelle piscine, on croirait nager en pleine mer.
- Découvrez la version septentrionale et adoucie du Blue Lagoon aux **Mývatn Nature Baths** (p. 256).
- Terminez par **Selárdalslaug** (p. 271), caché entre deux petites collines près de Vopnafjörður, puis reprenez l'avion pour Reykjavík à **Egilsstaðir** (p. 273).

La culture islandaise

Le temps n'est pas propice à la randonnée ? Aucun problème : vous aurez amplement de quoi vous occuper avec la riche culture et l'inventivité islandaises. Les sagas ont forgé un héritage de contes ; musique et design s'inspirent de la nature ; et tradition et innovation sont toutes deux à l'honneur. Et par-dessus tout, on affiche résolument son identité islandaise.

1

2

EGILL BJARNASON/ALAMY ©

3

CHRISTIAN KOBER/GETTY IMAGES

1. Nuit de la culture à Reykjavík
Les Reykjavikois se rassemblent tous les ans à la mi-août pour célébrer la Nuit de la culture (Menningarnótt ; p. 26).

2. Lopapeysur
Islandais et touristes aiment porter ces pulls traditionnels (p. 90) faits en laine du pays.

3. Harpa
Cette rutilante salle de concert (p. 63) est l'œuvre d'Olafur Eliasson et des cabinets Henning Larsen et Batteríið.

4. Skyr
Ce classique islandais riche et crémeux, semblable au yaourt, est à goûter absolument (p. 369).

4

BARA K KRISTINSDOTTIR/GETTY IMAGES ©

 (Suite de la p. 117)

Kerið

À 15,5 km au nord de Selfoss sur la Route 35, **Kerið** (adulte/enfant 350 ISK/gratuit ; 9h-21h juin-août) est un cratère qui a été créé par une éruption il y a 6 500 ans, au sol rouge vif et terre de Sienne, avec un lac d'un vert irréel. La chanteuse Björk a donné un jour un concert sur un radeau flottant au milieu du lac. Lors de notre passage, les propriétaires du lieu avaient commencé à faire payer l'accès au site de Kerið ; cette décision étant controversée, la situation pourrait évoluer.

Cinq kilomètres plus loin sur la Route 36, l'**hôtel Grimsborgir** (555 7878 ; www.grimsborgir.com ; d petit-déj inclus 38 500 ISK, app de 2 chambres 60 000 ISK ;) loue des suites de luxe et des appartements tout équipés.

Flúðir

En approchant du petit village agricole de Flúðir, la localité centrale de la région, d'intéressantes buttes rocheuses surgissent des plaines verdoyantes. Ce village est célèbre dans toute l'Islande pour ses serres géothermiques où est cultivée la majorité de la production de champignons du pays. De nombreux habitants de Reykjavík y ont ici leur maison de campagne, où ils viennent passer le week-end. Flúðir est devenu une excellente halte, non seulement pour y savourer la cuisine, mais aussi parce que les sources chaudes viennent d'être réaménagées.

Activités

Gamla Laugin PISCINE GÉOTHERMALE
(Secret Lagoon ; 555 3351 ; www.secretlagoon.is ; adulte/enfant 2 500 ISK/gratuit ; 13h-22h). Allez-y avant que les foules ne débarquent ! Ouverte en 2014, cette jolie source chaude est une version modernisée de celle que les habitants utilisaient de manière informelle auparavant. La vapeur s'élève de son grand bassin, au calme, entouré de rochers naturels, au fond de gravier. Le sentier qui le borde longe la rivière et une série d'évents naturels et de geysers grésillants. Alentour, les prairies se couvrent de fleurs sauvages en été. Aux heures tranquilles, vous pourrez peut-être disposer de la piscine pour vous seul.

Elle est signalée (avec un autre panneau indiquant Hvammar) en bas d'un chemin plein d'ornières sur la rive nord de la rivière Litla-Laxá, à Flúðir.

Où se loger et se restaurer

Le camping près de la Litla-Laxá est d'ordinaire bondé, surtout le week-end. Un **étal de marché** se tient à Melar, à l'extrémité ouest du village sur la Route 311, et il y a un supermarché **Samkaup-Strax** (9h-22h lun-ven, 10h-22h sam-dim).

Icelandair Hótel Flúðir HÔTEL €€
(486 6630 ; www.hotelfludir.is ; Vesturbrún 1 ; d 23 000 ISK ;). Les chambres des deux ailes gris argent de cet établissement de style motel sont confortables, avec planchers en bois et sdb privatives. Restaurant sur place.

Grund PENSION €€
(Gistiheimilið Flúðum ; 565 9196 ; www.gistingfludir.is ; s/d sans sdb petit-déj inclus 13 000/21 000 ISK, plats 1 750-4 900 ISK ;). Gérée par l'adorable Dagný, cette jolie pension loue quelques chambres douillettes décorées d'objets ou de meubles anciens. Son restaurant prisé s'enorgueillit de proposer des produits frais et locaux.

Efra Sel Farmers Market MARCHÉ
(820 7590 ; 11h-18h juin-août, sam-dim mai). Ce marché de producteurs, à 3 km au nord-ouest de Grund, près du parcours de golf sur la Route 359, propose les meilleurs produits de la région : légumes, viande, fraises, tarte à la rhubarbe et pain ; des tables de pique-nique sont installées devant.

Minilik Ethiopian Restaurant ÉTHIOPIEN €€
(846 9798 ; www.minilik.is ; plats 1 850-3 000 ISK ; 12h-20h juin-6 sept ;). Le souriant Azeb concocte des spécialités éthiopiennes dans cet établissement accueillant et sans prétention. Beaucoup d'options pour les végétariens, mais aussi de l'agneau (*awaze tibs*) ou du poulet (*doro kitfo*). À notre connaissance, c'est le seul restaurant éthiopien d'Islande, et il devrait ravir tous les amateurs d'épices.

Depuis/vers Flúðir

Strætó (540 2700 ; www.bus.is) : les bus n°s 72 et 73 depuis Selfoss (1 750 ISK, 40-60 min, 2-3/jour) desservent Flúðir.

LE SUD

En partant de Reykjavík en direction de l'est, la Route 1 (Route circulaire) débouche sur d'austères contreforts volcaniques ponctués d'étranges bouches de vapeur naturelles, aux environs de Hveragerði, puis traverse une large plaine côtière verdoyante, émaillée d'élevages de chevaux et de serres. Le paysage devient ensuite superbement accidenté, après Hella et Hvolsvöllur. Les montagnes qui surgissent à l'intérieur des terres sont parfois des volcans nimbés de brumes (tel l'Eyjafjallajökull, où a eu lieu l'éruption de 2010), et les premiers glaciers majestueux apparaissent, tandis que de larges rivières, comme le fleuve Þjórsá, se fraient un chemin vers les plages de sable noir qui bordent l'Atlantique.

Tout le long, des routes secondaires s'enfoncent profondément dans l'intérieur, vers des vallées luxuriantes arrosées par des chutes d'eau, comme Þjórsádalur et Fljótshlíð, ou des volcans fascinants tel l'Hekla. Deux des endroits les plus connus à l'intérieur des terres sont Landmannalaugar, où des pics de rhyolite aux couleurs éclatantes rencontrent des sources chaudes bouillonnantes, et Þórsmörk, une vallée boisée bien abritée des violentes intempéries venues du nord par trois glaciers coupe-vent. Ces deux sites sont reliés par le sentier le plus fréquenté d'Islande, le célèbre Laugavegurinn. Bien que l'on y accède par des routes parfois praticables aux véhicules ordinaires, la plupart des visiteurs y viennent en circuit organisé ou à bord de bus amphibies à partir de la Route circulaire, au sud. Þórsmörk, l'une des destinations de randonnée les plus appréciées en Islande, peut faire l'objet d'une excursion à la journée.

Les transports en commun (et la circulation) sont importants sur la Route circulaire, jalonnée de petits villages intéressants : Hveragerði, célèbre pour ses champs géothermiques et ses sources chaudes ; Skógar, tremplin vers Þórsmörk ; et Vík, entouré de glaciers, de falaises vertigineuses et de plages noires. Au sud de la Route circulaire, les petits villages de pêcheurs de Stokkseyri et d'Eyrarbakki font délicieusement couleur locale. La côte sud compte aussi de nombreuses fermes familiales, certaines ayant servi de cadre à des sagas, qui proposent de jolies pensions rurales.

La région sud-ouest, touristique (www.south.is), se développe rapidement et ses infrastructures s'améliorent constamment. Elle reste néanmoins très fréquentée en haute saison, il est donc primordial de réserver son hébergement longtemps à l'avance.

Hveragerði et ses environs

Hveragerði forme un ensemble de maisons cubiques posées sur des champs de lave, parmi des collines percées de surréels conduits de vapeur naturels. On n'y vient pas pour l'architecture, mais pour ses champs géothermiques très actifs, qui chauffent des centaines de serres. Hveragerði est connue dans tout le pays pour son école d'horticulture et sa clinique naturopathique. Il y a aussi de merveilleuses randonnées à faire dans les environs.

Munissez-vous de la carte très pratique *Hveragerði, The Capital of Hot Springs and Flowers*, qui détaille tous les sites, activités et restaurants de la région.

À voir et à faire

Hverasvæðið BASSIN GÉOTHERMAL

(483 4601 ; Hveramörk 13 ; adulte/enfant 200 ISK/gratuit ; 9h-18h lun-sam, 10h-16h dim). Le parc géothermal d'Hverasvæðið, au centre du village, permet aux visiteurs de tremper les pieds (mais pas plus) dans des *mudpots* (mares de boue) et des sources chaudes. Des visites guidées (à réserver à l'avance) vous en apprendront plus sur la géologie exceptionnelle du lieu et son utilisation pour chauffer les serres. Et moyennant 100 ISK, vous pourrez aller vous faire cuire un œuf (littéralement !) dans l'une des bouches de vapeur naturelles. Un petit café vous propose du pain cuit grâce à la géothermie.

Reykjadalur BASSIN GÉOTHERMAL

Reykjadalur est une délicieuse vallée géothermique, traversée par une rivière chaude où l'on peut se baigner. Des cartes à l'office du tourisme vous permettront de trouver le chemin qui y mène ; il part du parking et parcourt 3 km dans une vallée qui crache du soufre. Restez sur les sentiers balisés, sinon vous risquez de voir fondre vos chaussures, et ne laissez pas de déchets : l'endroit a beaucoup souffert ces dernières années de la négligence de certains touristes.

Listasafn Árnesinga MUSÉE D'ART

(483 1727 ; www.listasafnarnesinga.is ; Austurmörk 21 ; 12h-18h mai-sept, 12h-18h jeu-dim oct-avr). GRATUIT Cette lumineuse galerie d'art moderne présente d'excellentes expositions d'art contemporain et comprend un agréable café.

Hveragerði

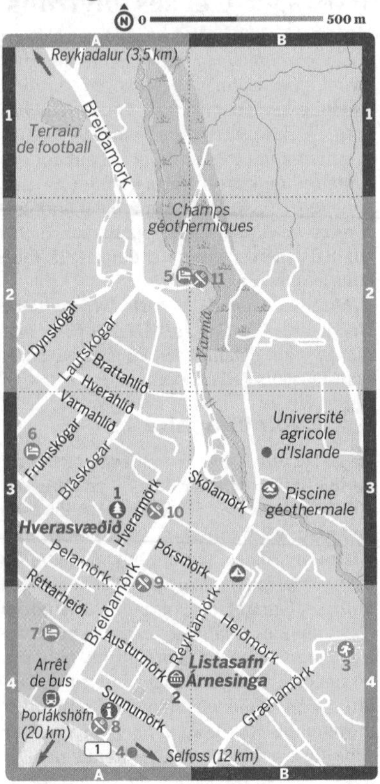

Raufarhólshellir
TUNNEL DE LAVE

Ce tunnel de lave, datant du XIe siècle, long de 1 360 m (c'est le 3e plus grand d'Islande), recèle quelques merveilleuses colonnes de lave. Pour l'explorer, équipez-vous de chaussures robustes et d'une lampe torche : le sol réserve de sérieuses surprises dues à des effondrements. L'hiver, l'air froid qui pénètre à l'intérieur s'y retrouve piégé et produit d'étonnantes formations de glace. Le tunnel se trouve au sud-ouest de Hveragerði, en retrait de la Route 39, qui passe littéralement dessus – garez-vous côté sud. Les agences locales organisent des visites.

Orkusýn
EXPOSITION

(centrale géothermique d'Hellisheiði ; ☎ 412 5800 ; www.orkusyn.is ; adulte/enfant 900 ISK/gratuit ; ⌚9h-17h). À 17 km à l'ouest de Hveragerði, juste au nord de la Route circulaire, vous verrez l'élégante silhouette de la centrale géothermique d'Hellisheiði. Près de 30% de l'électricité en Islande est d'origine géothermique. Orkusýn est une exposition multimédia qui explique en détail comment est maîtrisée cette énergie.

Hveragerði

Les incontournables

1 Hverasvæðið A3
2 Listasafn Árnesinga A4

Activités

3 Clinique et spa HNLFÍ B4
4 Iceland Activities A4

Où se loger

5 Frost & Fire Hotel A2
6 Gistiheimilið Frumskógar A3
7 Hótel Örk A4

Où se restaurer

8 Almar A4
9 Hverabakarí A3
10 Kjöt og Kúnst A3
11 Varma B2

Clinique et spa HNLFÍ
SPA

(Heilsustofnun Náttúrulækningafélags Íslands ; ☎ 483 0300 ; www.hnlfi.is ; Grænumörk 10). La plus célèbre clinique d'Islande accueille aussi bien les malades munis d'une ordonnance que les visiteurs qui souhaitent un massage relaxant (7 500-12 000 ISK) ou un bain de boue chaude (6 400 ISK), entre autres. HNLFÍ possède d'excellentes installations, notamment des bassins intérieurs et extérieurs, des *hot pots*, un sauna, un bain de vapeur et un petit hôtel (d avec/sans sdb petit-déj inclus 24 000/16 500 ISK).

Circuits organisés

Iceland Activities
CIRCUITS AVENTURE

(☎ 777 6263 ; www.icelandactivities.is ; Mánamörk 3-5 ; ⌚8h-17h lun-ven, 9h-16h sam). Spécialisée dans le vélo, le surf et la randonnée, cette agence familiale propose de belles sorties (à partir de 11 900 ISK) dans le Sud-Ouest.

Sólhestar
ÉQUITATION

(☎ 892 3066 ; www.solhestar.is ; Borgargerði, Ölfus). Diverses randonnées à cheval, d'une demi-journée ou d'une journée, dans des paysages volcaniques ou en bord de mer (balades de 3 heures à partir de 9 000 ISK). À 8 km au sud de Hveragerði sur la Route circulaire ; parcourez 500 m vers le nord sur la Route 374.

Où se loger

Hjarðarból Guesthouse PENSION €
(☎567 0045 ; www.hjardarbol.is ; s/d/qua 12 500/15 420/22 400 ISK ;). Les bâtiments couleur bouton-d'or de cette accueillante pension se nichent dans un décor pastoral, à 8 km au sud-est de Hveragerði, tout près de la Route circulaire. Les sympathiques propriétaires louent aussi une maison ancienne.

Gistiheimilið Frumskógar PENSION €
(☎896 2780 ; www.frumskogar.is ; Frumskógar 3 ; s/d/app sans sdb petit-déj inclus à partir de 9 400/15 000/20 000 ISK ;). Cette jolie pension possède un *hot pot*, un bain de vapeur et des chambres-appartements.

Frost & Fire Hotel BOUTIQUE-HÔTEL €€
(Frost og Funi ; ☎483 4959 ; www.frostandfire.is ; Hverhamar ; s/d petit-déj inclus 20 500/27 000 ISK ;). Des jets de vapeur géothermique sifflent non loin de ce charmant petit hôtel, situé au bord d'une rivière chaude. Ses chambres, confortables, sont élégamment décorées de subtiles touches scandinaves et d'œuvres d'art originales. Le sauna et les *hot pots* sont alimentés par un puits privé.

Hótel Örk HÔTEL €€
(☎483 4700 ; www.hotel-ork.is ; Breiðamörk 1c ; d petit-déj inclus 22 500-30 500 ISK ;). Cet hôtel massif qui attire les groupes de touristes propose des chambres plutôt vieillottes, mais aussi des équipements agréables pour les familles : sauna, golf à neuf trous, billard et une belle piscine avec toboggan et *hot tubs* (Jacuzzis extérieurs). Le restaurant est résolument haut de gamme.

Où se restaurer

Il y a plusieurs boulangeries animées en ville, comme **Hverabakarí** (☎483 4879 ; Breiðamörk 10 ; 8h30-18h) et **Almar** (Sunnumörk 2 ; soupe 820 ISK ; 7h-18h lun-ven, 8h-17h sam, 9h-17h dim ;), des fast-foods et des supermarchés. Quelques restaurants proposent du pain cuit grâce à la géothermie.

Varma ISLANDAIS €€
(plats déj 1 670-3 700 ISK, plats dîner 3 750-5 000 ISK ; 8h-22h). Dans l'hôtel Frost & Fire, ce restaurant est planté dans un décor merveilleux, avec ses baies vitrées qui donnent sur une rivière et une gorge. Les plats islandais sont préparés à base de produits frais locaux, et souvent cuisinés grâce à la géothermie.

Kjöt og Kúnst INTERNATIONAL €€
(☎483 5010 ; www.kjotogkunst.com ; Breiðamörk 21 ; plats 2 000-4 400 ISK ; 12h-21h lun-sam juin-août, horaires réduits sept-mai). Touristique, mais entre les sandwichs et les pizzas, on trouve des plats islandais (soupe, poisson, agneau). Gâteaux et pains cuits grâce à l'énergie géothermique.

INFORMATION TOURISTIQUE SUR LE SUD DE L'ISLANDE

Tourist Information Centre
(Upplýsingamiðstöð Suðurlands ; ☎483 4601 ; www.southiceland.is ; Sunnumörk 2-4 ; 8h30-18h lun-ven, 9h-15h sam, 9h-13h dim juin-août, horaires réduits le reste de l'année). L'office régional du tourisme pour tout le sud du pays se trouve à Hveragerði. C'est *le* lieu où faire provision de cartes et de brochures gratuites sur les différentes sous-régions. Il partage les locaux du bureau de poste et d'une petite exposition sur le tremblement de terre de 2008 ; le simulateur de tremblement de terre est saisissant (200 ISK).

Depuis/vers Hveragerði

Les bus s'arrêtent aux stations-service de la grand-route à l'entrée de la ville (vérifiez si le vôtre s'arrête à la station Shell ou à la N1).

Strætó (☎540 2700 ; www.straeto.is) :
➡ Bus nos 51 et 52 Reykjavík-Vík/Höfn et Reykjavík-Landeyjahöfn (1 050 ISK depuis/vers Reykjavík, 35 min, 11/jour lun-ven, 8/jour sam-dim).

Sterna (☎551 1166 ; www.sterna.is) :
➡ Le bus n°F35a, au retour d'Akureyri vers Reykjavík, peut faire un arrêt si on a réservé.

Reykjavík Excursions (☎580 5400 ; www.re.is) :
➡ Les bus nos 9/9a Reykjavík-Þórsmörk, 11/11a Reykjavík-Landmannalaugar, 17/17a Reykjavík-Mývatn, 18 Reykjavík-Álftavatn-Emstrur, 20/20a Reykjavík-Skaftafell, 21/21a Reykjavík-Skógar, et 610/610a Reykjavík-Kjölur-Akureyri s'arrêtent tous à Hveragerði.

Trex (☎587 6000 ; www.trex.is) :
➡ Les bus nos T21/T22 et T23/T24 Reykjavík-Landmannalaugar, et nos T11/T12 Reykjavík-Þórsmörk peuvent s'arrêter si on a réservé.

Þorlákshöfn (Thorlákshöfn)

Autrefois, on venait surtout dans le village de pêcheurs de Þorlákshöfn, à 20 km au sud de Hveragerði, pour prendre le ferry vers les Vestmannaeyjar. Mais aujourd'hui, le ferry part de Landeyjahöfn, sur la côte sud-ouest, près de Hvolsvöllur. Toutefois, lorsque la météo est à l'orage et que le nouvel embarcadère se remplit de sable, le ferry part d'ici. Il y a peu d'autres raisons d'y venir. L'endroit est desservi par le bus n°53 de **Strætó** (☎540 2700 ; www.bus.is) depuis la gare routière Mjódd à Reykjavík (1 050 ISK, 45 min, 2/jour lun-ven) et le bus n°74 depuis Selfoss (700 ISK, 45 min, 3/jour lun-ven).

Eyrarbakki

Difficile d'imaginer que le village d'Eyrarbakki fut le principal port de l'Islande et l'une de ses villes commerçantes les plus prospères pendant une bonne partie du XXe siècle. Des fermiers venus de tout le Sud venaient s'y approvisionner, et la foule était si dense qu'il fallait parfois trois jours pour être servi ! Eyrarbakki a aussi pour titre de gloire d'être le lieu de naissance de Bjarní Herjólfsson, qui se lança dans une grande traversée des mers en 985 et fut probablement le premier Européen à apercevoir l'Amérique. Mais Bjarní rentra au pays et vendit son bateau à Leif Eiríksson, qui allait découvrir le Vinland et en tirer gloire seul. La ville est aujourd'hui connue pour sa prison, la plus grande d'Islande.

À voir

Húsið á Eyrarbakka MUSÉE

(Maison d'Eyrarbakki ; ☎483 1504 ; www.husid.com ; Hafnarbrú 3 ; adulte/enfant 800 ISK/gratuit, combiné avec l'entrée au Sjöminjasafnið á Eyrarbakka ; 11h-18h mai-sept). L'une des plus anciennes maisons d'Islande, construite par des marchands danois en 1765, l'Húsið á Eyrarbakka abrite une exposition sur l'histoire de la ville, des pièces restaurées avec leur mobilier d'époque et une collection d'oiseaux empaillés. Remarquez aussi le châle, le bonnet et les parements d'Ólöf Sveinsdóttir, tricotés avec ses propres cheveux.

Sjöminjasafnið á Eyrarbakka MUSÉE

(☎483 1082 ; Túngata 59 ; adulte/enfant 800 ISK/gratuit, combiné avec l'entrée à l'Húsið á Eyrarbakka ; 11h-18h mai-sept). Juste derrière l'Húsið á Eyrarbakka, ce petit musée marin est consacré aux pêcheurs locaux. Sa pièce maîtresse est le *Farsæll*, un superbe bateau de pêche actionné par 12 rameurs.

♥ **Réserve naturelle de Flói** RÉSERVE NATURELLE

Cette importante zone humide sur la rive est de l'Ölfusá, à 3 km au nord-ouest d'Edyrarbakki, abrite de nombreux oiseaux aquatiques (notamment des plongeons catmarins et différentes espèces de canards et d'oies), qui affluent en période de nidification (mai-juillet). Un sentier de 2 km fait une boucle dans les marais. Pour en savoir plus, contactez la **Société islandaise pour la protection des oiseaux** (☎562 0477 ; www.fuglavernd.is).

Où se loger et se restaurer

Rein Guesthouse PENSION €€

(☎777 5677 ; www.rein-guesthouse.is ; Þykkvaflöt 4 ; d petit-déj inclus 21 500 ISK). Une pension aux murs en bois, calme, proposant 3 chambres. Les poutres qui craquent et le mobilier donnent à la maison un petit côté ancien. Pourtant, sa construction ne date que de 1997.

Sea Side Cottages COTTAGES €€€

(☎898 1197 ; www.seasidecottages.is ; Eyrargata 37a ; cottage à partir de 60 000 ISK). Comme leur nom l'indique, ces deux cottages pittoresques ne sont qu'à quelques mètres des vagues de l'Atlantique. Chacun est joliment personnalisé, avec des objets anciens bien conçus, des TV à écran plat, une cuisine toute équipée et de quoi s'asseoir dehors.

♥ **Rauða Húsið** POISSON €€

(☎486 8701 ; www.raudahusid.is ; Búðarstígur 4 ; plats 1 900-3 500 ISK ; 11h30-21h lun-jeu, 11h30-22h ven-dim ;). La "maison rouge" abrite un élégant restaurant aux nappes blanches, où un personnel enjoué propose d'excellents produits de la mer frais, ainsi que de nombreux autres choix à la carte.

♥ **Hafið Bláa** POISSON €€

(☎483 1000 ; www.hafidblaa.is ; Óseyri ; plats 2 000-4 000 ISK ; 12h-21h lun-jeu, 12h-22h ven-dim juin-août). À 3 km à l'ouest d'Eyrarbakki sur la Route 34, ce restaurant de poisson au bord de l'eau, dans un bâtiment ovale, s'orne d'un beau plafond voûté en bois. Si vous ne pouvez pas obtenir une table avec vue sur l'océan, le panorama sur l'estuaire, de l'autre côté, se révèle tout aussi spectaculaire.

Depuis/vers Eyrarbakki

Strætó (☎ 540 2700 ; www.bus.is) :

➡ Bus n°74 Selfoss-Stokkseyri-Eyrarbakki-Þorlákshöfn (350 ISK, 30 min, 3/jour lun-ven).

➡ Bus n°75 Selfoss-Eyrarbakki (350 ISK, 30 min, 8/jour lun-ven).

Stokkseyri

Stokkseyri a des airs de jumeau oriental d'Eyrarbakki, mais il n'en est rien. Si c'est également un petit village de pêcheurs, il recèle des lieux originaux et des galeries d'art l'été, qui en font une halte divertissante en haute saison.

À voir et à faire

Les galeries d'art estivales sont regroupées autour de la place centrale et de l'entrepôt restauré, du côté sud de la Route 33 (qui prend le nom de Hásteinsvegur/Eyrarbraut dans le village).

Veiðisafnið MUSÉE
(☎ 483 1558 ; www.hunting.is ; Eyrarbraut 49 ; adulte/enfant 1 250/650 ISK ; ⏲ 11h-18h avr-sept, 11h-18h sam-dim fév-mars et oct-nov). Un chasseur expose ici sa collection de trophées venant du monde entier. Agencé avec professionnalisme, le musée présente des douzaines d'animaux empaillés, bien éclairés, accompagnés d'informations sur le lieu et la manière dont ils ont été capturés. On y voit entre autres des zèbres, des sangliers, deux lions de belle taille et une girafe. Le sympathique propriétaire n'est pas avare en anecdotes passionnantes, mais l'endroit déplaira aux opposants à la chasse. Repérez le panneau sur la route indiquant : "Have you seen a giraffe today?"

Draugasetrið EXPOSITION
(Maison des fantômes ; www.draugasetrid.is ; Hafnargata 9 ; adulte/enfant 2 000/1 000 ISK, 3 500/1 500 ISK, combiné avec l'entrée à Icelandic Wonders ; ⏲ 13h-18h juin-août). Draugasetrið, au dernier étage d'un grand entrepôt noir et bordeaux, dans le centre, est une véritable maison hantée tenue par une bande d'ados assoiffés de sang. Un audioguide de 50 minutes (en français notamment) raconte 24 histoires de fantômes à glacer le sang. Âmes sensibles s'abstenir. Sur place, un café a vue sur l'eau. De l'autre côté du bâtiment, le centre **Icelandic Wonders** (☎ 483 1202 ; adulte/enfant 1 500/990 ISK ; ⏲ 11h-18h juin-août) présente trolls, elfes et aurores boréales (plus adapté aux jeunes enfants).

Orgelsmiðjan FACTEUR D'ORGUES
(☎ 566 8130 ; www.orgel.is ; Hafnargata 9 ; adulte/enfant 700 ISK/gratuit ; ⏲ 10h-18h lun-ven, sur rdv sam-dim). Unique facteur d'orgues en Islande, Björgvin Tómasson ouvre son atelier aux visiteurs, où il organise des expositions et parfois des concerts. Dans l'entrepôt de Draugasetrið, côté rivage.

Rjómabúið á Baugsstöðum BÂTIMENT HISTORIQUE
(Crèmerie de Baugsstaðir ; ☎ 483 1082 ; www.husid.com ; 500 ISK ; ⏲ 13h-18h sam-dim juil-août, ou sur rdv). À 6 km à l'est de Stokkseyri, cette vieille laiterie de 1905 a gardé ses machines d'époque. Sa production était en majorité commercialisée en Angleterre.

Sundlaug Stokkseyrar PISCINE, HOT POT
(☎ 480 3260 ; adulte/enfant 600 ISK/gratuit ; ⏲ 13h-21h lun-ven, 10h-17h sam-dim juin à mi-août, horaires réduits le reste de l'année). Piscine municipale et *hot pots* très appréciés.

Circuits organisés

Kajakferðir Stokkseyri KAYAK
(☎ 868 9046 ; www.kajak.is ; Heiðarbrún 24 ; ⏲ avr-oct). Explorez le lagon tout proche, ou aventurez-vous sur l'océan en kayak (sorties 4 950-7 850 ISK). Bureau à la piscine du village, Sundlaug Stokkseyrar.

Où se loger et se restaurer

Pour un repas bon marché, optez pour le grill de la station-service Shell.

Art Hostel AUBERGE DE JEUNESSE €
(☎ 854 4510 ; Hafnargata 9 ; d avec/sans sdb 14 000/12 400 ISK ; ⏲ café 13h-17h juin-août). Au 1er étage de l'entrepôt-centre culturel, au-dessus d'une galerie de photographies, de peintures et de mosaïques, vous trouverez des chambres rénovées récemment, de la petite double au grand studio avec sdb et four à micro-ondes. Il y a aussi un café. Réservations sur www.booking.com.

Kvöldstjarnan PENSION €
(Étoile du soir ; ☎ 483 1800 ; www.kvoldstjarnan.is ; Stjörnusteinum 7 ; d sans sdb petit-déj inclus 14 500 ISK, app 3 ch 34 700 ISK ; 📶). Les 5 chambres lumineuses sont équipées de lavabos et de couettes en plumes. Un espace détente, un barbecue et une cuisine étincelante complètent le tableau. Le père du propriétaire actuel a créé les superbes

parterres de fleurs, malgré les embruns océaniques. Un appartement est également disponible.

Við Fjöruborðið POISSON €€
(☎483 1550 ; www.fjorubordid.is ; Eyrabraut 3a ; plats 2 600-5 550 ISK ; ⏲12h-21h juin-août, 12h-17h sept-mai ;). Ce grand restaurant de fruits de mer au bord de l'eau, derrière la petite digue, est réputé pour servir l'une des meilleures bisques d'Islande. Dégustez-la en compagnie des gens du cru, dans un décor de flotteurs en verre et autres objets de marine. Pour le dîner, réservez.

Depuis/vers Stokkseyri

Strætó (☎540 2700 ; www.bus.is) :
- Bus n°74 Selfoss-Stokkseyri-Eyrarbakki-Þorlákshöfn (350 ISK, 20 min, 3/jour lun-ven).
- Bus n°75 Selfoss-Eyrarbakki (350 ISK, 20 min, 8/jour lun-ven).

Flóahreppur

En étant si proche de la partie la plus fréquentée de la Route circulaire, ce décor bucolique formé par les pâturages qui descendent doucement jusqu'à la mer est surprenant. Bordée au nord par la Route circulaire, à l'ouest par la Route 34, à l'est par le Þjórsá, et au sud par l'Atlantique, cette petite région agricole offre quelques hébergements dans des fermes tranquilles.

Où se loger et se restaurer

Gaulverjaskóli HI Hostel AUBERGE DE JEUNESSE €
(☎551 0654 ; www.south-hostel.is ; Gaulverjaskóli ; empl 1 000 ISK/adulte, dort/d 4 500/13 500 ISK ; ⏲fév à mi-nov ;). Les sympathiques propriétaires ont mis tout leur cœur pour rénover cette ancienne école, désormais une auberge de jeunesse et un camping paisibles, avec une belle salle commune sous les combles et une cuisine spacieuse. Dans un hameau au beau milieu d'une immense zone agricole, à 9 km de Stokkseyri, sur la route côtière regagnant Selfoss.

Petit-déjeuner et ragoût d'agneau peuvent se commander à l'avance. Remise de 600 ISK pour les membres HI.

Vatnsholt PENSION €€
(☎899 7748 ; www.hotelvatnsholt.is ; Vatnsholti 2 ; d avec/sans sdb 23 000/19 000 ISK, f à partir de 33 000 ISK ; ⏲mi-fév à mi-déc ; @). Une merveilleuse adresse si vous voyagez avec des enfants, à 16 km au sud-est de Selfoss, à 8 km de la Route circulaire. Plus de 30 chambres lumineuses sont réparties dans un grand corps de ferme avec vue sur l'Eyjafjallajökull, l'Hekla, les Vestmannaeyjar et les fumerolles de Hveragerði.

Vous pourriez bien y séjourner plus longtemps que prévu, car vous y trouverez des vélos à louer, un restaurant, une ménagerie (avec en vedette Elvis, la chèvre qui danse) et une aire de jeux très bien aménagée.

Selfoss

Plus grande ville du sud de l'Islande, Selfoss est un important centre de commerce, tout à fait inesthétique. Ici, la Route circulaire devient la rue principale – on ne s'y arrête que pour prendre une correspondance de bus ou acheter des provisions. Si vous avez du temps entre deux bus, Selfoss possède une agréable **piscine géothermale** (☎480 1960 ; Bankavegur ; adulte/enfant 600 ISK/gratuit ; ⏲6h30-21h30 lun-ven, 9h-19h sam-dim) avec *hot pots* et toboggans.

Circuits organisés

Iceland South Coast Travel CIRCUITS ORGANISÉS
(☎777 0705 ; www.isct.is). Circuits sur la côte sud (à partir de 19 900 ISK), au Cercle d'or, aux îles Vestmann ou à la Jökulsárlón. L'agence est basée à Selfoss, mais on peut vous récupérer à Reykjavík ou ailleurs sur la côte sud.

Où se loger

Geirakot PENSION €
(☎482 1020 ; geirakot@simnet.is ; s/d sans sdb petit-déj inclus 9 500/15 000 ISK ;). Geirakot est une bonne alternative à Selfoss si vous avez besoin de faire une halte. Une famille sympathique a rénové la petite ferme laitière des grands-parents et l'a transformée en pension accueillante. Le petit-déjeuner, préparé avec des produits régionaux, est savoureux et servi dans de la porcelaine. Option duvet à 4 800 ISK. Réservez via Icelandic Farm Holidays : www.farmholidays.is.

Gesthús CAMPING, PENSION €
(☎482 3585 ; www.gesthus.is ; Engjavegur 56 ; empl 1 000 ISK/pers, d sans sdb 14 600 ISK ;). Dans ce lieu agréable près du parc, vous avez le choix entre le camping, les chambres doubles dans des bungalows de 2 chambres

Selfoss

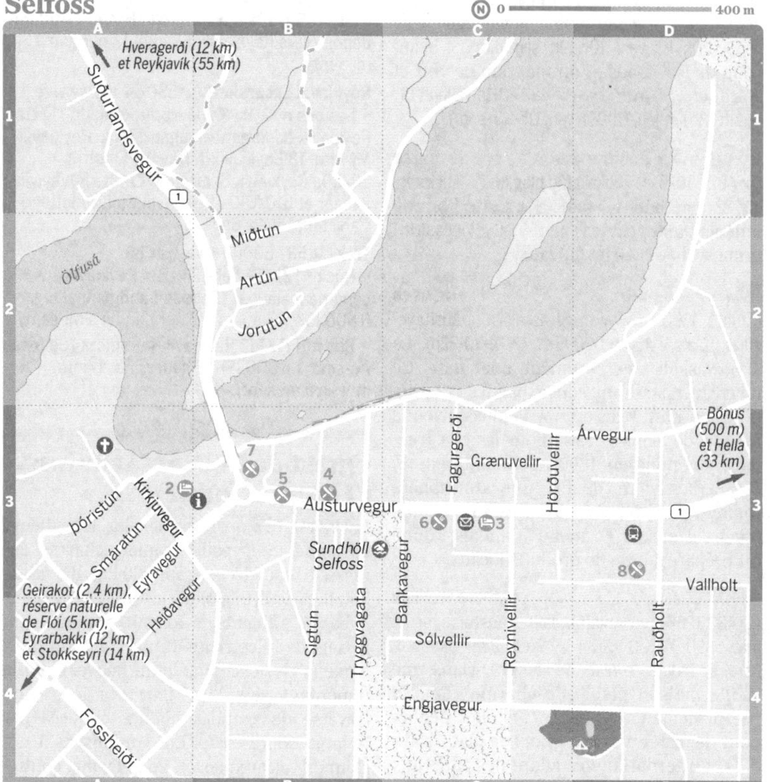

Selfoss

Où se loger

1 Gesthús D4
2 Hótel Selfoss A3
3 Selfoss HI Hostel C3

Où se restaurer

4 Kaffi Krús B3
5 Krónan B3
6 Sunnlenska Bókakaffið C3
7 Tryggvaskála B3
8 Vínbúðin D3

avec cuisine et sdb partagée, ou bien la maison d'été avec bureau, kitchenette et TV. Les *hot pots* coûtent 250 ISK pour les campeurs ; gratuits pour les autres clients.

Selfoss HI Hostel AUBERGE DE JEUNESSE €
(B&B Hostel ; ☎ 482 1600 ; www.hostel.is ; Austurvegur 28 ; dort/d sans sdb 5 000/12 000 ISK ; wifi). Vastes espaces communs équipés de fauteuils confortables, mais l'ambiance est plus fonctionnelle que conviviale. Remise de 700 ISK pour les membres HI.

Hótel Selfoss HÔTEL €€€
(☎ 480 2500 ; www.hotelselfoss.is ; Eyravegur 2 ; s/d à partir de 31 900/37 500 ISK ; @ wifi). Ce mastodonte de 99 chambres situé près du pont présente un extérieur disgracieux, mais l'intérieur est calme, les chambres sont élégantes et fonctionnelles, et il dispose de très bons équipements, dont un grand spa et un excellent restaurant (plats 3 600-5 900 ISK). Prenez une chambre avec vue sur la jolie rivière plutôt que sur le morne parking.

Où se restaurer

Selfoss est le meilleur endroit du sud de l'Islande pour faire ses provisions avant de partir dans les régions reculées. On y trouve les plus grands supermarchés, dont **Bónus** (☎ 481 3710 ; Larsenstræti 5 ; 11h-18h30 lun-jeu, 10h-19h30 ven, 10h-18h sam, 11h-18h dim) et Krónan (☎585 7195 ; Austurvegur 3-5 ; 10h-20h lun-ven, 10h-19h sam-dim) ; beaucoup de fast-foods et un magasin de vins et spiritueux : Vínbúðin (☎482 2011 ; Vallholt 19 ; 11h-18h lun-jeu, 11h-19h ven, 11h-16h sam).

Sunnlenska Bókakaffið CAFÉ €
(☎482 3079 ; bokakaffid.blog.is ; Austurvegur 22 ; 12h-18h lun-sam ;). Cette librairie indépendante (livres neufs et d'occasion) propose aussi café et gâteaux.

♥ **Tryggvaskáli** ISLANDAIS €€
(☎482 1390 ; www.tryggvaskali.is ; Austurvegur 1 ; plats 2 460-5 000 ISK ; 11h30-22h). Le Tryggvaskáli vaut vraiment une halte. Ce nouveau restaurant conçu par les propriétaires du Kaffi Krús occupe la plus ancienne maison de Selfoss (bâtie pour les constructeurs du pont en 1890). Joliment rénové, face à la rivière, il offre une atmosphère romantique, avec des salles intimes et une touche d'ancien. Le menu islandais raffiné est préparé à base de produits locaux.

Kaffi Krús INTERNATIONAL €€
(☎482 1266 ; www.kaffikrus.is ; Austurvegur 7 ; plats 890-3 000 ISK ; 9h30-23h juin-août, horaires réduits le reste de l'année). Dans une vieille maison pleine de charme, dans la rue principale. On peut s'installer dehors pour déguster un vaste choix de plats islandais et internationaux, allant des pâtes aux nachos.

Renseignements

Centre d'information touristique
(☎480 1990 ; tourinfo.arborg.is ; Eyravegur 2 ; 10h-19h lun, 9h-19h mar-ven, 10h-16h sam mai-août). Dans le même bâtiment que l'hôtel Selfoss. L'office du tourisme de Hveragerði est plus intéressant.

Depuis/vers Selfoss

La plupart des bus entre Reykjavík et Höfn, Skaftafell, Fjallabak, Þórsmörk, Flúðir, Gullfoss, Laugarvatn et Vík s'arrêtent à la station-service N1 de Selfoss.

Strætó (☎540 2700 ; www.straeto.is) :
- Bus n^os^51 et 52 Reykjavík-Vík/Höfn et Reykjavík-Landeyjahöfn (1 400 ISK, 50 min, 11/jour lun-ven, 8/jour sam-dim).
- Bus n^os^72 et 73 Selfoss-Flúðir (1 750 ISK, 40-60 min, 2-3/jour).
- Bus n°74 Selfoss-Stokkseyri-Eyrarbakki-Þorlákshöfn (350-700 ISK, 3/jour lun-ven).
- Bus n°75 Selfoss-Eyrarbakki (350 ISK, 20 min, 8/jour lun-ven).

Sterna (☎551 1166 ; www.sterna.is) :
- Bus n^os^12/12a Reykjavík-Vík-Höfn, (1 400 ISK depuis/vers Reykjavík, 55 min, 1/jour juin à mi-sept).

Reykjavík Excursions (☎580 5400 ; www.re.is) :
- Les bus n^os^9/9a Reykjavík-Þórsmörk, 11/11a Reykjavík-Landmannalaugar, 17/17a Reykjavík-Mývatn, 18 Reykjavík-Álftavatn-Emstrur, 20/20a Reykjavík-Skaftafell, 21/21a Reykjavík-Skógar et 610/610a Reykjavík-Kjölur-Akureyri s'arrêtent tous à Selfoss.

Trex (☎587 6000 ; www.trex.is) :
- Bus n^os^T21/T22 et T23/T24 Reykjavík-Landmannalaugar (Selfoss-Landmannalaugar 6 800 ISK, 3 heures, 2/jour mi-juin à mi-sept).
- Bus n^os^T11/T12 Reykjavík-Þórsmörk (Selfoss-Þórsmörk 5 800 ISK, 2 heures 45, 1/jour mi-juin à mi-sept).

Ouest de la Þjórsárdalur (Thjórsárdalur)

Le Þjórsá (Thjórsá) est le plus long fleuve d'Islande. Son cours rapide charrie des masses d'eau glaciales sur 230 km, du Vatnajökull et de l'Hofsjökull jusqu'à l'Atlantique. Avec ses affluents, il fournit pratiquement le tiers de l'électricité du pays. La Route 32 longe la rive occidentale du fleuve, et en la remontant vers l'intérieur des terres, on traverse de grandes plaines coupées par le large cours d'eau, qui conduisent à des champs volcaniques et, au-delà, aux contreforts montagneux. Cette zone relativement peu fréquentée par les touristes recèle des ruines datant des Vikings, des cascades secrètes et des paysages fluviaux évoquant la préhistoire.

C'est l'un des itinéraires les plus empruntés pour se rendre à Landmannalaugar (d'où part le célèbre sentier du Laugavegurinn) en voiture (4x4 uniquement sur la Route F26). On peut aussi, en l'absence de 4x4, effectuer un circuit en boucle d'une journée en remontant de ce côté de la vallée, en traversant le fleuve après l'usine hydroélectrique de Búrfell et en redescendant de l'autre côté de la vallée jusqu'à Hella par la Route 26. Il n'y a pas de transports en commun.

Árnes et ses environs

Dans le hameau d'Árnes, près du carrefour des Routes 30 et 32, un grand bâtiment blanc abrite l'utile Þjórsárstofa (centre d'accueil des visiteurs du Þjórsá ; ☎486 6115 ; www.thjorsarstofa.is ; 10h-18h juin-août). GRATUIT Expositions multimédia et excellent film en son *surround* (gratuit) de 10 minutes sur la vallée et ses splendeurs. Bon restaurant sur place.

Où se loger et se restaurer

Árnes HI Hostel AUBERGE DE JEUNESSE, CAMPING €
(☎486 6048 ; www.hostel.is ; empl 1 000 ISK/adulte, dort 3 900 ISK ; 📶). Cette auberge de jeunesse n'est pas la plus confortable du monde, mais les chambres à lits jumeaux et l'espace dortoir sont pratiques, et il y a une cuisine pour les clients et une petite piscine à proximité (500 ISK ; ouverte juin-août).

Hótel Hekla HÔTEL €€
(☎486 5540 ; www.hotelhekla.is ; Brjánsstaðir ; d/qua 30 000/46 200 ISK ; @📶). En remontant la vallée du Þjórsá, ce complexe hôtelier est situé tout près de la Route 30, 17 km avant Árnes. Les grandes chambres doubles sont modernes, avec TV à écran plat ; les superbes chambres familiales sont plus grandes encore. Le salon a des allures de bibliothèque chaleureuse, et le restaurant propose de bons classiques islandais à base de produits locaux. Également *hot pot* et sauna.

Restaurant du Þjórsárstofa ISLANDAIS €€
(Matstofan ; plats 950-3 200 ISK ; ⏲9h-21h juin-août ; 📶). Le centre d'accueil des visiteurs du Þjórsá possède un bon restaurant proposant des recettes régionales toujours renouvelées ainsi que des bières locales.

Depuis/vers Árnes

Depuis le carrefour des Routes 30 et 32, Árnes est desservi par le bus **Strætó** (☎540 2700 ; www.straeto.is) n°76 (2/jour lun-ven), ainsi que par les bus n[os]72 et 73. (Les bus pour Landmannalaugar passent plus à l'est.)

Stöng, Búrfell et leurs environs

La vallée du Þjórsá devient sauvage en amont, offrant des paysages toujours plus inhabituels et spectaculaires. Il n'y a pas d'hébergement.

À voir

Les sites suivants sont classés dans l'ordre où vous les rencontrerez en remontant la Route 32 vers le nord-est.

Hjálparfoss CASCADE
Plus loin sur la Route 32, entre Árnes, Stöng et Þjóðveldisbær (Thjóðveldisbær), un court détour (1 km) par un chemin signalisé conduit aux ravissantes chutes de **Hjálparfoss**, qui dévalent des orgues basaltiques en une double cascade se jetant dans une piscine bleue.

♥ **Stöng** VESTIGES
GRATUIT Ensevelie sous les cendres en 1104, lors d'une éruption de l'Hekla, cette ancienne ferme fut jadis la propriété de Gaukur Trandilsson, un Viking du Xe siècle à la vie tumultueuse. Fouillé en 1939 (lors des premiers véritables chantiers archéologiques dans le pays), Stöng est un site important qui a permis de dater des maisons vikings situées ailleurs. Ses ruines sont couvertes d'un grand toit de bois, au bout d'un chemin plein d'ornières qui quitte la Route 32 environ 20 km après Árnes (4x4 recommandé, surtout après une averse).

Les quelques connaissances sur Gaukur Trandilsson proviennent de graffitis du XIIe siècle retrouvés aux Orcades, de la *Saga de Njáll le Brûlé* et d'un poème médiéval relatant une aventure avec la matrone de Steinastöðum, la ferme voisine, et sa mort au cours du duel à la hache qui s'en était suivi. À méditer en explorant le site, où vous verrez des fosses à feu en pierre et des linteaux de porte en colonnes de basalte octogonales, dans un paysage de lave d'une austérité impressionnante.

♥ **Gjáin** CANYON
Un sentier derrière la ferme de Stöng vous conduira 2 km plus loin jusqu'à un joli petit vallon étrange et verdoyant jalonné de formations laviques, de grottes irréelles et de cascades spectaculaires : Gjáin. Le nom veut simplement dire "faille". L'endroit a servi de décor pour la série *Game of Thrones*.

Háifoss CASCADE
Depuis Stöng, une marche de 10 km vers le nord-est sur une piste conduit à la deuxième plus haute chute du pays : Háifoss, qui plonge de 122 m depuis le rebord d'un plateau. La majeure partie de la piste est aussi praticable en 4x4.

Þjóðveldisbærinn BÂTIMENT REMARQUABLE
(☎488 7713 ; www.thjodveldisbaer.is ; adulte/enfant 700 ISK/gratuit ; ⏲10h-18h juin-août). Cette reproduction de Stöng copie fidèlement l'agencement de la ferme et l'église voisine. Près de l'entrée de la centrale hydroélectrique de Búrfell.

♥ **Centrale hydroélectrique de Búrfell** EXPOSITION
(www.landsvirkjun.com ; ⏲10h-17h juin-août). GRATUIT Sur la Route 32, avant qu'elle ne traverse le

Þjórsá, la centrale de Búrfell, ornée de l'une des plus monumentales sculptures de Sigurjón Ólafsson, ouvre à ses visiteurs un centre multimédia réellement impressionnant. Des jeux permettent de créer de l'énergie hydroélectrique, et des expositions expliquent les énergies osmotique, éolienne, marémotrice et solaire. Le grondement des turbines, que l'on peut visiter, emplit toute la centrale, et l'on peut aussi admirer un camion de pompiers pour les enfants. L'endroit frappe par son étrangeté en contraste avec le paysage sauvage alentour.

Est de la Þjórsárdalur

Entre le hameau d'Hella au sud et Landmannalaugar au nord, les vastes plaines inondables du fleuve Þjórsá qui partent de la mer se fondent avec des formations volcaniques et des champs de lave de plus en plus hallucinants jusqu'à atteindre l'Hekla – l'un des volcans les plus menaçants d'Islande.

Route 26 (vers l'Hekla et Landmannalaugar)

La route qui mène à l'Hekla – la Route 26 – longe plusieurs élevages de chevaux proposant des randonnées équestres, et serpente jusqu'à la Route 32, que vous pouvez redescendre sur le versant ouest, tout aussi spectaculaire, de la vallée du Þjórsá.

La plupart des bus qui conduisent à Landmannalaugar (p. 146) passent par la Route 26 et Leirubakki.

À voir et à faire

Heklusetrið EXPOSITION
(centre de l'Hekla ; ☎ 487 8700 ; www.leirubakki.is ; Leirubakki ; adulte/enfant 800/400 ISK ; ⏱ 9h-22h juin-août). Le centre de l'Hekla fait partie de l'ensemble Leirubakki qui comprend camping, hôtel, restaurant et station-service. Il détaille l'histoire explosive de l'Hekla au travers d'expositions multimédia, dans un décor volontairement obscur, entrecoupé d'effets lumineux. On y apprend qu'une éruption aurait dû avoir lieu depuis un bon moment. On peut aussi s'y renseigner sur les environs, faire des **randonnées à cheval** ou des **balades à pied**.

Circuits organisés

Les nombreux élevages de chevaux de la région proposent des randonnées, et la plupart d'entre eux également un hébergement. Comptez 6 500-9 000 ISK pour une balade de 1 heure, 13 000 ISK pour une randonnée de 3 heures, en sachant que les tarifs peuvent baisser pour les groupes.

Hekluhestar ÉQUITATION
(☎ 487 6598 ; www.hekluhestar.is ; Austvaðsholt). Cette famille franco-islandaise propose des randonnées de 6-8 jours à travers les hautes terres, et un hébergement avec option duvet (4 000 ISK, draps 2 000 ISK).

Herríðarhóll ÉQUITATION
(☎ 487 5252 ; www.herridarholl.is ; Herríðarhóli). Randonnées sur plusieurs jours ou courtes balades, et accueil chaleureux pour les voyageurs souhaitant simplement séjourner à la ferme (d avec sdb partagée 16 900 ISK). À l'ouest d'Hella, puis 6 km au nord de la Route circulaire sur la Route 284.

Hestheimar ÉQUITATION
(☎ 487 6666 ; www.hestheimar.is). Un élevage familial près d'une petite rivière qui propose randonnées, location de chevaux et différentes formes d'hébergement confortable. Sur la Route 281, à 7 km au nord-ouest d'Hella.

Kálfholt ÉQUITATION
(☎ 487 5176 ; www.kalfholt.is ; Kálfholt 2, Ásahreppi). Cette ferme familiale offre l'une des plus belles gammes de randonnées, à l'heure, à la journée, ou de 2-8 jours, pour tous niveaux. Sur la Route 288, à 17 km à l'ouest d'Hella, au sud de la Route circulaire. Logement confortable dans deux petits bungalows (7 500 ISK/pers petit-déj inclus).

Où se loger et se restaurer

La plupart des fermes équestres (ci-dessus) des plaines aux alentours d'Hella disposent d'hébergements pour leurs cavaliers, mais nombre d'entre elles accueillent également d'autres voyageurs. Les campeurs peuvent planter leur tente à **Laugaland** (☎ 895-6543 ; www.tjalda.is/en/laugaland ; empl 900 ISK/adulte) ou à l'Hótel Leirubakki.

Rjúpnavellir COTTAGE, CAMPING €
(☎ 892 0409 ; www.rjupnavellir.is ; Landsveit ; camping 900 ISK/pers ; 📶). Là où la route cesse d'être goudronnée, vous trouverez ces deux chalets où l'on peut dormir dans son duvet (3 800 ISK) et faire sa cuisine. Il y a aussi un cottage pour 6 personnes (18 000 ISK). C'est l'hébergement le plus proche du carrefour des Routes 26 et F225. Les douches coûtent 300 ISK, les draps 1 750 ISK.

HEKLA

Le plus célèbre et le plus actif volcan d'Islande, l'Hekla, doit son nom (qui signifie "l'encapuchonné") à son sommet (1 491 m), presque toujours enveloppé d'un nuage menaçant. L'Hekla a exprimé sa fureur de nombreuses fois à travers les siècles, si bien qu'au Moyen Âge, on le considérait comme la porte de l'enfer.

Les colons de l'époque des Vikings venaient à peine de construire des fermes sur les riches sols volcaniques aux abords de l'Hekla qu'elles furent ensevelies sous les cendres lors de l'éruption de 1104 qui dévasta tout dans un rayon de 50 km. Depuis, il y a eu 15 éruptions majeures. Celle de l'an 1300 recouvrit de cendres plus de 83 000 km^2.

Ces derniers temps, l'Hekla a connu des phases éruptives régulières tous les 10 ans. Les cendres contiennent beaucoup de fluor et ont empoisonné des milliers de moutons. L'éruption de 2000 a par ailleurs produit une petite coulée pyroclastique (coulée de fragments de magma et de gaz extrêmement dévastatrice car elle dévale à plus de 130 km/h et peut atteindre une température de 800°C). En vous promenant dans la région, cherchez de la pierre ponce grise… elle vient probablement de l'Hekla.

Les gens du pays vivent en sachant que la grande montagne peut se réveiller à tout moment ; une éruption aurait dû se produire depuis longtemps.

Pour en savoir plus sur l'Hekla, allez voir l'exposition à Leirubakki (p. 136).

Ascension de l'Hekla

Il est possible de faire l'ascension de l'Hekla. De multiples petits séismes se produisent habituellement 30 minutes à 1 heure 20 avant une éruption, mais sinon, rares sont les signes précurseurs. Ne tentez l'aventure qu'un jour où le sommet est dégagé et emportez de l'eau en abondance (les cendres assoiffent). Les ascensions se font surtout entre juin et septembre.

Sur la Route 26, un petit parking marque l'embranchement de la route de montagne F225 (à environ 45 km au nord-est d'Hella). Les voitures de location non assurées pour les routes F doivent stationner là, d'où il reste un long chemin poussiéreux (16 km) à parcourir jusqu'au pied du volcan (on peut tenter le stop).

Avec un gros 4×4, vous pouvez continuer sur la F225 jusqu'au départ de la piste au pied de l'Hekla (14,7 km environ) ; les véhicules les plus robustes pourront faire quelques kilomètres de plus, mais la plupart devront se garer là. De cette piste, un sentier bien balisé monte jusqu'à la crête du flanc nord-est de la montagne, puis au cratère du sommet. À cette altitude, le sommet est souvent couvert de neige, mais le sol du cratère reste chaud. Comptez 3 heures 30 de marche depuis le pied du volcan.

Sinon, des circuits sur mesure en Super-Jeep peuvent être organisés depuis n'importe quel endroit de la région.

Hótel Leirubakki HÔTEL €€

(☎ 487 8700 ; www.leirubakki.is ; Leirubakki ; empl 1 000 ISK/adulte, d avec/sans sdb petit-déj inclus 29 900/22 600 ISK, plats 1 890-5 690 ISK ; @ 📶). Cette grande ferme est l'un des derniers avant-postes avant les volcans et les hautes terres. La maison bien tenue et l'hôtel, plus moderne, offrent un bon point de chute à ceux qui veulent faire l'ascension de l'Hekla. Le restaurant propose un assortiment de spécialités islandaises (agneau et truite du ruisseau situé tout près). Il y a un super *hot pot* dans le champ de lave, une station-service N1, et un hébergement avec option duvet à 5 900 ISK.

ℹ Depuis/vers Leirubakki

Les bus pour Landmannalaugar s'arrêtent à Leirubakki.

Trex (☎ 587 6000 ; www.trex.is) :

➡ Bus n^{os}T21/T22 et T23/T24 Reykjavík-Landmannalaugar (Leirubakki-Landmannalaugar : 4 200 ISK, 1 heure 45, 2/jour mi-juin à mi-sept).

Reykjavík Excursions (☎ 580 5400 ; www.re.is) :

➡ Bus n^{os}11/11a Reykjavík-Landmannalaugar (Reykjavík-Leirubakki : 5 500 ISK, 2 heures, 1/jour mi-juin à mi-sept).

➡ Bus n^{os}17/17a Reykjavík-Mývatn (Leirubakki-Mývatn 14 500 ISK, 9 heures 15, 3/jour fin juin-août).

Hella et ses environs

Cette petite communauté agricole, sur les rives de la jolie rivière Ytri-Rangá, se trouve dans une région d'élevage de chevaux. C'est le village le plus proche de l'Hekla, couronné de brume, 35 km plus au nord. Carrefour vers de nombreux sites intéressants, Hella devient une étape très fréquentée.

À voir et à faire

Le village d'Hella présente peu d'intérêt pour les visiteurs, sinon d'être un point de chute pour des randonnées équestres ou des expéditions plus lointaines. La coopérative artisanale **Hekla Handverkshús** (☎864 5531 ; Þrúðvangur 35 ; ⌚13h-17h mai-sept, sam-dim oct-avr) fait office de bureau d'information touristique.

Sundlaugin Hellu PISCINE GÉOTHERMALE, HOT POT

(☎487 5334 ; Útskálum 4 ; adulte/enfant 600/250 ISK ; ⌚6h30-21h lun-ven, 12h-18h sam-dim juin à mi-août, horaires réduits le reste de l'année). Le premier site d'intérêt à Hella est probablement sa superbe piscine géothermale, avec *hot pots*, sauna et un amusant toboggan (avr-oct) qui plaira aux enfants.

Circuits organisés

Mud Shark PÊCHE, 4X4

(☎691 1849 ; www.mudshark.is). Propose des parties de pêche depuis le rivage (60 000 ISK) ou une excursion en Super-Jeep à la plage de sable noir de Þykkvibær (15 000 ISK) ; rabais pour les groupes.

Où se loger et se restaurer

Les hébergements et restaurants d'Hella sont corrects, mais ne reflètent pas la splendeur du cadre naturel. Le bourg possède un **supermarché Kjarval** (☎585 7585 ; Suðurlandsvegur 1) flanqué d'une petite boulangerie.

Árhús CAMPING €

(☎487 5577 ; www.arhus.is ; Rangárbakkar 6 ; empl tente 2 500 ISK, cottage avec/sans sdb à partir de 16 500/12 400 ISK, plats 2 000-5 000 ISK ; wifi). Au bord de la rivière, juste au sud de la Route circulaire, Árhús offre un ensemble de cottages (de la simple chambre au cottage entier avec kitchenette et sdb), un grand espace de camping, une cuisine pour les hôtes et un très bon restaurant (12h-22h).

Stracta Hótel HÔTEL €€

(☎531 8010 ; www.stractahotels.is ; Rangárflatir 4 ; d avec/sans sdb petit-déj inclus à partir de 26 500/17 000 ISK, studio pour 3/6 pers petit-déj inclus à partir de 33 000/43 200 ISK, dîner

LES EDDA

Le monastère médiéval d'**Oddi**, à Rangárvellir, environ 8 km au sud d'Hella, sur la Route 266, est le lieu où furent rassemblés les Edda, les plus anciens livres de poésie de l'âge viking qui nous soient parvenus. Écrit par le poète et historien Snorri Sturluson vers 1222, l'*Edda en prose*, qui se voulait un traité de poésie, comporte des descriptions détaillées de la langue et de la métrique utilisées par les *scaldes* (poètes de cour). Il comprend aussi le *Gylfaginning*, un poème épique qui décrit le voyage de Gylfi, le roi de Suède, à Ásgard, la citadelle des dieux. Ce faisant, le poème révèle des mythes de la Création, des histoires des dieux et le sort qui attend les hommes au Ragnarök, quand viendra la fin du monde.

L'*Edda poétique*, rédigé au XIIIe siècle par Sæmundur Sigfússon, est une compilation d'œuvres de poètes vikings inconnus, dont certains antérieurs à la colonisation de l'Islande. La première, *Voluspá* (*Prédiction de la voyante*), est un poème cosmologique et eschatologique qui présente des similitudes avec la Genèse et l'Apocalypse. Des poèmes ultérieurs traitent de la découverte par Óðinn du pouvoir des runes et de la légende de Siegfried et des Nibelung, reprise par Wagner dans la *Tétralogie*. Le poème le plus populaire reste sans doute *Þrymskviða*, l'histoire du géant Thrym qui vola le marteau de Þór (Thór) et n'accepta de le restituer qu'à condition d'épouser la déesse Freyja. Pour récupérer son marteau, Thór prit l'aspect de la fiancée pour se rendre au mariage à sa place. Une partie du poème décrit ses manières déconcertantes lors du banquet, durant lequel il avala un bœuf entier, huit saumons et trois outres d'hydromel.

Aujourd'hui, Oddi est une simple église entourée de fermes.

5500 ISK ; 📶). Le Stracta, flambant neuf, est le premier d'une chaîne d'hôtels touristiques haut de gamme lancée par le footballeur islandais Hermann Hreiðarsson. La gamme s'étend de la chambre double moderne et confortable jusqu'aux studios équipés (four à micro-ondes et réfrigérateur) et aux appartements 2 pièces pour les familles. Le restaurant à l'étage offre une vue panoramique sur les îles Vestmann et les volcans, tandis que le bistrot (10h-1h) donne sur le spa et le jardin.

Guesthouse Nonni PENSION €€

(☎ 894 9953 ; www.bbiceland.com ; Arnarsandur 3 ; s/d sans sdb petit-déj inclus 16 200/17 700 ISK ; 📶). Tenue par la sympathique Nonni, qui adore concocter de copieux petits déjeuners pour ses hôtes (pain frais et gaufres en forme de fleur), cette petite pension située dans une rue résidentielle compte 5 chambres aux murs lambrissés, desservies par une cage d'escalier en liège.

Guesthouse Brenna MAISON €€

(☎ 487 5532 ; guesthousebrenna.wordpress.com ; Þrúðvangur 37 ; maison 25 000 ISK). Cette jolie maison en bord de rivière peut accueillir 8 personnes. Elle comprend une petite cuisine, un lave-linge et un salon douillet. Comptez 1 000 ISK pour les draps. Les prix baissent si on séjourne plus longtemps. Pas de location de chambres individuelles.

Hótel Rangá HÔTEL €€€

(☎ 487 5700 ; www.hotelranga.is ; Suðurlandsvegur ; d/ste petit-déj inclus à partir de 48 400/89 400 ISK, plats déj 2 600-3 700 ISK, plats dîner 4 400-9 900 ISK ; @📶). Au sud de la Route 1, à 8 km à l'est d'Hella, l'hôtel Rangá ressemble à une cabane en bois, mais offre un accueil haut de gamme aux voyageurs. Le service est parfait, les chambres sont lambrissées et les luxueuses parties communes sont confortables. Le restaurant donne sur de vastes prairies. Ceux qui en ont les moyens pourront être tentés par une suite du "World Pavilion".

La suite "Asia", ressemblant à un ryokan, est apparemment la favorite de Charlize Theron !

Hellubió INTERNATIONAL €€

(☎ 853 7777 ; Þrúðvangur 32 ; plats 2 000-5 000 ISK). Ce grand relais argenté décoré de pots de fleurs à l'avant se distingue par sa carte simple de cuisine locale (soupe de langoustine, hamburgers, etc.), sa bière à la pression et son délicieux gâteau au chocolat. Sans oublier le sympathique personnel.

ℹ Depuis/vers Hella

Les bus s'arrêtent à la station-service Olís.

Strætó (☎ 540 2700 ; www.straeto.is) :
➡ Bus n^os^51 et 52 Reykjavík-Vík-Höfn et Reykjavík-Landeyjahöfn (Reykjavík-Hella 2 450 ISK, 1 heure 30, 5/jour).

Sterna (☎ 551 1166 ; www.sterna.is) :
➡ Bus n^os^12/12a Reykjavík-Vík-Höfn (Reykjavík-Hella 2 200 ISK, 1 heure 30, 1/jour juin à mi-sept).

Reykjavík Excursions (☎ 580 5400 ; www.re.is) :
➡ Les bus n^os^9/9a Reykjavík-Þórsmörk, 11/11a Reykjavík-Landmannalaugar, 17/17a Reykjavík-Mývatn, 18 Reykjavík-Álftavatn-Emstrur, 20/20a Reykjavík-Skaftafell et 21/21a Reykjavík-Skógar s'arrêtent tous à Hella (2 500 ISK).

Trex (☎ 551 1166 ; www.trex.is) :
➡ Bus n^os^T21/T22 et T23/T24 Reykjavík-Landmannalaugar (Hella-Landmannalaugar 5 500 ISK, 2 heures 15, 2/jour mi-juin à mi-sept).
➡ Bus n^os^T11/T12 Reykjavík-Þórsmörk (Hella-Þórsmörk 4 200 ISK, 2 heures, 1/jour mi-juin à mi-sept).

Hvolsvöllur et ses environs

Les fermes aux alentours de Hvolsvöllur furent le théâtre des sanglants événements de la *Saga de Njáll le Brûlé*. Aujourd'hui, les sites évoqués dans la saga n'existent plus guère que sous la forme de noms de ruines recouvertes d'herbes folles ou de bâtiments agricoles modernes. Hvolsvöllur n'est guère qu'un arrêt-ravitaillement, avec deux stations-service et quelques maisons.

À voir et à faire

♥ Sögusetrið MUSÉE

(☎ 487 8781 ; www.njala.is ; Hliðarvegur 14 ; adulte/enfant 900 ISK/gratuit ; ⏲ 9h-18h mi-mai à mi-sept, 10h-17h sam-dim mi-sept à mi-mai). Le musée de la Saga de Hvolsvöllur est consacré aux événements dramatiques de la *Saga de Njáll*, qui s'est déroulée dans les collines alentour. Une exposition interactive montre les moments clés du drame. En 2013, la réalisation de la **Tapisserie de la Saga de Njáll** (www.njalurefill.is ; ⏲ 10h-18h mar-sam juin-août, horaires réduits sept-mai), longue de 90 m, a commencé ; vous pouvez ajouter quelques points de broderie à cet énorme projet collectif moyennant 1 000 ISK, ou

LA SAGA DE NJÁLL LE BRÛLÉ

L'une des sagas favorites des Islandais est également l'une des plus compliquées (et des plus longues). Elle implique deux voisins et amis, Gunnar Hámundarson et Njáll Þorgeirsson. Une mesquine querelle entre leurs épouses va dégénérer en une telle escalade de violence que presque tous les personnages périront. Rédigée au XIIIe siècle, cette saga part d'événements ayant eu lieu au Xe siècle dans les collines autour de Hvolsvöllur.

Le héros, Gunnar, originaire d'Hlíðarendi (près de Fljótsdalur), épouse la belle Hallgerður, aux longues jambes mais "aux yeux de voleuse". Hallgerður se brouille avec Bergþóra, l'épouse de Njáll. La situation devient très tendue entre Gunnar et Njáll lorsque Hallgerður et Bergþóra font assassiner leurs domestiques réciproques.

Au cours d'un épisode important, Hallgerður envoie un domestique dérober des vivres chez un dénommé Otkell. Quand, de retour chez lui, Gunnar découvre qu'on lui sert des mets volés, son courroux éclate. "Ce serait vraiment pitié que je me fasse complice d'un vol", dit-il en giflant son épouse – geste qui reviendra sans cesse le hanter.

Par une suite de circonstances, Gunnar finit par tuer Otkell et se retrouve proscrit et condamné à l'exil. Alors qu'il quitte son foyer à cheval, sa monture trébuche et le fait tomber de selle. Jetant un dernier coup d'œil à sa ferme bien-aimée d'Hlíðarendi, il se sent incapable de quitter la vallée et décide de rester. Ses ennemis se rassemblent pour assiéger sa ferme, mais Gunnar réussit à repousser les assaillants jusqu'au moment où la corde de son arc casse. Quand Gunnar demande à Hallgerður de tresser une mèche de ses cheveux pour réparer son arc, celle-ci refuse, lui rappelant la gifle qu'il lui a donnée des années plus tôt... et Gunnar est tué.

Le conflit se poursuit, car les membres du clan de Gunnar et de Njáll cherchent à venger l'assassinat des leurs. Njáll, quant à lui, joue les intermédiaires pour ramener la paix entre les familles, en établissant des traités entre ces dernières, en vain. Njáll et son épouse sont assiégés dans leur ferme. Réfugié dans son lit avec son petit-fils, le couple se laisse brûler vif.

Seul survivant de l'incendie de la ferme, le gendre de Njáll, Kári, assigne les incendiaires en justice, en tue certains de sa propre main, puis finit par se réconcilier avec son ennemi juré, Flosi, celui qui avait ordonné de brûler la famille de Njáll.

simplement l'admirer. Il y a aussi aussi un **café** dans une maison longue et **un point d'information touristique** (brochures, cartes, et personnel serviable).

Keldur VESTIGES
(☎530 2200 ; www.thjodminjasafn.is ; 700 ISK ; ⊙10h-17h mi-juin à mi-août). À 5 km à l'ouest de Hvolsvöllur, la Route 264, non revêtue, serpente vers le nord sur environ 8 km dans la vallée de Rangárvellir jusqu'à la ferme médiévale de Keldur, au toit couvert d'herbe. Ce site historique appartenait autrefois à Ingjaldur Höskuldsson, un personnage de la *Saga de Njáll le Brûlé*. Le site appartient au Musée historique national.

Circuits

♥ South Iceland Adventures RANDONNÉE, AVENTURE
(☎770 2030 ; www.siadv.is). L'une des agences de circuits d'aventure les plus prisées du sud de l'Islande. Son fondateur, Siggi Bjarni, connaît bien la région et est un excellent guide pour les randonnées du Fimmvörðuháls ou du Laugavegurinn. Parmi les nombreuses excursions à la journée proposées (on vient vous chercher), figurent des sorties en Super-Jeep (Eyjafjallajökull 31 900 ISK, Landmannalaugar 37 900 ISK), du canyoning et de l'escalade de glaciers. Circuits également en hiver.

Où se loger et se restaurer

Les hébergements et la cuisine n'étant pas extraordinaires en ville, mieux vaut rester dans la campagne alentour. Il y a un grill dans chaque station-service ; le **marché de producteurs** (Sveitamarkaðurinn Hvolsvelli ; ⊙9h-18h juin-août) propose peu de victuailles, mais il y a un supermarché Kjarval.

Vestri-Garðsauki PENSION €
(☎487 8078 ; www.gardsauki.is ; d sans sdb 12 000 ISK ; 📶). Installée près de la Route 1, cette sympathique famille d'exploitants

agricoles islando-allemands loue, en été, 4 chambres simples et propres situées au sous-sol mais très lumineuses. Les propriétaires proposent des promenades tranquilles aux environs, à pied ou en voiture, et peuvent même organiser des petites balades en avion.

Bergþórshvoll PENSION €
(☎487 7715 ; www.bergthorshvoll.is ; d/qua sans sdb 12 000/16 000 ISK). Cette pension, qui rappelle un peu les années 1970, occupe le site de l'ancienne ferme de Njáll, et on y élève maintenant des moutons. Chambres confortables dans une maison commune avec cuisine, laverie et un grand salon donnant le volcan. À 21 km au sud de Hvolsvöllur, non loin de la mer ; on y accède par la Route 255 puis la 252.

Hótel Hvolsvöllur HÔTEL €€
(☎487 8050 ; www.hotelhvolsvollur.is ; Hlíðarvegur 7 ; s/d petit-déj inclus 23 500/28 300 ISK ; @). Ce grand hôtel d'allure morne est plus agréable qu'il n'y paraît. Ses 64 chambres sont constamment rafraîchies (les dernières rénovées ont désormais des planchers en bois et des sdb étincelantes), et le personnel est accueillant.

Gallerí Pizza RESTAURATION RAPIDE €€
(☎487 8440 ; Hvolsvegur 29 ; plats 1 600-2 950 ISK ; 12h30-22h dim-jeu, 12h30-22h ven-sam). Derrière la grand-route, un endroit animé, sans prétention, où les gens du coin viennent grignoter sur des sièges de vinyle. Le hamburger à la béarnaise est particulièrement apprécié.

Eldstó Art Café CAFÉ €€
(www.eldsto.is ; Austurvegur 2 ; plats 1 390-2 700 ISK ; 8h-22h juin-août ;). L'Eldstó propose du café tout frais, des plats du jour maison (comme la soupe à la noix de coco et au curry) et quelques tables dehors donnant sur la Route circulaire. Les propriétaires, des céramistes, proposent aussi un hébergement à l'étage.

Depuis/vers Hvolsvöllur

Des bus s'arrêtent à Hvolsvöllur en direction de Þórsmörk.

Strætó (☎540 2700 ; www.straeto.is) :
➡ Bus n^os^51 et 52 Reykjavík-Vík-Höfn et Reykjavík-Landeyjahöfn (Reykjavík-Hvolsvöllur 2800 ISK, 1 heure 30, 5/jour).

Sterna (☎551 1166 ; www.sterna.is) :
➡ Bus n^os^12/12a Reykjavík-Vík-Höfn (Reykjavík-Hvolsvöllur 2 500 ISK, 1 heure 45, 1/jour juin à mi-sept).

Reykjavík Excursions (☎580 5400 ; www.re.is) :
➡ Les bus n^os^9/9a Reykjavík-Þórsmörk, 18 Álftavatn-Reykjavík, 20/20a Reykjavík-Skaftafell, et 21/21a Reykjavík-Skógar (Reykjavík-Hvolsvöllur 3 000 ISK) s'arrêtent tous à Hvolsvöllur.

Trex (☎587 6000 ; www.trex.is) :
➡ Bus n^os^T11/T12 Reykjavík-Þórsmörk (Hvolsvöllur-Þórsmörk 4 200 ISK, 1 heure 30, 1/jour mi-juin à mi-sept).

De Hvolsvöllur à Skógar

Après Hvolsvöllur, la Route circulaire progresse vers l'est en direction de Skógar et croise trois routes secondaires importantes. Fljótshlíð (Route 261), à l'extrémité est de Hvolsvöllur ; la Route 254, qui longe la côte sur 12 km vers le sud en direction de Landeyjahöfn (p. 167) d'où part le ferry pour les Vestmannaeyjar ; et la Route 249, qui rallie Þórsmörk en direction du nord. En restant sur la Route circulaire, vous parviendrez au pied de l'imposant Eyjafjallajökull, rendu célèbre par son éruption de cendres de 2010.

Fljótshlíð

La route 261 longe le tapis de mousse verte au pied des luxuriantes collines de Fljótshlíð, offrant de jolis panoramas sur des cascades, comme la **Gluggafoss**, d'un côté, et sur le delta de la Markarfljót et le glacier de l'Eyjafjallajökull, de l'autre.

La partie goudronnée de la route se termine près de l'église et de la ferme de **Hlíðarendi**, où habitait Gunnar Hámundarson, de la *Saga de Njáll le Brûlé*. Avec un 4x4, on peut continuer sur la Route F261 en direction de Landmannalaugar et du

RÉSERVEZ !

De Hvolsvöllur à Vík, beaucoup de fermes se doublent de jolies pensions rurales. L'endroit est très beau, mais extrêmement fréquenté, et tout affiche complet en été. Il est indispensable de réserver.

Nous ne citons que les meilleures références. Consultez les sites d'Icelandic Farm Holidays (www.farmholidays.is) et de Booking.com pour un choix plus large, ainsi que la carte régionale gratuite *Rangárþing Mýrdalur* (disponible dans les offices du tourisme), qui fournit une liste exhaustive.

Tindafjöll, paradis des randonneurs. Bien que Þórsmörk semble tout proche, on ne peut l'atteindre que par la Route F249.

Circuits organisés

South Iceland Adventures (p. 140) organise des randonnées et des sorties de canyoning dans le Tindfjöll et dans la région.

Óbyggðaferðir QUAD
(☎661 2503 ; www.atvtravel.is ; Lambalæk). Randonnées en quad près de l'Eyjafjallajökull, de Þórsmörk et au-delà. Comptez 18 000/25 000 ISK pour une excursion de 3-4 heures en quad monoplace/biplace, 46 000/58 000 ISK pour une journée.

Où se loger et se restaurer

♥ **Fljótsdalur HI Hostel** AUBERGE DE JEUNESSE €
(☎487 8498 ; www.hostel.is ; Fljótshlíð ; dort 4 100 ISK ; ⏲mi-mars à oct). Très spartiate, cette auberge plaira à ceux qui cherchent une base simple, reculée et paisible pour randonner dans les hautes terres. Joli jardin, cuisine et salon chaleureux, excellente bibliothèque et vue époustouflante sur les montagnes. Il n'y a que 7 matelas nus au grenier et 2 chambres de 4 lits en bas. Réservez. Remise de 700 ISK pour les membres HI.

L'auberge se trouve à 27 km à l'est de Hvolsvöllur et la route est abrupte vers la fin. Apportez vos provisions.

♥ **Hótel Fljótshlíð** HÔTEL €€
(ferme Smáratún ; ☎487 1416 ; www.smaratun.is ; Smáratún ; empl 1 300 ISK/pers, d avec/sans sdb 23 000/12 400 ISK, cottage à partir de 23 700 ISK ; 📶). Cette jolie ferme blanche au toit bleu, à 12,5 km à l'est de Hvolsvöllur, loue des maisons d'été pour 4-6 personnes, des chambres, version hôtel chic ou pension, moins chères (avec commodités communes), des espaces pour ceux qui possèdent un duvet (4 400 ISK) et des emplacements pour tente. Le mari est aux fourneaux du restaurant et son épouse emmène ses hôtes en balade en fin de journée dans les plaines inondables, en leur racontant l'éruption de 2010.

Route 249/F249 (vers Þórsmörk)

La route de Þórsmörk (249/F249) commence sur la rive gauche (est) de la Markarfljót, et part de la Route circulaire vers le nord. Elle se transforme vite en piste spectaculaire pour 4x4 ; quelques sites intéressants jalonnent néanmoins le premier tronçon accessible en voiture ordinaire.

Les bus qui desservent Þórsmörk (impossible à atteindre avec une voiture ordinaire à cause des rivières) marquent un arrêt à Seljalandsfoss.

À voir et à faire

♥ **Seljalandsfoss et Gljúfurárbui** CASCADES
Depuis la Route circulaire, on aperçoit les belles chutes élevées de Seljalandsfoss, qui se précipitent d'un escarpement rocheux dans un profond bassin vert. Un sentier (glissant) mène derrière ce rideau d'eau. Quelques centaines de mètres plus loin sur la route de Þórsmörk, la chute de Gljúfurárfoss se déverse dans un canyon caché. Les bus des compagnies Sterna et Reykjavík Excursions qui circulent entre Reykjavík et Skógar s'arrêtent à Seljalandsfoss.

Circuits

♥ **Southcoast Adventure** CIRCUITS AVENTURE
(☎867 3535 ; www.southadventure.is). Cette agence est animée par une équipe enthousiaste qui connaît très bien la région, composée de secouristes expérimentés ayant une excellente réputation. Réservez des visites sur mesure en Super-Jeep (2/5 heures à partir de 14 900/29 900 ISK) de Þórsmörk à Landmannaulagar ou des randonnées plus longues comme le Fimmvörðuháls ou le Laugavegurinn. Ils proposent aussi de la motoneige, des excursions aux volcans, des randonnées glaciaires et des expéditions hivernales. Leur bureau d'information est à Hamragarðar (ci-dessous) sur la Route 249, accessible aux véhicules ordinaires.

Où se loger et se restaurer

Hamragarðar CAMPING €
(☎867 3535 ; camping 1 200 ISK/pers). Campez juste à côté de la cascade secrète de Gljúfurárbui, au début de la Route 249. Le petit café (9h-23h juin-août) sert des gâteaux et du café, et dispose d'une laverie et d'une cuisine commune, ainsi que d'un espace information consacré à Southcoast Adventure.

♥ **Stóra-Mörk III** PENSION, COTTAGES €€
(☎487 8903 ; www.storamork.com ; option duvet 3 900 ISK, d avec/sans sdb 16 300/11 500 ISK). À environ 5 km au-delà des chutes (toujours sur la Route 249), une piste mène à la ferme historique de Stóra-Mörk III, mentionnée dans la *Saga de Njáll le Brûlé*. Elle propose de grandes chambres chaleureuses réparties entre deux bâtiments (avec installations communes). Le bâtiment principal abrite

des chambres avec sdb privatives, une grande cuisine et une salle à manger bénéficiant d'une vue superbe sur la montagne et la mer. Sans oublier les 2 nouveaux cottages.

Route 1 (sous l'Eyjafjallajökull)

La Route circulaire (Route 1) traverse directement la zone d'inondation qui a été recouverte par les cendres durant la fameuse éruption de 2010. Des fermes et des pensions sont installées çà et là.

À voir

Centre d'accueil des visiteurs de l'Eyjafjallajökull EXPOSITION
(487 8815 ; www.icelanderupts.is ; Þorvaldseyri ; adulte/enfant 750 ISK/gratuit ; 9h-18h juin-août, 10h-16h mai et sept, 11h-16h oct-avr). Ce centre, à environ 7 km de Skógar, est situé dans une ferme sur le versant sud de l'Eyjafjallajökull, touchée par l'éruption de 2010. Un film de 20 minutes (habituellement en anglais) raconte ce que la famille a vécu, depuis les menaces d'éruption jusqu'aux conséquences dévastatrices des cendres. Il fait revivre les moments de tendresse familiale et l'arrivée des secours locaux venus dégager la ferme ensevelie sous les cendres.

Seljavallalaug PISCINE GÉOTHERMALE
GRATUIT Seljavallalaug est une piscine tranquille qui date de 1923, alimentée par une source chaude naturelle. En venant d'Edinborg (7 km à l'ouest de Skógar), suivez la Route 242 et les panneaux indiquant Seljavellir. Garez-vous près de la ferme et remontez à pied la jolie rivière pendant une dizaine de minutes.

Circuits organisés

Skálakot ÉQUITATION
(487 8953 ; www.skalakot.com). Skálakot, 15 km à l'ouest de Skógar sur la Route 246, est un élevage de chevaux qui offre un choix de courtes balades (1 heure 6 000 ISK) et des randonnées plus longues (5 heures entre glacier et plage 27 000 ISK). Différents hébergements sont aussi proposés.

Où se loger et se restaurer

Skálakot PENSION, SÉJOUR À LA FERME €
(487 8953 ; www.skalakot.com ; dort 3 500 ISK, d sans sdb 12 000 ISK, séjour à la ferme en pension complète 17 000 ISK). Les bâtiments récents de l'élevage de chevaux de Skálakot offrent hébergement en dortoirs, chambres d'hôtes avec sdb partagées et séjours à la ferme. À 15 km à l'ouest de Skógar sur la Route 246.

Country Hotel Anna AUBERGE €€
(487 8950 ; www.hotelanna.is ; Moldnúpur ; s/d petit-déj inclus 19 800/26 900 ISK, plats 4 200-5 00 ISK ;). Anna, qui a donné son nom à l'auberge, a écrit des livres sur ses voyages à travers le monde. Ses descendants perpétuent sa passion des voyages en louant 7 chambres délicieusement désuètes avec leurs meubles anciens et leurs dessus-de-lit brodés. L'hôtel et son petit restaurant (ouvert de 18h à 20h, de mai à mi-sept) se trouvent au pied du volcan sur la Route 246.

Guesthouse Edinborg PENSION €€
(566 7979 ; www.greatsouth.is ; Lambafell ; d petit-déj inclus 21 500 ISK ; @). Anciennement Hótel Edinborg (et toujours indiqué sous ce nom depuis la grand-route), cette haute ferme au toit métallique abrite d'attrayantes chambres avec sdb et lits confortables, ainsi qu'un espace salon sous les combles, avec vue sur le glacier. Malgré la proximité de la Route circulaire, on a une véritable impression d'isolement. Les propriétaires tiennent aussi, tout près, l'**Hótel Lambafell** (487 1212 ; www.lambafell.is ; Lambafell ; d/qua petit-déj inclus à partir de 20 000/35 200 ISK ;).

Drangshlið HÔTEL €€
(487 8868 ; Route 1 ; s/d petit-déj inclus 17 000/24 600 ISK, plats 3 600-4 900 ISK ; @). Cette ferme vieille de 200 ans, à 3 km à l'ouest de Skógar, s'est récemment développée. Chambres confortables, quoique sans superflu, dont les meilleures, plus grandes, se trouvent dans le bâtiment à l'arrière, certaines donnant sur les prairies.

LES VOLCANS VUS D'AVION

Atlantsflug (854 4105 ; www.flightseeing.is). De l'aéroport de Bakki, à 5 km au nord-ouest de Landeyjahöfn sur la côte, Atlantsflug propose des survols de 30-75 minutes (22 300-44 000 ISK) de l'Eyjafjallajökull, des glaciers et des hautes terres, ainsi que des vols pour Heimaey, aux Vestmannaeyjar (îles Vestmann ; 8 000 ISK aller). Départs aussi de Skaftafell et de Reykjavík.

Le restaurant (18h-21h) a également été agrandi pour accueillir les groupes. Réservez via Icelandic Farm Holidays (www.farmholidays.is).

Gamla Fjósið ISLANDAIS €€
(☎487 7788 ; www.gamlafjosid.is ; Hvassafell ; plats 1 100-6 500 ISK ; 11h-21h juin-août, horaires réduits sept-mai). Construit dans une ancienne étable en activité jusqu'en 1999, ce charmant restaurant propose surtout des produits de la ferme frais et des plats de viande - des hamburgers à la "soupe du volcan", un ragoût de viande épicé. Les tables bien cirées, les grandes étagères, tout comme le personnel souriant, égaient le décor de poutres basses et de plancher en bois.

Skógar

Skógar est niché sous la calotte de glace de l'Eyjafjallajökull, tout près de la Route circulaire. Cette petite localité touristique est le point de départ (et parfois d'arrivée) de la randonnée vers Þórsmörk par le col de Fimmvörðuháls, et c'est l'un des centres d'activités du Sud-Ouest. Du côté ouest, vous verrez la Skógafoss, une chute vertigineuse qui tombe sur une falaise moussue ; et du côté est, vous trouverez le passionnant musée des Arts et Traditions populaires.

À voir

Musée des Arts et Traditions populaires MUSÉE
(Skógasafn ; ☎487 8845 ; www.skogasafn.is ; adulte/enfant 1 750 ISK/gratuit, bâtiments extérieurs seuls 800 ISK ; musée 9h-18h juin-août, 10h-17h mai et sept, 11h-16h oct-avril). Ce superbe musée couvre tous les aspects de la vie islandaise. Sa vaste collection a été rassemblée sur plus de 75 ans par Þórður Tómasson, un nonagénaire. Il comprend aussi des bâtiments restaurés (église, ferme au toit herbeux, étables, etc.) et un grand édifice moderne qui abrite un intéressant musée des Transports et des Communications, le café Skógakaffi (10h-17h) et une boutique.

Skógafoss CASCADE
La spectaculaire chute de Skógafoss tombe d'une falaise de 62 m de hauteur, à la lisière ouest de Skógar. Un escalier abrupt menant au sommet offre des vues vertigineuses ; on peut aussi marcher au pied de ce rideau d'eau nimbé d'écume propice aux arcs-en-ciel. La légende raconte qu'un colon nommé Þrasi aurait caché un coffre rempli d'or derrière la cascade.

Circuits organisés

Plusieurs grands tour-opérateurs installés à Skógar proposent des visites des merveilles naturelles de la région telles que glaciers et volcans. Aux environs de Skógar, Southcoast Adventure (p. 142) organise notamment des randonnées avec guide sur le col de Fimmvörðuháls, et South Iceland Adventures (p. 140), à Hvolsvöllur, propose des treks, des expéditions en Super-Jeep, des randonnées glaciaires, etc. Ces deux prestataires, excellents, peuvent vous prendre à Skógar.

Icelandic Mountain Guides AVENTURE
(☎587 9999, bureau de Skógar 894 2956 ; www.mountainguide.is). L'un des plus grands tour-opérateurs du pays, Icelandic Mountain Guides, possède une agence à Reykjavík et une antenne à Skógar. Ici, elle propose des randonnées et escalades glaciaires au Sólheimajökull (8 900-25 900 ISK), des guides pour la randonnée de Fimmvörðuháls (26 900 ISK), et bien d'autres excursions plus lointaines. L'agence sert aussi de centre d'information et de réservation (visites guidées, équitation, hébergement) et peut vous prendre à Reykjavík.

Arcanum AVENTURE
(☎487 1500 ; www.arcanum.is). Ce prestataire prisé organise des randonnées glaciaires au Sólheimajökull (7 000 ISK, tlj), de l'escalade glaciaire (14 000 ISK), des circuits en Super-Jeep ou en quad, et d'autres activités adaptées à tous les âges. Arcanum dispose d'un petit bureau de réservation à Fossbúð (p. 146), mais est basé à la ferme d'Ytri-Sólheimar I, à 11 km à l'est de Skógar. L'agence peut venir vous chercher à Reykjavík et offre aussi un hébergement sur place.

Où se loger et se restaurer

Bien que Skógar, tourné vers le tourisme, compte un bon choix d'hébergements, il est important de réserver bien à l'avance en haute saison.

Camping de Skógar CAMPING €
(1 200 ISK/pers ; juin-août). Très bel emplacement, juste à côté des chutes de Skógafoss, où l'on est bercé par le bruit relaxant de la cascade. Le camping est équipé d'un petit bloc sanitaire avec l'eau courante ; on règle à l'auberge de jeunesse voisine.

RANDONNÉE DU FIMMVÖRÐUHÁLS

La randonnée du Fimmvörðuháls, du nom d'un col entre deux glaciers, vous émerveillera par son concentré de nature sauvage. Ralliant Skógar à Þórsmörk, ce trek de 23,4 km peut être divisé en trois étapes de longueur à peu près égale. Comptez environ 10 heures pour la randonnée complète (haltes de repos comprises) et pour découvrir les résidus encore fumants de l'éruption de l'Eyjafjallajökull. La meilleure période se situe entre juillet et mi-septembre. Préparez soigneusement votre sac ; vous pourrez traverser les quatre saisons en une même randonnée. Si vous hésitez, prenez un guide : les circuits guidés sont très bons ici, et il existe deux passages difficiles.

➡ **Étape 1 : Le chemin de la cascade.** De Skógafoss au "pont". Le départ s'effectue à droite de la cascade de Skógafoss. Le sentier monte rapidement au-delà, révélant une série de chutes juste derrière. Restez près de l'eau en franchissant de petits rochers, à travers des arbres tortueux ; il existe 22 cascades, toutes magnifiques. Le chemin redevient ensuite plat et les arbres cèdent la place aux buissons. Puis embarquez sur le "pont", une sorte de passerelle au-dessus de la rivière tumultueuse. Il est impératif de traverser à l'endroit indiqué, sous peine de ne pouvoir rejoindre Þórsmörk par la suite.

➡ **Étape 2 : Le cendrier.** Du "pont" à la zone d'éruption. Après la traversée du pont, du côté gauche de la rivière, on entre dans le cœur sombre du col entre les deux glaciers : l'Eyjafjallajökull et le Mýrdalsjökull. Le temps est très variable à cet endroit ; il peut pleuvoir sur le col alors que le soleil brille sur Skógar. Au début de l'été, pensez à vous couvrir avant de traverser les fossés de glace. À partir d'août, la région ressemble à une sorte de cendrier géant. Si vous voulez effectuer la randonnée en deux jours, il existe un refuge pour 20 personnes à 600 m du sentier principal, soit environ la moitié du chemin de cette section (ne confondez pas avec le refuge d'urgence de Baldvinsskáli, facilement repérable). Il s'agit de **Fimmvörðuskáli** (☎ 893 4910 ; www.utivist.is ; N 63°37.320', W 19°27.093' ; 4 200 ISK/pers), qui est géré par l'agence Útivist (dont les clients l'occupent souvent entièrement : réservez !). Il peut être difficile à trouver par mauvais temps. Il n'existe pas de camping. En continuant, on découvre la zone d'éruption initiale de l'Eyjafjallajökull. Vous y verrez des fumerolles et les plus jeunes montagnes du monde, Magni et Móði. Grimpez jusqu'au sommet de la première et faites rôtir quelques saucisses sur une fumerolle brûlante.

➡ **Étape 3 : Goðaland.** De la zone d'éruption à Þórsmörk. Après la descente depuis Magni, la dernière partie de la randonnée commence. Le paysage de cendres continue un moment avant de céder la place à un royaume irréel, tout droit sorti d'un conte de fées. Goðaland, ou "pays des dieux", porte bien son nom. On y admire des fleurs sauvages arctiques avec des cathédrales de pierre en toile de fond. Des étendues de verdure se déploient jusqu'à Þórsmörk.

Bien que la randonnée soit relativement courte comparée à certains célèbres treks islandais, il est important d'emporter un GPS, notamment pour la seconde partie, où l'itinéraire n'est pas toujours évident. Voici neuf coordonnées GPS pour les voyageurs indépendants :

1. N 63°31.765, W 19°30.756 (départ)
2. N 63°32.693, W 19°30.015
3. N 63°33.741, W 19°29.223
4. N 63°34.623, W 19°26.794 (le "pont")
5. N 63°36.105, W 19°26.095
6. N 63°38.208, W 19°26.616 (début de la zone d'éruption)
7. N 63°39.118, W 19°25.747
8. N 63°40.561, W 19°27.631
9. N 63°40.721, W 19°28.323 (arrivée à Básar)

Hótel Edda Skógar HÔTEL €
(☎444 4000 ; www.hoteledda.is ; d sans sdb 15 200 ISK ; ⊙début juin-fin août ;). Proche du musée, cet hôtel très commode et moins défraîchi que les autres établissements de la même chaîne occupe 2 bâtiments. Toutes les chambres partagent des sdb.

Skógar HI Hostel AUBERGE DE JEUNESSE €
(☎487 8801 ; www.hostel.is ; dort/d 4 100/11 200 ISK ; ⊙fin mai à mi-sept ;). Bonne adresse de la chaîne HI, à deux pas des chutes de Skógafoss, dans une ancienne école aux chambres fonctionnelles. Avec cuisine et laverie (800 ISK).

♥ **Skógar Guesthouse** PENSION €€
(☎894 5464 ; www.skogarguesthouse.is ; s/d sans sdb petit-déj inclus 17 000/23 100 ISK ;). Cette jolie ferme blanche est cachée derrière les arbres, après l'hôtel Edda, presque au bord de la falaise. Une famille sympathique propose des chambres élégantes et impeccables aux draps frais et aux couettes douillettes, une grande cuisine et des sdb immaculées, ainsi qu'un Jacuzzi extérieur sur une terrasse en bois à l'ombre des érables. Tout en étant au centre de Skógar, on se sent loin de la foule des touristes.

Hótel Skógafoss HÔTEL €€
(☎487 8780 ; www.hotelskogafoss.is ; d avec/sans vue sur la cascade 20 000/14 900 ISK, plats 1 200-2 300 ISK). Cet hôtel flambant neuf (2014) dispose de chambres simples et modernes (dont la moitié ont vue sur les chutes), avec de superbes sdb. Le bistrot-bar (11h-21h30 juin-sept), dont les grandes baies vitrées donnent sur la cascade, est l'un des meilleurs endroits de la localité où boire et manger ; on y sert de la bière locale à la pression.

Hótel Skógar HÔTEL €€€
(☎487 4880 ; www.hotelskogar.is ; s/d petit-déj inclus 30 300/34 400 ISK, plats 3 000-4 900 ISK ;). Cet hôtel à l'architecture intéressante offre de petites chambres variées, décorées de jolies antiquités, dont certaines ont vue sur les collines. La chambre "deluxe" à l'étage possède un très grand lit et donne sur la cascade. *Hot tub* et sauna dans le jardin, ainsi qu'un bon restaurant élégant (12h-15h et 18h-22h), complètent l'ensemble.

On peut également louer une maison non loin.

Fossbúð RESTAURATION RAPIDE €€
(☎487 4880 ; plats 1 200-3 000 ISK ; ⊙7h-21h juin-août ;). Ce restaurant fait plutôt office d'épicerie et de fast-food : soupes, salades, hamburgers, sandwichs, chips et barres chocolatées. L'agence Arcanum (p. 144) tient un petit bureau ici.

Depuis/vers Skógar

Strætó (☎540 2700 ; www.bus.is) :
- Bus n°51 Reykjavík-Vík-Höfn (Reykjavík-Skógar 4 200 ISK, 2 heures 30, 2/jour).

Sterna (☎551 1166 ; www.sterna.is) :
- Bus n^os^12/12a Reykjavík-Vík-Höfn (Reykjavík-Skógar 3 600 ISK, 2 heures 15, 1/jour juin à mi-sept).

Reykjavík Excursions (☎580 5400 ; www.re.is) :
- Bus n^os^20/20a Reykjavík-Skaftafell (Reykjavík-Skógar 6 000 ISK, 3 heures 15, 1/jour mi-juin à début sept).
- Bus n^os^21/21a Reykjavík-Skógar (Reykjavík-Skógar 6 000 ISK, 3 heures, 2/jour mi-juin à août).

Landmannalaugar

Avec ses montagnes multicolores époustouflantes, ses sources chaudes apaisantes, ses coulées de lave et ses lacs bleu clair, Landmannalaugar est un site absolument unique, et incontournable pour les explorateurs. C'est le chouchou des Islandais comme des étrangers... du moins lorsque la météo joue le jeu !

Landmannalaugar (600 m au-dessus du niveau de la mer), qui fait partie de la réserve naturelle de Fjallabak, comprend le plus grand champ géothermique d'Islande après la caldeira du Grímsvötn, au Vatnajökull. Ses sommets sont faits de rhyolite, une lave riche en minéraux qui refroidit très lentement, ce qui lui donne des couleurs incroyables.

La région est le point de départ officiel du fameux trek du Laugavegurinn (p. 149) et se prête à d'autres belles randonnées à la journée.

Activités

Beaucoup d'activités sont proposées à Landmannalaugar et alentour. Cependant, de nombreux randonneurs passent à côté des merveilles de la région pour débuter directement leur trek de plusieurs jours jusqu'à Þórsmörk. Si vous prévoyez de rester, sachez que la foule est moins dense le soir, et que malgré le chaos apparent de la base, les collines offrent un véritable havre de paix.

Sources chaudes

À 200 m du refuge de Landmannalaugar, des sources chaudes et froides surgissent depuis le dessous du Laugahraun et se déversent dans un bassin naturel pour vous offrir un bain divin. On pourrait traduire Landmannalaugar par "la piscine des gens du pays"… et ils y sont !

Équitation

Landmannalaugar propose des **sorties à cheval** (☎868 5577 ; www.hnakkur.com) entre juillet et mi-août. Une randonnée d'une heure coûte 7 500 ISK/personne, une journée complète 23 000 ISK. Les élevages de chevaux dans les plaines avoisinant Hella organisent aussi des excursions (plus longues) dans la région de Landmannalaugar.

Randonnée

Si vous prévoyez de randonner une journée à Landmannalaugar, arrêtez-vous à la maison du garde forestier pour acheter une carte des excursions à la journée (300 ISK) qui indique les meilleurs sentiers de la région.

Les jours nuageux, partez pour la journée au mal nommé **Ljótipollur** ("affreuse mare"), un incroyable cratère rouge rempli d'une eau d'un bleu éclatant. Le rouge intense de ses parois provient de dépôts de minerai de fer. Bizarrement, bien que formé lors d'une éruption, ce lac est riche en truites. Le chemin traverse différents paysages qui sont un régal pour les yeux, des déserts de téphra, des coulées de lave, des marécages et des vallées glaciaires accidentées. Pour arriver jusqu'ici, montez en haut du **Norðurnámur** (786 m), ou traversez simplement au pied de la montagne en direction de l'ouest pour rejoindre la route du Ljótipollur (10-13,3 km aller-retour, selon le trajet).

S'il fait beau, vous pouvez grimper au sommet du **Brennisteinsalda**, dont les versants striés d'arcs-en-ciel sont ponctués de colonnes de vapeur et de dépôts de soufre, pour admirer ce superbe paysage rude et bigarré (6,5 km aller-retour depuis Landmannalaugar). Du Brennisteinsalda, il faut 1 heure 30 par la route de Þórsmörk (Thórsmörk) pour arriver à l'impressionnante zone géothermique de **Stórihver**.

Le lac bleu de **Frostastaðavatn** s'étend derrière la crête de rhyolite, au nord du refuge de Landmannalaugar. Derrière l'arête, vous serez récompensé par les différents points de vue (de près et de loin) sur les étonnantes formations rocheuses et les coulées de lave couvertes de mousse autour du lac. En faisant l'aller ou le retour en marchant, prévoyez 2-3 heures en tout pour parvenir au rivage et explorer un peu le secteur.

Les randonnées avec guide (proposées par les tour-opérateurs de Hvolsvöllur et Skógar) sont également un très bon moyen d'explorer la région.

Où se loger et se restaurer

Landmannalaugar possède une grande base avec camping et refuge, qui, en plein été, ressemble à un camp de fortune, avec des centaines de tentes, quelques constructions envahies de randonneurs, et du linge qui sèche un peu partout. La base, baptisée tout simplement **Landmannalaugar** (☎860 3335 ; N 63°59.600', W 19°03.660' ; refuge 7 000 ISK/pers) est gérée par Ferðafélag Íslands (Icelandic Touring Association), tout comme les refuges sur le parcours du Laugavegurinn, dont le site Web est une mine d'informations. La base peut accueillir 75 personnes et possède un bloc cuisine et des douches (500 ISK la douche chaude). Plusieurs gardes forestiers veillent sur le site. Les campeurs peuvent planter leur tente aux endroits prévus (1 200 ISK/pers) et accéder aux toilettes et aux douches. Le camping sauvage est strictement interdit, puisque toute la zone fait partie de la réserve naturelle protégée de Fjallabak.

L'ouverture de la base est fonction de la période où les routes sont dégagées : entre fin mai et courant juin. Elle ferme mi-octobre, parfois plus tôt s'il y a beaucoup de neige ou s'il faut couper l'eau.

Lors de notre passage, on parlait de limiter ou même de fermer le camping et les refuges de Landmannalaugar, mais cela semble peu probable, du moins dans un avenir proche.

Sur le site de Landmannalaugar, vous trouverez le **Mountain Mall** (www.landmannalaugar.info), installé dans deux bus, qui vend des articles de base allant des bonnets au thé, en passant par les cartes, les permis de pêche et le poisson frais pêché dans les lacs de montagne environnants.

Renseignements

Les gardiens du refuge de Landmannalaugar répondront à vos questions et vous conseilleront sur les itinéraires. Ils vendent une carte des randonnées à la journée (300 ISK) et de celle du Laugavegurinn (1 700 ISK), ainsi qu'une brochure en anglais et en islandais sur cet itinéraire (1 900 ISK). Notez que les gardiens ne sont pas météorologues (tout le monde leur demande s'il va pleuvoir...). Le départ pour le trek du Laugavegurinn, indiqué en rouge, se trouve derrière le refuge.

Lors de notre passage, à défaut de Wi-Fi, il y avait une couverture réseau pour les téléphones mobiles.

Depuis/vers Landmannalaugar

BUS

Des bus semi-amphibies permettent de rejoindre Landmannalaugar en venant de trois directions différentes :

Depuis Reykjavík Des bus arpentent la partie occidentale de la piste de Fjallabak qui suit d'abord la Route 26 à l'est du Þjorsá (Thjorsá) vers la F225.

Depuis Skaftafell Des bus suivent la piste de Fjallabak (F208).

Depuis Mývatn Des bus traversent les hautes terres via Nýidalur, sur la piste de Sprengisandur (F26 ; p. 329).

Il est possible de venir de Reykjavík et de passer 2 à 6 heures à Landmannalaugar avant de regagner la capitale, ou 3 heures avant de continuer vers Skaftafell. Cela suffit pour faire trempette dans les sources chaudes et/ou une courte randonnée. Les horaires varient, mais les bus du matin arrivent généralement à Landmannalaugar vers midi. À l'heure où nous écrivons ces lignes, le dernier bus qui repart pour Reykjavík est celui de Trex (n°T24), à 18h, en juillet-août seulement. Vous pouvez aussi dormir sur place et reprendre un bus une fois la visite terminée.

Trex (☎ 587 6000 ; www.trex.is) :

- Bus n^os^T21/T22 Reykjavík-Landmannalaugar (8 400 ISK, 3 heures 15, 1/jour mi-juin à début sept).
- Bus n^os^T23/T24 Reykjavík-Landmannalaugar (1/jour juil-août).

Reykjavík Excursions (☎ 580 5400 ; www.re.is) :

- Bus n^os^10/10a Skaftafell-Landmannalaugar (9 000 ISK, 4 heures, 1/jour fin juin à début sept).
- Bus n^os^11/11a Reykjavík-Landmannalaugar (9 000 ISK , 4 heures 15, 1-2/jour mi-juin à mi-sept).
- Bus n^os^14/14a Mývatn-Landmannalaugar (16 500 ISK, 10 heures, 3/sem fin juin-fin août).

VOITURE

Trois routes mènent à Landmannalaugar depuis la Route circulaire. Si vous avez un petit 4x4, vous devrez le laisser 1 km avant la vallée, la traversée de la rivière étant trop périlleuse pour

LA PISTE DE FJALLABAK

En été, si vous disposez d'un gros 4x4, la route de Fjallabak (F208) est une alternative spectaculaire à la route côtière entre Hella, dans le Sud-Ouest, et Kirkjubæjarklaustur. Son nom signifie "derrière les montagnes", et c'est bien là qu'elle vous mènera.

Depuis Hella, quittez la Route circulaire pour prendre la Route 26 (rive est du Þjorsá), puis bifurquez sur la F208 derrière la centrale électrique de Sigölduvirkjun jusqu'à **Landmannalaugar**. De là, la F208 continue vers l'est, longe les marais de **Kirkjufell** et passe la vallée de **Jökuldalur**, avant de longer le lit d'une rivière sur 10 km, de grimper au point de vue de l'**Hörðubreið**, puis de redescendre vers l'**Eldgjá**. Sur les 40 km suivants jusqu'à **Búland**, la piste est en assez bon état, mais il faut traverser quelques rivières avant de rejoindre la Route 208 et de retrouver la Route circulaire au sud-ouest de Kirkjubæjarklaustur.

Un véhicule ordinaire ne passe pas sur cette route et les agences de location interdisent d'emprunter les routes F avec ce genre de véhicule.

Tout cet itinéraire peut s'effectuer en bus, en quittant Reykjavík à 8 h et en changeant à Landmannalaugar pour le bus n°10a de Reykjavík Excursions à destination de Skaftafell. Le voyage dure une douzaine d'heures. Vous pouvez le scinder en deux en passant une ou plusieurs nuits à la base de Landmannalaugar pour explorer les environs avant de reprendre le bus pour la deuxième partie du voyage.

Une bonne partie de la piste de Fjallabak longe ou traverse des rivières, ce qui la rend difficile pour les cyclistes. Beaucoup tentent l'aventure, mais c'est tout sauf une promenade de santé.

Fjallabak (www.fjallabak.is) est une compagnie fiable qui organise des randonnées et des treks avec guides sur plusieurs jours, et peut vous aider à transporter vos bagages (à partir de 155 000 ISK) dans tout l'arrière-pays du Sud. Ce sont des spécialistes de la réserve naturelle de Fjallabak, que traverse la route du même nom.

les petits véhicules. Les voitures de location à 2 roues motrices sont interdites sur les routes F, mais nous avons aperçu quelques véhicules privés garés au bord de la rivière.

Remarque : Ce n'est pas parce que vous voyez des bus parcourir une route reculée que votre voiture peut affronter le même terrain et traverser des rivières. Les bus sont équipés de robustes suspensions élevées et de pneus à crampons.

Vous pouvez aussi réserver une randonnée en Super-Jeep auprès des tour-opérateurs, qui vous emmèneront de Reykjavík à Landmannalaugar ou partout dans le Sud.

Landmannalaugar ne compte aucune station-service. Les plus proches sont à 40 km au nord à Hrauneyjar (www.hrauneyjar.is), près du départ de la F208 et aussi dans la réserve de Fjallabak ; et à 90 km au sud-est à Kirkjubæjarklaustur. Par prudence, mieux vaut faire le plein sur la Route circulaire en venant de l'ouest ou du nord.

F208 nord-ouest Suivez la rive occidentale du Þjorsá (Route 32), via Árnes, puis empruntez la Route F208 par le nord jusqu'à Landmannalaugar. Cette route est la plus accessible pour les petits 4x4. Après la centrale électrique, la route venant de Hrauneyjar devient très cahoteuse et vire entre les lignes à haute tension jusqu'à Ljótipollur.

F225 À l'est du Þjorsá, suivez la Route 26 dans les terres, traversez les plaines derrière Hella, contournez l'Hekla puis poursuivez vers l'ouest sur la Route F225 jusqu'à la base. Cette route est éprouvante.

F208 sud-est Cette route, la plus difficile, part de la Route circulaire entre Vík et Kirkjubæjarklaustur. C'est celle qu'empruntent les bus reliant Skaftafell à Landmannalaugar.

Depuis Mývatn Il faut la journée pour faire le trajet entre Landmannalaugar et Mývatn par la **piste de Sprengisandur** (uniquement en 4x4).

Randonnée du Laugavegurinn : de Landmannalaugar à Þórsmörk

C'est en effectuant le fameux trek Landmannalaugar-Þórsmörk, qu'on appelle généralement le Laugavegurinn, que les randonneurs gagnent leurs galons en Islande. Le nom signifie “route de la source chaude”. Le paysage, d'une beauté étrange et rude, change souvent tandis que vous remontez vers le cœur de l'île, où la terre fume et bouillonne en raison de l'intense activité qui règne sous la surface. Vous admirerez en chemin des versants montagneux aux couleurs vives, des rivières glaciaires et leurs glaciers, avant d'atteindre la réserve naturelle verdoyante de Þórsmörk. C'est la randonnée la plus populaire d'Islande, les infrastructures sont donc en bon état, et des refuges soigneusement répartis jalonnent ce parcours sinueux de 55 km. Mais il faut absolument réserver plusieurs mois à l'avance si vous voulez y dormir. Les campeurs n'ont pas besoin de réserver.

Où se loger et se restaurer

Le Laugavegurinn est très fréquenté, et vous trouverez des refuges stratégiquement situés tout au long du chemin. Tous sont gérés par **Ferðafélag Íslands** (☎568 2533 ; www.fi.is). Ces refuges peuvent accueillir des dizaines de personnes, mais doivent être retenus (et payés) plusieurs mois à l'avance – les gardiens recommandent de réserver au début du printemps. On ne le répétera jamais assez. Notez aussi que les lits superposés de la plupart des refuges accueillent quatre personnes, deux (côte à côte) à chaque niveau. Si vous voyagez seul, vous dormirez donc à côté d'un inconnu.

Les refuges disposent souvent de panneaux solaires afin que les gardiens puissent recharger leur matériel de communication, et quelquefois éclairer les refuges, mais les randonneurs n'ont pas accès à l'électricité. Le calme est strictement requis de minuit à 7h dans tous les refuges.

Il est possible de camper sur les emplacements prévus autour des refuges, mais ces derniers sont souvent exposés aux éléments : installez votre tente dans le sens du vent puis lestez-la avec des rochers. Le camping coûte partout 1 200 ISK par personne et il n'est pas nécessaire de réserver. Les campeurs n'ont pas accès à la cuisine des refuges, mais peuvent en utiliser les toilettes et l'eau courante. Les refuges sont en général ouverts de fin juin à début septembre, mais cela dépend de la météo : vérifiez au préalable. Les refuges sont fermés en hiver. Le camping sauvage est strictement interdit tout le long du sentier, qui traverse des réserves naturelles protégées.

On ne peut pas acheter de nourriture sur cet itinéraire.

La liste des refuges, ci-après, est donnée dans l'ordre allant du nord vers le sud. Certains acceptent les cartes bancaires.

Hrafntinnusker REFUGE, CAMPING €
(Höskuldsskáli ; N 63°93.326', W 19°16.808' ; refuge 6 500 ISK/pers). Ce refuge accueille 52 personnes (dont 22 dorment sur des

Randonnée du Laugavegurinn

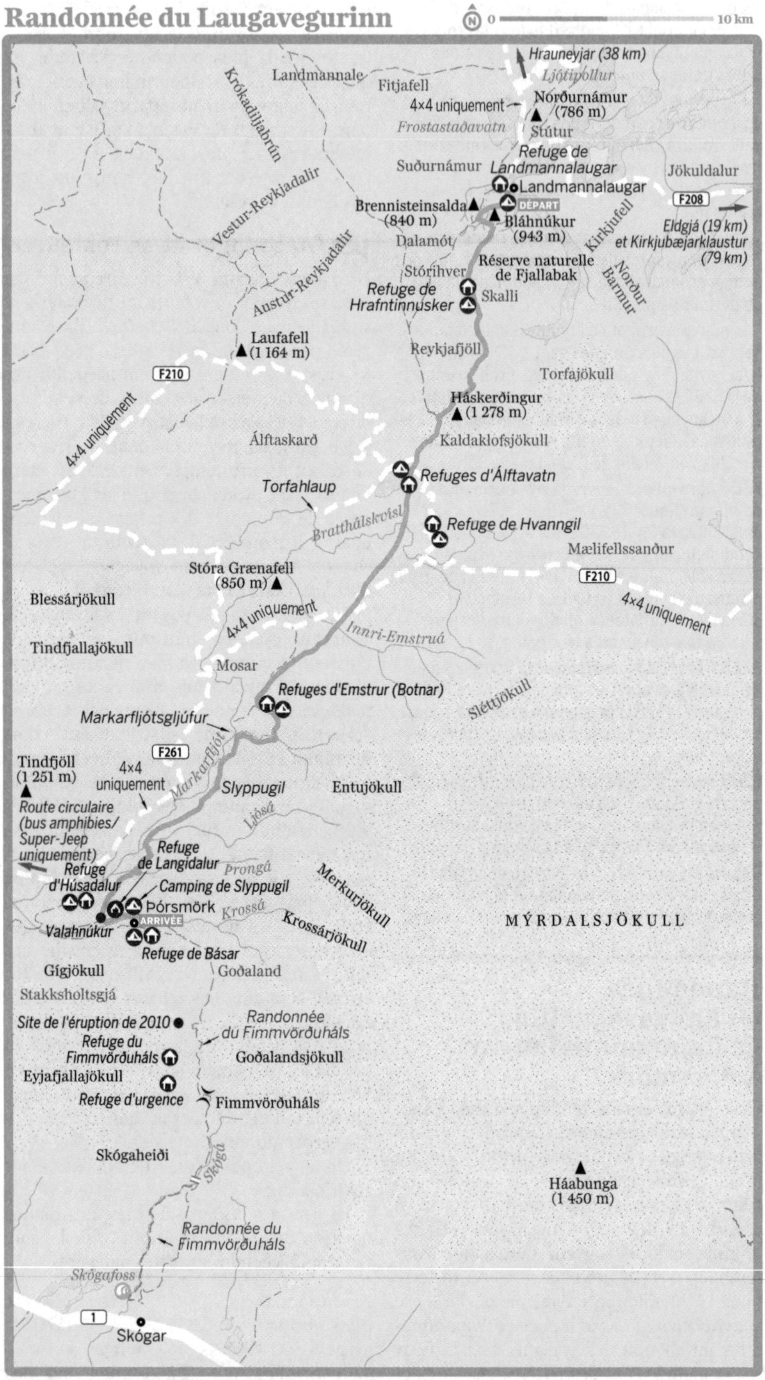

0 10 km

Hrauneyjar (38 km)
Ljótipollur
Landmannaleið
Fitjafell
Krókadiljabrún
4×4 uniquement
Norðurnámur (786 m)
Frostastaðavatn
Stútur
Refuge de Landmannalaugar
Suðurnámur
Jökuldalur
Landmannalaugar
Vestur-Reykjadalir
Brennisteinsalda (840 m)
DÉPART
F208
Bláhnúkur (943 m)
Eldgjá (19 km) et Kirkjubæjarklaustur (79 km)
Kirkjufell
Dalamót
Austur-Reykjadalir
Stórihver
Réserve naturelle de Fjallabak
Norður Barmur
Refuge de Hrafntinnusker
Skalli
Laufafell (1 164 m)
Reykjafjöll
F210
Torfajökull
4×4 uniquement
Háskerðingur (1 278 m)
Álftaskarð
Kaldaklofsjökull
Refuges d'Álftavatn
Torfahlaup
Bratthálskvísl
Refuge de Hvanngil
Mælifellssandur
Stóra Grænafell (850 m)
F210
Blessárjökull
4×4 uniquement
4×4 uniquement
Innri-Emstruá
Tindfjallajökull
Mosar
Refuges d'Emstrur (Botnar)
Sléttjökull
Markarfljótsgljúfur
F261
Tindfjöll (1 251 m)
4×4 uniquement
Markarfljót
Slyppugil
Entujökull
Route circulaire (bus amphibies/ Super-Jeep uniquement)
Ljósá
Refuge de Langidalur
Refuge d'Húsadalur
Þrongá
Camping de Slyppugil
Merkurjökull
Þórsmörk
Krossá
Valahnúkur
ARRIVÉE
Krossárjökull
MÝRDALSJÖKULL
Refuge de Básar
Gígjökull
Goðaland
Stakksholtsgjá
Site de l'éruption de 2010
Randonnée du Fimmvörðuháls
Refuge du Fimmvörðuháls
Goðalandsjökull
Eyjafjallajökull
Refuge d'urgence
Fimmvörðuháls
Skógaheiði
Skógá
Háabunga (1 450 m)
Randonnée du Fimmvörðuháls
Skógafoss
1
Skógar

À L'ASSAUT DU LAUGAVEGURINN

Le Laugavegurinn en quatre jours

L'organisme Ferðafélag Íslands (p. 152) divise le Laugavegurinn en 4 sections (voir site Web). Beaucoup de randonneurs effectuent une section par jour, sur 4 jours, car des refuges judicieusement situés (et des campings adjacents) ponctuent chaque étape.

Étape 1 : De Landmannalaugar à Hrafntinnusker (12 km ; 3-5 heures). L'itinéraire démarre plutôt en douceur et traverse les terres en ébullition de Stórihver et des étendues d'obsidienne étincelante avant d'arriver au premier refuge. Pour rallonger l'étape, passez par Skalli ; procurez-vous le prospectus (300 ISK) auprès du bureau du garde forestier à Landmannalaugar, qui détaille cette variante moins fréquentée. Faites le plein d'eau potable avant de partir, car vous ne croiserez aucune source avant le premier refuge. Environ 2 km avant Hrafntinnusker, une stèle à la mémoire d'un randonneur en solo israélien, mort sur le sentier en 2005 après avoir ignoré les avertissements d'un garde forestier, rappelle qu'il faut préparer soigneusement sa randonnée et être constamment vigilant.

Étape 2 : De Hrafntinnusker à Álftavatn (12 km ; 4-5 heures). À Hrafntinnusker, vous pouvez suivre quelques boucles courtes sans votre sac à dos avant de continuer : Södull (20 min aller-retour) et Reykjafjöll (1 heure aller-retour) offrent des panoramas magnifiques et une zone géothermique se cache derrière les grottes de glace (3 heures aller-retour). Demandez des conseils au garde forestier. Le sentier menant à Álftavatn offre également une vue splendide, depuis le sommet de Kaldaklofsfjöll, de l'autre côté de l'éperon nord de la calotte glaciaire. Depuis Álftavatn, on aperçoit Tindfjallajökull, Mýrdalsjökull et le tristement célèbre Eyjafjallajökull, avant d'atteindre le majestueux lac où passer la nuit.

Étape 3 : D'Álftavatn à Emstrur (16 km ; 6-7 heures). Pour atteindre Emstrur, vous devrez franchir au moins un grand cours d'eau. Vous pouvez retirer vos chaussures et passer à gué ou attendre sur la rive qu'un 4x4 vous fasse traverser. Ne manquez pas le détour par Markarfljótsgljúfur, un canyon verdoyant à couper le souffle. L'itinéraire est bien indiqué depuis Emstrur. Comptez 1 heure pour y arriver (retour par le même chemin).

Étape 4 : D'Emstrur à Þórsmörk (15 km ; 6-7 heures). L'aridité cède la place aux fleurs arctiques et à des paysages verdoyants. Si vous ne souhaitez pas rester à Þórsmörk, vous devez arriver avant le départ du dernier bus.

Le Laugavegurinn en trois jours

Si vous êtes en forme, il est tout à fait possible de terminer l'itinéraire en 3 jours au lieu de 4. Réalisez les étapes 1 et 2 en un jour et arrivez à Álftavatn après 8-10 heures de marche. Continuez jusqu'à Emstrur le deuxième jour, pour parvenir à Þórsmörk le soir du troisième.

Le Laugavegurinn en deux jours

Si vous êtes un randonneur rapide et fervent, vous pouvez terminer les 55 km du parcours en deux grandes journées. Marchez jusqu'à Álftavatn le premier jour ou, encore mieux, jusqu'à Hvanngil, 5 km plus loin. Il est possible de réaliser les étapes 3 et 4 le deuxième jour, car ce tronçon de 30 km est relativement plat, avec un dénivelé cumulé de 100 m.

Le Laugavegurinn en cinq heures

Vous êtes prêt à tout ? Inscrivez-vous au **Laugavegur Ultra Marathon** (www.marathon.is ; ⏲ juil), une course d'endurance où les meilleurs coureurs d'Islande effectuent le parcours complet en moins de cinq heures. Þorbergur Ingi Jónsson détient le dernier record : 4 heures 7 minutes et 47 secondes.

Prolonger le Laugavegurinn

Si la météo est clémente, il n'y a aucune raison de se presser. Installez-vous dans l'un des refuges et explorez les sentiers qui partent de l'itinéraire principal du Laugavegurinn. Il est aussi possible de passer du temps à Landmannalaugar avant de vous mettre en marche, mais nous préférons les environs de Þórsmörk.

matelas par terre dans un grenier aménagé). À 1 027 m d'altitude, préparez-vous à des conditions vraiment inhospitalières si vous campez, et les refuges sont des plus spartiates. Il y a des toilettes extérieures et un chauffage géothermique, mais pas de douches et rien pour recueillir les déchets : il faut emporter les vôtres jusqu'à Álftavatn.

Certains campeurs cuisinent sur des fumerolles non loin de là. Demandez au gardien (juillet et août seulement) de vous en indiquer la direction. Quand le gardien est absent, il faut chercher l'eau à la rivière ou dans la neige.

Álftavatn REFUGE, CAMPING €
(N 63°51.470', W 19°13.640' ; refuge 6 500 ISK/pers). Il ouvre en même temps que les routes F locales, c'est-à-dire de début à fin juin en fonction de la météo. Le site ferme mi-septembre. Les 2 refuges accueillent 72 personnes, ont l'eau potable et des matelas. La cuisine est équipée de gazinières. La douche coûte 500 ISK.

Hvanngil REFUGE, CAMPING €
(N 64°50.026', W 19°12.507' ; refuge 6 500 ISK/pers). Ce refuge se trouve sur un sentier secondaire, à 5 km au sud d'Álftavatn. Il loge 60 personnes et dispose d'une cuisine et d'une douche (500 ISK). C'est une bonne option pour les marcheurs qui font le Laugavegurinn en 2 jours, et l'endroit est moins fréquenté qu'Álftavatn.

Emstrur REFUGE, CAMPING €
(Botnar ; N 63°45.980', W 19°22.450' ; refuge 6 500 ISK/pers). Emstrur propose 60 lits répartis dans 3 refuges et compte 2 douches (500 ISK les 5 min d'eau chaude), 8 toilettes et une cuisinière à gaz. Vous devrez emporter vos déchets et il n'y a pas de prise électrique. Malgré son emplacement sous le glacier, les autres refuges le long du sentier jouissent d'une vue plus spectaculaire. Le réseau de téléphonie mobile est particulièrement mauvais ici.

Renseignements

Ferðafélag Íslands (Islandic Touring Association ; ☎ 568 2533 ; www.fi.is) gère les installations du secteur. Son site Web est une mine d'informations, dont des détails sur la randonnée. L'association publie (et vend à Landmannalaugar) un petit livre sur l'itinéraire, en anglais et en islandais, comportant des renseignements détaillés sur les paysages, les points de vue et le sentier (1 900 ISK), ainsi qu'une carte (1 700 ISK).

La plupart des tour-opérateurs du sud du pays proposent des randonnées avec guide sur le Laugavegurinn. En plus de la marche classique, on peut effectuer des variantes plus longues, hors des sentiers battus (littéralement !), en passant par des cols peu fréquentés parallèles au sentier principal.

La plupart des randonneurs suivent le sentier du nord vers le sud pour profiter du dénivelé négatif et des infrastructures à Þórsmörk. De Þórsmörk, vous pouvez emprunter un bus ou continuer votre marche jusqu'à Skógar par le Fimmvörðuháls (p. 145), ce qui prend un jour ou deux de plus (22 km supplémentaires environ).

MÉTÉO ET ÉQUIPEMENT

Nous vous recommandons fortement d'emporter une carte et un GPS si vous projetez d'effectuer la randonnée sans guide.

La piste est presque toujours praticable de début juillet à mi-septembre. Au début de la saison (fin juin à début juillet), il peut y avoir des zones verglacées difficiles à traverser. Les dates prévues d'ouverture des refuges peuvent constituer un bon indicateur des conditions. Les refuges sont fermés hors saison : faire la randonnée à ce moment-là est donc fortement déconseillé (et dangereux).

Quelle que soit la période de l'année, la randonnée Landmannalaugar-Þórsmörk ne doit pas être prise à la légère. Vous devez impérativement vous équiper de matériel et de vêtements chauds, imperméables et résistants, car les conditions météo peuvent changer radicalement à tout moment. Vous traverserez des rivières à gué, et la pluie et le brouillard peuvent survenir rapidement. Autrement dit, pas de jean ni de vêtements en coton à même la peau. Si vous n'êtes pas un randonneur expérimenté et ne savez pas quoi emporter, documentez-vous auparavant. Les gardiens ont signalé une forte augmentation de randonneurs mal préparés qu'il a fallu secourir.

Emportez aussi suffisamment d'eau et de nourriture.

TRANSPORT DES BAGAGES

Nul besoin de trimbaler toutes vos valises pour la randonnée du Laugavegurinn. Si vous passez par une agence, elle s'occupera en général de transporter vos sacs supplémentaires du départ à l'arrivée, et même parfois d'un refuge à l'autre.

Si vous prenez un billet de bus pour Landmannalaugar, Trex (p. 148) transportera gratuitement vos bagages et paquets jusqu'à Þórsmörk. Sinon, vous pouvez les payer à l'unité : 1 700/2 700/3 400 ISK pour 1/2/3 bagages.

POUR Y ACCÉDER AUTREMENT

Aussi improbable que cela puisse paraître, le bus n°18 de Reykjavík Excursions circule de Reykjavík à Álftavatn, Hvanngil et Emstrur une fois par jour de fin juin à fin août (Reykjavík-Álftavatn 9 000 ISK, 4 heures), en marquant quelques pauses pour que les voyageurs se dégourdissent les jambes.

Þórsmörk (Thórsmörk)

Délimitée par plusieurs vallées creusées par de grandes rivières, Þórsmörk (littéralement la “forêt de Thor”) est située à l'orée de la dépression de l'Islande intérieure. Cette réserve naturelle abrite un royaume verdoyant de forêts et de vallons fleuris à l'abri du vent, de gorges tourmentées, de rivières glacées, et trois glaciers imposants (Tindfjallajökull, Eyjafjallajökull et Mýrdalsjökull). Ces derniers protègent l'endroit des conditions météo les plus rudes ; il fait souvent plus doux et plus sec à Þórsmörk qu'aux alentours. Attention, cependant : la beauté de l'endroit et sa proximité avec Reykjavík (130 km) en font un lieu recherché en été.

Þórsmörk semble proche de la Route circulaire (Route 1) sur une carte, mais vous devrez prendre un bus ou un 4x4 surélevé (vive les circuits en Super-Jeep !) pour passer les rivières et atteindre la réserve. À l'approche en venant du sud, vous devrez franchir la périlleuse rivière Krossá. Les 4x4 ordinaires ne peuvent pas traverser. Vous les verrez garés là où les gens ont emprunté un bus ou une Super-Jeep pour terminer le parcours.

Sinon, marchez depuis Skógar ou Landmannalaugar.

La partie la plus haute de la région, au nord-est, surnommée à juste titre **Goðaland** (le “pays des Dieux”), est sublime. Les formations rocheuses se courbent vers le ciel comme les arches d'une ancienne cathédrale. Des fleurs arctiques fluorescentes jaillissent de la mousse spongieuse en lumineux éclats de couleurs. En altitude, le temps est moins clément à Goðaland qu'à Þórsmörk.

Goðaland marque l'arrivée de la somptueuse randonnée par le col de Fimmvörðuháls (p. 145), qui démarre à Skógar. Le principal site de camping de Goðaland se trouve à Básar (p. 154) ; de Básar à Þórsmörk en voiture, vous devez faire la dangereuse traversée de la rivière Krossá, citée plus haut. Il y a des passerelles pour les piétons.

Húsadalur (Volcano Huts Thorsmork) est ouvert toute l'année, mais les bus ne circulent généralement que de mai à mi-octobre. Le reste de l'année, il vous faut votre propre moyen de transport pour aller à Þórsmörk.

Activités

Bien que Þórsmörk marque l'arrivée de la randonnée du Laugavegurinn, très fréquentée, les voyageurs exténués préfèrent souvent prendre un bus qui quitte la réserve naturelle, renonçant à une randonnée spectaculaire d'une journée (sans sac à dos). Le sentier qui rejoint Skógar par le col de Fimmvörðuháls (p. 145) est vraiment incroyable, mais plus facile à aborder dans l'autre sens (depuis Skógar).

S'y rendre en Super-Jeep dans le cadre d'un circuit guidé est une bonne idée, car vous y ferez plus de découvertes qu'en y allant par vos propres moyens.

Il est possible de faire du bénévolat et d'entretenir les sentiers, avec **Þórsmörk Trail Volunteers** (www.trailteam.is), une initiative de l'Office des forêts islandais.

♥ Stakksholtsgjá RANDONNÉE

Stakksholtsgjá est une magnifique gorge, alternant roche nue et mousses, avec une **cascade** cachée. Suivez le lit de la rivière, traversez-la, et lorsqu'elle se sépare en deux bras, prenez celui de gauche qui descend dans un canyon étroit. Franchissez quelques rochers et vous découvrirez la cascade (ou de spectaculaires stalactites en hiver). La balade dure 1 heure 30 environ. Les bus de Reykjavík Excursions s'y arrêtent.

♥ Tour du Valahnúkur RANDONNÉE

Un circuit de 2 heures 30 vous emmène au très beau **point de vue** de Valahnúkur, qui englobe canyons, glaciers et porte jusqu'à l'océan. Depuis Húsadalur, montez le sentier jusqu'à la table d'orientation puis descendez jusqu'à Langidalur. De là, longez la crête séparant les vallées pour revenir à votre point de départ. Vous pouvez aussi suivre le sentier dans l'autre sens, ou encore faire l'aller en marchant et prendre un bus pour le retour.

Tour du Tindfjöll RANDONNÉE

C'est la plus longue des “randonnées courtes”, très populaires dans la région. Comptez 4 heures 30 depuis Langidalur et environ 6 heures depuis Húsadalur. Cartes en vente à Húsadalur (Volcano Huts Thorsmork).

Traversez la **vallée de Slyppugil** (ou suivez la crête du même nom), puis une moraine le long d'une seconde crête. Vous passerez ensuite devant **Tröllakirkja** (l'"église des Trolls"), avec ses grandes arches. Une étendue de verdure apparaît ensuite avant de céder la place à un **panorama** de carte postale sur la vallée de Þórsmörk. Suivez le sommet de l'arête de grès jusqu'à la rivière Krossá, qui vous ramènera à Langidalur ou, plus loin, à Húsadalur.

Yoga & Massage YOGA, MASSAGE
(www.volcanohuts.com). Lors de notre passage, le sympathique Emil, masseur diplômé et professeur de yoga, proposait deux sessions de yoga quotidiennes (2 500 ISK), des massages en profondeur sur rendez-vous (10 min/1 heure 2 000/10 900 ISK), et des cérémonies de sudation (10 000 ISK) à Volcano Huts Thorsmork.

Circuits organisés

Dans tout le Sud, les guides, tels ceux de Southcoast Adventure (p. 142), de South Iceland Adventures (p. 140) ou d'Icelandic Mountain Guides (p. 144), sont d'un grand bénéfice, car en plus de vous amener dans la région, ils peuvent vous montrer les vallées secrètes, les cascades et les approches de glacier où les bus ne vont pas, et vous faire profiter de leurs connaissances géologiques et culturelles. Comme vous apprendre, par exemple, en vous la montrant de très près, que la langue de glace de **Gígjökull**, à la moraine autrefois gigantesque, a été inondée lors de l'éruption de l'Eyjafjallajökull en 2010.

Où se loger et se restaurer

Il y a trois endroits où se loger dans la région de Þórsmörk : Langidalur (parfois appelé Þórsmörk), où l'on trouve des refuges tout comme à Slyppugil, non loin ; Básar (en fait à Goðaland) ; et Húsadalur (aussi appelé Volcano Huts Thorsmork). Tous proposent un refuge et un camping, l'eau courante et la possibilité de cuisiner. Ils sont pris d'assaut les mois d'été ; pensez à réserver votre lit en refuge. Nous vous recommandons d'emporter de la nourriture et un duvet. Le camping sauvage est interdit dans la région, car il s'agit d'une réserve naturelle.

Húsadalur REFUGES, CAMPING €
(Volcano Huts Thorsmork ; ☎552 8300 ; www.volcanohuts.com ; empl 1 600 ISK/pers, dort/s/d et tr/cottage sans sdb 6 500/15 000/19 000/25 000 ISK ; 📶). Volcano Huts Thorsmork, en pleine expansion, offre à Húsadalur un lieu animé composé de deux refuges avec dortoirs et chambres privatives, de cottages pour 4-5 personnes (avec kitchenette basique), d'un camping et d'un restaurant (petit-déj/déj/dîner 2 000/2 500/4 500 ISK). Soupe, pain frais, café et gâteau au déjeuner, et un buffet simple au dîner. Les refuges sont équipés d'une cuisine sommaire, d'un *hot pot* et d'un sauna. Un professeur de yoga/masseur est à disposition. Les draps coûtent 3 000 ISK.

On peut y acheter des cartes de randonnée. Les douches sont comprises.

Langidalur REFUGE, CAMPING €
(Þórsmörk ; Skagfjörðsskáli ; ☎893 1191 ; www.fi.is ; N 63°40.960', W 19°30.890' ; empl 1 200 ISK/pers, refuge 6 500 ISK/pers ; ⏲mi-mai à sept). Le refuge de Langidalur (aussi appelé simplement Þórsmörk, ou Skagfjörðsskáli) est le plus rustique des quatre hébergements de Þórsmörk, mais il est bien entretenu. Il accueille jusqu'à 75 personnes, avec une aire de camping propre, un refuge où dîner, un grand bloc sanitaire et des cuisines pour les clients. Géré par Ferðafélag Íslands, tout comme les refuges de Laugavegurinn.

Une petite boutique propose thé et café, et quelques produits de base : réchauds de camping, chaussettes de laine (2 500 ISK), soupe (500 ISK), confiture, bière légère, etc. Horaires d'ouverture variables de mai à septembre.

Slyppugil CAMPING €
(☎575 6700 ; www.hostel.is ; empl 1 000 ISK/pers ; ⏲mi-juin à mi-août). Ce camping récemment ouvert par Hostelling International, tout proche (500 m) de Langidalur, est équipé de douches, toilettes et barbecues. Le gardien peut vous renseigner sur les randonnées à la journée.

Básar REFUGE, CAMPING €
(☎562 1000 ; www.utivist.is ; Goðaland, N 63°40,559', W 19°29,014' ; empl 1 200 ISK/pers, refuge 4 200 ISK/pers). L'hébergement préféré des Islandais, essentiellement pour son bel emplacement dans les arbres. L'espace est restreint mais le refuge peut accueillir 83 personnes (réservation via Útivist). Des allées de gazon et de planches sillonnent le camping, pris d'assaut les week-ends d'été. Douches 400 ISK.

Depuis/vers Þórsmörk

BUS

Les bus entre Reykjavík et Þórsmörk s'arrêtent à Hveragerði, Selfoss, Hella, Hvolsvöllur et Seljalandsfoss sur le trajet. Les horaires des bus de Reykjavík Excursions sont très utiles pour aller d'un site de Þórsmörk à l'autre. Notez que les bus sont équipés pour pouvoir traverser les rivières à gué.

Reykjavík Excursions (☎580 5400 ; www.re.is) :

➡ Les bus n°s 9/9a Reykjavík-Þórsmörk (7 500 ISK, 3 heures 15-4 heures, 1/jour mai à mi-octobre) s'arrêtent à Húsadalur, au canyon de Stakksholtsgjá, à Básar et à Langidalur (2 liaisons supplémentaires sont assurées entre mi-juin et août). Le bus n°9a regagne Reykjavík de manière un peu plus directe : si vous souhaitez un arrêt à Básar ou à Langidalur, il faut le demander la veille au gardien du refuge. Quelques exemples de tarifs : Hella ou Hvolsvöllur 5 000 ISK, Seljalandsfoss 4 000 ISK, point de traversée de la rivière Krossá 2 000 ISK. Vous pouvez aussi changer de bus pour aller à Skógar (bus n°s 9 et 20, 5 000 ISK) ou Landmannalaugar (bus n°s 9 et 11, 11 000 ISK).

Trex (☎587 6000 ; www.trex.is) :

➡ Bus n^os T11/T12 Reykjavík-Þórsmörk (6 800 ISK, 4 heures, 1/jour mi-juin à début sept ; arrêts à Gígjökull, Básar et Langidalur). Autres exemples de tarifs : Hveragerði ou Selfoss 5 800 ISK ; Hella, Hvolsvöllur ou Seljalandsfoss 4 200 ISK.

VOITURE

Il est impossible d'aller jusqu'à Þórsmörk en voiture. Point final. Si vous avez votre propre 4x4, avec une garde au sol très haute, vous pouvez tenter l'aventure par les Routes 249 et F249 jusqu'au carrefour vers Húsadalur et Básar, à la rivière Krossá. Là, vous devrez laisser votre véhicule et prendre un bus (2 000 ISK/pers) ou une Super-Jeep. En effet, il est impossible de traverser les tourbillons sans Super-Jeep et sans connaître le passage. Les bus qui desservent Þórsmörk sont des véhicules amphibies spécialement équipés pour franchir cette rivière profonde et les ravines encombrées de rochers.

RANDONNÉE

Þórsmörk marque la fin de la célèbre randonnée du Laugavegurinn (p. 149), qui part de Landmannalaugar. Les randonneurs apprécient aussi de rallier Þórsmörk depuis Skógar par le magnifique sentier de Fimmvörðuháls (p. 145). Si vous projetez de rejoindre Þórsmörk à pied, empruntez l'un de ces itinéraires ; longer les Routes 249 et F249 depuis Seljalandsfoss est beaucoup moins spectaculaire.

Comptez environ 30 minutes de marche entre Langidalur et Húsadalur par le plus court chemin.

De Skógar à Vík

Tandis que la Route circulaire s'incurve vers l'est entre Skógar et Vík, les contreforts des collines montent jusqu'aux glaciers, aux sommets et aux volcans de l'intérieur, tandis que des rivières grondent dans des gorges mystérieuses, puis traversent les vastes prairies jusqu'aux plages de sable noir et à l'océan. Le paysage est émaillé de fermes (dont beaucoup proposent un hébergement), et malgré l'affluence des visiteurs en été, le décor reste tour à tour spectaculaire et pastoral.

À voir

♥ Sólheimajökull GLACIER

Le Sólheimajökull est l'une des langues glaciaires les plus faciles d'accès. Elle s'avance en partant de la calotte glaciaire du Mýrdalsjökull, et c'est un endroit fréquenté pour la randonnée et l'escalade glaciaires. Une route non goudronnée pleine d'ornières de 4,2 km (la Route 221) part de la Route circulaire jusqu'à un petit parking et au **Café Solheimajökull** (☎852 2052 ; en-cas 820-1 500 ISK ; ⏲10h-18h mai-sept, horaires réduits oct-avril), d'où vous pourrez atteindre la glace en parcourant à pied 800 m sur un large sentier qui borde le lac glaciaire. N'essayez pas de grimper sur le glacier sans guide.

Des crevasses se forment souvent : si vous souhaitez marcher sur le glacier passez donc par un tour-opérateur de la région (p. 144) ; les randonnées partent du café.

Mýrdalsjökull CALOTTE GLACIAIRE

Le magnifique Mýrdalsjökull est le quatrième plus grand glacier du pays : sa calotte glaciaire couvre 700 km² et atteint, par endroits, 750 m d'épaisseur. Le volcan Katla, qui somnole dessous, entre périodiquement en éruption à travers la glace, noyant la plaine côtière sous un déluge de glace fondue, de sable et de téphras (produits volcaniques autres que la lave). Les tour-opérateurs locaux proposent des visites de la couronne glaciaire dans le cadre de circuits plus longs. N'explorez pas les lieux sans guide, la glace peut s'avérer instable et la piste jusqu'au cratère quasiment impraticable.

ATTENTION DANGER

Aussi tentant que soient les glaciers qui scintillent au bord de la route, il ne faut y aller qu'avec un guide local expérimenté. Des crevasses, souvent dissimulées sous la neige, peuvent apparaître soudainement, l'activité volcanique dégage des gaz, et des inondations (parfois invisibles de la surface) fragilisent encore plus la glace. Avec le nombre croissant de touristes en Islande, les comportements irresponsables de certains visiteurs inexpérimentés font parfois la une des journaux (un homme a par exemple emmené sa famille sur un glacier avec une voiture de location). Ne suivez pas leur exemple.

Sólheimasandur PLAGE, SITE REMARQUABLE

Le 21 novembre 1973, un avion de l'US Navy a dû faire un atterrissage forcé à Sólheimasandur. Tout l'équipage a survécu, et l'épave du DC-3 restée sur la plage de sable noir est maintenant une coquille vide battue par les vents. Pour y aller, il faut un 4x4 et un guide local (ou un GPS : 63.459523, -19.364618). L'épave se trouve à l'est de l'embranchement vers Sólheimajökull/Route 221. Prenez un chemin de ferme vers le sud jusqu'à la plage. Veillez à préserver l'environnement.

♥ **Dyrhólaey** SITE REMARQUABLE, RÉSERVE NATURELLE

À la hauteur de Dyrhólaey (10 km à l'ouest de Vík, à la fin de la Route 218) se dresse la plus spectaculaire et reconnaissable formation naturelle de la côte sud : un promontoire rocheux de 120 m de hauteur, percé d'une immense arche au-dessus de la mer. Réserve naturelle, ce promontoire abrite une très riche avifaune, constituée notamment de macareux moines. Il est fermé durant la période de nidification (15 mai-25 juin), mais le reste de l'année, on peut se promener sur la plage de sable noir et jouir de panoramas spectaculaires depuis le sommet de l'arche.

C'est de Reynisfjara que l'on a la meilleure vue de l'arche.

Selon la *Saga de Njáll le Brûlé*, c'est vers Dyrhólaey que Kári, le gendre de Njáll, avait sa ferme. À l'âge des sagas, les conseils se réunisssaient dans la grotte de **Loftsalahellir**, accessible par une piste juste avant la chaussée menant à Dyrhólaey.

♥ **Reynisfjara** SITE REMARQUABLE, PLAGE

Sur le versant ouest du **Reynisfjall**, la crête élevée qui surplombe Vík, la Route 215 descend sur 5 km jusqu'à la plage de sable noir de Reynisfjara. Sauvage, celle-ci est adossée à d'incroyables empilements de **colonnes basaltiques** qui ressemblent à un orgue d'église magique, et le panorama vers l'ouest et Dyrhólaey est superbe. Les falaises environnantes sont creusées de cavernes de basalte déformé, et en été, les macareux plongent dans les vagues depuis là-haut. Un peu au large surgissent les hautes colonnes rocheuses (ou *stacks*) de Reynisdrangur (p. 158).

Vous reconnaîtrez peut-être le décor de la vidéo musicale de Bon Iver, *Holocene*, qui est presque un hymne à l'Islande.

Circuits organisés

Arcanum (p. 144), basé à la ferme d'Ytri-Sólheimar I, à 11 km à l'est de Skógar, organise de nombreux circuits aventure dans la région (treks, motoneige, escalade et randonnée glaciaires, balades en Super-Jeep, etc.), comme tous les tour-opérateurs de Hvolsvöllur à Vík. Beaucoup peuvent aussi venir vous chercher à Reykjavík.

Mountain Excursions AVENTURE

(☎ 897 7737 ; www.volcanohotel.is). Petite agence installée au Volcano Hotel proposant des randonnées de 2 heures sur le glacier Sólheimajökull (9 000 ISK) et des circuits en Super-Jeep qui longent un tronçon de la randonnée du col de Fimmvörðuháls (à partir de 22 000 ISK). Basé au Volcano Hotel (p. 157).

Où se loger et se restaurer

Le camping est interdit sur Dyrhólaey.

♥ **Garðar** PENSION €

(☎ 487 1260 ; reynisfjara-guesthouses.com ; Reynisfjara ; cottages 12 000-17 000 ISK). Un endroit magique à la fin de la Route 215. Ragnar, sympathique fermier, loue des chalets équipés en bord de plage : l'un, en pierre, accueille 2 personnes (lits superposés) et deux autres, en bois, peuvent abriter jusqu'à 4 personnes. Comptez 1 000 ISK/personne pour les draps.

Gistiheimlilið Reynir PENSION €

(☎ 894 9788 ; www.reyni.is ; Reynisfjara ; d sans sdb 14 000 ISK). Cet ensemble de mini-cottages argentés tenus par une famille donne sur l'océan à Dyrhólaey. Chaque cottage possède des toilettes, mais les hôtes partagent les douches et une cuisine bien équipée. Un bâtiment plus récent abrite des chambres doubles et des chambres familiales pour 6 personnes (27 000 ISK) avec sdb communes.

Mið-Hvoll Cottages CHALETS €
(☎863 3238 ; www.hvoll.com ; chalets 19 000 ISK). Ces 4 chalets en bois tout neufs et confortables sont tout proches de Dyrhólaey, dans une zone pastorale au sud de la Route circulaire, avec vue sur les montagnes et l'océan. Chacun possède une cuisine, et peut accueillir 5 personnes ; draps et serviettes coûtent 1 500 ISK/personne. Les propriétaires proposent des promenades à cheval sur les plages et les prairies alentour (à partir de 5 000 ISK) pour tous âges et tous les niveaux.

Vous les trouverez à 12 km à l'ouest de Vík, en descendant la petite Route 216, juste à l'ouest de l'embranchement pour Dyrhólaey (Route 218).

♥ Vellir PENSION €€
(Ferðaþjónustan Vellir ; ☎849 9204 ; f-vellir.123.is ; d avec/sans sdb petit-déj inclus 24 700/20 300 ISK, cottage à partir de 25 000 ISK ; 📶). Située à 1,5 km en descendant la Route 219, non goudronnée, l'agréable ferme de Vellir est située près de Pétursey, un grand tumulus qui était jadis une île. Les chambres sont modernes, certaines avec vue sur la mer. Deux cottages sont aussi à louer. Quand il fait beau, on voit à la fois l'Atlantique et les glaces du Mýrdalsjökull. On peut commander d'avance un dîner maison (5 900 ISK).

Giljur Gistihús PENSION €€
(☎866 0176 ; s/d sans sdb petit-déj inclus 11 700/18 400 ISK, d/tr petit-déj inclus 23 100/34 600 ISK ; ⏲juin à mi-sept). À 7 km seulement à l'ouest de Vík, à l'écart de la Route circulaire et au pied de versants verdoyants traversés par une cascade et où pâturent des chevaux, cette petite pension fermière offre des chambres avec sdb privatives ou partagées, et un petit-déjeuner roboratif. Réservez via Icelandic Farm Holidays (www.farmholidays.is).

Guesthouse Steig PENSION €€
(☎487 1324 ; www.guesthousesteig.is ; d avec/sans sdb 28 800/20 100 ISK ; @📶). À 16 km à l'ouest de Vík, 1,5 km au nord de la Route circulaire sur un chemin de terre, la jolie pension Steig est une ferme toute simple, avec des chambres étonnamment spacieuses, modernes et claires. Le personnel est sympathique et les lieux dégagent une atmosphère champêtre authentique et reposante.

Volcano Hotel HÔTEL €€
(☎486 1200 ; www.volcanohotel.is ; s/d petit-déj inclus à partir de 26 400/28 900 ISK ; 📶). Cet hôtel de 7 chambres, à 11,5 km à l'ouest de Vík, affiche un thème volcanique avec sols en galets, et bougies ici et là. L'agence Mountain Excursions y possède un bureau.

Hótel Dyrhólaey HÔTEL €€
(☎487 1333 ; www.dyrholaey.is ; d 28 400 ISK ; @📶). Installé sur un promontoire à 10 km à l'ouest de Vík, cet hôtel de 88 chambres est très fréquenté par les groupes. Les trois ailes se composent de grandes chambres confortables standards, qui donnent sur de longs couloirs moquettés. Le restaurant est ouvert de 11h à 21h de mai à octobre.

Svarta Fjaran CAFÉ €€
(Black Beach ; ☎859 7141 ; Reynisfjara ; en-cas 990 ISK, dîner plats 2 400-5 200 ISK ; ⏲11h-21h). Composé de spectaculaires cubes noirs de pierre volcanique évoquant la plage noire de Reynisfjara voisine et ses célèbres colonnes de basalte, ce nouveau café sert des gâteaux maison et des en-cas pendant la journée, et propose un menu complet le soir. Les baies vitrées donnent sur la mer et Dyrhólaey.

Vík (Vík í Mýrdal)

La petite ville accueillante de Vík est devenue un carrefour en plein essor à partir duquel on visite une très belle partie de la côte sud. C'est la ville la plus méridionale et pluvieuse d'Islande, ce qui n'empêche pas une ambiance frénétique en été, lorsque toutes les chambres à 100 km à la ronde sont occupées. Vík constitue un point de chute pratique, offrant quantité de services, d'où se rendre à la superbe plage de basalte de Reynisfjara (p. 156) et à ses falaises peuplées de macareux, au plateau rocheux de Dyrhólaey (p. 156), deux sites un peu à l'ouest, ou encore aux volcans couronnés de glaciers entre Skógar et le lac glaciaire de Jökulsárlón. Des vagues blanches viennent lécher le sable noir, et les falaises prennent avec la pluie une couleur vert brillant, formant un cadre absolument magnifique.

À voir

Reynisdrangur SITE REMARQUABLE, PLAGE

Le groupe de colonnes émergeant de la mer, emblématique de Vík, est connu sous le nom de Reynisdrangur : celles-ci surgissent de l'océan comme des tours d'ébène, à l'extrémité ouest de la plage de sable noir. La légende raconte qu'il s'agirait de trolls capturés par le soleil. Les falaises voisines permettent d'observer les macareux moines. De l'extrémité ouest de Vík, une marche tonifiante vous conduira au sommet de la crête du **Reynisfjall** (340 m), d'où la vue est superbe. (Reynisfjara, p. 156, se trouve de l'autre côté.)

Brydebúð MUSÉE

(☎487 1395 ; brydebud.vik.is ; Víkurbraut 28 ; musée adulte/enfant 500 ISK/gratuit ; ⌚11h-20h juin-août). Cette maison fut construite en 1831 dans les îles Vestmann et transportée à Vík en 1895. Aujourd'hui, elle abrite l'office du tourisme, le Halldórskaffi et un petit musée consacré à la pêche locale et à la vie au pied du volcan Katla.

Víkurkirkja ÉGLISE

(Hátún). Perchée au-dessus de la ville, l'église de Vík, datant de 1930, possède des vitraux aux formes géométriques saillantes. Elle offre surtout une belle vue sur le village.

Circuits

Skógar, à 33 km à l'ouest de Vík, est le centre d'activités du Sud-Ouest ; voir aussi Hvolsvöllur. À Vík, renseignez-vous à l'auberge de jeunesse pour les visites guidées au Mýrdalsjökull.

Katla Track SUPER-JEEP

(☎849 4404 ; www.katlatrack.is). Katla Track propose des circuits de 3-6 heures "sous le volcan" (24 900-29 900 ISK) permettant de visiter les sites locaux et d'explorer le Mýrdalsjökull.

Où se loger

Consultez Icelandic Farm Holidays (www.farmholidays.is) et Booking.com pour trouver des hébergements à la ferme en plus de ceux cités à la rubrique *De Skógar à Vík*. Les pensions sur la route de Kirkjubæjarklaustur (p. 302) sont aussi une option.

Vík HI Hostel AUBERGE DE JEUNESSE €

(Norður-Vík Hostel ; ☎487 1106 ; www.hostel.is ; Suðurvíkurvegur 5 ; dort/d sans sdb 4 100/11 200 ISK ; @📶). Cette sympathique auberge ouverte toute l'année occupe une maison beige sur la colline derrière le centre du village. Elle possède une cuisine et loue des vélos (2 000/3 000 ISK par demi-journée/journée). Le personnel organise des circuits de 2 heures 30 jusqu'au Mýrdalsjökull. Remise de 700 ISK pour les membres HI.

Camping de Vík CAMPING €

(Tjaldsvæðið Vík ; ☎487 1345 ; Austurvegur ; empl 1 300 ISK/adulte ; ⌚juin-août ou début sept). Sous une crête herbue à l'extrémité est du village, juste après l'hôtel Edda, un bâtiment octogonal abrite une cuisine, un lave-linge, des toilettes et des douches (gratuites). Deux petits cottages sont aussi disponibles (10 000 ISK).

♥ **Icelandair Hótel Vík** HÔTEL €€

(☎487 1480, réservation 444 4000 ; www.icelandairhotels.com ; Klettsvegur 1-5 ; d à partir de 24 500 ISK ; 📶). Cet élégant hôtel à la façade vitrée est curieusement niché juste derrière l'hôtel Edda, à l'extrémité est de la ville, près du camping. Les deux hôtels partagent un hall (et ont les mêmes propriétaires sympathiques) mais la ressemblance s'arrête là. Les chambres de l'Icelandair sont plutôt haut de gamme, certaines avec vue sur les falaises ou sur la mer. La décoration, discrète et naturelle, s'inspire de l'environnement local.

Heimagisting Erika B&B €€

(☎487 1117 ; www.erika.is ; Sigtún 5 ; 9 900 ISK/pers sans sdb ; 📶). Erika, hôtesse chaleureuse venue d'Allemagne, propose 2 chambres d'hôtes dans un joli panorama. Elle concocte de succulents petits déjeuners avec confitures, sirops et tisanes maison (proposés aussi à la vente). Réservation nécessaire ; espèces uniquement.

Hótel Edda Vík HÔTEL €€

(☎444 4840 ; www.hoteledda.is ; d avec/sans sdb 24 500/21 700 ISK ; ⌚mai-sept ; @📶). Ouvert plus longtemps que la plupart des hôtels de la même chaîne, cet établissement moderne situé dans un endroit très animé, près de l'hôtel Icelandair et de la station-service N1, propose des chambres quelconques mais correctes, dont 31 sont équipées de téléphone, TV et sdb, ainsi que 10 cottages avec sdb.

Puffin Hostel AUBERGE DE JEUNESSE €€

(☎487 1212 ; www.vikhotel.is ; Víkurbraut 24a ; d/qua sans sdb 21 600/29 200 ISK). L'endroit est cher pour les prestations offertes, et n'est probablement à tenter qu'en dernier recours, mais cette auberge de jeunesse centenaire gérée par Welcome Hotel est très centrale. Les cloisons sont minces, tout est petit et la propreté inégale. Cuisine pour les clients. Draps et serviette sont compris, mais une couverture coûte 800 ISK.

Welcome Hotel Vík HÔTEL €€€
(☎ 487 1212 ; www.vikhotel.is ; Víkurbraut 24-26 ; d/qua petit-déj inclus 32 300/44 500 ISK ; @). Cet ensemble de chambres simples, au sol en granito, fait le plein en haute saison, souvent occupé par des groupes. Un peu cher pour les prestations, mais il y a de quoi préparer du thé et du café dans toutes les chambres. Promotions de temps en temps sur Booking.com. Les visiteurs aiment son Restaurant Lundi (p. 159).

Où se restaurer

Víkurskáli INTERNATIONAL, RESTAURATION RAPIDE €
(☎ 487 1230 ; Austurvegur 18 ; plats 1 120-2 990 ISK ; 11h-21h). Dégustez un hamburger dans l'un des box de ce grill à l'ancienne installé dans la station-service N1, d'où l'on a vue sur Reynisdrangur. Plats du jour de type ragoût de mouton.

Suður-Vík ISLANDAIS, ASIATIQUE €€
(☎ 487 1515 ; Suðurvíkurvegur 1 ; plats 1 750-4 950 ISK ; 12h-22h). Son atmosphère sympathique (plancher de bois, œuvres d'art intéressantes et personnel souriant) place ce nouveau restaurant au-dessus de la concurrence. La nourriture va de la cuisine islandaise roborative aux épais sandwichs viande-bacon-béarnaise, en passant par des plats asiatiques (satay thaïlandais avec du riz). Dans un bâtiment couleur argent à l'éclairage chaleureux, en haut de la ville. Réservez l'été.

Halldórskaffi INTERNATIONAL €€
(☎ 487 1202 ; www.halldorskaffi.is ; Víkurbraut 28 ; plats 3 000-5 500 ISK ; 11h-21h juin-août, horaires réduits sept-mai). Dans le musée Brydebúð, ce restaurant animé à l'extérieur tout en bois est très fréquenté en haute saison, et la carte affiche des plats pour tous les goûts, des hamburgers et des pizzas au filet d'agneau. Bon café. Réservez ou soyez prêt à patienter en été. Ouvert plus tard, en tant que bar, le week-end.

Ströndin Bistro INTERNATIONAL €€
(☎ 487 1230 ; www.strondin.is ; Austurvegur 18 ; plats 1 950-4 200 ISK ; 6-22h). Derrière la station-service N1, cet établissement assez chic aux murs lambrissés a vue sur les colonnes marines. Optez pour une recette locale, comme la soupe à l'agneau ou le ragoût de poisson, ou un classique international tel qu'une pizza ou un hamburger.

Restaurant Lundi ISLANDAIS €€
(plats dîner 2 400-3 100 ISK ; 11h-21h). Le restaurant du Welcome Hotel Vík est apprécié des visiteurs pour ses classiques islandais (boulettes de viande, plats à base d'agneau, etc.).

Faire ses courses

Kjarval SUPERMARCHÉ
(☎ 487 1325 ; Víkurbraut 4 ; 10h-18h lun-ven, 10h-14h sam). Épicerie.

Vínbúðin VINS ET SPIRITUEUX
(Ránarbraut 1 ; 17h-18h lun-jeu, 14h-18h ven). Chaîne gouvernementale de vins et spiritueux ; horaires restreints.

Achats

Víkurprjón SOUVENIRS
(Austurvegur 20 ; 24h/24). Cette grande boutique de souvenirs et de tricots ouverte 24h/24, près de la station-service N1, remporte un franc succès auprès des groupes voyageant en bus. Passez voir les pull-overs de laine fabriqués sur place.

Renseignements

Centre d'information touristique
(☎ 487 1395 ; www.visitvik.is ; Víkurbraut 28 ; 11h-20h lun-ven, 13h-20h sam-dim juin-août, horaires réduits mai et sept ;). Situé dans Brydebúð ; Wi-Fi gratuit.

Depuis/vers Vík

Vík est l'un des principaux arrêts sur la ligne de bus Höfn-Reykjavík. Les bus s'arrêtent à la station-service N1.

Strætó (☎ 540 2700 ; www.straeto.is) :
- Bus n°51 Reykjavík-Vík-Höfn (Reykjavík-Vík 4 900 ISK, 2 heures 45, 2/jour). En prenant le premier bus, vous pouvez vous arrêter à Vík puis continuer vers Höfn à bord du second ; mais de septembre à mai, le service est réduit et vous ne pouvez pas compter sur cette correspondance.

Sterna (☎ 551 1166 ; www.sterna.is) :
- Bus nos12/12a Reykjavík-Vík-Höfn (Reykjavík-Vík 4 300 ISK, 4 heures, 1/jour juin à mi-sept).

Reykjavík Excursions (☎ 580 5400 ; www.re.is) :
- Bus nos20/20a Reykjavík-Skaftafell (Reykjavík-Skógar 7 500 ISK, 4 heures, 1/jour mi-juin à début sept).

➡ Bus n[os]21/21a Reykjavík-Skógar (Reykjavík-Skógar 6 000 ISK, 3 heures 30, 1/jour mi-juin à août). Lors de notre passage, l'une des deux liaisons quotidiennes pour Skógar allait jusqu'à Vík.

Est de Vík

Mælifell

Le **cône** volcanique (682 m) de Mælifell dressé au bord du glacier Mýrdalssandur et la campagne alentour offrent une vision spectaculaire. Le camping simple et idyllique de **Þakgil** (☎893 4889 ; www.thakgil.is ; Höfðarbrekkuafrétti ; empl 1 500 ISK/pers, chalets 20 000 ISK ; ⏱juin-août), dans une cuvette verte entourée d'austères montagnes, possède des douches et des chalets avec sdb et kitchenette, et constitue une base pratique pour explorer les alentours. Vous pourrez monter sur le Mælifell ou même sur le glacier : un sentier conduit au *nunatak* (colline ou montagne entièrement entourée par un glacier) Huldufjöll. Pour rejoindre Þakgil en voiture, suivez sur 14 km la Route 214, une mauvaise piste de terre qui part de la Route circulaire à 5 km environ à l'est de Vík. Il est aussi possible d'y accéder à pied par un sentier au départ de Vík.

De la Route 214, à 5,5 km à l'est de Vík, le vaste **Hótel Katla-Höfðabrekka** (☎487 1208 ; www.hofdabrekka.is ; Höfðabrekka ; d petit-déj inclus à partir de 20 000 ISK ; ⏱mars-oct ; @📶) loue 72 chambres lambrissées confortables, et possède 4 *hot pots* et un restaurant.

Mýrdalssandur

Les vastes champs de sable volcanique noir de Mýrdalssandur, à l'est de Vík, ont été formés par la projection de matériaux provenant du volcan caché sous le Mýrdalsjökull durant les éruptions du Katla. Ce désert de 700 km² lugubre et désolé frappe les imaginations (certains disent qu'il est hanté). Il paraît inhabité, mais on y voit couramment des renards arctiques et des oiseaux marins.

Au sud de la Route circulaire, le petit pic de **Hjörleifshöfði** (221 m) se dresse au-dessus des sables et offre une belle vue sur les Vestmannaeyjar. De l'autre côté de la Route 1, la verte colline d'**Hafursey** (582 m) constitue une autre option de randonnée depuis Vík.

GÉOPARC DE KATLA

En 2011, l'Islande a créé son premier "géoparc" pour protéger une région d'une grande importance géologique, promouvoir la culture locale et le développement durable, et éduquer les visiteurs. Le **géoparc de Katla** (☎560 2043 ; www.katlageopark.is) s'étend de Hvolsvöllur au nord-est jusqu'au grand Vatnajökull et aux plages de sable noir volcanique. Il comprend le volcan homonyme, le fameux Eyjafjallajökull et les terres torturées de Lakagígar. Au total, il représente 9% de la superficie de l'Islande.

De tous les volcans islandais, le Katla apparaît comme le plus menaçant pour les prochaines années. Ce volcan très actif, de 30 km de longueur, profondément enfoui sous la calotte glaciaire du Mýrdalsjökull, connaît en moyenne deux éruptions par siècle. La dernière ayant eu lieu en 1918, la suivante est en retard de plusieurs décennies.

Lorsque la nouvelle phase éruptive se produira, on s'attend, après l'explosion initiale, à des jours et des jours de retombées de cendres, de nuages de téphras et d'éclairs foudroyants, accompagnés d'inondations dues à la fonte soudaine du glacier. La géologie montre que les éruptions passées ont causé des raz-de-marée qui ont ricoché sur les Vestmannaeyjar et créé un déluge dans la zone où se trouve aujourd'hui la ville de Vík.

Les habitants de la région suivent des entraînements réguliers pour se préparer à une éventuelle évacuation. En cas d'éruption, tous les téléphones portables à portée de réseau (y compris le vôtre) recevront une alerte. Une fois le signal lancé, les fermiers devront débrancher les clôtures électriques, ouvrir les étables et les écuries afin que les animaux puissent s'enfuir vers les hauteurs, afficher un panneau sur leur porte pour indiquer qu'ils ont quitté les lieux, puis se rendre dans l'un des centres d'évacuation à Hella, Hvolsvöllur ou Skógar.

Le parc n'a pas de bureau, mais son site Web donne des renseignements, et la chaîne de télévision nationale RÚV a installé une webcam près de Vík, prête à filmer les coulées lorsque le Katla entrera en éruption (à voir sur www.ruv.is/katla).

VESTMANNAEYJAR (ÎLES VESTMANN)

Déchiquetées et noires, les Vestmannaeyjar (aussi appelées îles Vestmann) forment un groupe de 15 silhouettes qui attire l'œil, sur la côte sud. Ces îles furent formées par l'éruption de volcans sous-marins il y a quelque 11 000 ans, à l'exception de Surtsey, la plus jeune de l'archipel, qui surgit des vagues en 1963. Surtsey a été classée en 2008 au patrimoine mondial ; de par son statut exceptionnel, il n'est possible d'y débarquer que dans le cadre d'études scientifiques.

Heimaey est la seule des îles à être habitée. Sa petite ville au port bien abrité est encadrée par de spectaculaires *klettur* (escarpements) et par deux volcans menaçants, l'Eldfell rouge sang et le conique Helgafell. De nos jours, Heimaey est connue pour ses macareux (une dizaine de millions d'oiseaux viennent couver ici), pour le festival de Þjóðhátíð (le plus grand festival en plein air d'Islande, en août), et pour son nouveau musée des Volcans.

Heimaey

La petite ville d'Heimaey est enfermée dans une forteresse de lave déchiquetée. Son port est niché au bout d'un chenal tortueux qui sillonne entre des falaises à pic abritant quantité de nids d'oiseaux. Bien qu'elle ne soit qu'à quelques kilomètres du continent, Heimaey semble perdue au bout du monde, au milieu des eaux glaciales de l'Atlantique Nord.

Pendant des siècles, l'île a été la cible des maraudeurs. Les Anglais ont lancé des raids sur Heimaey durant tout le XVe siècle et ont bâti le fort de Skansinn pour y établir leur quartier général. En 1627, Heimaey fut pillée par des pirates algériens qui tuèrent 36 habitants et en capturèrent 242 autres (soit près des trois quarts de la population). Seuls en réchappèrent ceux qui étaient descendus en rappel le long des falaises ou s'étaient cachés dans des grottes le long de la côte ouest. Les captifs furent vendus comme esclaves en Afrique du Nord. Des années plus tard, 27 d'entre eux virent leur liberté rachetée et rentrèrent au pays après un interminable voyage.

Les volcans à qui Heimaey doit sa formation ont aussi failli détruire l'île à plusieurs reprises. La plus fameuse éruption des temps modernes eut lieu en 1973 : une énorme faille s'ouvrit, laissant place au volcan Eldfell et provoquant l'évacuation de l'île.

À voir et à faire

Les sites d'intérêt de l'île se concentrent dans le village principal, près des vestiges de Skalinn, dans le fascinant champ de lave récent et autour des volcans, ainsi que sur les falaises d'où l'on peut observer les macareux.

Dénichez un exemplaire de *Hiking High in Vestmannaeyjar* ou demandez à l'office du tourisme une carte détaillée des randonnées pédestres et cyclistes d'Heimaey. Les balades dans les champs de lave, le long des zones de nidification et sur les plages occidentales de l'île, sont particulièrement dépaysantes. L'office du tourisme loue des vélos (2 700 ISK/2 heures).

Il y a une **piscine** d'eau de mer (Sundlaug Vestmannaeyja ; 488 2400 ; Brimhólabraut ; adulte/enfant 500/180 ISK ; 6h15-21h lun-ven, 10h-19h sam-dim) complétée de *hot pots*, d'un toboggan et d'une salle de sport.

Centre-ville

Eldheimar MUSÉE

(Pompéi du Nord ; 488 2000 ; www.eldheimar.is ; Gerðisbraut 10 ; adulte/10-18 ans/-de 10 ans 1 900/1 000 ISK/gratuit ; 11h-18h juin à mi-sept, horaires réduits le reste de l'année). Plus de 400 constructions reposent sous la lave de l'éruption de 1973, et au bord de cette coulée, le nouveau musée de la "Pompéi du Nord" est organisé autour d'une maison qui a été dégagée de 50 m de ponce, dans l'ancien Suðurvegur. Le bâtiment moderne du musée, en pierre volcanique, permet de voir l'intérieur de la maison avec ses murs en ruine et son mobilier renversé mais intact. Il relate de manière interactive l'éruption et ses conséquences, à l'aide d'images fascinantes et de témoignages sur l'histoire de la maison et de ses propriétaires.

Un audioguide vous accompagnera dans tout le musée. À l'étage, vous trouverez une passerelle qui surplombe les ruines, un espace dédié à l'île Surtsey (p. 166), et un café offrant une vue panoramique sur la ville.

Skansinn FORT, QUARTIER HISTORIQUE

Ce bel espace vert en bord de mer regroupe plusieurs curiosités historiques uniques. Le fort de Skansinn, la plus ancienne structure de l'île, fut construit au XVe siècle pour défendre le port (ce qui n'empêcha pas les

Heimaey

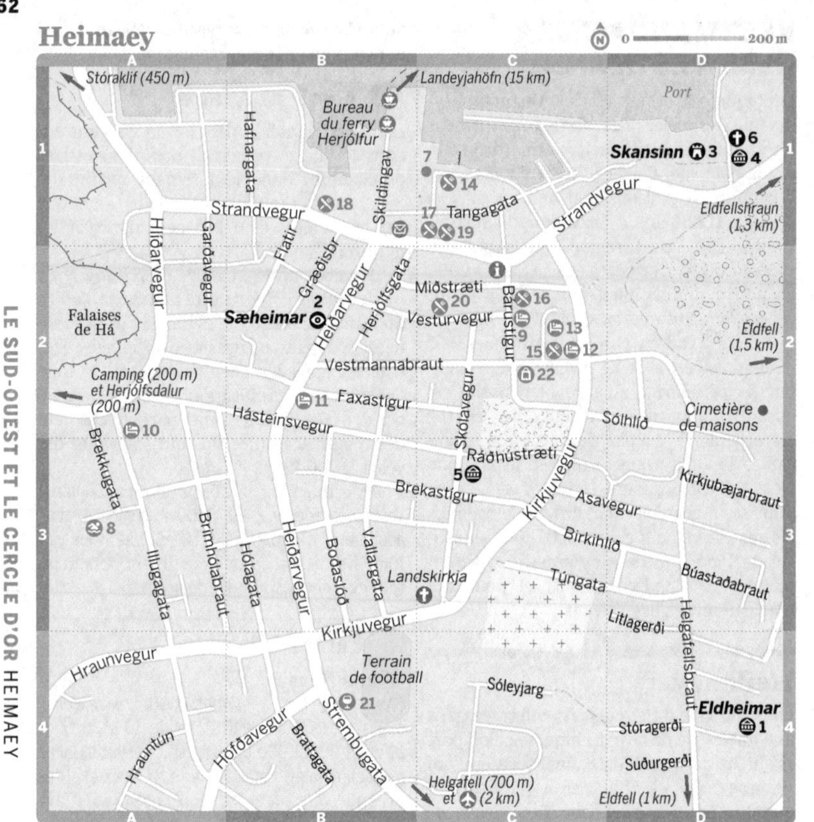

Heimaey

Les incontournables
1 Eldheimar D4
2 Sæheimar B2
3 Skansinn D1

À voir
4 Landlyst D1
5 Sagnheimar Byggðasafn C3
6 Stafkirkjan D1

Activités
7 Ribsafari C1
8 Piscine A3
Viking Tours .... (voir 14)

Où se loger
9 Aska Hostel C2
10 Gistiheimilið Árný A2
11 Gistiheimilið Hreiðrið B2
12 Hótel Vestmannaeyjar C2
13 Sunnuhöll HI Hostel C2

Où se restaurer
14 Café Kró C1
15 Einsi Kaldi C2
16 Gott C2
17 Krónan C1
18 Slippurinn B1
19 Vínbúðin C1
20 Vöruval C2

Où sortir
21 Höllin B4

Achats
22 Útgerðin C2

pirates algériens de débarquer en 1627 de l'autre côté de l'île). Ses murs, dévastés par la lave en 1973, ont été partiellement rebâtis. Au-dessus, on voit les vestiges des **anciennes citernes** de la ville défoncées par la roche en fusion.

➡ **Landlyst** MUSÉE
(⌚11h-17h mi-mai à mi-sept). GRATUIT Le taux de mortalité infantile à Heimaey atteignait le chiffre record de 80% jusqu'à ce que l'on envoie dans les années 1840 une femme de l'île, Sólveig, se former à l'étranger au métier de sage-femme. Landlyst, une petite maison de bois, est l'ancienne maternité de Sólveig (et le deuxième plus ancien bâtiment de l'île). Elle abrite aujourd'hui une petite exposition qui présente son matériel de saignée et d'autres instruments médicaux du XIXe siècle.

➡ **Stafkirkjan** ÉGLISE
(⌚11h-17h mi-mai à mi-sept). Recouverte de bitume, la **Stafkirkjan** est la réplique d'une église médiévale en bois, offerte par le gouvernement norvégien, en 2000, pour célébrer un millénaire de christianisme.

♥ **Sæheimar** AQUARIUM, MUSÉE
(☎481 1997 ; www.saeheimar.is ; Heiðarvegur 12 ; adulte/enfant 1 000 ISK/gratuit ; ⌚11h-17h mi-mai à mi-sept, 13-16h sam mi-sept à mi-mai). Cet aquarium et musée d'Histoire naturelle présente une collection intéressante d'animaux et d'oiseaux empaillés, des vidéos sur les macareux et les poissons-chats, et des aquariums où évoluent des poissons endémiques à l'Islande. Il est parfait pour les familles, et l'on y voit souvent de jeunes macareux qui se promènent en titubant – le musée fait aussi office d'hôpital pour ces derniers. Billet combiné avec Sagnheimar Byggðasafn 1 500 ISK.

Sagnheimar Byggðasafn MUSÉE
(musée des Arts et Traditions populaires ; ☎488 2045 ; www.sagnheimar.is ; Raðhústræti ; adulte/enfant 1 000/600 ISK ; ⌚11h-17h mi-mai à mi-sept, 13h-16h sam mi-sept à mi-mai). Installé dans la bibliothèque municipale, ce musée interactif raconte l'histoire d'Heimaey depuis l'époque des pirates en maraude jusqu'aux éruptions de 1979 et ultérieures. Les expositions rendent également hommage aux héros sportifs et aux oiseaux de l'île.

Stóraklif et Heimaklettur PANORAMA
Une ascension de 30 minutes mène au sommet de la vertigineuse Stóraklif. Le sentier part de la piste de 4x4, derrière la station-service N1 du port. Il est jalonné de cordes et de chaînes (pas totalement fiables) à mesure qu'il devient plus raide. Le chemin est traître et terrifiant, mais les courageux seront récompensés par une vue exceptionnelle. Un peu plus loin sur la digue, Heimaklettur est plus risqué, avec des échelles qui brinquebalent dangereusement. Les deux sont des sites superbes pour voir des macareux couver. Mais s'il pleut ou que le sol est glissant, ne vous y risquez pas.

Cimetière de maisons SITE REMARQUABLE
Si vous vous approchez de la coulée de lave de l'éruption de 1973, vous verrez le bord d'un quartier où plus de 400 constructions sont ensevelies, et dont certaines parties émergent.

Hors de la ville

♥ **Eldfellshraun** CHAMP DE LAVE
Connues sous le nom d'Eldfellshraun, les terres gagnées sur la mer par la coulée de lave de 1973 sont aujourd'hui sillonnées par un dédale de **sentiers de randonnée** descendant du fort et du cimetière de maisons jusqu'à la côte est. Vous découvrirez là des petites **plages de sable noir**, le **jardin sur lave de Gaujulundur** et un **phare**.

♥ **Eldfell** VOLCAN
Le cône volcanique de l'Eldfell, qui atteint 221 m de hauteur, a surgi au petit matin le 23 janvier 1973. Après l'éruption, la chaleur du volcan alimenta Heimaey en énergie géothermique de 1976 à 1985. Aujourd'hui, le sol reste encore si chaud par endroits qu'on peut y cuire un pain. Depuis la ville, on grimpe facilement en haut de l'Eldfell par la paroi nord effondrée du cratère. Ne quittez pas le sentier : les habitants de l'île cherchent à préserver de l'érosion leur plus récent volcan.

Helgafell VOLCAN
L'éruption de l'Helgafell (226 m) remonte à 5 000 ans. L'herbe a aujourd'hui recouvert ses cendres et l'on y grimpe sans grande difficulté depuis le terrain de football situé sur la route de l'aéroport.

Herjólfsdalur SITE
GRATUIT Sur un site vert et herbeux, protégé par un volcan éteint, Herjólfsdalur fut la maison du premier colon des Vestmannaeyjar, Herjólfur Barðursson. Des fouilles ont mis au jour les vestiges d'une maison scandinave, sur lesquels est maintenant érigée une reconstitution. Le camping de l'île est installé à proximité.

Sur les falaises à l'ouest du parcours de golf se dresse un petit **monument** dédié

L'ÉRUPTION DE 1973

Sans aucun signe avant-coureur, le 23 janvier 1973, à 1h45 du matin, une gigantesque explosion retentit dans la nuit, tandis qu'une faille volcanique de 1,5 km de longueur entaillait la partie est de l'île. La zone éruptive se concentra progressivement en un cône volcanique qui se mit à grandir, projetant des torrents de lave et des cendres dans le ciel.

Alors que les bateaux de pêche auraient dû être en mer, un vent de force 12 les avait contraints à rester au port la veille. Le temps qui s'était calmé et la présence des bateaux au port ont permis aux quelque 5 000 habitants de l'île de l'évacuer – à l'exception de 200 à 300 d'entre eux. Il n'y eut qu'une seule victime (due aux gaz toxiques).

Au cours des cinq mois qui suivirent, plus de 30 millions de tonnes de lave se déversèrent sur Heimaey, détruisant 360 maisons et créant une nouvelle montagne, l'Eldfell, un cône de braise rouge. Un tiers de la ville fut enseveli sous la lave ; l'île vit sa superficie accrue de 2,5 km^2.

Tandis que l'éruption se poursuivait, la lave qui avançait menaçait de bloquer le port et de rendre l'évacuation définitive – sans la pêche, il y avait peu de moyens de survivre sur l'île. Pour tenter de ralentir l'inexorable flux de roche fondue, les pompiers arrosèrent la lave en déversant sur elle plus de 6 millions de tonnes d'eau de mer. Refroidie, la coulée s'arrêta à 175 m seulement de l'entrée du port, formant même un abri supplémentaire.

Les habitants de l'île, cantonnés sur le continent dans leur famille et chez leurs amis, observaient de loin les éruptions, se demandant s'ils pourraient un jour revenir chez eux. Puis, au bout de cinq mois, l'éruption prit fin. Et les deux tiers des habitants retournèrent sur l'île pour affronter la dure phase de l'opération de nettoyage.

Le magnifique musée Eldheimar (p. 161) permet d'en apprendre plus sur l'éruption.

aux 200 personnes qui se sont converties au mormonisme et sont parties pour l'Utah au XIXe siècle.

Westman Islands Golf Course GOLF
(☎481 2363 ; www.gvgolf.is). Les golfeurs peuvent louer des clubs dans ce merveilleux parcours sauvage de 18 trous en bord de mer, à Herjólfsdalur. L'accès aux greens coûte 7 000 ISK.

Côte ouest RANDONNÉE, OBSERVATION DES OISEAUX
Quelques sentiers difficiles parcourent les pentes raides aux alentours d'Herjólfsdalur, et longent le sommet de Norðklettur jusqu'à **Stafnsnes**, l'une des plus importantes zones de nidification des macareux. L'ascension se révèle grisante, ponctuée de quelques impressionnants abrupts. Une randonnée plus facile longe la côte ouest vers le sud en passant au-dessus de grottes de lave où les habitants de l'île se réfugièrent pour échapper aux pirates en 1627. À **Ofanleitishamar**, des centaines de macareux moines nichent dans les falaises.

Stórhöfði RANDONNÉE, OBSERVATION DES OISEAUX
Une **station météorologique** a été construite sur Stórhöfði (122 m), la péninsule rocheuse à la pointe sud de l'île. Relié par un isthme étroit (formé par la lave provenant de l'éruption de l'Helgafell il y a 5 000 ans), Stórhöfði offre une vue magnifique depuis son sommet. À mi-chemin de la colline environ, vous trouverez un **abri d'observation** d'où admirer les macareux ; prenez le premier embranchement vers la droite jusqu'au bout d'un sentier balisé qui traverse un pâturage à moutons.

Il est possible de descendre jusqu'à la plage de rochers de **Brimurð**, de continuer vers le nord le long des falaises, sur la côte est, et de rentrer par une route située juste avant l'aéroport. De juin à août, **Kervíkurfjall** et **Stakkabót** sont de bons endroits pour observer les macareux.

Circuits organisés

Ribsafari EXCURSIONS EN BATEAU
(☎661 1810, 846 2798 ; www.ribsafari.is ; port ; sortie 1 heure adulte/enfant 8 000/4 500 ISK, excursion à Surtsey 16 500/9 500 ISK ; ⏲mi-avril à mi-oct). Des Zodiac partent pour un circuit quotidien d'une heure (11h, 14h ou sur rdv) dans l'archipel. La taille du bateau permet au capitaine de pénétrer dans de petites grottes et de se faufiler entre les rochers pour approcher les colonies d'oiseaux. Les excursions en bateau de location pour Surtsey (attention, vous ne pourrez pas descendre

du bateau) requièrent 10 personnes au minimum.

Vous pouvez faire le tour de tout l'archipel moyennant 11 500/6 500 ISK (1 heure 40).

Viking Tours BATEAU, BUS
(☎ 488 4884 ; www.vikingtours.is ; port ; ⏲ mi-mai à mi-sept). Réservez une excursion en bateau (adulte/enfant 5 900/4 900 ISK) ou en bus (adulte/enfant 4 900/3 900 ISK) au Cafe Kró (p. 166) auprès du sympathique personnel de Viking Tours. Le bateau effectue le tour complet de l'île, ralentit près des grands sites de nidification des oiseaux sur la côte sud et pénètre dans la grotte marine de Klettshellir. Les horaires sont calés sur les départs des ferries : c'est pratique si vous êtes là pour la journée.

Lyngfell ÉQUITATION
(☎ 898 1809 ; www.lyngfell.123.is). Lyngfell, sur la route de Stórhöfði, propose des balades à cheval (6 000 ISK/1 heure).

Lukku ÉQUITATION
(☎ 481 1478 ; lukkan@hestaleigave.com). Promenades à cheval sur la côte et dans les champs de lave.

Segway Tours CIRCUIT EN SEGWAY
(☎ 891 6818 ; www.segwaytours.is). Visite guidée de la ville en Segway.

Festival

♥ Þjóðhátíð MUSIQUE
(Festival national ; www.dalurinn.is ; 18 900 ISK). Le plus grand festival en plein air du pays attire quelque 17 000 personnes du côté d'Herjólfsdalur le dernier week-end de juillet ou le premier week-end d'août. Musique, danse, feux de joie, feux d'artifice... L'alcool aidant, ces trois jours de fête servent aussi de prétexte à toutes les débauches, qui prennent des allures de rites de passage pour les adolescents. Une chanson est écrite à l'occasion de chaque festival.

Des vols supplémentaires sont assurés depuis Reykjavík ; réservez le transport et l'hébergement plusieurs mois à l'avance.

La naissance de ce festival remonte à l'année où le mauvais temps empêcha les habitants des Vestmannaeyjar de rejoindre le continent pour participer aux célébrations de la première Constitution de l'Islande (1er juillet 1874). Les habitants de l'île organisèrent leurs propres festivités un mois plus tard, tradition qui se perpétue chaque année depuis lors.

Où se loger

La traversée en ferry dure 30 minutes, et beaucoup de visiteurs viennent aux Vestmannaeyjar pour la journée, mais nous vous recommandons vivement de passer une nuit sur place. En dehors de la période du festival, il n'est généralement pas difficile de trouver à se loger. Liste exhaustive des hébergements sur www.vestmannaeyjar.is.

Gistiheimilið Hreiðrið PENSION €
(☎ 481 1045 ; tourist.eyjar.is ; Faxastígur 33 ; s/d/qua sans sdb 7 500/12 000/18 000 ISK ; 📶). Tenue par la serviable Ruth, cette charmante pension donne l'impression d'être en famille. Elle comprend une cuisine bien équipée et un salon TV confortable, et organise aussi des visites pédestres en été. L'option duvet coûte 4 200 ISK.

Aska Hostel AUBERGE DE JEUNESSE €
(☎ 662 7266 ; Bárustigur 11 ; dort/d/qua sans sdb 4 400/13 900/21 300 ISK ; 📶). Ce bâtiment ancien d'un jaune très gai abrite une nouvelle auberge de jeunesse au centre du village.

Gistiheimilið Árný PENSION €
(☎ 899 2582 ; www.arny.is ; Illugagata 7 ; d sans sdb 12 500 ISK ; 📶). Un couple charmant tient cette maison impeccable en lisière de la ville, où les hôtes profitent d'une cuisine et d'un lave-linge. Vue magnifique depuis les chambres du haut, et sympathique espace dîner en véranda.

Sunnuhöll HI Hostel AUBERGE DE JEUNESSE €
(☎ 481 2900 ; www.hotelvestmannaeyjar.is ; Vestmannabraut 28 ; dort 4 500 ISK ; 📶). Nous avons un petit faible pour cette auberge confortable à l'ambiance calme et décontractée et sa poignée de chambres proprettes. Avec la mode des excursions à la journée, les dortoirs sont rarement pleins. Réception à l'Hótel Vestmannaeyjar. Remise de 700 ISK pour les membres HI.

Camping d'Herjólfsdalur CAMPING €
(Tjaldsvæði ; empl 1 300/pers ; ⏲ juin-août). Dans la verdoyante cuvette d'un volcan éteint, le camping d'Herjólfsdalur possède des douches chaudes, une laverie et une cuisine. Vous pouvez aussi planter votre tente plus à l'intérieur des terres et en face du terrain de football de Þórsheimili, où il y a moins de vent.

SURTSEY

En novembre 1963, l'équipage du bateau de pêche *Ísleifi II* remarqua un étrange phénomène : la mer au sud d'Heimaey semblait être en feu. Au lieu de s'enfuir, le bateau se rapprocha ; l'équipage fut le premier à apercevoir l'île la plus récente du monde...

Une incroyable éruption sous-marine, qui dura 4 ans et demi, rejeta des cendres et des scories qui formèrent un îlot de 2,7 km² (aujourd'hui réduit par l'érosion à 1,4 km²). On l'appela Surtsey (île de Surtur), du nom du géant du feu norrois qui réduira le monde en cendres à l'heure du Ragnarök.

Il fut décidé que cette île stérile ferait un laboratoire idéal pour observer comment les plantes et les animaux colonisent un nouveau territoire. **Surtsey** (www.surtsey.is) est donc interdite au public, sauf à un petit nombre de scientifiques spécialistes de la biocolonisation. Les chercheurs ont ainsi pu découvrir qu'un des premiers immigrants sur l'île fut l'*Anabaena variabilis*, une algue bleu-vert microscopique. Autre révélation : des fossiles transportés par la lave durant l'éruption font maintenant partie de l'île.

Vous aurez un bon aperçu de la naissance tumultueuse de Surtsey en visitant l'exposition du musée Eldheimar (p. 161). Rib Safari et Viking Tours organisent des excursions en bateau autour de l'île s'il y a suffisamment de personnes intéressées.

Hótel Vestmannaeyjar HÔTEL €€
(☎481 2900 ; www.hotelvestmannaeyjar.is ; Vestmannabraut 28 ; d/qua petit-déj inclus 24 700/30 500 ISK ; @📶). Le tout premier cinéma d'Islande est devenu un hôtel agréable, aux chambres modernes (certaines avec une belle vue sur le port et la ville). Le personnel est sympathique et le restaurant Einsi Kaldi en bas est excellent.

Où se restaurer et prendre un verre

Si l'île donne un sentiment d'isolement, Heimaey possède une étonnante scène culinaire. En plus des établissements indiqués ci-dessous, on trouve un bon choix de cafés et de restaurants dans Bárustigur et les rues alentour. Plusieurs stations-service disposent d'un snack-bar de restauration rapide.

Café Kró CAFÉ €
(port ; en-cas 200-1 200 ISK ; ⏲10h-18h mi-mai à mi-sept ; 📶). Le Café Kró, touristique, est géré par Viking Tours. Il sert café, thé, gâteaux et soupes.

♥ **Slippurinn** ISLANDAIS €€
(☎481 1515 ; www.slippurinn.com ; Strandvegur 76 ; plats 2 000-3 900 ISK ; ⏲17h30-23h dim-jeu, 17h30-1h ven-sam ; 📶). Le Slippurinn, très animé, occupe l'étage supérieur joliment rénové d'un atelier de mécanique qui servait autrefois à la maintenance des bateaux du port, sur lequel on a une très belle vue. Les étagères à outils sont encore en place, et les tables sont faites de planches récupérées des bateaux. Délicieusement islandaise, la carte comporte une touche méditerranéenne colorée.

♥ **Gott** BIOLOGIQUE €€
(☎431 3060 ; Bárustigur 11 ; plats 1 290-2 650 ISK ; 🖉). On sert ici une cuisine fusion soignée, à base de produits biologiques, sains et frais, dans une salle à manger pimpante. Goûtez le filet de cabillaud à la purée de chou-fleur ou la galette d'épeautre au poulet grillé. Plats végétariens également.

♥ **Einsi Kaldi** POISSON €€€
(☎481 1415 ; www.einsikaldi.is ; Vestmannabraut 28 ; plats 2 700-6 000 ISK ; ⏲11h30-15h30 et 17h-22h mi-mai à mi-août, 17-22h mi-août à mi-mai). Au rez-de-chaussée de l'hôtel Vestmannaeyjar, l'Einsi Kaldi est le restaurant le plus chic d'Heimaey, avec des recettes de la mer bien préparées et un éclairage d'ambiance moderne.

Höllin BAR
(☎896 6818 ; Strembugata 13). Le théâtre de la ville dispose d'un bar à l'étage, l'Háaloftð (ouvert ven-sam de 12h à tard le soir – certains jeudis aussi), où les gens du coin se retrouvent, parfois pour des concerts. Consultez leur page Facebook (Háaloftið Vestmannaeyjum) pour connaître le programme.

Faire ses courses

Vöruval SUPERMARCHÉ
(Vesturvegur 18 ; ⏲9h-19h). Épicerie sous un dôme géodésique.

Krónan SUPERMARCHÉ
(Strandvegur 48 ; ⏲11h-19h lun-ven, 11h-18h sam-dim)

Vínbúðin VINS ET SPIRITUEUX
(☎481 1301 ; Strandvegur 50 ; ⊙11h-18h lun-jeu, 11h-19h ven, 11h-16h sam). Chaîne gouvernementale de vins et spiritueux.

Achats

Útgerðin VÊTEMENTS, ARTISANAT
(☎481 1062 ; Vestmannabraut 37 ; ⊙10h-19h). Ce magasin, vaste et moderne, est un bon endroit pour acheter de l'artisanat islandais et des créations.

Renseignements

Centre d'information touristique
(www.vestmannaeyjar.is ; Strandvegur ; ⊙9h-18h lun-ven, 10h-17h sam, 13h-17h dim juin-août ;). Des jeunes du coin tiennent l'office du tourisme l'été dans un café-librairie. On y trouve des brochures et des cartes de randonnées.

Comment s'y rendre et circuler

AVION

L'aéroport des Vestmannaeyjar
(Vestmannaeyjaflugvöllur ; VEY) est à 3 km du centre d'Heimaey ; un **taxi** (☎897 1190) vous y emmène pour 2 500 ISK, ou vous pouvez marcher. Lors de nos recherches, aucun vol n'était programmé au départ de Bakki (près du terminal des ferries de Landeyjahöfn), mais on pouvait effectuer une excursion en avion avec Atlantsflug (p. 143) en ne prenant que l'aller et en restant à Heimaey.

Eagle Air (☎562 4200 ; www.eagleair.is) assure deux vols quotidiens entre l'aéroport domestique de Reykjavík et les Vestmannaeyjar (20 000 ISK environ l'aller).

BATEAU

Le ferry **Herjólfur** (☎481 2800 ; www.eimskip.is ; adulte/enfant/voiture/vélo 1 260/630/2 030/630 ISK) d'Eimskip relie toute l'année Landeyjahöfn (à 12 km environ de la Route circulaire entre Hvolsvöllur et Skógar) à Heimaey. Le trajet dure environ 30 minutes. Il faut toujours réserver si vous avez une voiture. En haute saison, il est conseillé de le faire également si vous êtes simple passager, surtout aux heures de pointe pour les visites d'une journée : le matin vers les Vestmannaeyjar et l'après-midi pour le retour. Il faut arriver 30 minutes avant le départ. Le terminal de Landeyjahöfn dispose de billetteries automatiques, de sanitaires et de l'eau courante, mais c'est tout.

Du 15 mai au 14 septembre, des bateaux quittent les Vestmannaeyjar quotidiennement à 8h30, 11h30, 14h30, 17h30 et 20h30 (le mardi, pas de bateau à 14h30). Depuis Landeyjahöfn, les bateaux appareillent à 10h, 13h, 16h, 19h et 22h (pas de bateau à 16h le mardi). Hors saison, les services pour les Vestmannaeyjar sont plus réduits.

Si le temps est vraiment mauvais (été ou hiver), le port de Landeyjahöfn peut se charger de sable, et les départs/arrivées se feront alors de/à Þorlákshöfn, deux fois par jour seulement. La traversée prend 2 heures 45, et elle est sensiblement plus chère. Les changements sont indiqués sur le site Web et la page Facebook de la compagnie, et vous devrez refaire votre réservation. Comptez 2 heures en voiture pour aller vers l'ouest de Landeyjahöfn à Þorlákshöfn.

Pour aller de/vers Landeyjahöfn, le bus n°52 de **Strætó** (☎540 2700 ; www.bus.is) fait le parcours Reykjavík (Mjódd)-Hveragerði-Selfoss-Hella-Hvolsvöllur-Landeyjahöfn (3 500 ISK, 2 heures 15, 3/jour en été) ; il y a aussi un **taxi** (☎862 1864) à Landeyjahöfn.

L'Ouest

Dans ce chapitre

Le top des restaurants

- Narfeyrarstofa (p. 182)
- Restaurant du musée de la Colonisation (p. 174)
- Fjöruhúsið (p. 190)
- Plássið (p. 182)
- Gamla Rif (p. 187)

Le top des hébergements

- Hótel Egilsen (p. 182)
- Hótel Flatey (p. 183)
- Fljótstunga (p. 178)
- Lýsuhóll (p. 191)
- Bænir og Brauð (p. 182)

Pourquoi y aller

Géographiquement proche de Reykjavík mais à des années-lumière dans l'esprit, l'Ouest (Vesturland ; www.west.is) est un microcosme de ce que le pays peut offrir. Or nombre de visiteurs font l'impasse sur cette région merveilleuse, que vous pourrez donc découvrir sans doute en toute quiétude.

La péninsule de Snæfellsnes est prisée pour son glacier, le Snæfellsjökull, tandis que les environs de son parc national s'imposent pour l'observation des oiseaux et des baleines, les randonnées sur les champs de lave et l'équitation. Les terres au-delà de Reykholt sont ponctuées de tunnels de lave et de glaciers reculés, dont le Langjökull et ses nouvelles grottes de glace. Les Islandais chérissent ces terres pour leurs sagas : les célèbres *Saga des Gens du Val-au-Saumon* et *Saga d'Egill* ont pour cadre cette région aux eaux sombres, aujourd'hui jalonnée de cairns et dotée d'un musée exceptionnel à Borgarnes. Ici vous attendent des plages balayées par les vents, des villages historiques et des paysages fabuleux.

Distances par la route (km)

	Borgarnes	Húsafell	Stykkishólmur	Hellnar	Búðardalur
Húsafell	65				
Stykkishólmur	99	158			
Hellnar	122	179	90		
Búðardalur	79	103	86	145	
Reykjavík	74	129	173	194	152

HVALFJÖRÐUR

Hvalfjörður et ses environs possèdent un charme résolument champêtre, à seulement 30 minutes de route de la capitale. Certes la région n'a pas la majesté de la péninsule de Snæfellsnes, mais ses fjords se prêtent à de multiples excursions à la journée. Les voyageurs pressés de rejoindre Borgarnes et le secteur situé au-delà prendront le **tunnel** (1 000 ISK) de 5,7 km qui passe sous le fjord (interdit aux cyclistes).

Durant la Seconde Guerre mondiale, le fjord abritait une base de sous-marins qui a vu passer plus de 20 000 soldats américains et britanniques.

Sur la rive sud du Hvalfjörður se dresse l'imposant mont **Esja** (914 m), idéal pour une balade en pleine nature. Le chemin menant au sommet commence à Esjuberg, juste au nord de Mosfellsbær, et passe par **Krehólakambur** (850 m) et **Kistufell** (830 m).

À l'entrée du fjord, **Glymur**, la plus haute cascade d'Islande (198 m), est accessible en suivant la bifurcation pour Botnsdalur. Une fois arrivé à la fin de la route, il faut 2 heures pour atteindre la chute. Venez plutôt après de fortes pluies ou après la fonte des neiges pour la voir sous un jour spectaculaire.

De beaux vitraux signés Gerður Helgadóttir ornent l'**église** de la ferme de Saurbær, édifiée à la mémoire du révérend Hallgrímur Pétursson, qui y servit de 1651 à 1669 et composa l'œuvre religieuse la plus célèbre du pays, les *50 Hymnes de la Passion*.

Hvalfjörður compte plusieurs hébergements, dont l'**Hótel Glymur** (☎430 3100 ; www.hotelglymur.is ; d à partir de 44 300 ISK ; @ᯤ) qui offre des prestations très modernes (chambres en duplex "executive doubles" ou villas avec bassin privé) et un bon **restaurant**.

Akranes

6 744 HABITANTS

Nichée sous l'impressionnant **Akrafjall** (572 m), la ville d'Akranes se dresse au bout de la péninsule séparant Hvalfjörður de Borgarfjörður. Cette localité administrative et industrielle mérite une halte pour son grand **centre muséographique** (☎431 5566 ; www.museum.is ; adulte/enfant 500 ISK/gratuit ; ⏲10h-17h juin-août, 13h-17h sept-mai) regroupant un musée des Arts et Traditions populaires, un hangar à bateaux restauré, un séchoir, une église et plusieurs bateaux de pêche.

BORGARBYGGÐ

La petite ville animée de Borgarnes et son fjord, le Borgarfjörður, furent le point de débarquement de plusieurs colons islandais célèbres. En remontant dans la vallée parcourue de rivières, on découvre des fermes prospères, puis les hautes terres et leurs imposants tunnels de lave, au-delà desquels s'étendent des calottes glaciaires.

Borgarnes

1 824 HABITANTS

Modeste bourgade, Borgarnes n'en est pas moins animée. Chargée d'histoire – ce fut l'une des premières zones de peuplement du pays –, elle se tient sur un joli promontoire au bord du large Borgarfjörður. Dépassez les stations-service et gagnez la vieille ville pour plonger dans son ambiance sympathique et découvrir l'un des meilleurs musées d'Islande.

À voir

♥ **Musée de la Colonisation** MUSÉE

(Landnámssetur Íslands ; ☎437 1600 ; www.settlementcentre.is ; Brákarbraut 13-15 ; 1 expo adulte/enfant 1 900/1 500 ISK, 2 expos adulte/enfant 2 500/1 900 ISK ; ⏲10h-21h juin-sept, 11h-17h oct-mai ; ᯤ). Aménagé dans un entrepôt ingénieusement restauré à côté du port, l'incontournable musée de la Colonisation permet de fascinantes immersions dans l'histoire des premiers Islandais et l'âge des sagas. Il se divise en deux expositions qu'on visite chacune en une trentaine de minutes, l'une couvrant la découverte et la colonisation de l'île, l'autre consacrée aux aventures d'Egill Skallagrímsson (héros de la *Saga d'Egill)* et de sa famille. L'entrée comprend un audioguide détaillé en plusieurs langues.

BOIRE LOCAL À BORGARNES

Steðji Brugghús (☎896 5001 ; www.stedji.com ; visite 1 500 ISK ; ⏲sur rendez-vous). Cette petite brasserie familiale à 25 km au nord de Borgarnes, près de la Route 50, propose un petit choix de boissons : bière à la fraise, bière blonde et diverses bières de saison. Visite guidée sur rendez-vous, avec dégustation.

Reyka Vodka (www.reyka.com). La première distillerie d'Islande, à Borgarnes, produit une vodka cristalline.

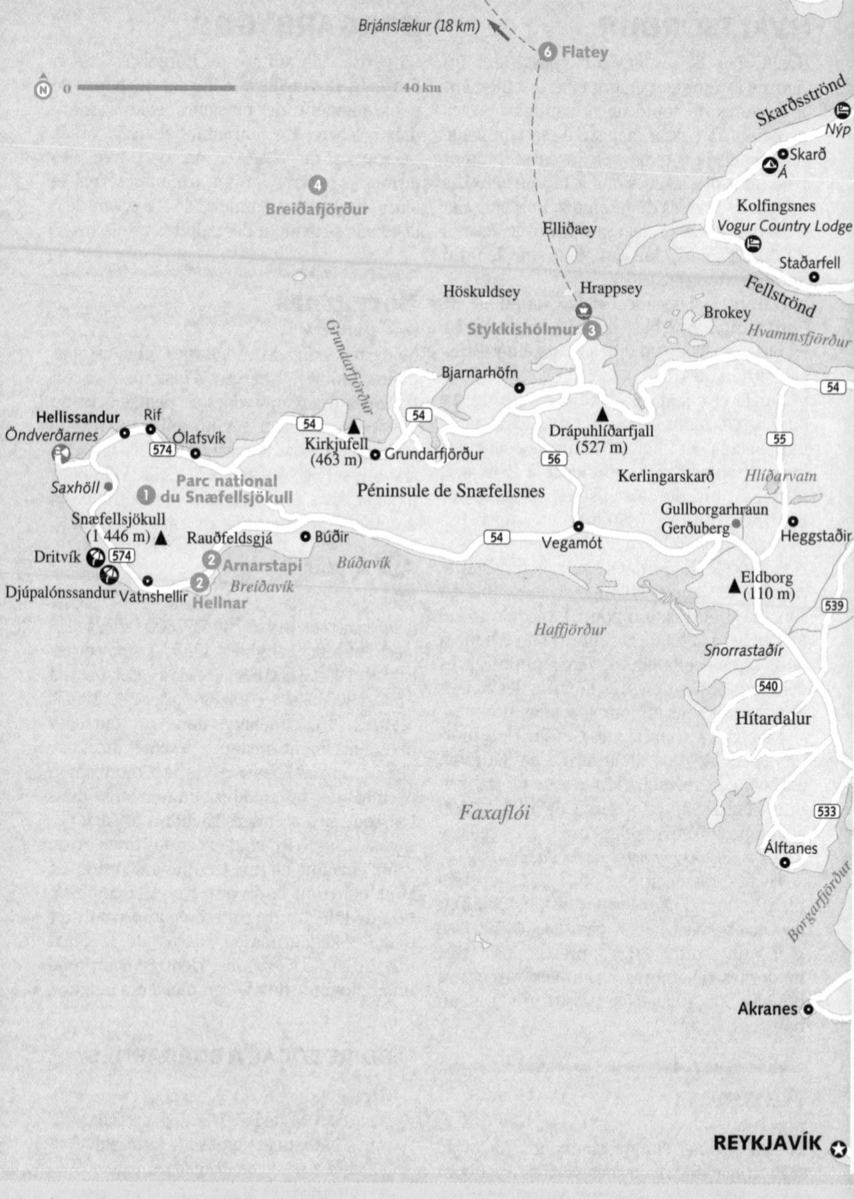

À ne pas manquer

1 Les champs de lave, les côtes venteuses et le Snæfellsjökull, cœur glacé du féerique **parc national du Snæfellsjökull** (p. 187)

2 Le sentier côtier entre **Hellnar** (p. 189) et **Arnarstapi** (p. 190), encadré par des rochers escarpés tapissés de mousse que survolent les oiseaux marins

3 Les maisons-bonbonnières de la ville portuaire de **Stykkishólmur** (p. 178)

4 Une sortie en bateau pour voir des macareux et des baleines sur le magnifique **Breiðafjörður** (p. 178)

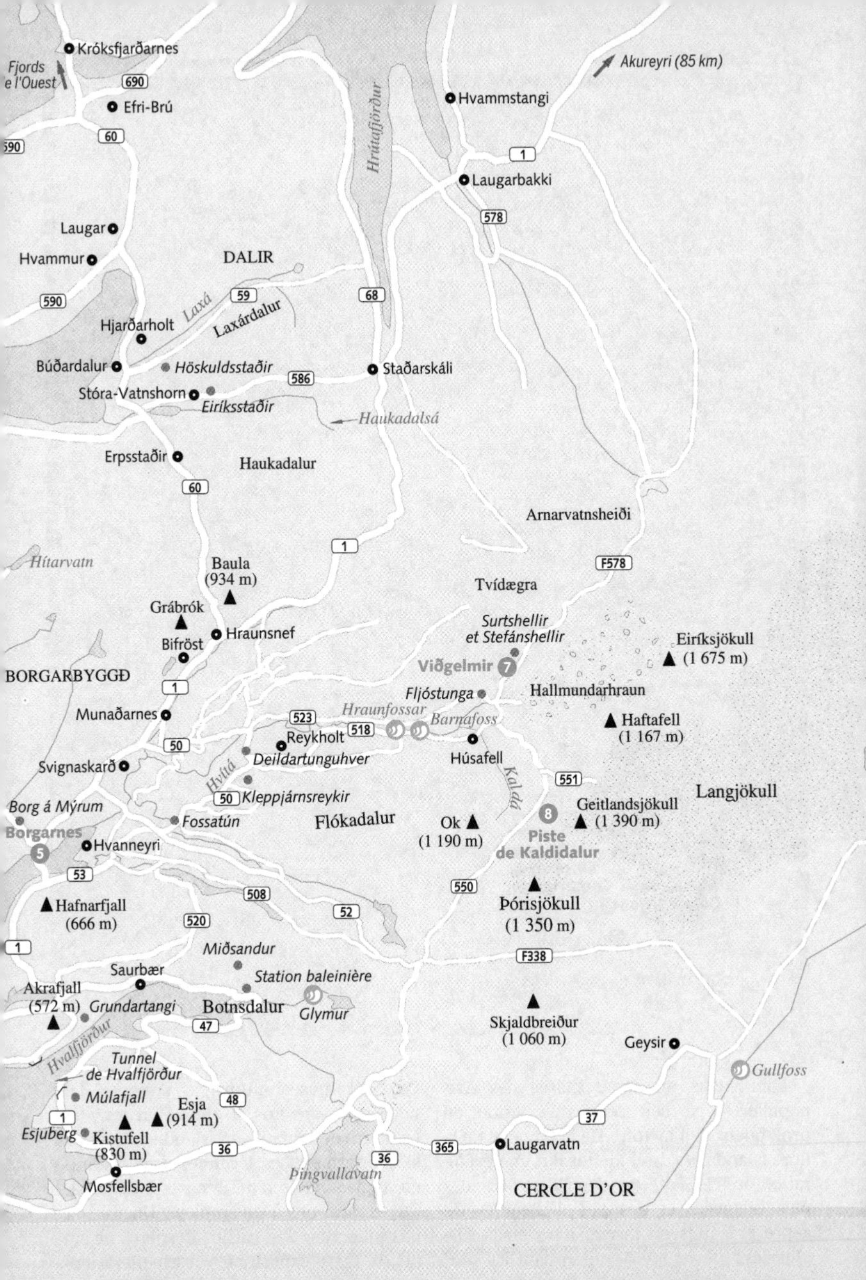

5 L'impressionnant musée de la Colonisation pour un retour à l'âge des sagas, dans la sympathique bourgade de **Borgarnes** (p. 169)

6 Une nuit (ou plus) sur l'île de **Flatey** (p. 183) pour oublier tous vos soucis

7 La descente dans les vestiges d'une terrible éruption volcanique à **Viðgelmir** (p. 177)

8 La vue sur les bords crevassés du glacier de Langjökull depuis la **piste de Kaldidalur** (p. 178)

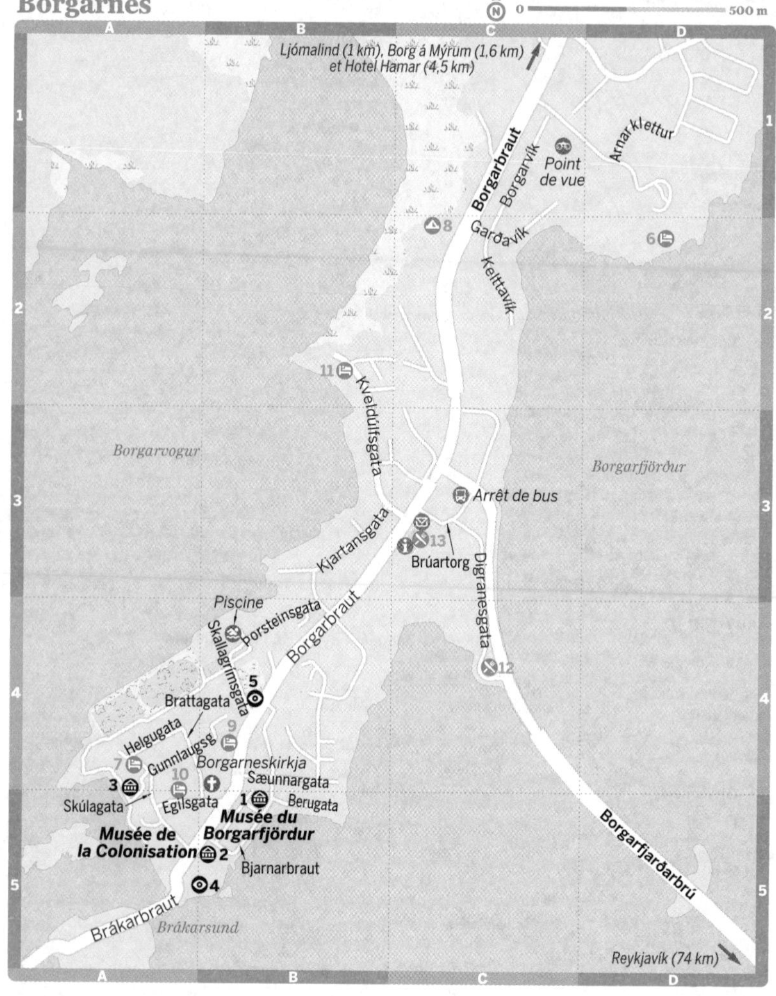

Loin d'être un banal musée des Arts populaires, ce lieu offre une vision en profondeur de l'histoire, de la faune et de la flore islandaises, prélude idéal à une exploration de l'île. La *Saga d'Egill* est l'une des plus nuancées et des plus haletantes du genre, et le musée a installé à travers la ville plusieurs **cairns** (p. 174) marquant les sites clés évoqués dans ce récit. On trouve aussi ici un excellent restaurant.

Musée du Borgarfjördur MUSÉE
(Safnahús ; ☎430 7200 ; www.safnahus.is ; Bjarnarbraut 4-6 ; adulte/enfant 900/600 ISK ; 13h-17h juin-août, horaires réduits sept-mai). Ce petit musée municipal présente d'innombrables photos et objets qui retracent l'histoire des enfants en Islande au cours du siècle dernier. Les légendes sont traduites en anglais, mais n'hésitez pas à demander des explications à un employé. Une histoire passionnante se cache derrière chaque photo. Cette exposition vous hantera longtemps après votre retour d'Islande.

Borg á Mýrum SITE REMARQUABLE
(Rocher dans les marécages). C'est à Borg á Mýrum, au nord-ouest de Borgarnes sur la Route 54, que Skallagrímur Kveldúlfsson, le père d'Egill, bâtit sa ferme lors de

Borgarnes

Les incontournables

À voir

Où se loger

Où se restaurer

la colonisation de l'Islande. Le lieu doit son nom au gros **rocher** (*borg*) situé derrière la ferme (aujourd'hui une propriété privée) ; on peut marcher jusqu'au **cairn** pour admirer la vue et visiter le petit **cimetière** abritant une vieille pierre tombale gravée de runes.

Une grande sculpture abstraite d'Ásmundur Sveinsson dépeint une scène de la *Saga d'Egill*, lorsque celui-ci, pleurant la mort de ses fils, reprit goût à la vie en composant un poème.

Brákin SITE REMARQUABLE

Þorgerður Brák était la nourrice d'Egill, sans doute une esclave celte. Dans l'un des épisodes les plus dramatiques de la *Saga d'Egill*, elle le sauva d'une tentative d'assassinat de la part de son père, Skallagrímur Kveldúlfssonn, et sauta dans la mer pour échapper à la colère de ce dernier. Une sculpture marque l'endroit où elle se jeta dans l'eau et mourut : frappée par une pierre que lui lança Skallagrímur, elle se noya.

Le détroit dans lequel elle périt, entre Borgarnes et l'îlot qui s'étend au large, s'appelle Brákarsund. La ville célèbre aussi un festival annuel en son honneur, le Brákarhátið.

Galerie d'art GALERIE

(Skúlagata 17 ; 16-18h mar, jeu et ven, 13h-16h sam). Au bord du fjord dans la vieille ville, cette charmante galerie renferme à l'étage plusieurs ateliers d'artistes : Gallerý Júlí, Gló et Sóla, qui vendent notamment des objets en lave et os, de la verrerie, des bijoux et des tableaux. On trouve aussi un restaurant, l'Edduveröld (p. 174).

Festival

Brákarhátíð CULTURE

(www.brakarhatid.is ; fin juin). La ville honore Þorgerður Brák, l'une des héroïnes de la *Saga d'Egill*, avec des décorations, des défilés, un concert et un match de football âprement disputé dans la boue.

Où se loger

Bjarg PENSION €

(437 1925 ; bjarg@simnet.is ; d sans sdb petit-déj inclus 14 500 ISK ;). Dans l'un des plus beaux sites de la région, ces chalets reliés les uns aux autres, à 1,5 km au nord du centre, dominent le fjord et les montagnes sur l'autre rive. Les chambres sont chaleureuses et confortables, avec boiseries et draps immaculés. Cuisines communes, bon petit-déjeuner buffet, barbecue, et sdb impeccables. Un chalet au toit végétalisé peut loger 4 personnes.

Borgarnes HI Hostel AUBERGE DE JEUNESSE €

(695 3366 ; www.hostel.is ; Borgarbraut 11-13 ; dort 4 100 ISK, d avec/sans sdb 15 500/11 200 ISK ; @). Une auberge sans prétention. Malgré les masques africains sur les murs en parpaings, on se croirait dans un internat de lycée. Remise de 700 ISK aux adhérents HI.

Camping de Borgarnes CAMPING €

(Borgarbraut ; empl 750/100 IKS par pers/tente). Au bord du fjord, sur la route principale qui traverse en long la péninsule. Un garde vient à 9h et 21h pour percevoir le prix de la nuitée.

Kría Guesthouse PENSION €€

(845 4126 ; www.kriaguesthouse.is ; Kveldúlfsgata 27 ; s/d sans sdb petit-déj inclus 12 000/16 000 ISK ;). Cette maison privée dans une rue résidentielle compte 2 chambres avec une belle vue sur l'eau. Agréable cuisine commune, grande sdb accessible en fauteuil roulant, salon de jardin et *hot pot*.

Borgarnes B&B B&B €€

(842 5866 ; www.borgarnesbb.is ; Skúlagata 21 ; s/d sans sdb petit-déj inclus 11 300/16 000 ISK, d avec sdb petit-déj inclus 18 600 ISK ; @). Optez pour l'une des 2 chambres du

rez-de-chaussée avec portes en bois anciennes et accessoires modernes (les autres sont au sous-sol) ; elles offrent une vue imprenable sur la baie. Délicieux buffet au petit-déjeuner.

Icelandair Hotel Hamar HÔTEL, PENSION €€
(☎433 6600 ; www.icehotels.is ; Golfvöllurinn ; hôtel d 28 400 ISK, pension d sans sdb 10 500 ISK ; @📶). Le Hamar est installé sur un parcours de golf prisé à 4 km au nord de la ville. L'extérieur préfabriqué gris métallisé n'a rien d'attirant, mais l'intérieur, étonnamment raffiné, est agrémenté d'une foule de commodités. Plus haut sur la colline, les chambres de style campagnard dans le club-house ont vue sur les montagnes et le fjord. L'établissement possède un restaurant.

Hótel Borgarnes HÔTEL €€
(☎437 1119 ; www.hotelborgarnes.is ; Egilsgata 12-14 ; s/d petit-déj inclus 21 00/24 700 ISK ; ⏰avr-nov ; @📶). Cet établissement vaste et sans caractère loue de mornes chambres de style hôtel d'affaires, essentiellement fréquentées par les groupes en voyage organisé.

Où se restaurer

Borgarnes compte d'excellents restaurants. Pour l'assortiment habituel de hamburgers et de pizzas, essayez le grill de la station-service N1.

Bónus SUPERMARCHÉ €
(Digranesgata 6 ; ⏰11h-18h30 lun-jeu, 10h-19h30 ven, 10h-18h sam, 12h-18h dim). À côté du pont du fjord en entrant dans la ville.

♥ **Restaurant du musée de la Colonisation** INTERNATIONAL €€
(☎437 1600 ; Brákarbraut 13 ; plats 2 400-5 600 ISK ; ⏰10h-21h ; 📶). Occupant une salle lumineuse construite dans la roche, le restaurant du musée de la Colonisation, spacieux et animé, est l'une des meilleures adresses de la région. Choisissez une spécialité islandaise (agneau, ragoût de poisson, etc.). Le buffet (12h-15h ; 2 100 ISK) a beaucoup de succès. Réservez pour le dîner.

En attendant d'être servi, retournez la carte pour y lire l'histoire des plus vieux bâtiments de la ville (dont celui-ci fait partie).

♥ **Edduveröld** CAFÉ €€
(☎437 1455 ; www.edduverold.is ; Skúlgata 17 ; plats 700-4 200 ISK ; ⏰10h-21h sam-jeu, 10h-1h ven ; 📶🍷). Décontracté et accueillant, avec une terrasse donnant sur l'eau, l'Edduveröld est le restaurant le plus récent de la ville. Délicieuse cuisine maison : des plats complets à base de rôti d'agneau ou de poisson frais aux sensationnels gâteaux.

Achats

♥ **Ljómalind** MARCHÉ
(Marché de producteurs ; ☎437 1400 ; www.ljomalind.is ; Sólbakka 2 ; ⏰11h-18h juin-août, horaires réduits le reste de l'année). 🍃 Fruit d'une collaboration entre producteurs locaux, ce marché a ouvert récemment à la périphérie de la ville, près du rond-point. Produits laitiers frais provenant d'Erpsstaðir (p. 193), viande bio, articles de bain, chandails en laine fabriqués main, bijoux, etc.

LA SAGA D'EGILL

La *Saga d'Egill* débute par l'histoire de Kvedúlfur, grand-père du poète et guerrier Egill Skallagrímsson, qui s'enfuit en Islande au cours du IXe siècle après une querelle avec le roi de Norvège. Pendant le voyage, Kveldúlfur tomba gravement malade, et avant de mourir, demanda à son fils, Skallagrímur Kveldúlfsson, de jeter son cercueil à la mer et de construire la ferme familiale à l'endroit où il s'échouerait – ce fut Borg á Mýrum (p. 172). En grandissant, Egill Skallagrímsson s'avéra d'une nature féroce et créative : il tua son premier adversaire à 7 ans, mena de multiples raids en Irlande, en Angleterre et au Danemark et sauva sa vie à maintes reprises en composant d'éloquents poèmes. L'excellent musée de la Colonisation à Borgarnes (p. 169) vous en apprendra plus sur lui.

Pour approfondir les liens entre cette saga et les paysages des environs de Borgarnes, téléchargez le **Locatify SmartGuide** (www.locatify.com ; compris dans le billet d'entrée pour le musée de la Colonisation, sinon 15 €), une application pour Smartphone qui présente les sites locaux évoqués tout au long du récit. Le musée de la Colonisation en a indiqué huit à l'aide de **cairns**, notamment Brákin (p. 173), Borg á Mýrum, et **Skallagrímsgarður**, le tertre funéraire du père et du fils d'Egill Skallagrímsson.

Vínbúðin VINS ET SPIRITUEUX
(Borgarbraut 58-60, centre Hyrnu Torg ; 11h-18h lun-jeu, 11h-19h ven, 11h-16h sam juin-août, horaires réduits le reste de l'année). Chaîne gouvernementale de vins et spiritueux.

Renseignements

Office du tourisme (437 2214 ; www.west.is ; Borgarbraut 58-60 ; 9h-18h lun-ven, 10h-16h sam, 12h-16h dim juin-août, 9h-17h lun-ven sept-mai ;). Le principal office du tourisme de l'ouest de l'Islande, dans le grand centre commercial.

Depuis/vers Borgarnes

Borgarnes est le principal point de transit entre Reykjavík et Akureyri, et le Snæfellsnes et les fjords de l'Ouest. La **gare routière** (Borgarbraut) se trouve dans le complexe abritant les stations-service (N1, Orkan).

Bus **Strætó** (540 2700 ; www.bus.is) :

- Bus n°57 pour Reykjavík (1 400 ISK, 1 heure 30, 2/jour).
- Bus n°57 pour Akureyri (6 650 ISK, 5 heures, 2/jour).
- Bus n°58 pour Stykkishólmur (1 750 ISK, 1 heure 30, 2/jour, correspondance avec le bus n°82 au carrefour de Vatnaleið pour Hellissandur et Arnarstapi).
- Bus n°59 pour Holmavík (3 850 ISK, 2 heures 15, 1/jour lun, mer, ven, sam et dim).
- Bus n°81 pour Reykholt (700 ISK, 1 heure 20, 1/jour lun-ven).

Bus **Sterna** (551 1166 ; www.sterna.is) :

- Bus n°60a pour Reykjavík (1 400 ISK, 1 heure, 1/jour lun-ven mi-juin à août).
- Bus n°60 pour Akureyri (5 700 ISK, 4 heures, 1/jour lun-ven mi-juin à août).

Environs de Borgarnes

On trouve de nombreux hébergements d'un excellent rapport qualité/prix autour de Borgarnes ; pour d'autres adresses, consultez l'office du tourisme ou la chaîne Icelandic Farm Holidays (www.farmholidays.is).

Où se loger

Fossatún HÔTEL, CAMPING €
(433 5800 ; www.fossatun.is ; Route 50 ; empl 1 200 ISK/pers, pension/bungalow d 13 900/20 500 ISK ; camping mi-mai à mi-sept, pension toute l'année ;). Adapté aux familles, cet endroit comprend une pension, des bungalows et un camping près d'une belle chute d'eau. Le spacieux restaurant (plats 2 000-2 900 ISK ; 12h-14h et 18h-20h30) donne sur la cascade et sur des sentiers de randonnée thématiques. Sur l'embranchement sud de la Route 50, à 23 km à l'est de Borgarnes et à 18 km au sud-ouest de Reykholt.

Le sympathique propriétaire est un célèbre auteur de littérature jeunesse (on trouve d'ailleurs ici un minigolf et une aire de jeux) et un ancien producteur de disques (il possède une collection de 3 000 albums que l'on peut écouter).

Ensku Húsin PENSION €€
(437 1826 ; www.enskuhusin.is ; Route 54 ; d avec/sans sdb 22 000/17 900 ISK ;). À 8 km au nord-ouest de Borgarnes sur la Route 54, dans un cadre splendide en bordure de rivière, cet ancien lodge de pêcheurs a retrouvé sa décoration et son charme d'antan. Les chambres à l'étage recréent l'atmosphère d'autrefois tandis que l'aile attenante à la pièce commune évoque les années 1970. Les accueillants propriétaires louent aussi des chambres dans une ferme restaurée à 2 km.

Achats

Ullarselið VÊTEMENTS, ART ET ARTISANAT
(437 0077 ; www.ull.is ; Hvanneyri ; 12h-18h juin-août, 13h-17h jeu-sam sept-mai). Ce fabuleux magasin de laines et de tricots se situe dans le village de Hvanneyri, à 12 km à l'est de Borgarnes, parmi des maisons au bord du fjord. Chandails tricotés main, écharpes, chapeaux et couvertures côtoient des pelotes de laine filée à la main et des boutons en coquillage et en os, ainsi que des aiguilles et des modèles pour ceux qui veulent se lancer. Les oies, les lagopèdes et les saumons figurent parmi les motifs locaux. On peut aussi vous tricoter un pull sur mesure !

Haut de la vallée de Borgarfjörður

Reykholt

Difficile d'imaginer que la bourgade assoupie de Reykholt (www.reykholt.is), qui se résume à une poignée de fermes, était jadis une importante cité médiévale où vivait l'un des plus grands chefs et historiens de l'époque, Snorri Sturluson (qui y trouva aussi la mort). La plupart des sites à voir ici se rapportent à ce personnage.

À voir

Snorrastofa MUSÉE

(☎433 8000 ; www.snorrastofa.is ; 1 200 ISK ; ⏲10h-18h mai-août, 10h-17h lun-ven sept-avr). Ce centre d'études médiévales consacré au célèbre poète, historien et homme d'État du Moyen Âge, Snorri Sturluson, est installé dans la ferme où il vivait et fut assassiné. On y découvre sa vie et son œuvre, notamment une édition de 1599 de son *Heimskringla* (une histoire des rois de Norvège), mais aussi le droit, la littérature et la société de l'Islande médiévale. Une exposition retrace les fouilles menées sur le site. Demandez à visiter l'église moderne et la salle de lecture à l'étage.

Snorralaug SOURCE

GRATUIT Principal vestige de la ferme de Snorri, le Snorralaug (bassin de Snorri) est un bassin circulaire en pierre alimenté par une source chaude. Les pierres du fond sont d'origine (Xe siècle) et on raconte que Snorri venait s'y baigner. À côté de la source (fermée au public), un tunnel aux parois de bois mène à l'ancienne ferme, où fut assassiné Snorri. Le bassin serait la plus ancienne construction humaine d'Islande.

Église ÉGLISE

Parmi les bâtiments plus modernes que l'on peut voir dans l'ancienne ferme de Snorri, citons cette charmante église de 1896, ouverte au public. En 2001, on a découvert dans ses fondations la citerne d'une forge datant de 1040-1260 ; une plaque vitrée dans le sol permet de l'observer.

Deildartunguhver SOURCE

(Route 518). La plus grande source chaude d'Europe se trouve à environ 5 km à l'ouest de Reykholt, près de la Route 518. Des volutes de vapeur s'élèvent au-dessus de l'eau à 100° qui remonte du sol (à raison de 180 litres par seconde !). Un stand est généralement installé sur le parking où l'on peut acheter des tomates cultivées dans des serres chauffées par géothermie.

Centre des chèvres islandaises FERME

(☎435 1448 ; www.geitur.is ; Route 523, Háafell ; visite guidée 1 000 ISK/pers ; ⏲13h-18h juin-août). On vous emmène à travers de jolis champs où paissent des chèvres islandaises, une espèce menacée, et on vous offre ensuite un thé ou un café. Le plus célèbre pensionnaire est Casanova, un bouc aux yeux brillants qui a tourné dans *Game of Thrones* (où il est pourchassé par un dragon). Appelez avant de venir ; lors de notre passage, le sort du centre était en suspens. Situé sur la Route 253, une piste en terre au nord-est de Reykholt.

Où se loger et se restaurer

Steindórsstaðir PENSION €

(☎435 1227 ; www.steindorsstadir.is ; Route 517, Reykholtsdalur ; d sans sdb 13 600 ISK ; 📶).

SNORRI STURLUSON

Le chef et historien Snorri Sturluson (1179-1241) est l'une des grandes figures de l'histoire médiévale islandaise et l'un des principaux chroniqueurs des sagas et récits nordiques. Né à Hvammur, près de Búðardalur (plus au nord), il fut élevé et éduqué au centre théologique d'Oddi, non loin d'Hella, puis épousa l'héritière de la ferme historique de Borg á Mýrum (p. 172), à côté de Borgarnes. Il quitta finalement Borg pour se retirer dans le riche monastère de Reykholt. À l'époque, 60 000 à 80 000 personnes vivaient à Reykholt, qui était un nœud commercial majeur, au carrefour des principales routes du pays. Snorri composa nombre de ses œuvres les plus célèbres à Reykholt, notamment l'*Edda en prose* (un manuel de poésie doublé d'un florilège des mythes norrois) et la *Heimskringla* (une histoire des rois de Norvège). Par ailleurs, il est généralement considéré comme l'auteur de la *Saga d'Egill, fils de Grímr le Chauve*, une histoire familiale du *skald* (scalde, poète de cour) viking Egil Skallagrímsson.

À l'âge de 36 ans, Snorri fut nommé *lögsögumaður* (celui qui dit la loi) de l'Alþing (Althing, Parlement islandais) et fut alors soumis à une forte pression du roi de Norvège, soucieux qu'il défende ses intérêts privés. Mais Snorri préféra se consacrer à l'écriture. Frustré, le monarque norvégien Hákon donna ordre de le capturer, mort ou vif. L'adversaire politique et ex-gendre de Snorri, Gissur Þorvaldsson, vit là une occasion d'impressionner le souverain et de briguer le poste de gouverneur d'Islande. La nuit du 23 septembre 1241, il vint à Reykholt avec 70 hommes armés et assassina l'historien dans le sous-sol de sa maison.

Dans une ferme au milieu des champs à 2 km de Reykholt, cette jolie pension loue des chambres douillettes et propres avec vue sur la campagne. Cuisine commune, Jacuzzi (avec vue également) et propriétaires sympathiques. Quelques chambres avec option duvet.

Fosshótel Reykholt HÔTEL €€
(☎435 1260, 562 4000 ; www.fosshotel.is ; d petit-déj inclus à partir de 24 600 ISK ; @📶). Seul hébergement à Reykholt même, ce bâtiment moderne compte des chambres basiques de style motel, des *hot pots* et un restaurant.

Restaurant Hverinn INTERNATIONAL €
(☎571 4433 ; www.hverinn.is ; Kleppjámsreykir ; plats 1 350-2 500 ISK ; ⏲10h30-20h mai à mi-sept). Repas simples (soupes, hamburgers, etc.) dans un grand restaurant en bord de route au personnel aimable. Vend aussi quelques produits alimentaires de base. À environ 5 km à l'ouest de Reykholt, près du croisement des Routes 518 et 50.

Depuis/vers Reykholt

Bus Strætó (☎540 2700 ; www.bus.is) :
➡ Bus n°81 pour Borgarnes (700 ISK, 1 heure 20, 1/jour lun-ven).

Húsafell

Dans une vallée émeraude sillonnée de cours d'eau, entre la rivière Kaldá et un champ de lave spectaculaire, le hameau d'Húsafell et ses chalets d'été ravissent les habitants de Reykjavík en quête d'un refuge champêtre. C'est aussi une porte d'accès au glacier de Langjökull. Aucun transport public ne dessert Húsafell.

Circuits organisés

Ice Explorer CIRCUITS AVENTURE
(☎588 5555 ; www.adventure.is ; circuits à partir d'Húsafell 15 000 ISK). Circuits en véhicule 8x8 sur le glacier de Langjökull ; on peut venir vous chercher à Reykjavík. Autres excursions possibles, notamment dans le Cercle d'or.

Dog Sledding CIRCUITS AVENTURE
(☎863 6733 ; www.dogsledding.is ; circuits au départ d'Húsafell à partir de 22 900 ISK). Sorties en traîneaux à chiens sur le Langjökull ; on est assis dans le traîneau mais on ne le conduit pas. Départ de Reykjavík ou d'Húsafell, ou rendez-vous sur le glacier. Autres sites possibles en hiver.

Où se loger

Húsafell CAMPING €
(Ferðaþjónustan Húsafelli ; ☎435 1550, camping 435 1551 ; www.husafell.is ; empl/chalet par pers 1 300/3 500 ISK, restaurant plats 1 790-2 490 ISK ; ⏲restaurant 11h30-20h). On trouve ici un camping, des chalets et maisons d'été, un **mini-supermarché**, un **restaurant** et une **piscine géothermale extérieure** (adulte/enfant 700/400 ISK, 10h-20h tlj juin-sept, horaires réduits en basse saison).

Gamli Bær PENSION €
(☎895 1342 ; sveitasetrid@simnet.is ; Route 518 ; d avec/sans sdb petit-déj inclus à partir de 14 000/11 000 ISK). Ferme de 1908 rénovée, avec sdb communes ou privatives. Un peu après Húsafell, sur la Route 518.

Hallmundarhraun

À l'est d'Húsafell, sur la Route 518, les immenses coulées de lave provenant du Hallmundarhraun dessinent un merveilleux paysage, désertique et irréel, ponctué de gigantesques tubes de lave. Ces longues galeries ont été formées par de la lave en fusion coulant sous une croûte de lave solide. Il est possible d'en visiter quelques-unes.

Si vous disposez d'un 4x4, vous pouvez poursuivre à l'intérieur des terres au-delà de Surtshellir le long de la Route F578 en forme de "L". Vous longerez les lacs d'**Arnarvatnsheiði** et arriverez à **Hvammstangi**. La Route F578 n'est ouverte que 7 semaines par an ; consultez le site www.vegagerdin.is.

À voir

♥ **Víðgelmir** TUNNEL DE LAVE
(☎435 1198 ; www.fljotstunga.is ; visite guidée 3 000 ISK ; ⏲mai-sept). Le tunnel de lave le plus facile à visiter et le plus grand d'Islande, long de 1,5 km et vieux de 1 100 ans, se trouve dans une propriété privée près de la ferme de Fljótstunga. Il abrite des formations de glace scintillantes et constamment changeantes. On ne peut pas le visiter seul mais l'accueillante famille qui vit à Fljótstunga propose des circuits de 90 minutes à 10h, 12h, 15h et 17h de mai à août (sur réservation sept-avril). Casques et lampes torches fournis.

Surtshellir TUNNEL DE LAVE
Un peu au sud-est de Fljótstunga sur la Route 518, un panneau jaune vif indique la bifurcation pour **Arnarvatnsheiði** sur la Route F578 (voitures de location interdites).

Empruntez la piste cahoteuse sur 7 km jusqu'au **Surtshellir**, un impressionnant tunnel de lave de 2 km relié au **Stefánshellir**, autre tube d'environ 1 km. On peut explorer seul le Surtshellir à condition d'être bien équipé.

Où se loger

Fljótstunga COTTAGES €
(435 1198 ; www.fljotstunga.is ; empl 1 000 ISK/pers, cottages à partir de 8 000 ISK ;). Dans un cadre splendide, cette ferme loue de charmants cottages avec vue sur la vallée. Le rapport qualité/prix est exceptionnel, étant donné l'emplacement en pleine nature et le charme rustique du lieu. Intéressantes réductions pour les chambres avec option duvet. On peut aussi camper (accès aux douches). Résidences d'artistes.

Langjökull et la vallée de Kaldidalur

Au sud-est d'Húsafell, l'incroyable vallée de Kaldidalur serpente au pied d'une série de glaciers offrant d'incroyables points de vue sur la calotte glaciaire de Langjökull, et par temps clair sur l'Eiríksjökull, l'Okjökull et le Þórisjökull (Thórisjökull). La Route 550 non goudronnée, appelée piste de Kaldidalur (Kaldidalur Corridor en anglais), est un itinéraire difficile mais spectaculaire (glace et roche nue), souvent noyé dans la brume en été. Elle rejoint le Cercle d'or au sud et permet de faire une grande boucle à partir de Reykjavík. L'accès à la Route 550 est réservé aux véhicules autorisés – renseignez-vous auprès du loueur avant de vous mettre en route.

La meilleure façon de découvrir la piste de Kaldidalur est de l'emprunter en voiture, mais on peut aussi effectuer une excursion vers le Langjökull et ses nouvelles grottes de glace au départ de Reykjavík ou d'Húsafell. N'essayez pas de rejoindre le glacier par vos propres moyens.

Grottes de glace du Langjökull GROTTES
(www.icecave.is ; mars-oct). Lors de notre passage, des travaux étaient en cours pour creuser une immense galerie de 300 m de long et plusieurs grottes dans le Langjökull, à 1 260 m au-dessus du niveau de la mer. Censées ouvrir mi-2015, celles-ci contiendront des expositions, un café et une petite chapelle pour ceux qui rêvent de se marier à l'intérieur d'un glacier. Des excursions (mars-oct) sont organisées à partir d'Húsafell ou du bord du glacier (17 900 ISK), ou au départ de Reykjavík (29 900 ISK), avec possibilité de faire une boucle dans le Cercle d'or.

Par groupe de 80 au maximum, les visiteurs monteront jusqu'au site à bord de véhicules spéciaux, puis passeront 45 minutes à explorer le glacier – qui va continuer à s'écouler le long de la montagne dans les prochaines années.

PÉNINSULE DE SNÆFELLSNES

Fjords étincelants, pics volcaniques, falaises abruptes, vastes plages dorées et coulées de lave forment l'incroyable paysage de la péninsule de Snæfellsnes, longue de 100 km. La région est dominée par l'étincelante calotte glaciaire de Snæfellsjökull, immortalisée dans le *Voyage au centre de la Terre* de Jules Verne. Les routes en bon état et les bus réguliers font de ce condensé du meilleur de l'Islande une destination d'excursion aussi aisée que rapide depuis Reykjavík.

Stykkishólmur, sur la populaire côte nord, est la plus grande ville de la région, et un point de chute pratique. En continuant vers l'ouest le long de la côte, on traverse des localités plus petites. Dans la partie ouest de la péninsule, le parc national du Snæfellsjökull comprend un glacier, des colonies d'oiseaux et des champs de lave. La côte sud, tranquille, abrite des élevages de chevaux adossés à d'imposants escarpements rocheux.

Stykkishólmur

1 091 HABITANTS

La bourgade pleine de charme de Stykkishólmur, la plus grande de la péninsule de Snæfellsnes, est construite autour d'un port naturel protégé par un îlot de basalte. Elle est ponctuée d'édifices colorés datant de la fin du XIXe siècle. Ses efficaces transports en commun et son choix de restaurants et d'hébergements en font une base parfaite pour découvrir la région.

Ben Stiller y a tourné des scènes de *La Vie rêvée de Walter Mitty* (2013).

À voir et à faire

Breiðafjörður FJORD
La péninsule découpée de Stykkishólmur avance au nord dans le superbe

Péninsule de Snæfellsnes

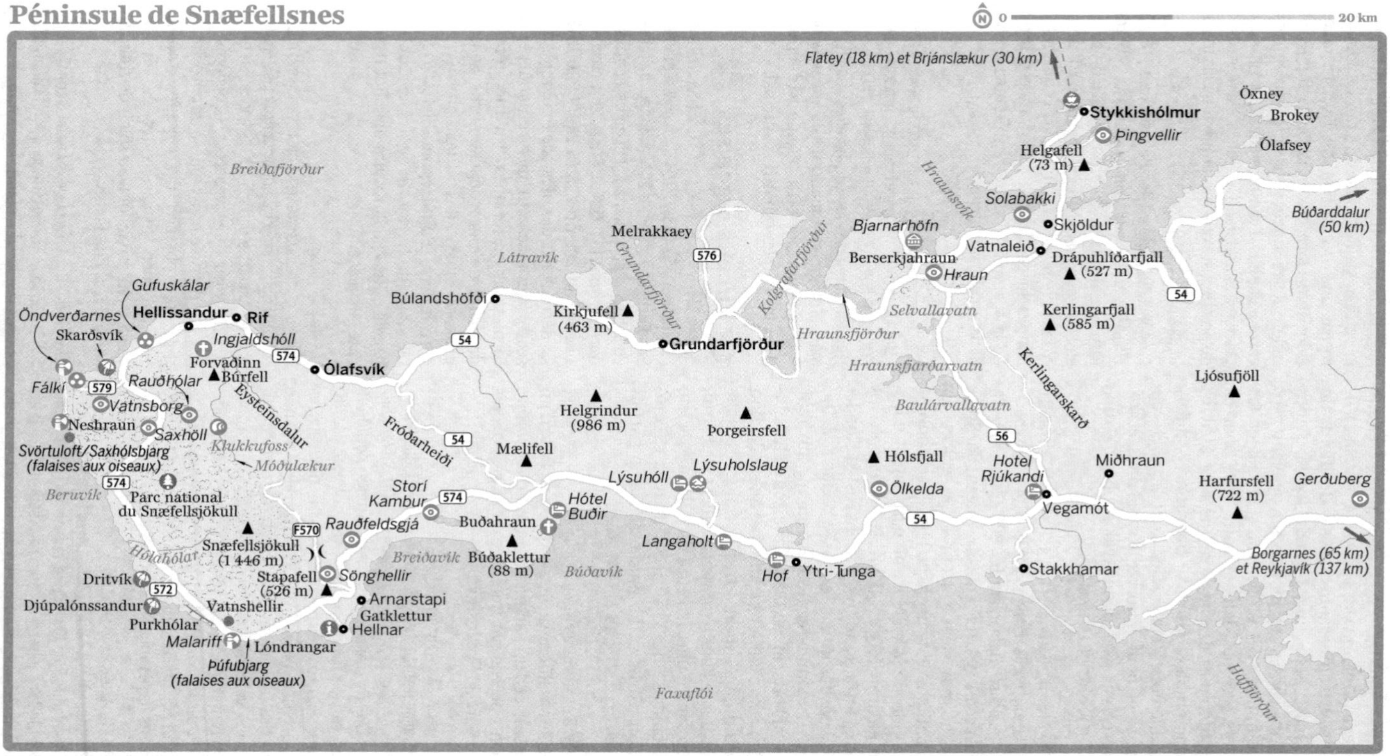

0 — 20 km

Flatey (18 km) et Brjánslækur (30 km)
Stykkishólmur
Þingvellir
Öxney
Brokey
Ólafsey
Helgafell (73 m)
Breiðafjörður
Hraunsvík
Solabakki
Skjöldur
Búðarddalur (50 km)
Bjarnarhöfn
Melrakkaey
Vatnaleið
Drápuhlíðarfjall (527 m)
Berserkjahraun
Hraun
Látravík
576
Grundarfjörður
Kolgrafarfjörður
54
Gufuskálar
Búlandshöfði
Kirkjufell (463 m)
Selvallavatn
Kerlingarfjall (585 m)
Öndverðarnes
Hellissandur
Rif
Hraunsfjörður
Skarðsvík
Ingjaldshóll
54
Grundarfjörður
574
Ólafsvík
Hraunsfjarðarvatn
Kerlingarskarð
Ljósufjöll
Forvaðinn
Búrfell
Fálki
579
Rauðhólar
Eysteinsdalur
Vatnsborg
Helgrindur (986 m)
Baulárvallavatn
Neshraun
Saxhöll
Fróðarheiði
Þorgeirsfell
Klukkufoss
54
56
Svörtuloft/Saxhólsbjarg (falaises aux oiseaux)
Mælifell
Hólsfjall
Hotel Rjúkandi
Miðhraun
Móðulækur
Lýsuholslaug
574
Lýsuhóll
Parc national du Snæfellsjökull
Beruvík
Storí Kambur
574
Ölkelda
Harfursfell (722 m)
Gerðuberg
Hótel Buðir
Vegamót
Buðahraun
F570
Rauðfeldsgjá
54
Snæfellsjökull (1 446 m)
Langaholt
Hólahólar
Breiðavík
Búðaklettur (88 m)
Borgarnes (65 km) et Reykjavík (137 km)
Búðavík
Hof
Ytri-Tunga
Stakkhamar
Stapafell (526 m)
Sönghellir
Dritvík
572
Arnarstapi
Gatklettur
Djúpalónssandur
Vatnshellir
Hellnar
Purkhólar
Malariff
Lóndrangar
Þúfubjarg (falaises aux oiseaux)
Faxaflói
Hafffjörður

Breiðafjörður, une immense étendue d'eau séparant la péninsule de Snæfellsnes des imposantes falaises des fjords de l'Ouest. Selon une légende locale, seules deux choses au monde ne peuvent être comptées : les étoiles dans le ciel et les îlots escarpés dans la baie. Vous pourrez contempler des paysages de rêve et d'innombrables oiseaux (macareux, aigles, guillemots, etc.). Des **excursions en bateau** pour observer les baleines et les macareux partent de Stykkishólmur, Grundarfjörður et Ólafsvík.

♥ Norska Húsið MUSÉE
(Maison norvégienne ; ☎433 8114 ; www.norskahusid.is ; Hafnargata 5 ; 800 ISK ; ⏲12h-17h juin-août ; 📶). Le charme marin de Stykkishólmur tient surtout à ses entrepôts, boutiques et maisons en bois qui entourent le port de la ville. La plupart datent d'il y a environ 150 ans. L'un des bâtiments les plus intéressants (et anciens) est la Norska Húsið, désormais le Musée régional. Bâtie par le commerçant et astronome amateur Árni Þorlacius en 1832, la maison a été habilement restaurée et conserve une collection d'antiquités locales très éclectique. L'étage présente l'intérieur dans lequel vivait Árni, typique d'une demeure de la haute société islandaise du XIXe siècle, avec sa décoration d'origine. Le musée accueille parfois des **expositions artistiques**.

♥ Súgandisey PHARE
L'île basaltique de **Súgandisey** est forte d'un phare et d'un panorama sur le Breiðafjörður. On y accède par une jetée en pierres depuis le port de Stykkishólmur.

Musée du Volcan MUSÉE
(Eldfjallasafn ; ☎433 8154 ; www.eldfjallasafn.is ; Aðalgata 8 ; adulte/enfant 800 ISK/gratuit ; ⏲11h-17h mai-sept). Dans l'ancien cinéma, ce musée fondé par le vulcanologue Haraldur Sigurðsson permet de voir des œuvres d'art dépeignant des volcans, ainsi qu'une petite collection d'artefacts issus d'éruptions volcaniques (notamment des bombes magmatiques). Un film est projeté à l'étage. Haraldur organise des excursions d'une journée axées sur la géologie (17 000 ISK) dans la péninsule de Snæfellsnes.

Bibliothèque de l'Eau MUSÉE D'ART
(Vatnasafn ; ☎857 1221 ; www.libraryofwater.is ; Bókhlöðustígur 17 ; adulte/enfant 500 ISK/gratuit ; ⏲13h-18h juin-août, sur rdv sept-mai). Pour un beau panorama sur la ville et la baie, gagnez la bibliothèque de l'Eau, en haut de la colline. Ce lieu doté de grandes fenêtres recèle une installation de l'artiste américain Roni Horn, né en 1955. La lumière se reflète et se réfracte à travers 24 colonnes de verre remplies d'eau provenant de plusieurs glaciers islandais. Un jeu d'échecs est à disposition si vous souhaitez vous attarder.

Stykkishólmskirkja ÉGLISE
(☎438 1288 ; www.stykkisholmskirkja.is ; ⏲10h-17h). Dessinée par Jón Haraldsson, l'église futuriste de Stykkishólmur arbore un grand clocher évoquant une vertèbre de baleine. À l'intérieur, on découvre des centaines de lampes suspendues et une grande peinture de la Vierge à l'Enfant, représentée flottant dans un ciel nocturne.

Sundlaug Stykkishóms PISCINE GÉOTHERMALE, HOT POTS
(☎433 8150 ; Borgarbraut 4 ; adulte/enfant 600/200 ISK ; ⏲7h05-22h lun-jeu, 7h05-19h ven, 10h-18h sam-dim juin-août, horaires réduits sept-mai). Toboggans aquatiques et *hot pots* sont les points forts de cette piscine géothermale, dans le complexe sportif municipal.

Circuits organisés

Seatours CIRCUITS EN BATEAU
(Sæferðir ; ☎433 2254 ; www.seatours.is ; Smiðjustígur 3 ; ⏲8h-20h mi-mai à mi-sept, 9h-17h mi-sept à mi-mai). Diverses sorties en bateau, dont le "Viking Sushi", un circuit de 1 heure 30/2 heures 15 (5 250/7 090 ISK) à la découverte des îles, des colonies d'oiseaux (des macareux jusqu'en août) et des formations basaltiques. Un filet remonte des fruits de mer à déguster crus. Seatours propose aussi des dîners-croisières et gère le ferry *Baldur* pour Flatey. Départs possibles de Reykjavík en association avec l'agence Reykjavík Excursions. Boutique et café sur place.

Iceland Ocean Tours CIRCUITS EN BATEAU, OBSERVATION DES OISEAUX
(☎517 5555 ; www.icelandoceantours.is ; Hafnargata 4 ; circuits à partir 5 200 ISK, location de vélo 3 000 ISK/jour ; ⏲avr-sept). Croisières en Zodiac dans la baie ; on se rapproche des îlots pour observer des colonies d'oiseaux (les habituels macareux) et de phoques. Également excursions au soleil de minuit et sorties vers l'île Flatey.

Gordon EXCURSIONS À PIED, CIRCUITS AVENTURE
(☎517 5555 ; www.gordon.is ; Hafnargata 4). Succursale d'Iceland Ocean Tours.

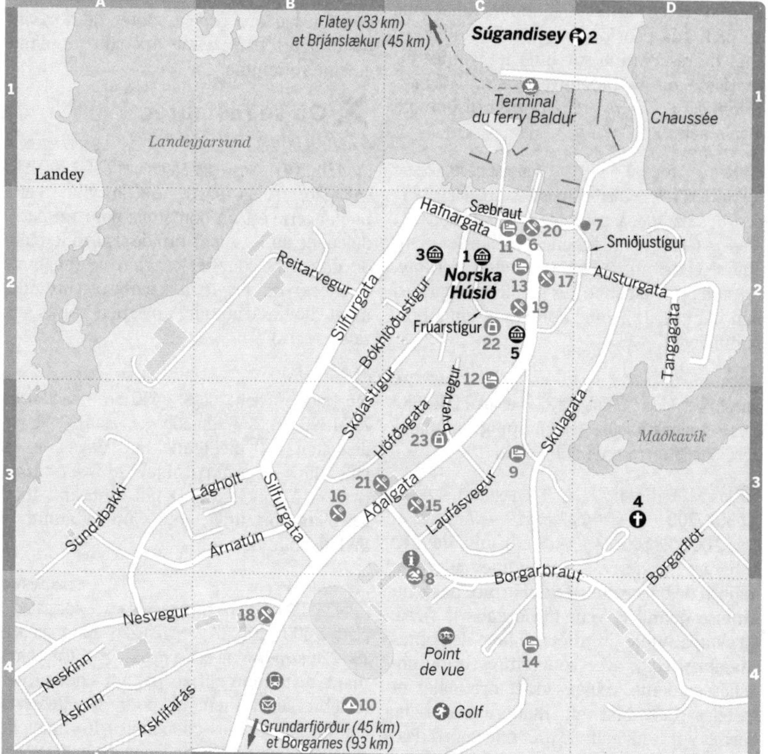

Stykkishólmur

Les incontournables
1 Norska Húsið C2
2 Súgandisey D1

À voir
3 Bibliothèque de l'Eau C2
4 Stykkishólmskirkja D3
5 Musée du Volcan C2

Activités
Gordon .... (voir 6)
6 Iceland Ocean Tours C2
7 Seatours D2
8 Sundlaug Stykkishóms C4

Où se loger
9 Bænir og Brauð C3
10 Camping B4
11 Harbour Hostel C2
12 Hótel Breiðafjörður C2
13 Hótel Egilsen C2
14 Hótel Stykkishólmur C4

Où se restaurer
15 Supermarché Bónus C3
16 Meistarinn B3
17 Narfeyrarstofa C2
18 Nesbrauð B4
19 Plássið C2
20 Sjávarpakkhúsið C2
21 Vínbúðin B3

Achats
22 Gallerí Lundi C2
23 Leir 7 .... C3

Promenades à pied dans Stykkishólmur (1 200 ISK) et excursions en Jeep dans la péninsule de Snæfellsnes et sur le glacier (29 000 ISK) ; on peut venir vous chercher.

Où se loger

Pour d'autres adresses (comme un séjour en B&B à la pension Langey), consultez les sites de réservation sur Internet, l'office du tourisme ou la brochure *Stykkishólmur: Town of a Thousand Islands*, disponible localement.

Harbour Hostel AUBERGE DE JEUNESSE €
(517 5353 ; www.harbourhostel.is ; Hafnargata 4 ; dort/d sans sdb à partir de 3 400/12 900 ISK ;). Gérée par l'agence Iceland Ocean Tours, cette auberge de jeunesse récente, près du port, est l'une des meilleures options bon marché. Dortoirs, doubles et chambres familiales.

Camping CAMPING €
(mostri@stykk.is ; Aðalgata 27 ; empl 1 000 ISK/pers ; mi-mai à août ;). Camping sommaire géré par le terrain de golf voisin.

Hótel Egilsen BOUTIQUE-HÔTEL €€
(554 7700 ; www.egilsen.is ; Aðalgata 2 ; s/d 22 000/28 500 ISK ;). L'une de nos auberges préférées, dans une adorable maison de bois restaurée qui grince de façon exquise quand le vent hurle dans le fjord. La sympathique propriétaire loue de petites chambres cosy, avec couvertures traditionnelles en laine, œuvres d'art originales et matelas Coco-Mat en matière naturelle. Cerises sur le gâteau : le prêt gracieux d'iPad et le petit-déjeuner maison.

Bænir og Brauð PENSION €€
(820 5408 ; www.baenirogbraud.is ; Laufásvegur 1 ; d 15 900-17 900 ISK ;). Cette maison accueillante et impeccable au bord du fjord est un bel exemple de la qualité des B&B de Stykkishólmur. Jolie vue sur la baie dans certaines chambres. Greta, l'aimable propriétaire, s'occupe notamment de l'Hótel Egilsen plus loin dans la même rue.

Hótel Stykkishólmur HÔTEL €€
(430 2100 ; www.hringhotels.is ; Borgarbraut 8 ; s/d petit-déj inclus 23 000/26 300 ISK ; avr-sept ;). Les meilleures chambres de ce vilain bâtiment argenté perché sur une colline jouissent d'une superbe vue sur la baie et les îles. Toutes sont modernes et confortables. Restaurant sur place (plats 2 800-4 800 ISK).

Hótel Breiðafjörður HÔTEL €€
(433 2200 ; www.hotelbreidafjordur.is ; Aðalgata 8 ; pension dort/d sans sdb 3 500/9 800 ISK, hôtel d petit-déj inclus 21 700 ISK ; mai-sept ;). Une adresse quelconque louant des chambres propres. L'hôtel gère aussi une pension basique proche, dotée de dortoirs, de doubles partageant des sdb, et d'une cuisine commune.

Où se restaurer

Nesbrauð BOULANGERIE €
(438 1830 ; Nesvegur 1 ; en-cas 355-1 200 ISK ; 8h-17h). À la sortie de la ville, cette boulangerie est un bon choix pour un petit-déjeuner ou un repas rapide. Faites le plein de douceurs comme les *kleinur* (beignets torsadés) ou les *ástar pungur* (littéralement "boules d'amour" ; beignets ronds aux raisins secs).

Meistarinn RESTAURATION RAPIDE €
(Aðalgata ; hot dogs 490 ISK, sandwichs 750-1 490 ISK ; 12h-20h juin-août). Venez déguster les meilleurs hot dogs de la ville dans ce sympathique *pylsuvagninn* (wagon à saucisses). Détail amusant, tous les plats portent le nom d'un habitant de Stykkishólmur.

Narfeyrarstofa ISLANDAIS €€
(438 1119 ; www.narfeyrarstofa.is ; Aðalgata 3 ; plats 3 600-5 100 ISK ; 12h-22h avr à mi-oct, 18h-22h sam-dim mi-oct à mars ;). Ce charmant restaurant dirigé par un chef primé (célèbre au Danemark pour ses desserts sublimes) est le chouchou de Snæfellsnes. Réservez à l'étage pour dîner sous les avant-toits à la lumière douce de lampes anciennes. Demandez au serveur de vous renseigner sur les portraits au mur : le bâtiment a une histoire intéressante.

Plássið ISLANDAIS, BISTROT €€
(436 1600 ; www.plassid.is ; Frúarstígur 1 ; plats 1 400-4 200 ISK ; 11h30-15h et 18h-22h ;). Récemment ouverte dans la vieille ville par les propriétaires du Narfeyrarstofa, cette adresse de style bistrot au décor moderne et élégant convient bien aux familles grâce à son service chaleureux. On y sert des spécialités régionales à base de produits locaux. La pêche du jour est généralement délicieuse, accompagnée d'une salade ou d'un risotto d'orge. Bières locales également.

Sjávarpakkhúsið ISLANDAIS €€
(438 1800 ; Hafnargata 2 ; plats 2 750-5 000 ISK ; 12h-22h dim-jeu, 12h-3h ven-sam juin-août, horaires réduits sept-mai ;). Cette ancienne usine de conditionnement de poisson est devenue un café-bar lambrissé doté d'une terrasse sur le port. Si les moules

FLATEY

Des innombrables îles du Breiðafjörður, la petite Flatey ("île plate") est la seule habitée à l'année. Au XIe siècle, un monastère était installé sur cette île, laquelle offre de nos jours un répit bienvenu aux voyageurs à destination ou en provenance des fjords de l'Ouest. Autant faire comme eux, et profiter d'un après-midi de farniente parmi les maisons bigarrées et les sternes arctiques.

Où se loger

Hótel Flatey (☎555 7788 ; www.hotelflatey.is ; s/d petit-déj inclus 21 500/24 500 ISK ; ⊙juin-fin août). L'Hótel Flatey loue les chambres à l'ambiance d'alcôve les plus exquises d'Islande, et son **restaurant** (plats déj 1 900-3 200 ISK, menu 3 plats dîner 8 100-8 500 ISK ; ouvert de 12h à 21h) est également délectable. Le week-end, en soirée, descendez au sous-sol pour les jam-sessions organisées par les musiciens locaux.

Krákuvör (☎438 1451 ; empl 1 000 ISK/pers ; ⊙juin-août). L'une des fermes de l'île, à 300 m de la jetée. Hébergements modestes et camping.

Læknishús (☎438 1476 ; d sans sdb 11 000 ISK ; ⊙juin-août). À environ 400 m de la jetée, cette ferme offre un hébergement sans prétention en été.

Depuis/vers Flatey

Pour traverser le Breiðafjörður à bord du *Baldur* (ci-dessous) et faire halte à Flatey, vous devrez rejoindre l'île par le premier ferry de la journée, puis en repartir par le second ou celui du lendemain (le bateau marque un arrêt de 5 minutes seulement). Les voitures n'étant pas autorisées sur l'île, la vôtre pourra rester sur le bateau et traverser la baie sans supplément pendant que vous visiterez Flatey.

Pour venir à la faveur d'une excursion d'une journée depuis Stykkishólmur, on peut prendre l'un des deux ferries qui circulent en été, débarquer à Flatey puis reprendre le ferry lors de son trajet de retour vers Stykkishólmur. Notez que le service de ferry biquotidien ne fonctionne qu'en été. Vous pouvez aussi visiter l'île avec un tour-opérateur local.

fraîchement pêchées dans la baie sont la spécialité de la maison, l'endroit est aussi très agréable pour faire une pause en journée. Les soirs de week-end, il se transforme en bar où les gens du coin viennent jouer de la musique.

Faire son marché

Bónus SUPERMARCHÉ €
(Borgarbraut 1 ; ⊙11h-18h30 lun-jeu, 10h-19h30 ven, 10h-18h sam, 12h-18h dim). Près de la piscine.

Vínbúðin VINS ET SPIRITUEUX €
(Aðalgata 24 ; ⊙14h-18h lun-jeu, 13h-19h ven, 11h-14h sam juin-août, horaires réduits le reste de l'année). De l'autre côté de la grand-rue par rapport au Bónus.

Achats

Plusieurs artistes possèdent des galeries dans les rues proches du port.

Leir 7 ART ET ARTISANAT
(www.leir7.is ; Aðalgata 20 ; ⊙14h-17h). Sigriður Erla fabrique de la vaisselle à partir de l'argile noire du fjord voisin dans son atelier de céramique situé en plein cœur de la ville.

Gallerí Lundi ART ET ARTISANAT
(Aðalgata 4a ; ⊙12h30-18h mai-sept). Artisanat local vendu par de sympathiques villageois. Sert aussi du café.

Renseignements

Office du tourisme (☎433 8120 ; www.west.is ; Borgarbraut 4 ; ⊙9h-17h lun-ven juin-août ; wifi). Dans le complexe de loisirs où se trouve la piscine. S'il est fermé, les employés du centre sportif vous renseigneront volontiers.

Depuis/vers Stykkishólmur

BATEAU

Ferry Baldur (☎433 2254 ; www.seatours.is). Car-ferry entre Stykkishólmur et Brjánslækur dans les fjords de l'Ouest (2 heures 30), via Flatey (1 heure 30). De début juin à fin août, les départs se font quotidiennement de Stykkishólmur à 9h et à 15h45 – retour de Brjánslækur à 12h15 et à 19h. Le reste de l'année, il n'y a qu'un seul ferry par jour, qui part de Stykkishólmur à 15h (aucun le samedi) et revient à 18h.

Pour Brjánslækur, les adultes paient 5 250 ISK. Pour les voitures, réservez (5 250 ISK en sus). Un aller-retour entre Stykkishólmur et Flatey coûte 7 160 ISK. Réductions et tarifs d'hiver sur le site Internet.

BUS

On peut rejoindre Reykjavík (2 heures 30) en changeant à Borgarnes. Les liaisons sont fortement réduites en hiver et le bus n°82 circule parfois sur demande.

Bus Strætó (☎ 540 2700 ; www.bus.is) :

- Bus n°58 pour Borgarnes (1 750 ISK, 1 heure 30, 2/jour).
- Bus n°82 pour Arnarstapi via Ólafsvík et Hellissandur (1 750 ISK, 1 heure 15, 2/jour).

De Stykkishólmur au Grundarfjörður

Empreinte de légendes et de mysticisme et bordée par des eaux scintillantes, la belle région entre Stykkishólmur et le Grundarfjörður est ponctuée de montagnes sacrées et de champs de lave évoqués dans les sagas.

Helgafell — MONTAGNE

Environ 5 km au sud de Stykkishólmur, la montagne sainte du Helgafell (73 m) était jadis vénérée par les fidèles du dieu Þór (Thor). De taille pourtant modeste, cette éminence était tellement sacrée à l'époque des sagas que les vieux Islandais s'obstinaient à s'en approcher avant de mourir. Aujourd'hui, les habitants affirment que quiconque en atteint le sommet voit ses vœux se réaliser.

À la fin du Xe siècle, Snorri le Goði, grand adorateur de Thor, se convertit au christianisme et édifia une chapelle en haut de la colline ; il en reste des ruines. Non loin, la ferme du même nom fut la demeure où la sournoise Guðrun Ósvífursdóttir, de la *Saga des Gens du Val-au-Saumon* (*Saga de Laxdœla*), passa les dernières années de sa vie, isolée. Sa tombe se dresse au pied de la colline.

Berserkjahraun — CHAMP DE LAVE

À environ 15 km à l'ouest de l'intersection des Routes 54 et 56 s'étend l'impressionnant champ de lave de Berserkjahraun. Dominé par d'imposantes montagnes, ce paysage lunaire doit son nom à la *Saga de Snorri le Goði* (*Eyrbyggja saga ;* voir p. 185).

Musée du Requin de Bjarnarhöfn — MUSÉE

(☎ 438 1581 ; www.bjarnarhofn.is ; 1 000 ISK ; ⏲ 9h-20h juin-août, horaires réduits sept-mai). La ferme de Bjarnarhöfn est le plus grand producteur régional de *hákarl* (chair de requin faisandée), un mets traditionnel islandais. Le musée raconte l'histoire de cette curiosité culinaire et présente les bateaux de pêche et les outils de la famille qui vit ici. Une vidéo explique le processus d'abattage et de fermentation : le requin du Groenland qui sert à préparer le *hákarl* contient des toxines que la fermentation neutralise. Sachez que cet animal fait partie des espèces quasi menacées.

Le musée se trouve près de la Route 54, à l'extrémité nord-est de Berserkjahraun, côté fjord.

La visite s'accompagne d'une dégustation de *hákarl* et de *brennivín* (un alcool surnommé la “mort noire”). Demandez à voir le séchoir à l'arrière, avec ses centaines de tranches de requin en train de sécher, la dernière étape du processus.

Grundarfjörður

826 HABITANTS

Au bord d'une superbe baie, le village de Grundarfjörður est adossé à des chutes d'eau et entouré de pic glacés souvent drapés de brouillard. Avec beaucoup plus de préfabriqués que de bâtiments en bois, l'endroit évoque une communauté de pêcheurs, mais les infrastructures touristiques y sont bonnes et les paysages alentour fabuleux.

À voir

♥ Kirkjufell — MONTAGNE

Le Kirkjufell (463 m), qui domine Grundarfjörður au nord, serait l'un des sites les plus photographiés d'Islande. On voit Ben Stiller passer devant en skate-board dans *La Vie rêvée de Walter Mitty* (2013). Pour en faire l'ascension, demandez au centre des sagas (environ 40 € avec un guide). Deux passages requièrent l'emploi d'une corde et il est dangereux de s'y aventurer sans assistance après la pluie.

Juste à côté du Kirkjufell coulent les cascades de **Kirkjufellsfoss**, également très appréciées des photographes.

Centre des sagas — MUSÉE

(centre culturel Eyrbyggja ; ☎ 438 1881 ; www.grundarfjordur.is ; Grundargata 35 ; ⏲ 9h-17h mi-mai à mi-sept ; @ wifi). Le centre des sagas renferme un office du tourisme, un café (Emil's Cafe), une bibliothèque, un cybercafé et un petit musée qui présente un vieux bateau, du matériel de pêche et une collection de jouets. Accès Wi-Fi 500 ISK/heure. Cartes du parc national en vente ici.

Circuits organisés

Láki Tours OBSERVATION DES BALEINES, VIE SAUVAGE
(546 6808 ; www.lakitours.com). Excellentes sorties de pêche ou d'observation des macareux et des baleines depuis Grundarfjörður ou Ólafsvík. L'excursion consacrée aux macareux (5 000 ISK) au départ de Grundarfjörður rejoint la belle île basaltique de **Melrakkaey** où vivent macareux, mouettes tridactyles et autres oiseaux marins, avec une belle vue sur le Kirkjufell. Le circuit d'observation des baleines (7 900-8 900 ISK) change selon la saison mais couvre les meilleurs sites de la région ; on peut voir des orques, des rorquals communs, des cachalots, des baleines bleues, des baleines de Minke ou des baleines à bosse. Vérifiez les offres et les points de départ sur le site Internet. Boutique et café sur place.

Snæfellsnes Excursions CIRCUITS EN BUS
(616 9090 ; www.sfn.is ; à partir de 10 000 ISK). Sorties d'une journée vers les principaux sites de la péninsule de Snæfellsnes, au départ de Stykkishólmur, de Grundarfjörður ou d'Ólafsvík.

Où se loger

Consultez **Icelandic Farm Holidays** (www.farmholidays.is) pour des adresses sur les promontoires environnants.

Grundarfjörður HI Hostel AUBERGE DE JEUNESSE €
(562 6533 ; www.hostel.is ; Hlíðarvegur 15 ; dort à partir de 4 100 ISK, d avec/sans sdb à partir de 15 500/11 200 ISK ; @ wifi). Cet établissement propose différents types d'hébergement, des dortoirs sobres aux chambres confinant à l'appartement. L'accueil occupe la maison rouge (à l'adresse indiquée) tandis que les chambres sont réparties dans plusieurs bâtiments à travers la ville. Remise de 700 ISK aux adhérents HI.

Hótel Framnes HÔTEL €€
(438 6893 ; www.hotelframnes.is ; Nesvegur 8 ; d/qua petit-déj inclus 23 220/34 110 ISK ; @ wifi). Cette auberge confortable sur les quais possède des chambres et appartements avec vue sur la mer ou la montagne, un hall spacieux, et un **restaurant** (plats 4 000-5 000 ISK ; tlj de 18h30 à 21h30) servant la pêche du jour.

Où se restaurer

Emil's Cafe CAFÉ €
(Grundargata 35, centre des sagas ; plats 1 190-1 690 ISK ; 9h-22h ; wifi). Dans le centre des sagas, un café chaleureux parfait pour un cappuccino, une soupe ou un sandwich.

Meistarinn RESTAURATION RAPIDE €
(hot dogs 490-540 ISK, sandwichs 650-1 490 ISK ; juin-sept). Les plats de ce stand de hot dogs

LES BERSERKIR

La *Saga de Snorri le Goði* (*Eyrbyggja saga*) raconte qu'il y a bien longtemps, un fermier de Hraun se lamentait d'avoir à contourner les épanchements de lave pour rendre visite à son frère dans la ferme de Bjarnarhöfn. D'un voyage en Norvège, il avait ramené deux *berserkir* – guerriers incroyablement violents employés comme hommes de main à l'époque des Vikings – pour les faire travailler dans sa ferme, mais à son grand désarroi, l'un d'entre eux était tombé amoureux de sa fille. Il demanda alors conseil au chef local, Snorri le Goði ; ce dernier, qui avait également jeté son dévolu sur la fille du fermier, lui conseilla d'assigner au *berserkir* une tâche irréalisable. Le fermier décida donc d'accorder la main de sa fille au *berserkir*, à condition que celui-ci parvînt à ouvrir un passage dans le champ de lave en fusion – entreprise tenue pour impossible.

À la grande horreur du fermier et de Snorri, les deux *berserkir* se mirent rapidement à l'ouvrage et réussirent à tracer une voie dans ce dangereux paysage lunaire. Mais, au lieu d'honorer sa promesse, le fermier enferma les *berserkir* dans un sauna et les assassina, permettant ainsi à Snorri d'épouser sa fille. Aujourd'hui, un chemin traverse encore le Berserkjahraun (p. 184) et l'on a découvert une tombe contenant les restes de ces deux forces de la nature.

portent les noms de membres de la famille royale danoise.

Supermarché SUPERMARCHÉ €
(Grundargata 38 ; 9h-22h juin-août, horaires réduits sept-mai). Petit supermarché et station-service N1 avec grill, non loin du centre des sagas.

RúBen INTERNATIONAL €€
(438 6446 ; Grundargata 59 ; plats 2 100-4 900 ISK ; 10h-23h dim-jeu, 10h-1h ven-sam juin-août, horaires réduits sept-mai). Les habitants apprécient son personnel sympathique, son ambiance décontractée et sa carte variée : pâtes, soupes, hamburgers, poissons-frites ou agneau. Petits déjeuners copieux (1 200-2 500 ISK) servis jusqu'à 14h.

Depuis/vers Grundarfjörður

Bus Strætó (540 2700 ; www.bus.is) :
- Le bus n°82 Stykkishólmur-Arnarstapi (700 ISK jusqu'à Stykkishólmur, 2/jour juin-août, 3/semaine sept-mai) passe par Ólafsvík et Hellissandur et fait halte à la station-service N1 à Grundarfjörður.

Ólafsvík

981 HABITANTS

Tranquille et ordinaire, dotée d'une usine de conditionnement de poisson qui explique l'odeur ambiante, Ólafsvík n'est pas très engageante. Bien qu'il s'agisse de la plus ancienne cité commerçante du pays (la première licence commerciale date de 1687), peu de bâtiments d'origine ont survécu. On s'y arrête surtout pour observer les baleines ou avaler un repas rapide au Hraun.

À voir

Pakkhúsið MUSÉE
(usine de conditionnement ; 433 6930 ; Ólafsbraut ; adulte/enfant 500 ISK/gratuit ; 12h-17h juin-août). Musée traditionnel modérément intéressant retraçant l'histoire de la ville en tant que centre marchand.

Ólafsvíkurkirkja ÉGLISE
(www.kirkjanokkar.is ; 8h-18h juin-août). Église moderne entièrement composée de formes triangulaires.

Circuits organisés

Certains circuits d'observation des baleines de Láki Tours (p. 185) partent d'ici : les eaux au large du village et vers la pointe de la péninsule, à l'ouest, sont parmi les meilleures de la région.

Où se loger et se restaurer

Camping CAMPING €
(Dalbraut ; empl par pers/tente/caravane 500/500/1 000 ISK ; juin-août). À ce camping municipal, nous préférons celui d'Hellissandur tout proche.

Hringhótel Ólafsvík HÔTEL €€
(436 1650 ; www.hringhotels.is ; Ólafsbraut 20 ; d et studio 19 300 ISK ; @). Ce vaste hôtel loue des chambres simplement fonctionnelles. En revanche, l'annexe en face abrite de bons studios avec kitchenette et, pour certains, vue sur la mer. Fréquenté par les groupes.

Hraun INTERNATIONAL €€
(431 1030 ; Grundarbraut 2 ; plats 2 000-5 000 ISK ; 12h-24h tlj juin-août, 12h-14h lun-jeu, 12h-24h ven-dim sept-mai ;). Dans la rue principale, cet établissement récent occupe un chaleureux bâtiment en bois blond doté d'une large terrasse. Seul restaurant de la ville qui ne soit pas un fast-food, il sert d'excellentes moules fraîches, des hamburgers, du poisson et de la bière pression.

Renseignements

Office du tourisme (433 6929 ; Kirkjutún 2 ; 9h-12h et 12h30-17h lun-ven, 10h-16h sam-dim juin-août, horaires réduits sept-mai). L'office du tourisme du district de Snæfellsbær occupe un morne bâtiment blanc, derrière l'usine de conditionnement.

Depuis/vers Ólafsvík

Bus Strætó (540 2700 ; www.bus.is) – appelez pour réserver en hiver :
- Le bus n°82 Stykkishólmur-Arnarstapi (1 050 ISK pour Stykkishólmur, 2/jour en haute saison, 3/semaine en basse saison) s'arrête à la station-service).
- Pour Reykjavík (3 850 ISK, 3 heures 30), changez pour le bus n°58 au carrefour de Vatnaleið, puis prenez une seconde correspondance à Borgarnes.

Rif

161 HABITANTS

Ouvrez l'œil pour ne pas manquer le minuscule village de Rif. On aperçoit au loin les belles chutes de **Svödufoss**, avec leurs cascades impétueuses et leur formation de basalte hexagonale.

Entre Rif et Hellissandur, une église isolée (1903) se dresse à **Ingjaldshóll**, un site qui a servi de cadre à la *Saga de Víglundar*. Elle renferme un **tableau** représentant l'éventuel passage de Christophe Colomb en Islande en 1477 ; il y serait venu avec la marine marchande et se serait informé sur les incursions vikings dans le Vinland.

Où se loger et se restaurer

Frystiklefinn AUBERGE DE JEUNESSE €
(☎865 9432 ; www.frystiklefinn.is ; Hafnargata 16 ; dort 4 600 ISK). Cette nouvelle adresse pittoresque abrite d'austères dortoirs de 6 lits et une salle de théâtre et de concert. En été : pièces de théâtre, musique ou contes. En hiver, consultez la programmation et les périodes d'ouverture sur le site Internet.

♥ **Gamla Rif** CAFÉ €
(☎436 1001 ; Háarifi 3 ; gâteaux à partir de 850 ISK, soupe de poisson 1 900 ISK ; ⏲12h-20h juin-août). Deux épouses de pêcheurs préparent à la perfection un choix d'en-cas traditionnels. Tout en servant café et pâtisseries, elles dispensent des informations touristiques avec le sourire. La soupe de poisson (issue de la pêche du jour de leurs époux), accompagnée de pain frais, est exceptionnelle.

Hellissandur

396 HABITANTS

Hellissandur fut le premier village de pêcheurs des environs. Il n'a pas grand-chose à offrir, hormis une belle vue sur le glacier et le fjord.

À voir

Sjómannagarður MUSÉE
(Musée maritime ; ☎436 6619 ; Útnesvegur ; adulte/enfant 500 ISK/gratuit ; ⏲9h30-12h et 13h-18h mar-ven, 13h-18h sam-dim juin à mi-août, 13h-18h mar-dim mi-août à mi-sept). Ce petit Musée maritime abrite le *Bliki*, le plus ancien bateau de pêche du pays, la reconstitution d'une maison de pêcheur au toit recouvert de gazon et d'innombrables photos et objets anciens. Remarquez les **pierres de levage** qui servaient jadis à tester la force des aspirants pêcheurs.

Où se loger et se restaurer

Camping CAMPING €
(empl par pers/tente 500/500 ISK). Ce camping, l'un de nos préférés, offre un choix complet de services et se situe en plein milieu d'un champ hérissé de pointes de lave.

♥ **Hótel Hellissandur** HÔTEL €€
(☎430 8600 ; www.hotelhellissandur.is ; Klettsbuð 7 ; d petit-déj inclus 16 250 ISK ; wifi). Malgré son aspect banal, cet hôtel compte des chambres agréables et propres aux sdb modernes. Certaines, à l'étage, ont vue sur le glacier. Pour le prix, le personnel chaleureux et les prestations modernes en font une excellente adresse. Le **restaurant** (plats 1 790-4 900 ISK) sert une bonne cuisine islandaise et des plats de type hamburgers.

Depuis/vers Hellissandur

Bus Strætó (☎540 2700 ; www.bus.is) :
➡ Le bus n°82 Stykkishólmur-Arnarstapi (1 400 ISK pour Stykkishólmur) s'arrête à la station-service N1.

Parc national du Snæfellsjökull

Le **parc national du Snæfellsjökull** (☎436 6860 ; www.snaefellsjokull.is) englobe une grande partie de la pointe ouest de la péninsule de Snæfellsnes, notamment les pentes accidentées du Snæfellsjökull, l'étendue glacée située à l'extrémité du long doigt du Snæfellsnes. À ses pieds s'étirent des tunnels de lave, des champs de lave protégés abritant une faune endémique et plusieurs sites où observer oiseaux et baleines.

Quand le brouillard qui enveloppe le glacier se lève, on aperçoit la gigantesque calotte glaciaire rendue célèbre par Jules Verne, qui en avait fait le cadre de son *Voyage au centre de la Terre*. Dans le livre, un géologue allemand et son neveu se lancent dans un voyage épique dans le cratère du Snæfell, guidés par un texte islandais du XVIe siècle leur dictant :

> *Descends dans le cratère du Yocul de Sneffels, que l'ombre du Scartaris vient caresser avant les calendes de juillet, voyageur audacieux, et tu parviendras au centre de la Terre. Ce que j'ai fait.*
>
> *Arne Saknussemm*

Aujourd'hui, le parc est strié de **sentiers de randonnée** et, quand le temps s'y prête, on peut se rendre sur le glacier avec un guide ou en circuit organisé. Le centre des visiteurs du parc national (p. 189) est à Hellnar ; les offices du tourisme de la région proposent aussi cartes et renseignements. Sinon, la carte du parc publiée sur le site Internet est excellente. En été, les gardes programment de nombreuses **visites guidées gratuites** (voir le site Internet ou par mail).

Snæfellsjökull

Rien d'étonnant à ce que Jules Verne ait choisi le Snæfell pour son roman : le pic fut détruit par l'explosion d'un volcan sous-jacent qui s'affaissa dans sa chambre magmatique, formant une immense caldeira. Certains groupes New Age le considèrent comme l'un des "centres de pouvoir" les plus importants du monde.

Désormais rempli de glace (point culminant 1 446 m), le cratère est une destination prisée en été. La meilleure façon de grimper au sommet est de suivre un circuit au départ d'Hellnar ou d'Arnarstapi ; on arrive alors par le sud de la Route 570. La partie nord de la Route 570, près d'Ólafsvík, est très accidentée (4x4 indispensable) et souvent fermée en raison des dégâts liés aux intempéries. Même en étant bien entraîné et équipé, il est interdit de monter sur le glacier sans un guide : contactez le centre des visiteurs du parc national, à Hellnar, ou participez à un circuit organisé (p. 190).

Öndverðarnes

À l'extrémité ouest de la péninsule de Snæfellsnes, la Route 574 coupe en direction du sud, tandis que la Route 579, une minuscule piste de gravier parfois bitumée, continue vers l'ouest à travers une ancienne coulée de lave jusqu'au bout de la péninsule d'Öndverðarnes, idéale pour l'**observation des baleines**.

La route serpente le long de falaises de lave charbonneuses en passant devant **Skarðsvík**, une plage de sable blond bordée de cubes de basalte. Une tombe viking fut découverte ici dans les années 1960 et, de fait, ce lieu idyllique semble convenir à merveille au repos éternel.

Après Skarðsvík, la piste devient plus accidentée (mais accessible en véhicule ordinaire). Garez-vous à la bifurcation (côté gauche) pour partir à pied à travers les coulées de lave jusqu'à l'imposant cratère volcanique de **Vatnsborg**, ou continuez à conduire tout droit jusqu' à une intersection en T. À gauche se dressent les **falaises aux oiseaux de Svörtuloft** (Saxhólsbjarg) et un grand **phare** orange. À droite, la piste longe la mer jusqu'à un autre **phare**, orange et trapu. Du parking voisin, on peut rejoindre à pied l'extrémité de la péninsule pour **observer les baleines**, ou marcher sur 200 m au nord-est jusqu'à **Fálki**, un vieux puits en pierre dont on disait jadis qu'il donnait de l'eau fraîche, de l'eau bénite et de la bière !

Cratère de Saxhöll

Au sud-ouest du secteur d'Öndverðarnes, sur la Route 574, une bifurcation signalée mène au cratère de scories de Saxhöll, en bordure de route, d'où provient une partie de la lave qu'on voit dans la région. On peut se rendre en voiture par une piste jusqu'au pied du cratère : une montée accidentée de 300 m conduit ensuite à un point de vue sur les immenses coulées de lave de **Neshraun**.

Plages de Djúpalón et Dritvík

Sur la côte sud-ouest, la Route 572, qui part de la Route 574, mène à la spectaculaire plage de sable noir de **Djúpalónssandur**. On peut s'y promener en passant devant plusieurs formations rocheuses (une église elfique et un **Kerling**, troll femelle), deux bassins saumâtres (auxquels la plage doit son nom) et l'arche en pierre de **Gatklettur**. Un parking asphalté et des toilettes expliquent la foule et les bus de tourisme.

Sur la plage, on peut voir quatre **pierres de levage**, qui servaient à tester la force des aspirants pêcheurs : Amloði ("incapable", 23 kg), Hálfdrættingur ("faible", 54 kg), Hálfsterkur ("mi-fort", 100 kg) et Fullsterker ("complètement fort", 154 kg). Quiconque ne pouvait soulever Hálfdrættingur était déclaré inapte à être marin. Tout le long, le sable noir est couvert de pièces de métal rouillées provenant du chalutier anglais *Eding,* qui s'échoua ici en 1948.

Des **colonnes rocheuses**, dont certaines seraient des églises de trolls, émergent de l'océan le long de la côte quand on traverse le promontoire déchiqueté vers le nord jusqu'à la plage de sable noir de **Dritvík**. Du XVIe au XIXe siècle, Dritvík fut le plus grand port de pêche d'Islande, abritant jusqu'à 60 bateaux. Aujourd'hui, il n'en reste que des ruines au bord du champ de lave.

Vatnshellir

Ce tunnel de lave vieux de 8 000 ans et constellé de cavernes s'étend à 32 m sous terre, à 1 km au nord de Malariff (suivez la bifurcation qui part de la Route 574). Il ne se visite que dans le cadre d'un circuit organisé.

Cave Vatnshellir TUNNEL DE LAVE
(☎665 2818 ; www.vatnshellir.is ; adulte/enfant 2 500/1 000 ISK). Circuits de 45 minutes dans le tunnel de lave de Vatnshellir. Les guides présentent les phénomènes géologiques à l'œuvre et les traditions régionales liées aux trolls. Casques et lampes torches sont fournis. Prenez des vêtements chauds, des chaussures de marche et si possible des gants. Départ toutes les heures de 10h à 18h de mi-mai à septembre. Ce prestataire organise aussi des circuits sur le glacier.

Malariff et Lóndrangar

À environ 2 km au sud de Djúpalónssandur, une route bitumée descend au phare de **Malariff**, en forme de fusée, d'où on peut longer les falaises à pied sur 1 km vers l'est jusqu'aux étonnantes colonnes de pierre de **Lóndrangar** dressées vers le ciel. Selon les habitants, les elfes ont transformé ces formations de lave en une église. Un peu plus loin vers l'est, on atteint les **falaises aux oiseaux de Þúfubjarg**, également accessibles par la Route 574.

Sud du Snæfellsnes

À l'est du parc national, la Route 574 suit la côte en passant par les hameaux d'Hellnar et d'Arnarstapi, où l'on peut voir des formations rocheuses sculptées par la mer et où des agences proposent des circuits sur le glacier. Puis la route continue vers l'est en longeant une large plaine côtière bordée d'un côté par d'immenses baies sablonneuses telle Breiðavík, et de l'autre par de hauts sommets aux versants tapissés de cascades. Ce secteur est idéal pour l'équitation.

Le bus Strætó n°82 part de Stykkishólmur, au nord-est, fait le tour de la pointe ouest de la péninsule, puis repart vers l'est jusqu'à Arnarstapi. Au-delà, aucun transport public ne circule sur la côte sud ; mieux vaut être motorisé.

Hellnar

8 HABITANTS

Le géant Bárður, héros mi-homme mi-troll de la *Saga de Bárðar Snæfellsáss*, élut domicile près d'ici, à **Laugarbrekka**, dans un site pittoresque surplombant une baie rocheuse. Vers la fin de sa saga mouvementée, il devint l'esprit gardien du Snæfell. Hellnar, autrefois un village très important, est aujourd'hui un minuscule hameau de pêcheurs aux abords peuplés d'oiseaux marins et de baleines.

À voir

Bárðarlaug, plus haut, non loin de la route principale, aurait servi de bain à Bárður (hélas, l'eau en est désormais froide). Sur le rivage, la grotte de **Baðstofa** accueille une profusion d'oiseaux nicheurs. Le départ du **sentier pour Arnarstapi** se situe non loin. D'anciennes coulées de lave couvertes de mousse velouteuse s'étendent vers l'est à travers l'**Hellnahraun**.

♥ **Centre des visiteurs d'Hellnar – Gestastofa** PARC, MUSÉE
(centre des visiteurs du parc national du Snæfellsjökull ; ☎591 2000, 436 6888 ; www.snaefellsjokull.is ; ⏲10h-17h 20 mai-10 sept, horaires réduits le reste de l'année ; 📶). GRATUIT Fournit renseignements, cartes (2 000 ISK) et brochures (300 ISK) sur le parc national du Snæfellsjökull. La partie musée présente la géologie, l'histoire, la flore, la faune et les coutumes de la région. L'été, les gardes proposent des **visites guidées gratuites** (voir le site Internet ou par mail). Vous trouverez aussi sur place le Primus Café. Attention : le bureau du parc à Hellissandur, purement administratif, est fermé au public.

Où se loger et se restaurer

♥ **Hótel Hellnar** HÔTEL €€
(☎435 6820 ; www.hellnar.is ; s/d petit-déj inclus à partir de 22 800/26 200 ISK ; ⏲mai-sept ; 📶). Souvent complet, cet hôtel pourvu de chambres confortables et lumineuses est le meilleur des environs. Même si vous n'y logez pas, arrêtez-vous au **restaurant** (dîner plats 3 450-4 950 ISK ; ⏲18h-21h30 mai-sept) pour savourer une cuisine islandaise à base

BALADES SUR LA CÔTE

Les cartes locales indiquent d'innombrables sentiers de randonnée reliant les sites de la péninsule de Snæfellsnes. L'une des balades les plus appréciées, et les plus belles, est celle de 2,5 km (environ 40 minutes) entre Hellnar et Arnarstapi. Ce sentier étroit suit le rivage à travers une réserve naturelle en longeant des coulées de lave et des grottes de pierre érodées.

de produits bio locaux, et un délicieux gâteau au *skyr* en dessert. Réservation conseillée.

Primus Café CAFÉ €
(☎865 6740 ; centre des visiteurs d'Hellnar ; plats 1 390-1 980 ISK ; ⊙10h-21h). Gâteaux, soupes et repas simples dans un cadre accueillant.

♥ **Fjöruhúsið** POISSON, CAFÉ €€
(☎435 6844 ; plats 2 300-2 800 ISK, gâteau 950 ISK ; ⊙10h-20h juin-août, horaires réduits avr-mai et sept-oct). Prenez la peine de suivre le sentier de pierre jusqu'au rivage pour déguster la soupe de poisson du pittoresque Fjöruhúsið. Proche des falaises aux oiseaux, à l'endroit où part le beau sentier Hellnar-Arnarstapi, il sert aussi du café dans une belle porcelaine ancienne.

Arnarstapi

Relié à Hellnar par la route principale et par un magnifique sentier côtier, ce hameau de petites maisons d'été est niché entre les eaux arctiques, d'un côté, et les formations torturées de deux champs de lave, de l'autre. Un **monument** rend hommage à Jules Verne, et une pancarte humoristique indique les distances vers les grandes villes du monde en passant par le centre de la Terre. Un second **monument** figurant un troll a été élevé en l'honneur de Bárður, esprit protecteur de la région et figure centrale d'une saga locale.

Arnarstapi est la meilleure base d'où monter vers la calotte glaciaire du Snæfellsjökull ; certaines agences proposent cette excursion depuis Reykjavík (comme Arctic Adventures, p. 71).

Circuits organisés

Cave Vatnshellir (p. 189) et Gordon (p. 180) organisent des sorties sur le Snæfellsjökull.

♥ **Go West!** CIRCUITS AVENTURE, EXCURSIONS À VÉLO
(☎695 9995 ; www.gowest.is). Un sympathique couple, Jon Joel et Maggy, organise des sorties en vélo, à pied ou en bateau et des excursions vers les sources chaudes et le glacier. Les circuits sur le Snæfellsjökull (9 000-22 000 ISK) se font à pied, avec crampons, pics à glace (inclus), etc. Propose aussi des excursions dans le sud de l'Islande, et peut venir vous chercher à Reykjavík.

Snæfellsjökull Glacier Tours BALADES EN MOTONEIGE
(☎663 3371 ; www.theglacier.is ; circuits chenillette/motoneige 11 000/25 000 ISK ; ⊙mars-juil). De mars à juillet, ce tour-opérateur propose chaque jour 6 balades de 1 heure 30 en chenillette sur le glacier, jusqu'à 1 410 m d'altitude. Sorties en motoneige possibles jusqu'à mi-juin.

Où se loger

Snjófell PENSION, CAMPING €
(☎435 6783 ; www.snjofell.is ; empl tente 1 500 ISK, d/qua 14 500/19 100 ISK ; ⊙mai-sept ;). Propose un hébergement basique et le couvert. On peut planter sa tente sur la pelouse (pas de douches) ou dormir dans la pension. Dans le restaurant au toit de tourbe, la carte (plats 2 000-4 500 ISK) privilégie le poisson local.

Depuis/vers Arnarstapi

Il n'y a pas de transport public allant vers l'est. Pour Reykjavík, empruntez le bus n°82 jusqu'au carrefour de Vatnaleið (entre les Routes 56 et 55), puis le bus n°58 vers Borgarnes, où vous prendrez une seconde correspondance.

Bus Strætó (☎540 2700 ; www.bus.is) :
➔ Bus n°82 Stykkishólmur-Arnarstapi (2/jour en été, 3/semaine en hiver).

Rauðfeldsgjá

Au nord d'Arnarstapi et de Stapafell, une piste partant de la Route 574 mène à Rauðfeldsgjá, une crevasse étroite et profonde qui disparaît dans la falaise. Les oiseaux tournoient dans le ciel, un ruisseau court au fond de la gorge et on peut se faufiler entre les parois sur une bonne distance. Cette crevasse figure dans un épisode de la saga de Bárður (panneau explicatif sur le parking).

D'ARNARSTAPI VERS LE GLACIER

En suivant la Route F570 depuis Arnarstapi, on passe devant le **Stapafell** (526 m), où vivrait le Petit Peuple (des pignons miniatures sont peints sur les rochers en son honneur). Plus loin, l'effondrement d'un cratère a créé une série de grottes de lave à environ 1,5 km de la route principale. La plus grande est **Sönghellir** (la grotte des chansons), couverte de graffitis du XVIIIe siècle, où résonneraient des chants de lutins.

Breiðavík

À l'est de Rauðfeldsgjá, la Route 574 longe l'immense baie sablonneuse de Breiðavík. Cette étendue de sable jaune balayée par le vent est merveilleusement calme, bien que difficile d'accès. Les pâturages qui bordent les montagnes côtières vers l'est jusqu'à Vegamót sont considérés comme l'un des meilleurs endroits où pratiquer l'équitation, et la région compte plusieurs écuries de réputation internationale.

À l'extrémité est de Breiðavík, une pancarte raconte la sinistre histoire d'Axlar-Björn, célèbre tueur en série islandais du XVIe siècle qui gagnait sa vie en assassinant des voyageurs.

Circuits organisés

Stóri Kambur ÉQUITATION
(☎852 7028 ; www.storikambur.is). Ce centre équestre familial offre des balades de 1 heure 30 à 3 heures sur la plage, avec vue sur le glacier par temps clair.

Búðir et Búðahraun

Búðir possède une église solitaire et un hôtel, mais ses criques aux roches recouvertes de mousse n'ont gardé aucune trace de son passé de village de pêcheurs. Un sentier traverse le champ de lave de **Buðahraun** peuplé d'elfes, une réserve naturelle : dans les trous et les crevasses poussent des fleurs et des fougères, dont beaucoup d'espèces endémiques protégées. Le sentier conduit ensuite au cratère de **Búðaklettur**. Selon la légende, un tunnel de lave pavé d'or et de pierres précieuses, sous le Buðahraun, mènerait jusqu'à Surtshellir, dans le haut de la vallée de Borgarfjörður. Prévoyez 3 heures pour aller jusqu'au cratère et revenir.

Où se loger

Hótel Buðir HÔTEL €€€
(☎435 6700 ; www.hotelbudir.is ; Buðir ; d petit-déj inclus 34 900-49 900 ISK ; @ wifi). Cet hôtel romantique, isolé et fouetté par les vents, s'efforce d'être raffiné, mais il est pris d'assaut par les groupes en voyage organisé. La chambre n°28 a la plus belle vue (et un petit balcon). Restaurant (plats 4 700-5 700 ISK) parfois réservé aux groupes.

De Lýsuhóll à Gerðuberg

Cette région compte de nombreux ranchs, dont plusieurs louent des chambres. Champs verdoyants, plages de sable, champs de lave et montagnes en arrière-plan en font un endroit idéal pour l'équitation.

À voir et à faire

Gerðuberg SITE GÉOLOGIQUE
Les spectaculaires tours de basalte de Gerðuberg jaillissent de la plaine au point où la Route 54 s'incurve en quittant la péninsule de Snæfellsnes.

Ytri-Tunga FAUNE
La ferme abandonnée d'Ytri-Tunga, juste à l'est d'Hof, permet parfois d'observer une colonie de phoques au large.

♥ **Lýsuhólslaug** PISCINE GÉOTHERMALE
(550 ISK ; 13h-20h juin à mi-août). Une source géothermale fournit à Lýsuhólslaug une eau gazeuse riche en minéraux, à une température idéale de 37 à 39°C. Ne vous inquiétez pas devant la couleur verdâtre de l'eau : sa haute teneur en fer attire des algues. Située juste après la ferme équestre de Lýsuhóll.

Circuits organisés

♥ **Lýsuhóll** ÉQUITATION
(☎435 6716 ; www.lysuholl.is ; d/qua petit-déj inclus 18 500/30 000 ISK, cottage 20 000 ISK ; wifi). Les passionnés de chevaux choisiront naturellement cet élevage. L'affable propriétaire montre fièrement ses trophées au petit-déjeuner. Même si vous ne montez pas, c'est un endroit plaisant où passer la nuit. Visite des box, balades courtes (1 heure 5 000 ISK) et excursions de plusieurs jours.

Où se loger

Gistiheimilið Hof APPARTEMENTS, CHALETS €
(☎435 6802 ; www.gistihof.is ; d avec/sans sdb 15 600/12 480 ISK, maisons 2 chambres 26 000 ISK ; wifi). Cette adresse accueillante loue des appartements sobres avec Jacuzzi privatif, et des chalets indépendants avec sdb privative et cuisine commune. On peut aussi dormir dans un lit avec son duvet ou dans une vraie maison. La vue est sublime.

Gistihúsið Langaholt PENSION €€
(☎435 6789 ; langaholt.is ; Görðum ; empl 1 000 ISK/pers, d 24 000 ISK ; restaurant 8h-21h ; wifi). Cet hybride entre paradis pour golfeurs, pension, camping et halte gastronomique est dirigé par un père affable et ses deux fils. Les chambres simples et modernes bénéficient souvent d'une belle vue et le restaurant sert de savoureux produits de

VAUT LE DÉTOUR

DÉTOUR : ROUTE 590

Souvent délaissé, ce tronçon spectaculaire de 100 km (praticable en voiture ordinaire ; repérez la bifurcation à Fellströnd, sur la Route 60) longe la côte entre le Snæfellsnes et les fjords de l'Ouest. Les fermes fouettées par les vents semblent figées dans le temps, au milieu de collines parsemées de rochers et couronnées par des blocs de granit plat.

Près du point de départ de la route, la ferme de **Hvammur** vit naître une lignée d'éminents Islandais, dont Snorri Sturluson, célèbre auteur de l'*Edda en prose*. Elle fut fondée autour de 895 par Auður la Sage, épouse du roi irlandais Olaf Godfraidh, qui apparaît dans la *Saga des Gens du Val-au-Saumon*. Árni Magnússon, qui sauva la plupart des sagas islandaises après l'incendie de Copenhague en 1728, était également natif de Hvammur.

Pour dormir, essayez le **Vogur Country Lodge** (☎894 4396 ; www.vogur.org ; s/d/qua 19 200/22 800/28 500 ISK ;), récemment rénové, ou le charmant **Nýp** (☎896 1930 ; www.nyp.is ; Skarðsströnd ; d petit-déj inclus 15 500 ISK ;) plus éloigné. Sinon, le camping Á vous attend juste avant **Skarð**, une ferme appartenant à la même famille depuis plus d'un millénaire.

la mer (1 900-3 900 ISK). Le golf de 9 trous coûte 2 500 ISK (location de clubs).

Hotel Rjúkandi HÔTEL €€
(☎435 6690 ; rjukandi.com ; Vegamót ; d à partir de 19 300 ISK, en-cas 350-890 ISK ; café 10h-21h ;). Vegamót signifie "carrefour" et c'est justement là que vous trouverez cet hôtel, café et restaurant. Vous verrez sans doute d'abord son café, le Rjúkandi Kaffi, à côté de la station N1, très apprécié pour ses gâteaux maison et ses soupes. Les chambres propres et sans prétention, construites en 2013, disposent de sdb. Le **restaurant**, ouvert récemment, sert des plats islandais superbement présentés.

DALIR

Avec ses champs onduleux et ses buttes sculptées par les rivières, le joli corridor entre l'ouest de l'Islande et les fjords de l'Ouest servit de cadre à la *Saga des Gens du Val-au-Saumon*, la plus populaire des sagas islandaises. L'histoire a pour thème un triangle amoureux entre Guðrun Ósvífursdóttir, réputée être la plus belle femme d'Islande, et les frères adoptifs Kjartan Ólafsson et Bolli Þorleiksson. Comme il se doit dans une saga, Guðrun mène les deux hommes par le bout du nez et les manipule jusqu'à leur mort – Kjartan est tué par Bolli et Bolli assassiné par les frères de Kjartan. La plupart des Islandais connaissent ces histoires et personnages par cœur et vouent un grand intérêt historique à la région qui les vit naître.

Eiríksstaðir

Reconstitution d'Eiríksstaðir SITE HISTORIQUE
(☎434 1118 ; www.leif.is ; adulte/enfant 1 250 ISK/gratuit ; 9h-18h lun-ven juin-août). La ferme d'Eiríksstaðir était la demeure d'Erik le Rouge, le père de Leif Eiríksson. Ce dernier fut le premier Européen à atteindre l'Amérique. Bien qu'il ne reste que quelques vestiges de la ferme d'origine, une reconstitution d'une cabane en tourbe a été réalisée au moyen des matériaux et outils de l'époque. Des guides en costumes orientent les visiteurs et racontent l'histoire d'Erik le Rouge, qui fonda la première colonie européenne au Groenland. À 8 km vers l'intérieur des terres sur la Route 586 gravillonnée et asphaltée, à l'est de l'église de Stóra-Vatnshorn, sur la rivière Haukadalsá.

Búðardalur

171 HABITANTS

À voir

Leifsbúð MUSÉE
(☎434 1441 ; www.dalir.is ; 10h30-18h lun-ven, 11h-16h sam-dim juin-août ;). Près du port, ce lieu regroupe un musée des Arts et Traditions populaires, un office du tourisme et un café. L'exposition sur les Vikings évoque notamment Leif Eiríksson et Erik le Rouge.

Où se loger

Dalakot PENSION €€
(☎434 1644 ; www.dalakot.is ; Dalbraut 2 ; s/d/tr sans sdb 11 900/15 900/20 900 ISK, d/tr avec sdb

18 900/23 900 ISK ; restaurant 12h-22h ;). Chambres impeccables et sans chichis. Le restaurant propose une carte variée et des plats du jour islandais (1 500-2 800 ISK).

Achats

Bolli Craft ART ET ARTISANAT
(434 1410 ; www.facebook.com/bollicraft ; Vesterbraut 12). Jolis objets d'art et d'artisanat (chandails tricotés main, elfes, etc.).

Depuis/vers Búðardalur

Bus Strætó (540 2700 ; www.bus.is) :
➡ Le bus n°59 Borgarnes-Holmavík (1/jour lun, mer et ven-dim) s'arrête à la station-service N1 de Búðardalur.

Hjarðarholt et ses environs

Bien que Dalir soit au centre de plusieurs des sagas islandaises les plus populaires, il ne reste pas grand-chose des fermes de l'époque. On ne voit ainsi plus trace de **Hjarðarholt**, où vécurent Kjartan Ólafsson et son père Ólaf le Paon. Leur ferme était, dit-on, une des merveilles du monde nordique : des scènes des sagas étaient gravées sur les murs et son immense salle à manger pouvait accueillir 1 100 convives. Une belle **église** occupe le site, qui offre une vue magnifique sur la vallée. Non loin, toujours le long de la Laxá, c'est à **Höskuldsstaðir** que naquit Hallgerður aux longues jambes (alias à la longue chevelure), épouse de Gunnar de Hlíðarendi, vedette de la *Saga de Njál le Brûlé*. D'autres personnages comme Bolli et son frère adoptif Kjartan, héros de la *Saga des Gens du Val-au-Saumon*, sont nés dans cette ferme.

Laugar et ses environs

Un peu au nord de l'endroit où la Route 590 s'écarte de la Route 60 vers l'ouest, on arrive à **Laugar**, où naquit Guðrun Ósvífursdóttir, belle héroïne de la *Saga des Gens du Val-au-Saumon*. Les historiens pensent avoir trouvé le **bassin de Guðrun** (indiqué près de l'entrée de l'Hótel Edda, avec une cabane pour se changer). **Tungustapi**, plus loin, est une grande église elfique.

L'accueillant **Hótel Edda** (444 4930 ; www.hoteledda.is ; Sælingsdalur ; empl 1 000 ISK/pers, d avec/sans sdb 22 000/11 000 ISK ; 6 juin-fin août ;) renferme des sdb modernes, tandis que l'aile plus ancienne a des allures de dortoir, avec sdb communes et “espace duvet”. Le **restaurant** (plats 2 600-4 100 ISK ; 18h-21h 6 juin-fin août) est réputé pour son agneau nourri à l'angélique.

Découvrez le **musée des Traditions de Dalir** (434 1328 ; 13h-18h juin-août) GRATUIT au sous-sol de l'hôtel. Son conservateur est un personnage, qui en sait long sur le brillant passé de Dalir. Parmi les innombrables éléments exposés, il y a la reconstitution d'une *baðstofa* (pièce à vivre/chambre).

VAUT LE DÉTOUR

FERME LAITIÈRE D'ERPSSTAÐIR

Erpsstaðir (843 0357 ; www.erpsstadir.is ; étable adulte/enfant 600 ISK/gratuit ; 13h-17h juin à mi-sept ;) est l'endroit idéal pour se dégourdir les jambes. Cette ferme laitière sur la magnifique Route 60, entre Búðardalur et la Route circulaire, est spécialisée dans la glace maison (400 ISK). On peut visiter les lieux et saluer les vaches, les poules, les lapins et même les cochons d'Inde, avant de s'offrir une boule de glace. La ferme vend aussi du *skyr* et du fromage ; essayez le *skyr-konfekt*, un dessert en forme de fusée fait d'une coque en chocolat blanc fourrée de *skyr* épais : un délice ! Possibilité de dormir sur place (à partir de 13 000 ISK) si vous rêvez d'une glace au petit-déjeuner...

Les fjords de l'Ouest

Dans ce chapitre

Le top des restaurants

- Heimsendi Bistro (p. 200)
- Simbahöllin (p. 203)
- Húsið (p. 207)
- Tjöruhúsið (p. 207)
- Stúkuhúsið (p. 200)

Le top des hébergements

- Hótel Djúpavík (p. 217)
- Hótel Laugarhóll (p. 217)
- Bíldudalur HI Hostel (p. 201)
- Einarshúsið (p. 209)

Pourquoi y aller

Malgré leurs paysages spectaculaires, les fjords de l'Ouest sont épargnés par le tourisme de masse – 14% seulement des visiteurs s'y rendent. Le sud est bordé de falaises dentelées abritant des colonies d'oiseaux et de vastes plages. La région nord est ponctuée de villages de pêcheurs, de fjords et de montagnes. Dans l'extrême nord, la superbe réserve du Hornstrandir offre une multitude de sentiers de randonnée qui permettent d'observer des oiseaux et des renards polaires avec l'océan en toile de fond. Encore moins fréquentée, la côte du Strandir donne une impression de bout du monde, avec son atmosphère irréelle, ses sources géothermales et ses hameaux en bord de mer.

Un séjour dans les fjords de l'Ouest nécessite du temps : les routes non goudronnées et cahoteuses serpentent autour des fjords et franchissent des cols, ce qui ralentit la conduite. Mais cela en vaut la peine...

Distances par la route (km)

	Patreksfjörður	Þingeyri	Ísafjörður	Hólmavík	Norðurfjörður
Þingeyri	129				
Ísafjörður	175	47			
Hólmavík	234	265	221		
Norðurfjörður	333	348	303	105	
Reykjavík	397	405	450	230	334

CÔTE SUD

Peu peuplée, la côte sud offre un aperçu en miniature de ce que vous réservent les magnifiques péninsules sauvages situées plus au nord. Des fjords reculés (aux dimensions plus réduites ici) ourlent la côte, et bien qu'une nouvelle route soit en construction, cette zone reste encore sauvage et spectaculaire. C'est le principal site de reproduction du pygargue à queue blanche, une espèce menacée.

Le ferry pour Stykkishólmur, sur la péninsule de Snæfellsnes, fait halte ici ; sinon, vous pouvez venir en voiture par la région historique du Dalir, dans l'ouest du pays, en traversant un paysage de collines sauvages, de champs et des falaises rocheuses.

Reykhólar et ses environs

Reykhólar est située à la pointe sud de la **péninsule de Reykjanes**, une zone géothermique de moindre importance qui donne accès au secteur le plus méridional des fjords de l'Ouest. Gilsfjörður est un site de reproduction des pygargues ; en suivant la côte vers l'ouest, les principales criques pour les observer sont Þorskafjörður, Djúpifjörður et Vatnsfjörður. Aucun bus ne dessert la région.

À voir et à faire

Centre des pygargues à queue blanche EXPOSITION
(☎894 1011 ; www.visitreykholahreppur.is ; Króksifjarðarnes ; ⏲mi-juin à mi-août). GRATUIT Ce centre présente les mesures prises pour accroître la population de cette espèce menacée qui comptait 66 nids en 2011. Il abrite aussi un marché aux puces et d'artisanat. À l'ouest de la chaussée, sur la Route 60 qui traverse le Gilsfjörður.

Norður Salt SITE
(www.nordursalt.com). Située sur le promontoire, cette entreprise produit du sel de mer extrait des salines locales. Jetez un coup d'œil par les fenêtres du bâtiment.

Musée de l'office du tourisme de Reykhólar MUSÉE
(750 ISK ; @ 📶). L'**office du tourisme** (www.visitreykholahreppur.is ; en-cas dans le café 400-1 000 ISK ; ⏲11h-17h juin-août) abrite un petit musée qui présente des bateaux anciens, des oiseaux empaillés et un film sur la vie dans les années 1950 et 1960. Petit café avec borne Internet et Wi-Fi. Information abondante sur les fjords de l'Ouest.

Reykhólar Sea Baths HOT POT
(Sjávarsmiðjan ; ☎577 4800 ; www.sjavarsmidjan.is ; adulte/enfant 2 900/1 000 ISK ; ⏲13h-17h jeu-dim juin-août). Bains d'algues avec vue sur la plaine côtière bordée de salines.

Où se loger

Gistiheimilið Álftaland PENSION €
(☎434 7878 ; www.alftaland.is ; s/d 11 500/15 500 ISK ; 📶) Gistiheimilið Álftaland propose des chambres sans fioritures, deux *hot pots* pour se relaxer et une cuisine à la disposition de la clientèle. Option duvet disponible (6 000 ISK).

Hótel Bjarkalundur HÔTEL €€
(☎434 7762 ; www.bjarkalundur.is ; d avec/sans sdb petit-déj inclus 24 900/18 500 ISK ; ⏲mai-oct). Sur la Route 60, au nord de l'embranchement pour Reykhólar, cet hôtel est installé dans une grande ferme et doublé d'une station-service et d'un restaurant de cuisine islandaise (plats 1 700-4 500 ISK). Vaðalfjöll, le plus grand palais elfique des fjords de l'Ouest (selon le propriétaire), est situé juste au nord.

De Djúpidalur à Vatnsfjörður

Les 128 km de la route reliant Þorskafjörður à Vatnsfjörður longent des fjords saisissants et désolés. Observez des pygargues et savourez votre solitude dans ces paysages parmi les plus sauvages de l'île. Lors de notre passage, on finissait de bitumer le tronçon reliant Kollafjörður à Vatnsfjörður, comprenant notamment deux chaussées entre les fjords. La partie entre Þorskafjörður et Kollafjörður restera non asphaltée (mais accessible aux véhicules ordinaires).

La zone géothermique de Djúpidalur s'étend à 20 km à l'ouest de Bjarkalundur, sur le fjord de Djúpifjörður, totalement sauvage à l'exception d'une exploitation de chèvres qui abrite l'accueillante **pension Djúpidalur** (☎434 7853 ; djupidal@simnet.is ; dort 6 000 ISK ; ⏲toute l'année) dotée d'une **piscine géothermale intérieure** (accessible à tous, adulte/enfant 400/100 ISK ; ⏲8h-23h) et d'un bon hébergement. Option duvet 4 000 ISK.

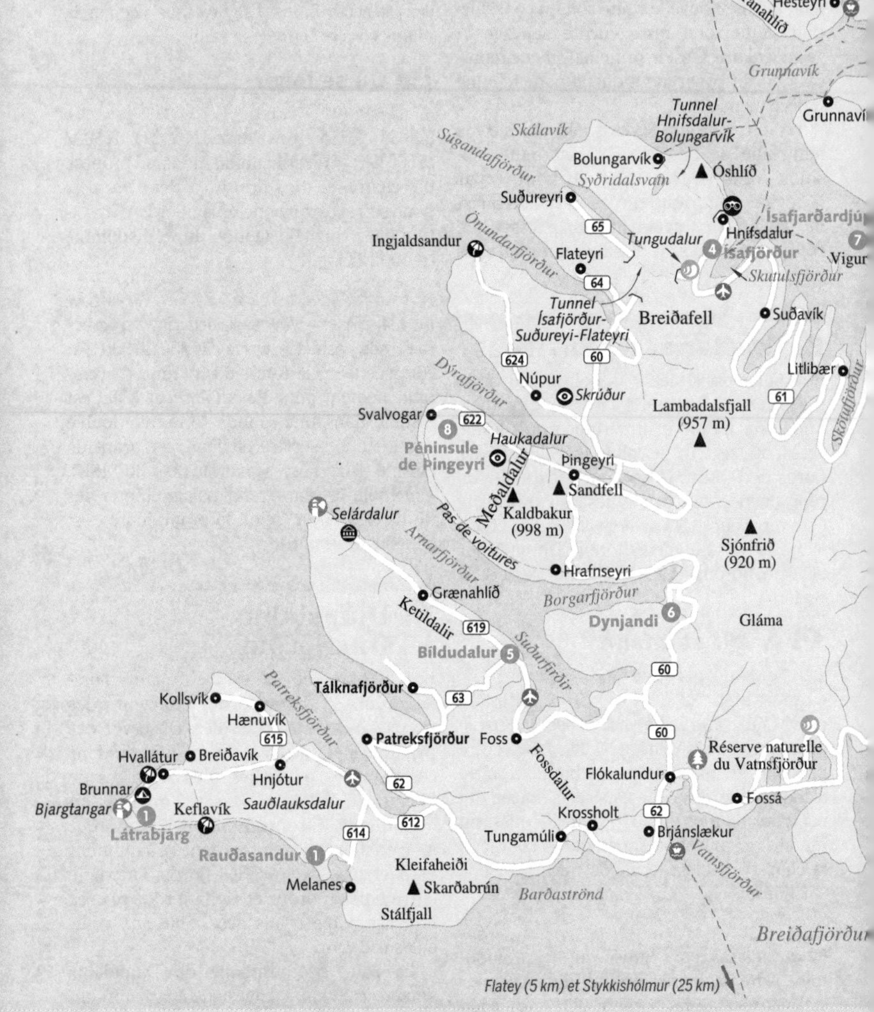

À ne pas manquer

1 Les macareux survolant les falaises de **Látrabjarg** (p. 198), et la plage aux tons rosés de **Rauðasandur** (p. 198)

2 Les falaises dentelées et les renards arctiques de la **réserve naturelle du Hornstrandir** (p. 211)

3 Les paysages sauvages de la **côte du Strandir** (p. 215), le charme de Djúpavík et les eaux de Krossnes

4 Une balade en kayak, suivie d'une bière pression à **Ísafjörður** (p. 205), capitale cosmopolite des fjords de l'Ouest

5 Une plongée dans l'univers

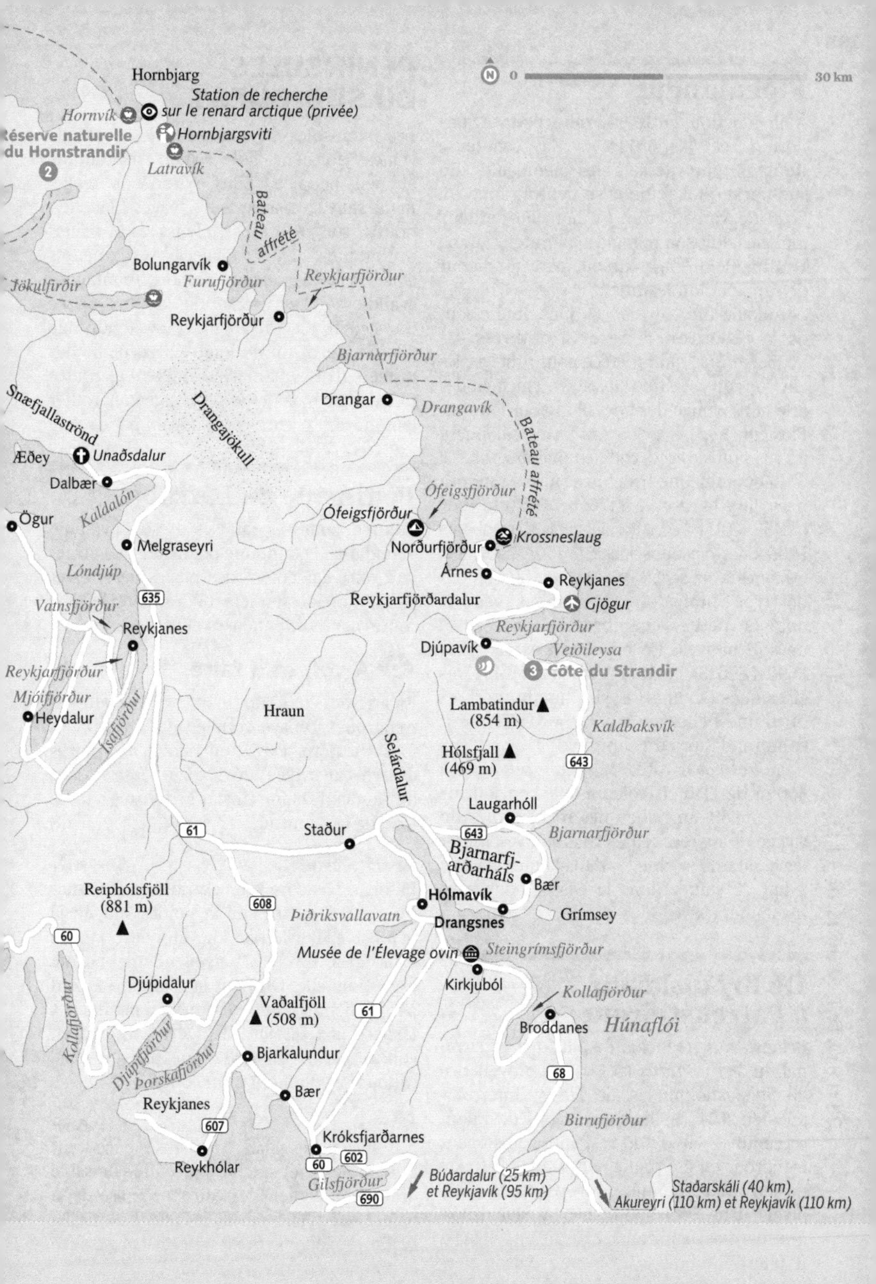

des monstres marins avant une escapade jusqu'à la pointe du saisissant Arnarfjörður, à **Bíldudalur** (p. 201)

6 Le brouillard de gouttelettes qui s'élève de l'immense cascade de **Dynjandi** (p. 202)

7 Un duel avec une sterne arctique sur l'île de Vigur, la découverte du renard arctique ou une balade en kayak au milieu des phoques de l'immense **Ísafjarðardjúp** (p. 210)

8 Une balade en VTT sur la **péninsule de Þingeyri** (p. 203) battue par les vents

Flókalundur

À la jonction entre la route pour Arnarfjörður et Ísafjörður et la cahoteuse Route 62 qui dessert les péninsules du sud-ouest, Flókalundur se tient au fond du fjord de Vatnsfjörður. Ce hameau de deux maisons doit son nom à l'explorateur viking Hrafna-Flóki Vilgerðarson, père fondateur de l'appellation Islande.

Aujourd'hui, le site le plus intéressant de la région est la **réserve naturelle de Vatnsfjörður**, qui fut créée pour protéger les environs du lac Vatnsdalsvatn, où nichent des arlequins plongeurs et des plongeons imbrins. Plusieurs **sentiers de randonnée** sillonnent les rives du lac et les collines environnantes.

Récupérez une brochure sur les randonnées dans la réserve à l'**Hótel Flókalundur** (☎456 2011 ; www.flokalundur.is ; empl/pers 1 200 ISK, s/d petit-déj inclus 16 700/21 600 ISK ; ⊙mi-mai à mi-sept ; 📶), un établissement de type bungalow récemment rénové, doté de petites chambres lambrissées et de sdb neuves. Le bon **restaurant** (plats 1 690-4 800 ISK ; ⊙11h-14h et 18h-22h) sert des classiques islandais et des hamburgers, et offre une belle vue sur le fjord. L'endroit comprend aussi un camping.

Le *hot pot* naturel **Hellulaug** se trouve à 500 m de l'Hótel Flókalundur, non loin de la Route 62, au milieu des rochers près du rivage. À marée haute, vous pouvez imiter les habitants et plonger dans la mer glaciale avant de sauter dans le bassin pour vous réchauffer (38°C).

De Brjánslækur à Patreksfjörður

Brjánslækur n'est rien de plus que le terminal du ferry *Baldur* (p. 180) en provenance de Stykkishólmur et de Flatey. Interrompues en 2014, les liaisons en bus devraient reprendre en 2015 : l'une desservant Ísafjörður en été seulement, l'autre Patreksfjörður toute l'année (sur réservation en hiver). Une correspondance à Stykkishólmur permet de prolonger jusqu'à Reykjavík. Il pourrait aussi y avoir une liaison vers Látrabjarg. Pour en savoir plus, consultez le site www.westfjords.is.

Après le débarcadère du ferry, la Route 62, accidentée, suit la côte sablonneuse jusqu'à atteindre le haut du pittoresque village de Patreksfjörður, qui marque l'entrée dans les péninsules du sud-ouest.

PÉNINSULES DU SUD-OUEST

Les péninsules du sud-ouest des fjords de l'Ouest forment une région magnifique et peu peuplée. Elles paraissent réellement sauvages, avec leurs plages blanches, noires, rouges et roses, leurs eaux bleues miroitantes, leurs falaises vertigineuses et leurs fjords séparés par des montagnes grandioses. La destination la plus prisée du secteur est Látrabjarg, une étendue de falaises de 12 km de long qui accueille des milliers d'oiseaux marins en été. Les routes pleines de nids-de-poule obligent à rouler lentement – prenez votre mal en patience !

Péninsule de Látrabjarg

Connue pour ses falaises et son avifaune abondante, la lointaine péninsule de Látrabjarg offre également des plages désertes et de nombreux sentiers de randonnée. Les routes sont sablonneuses et cahoteuses.

À voir et à faire

En arrivant sur la Route 612 par la Route 62, remarquez l'épave rouillée du *Garðar*, au fond du fjord. De là, on rejoint des plages désertes au sable doré, la piste d'atterrissage de Sauðlauksdalur ainsi que d'autres sites le long de la péninsule.

♥ Rauðasandur PLAGE

La belle plage de Rauðasandur, aux teintes rougeâtres, s'étire sur la pointe sud de la péninsule. Bordé par une immense lagune azur, c'est un lieu paisible d'une beauté exceptionnelle. On peut la rejoindre à pied par le chemin côtier (20 km) qui débute des falaises aux oiseaux de Látrabjarg, ou en voiture par la Route 612, puis par une piste cahoteuse (Route 614, sur 10 km).

♥ Breiðavík PLAGE

À Breiðavík, les falaises rocheuses encadrent une immense et splendide étendue de sable doré que baignent les eaux turquoise de la baie. Cette plage, parmi les plus belles d'Islande, est généralement déserte. On y trouve la grande pension Breiðavík.

Musée Minjasafn Egils Ólafssonar MUSÉE

(☎456 1511 ; www.hnjotur.is ; Hnjótur ; adulte/enfant 1 000 ISK/gratuit ; ⊙10h-18h mai-août). À Hnjótur, à 10 km à l'ouest de Sauðlauksdalur, faites escale dans ce musée éclectique qui présente des bateaux de pêche, des expositions sur l'histoire de la région (de la pêche à la baleine à l'élevage) et un film datant de 1947 sur l'épave d'un chalutier. Petit café (en-cas à partir de 450 ISK).

Hvallátur PLAGE
À 8 km à l'ouest de Breiðavík, le minuscule hameau de Hvallátur possède une superbe plage de sable blanc mais aucune infrastructure.

♥ Falaise aux oiseaux de Látrabjarg OBSERVATION DES OISEAUX
À l'extrémité de la péninsule, le **phare de Bjargtangar** est le point le plus occidental d'Europe (Açores exclues). Juste un peu plus haut, se dressent les célèbres falaises aux oiseaux de Látrabjarg. Longeant le littoral sur 12 km et mesurant entre 40 et 400 m de hauteur, ces falaises sont fascinantes même pour qui ne se passionne pas spécialement pour les oiseaux : on y voit un nombre impressionnant de macareux moines, de pingouins tordas, de guillemots, de cormorans, de fulmars, de goélands et de mouettes tridactyles qui y nidifient de juin à mi-août.

Les jours de beau temps, les phoques se prélassent sur les récifs autour du phare. Le meilleur moment pour observer les oiseaux est le soir, quand ils regagnent leur nid. Soyez prudent par grand vent, car les falaises sont dépourvues de parapets.

Circuits organisés

Les tour-opérateurs de Patreksfjörður proposent des circuits d'observation des oiseaux et des randonnées, et peuvent vous rejoindre sur la péninsule.

Festival

Festival Rauðasandur MUSIQUE
(www.raudasandurfestival.is). Début juillet, trois jours de concerts et un grand camping sur la plage de Melanes. Festival suspendu pour 2015 ; affaire à suivre pour 2016.

Où se loger et se restaurer

Camping de Brunnar CAMPING €
On peut camper à Brunnar, environ 2 km avant les falaises aux oiseaux de Látrabjarg (au nord-est). Latrines à fosse mais pas d'eau courante. Il est interdit de camper sur les falaises.

Camping de Melanes CAMPING €
(☎565 1041 ; empl/pers 800 ISK ; ⊙juin à mi-sept). Melanes dispose d'un camping rudimentaire sur un terrain herbeux, derrière la crique de Rauðasandur, à 4 km de l'embranchement partant de la Route 614 vers Rauðasandur. Équipé de l'eau courante et de deux toilettes à chasse d'eau, il accueille chaque année le festival Rauðasandur (p. 198).

Breiðavík PENSION €€
(☎456 1575 ; www.breidavik.is ; empl/pers 1900 ISK, d sans/avec sdb petit-déj inclus 27 000/18 500 ISK ; ⊙mi-mai à mi-sept ; wi-fi). Cette pension, située derrière la saisissante plage couleur crème du même nom, possède une quasi-exclusivité sur la scène hôtelière locale. Les prix sont élevés pour les prestations offertes : chambres basiques, lits avec son duvet personnel (10 000 ISK) et camping. En revanche, le cadre est sublime et quel plaisir de passer la nuit sur la péninsule ! L'endroit possède aussi des lave-linge, un restaurant, une cuisine commune et un barbecue.

Hótel Látrabjarg HÔTEL €€
(☎456 1500 ; www.latrabjarg.com ; Örlygshöfn ; d avec/sans sdb à partir de 27 000/21 500 ISK ; ⊙mi-mai à mi-sept). Logé dans un ancien pensionnat, cet hôtel confortable propose des chambres sobres et de bon goût ainsi qu'un restaurant. Pour vous y rendre, prenez la Route 615 située sur la droite juste après le musée Minjasafn Egils Ólafssonar ; l'hôtel est à 3 km environ.

EN VOITURE

Faites le plein dès que vous voyez une station-service car elles sont rares dans les fjords de l'Ouest.

- Les cartes touristiques officielles indiquent les stations-service N1.
- Beaucoup de stations n'ont pas d'employés mais des pompes à essence en libre service, qui exigent l'emploi d'une carte bancaire à code.
- Dans les stations tenues par des employés, on peut acheter une carte prépayée N1. Nous vous le conseillons, au cas où votre carte bancaire ne fonctionnerait pas.
- Généralement, les routes sont cahoteuses et dépourvues de revêtement, mais absolument magnifiques ; la plupart sont accessibles en véhicule ordinaire.

Kirkjuhvammur CAFÉ
(☎866 8129 ; Rauðasandur ; en-cas 1 000-2 500 ISK ; ⏲13h-18h mi-juin à août). Un petit café est installé dans la ferme de Kirkjuhvammur, légèrement en retrait de la plage de Rauðasandur. Le récif est accessible à pied à marée basse.

Depuis/vers la péninsule de Látrabjarg

Interrompues en 2014, les liaisons en bus pourraient reprendre en 2015 entre Brjánslækur et Látrabjarg, et peut-être Rauðasandur. Vérifiez sur www.westfjords.is. Sinon, allez-y en voiture ou dans le cadre d'un circuit organisé.

Patreksfjörður

662 HABITANTS

Plus important village de cette partie des fjords de l'Ouest, la dynamique bourgade de Patreksfjörður est une excellente base pour visiter la péninsule de Látrabjarg. Elle offre une vue fabuleuse sur les promontoires et permet de s'approvisionner avant de partir vers des fjords plus reculés. Le bourg tient son nom de saint Patrick d'Irlande, guide spirituel d'Örlygur Hrappson, le premier homme à s'être installé dans la région.

Circuits organisés

♥ Westfjords Adventures RANDONNÉES, EXCURSIONS EN JEEP
(☎456 5006 ; www.westfjordsadventures.is ; Aðalstræti 62). Le principal tour-opérateur de la localité propose des sorties d'observation des oiseaux et des randonnées dans la péninsule de Látrabjarg (à partir de 12 900 ISK/8 heures) ainsi que des excursions d'une journée en Jeep autour des fjords (à partir de 19 900 ISK) ou le long de la Kjaran's Avenue, une piste gravillonnée taillée dans le fjord (28 900 ISK). Il organise aussi différentes croisières d'observation des baleines ou de pêche (à partir de 6 000 IKS) dans le Patreksfjörður, et des excursions vers des régions plus éloignées. Également location de vélos (2 heures/journée 2 500/6 000 ISK), vente de cartes, conseils et réservation d'hébergement.

Umfar RANDONNÉES
(☎892 9227 ; www.umfar.is). Spécialiste de la randonnée, Umfar collabore avec Westfjords Adventures pour les balades dans la péninsule de Látrabjarg.

Où se loger

Camping de Patreksfjörður CAMPING €
(Aðalstræti 107 ; empl/pers 1 300 ISK ; ⏲juin à mi-sept). Camping municipal sur un terrain herbeux dans la rue principale longeant le fjord, équipé de douches et d'une cuisine.

Fox Hostel HÔTEL €
(☎892 3414 ; www.foxhostel.is ; Aðalstræti 62 ; s/d 11 600/15 600 ISK ; 📶). Ouvert en 2014, cet hôtel loue des chambres ensoleillées avec sdb privée (et vue sur le fjord pour certaines) dans le bâtiment rénové d'une coopérative.

Fosshótel Westfjords HÔTEL €€
(Fosshótel Vestfirðir ; ☎456 2004 ; www.fosshotel.is ; Aðalstræti 100 ; s/d petit-déj inclus à partir de 26 200/29 400 ISK ; 📶). Dans un bâtiment ancien rénové, voici un hôtel aux chambres modernes offrant sdb privée, TV et vue sur le fjord ou la montagne. Il y a un restaurant.

Où se restaurer

Patreksfjörður est le meilleur endroit pour faire des provisions ou se restaurer avant de partir vers des fjords plus reculés.

♥ Stúkuhúsið CAFÉ €€
(☎456 1404 ; www.stukuhusid.is ; Aðalstræti 50 ; plats 1 630-4 690 ISK ; ⏲11h-23h juin-août, 12h-16h mer-sam sept-mai ; 📶✎). Cet agréable café occupe une jolie petite maison ensoleillée dans la rue qui surplombe le fjord, parallèlement à la côte. Plats du jour, soupes, sandwichs, délicieuses pâtisseries et excellent cappuccino.

♥ Heimsendi Bistro INTERNATIONAL €€
(☎456 5150 ; Eyrargata 5 ; plats 1 590-4 900 ISK ; ⏲16h-21h dim-mer, 16h-1h jeu-ven, 16h-3h sam juin à mi-sept ; 📶✎). Ouvert récemment, à côté de la jetée, ce restaurant moderne logé dans un bâtiment rénové aux murs rouges concocte des plats islandais créatifs aux saveurs épicées. Déco originale, avec des palettes en guise de marches et autres objets de récupération. On se presse ici les soirs d'été et les terrasses sont prises d'assaut quand le soleil brille.

Vínbúðin VINS ET SPIRITUEUX €
(☎456 2244 ; Þórsgata 10 ; ⏲14h-18h lun-jeu, 14h-19h ven, 11h-14h sam juin-août, horaires réduits sept-mai). Chaîne gouvernementale de vins et spiritueux.

Depuis/vers Patreksfjörður

Supprimés en 2014, les bus devraient de nouveau circuler en 2015 entre Patreksfjörður et Brjánslækur (1 heure 15, toute l'année), avec des correspondances pour Reykjavík via Stykkishólmur. Sur demande, un Flybus assure la navette entre Patreksfjörður et l'aéroport de Bíldudalur. Pour en savoir plus, consultez www.westfjords.is.

Westfjords Adventures fait office d'agence de location de voitures.

Tálknafjörður

278 HABITANTS

Perdu près d'un large fjord, Tálknafjörður est un village assoupi entouré d'un magnifique paysage de collines verdoyantes et de pics rocheux.

Activités

Pollurinn HOT POT

Les *hot pots* naturels (46°C) de Pollurinn (littéralement "la flaque") sont des petits bassins extérieurs peu profonds, avec pour décor les montagnes et le fjord. Ils sont situés à 3,8 km après la piscine de Tálknafjörður sur la Route 617. Repérez le panneau d'accès sur une minuscule pancarte blanche.

Piscine de Tálknafjörður PISCINE GÉOTHERMALE, HOT POT

(456 2639 ; www.talknafjordur.is ; adulte/enfant 370/250 ISK ; 10h-21h juin-août, 16h-20h lun-ven, 13h-15h sam-dim sept-mai). Alimentée par l'une des rares zones géothermiques du secteur, cette piscine est le principal lieu de rendez-vous local. En été, les employés donnent des informations touristiques. Demandez-leur la carte détaillée des sentiers de randonnée de la région *Vestfirðir & Dalir 4* (tentez la magnifique randonnée de 10 km jalonnée de cairns jusqu'à Bíldudalur). Ils gèrent aussi le camping.

Où se loger

Camping de Tálknafjörður CAMPING €

(empl 1 000 ISK/pers ; juin-août). Ce camping, à côté de la piscine, comprend une laverie, une cuisine et des douches.

Guesthouse Bjarmaland PENSION €

(891 8038 ; www.guesthousebjarmaland.is ; Bugatún 8 ; d avec/sans sdb 15 600/13 000 ISK ;). Des chambres impeccables vous attendent dans cette pension, qui propose l'option duvet pour 3 700 ISK.

Où se restaurer

Hópið INTERNATIONAL €

(456 2777 ; Hrafnardalsvegur ; plats 1 200-1 400 ISK ; 11h-23h lun-ven, 11h-1h sam juin-août, horaires réduits sept-mai). Ce restaurant à l'ambiance décontractée sert des hamburgers et des plats islandais classiques. Possède un billard.

Depuis/vers Tálknafjörður

Le Flybus entre Patreksfjörður et Bíldudalur fait halte à Tálknafjörður ; renseignez-vous à la piscine municipale. Ce bus ne circule qu'aux heures des vols.

Bíldudalur

171 HABITANTS

Posté dans une baie merveilleusement calme et entouré d'impressionnants sommets, le séduisant village de pêcheurs de Bíldudalur (www.bildudalur.is) occupe l'un des plus beaux sites en bord de fjord du pays. Par quelque côté que vous arriviez en voiture, vous aurez une vue splendide. Fondé au XVIe siècle, Bíldudalur est aujourd'hui un grand centre producteur de crevettes.

Le **musée islandais des Monstres marins Skrímslasetur** (456 6666 ; www.skrimsli.is ; Strandgata 7 ; adulte/enfant 1 000 ISK/gratuit ; 11h-18h), face à l'église, présente des expositions amusantes et spectaculaires sur les monstres marins légendaires d'Islande et d'ailleurs. Une table multimédia interactive raconte des dizaines d'anecdotes sur ceux qui hanteraient le fjord d'Arnarfjörður. Passionnant pour les enfants, les maquettes géantes peuvent tout de même effrayer les plus jeunes. Petit café à l'intérieur.

L'auberge de jeunesse **Bíldudalur HI Hostel** (Gistiheimilið Kaupfélagið ; 456 2100 ; www.hostel.is ; Hafnarbraut 2 ; dort/s/d avec sdb commune 4 100/6 900/12 140 ISK)

À NE PAS MANQUER

SOURCES NATURELLES

Au fond du minuscule Reykjarfjörður, à 23 km au sud-est de Bíldudalur (dans la direction de la Route 60), arrêtez-vous aux splendides bassins géothermaux de **Reykjarfjarðarlaug** et prenez place dans la piscine en béton (32°C) à l'avant ou le bassin naturel en pierre (45°C) à l'arrière, d'où vous pourrez contempler les oiseaux, les montagnes et le fjord.

VAUT LE DÉTOUR

ARNARFJÖRÐUR ET SELÁRDALUR

Après Bíldudalur, le trajet sur la Route 619 jusqu'à la pointe de l'Arnarfjörður vous réserve des souvenirs mémorables. Cette petite piste longe des montagnes vertigineuses, des vallées verdoyantes et des plages désertes en procurant des points de vue sur le fjord et les paysages spectaculaires de sa côte nord. Par temps nuageux, la lumière change constamment et les arcs-en-ciel sont fréquents.

Au bout du fjord (24 km), l'artiste local Samúel Jónsson vécut ses dernières années dans la ferme isolée de Selárdalur, où il créa une série de sculptures naïves. Les visiteurs peuvent explorer sa ferme, devenue le **musée d'Art Samúel Jónsson** (don 500 ISK). On y voit une étrange maison, une fontaine aux lions (réalisée à partir d'une carte postale de l'Alhambra), une église ornementée et la maison de l'artiste.

occupe un ancien supermarché des années 1950 donnant sur le port. Cette adresse accueillante possède des chambres sommaires mais très propres et une agréable cuisine. Remise de 700 ISK aux adhérents HI.

La station-service abrite une petite épicerie et un comptoir avec des en-cas.

Eagle Air (☎562 4200 ; www.ernir.is) propose des vols entre Reykjavík et l'**aéroport de Bíldudalur** (BIU), à 8 km au sud du village (environ 25 800 ISK, 45 min, 1 vol/jour). Sur demande, des **Flybus** (☎893 2636) circulent depuis/vers Patreksfjörður via Tálknafjörður aux heures d'arrivée et de départ des vols. Les loueurs de voitures les plus proches sont à Patreksfjörður et Ísafjörður.

PÉNINSULES CENTRALES

Dynjandi

♥ Dynjandi CASCADE

Dégringolant par-dessus un escarpement rocheux de 100 m de haut, au fond de la baie de Dynjandivogur, Dynjandi (Fjallfoss) est une large cascade, la plus impressionnante des fjords de l'Ouest. La route accidentée qui y mène, quelle que soit la direction dont on vient, est célèbre en Islande pour ses points de vue fabuleux ; les chutes d'eau servent de bassin hydrographique aux sommets et aux vallées des environs.

En 2015, un bus devrait circuler, en été uniquement, entre Ísafjörður et Brjánslækur, avec un arrêt à Dynjandi. Vérifiez sur www.westfjords.is.

En montant depuis le parking, on passe devant plusieurs petites chutes avant d'atteindre l'immense cascade principale, qui se déverse sur le flanc de la montagne. La vue sur le vaste fjord est spectaculaire.

La zone est classée réserve naturelle. Il y a cependant un camping gratuit (mais bruyant) à proximité des chutes, doté de latrines et de l'eau courante.

De Hrafnseyri à Þingeyri

La Route 60 en mauvais état rejoint le sud de la péninsule de Þingeyri au niveau de la ferme **Hrafnseyri**. C'est ici que le 17 juin 1811 naquit Jón Sigurðsson, artisan de l'indépendance de l'Islande. L'intéressant **musée Jón Sigurðsson** (☎456 8260 ; www.hrafnseyri.is ; adulte/enfant 800 ISK/gratuit ; ⊙10h-18h juin-début sept) qui retrace sa vie abrite une reconstitution de sa maison en tourbe, une église du XIXe siècle et un petit café placé sur un splendide promontoire avec vue sur le fjord.

Entre Hrafnseyri et Þingeyri, la Route 60 est fermée 6 à 8 mois par an. Consultez www.vegagerdin.is.

Þingeyri

247 HABITANTS

Jadis principal centre de négoce des fjords de l'Ouest, ce minuscule village au nord de la péninsule semble aujourd'hui être tombé dans l'oubli. Bien qu'il n'y ait pas grand-chose à y voir, l'endroit se révèle une bonne base pour pratiquer la randonnée pédestre, cycliste et équestre sur la péninsule de Þingeyri. Notez également la présence d'un cimetière français, où reposent des marins venus pêcher dans les eaux islandaises.

À voir

Ancien atelier de forgeron MUSÉE
(adulte/enfant 800 ISK/gratuit ; 9h-18h mi-mai à mi-sept). Cet ancien atelier de forgeron fait partie du musée patrimonial des Fjords de l'Ouest, à Ísafjörður (p. 205). Le billet est commun aux deux sites.

Circuits organisés

Eagle Fjord Tours VISITES GUIDÉES
(894 1684 ; www.eaglefjord.is ; juin-sept). Petite agence offrant des visites de Þingeyri (2 900 ISK), des sorties de pêche en mer (11 500 ISK) et des balades en bateau.

Où se loger

Camping de Þingeyri CAMPING €
(empl 1 200 ISK/tente ; mi-mai à mi-sept). Ce camping est situé derrière la piscine.

Við Fjörðinn PENSION €
(456 8172 ; www.vidfjordinn.is ; Aðalstræti 26 ; s/d sans sdb 9 500/13 000 ISK). Cette sympathique pension loue des chambres gaies, lumineuses et sobres aux lits tendus de draps blancs. Les clients se partagent des sdb impeccables, une cuisine et un salon télé.

Sandafell HÔTEL €€
(456 1600 ; www.hotelsandafell.com ; Hafnarstræti 7 ; d avec/sans sdb petit-déj inclus 24 500/16 100 ISK ; fin mai-début sept). Un hôtel-restaurant fonctionnel situé dans le centre du village.

Où se restaurer

Simbahöllin CAFÉ €
(899 6659 ; www.simbahollin.is ; Fjarðargata 5 ; en-cas et plats 600-2 900 ISK ; 10h-22h mi-juin à mi-août, 12h-18h début juin et fin août). Un café accueillant et décontracté où de sympathiques barmen servent de savoureuses gaufres la journée et de copieux tajines d'agneau le soir. Loue également des VTT d'excellente qualité (10 000 ISK/jour) et organise des randonnées équestres (à partir de 9 500 ISK/2 heures).

Renseignements

Office du tourisme de Þingeyri (456 8304 ; www.thingeyri.is ; Hafnarstræti 6 ; 10h-18h lun-ven, 11h-18h sam-dim juin-août ; @). Dans la grand-rue.

Depuis/vers Þingeyri

Bus municipal (456 5518 ; www.isafjordur.is) :

- Flateyri (350 ISK, 30 min, 3/jour lun-ven).
- Ísafjörður (350 ISK, 30 min, 3/jour lun-ven).

À partir de 2015, un bus quotidien devrait circuler de juin à août entre Ísafjörður et Brjánslækur (terminal du ferry de Stykkishólmur) avec arrêt à Þingeyri. Consultez le site www.westfjords.is.

Péninsule de Þingeyri

La péninsule de Þingeyri et ses sommets sont propices à la randonnée à pied et à vélo. On peut louer des VTT au café Simbahöllin (ci-contre), à Þingeyri, et emprunter vers le nord-ouest la route en terre qui suit la côte nord de la péninsule le long du Dýrafjörður jusqu'à la jolie vallée d'**Haukadalur**, important site viking. Si les glissements de terrain n'obstruent pas la route, vous pourrez effectuer le tour de la péninsule en passant devant des falaises peuplées d'oiseaux et le phare isolé de **Svalvogar**. Il est impossible d'effectuer cet itinéraire en voiture ordinaire.

À l'intérieur des terres, le **Kaldbakur** (998 m), plus haut sommet des fjords de l'Ouest, est un bon lieu de randonnée. Le chemin escarpé qui y mène débute au bord de la route, à environ 2 km à l'ouest de Þingeyri.

Dýrafjörður et Önundarfjörður

Plusieurs superbes vallées se succèdent sur la rive nord du Dýrafjörður. Sur la Route 624 accidentée, le long du fjord, on passe devant une charmante **église** en bois et l'un des plus vieux jardins botaniques d'Islande, **Skrúður** (24h/24) GRATUIT, créé en 1905. Il est à usage pédagogique et l'on y entre par une arche constituée d'os de baleine.

Après Skrúður, à environ 7 km de la Route 60, sur la Route 624, on accède à la **pension Núpur** (456 8235 ; www.hotelnupur.is ; empl 2 500 ISK/tente, d avec/sans sdb petit-déj inclus 23 600/17 000 ISK ; mi-mai à mi-sept). Les frères Siggi et Gummi se sont investi pleinement pour transformer cet ancien complexe scolaire en un hébergement accueillant. Les chambres avec option duvet coûtent 4 500 ISK et les clients disposent d'une kitchenette. En 2015, un bus quotidien devrait relier, de juin à août, Ísafjörður et Brjánslækur, le terminal du ferry de Stykkishólmur ; il pourra s'arrêter sur demande à la bifurcation menant à Núpur. Renseignez-vous sur www.westfjords.is.

Après la pension Núpur, la Route 624 passe devant une ferme abandonnée avant d'obliquer vers l'intérieur des terres pour rejoindre la pointe de la péninsule. Il faut environ 20 minutes pour arriver à **Ingjaldsandur**, à l'entrée de l'Önundarfjörður. Dans une jolie vallée, cette plage isolée est idéale pour regarder le soleil de minuit frôler l'horizon avant de remonter dans le ciel.

De retour sur la Route 60, vers le fond de l'Önundarfjörður, un embranchement mène à **Kirkjuból** (☎456 7679 ; www.kirkjubol.is ; d avec/sans sdb petit-déj inclus 20 000/14 300 ISK ; ⊙juin-août ; 📶). Cette charmante ferme blanche et verte, d'une propreté impeccable, possède des chambres décorées d'objets anciens, une cuisine commune et un salon.

Un second embranchement plus au nord (indiquant également Kirkjuból !) conduit à 5 km au **Korpudalur HI Hostel** (Korpudalur Kirkjuból ; ☎456 7808 ; www.korpudalur.is ; empl tente 1 300 ISK, dort/d avec sdb commune à partir de 4 800/12 400 ISK ; ⊙mi-mai à mi-sept ; 📶). Cette ferme centenaire vaut le détour pour sa situation au fond du fjord, son pain fait maison servi au petit-déjeuner et ses bungalows. Remise de 700 ISK aux adhérents HI. On peut venir vous chercher à Ísafjörður (1 500 ISK).

À compter de 2015, un bus quotidien (juin à août) devrait relier Ísafjörður et Brjánslækur, le terminal du ferry pour Stykkishólmur ; il s'arrêtera à l'embranchement de Kirkjuból sur demande. Détails sur www.westfjords.is.

Flateyri

204 HABITANTS

Jadis vaste port où mouillaient les baleiniers norvégiens, Flateyri est aujourd'hui un bourg endormi posté sur une langue de terre qui fait saillie dans l'Önundarfjörður. La localité n'a guère d'intérêt touristique, hormis son **musée des Petits Riens** (Dellusafnið ; ☎894 8836 ; Hafnarstræti 11 ; 700 ISK ; ⊙12h30-17h juin-août), qui regroupe les collections privées de plusieurs habitants, soit des centaines de stylos, de boîtes d'allumettes et de maquettes de bateaux rangés dans des vitrines avec un soin méticuleux.

Iceland ProFishing (☎456 6667 ; www.icelandprofishing.com ; Hafnarstræti 9 ; ⊙avr-sept) loue des bateaux pour des sorties de pêche dans les fjords (avec un guide si vous le souhaitez) et offre des excursions de plusieurs jours avec hébergement à Suðureyri.

Les **bus municipaux** (☎456 5518 ; www.isafjordur.is) circulent entre Ísafjörður, Flateyri et Þingeyri (350 ISK, 30 minutes, 3/jour lun-ven). Si vous voulez partir de Flateyri, appelez auparavant, le bus ne traversant pas toujours le village. En 2015, il est prévu qu'un bus quotidien (juin-août) assure la liaison entre Ísafjörður et Brjánslækur, le terminal du ferry pour Stykkishólmur ; il pourra s'arrêter à Flateyri sur demande. Détails sur www.westfjords.is.

Suðureyri

271 HABITANTS

Perché à la pointe du Súgandafjörður, un fjord long de 13 km, le village de pêcheurs de Suðureyri (www.sudureyri.is) fut longtemps isolé du reste du monde par les montagnes. Désormais relié à Ísafjörður et Flateyri par un réseau de tunnels de 9 km (p. 205), le village est le paradis des pêcheurs ; c'est le meilleur endroit d'Islande pour ferrer le flétan. Les habitants apprécient **les *hot pots* et la piscine** (☎450 8490 ; Túngata 8 ; adulte/enfant 600/300 ISK ; ⊙10h-20h lun-ven, 10h-18h sam-dim juin-août, horaires réduits sept-mai).

Circuits organisés

Iceland ProFishing (p. 204), à Flateyri, propose aussi des excursions à partir de Suðureyri.

Fisherman SORTIES DE PÊCHE
(☎450 9000 ; www.fisherman.is). L'hôtel-restaurant Fisherman fait découvrir le mode de vie local avec, entre autres, des locations de cannes à pêche, la visite de la conserverie de poisson (1 500 ISK) et la possibilité de sortir en mer sur un chalutier (22 900 ISK).

Où se loger

Hôtel Fisherman HÔTEL €€
(☎450 9000 ; www.fisherman.is ; Aðalgata 14 ; empl 1 500 ISK/pers, d avec/sans sdb petit-déj inclus 21 900/16 500 ISK ; @📶). Cet hôtel accueillant offre des chambres lumineuses, des draps impeccables, des meubles en pin et un excellent restaurant de poisson, le **Talisman** (plats 3 700-4 900 ISK ; ⊙18h-21h).

Achats

Á Milli Fjalla ARTISANAT
(☎456 6163 ; Aðalgata ; ⊙13h-18h lun-ven, 13h-16h sam-dim juil-août). Une boutique étonnante,

qui vend des produits artisanaux (tricots, poteries et bibelots originaux). Il semble que Björk y fasse parfois ses emplettes.

Depuis/vers Suðureyri

Bus municipal (www.isafjordur.is) :
➜ Suðureyri (350 ISK, 20 min, 3/jour lun-ven).

Ísafjörður

2 527 HABITANTS

Plaque tournante des circuits aventure dans les fjords de l'Ouest et ville la plus importante de la région, Ísafjörður (www.isafjordur.is), agréable et prospère, constitue un excellent point de chute pour les voyageurs. S'étirant sur une langue de terre qui avance dans le Skutulsfjörður, elle est entourée de hauts sommets et des eaux sombres du fjord.

Le centre d'Ísafjörður est parsemé de charmants bâtiments en bois et en tôle, dont beaucoup n'ont pas changé depuis le XVIIIe siècle, époque à laquelle le port regorgeait de grands navires et accueillait les équipages des baleiniers norvégiens ou des goélettes bretonnes ou basques venues pêcher la morue. Aujourd'hui, pour qui a passé un certain temps dans les fjords de l'Ouest, cette ville à l'ambiance cosmopolite prend des airs de métropole animée, avec des cafés engageants et un bon choix de restaurants.

Les collines environnantes permettent des promenades et, l'hiver, de skier. L'été, des bateaux réguliers conduisent les randonneurs sur la péninsule isolée du Hornstrandir.

À voir et à faire

Les attractions classiques sont rares à Ísafjörður. Dans le parc du centre-ville, l'**arche en os de baleine** constituée d'une mâchoire de baleine est d'un intérêt relatif. Le **monument aux marins** et l'**église** sont proches. Le retable est orné de plus de 100 colombes fabriquées par les habitants au cours d'un atelier artistique.

♥ Musée patrimonial des Fjords de l'Ouest — MUSÉE

(Byggðasafn Vestfjarða ; ☎456 3293 ; www.nedsti.is ; Neðstíkaupstaður ; adulte/enfant 800 ISK/gratuit ; ⏲9h-18h mi-mai à mi-sept). Parmi un groupe de maisons anciennes en bois près du port, ce musée occupe le **Turnhús** (1784), utilisé à l'origine comme entrepôt. Il regorge de matériel de pêche, d'instruments nautiques, d'outils remontant à l'époque de la chasse à la baleine, d'accordéons, et de vieilles photos qui dépeignent la vie à Ísafjörður au fil des siècles. À droite, le **Tjöruhús** (1781) abrite aujourd'hui un agréable restaurant de poisson. Le **Faktorhús**, bâti en 1765 pour loger le gérant de la boutique du village, et le **Krambúd** (1757), un ancien entrepôt, sont aujourd'hui des résidences privées.

Le billet d'entrée au musée donne accès à l'ancien atelier de forgeron (p. 203) de Þingeyri.

♥ Tunnel Ísafjörður-Suðureyri-Flateyri — SITE

(Vestfjarðagöng). GRATUIT Achevé en 1996, ce réseau de tunnels de 9 km creusé sous la montagne ne compte qu'une voie sur certaines parties du tronçon de 6 km entre Ísafjörður et Flateyri. À mi-chemin, il se divise en deux routes, dont l'une mène à Suðureyri (3 km). Sur toute la longueur, des espaces sont aménagés pour permettre aux véhicules de se croiser.

Route d'Óshlíð — MARCHE, VÉLO

D'Ísafjörður, une route fait le tour du promontoire en direction de Bolungarvík et de la montagne Óshlíð. Cette piste étroite et dangereuse, exposée aux chutes de pierres et aux avalanches, était jadis l'unique solution pour rejoindre Bolungarvík. En étant prudent, on peut emprunter à pied ou à vélo la partie la plus proche du tunnel vers Bolungarvík et contempler le Hornstrandir et Snafjallaströnd au loin.

Circuits organisés

Les ferries West Tours et Borea desservent régulièrement la réserve naturelle du Hornstrandir (p. 211).

♥ West Tours — CIRCUITS AVENTURE

(Vesturferðir ; ☎456 5111 ; www.vesturferdir.is ; Aðalstræti 7 ; ⏲8h-18h lun-ven, 8h30-16h30 sam, 10h-15h dim juin-août, 9h-17h sept-mai). Cette agence reconnue propose un choix étendu d'excursions dans les fjords de l'Ouest. On peut visiter Vigur (8 900 ISK), ou encore marcher dans le Hornstrandir (9 600-37 900 ISK) ou faire du kayak (9 900-25 900 ISK). Vélo, équitation, excursions en bateau, pêche, observation des oiseaux et sorties culturelles sont quelques-unes des nombreuses autres possibilités.

Ísafjörður

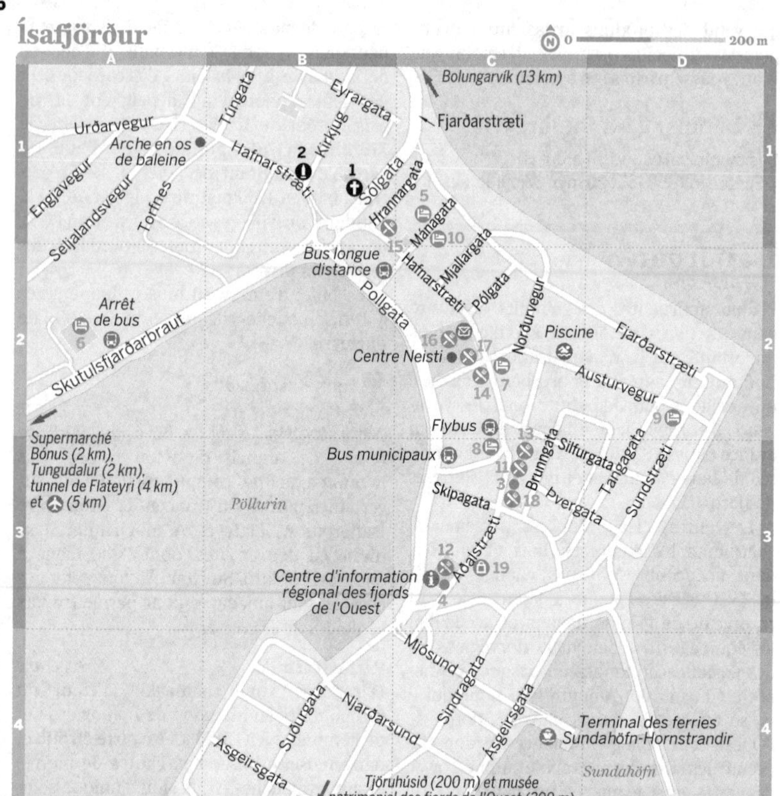

Ísafjörður

À voir
1 Ísafjarðarkirkja B1
2 Monument aux marins B1

Activités
3 Borea C3
4 West Tours C3

Où se loger
5 Gamla Gistihúsið C1
6 Hótel Edda A2
7 Hótel Horn C2
8 Hótel Ísafjörður C3
9 Litla Guesthouse D2
10 Gistiheimilið Mánagisting C1

Où se restaurer
11 Bræðraborg C3
12 Edinborg C3
13 Gamla Bakaríð C3
14 Hamraborg C2
15 Húsið B1
16 Samkaup C2
17 Thai Koon C2
Við Pollinn .... (voir 8)
18 Vínbúðin C3

Achats
19 Rammagerð Ísafjarðar C3

Située dans le même bâtiment que le centre d'information touristique, cette agence vend des billets pour le ferry pour le Hornstrandir et loue scooters (2 heures/ journée 4 000/8 000 ISK) et vélos (4 heures/ journée 3 000/5 000 ISK).

Borea KAYAK, RANDONNÉE
(456 3322 ; www.borea.is ; Aðalstræti 22b ; 8h-22h). Cette agence spécialisée dans les circuits aventure propose du kayak dans les fjords (à partir de 9 900 ISK), des randonnées dans le Hornstrandir (à partir

de 16 900 ISK) et des liaisons en ferry de Bolungarvík au Hornstrandir. Elle gère également un refuge privé dans la réserve, à Kvíar. Ses locaux se trouvent dans le café Bræðraborg.

Où se loger

Litla Guesthouse PENSION €
(☎893 6993 ; www.guesthouselitla.is ; Sundstræti 43 ; s/d sans sdb 14 000/15 000 ISK ;). Une pension décorée avec goût, dotée de très bonnes chambres avec parquet, draps impeccables, serviettes douces et TV. Sdb communes (une pour 2 chambres) et cuisine.

Gistiheimilið Mánagisting PENSION, APPARTEMENTS €
(Pension Mánagisting ; ☎615 2014 ; www.simnet.is/managisting ; Mánagata 4 ; d sans sdb 11 200 ISK, studio 15 000 ISK ;). Cette pension sans prétention propose des chambres sobres qui se partagent des sdb, une cuisine et un salon. Optez plutôt pour un studio avec sdb et cuisine.

Camping de Tungudalur CAMPING €
(☎864 8592 ; www.gih.is ; empl 1 300 ISK/pers ; mi-juin à mi-sept ;). Ce camping se trouve à Tungudalur, à 5 km de la ville, près de la cascade de Bunarfoss. Le terminus du bus municipal est à 1 km. Lave-linge à pièces.

Gamla Gistihúsið PENSION €€
(☎456 4146 ; www.gistihus.is ; Mánagata 5 ; dort 5 100 ISK, s/d sans sdb petit-déj inclus 16 000/20 000 ISK ;). Lumineuse, joyeuse et très propre, cette excellente pension loue des chambres simples et confortables, à la décoration chaleureuse (sdb commune). Les doubles ont le téléphone et un lavabo (peignoirs fournis). L'établissement possède une annexe en bas de la rue avec des chambres plus modernes et une cuisine commune.

Hótel Horn HÔTEL €€
(☎456 4611 ; www.hotelhorn.is ; Austurvegi 2 ; s/d/f 20 000/23 000/30 500 ISK ;). Ce grand hôtel récent, dans le centre, loue des chambres basiques avec sdb. Les chambres familiales pour 5 personnes disposent d'une kitchenette.

Hótel Edda HÔTEL, CAMPING €€
(☎444 4960 ; www.hoteledda.is ; Mantaskólinn ; d avec/sans sdb 21 700/15 200 ISK ; mi-juin à mi-août). Cet hôtel d'été sans prétention est installé dans l'établissement scolaire de la ville. Au choix : hébergement basique avec son duvet personnel dans les salles de classe ou chambres avec sdb commune ou privée.

Gentle Space APPARTEMENTS €€
(☎892 9282 ; www.gentlespace.is ; app 21 500-24 900 ISK). Location d'appartements impeccables et bien équipés, en centre-ville.

Hótel Ísafjörður HÔTEL D'AFFAIRES €€€
(☎456 4111 ; www.hotelisafjordur.is ; Silfurtorg 2 ; s/d à partir de 25 000/30 500 ISK ; @). Le type même de l'hôtel d'affaires de centre-ville. Les chambres des étages supérieurs ont une belle vue sur les toits de tôle et sur le fjord.

Où se restaurer et prendre un verre

Bræðraborg CAFÉ €
(www.borea.is ; Aðalstræti 22b ; plats 1 190-1 590 ISK ; 9h-19h lun-sam, 10h-17h dim juin-août, horaires réduits sept-mai ;). Ce confortable café pour voyageurs permet de grignoter des en-cas équilibrés en bavardant avec d'autres touristes. Il sert aussi de quartier général au tour-opérateur Borea.

Húsið INTERNATIONAL €€
(☎456 5555 ; Hrannargata 2 ; plats 1 290-2 990 ISK ; 11h-22h dim-jeu, 11h-1h ven-sam ;). Asseyez-vous dans la salle devant une table en bois vernie grossièrement taillée ou sur la terrasse ensoleillée pour savourer un excellent repas ou une bière pression dans une ambiance détendue. Sur un fond sonore groovy, les serveurs branchés vous apporteront des soupes, des sandwichs, des hamburgers, des pizzas et des plats islandais à base de mouton notamment. Accueille parfois des DJ et des concerts.

Tjöruhúsið POISSON €€
(☎456 4419 ; Neðstakaupstaður 1 ; plats 2 500-5 000 ISK ; 12h-14h et 18h30-22h juin-sept, horaires réduits oct-mai). Ce restaurant chaleureux et rustique voisin du Musée patrimonial sert fruits de mer et poissons. Choisissez le *plokkfiskur* (poisson effeuillé, pomme de terre et oignon) ou la pêche du jour remontée du port situé en bas de la rue.

Edinborg CAFÉ €€
(☎456 8335 ; Aðalstræti 7 ; plats 2 000-3 500 ISK ; 11h30-22h juin-août, 12h-21h sept-mai ;). Dans le bâtiment de l'office du tourisme, cette adresse décontractée attire des voyageurs qui viennent prendre une bière ou un café dans le patio ensoleillé. Le pain maison

suit une recette à base de bière. Les patrons gèrent aussi la pension Núpur (p. 203), deux fjords plus au sud.

Thai Koon THAÏLANDAIS €€
(Hafnarstræti 9, centre Neisti ; plats 1 690-1 890 ISK ; 11h30-22h lun-ven, 12h-22h sam, 17h-22h dim). Après plusieurs jours dans une région reculée aux choix gastronomiques limités, ce petit restaurant thaïlandais vous paraîtra très exotique. Le cadre est quelconque mais on sert ici des nouilles et curries copieux et savoureux.

Við Pollinn ISLANDAIS, POISSON €€
(456 3360 ; www.vidpollinn.is ; Silfurtorg 2 ; plats 3 300-4 900 ISK ; 7h-10h, 11h30-14h et 18h-21h ou 22h30). Si le décor manque de charme, le restaurant de l'Hótel Ísafjörður sert un excellent choix de spécialités préparées avec talent. Il a en outre l'avantage d'offrir une superbe vue sur le fjord et le port, où les pêcheurs déchargent leurs prises.

Hamraborg RESTAURATION RAPIDE €€
(Hafnarstraeti 7 ; plats 1 000-2 790 ISK ; 9h-23h30 ;). Ce restaurant de hamburgers et de pizzas a été élu meilleur de sa catégorie à la faveur d'un sondage radiophonique national. Les locaux y viennent en masse bavarder autour d'un hamburger sauce béarnaise. TV branchée sur les programmes sportifs.

Faire son marché

On trouve ici de quoi acheter des provisions avant de partir vers des coins plus sauvages.

Gamla Bakaríð BOULANGERIE €
(Aðalstræti 24 ; 7h-18h lun-ven, 7h-17h sam, 8h-17h dim). Pour une envie sucrée au petit-déjeuner, dans la matinée ou à midi, la ville compte plusieurs boulangeries alléchantes. Gamla Bakaríð vend toutes sortes de biscuits, beignets et gâteaux, ainsi que du pain frais.

Bónus SUPERMARCHÉ €
(11h-18h30 lun-jeu, 10h-19h30 ven, 10h-18h sam, 12h-18h dim). Prix modérés. Sur la route principale menant en ville.

Samkaup SUPERMARCHÉ €
(Hafnarstræti ; 10h-20h lun-sam, 12h-20h dim). Dans le centre Neisti sur Hafnarstræti.

Vínbúðin VINS ET SPIRITUEUX €
(456 3455 ; Aðalstræti 20 ; 11h-18h lun-jeu, 11h-19h ven, 11h-16h sam juin-août, horaires réduits sept-mai). Chaîne gouvernementale de vins et spiritueux.

Achats

Rammagerð Ísafjarðar ART ET ARTISANAT
(456 3041 ; Aðalstræti 16 ; 13h-17h). Beaux tricots et artisanat local.

Renseignements

Centre d'information régional des fjords de l'Ouest (450 8060 ; www.isafjordur.is ; Aðalstræti 7, Edinborgarhús ; 8h-18h lun-ven, 8h30-14h sam, 10h-14h dim juin-août, horaires réduits sept-mai ; @). Près du port, dans l'**Edinborgarhús** construit en 1907. Le sympathique personnel fournit quantité de renseignements sur les fjords de l'Ouest et la réserve du Hornstrandir. Poste Internet (10 min gratuites) et consigne à bagages pour 200 ISK/jour.

Depuis/vers Ísafjörður

AVION

Air Iceland (456 3000 ; www.airiceland.is) offre deux vols quotidiens entre **l'aéroport d'Ísafjörður** (IFJ ; 570 3000), à 5 km au sud de la ville le long du fjord, et Reykjavík. Propose aussi des circuits d'une journée.

Un Flybus (voir ci-après) coïncidant avec les horaires des vols circule entre l'aéroport et Bolungarvík (1 500 ISK) avec arrêt près de l'Hótel Ísafjörður (1 000 ISK).

VAUT LE DÉTOUR

VIGUR

Avec sa jolie ferme et ses milliers de macareux moines, la ravissante Vigur est une destination prisée pour une excursion d'une journée au départ d'Ísafjörður. Cette île minuscule, située à l'entrée de l'Hestfjörður, offre une vue imprenable sur le fjord. L'île permet peu d'activités, hormis les promenades (prenez un bâton au moulin et tenez-le au-dessus de votre tête – les sternes sont féroces par ici) et l'observation des eiders. Le café sert de succulents gâteaux et présente une collection d'œufs digne d'intérêt.

West Tours à Ísafjörður et Ögur Travel (p. 210) à Ögur organisent des visites et des circuits en bateau à Vigur.

BATEAU

En été, des ferries West Tours pour le Hornstrandir (p. 205) partent du port de Sundahöfn, sur le côté est de l'isthme. Les ferries Borea (p. 206) partent quant à eux du quai Árbæjarkantur, à Bolungarvík.

BUS

Ísafjörður est le principal nœud de transport dans les fjords de l'Ouest. L'**arrêt des bus longue distance** (www.westfjords.is) se trouve à la station-service N1, dans Hafnarstræti. En 2014, ces bus ont été supprimés mais en 2015, des liaisons devraient fonctionner toute l'année depuis/vers Hólmavík et, en été uniquement, depuis/vers Brjánslækur (terminal du ferry pour Stykkishólmur) *via* Þingeyri et Dynjandi. Sur ces deux lignes, une correspondance devrait être assurée pour Reykjavík. Le bus d'Hólmavík devrait avoir une correspondance pour Akureyri.

Les **bus municipaux** (☎456 5518 ; www.isafjordur.is) s'arrêtent sur le front de mer.

➡ Ísafjörður, Flateyri et Þingeyri (350 ISK, 3/jour lun-ven).

➡ Suðureyri (350 ISK, 20 min, 3/jour lun-ven).

➡ Súðavík (1 000 ISK, 20 min, lun-ven ; à réserver la veille).

➡ Bolungarvík (1 000 ISK, 15 min, 3/jour lun-ven).

Des **Flybus** (aéroport-Ísafjörður 1 000 ISK ; Ísafjörður-Bolungarvík 1 000 ISK ; aéroport-Bolungarvík 1 500 ISK) associés aux vols Icelandair (mais accessibles à tous) assurent une liaison Bolungarvík-Ísafjörður-aéroport, et vice versa. À Ísafjörður, ils s'arrêtent près de l'Hótel Ísafjörður.

Pour tous ces bus, renseignez-vous à l'office du tourisme ou sur www.westfjords.is, afin d'obtenir l'information la plus récente.

VOITURE

Pour le covoiturage, consultez www.bilfar.is.

Avis (☎591 4000 ; www.avis.is ; aéroport d'Ísafjörður)

Europcar (☎840 6074 ; www.holdur.is ; aéroport d'Ísafjörður)

Hertz (☎522 4490 ; www.hertz.is ; aéroport d'Ísafjörður)

Comment circuler

De 7h30 à 18h30 du lundi au vendredi (jusqu'à 22h30 en hiver), les bus municipaux (350 ISK) relient le centre-ville à Hnífsdalur et Tungudalur ; ils s'arrêtent sur le front de mer.

West Tours (p. 205) loue des vélos et des scooters.

Bolungarvík

933 HABITANTS

Malgré sa situation magnifique à l'entrée du fjord, Bolungarvík est une bourgade assoupie qui n'incite guère à faire étape. Elle possède cependant deux sites non dénués d'intérêt et constitue un bon point de départ pour des randonnées dans le Hornstrandir. Bolungarvík était autrefois reliée à Ísafjörður par une route dangereuse (p. 205) autour de la montagne Óshlíð, désormais inutilisée après la construction d'un tunnel de 5,4 km.

À voir

♥ Musée maritime Ósvör MUSÉE

(Ósvör Sjóminjasafn ; ☎892 5744 ; www.osvor.is ; adulte/enfant 950 ISK/gratuit ; ⏲9h-17h lun-ven, 10h-17h sam-dim juin-août, sur rdv sept-mai). Aménagé dans de vieilles maisons de pêcheurs en pierre et en tourbe, par embranchement juste après le tunnel d'entrée dans la ville, le musée maritime Ósvör vaut le détour. Un guide portant la tenue en peau de mouton, typique des pêcheurs, explique dans un anglais approximatif l'histoire de la région et la vie des marins, de l'époque de la colonisation à l'ère du plastique. La minuscule cabane de pêcheur est remplie de vieilleries intéressantes et le musée abrite également un bateau à rames traditionnel.

Museum d'histoire naturelle MUSÉE

(Náttúrugripasafn Bolungarvíkur ; ☎456 7507 ; www.nabo.is ; Vitastígur 3 ; adulte/enfant 950 ISK/gratuit ; ⏲9h-17h lun-ven, 10h-17h sam-dim juin à mi-août, 9h-17h lun-ven mi-août à mai). Dans la principale galerie marchande, ce musée présente une vaste collection de minéraux (notamment du lignite rappelant l'époque où l'Islande était couverte de végétaux) et des animaux empaillés, dont un gigantesque os de baleine bleue vieux de plus de 100 ans et un ours polaire abattu par des pêcheurs au large du Hornstrandir.

Où se loger

♥ Einarshúsið PENSION €€

(☎456 7901 ; www.einarshusid.is ; Hafnargata 41 ; d avec sdb commune petit-déj inclus 16 900 ISK ; ⏲mai-sept, restaurant 11h-22h). Logé dans une demeure du début du XXe siècle sur le port, Einarshúsið est la meilleure adresse de la ville pour se loger et se restaurer. Les adorables patrons dorlotent leurs clients, qui se régalent de succulents fruits de mer (plats 1 500-4 200 ISK) ou dorment dans l'une des cinq charmantes chambres à l'étage, décorées dans le style d'origine (vers 1902) mais dotées de sdb modernes.

Depuis/vers Bolungarvík

BUS

Bus (www.bolungarvik.is) :
➡ Ísafjörður (1 000 ISK, 3/jour lun-ven).

Flybus (Ísafjörður-Bolungarvík 1 000 ISK ; aéroport-Bolungarvík 1 500 ISK). Le Flybus à destination de l'aéroport d'Ísafjörður coïncide avec les horaires des vols.

FERRY

Les ferries Borea (p. 215) pour le Hornstrandir partent du quai Árbæjarkantur, à Bolungarvík.

Vaxon (☎862 2221 ; www.vaxon.is). Bateau pour le Hornstrandir et croisières dans les fjords.

Ísafjarðardjúp

Ísafjarðardjúp, le plus grand des fjords de la région (75 km de longueur), forme une immense échancrure dans le territoire des fjords de l'Ouest. Depuis Ísafjörður, la tortueuse Route 61 contourne une succession de plus petits fjords le long du littoral sud avant d'arriver à Hólmavík.

Súðavík

171 HABITANTS

À l'est d'Ísafjörður, ce petit village de pêcheurs jouit d'une vue incroyable sur la péninsule de Snæfjallaströnd, de l'autre côté du fjord. Ensemble de maisons colorées sans grand intérêt, Súðavík mérite toutefois une visite pour son **Arctic Fox Center** (Melrakkasetur ; ☎456 4922 ; www.arcticfoxcenter.com ; adulte/enfant 900 ISK/gratuit ; ⏲9h-20h juin-août, 10h-17h mai et sept, horaires réduits oct-avr ; wifi). Ce centre du Renard arctique (ou polaire) est installé dans la ferme rénovée d'Eyrardalur, l'un des plus anciens édifices de la région. Des études sont menées depuis plusieurs années sur le renard polaire dans le Hornstrandir, et ce centre explore les conditions de vie et l'environnement de l'animal. Les enfants pourront s'amuser avec les renardeaux orphelins dans l'enclos.

Le **Fox Cafe** (soupe 1 400-1 800 ISK), tenu par des bénévoles, est un bon endroit pour échanger avec les habitants accueillants, autour d'une soupe du jour accompagnée de pain fait maison.

À partir de 2015, le **bus** Ísafjörður-Hólmavík s'arrêtera à Súðavík (Ísafjörður-Súðavík 1 000 ISK, 20 min, lun-ven) ; renseignez-vous sur www.westfjords.is.

Skötufjörður

♥ **Litlibær** CAFÉ €

(☎456 4809 ; Skötufjörður ; gaufres et café 1 000 ISK ; ⏲10h-17h juin-août). Dans une ferme du XIXe siècle au bord du Skötufjörður, ce café est décoré d'objets anciens. Le propriétaire est né et a grandi ici, et sa famille bichonne les clients en proposant de savoureuses gaufres en forme de cœur. Faites-vous conseiller sur les endroits où voir des ruines celtiques et des phoques. Le ventre plein, trouvez la table de pique-nique à quelque 200 m au nord : il y a là une petite boîte contenant une paire de jumelles pour mieux observer les animaux sauvages.

Ögur

Ögur Travel CIRCUITS AVENTURE

(☎857 1840 ; www.ogurtravel.com ; ⏲mai-sept). Tenue par sept frères et sœurs, cette agence propose des circuits en kayak ou à pied (à partir de 5 000 ISK) de quelques heures ou de quelques jours. Très prisée, la sortie en kayak de 7 heures à Vigur (22 000 ISK) permet d'admirer le paysage exceptionnel et l'avifaune. Pensez à réserver. Ces excursions partent d'un agréable **café** (en-cas 800-1 900 ISK ; ⏲10h-18h juin-août) situé sur le promontoire, à l'est du Skötufjörður – en arrivant d'Ísafjörður, si vous parvenez au parc de voitures abandonnées, c'est que vous l'avez dépassé.

Mjóifjörður

Heydalur PENSION €€

(☎456 4824 ; www.heydalur.is ; Mjóifjörður ; empl 1 200 ISK/pers, s/d à partir de 11 050/15 100 ISK, bungalows à partir de 19 500 ISK ; wifi). Heydalur est un bon endroit pour faire une halte sur la Route 61 qui serpente le long de la côte découpée. Au fond du Mjóifjörður, à 11 km de la route principale, cette pension, logée dans une ancienne étable, est tenue par l'affable Stella qui prépare également une délicieuse cuisine dans son **restaurant** (plats 1 800-4 000 ISK ; 8h-22h juin-août).

En conversant avec le perroquet, vous y savourerez d'excellentes soupes, des pains maison, des légumes bio et du curry. Entre autres activités proposées : balades équestres (5 250 ISK/heure) et kayak (6 300 ISK/2 heures 30).

Reykjarfjörður

À l'extrémité du hameau de Reykjarfjörður, l'**Hótel Reykjanes** (☎456 4844 ; www.hotelreykjanes.is ; empl tente 2 400 ISK, s/d avec sdb commune 9 900/13 800 ISK ; @📶) occupe un grand bâtiment blanc, ancienne école du district. Il offre un hébergement basique, à n'envisager que si vous êtes fatigué de conduire. En revanche, on apprécie la **piscine géothermale extérieure** (adulte/enfant 400/250 ISK) de 50 m. Comptez 4 600 ISK pour une nuit avec option duvet et 1 100-4 000 ISK pour un repas simple. Il existe une seconde piscine, immense, cachée en haut d'une colline ; il s'agit de l'**ancienne piscine de Reykjanes**, construite en 1889. Autre possibilité de visite, le **Saltverk Reykjanes** (www.saltverk.com), atelier 100% géothermique de production de sel marin. Il est situé à 200 m de l'hôtel.

Snæfjallaströnd

Sur la rive est de l'Ísafjarðardjúp, la Route 635 non goudronnée mène au nord vers la magnifique vallée verdoyante de **Kaldalón**, qui se prolonge jusqu'à la calotte glaciaire du **Drangajökull**. Vous pouvez marcher jusqu'au départ du glacier mais ne vous aventurez pas plus loin sans un guide local, car la neige dissimule des crevasses dangereuses.

Plus au nord, **Snæfjallaströnd** a été abandonné en 1995. Les randonneurs audacieux peuvent néanmoins partir sur la "route postale" depuis l'église d'Unaðsdalur et suivre la côte jusqu'au baraquement de **Grunnavík**, d'où l'on peut prendre un bateau jusqu'à Ísafjörður et Hesteyri.

Juste avant l'église d'Unaðsdalur, **Dalbær** (☎898 9300 ; www.snjafjallasetur.is/tourism.html ; ⏲mi-juin à août) est un refuge en pleine nature en lisière du Hornstrandir ; on peut y dormir avec son sac de couchage ou camper.

HORNSTRANDIR

Des montagnes escarpées, des falaises plongeant dans la mer et des cascades vertigineuses encadrent la magnifique péninsule presque inhabitée du Hornstrandir, à l'extrémité nord des fjords de l'Ouest. Elle comprend des zones aux conditions extrêmes, parmi les plus inhospitalières du pays. La péninsule est une destination idéale pour les randonneurs chevronnés, ainsi que pour observer renards arctiques, phoques, baleines et oiseaux.

Jusque dans les années 1950, une poignée de fermiers vivaient dans le Hornstrandir. Puis, en 1975, ce territoire de 580 km² constitué de toundra, de fjords, de glaciers et de montagnes gagna le statut de **réserve naturelle du Hornstrandir** (☎591 2000 ; www.ust.is/hornstrandir). Du fait de sa végétation riche et très fragile, la région est protégée par l'une des réglementations les plus strictes d'Islande.

Depuis peu, les descendants de certains fermiers sont revenus et ont reconstruit leurs maisons. Une grande partie de ce territoire appartenant à des particuliers, il faut systématiquement demander la permission de camper ou de pêcher, même si le site paraît inhabité.

Météo et équipement

Les services étant inexistants, les randonneurs doivent être parés à toute éventualité. Relief escarpé, fortes pluies qui rendent les rivières rapidement infranchissables, brouillards parfois denses : la randonnée s'avère lente et compliquée dans ce territoire. Les rivières se transformant au gré des marées, procurez-vous les horaires de ces dernières. La plupart des sentiers ne sont pas balisés ; il est donc impératif d'avoir une carte (comme la *Vestfirðir & Dalir 1*), une boussole et un GPS. Les vêtements imperméables de bonne qualité sont indispensables, car la progression se fait souvent sous la pluie froide avec de trop brefs répits pour sécher. Une mauvaise préparation dont vous seriez responsable peut amener les secours à déclencher une intervention.

Juillet est la meilleure période pour arpenter ce territoire. En dehors de la saison estivale, qui s'étend de fin juin à mi-août (les ferries circulent de juin à août), les visiteurs sont rares et la météo devient encore plus incertaine. Préparez votre itinéraire avec soin et renseignez-vous sur place sur les conditions météo. Quelle que soit la saison, des congères peuvent se former aux cols et les rivières peuvent devenir infranchissables. Avant le 15 juin, il faut obligatoirement s'inscrire auprès d'un **garde forestier** (☎591 2000).

Le parc abrite plusieurs refuges d'urgence équipés de radio et de chauffage, que l'on peut utiliser en cas de tempêtes.

Hornstrandir

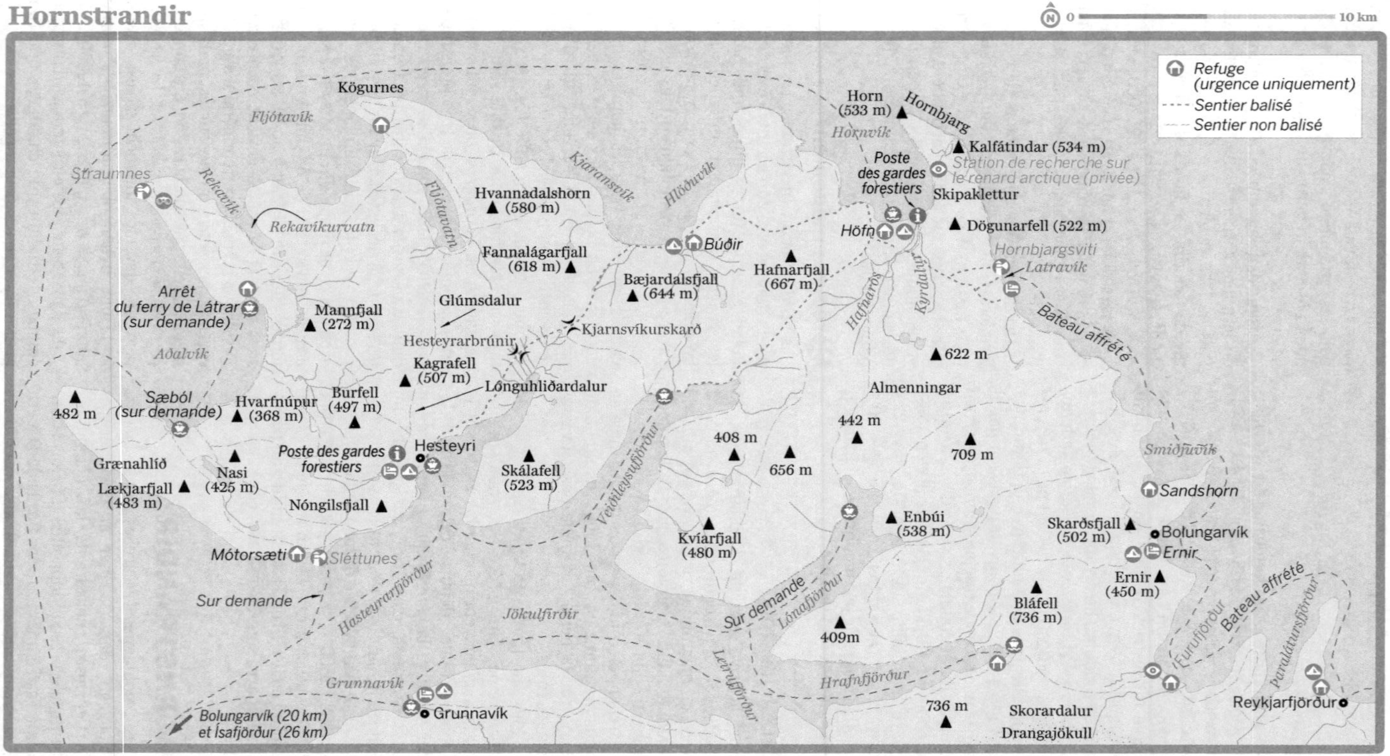

Refuge (urgence uniquement)
Sentier balisé
Sentier non balisé
0 — 10 km

Kögurnes
Fljótavík
Straumnes
Rekavík
Rekavíkurvatn
Fljótavatn
Hvannadalshorn (580 m)
Kjaransvík
Hlöðuvík
Búðir
Horn (533 m)
Hornbjarg
Hornvík
Kalfátindar (534 m)
Poste des gardes forestiers
Station de recherche sur le renard arctique (privée)
Skipaklettur
Höfn
Dögunarfell (522 m)
Fannalágarfjall (618 m)
Bæjardalsfjall (644 m)
Hafnarfjall (667 m)
Hornbjargsviti
Latravík
Arrêt du ferry de Látrar (sur demande)
Mannfjall (272 m)
Glúmsdalur
Kjarnsvíkurskarð
Hafnaros
Kyrdalur
Bateau affrété
Hesteyrarbrúnir
Aðalvík
Kagrafell (507 m)
622 m
Lónguhliðardalur
Almenningar
482 m
Sæból (sur demande)
Hvarfnúpur (368 m)
Burfell (497 m)
442 m
408 m
709 m
Poste des gardes forestiers
Hesteyri
656 m
Smiðjuvík
Grænahlíð
Nasi (425 m)
Skálafell (523 m)
Lækjarfjall (483 m)
Veiðileysufjörður
Sandshorn
Nóngilsfjall
Enbúi (538 m)
Skarðsfjall (502 m)
Bolungarvík
Kvíarfjall (480 m)
Mótorsæti
Sléttunes
Ernir
Ernir (450 m)
Sur demande
Hesteyrarfjörður
Jökulfirðir
Sur demande
Lónafjörður
Bláfell (736 m)
Bateau affrété
409m
Furufjörður
Paralátursfjörður
Leirufjörður
Grunnavík
Hrafnfjörður
Grunnavík
736 m
Skorardalur
Reykjarfjörður
Bolungarvík (20 km) et Ísafjörður (26 km)
Drangajökull

RANDONNÉE DANS LE HORNSTRANDIR

Comment choisir parmi tous les sentiers qui sillonnent la péninsule du Hornstrandir ? Les habitants comme les touristes s'accordent à dire que la Corne Royale (ou Hornsleið) est de loin le meilleur itinéraire pour admirer toutes les merveilles de cette réserve. Cette randonnée de 4 ou 5 jours peut être facilement modifiée en cas de mauvais temps. Les sentiers balisés et peu fréquentés permettent de profiter pleinement de cette région isolée.

La Corne Royale

1er jour : Prenez le bateau à Bolungarvík ou Ísafjörður pour le Veiðileysufjörður, l'un des *jökulfirðir* (fjords glaciaires) locaux. La randonnée part d'une rue proche du pied du fjord et suit un chemin marqué par des cairns qui gravit la pente et passe le col. De là, il est possible de descendre par l'autre versant jusqu'au camping de Höfn, dans le Hornvík. L'étape entre le Veiðileysufjörður et le Hornvík peut durer 4 à 8 heures. Un poste des gardes forestiers est installé dans le camping. Arrêtez-vous pour demander les prévisions météo et des renseignements sur l'état des sentiers.

2e jour : Passez une seconde nuit dans le Hornvík et profitez du deuxième jour pour aller voir Hornbjarg, l'une des plus belles falaises colonisées par les oiseaux et par une faune et une flore diverses. Vous pouvez aussi le consacrer à explorer les alentours du phare d'Hornbjargsviti.

3e jour : Du Hornvík, ralliez le Hlöðuvík. Le chemin, en partie balisé, traverse un col. À l'arrivée, mieux vaut camper près du Hlöðuvíkurós (l'embouchure du fleuve Hlöðuvík). Comme le Hornvík, le Hlöðuvík donne au nord : c'est l'endroit idéal pour admirer le soleil de minuit. Prévoyez environ 6 heures pour cette étape.

4e jour : Traversez le Kjarnsvíkurskarð (un col) et le Hesteyrarbrúnir jusqu'à Hesteyri (environ 8 heures). Hesteyri est un vieux village qui fut abandonné vers le milieu du XXe siècle. On y voit quelques maisons bien conservées, au milieu des champs d'angéliques. Les ruines d'une station baleinière du début du siècle se trouvent près du village. Le café d'Hesteyri constitue une halte idéale en fin de randonnée – on peut y attendre le ferry pour Bolungarvík ou Ísafjörður.

5e jour : Si le ferry ne passe pas ce jour-là, restez la nuit à Heysteri et baladez-vous dans le secteur le lendemain avant d'embarquer. Vous pourrez loger dans le camping au sud du village ou, si vous avez réservé, dans la maison du docteur (p. 214) à Hesteyri.

Version courte

Empruntez le ferry pour le Veiðileysufjörður, marchez jusqu'au Hornvík, passez-y une nuit (ou deux), et rejoignez à pied le Lónafjörður pour prendre le bateau du retour, *ce qui suppose que vous ayez réservé votre place à bord.* Le parcours du Hornvík au Lónafjörður dure 6 ou 7 heures environ. Sinon, vous pouvez faire demi-tour et regagner le Veiðileysufjörður.

Autre solution : ralliez Hesteyri en bateau et faites une excursion d'une journée (possibilité d'hébergement avec option duvet, sur réservation).

Par sécurité, vous devez réserver votre trajet de retour en bateau. L'alerte sera donnée si vous ne vous présentez pas. Les agences d'Ísafjörður organisent des excursions guidées dans la réserve.

Circuits organisés

Installées à Ísafjörður, West Tour (p. 205) et Borea (p. 206) se taillent la part du lion en matière d'organisation d'activités (bateau, kayak, ski…) dans les étendues du Hornstrandir.

Où se loger

Le camping sauvage est gratuit dans le Hornstrandir (veillez à ne laisser aucun déchet sur place). Le camping sur une propriété privée aménagée coûte environ 1 000 ISK. Prévoyez jusqu'à 6 500 ISK pour une nuit avec option duvet, à réserver à l'avance, surtout à Hesteyri.

Trois options s'offrent à vous pour un hébergement avec son duvet dans la partie principale du Hornstrandir : Hesteyri, Hornbjargsviti et Grunnavík (cette dernière pourrait fermer dans l'avenir). Deux autres vous attendent à l'extrême est de la réserve : Reykjarfjörður et Bolungarvík.

Maison du docteur à Hesteyri PENSION €
(Læknishúsið ; ☎845 5075, Hesteyri 899 7661 ; www.hesteyri.net ; dort 8 000 ISK ; ⏱mi-juin à fin août). C'est de loin l'hébergement le plus complet du Hornstrandir. L'ancienne maison du médecin dispose de 16 couchages et propose café et pancakes, ainsi qu'une cuisine commune. Réservez à l'avance.

Hornbjargsviti REFUGE €
(☎FI 568 2533 ; www.fi.is ; empl 1 600 ISK/pers, dort 7 000 ISK ; ⏱mi-juin à fin août). Géré par Ferðafélag Íslands (FI) et attenant au phare du même nom sur la côte est, ce refuge peut accueillir 50 personnes. Cuisine et douches fonctionnant avec des pièces (500 ISK).

Grunnavík REFUGE €
(☎456 4664 ; dort 6 000 ISK). Capacité de 20 personnes environ. Lors de notre passage, on parlait de fermer ce refuge.

Bolungarvík CHALET €
(☎893 6926, 456 7192 ; chalet 4 000 ISK/pers). Chalet sommaire, sur la côte sud-est du Hornstrandir, généralement fréquenté par les marcheurs au départ ou à l'arrivée de leur randonnée.

Reykjarfjörður CHALET, BUNGALOW €
(☎896 1715, 456 7215 ; www.reykjarfjordur.is ; empl 1 000 ISK/pers, dort 4 000 ISK, bungalow à partir de 15 000 ISK). Camping, lit avec son duvet personnel (pas d'électricité), petit cottage pour 5 personnes, piscine géothermale et *hot pot*.

ℹ Depuis/vers le Hornstandir

BATEAU

Pour rejoindre le Hornstrandir, prenez le bateau à Ísafjörður, Bolungarvík ou Norðurfjörður (sur la côte du Strandir) de juin à août. Un aller simple coûte de 7 200 à 13 500 ISK, selon la destination. Il est fortement conseillé de réserver le retour, par mesure de sécurité. Les réservations s'effectuent directement auprès des compagnies ou par l'intermédiaire de West Tours (p. 205).

D'Ísafjörður, West Tours (p. 205) gère les bateaux **Sjóferðir** (West Tours ; ☎456 5111 ; www.sjoferdir.is) qui desservent notamment :

- Aðalvík (8 300 ISK, 2/semaine)
- Grunnavík (7 400 ISK, 1/semaine)
- Hesteyri (7 600 ISK, 5/semaine)
- Hornvík (13 200 ISK, 1/semaine)
- Hrafnfjörður (11 300 ISK, 1/semaine)
- Veiðileysufjörður (9 800 ISK, 2/semaine).

De Bolungarvík, Borea (p. 206) gère les bateaux **Bjarnarnes** (Borea ; ☎456 3322 ; www.boreaadventures.com) pour :

BÉNÉVOLAT À LA STATION DE RECHERCHE SUR LE RENARD ARCTIQUE

Pour explorer les territoires les plus sauvages, certains n'hésitent pas à devenir bénévoles à la Station de recherche sur le renard arctique (ou polaire), sur les falaises du littoral nord de la spectaculaire péninsule du Hornstrandir. C'est un paradis pour les photographes et les naturalistes.

La station d'Hornbjarg se compose d'un ensemble de tentes et d'une annexe. Chaque jour de juin à août, les chercheurs/bénévoles partent pour 8 heures d'observation. Ce travail implique de longues périodes durant lesquelles il faut surveiller et noter le comportement des renards et leurs déplacements, le tout dans un cadre magnifique.

Tout le monde peut déposer sa candidature pour devenir bénévole (attention : les programmes sont complets 6 mois à l'avance), mais les personnes étudiant la biologie, l'écologie ou la photographie sont favorites. Le centre demande aux bénévoles de rester au minimum une semaine. Vous devrez payer votre transport et venir équipé : tente, chaussures de randonnée, duvet grand froid et vêtements adaptés aux températures négatives. Le centre fournit la nourriture et le matériel de cuisine.

Vous pouvez aussi postuler comme bénévole au siège de l'Arctic Fox Center à Suðavík, près d'Ísafjörður. Il faut rester un minimum de deux semaines, tenir le café et soigner les éventuels renards recueillis par le centre. Le camping et la pension complète sont fournis, et vous aurez accès à la cuisine et à la sdb communes.

- Aðalvík (8 500 ISK, 2/semaine)
- Grunnavík (7 200 ISK, 4/semaine)
- Hesteyri (7 500 ISK, 4/semaine)
- Hornvík (13 500 ISK, 1/semaine)
- Veiðileysufjörður (9 600 ISK, 3/semaine).

Hrafnfjörður, Lónafjörður et Slétta (Sléttunes) sont desservis sur demande. Début juin et fin août, il faut un minimum de 8 passagers.

Urðartindur Boats (☎843 1880 ; www.urdartindur.is ; près de Norðurfjörður, côte du Strandir). En demandant à l'avance, un bateau Urðartindur peut être affrété depuis Norðurfjörður, sur la côte du Strandir, vers Drangar, Reykjarfjörður, Þaralátursfjörður/Furufjörður, Bolungarvík (dans le Hornstrandir, à ne pas confondre avec la ville homonyme située à l'ouest d'Ísafjörður) et Látravík/Hornbjargsviti.

À PIED

Il est possible de rejoindre la réserve à pied depuis Norðurfjörður, sur la côte du Strandir. Prévoyez 3 jours pour atteindre le refuge de Reykjarfjörður et un jour de plus pour celui de Bolungarvík. Les deux premières nuits, vous pouvez faire du camping sauvage à Ófeigsfjörður et Drangar.

Il y a aussi un sentier au départ de Grunnavík.

CÔTE DU STRANDIR

Faiblement peuplée, incroyablement paisible et très prisée des voyageurs, la côte est des fjords de l'Ouest est l'une des étendues les plus spectaculaires de l'île. Découpée par une succession de fjords et bordée de falaises irrégulières, la route qui part vers le nord d'Hólmavík, seule localité importante de la région, est dure, sauvage et absolument superbe. Le Strandir, zone la plus reculée d'Islande, était jadis considéré comme un haut lieu de la sorcellerie. Au sud, de douces collines s'étirent le long du littoral jusqu'à Staðarskáli, où la densité de la circulation vous indiquera que vous avez rejoint la Route circulaire.

Des bus circulent jusqu'à Hólmavík. Pour aller plus loin, il vous faudra votre propre véhicule... et le goût de l'aventure.

De Staðarskáli à Hólmavík

Moins spectaculaires que ceux de la région qui s'étend plus au nord, les paysages traversés par la Route 68 entre Staðarskáli (anciennement Brú) et Hólmavík sont plaisants, avec leurs collines vallonnées émaillées de petites fermes et d'églises solitaires au bord de vastes fjords.

Le petit **musée de l'Élevage ovin** (Sauðfjársetur á Ströndum ; ☎451 3324 ; www.strandir.is/saudfjarsetur ; adulte/enfant 800 ISK/gratuit ; ⌚10h-18h juin-août), à 12 km au sud d'Hólmavík, retrace l'histoire de l'élevage à travers photographies et objets. Les plateaux d'échecs et la tourte à la rhubarbe maison de son **café** (en-cas 700-1 200 ISK) risquent de vous retenir plus longtemps que prévu.

Pour dormir, essayez **Kirkjuból** (☎451 3474 ; www.strandir.is/kirkjubol ; s/d avec sdb commune 8 300/13 200 ISK), une pension dotée de chambres sommaires et d'une cuisine commune, juste au sud du musée. Autre possibilité, le **Broddanes HI Hostel** (☎618 1830 ; www.broddanes.is ; dort/d avec sdb commune 4 400/13 900 ISK ; ⌚mi-mai à mi-sept ; wifi), sur le promontoire au sud du Kollafjörður, occupe un bâtiment récent.

Bus **Strætó** (☎540 2700 ; www.bus.is) :

- Bus n°57 Staðarskáli-Reykjavík (3 500 ISK, 2/jour) et Staðarskáli-Akureyri (3 700 ISK, 2/jour).

Hólmavík

373 HABITANTS

Le village de pêcheurs d'Hólmavík offre une vue panoramique sur les eaux tranquilles du Steingrímsfjörður et possède un pittoresque musée de la Sorcellerie. C'est le meilleur endroit où s'approvisionner avant de partir vers les étendues plus sauvages au nord.

À voir et à faire

♥ **Musée de la Sorcellerie** MUSÉE
(Strandagaldur ; ☎451 3525 ; www.galdrasyning.is ; Höfðagata 8-10 ; adulte/enfant 900 ISK/gratuit ; ⌚9h-18h). Ce musée primé permet de découvrir l'univers de la sorcellerie dans cette région. Contrairement à d'autres pays, en Islande, quasiment toutes les personnes accusées de sorcellerie furent des hommes. La majeure partie de leurs pratiques occultes étaient en fait des traditions vikings ou des superstitions. Cependant, leurs grimoires cachés, pleins d'étranges symboles runiques, suffirent aux chasseurs de sorciers (les notables locaux) pour condamner au bûcher une vingtaine d'entre eux (pour la plupart des paysans). Remarquez les *necropants*, sortes de pantalons en peau humaine. Proche du port central, le bâtiment abrite également l'office du tourisme.

Le musée possède une annexe, une "maison de sorcier" au toit de tourbe

(p. 217), plus loin sur la côte au bord du Bjarnarfjörður.

Strandahestar ÉQUITATION
(☎451 3262 ; www.strandahestar.is ; Víðidalsá). Balades à cheval pour tous niveaux, à réserver à l'office du tourisme.

Où se loger et se restaurer

Vous trouverez à la station-service une petite épicerie, un camping (empl/pers 1 000 ISK) et des en-cas bon marché. Pour prendre de l'essence, il faut une carte N1 prépayée (non vendue sur place) ou une carte bancaire.

Finna Hótel HÔTEL €
(☎451 3136 ; www.finnahotel.is ; Borgarbraut 4 ; s/d petit-déj inclus 10 600/15 700 ISK ; @ 📶). Située sur une hauteur, cette adresse accueillante propose des chambres propres et confortables, bien que sommaires, et un bon petit-déjeuner. Option duvet pour 5 000-6 800 ISK /pers.

Steinhúsið PENSION, APPARTEMENT €
(☎856 1911 ; www.steinhusid.is ; Höfðagata 1 ; s/d avec sdb commune 9 000/12 500 ISK, app 19 000 ISK ; 📶). Option agréable en face du musée de la Sorcellerie. Quelques chambres impeccables, un salon, une cuisine et un appartement en sous-sol.

Sorcery Cafe CAFÉ €€
(www.galdrasyning.is ; Höfðagata 10 ; plats 1 300-2 400 ISK ; ⏲9h-18h). La carte change tous les jours dans ce musée-café, mais il propose souvent, en saison, des moules du fjord et des baies sauvages pour le dessert.

Café Riis INTERNATIONAL €€
(☎451 3567 ; Hafnarbraut 39 ; plats 1 500-3 900 ISK ; ⏲11h30-21h juin-août). Très apprécié, le pub-restaurant de la ville occupe un bâtiment en bois historique avec des symboles magiques gravés sur le bar. Au menu : blanc de poulet rôti et truite.

Renseignements

Centre d'information touristique (☎451 3111 ; www.holmavik.is/info ; Höfðagata 8-10 ; ⏲9h-18h ; @ 📶). Dans le musée de la Sorcellerie. Accès Internet, renseignements et cartes de randonnée (1 300 ISK).

Depuis/vers Hólmavík

Les bus s'arrêtent à la station-service N1.

Bus Strætó (☎540 2700 ; www.bus.is) :

➡ Bus n°59 Hólmavík-Búðardalur-Borgarnes (3 850 ISK, 5/semaine de mi-mai à mi-sept, 2/semaine le reste de l'année), avec correspondance pour Reykjavík (5 250 ISK, 4 heures 30). Pour Akureyri, descendez à Bifröst et prenez le bus n°57.

Les bus entre Ísafjörður et Hólmavík reprendront (www.westfjords.is) courant 2015.

Drangsnes

71 HABITANTS

De l'autre côté du Steingrímsfjörður, en face d'Hólmavík, Drangsnes (prononcez "draongsness") est un petit village isolé d'où la vue se déploie vers le nord du pays jusqu'à l'île inhabitée de **Grímsey** (plusieurs îles homonymes en Islande). Près du littoral se dresse le rocher **Kerling**, tenu pour les restes pétrifiés d'un **troll**. **Uxi**, son taureau, est la formation rocheuse située au large, près de Grímsey.

Les habitants apprécient les ***hot pots*** GRATUIT, bassins logés dans la digue qui longe la route principale. Repérez la petite pancarte qui les indique, ainsi que le bâtiment blanc bordé de bleu abritant les douches et les W-C. N'oubliez pas de vous doucher avant de vous baigner, comme le font les Islandais. Les trois Jacuzzis géométriques sont de l'autre côté de la rue. Le **Drangsnes sundlaug** (piscine municipale ; ☎451 3201 ; www.drangnes.is ; Grundargata 15 ; adulte/enfant 600 ISK/gratuit ; ⏲11h-18h juin-août, horaires réduits sept-mai) comprend deux *hot pots*, pour les jours où il fait trop mauvais en bord de mer.

À côté du Kerling, le **Malarhorn** (☎451 3238 ; www.malarhorn.is ; Grundargata 17 ; d avec/sans sdb 18 000/12 000 ISK, app à partir de 32 000 ISK ; 📶 👪) loue divers types d'hébergements, dont des chalets en pin modernes et douillets ainsi que plusieurs appartements. Il offre aussi des **excursions en bateau** à Grímsey (3 heures, 7 000 ISK), où nichent de nombreux macareux. Le café de Malarhorn, le **Malarkaffi** (plats 1 600-3 800 ISK ; ⏲8h-21h juin-août, sur rdv sept-mai), sert des plats de poisson sous une véranda sur deux étages avec vue sur le fjord.

Drangsnes compte une station-service.

Bjarnarfjörður et Kaldbaksvík

Au nord de Drangsnes, une route accidentée serpente le long d'une série de superbes escarpements de roches friables et de minuscules baies jonchées de bois flotté.

Cette route n'est pas desservie par les transports, mais les personnes motorisées seront enchantées par l'incroyable tranquillité, la vue magnifique et la sensation d'isolement. Les amateurs de sagas apprendront avec intérêt que la *Saga de Njáll le Brûlé* débute ici.

L'**Hótel Laugarhóll** (☎451 3380 ; www.laugarholl.is ; d avec/sans sdb petit-déj inclus 20 600/16 000 ISK ; @📶), situé à Bjarnarfjörður, est tenu par des propriétaires sympathiques, anciens enseignants. L'adresse est accueillante et des couettes blanches attendent sur chaque lit, dont certains sont surmontés d'œuvres d'art. L'hôtel compte un bon **restaurant** proposant des soupes à midi (1 200 ISK) et un buffet élaboré le soir (5 900 ISK ; 18h30-20h30). Il y a aussi une petite **galerie d'art**, ainsi qu'une **piscine géothermale** (400 ISK ; 🕒8h-22h juin-août, 24h/24 sept-mai) et un *hot pot* magnifiquement situés.

La piscine de l'Hótel Laugarhóll est alimentée par le **Gvenderlaug**, un bassin à 42°C, réputé faire des miracles (baignade interdite), béni par l'archevêque Gvendur le Bon au XIIIe siècle et qui est aujourd'hui un monument national. Un panneau l'indique derrière l'hôtel.

Également derrière l'hôtel, la **maison du sorcier** (🕒8h-22h juin-août) GRATUIT, au toit végétalisé, fait partie du musée de la Sorcellerie d'Hólmavík (p. 215). Elle montre le mode de vie jadis des supposés sorciers islandais.

Au nord de Bjarnarfjörður, le paysage devient plus sauvage et de jolis panoramas se déploient sur la péninsule de Skagi, dans le nord. Cette route est souvent fermée dès les premières chutes de neige en automne et jusqu'au printemps. Renseignez-vous auprès des habitants sur les conditions météorologiques.

À **Kaldbaksvík**, le versant escarpé d'un large fjord dévale jusqu'à un petit village de pêcheurs au pied duquel se reflètent paisiblement les montagnes. Derrière le lac, un sentier de 4 km grimpe jusqu'au sommet du **Lambatindur** (854 m). Vous remarquerez les nombreuses quantités de bois flotté accumulé le long du rivage – il vient pour bonne part de Sibérie, par-delà l'océan Arctique.

Reykjarfjörður

Accessible par une route offrant des points de vue fabuleux sur la montagne et la mer, l'étrange et envoûtante conserverie de **Djúpavík** se niche sous une paroi rocheuse où s'écoule une immense cascade sur le fjord de Reykjarfjörður. Jadis centre florissant du traitement du hareng, la région fut désertée après la fermeture de l'usine en 1950. La fabrique aujourd'hui réhabilitée et un chalutier échoué dominent ce pittoresque hameau et confèrent une atmosphère féerique à ce fjord immense, profond et isolé.

Où se loger

♥ **Hótel Djúpavík** AUBERGE €
(☎451 4037 ; www.djupavik.com ; d auberge/cottage avec sdb commune 12 500/11 800 ISK ; 📶). Dans l'ancien dortoir pour femmes de la conserverie de hareng, cette charmante auberge meublée d'antiquités dégage une ambiance chaleureuse dès l'entrée dans le **restaurant** (plats 1 800-4 000 ISK) animé du rez-de-chaussée. Un charme discret enveloppe le bâtiment principal et les quelques cottages avec cuisine (option duvet 3 800 ISK). Le tout est situé dans l'une des plus belles baies d'Islande. Réservation indispensable en été.

Le personnel sympathique propose une **visite de la conserverie abandonnée** (1 000 ISK). Une partie sert d'atelier au propriétaire, une autre est dans un état de décrépitude très photogénique, et le reste a été transformé pour accueillir l'été l'**exposition de photos Steypa** (www.claus-in-iceland.com ; 🕒juin-août) GRATUIT. L'usine figure dans le film *Heima*, qui retrace la tournée 2007 du groupe de rock islandais, Sigur Rós.

Norðurfjörður et ses environs

Au nord de Djúpavík, **Árnes** compte deux églises intéressantes, l'une traditionnelle en bois et l'autre (pratiquement en face) d'un futurisme singulier. Le petit musée **Kört** (☎451 4025 ; www.trekyllisvik.is ; Árnes 2 ; adulte/enfant 800 ISK/gratuit ; 🕒10h-18h juin-août) présente des expositions sur la pêche et l'élevage, et vend de l'artisanat.

Allez voir **Kistan** ("le cercueil"), une zone rocheuse escarpée qui servit de principal lieu d'exécution des sorciers dans la région. D'après les documents, c'est ici qu'on brûla pour la dernière fois une sorcière en Islande. Le site est indiqué depuis la route principale, mais il est plus facile de le trouver en demandant son chemin.

À l'extrémité de la longue route cahoteuse suivant la côte du Strandir s'étend le minuscule village de pêcheurs de **Norðurfjörður**. Celui-ci compte un café, une station-service et quelques pensions. C'est le dernier endroit où s'approvisionner et profiter du confort moderne avant de gagner le Hornstrandir à pied ou en bateau.

Le **Krossneslaug** (adulte/enfant 450/200 ISK) est une piscine géothermale (à débordement) à découvrir. On rejoint le site en suivant un chemin de terre à environ 3 km de Norðurfjörður. La piscine se trouve au bord d'une plage de galets noirs. L'idéal pour regarder le soleil de minuit flirter avec les vagues rugissantes.

Où se loger et se restaurer

Urðartindur PENSION €
(☎843 8110 ; www.urdartindur.is ; empl/pers 1 100 ISK, d 14 000 ISK ; ⊙mai-sept). Au bord d'une plage de sable noir, ces chambres simples et modernes, avec sdb privée et réfrigérateur, bénéficient d'une vue dégagée sur le fjord. Deux cottages (17 000 ISK l'un) peuvent accueillir 4 personnes chacun. Demandez à Arinbjörn, l'aimable propriétaire, où se trouve le sentier secret conduisant à un lac caché. La nuit avec option duvet coûte 5 000 ISK/pers. Arinbjörn propose aussi des bateaux (ci-dessous) pour le Hornstrandir.

Bergistangi AUBERGE DE JEUNESSE €
(☎451 4003 ; www.bergistangi.is ; d 8 600 ISK). Sur la colline surplombant le port, cette adresse accueillante propose des chambres (option duvet 3 000 ISK/pers) et dispose d'une cuisine commune.

Kaffi Norðurfjörður INTERNATIONAL €€
(☎692 6096 ; www.nordurfjordur.is ; plats 1 950-3 500 ISK ; ⊙11h-21h fin mai-fin août ; 📶). Si la cuisine est quelconque, la vue sur le fjord est superbe et l'on peut écouter de la musique grâce aux vinyles.

Depuis/vers Norðurförður

AVION

Eagle Air (☎562 4200 ; www.eagleair.is) propose 2 vols par semaine entre Reykjavík et l'aérodrome de Gjögur, à 16 km au sud-est de Norðurfjörður(aller simple 168 €, 50 min).

BATEAU

Arinbjörn, à la pension Urðartindur (ci-contre), propose des traversées en bateau vers la réserve du Hornstrandir.

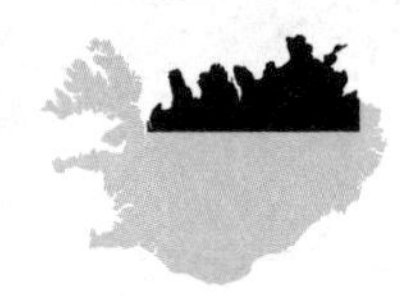

Le Nord

Dans ce chapitre

Le top des restaurants

- Geitafell (p. 223)
- Hannes Boy (p. 232)
- Vogafjós (p. 252)
- Lónkot (p. 230)
- Kaffihús Bakkabræðra (p. 234)

Le top des hébergements

- Skjaldarvík (p. 241)
- Dalvík HI Hostel (p. 234)
- Kaldbaks-Kot (p. 262)
- Sæluhús (p. 241)
- Gamla Posthúsið (p. 227)

Pourquoi y aller

Immense et magnifique, le nord de l'Islande est un paradis pour le géologue. Champs de lave lunaires, marmites de boue bouillonnante, cascades vertigineuses, pics enneigés et baies habitées par les baleines – c'est l'Islande par excellence. Les principaux sites de la région déclinent le thème du volcanisme actif.

Et que de bonnes surprises : Akureyri, petite par la taille mais pas par l'animation ; les pâturages venteux en bord de fjord où paissent des chevaux vikings ; et de pittoresques villages de pêcheurs au bout de routes de terre.

Vous serez immanquablement séduit par les îles peuplées de colonies d'oiseaux de mer et de quelques courageux habitants ; les péninsules isolées qui s'étirent vers le cercle polaire arctique ; les chemins de randonnée des parcs nationaux qui conduisent à des vues exceptionnelles ; les pistes de ski quasi désertes ; et les merveilles sous-marines qui attirent les plongeurs dans des profondeurs glaciales.

Distances par la route (km)

	Reykjavík	Akureyri	Siglufjörður	Húsavík	Reykjahlíð (Mývatn)
Akureyri	389				
Siglufjörður	384	76			
Húsavík	476	92	168		
Reykjahlíð (Mývatn)	478	100	176	54	
Þórshöfn	613	235	311	142	172

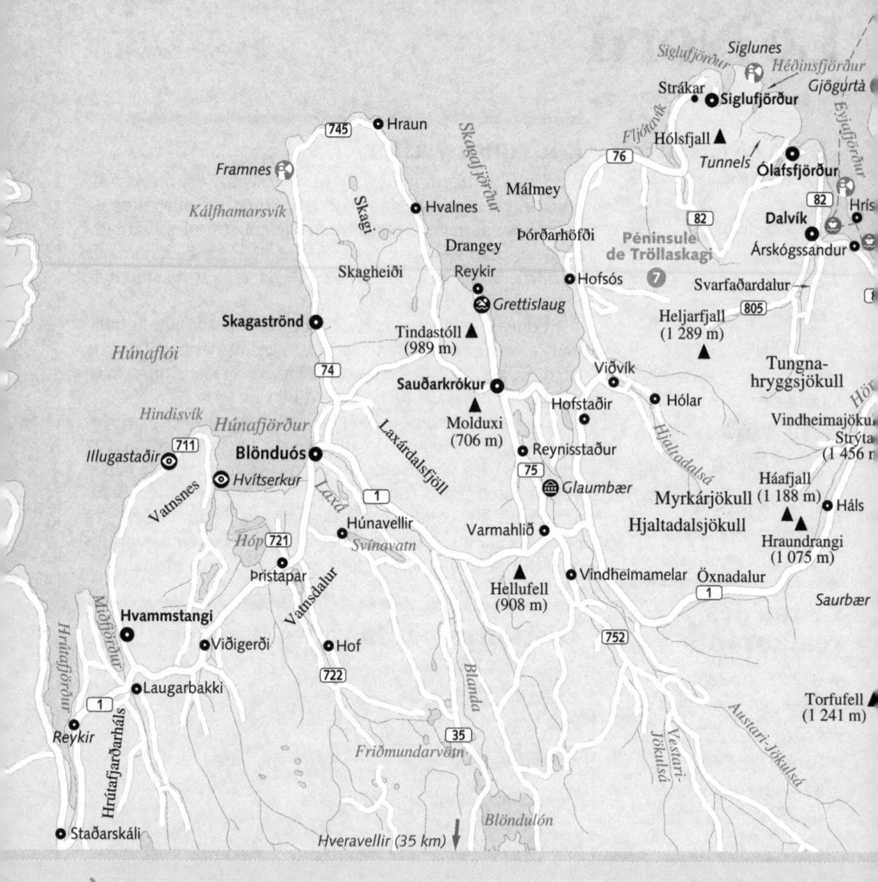

À ne pas manquer

❶ La vie urbaine version Islande du Nord à **Akureyri** (p. 235)

❷ La traversée jusqu'au seul territoire islandais du cercle arctique, l'île de **Grímsey** (p. 242), fief des sternes et des trolls

❸ Une promenade parmi les châteaux de lave, les pseudo-cratères et les fissures cachées dans le paysage lunaire du **Mývatn** (p. 249)

❹ Le spectacle des baleines émergeant des profondeurs, à l'occasion d'une sortie en mer à **Húsavík** (p. 258)

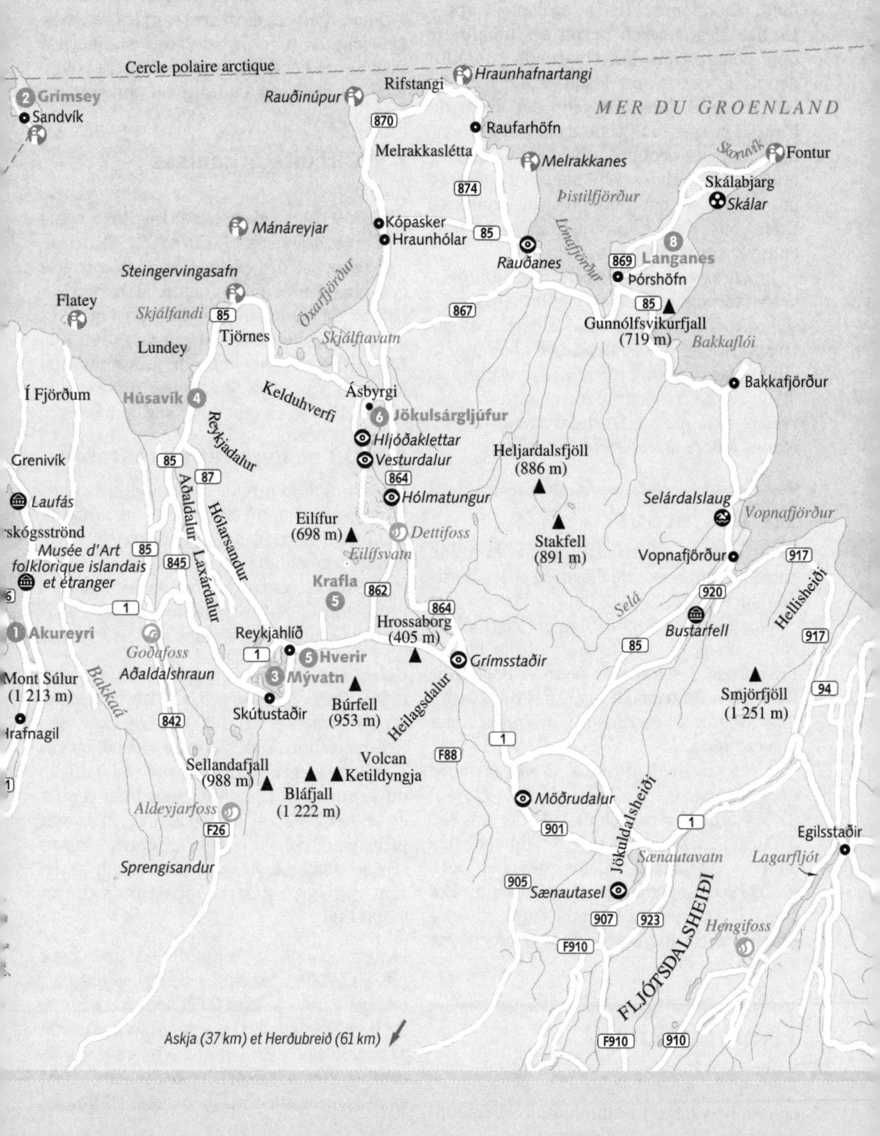

5 Une randonnée à travers le paysage couleur rouille de **Hverir** (p. 257) et les champs de lave de **Krafla** (p. 257)

6 Les cascades grondantes, les étranges formations rocheuses et le canyon de **Jökulsárgljúfur** (p. 264)

7 La **péninsule de Tröllaskagi** (p. 228), ses paysages époustouflants, ses montagnes escarpées et ses haltes agréables

8 Les falaises peuplées d'oiseaux de **Langanes** (p. 269), depuis la plate-forme d'observation

EST D'HÚNAFLÓI

Peu peuplée et émaillée d'une poignée de villages, la baie d'Húnaflói possède une faune abondante. Elle est également appelée baie des Ours en raison des nombreux ours polaires qui dérivent sur la banquise depuis le Groenland jusqu'ici. Le paysage est bien plus doux que celui des fjords de l'Ouest, et une multitude d'oiseaux nichent dans les basses collines sans arbres. Ajoutez quelques bourgades coquettes, des phoques, des centres d'équitation, plusieurs musées... Bref, vous n'aurez pas le temps de vous ennuyer sur le chemin d'Akureyri.

Procurez-vous la brochure *Húnaþing vestra* (en ligne sur www.visithunathing.is), qui contient des informations détaillées sur Hvammstangi et ses alentours, ainsi que le guide *Discover Rural Iceland* (www.farmholidays.is), qui répertorie les nombreux gîtes ruraux de la région. Le site www.northwest.is vous aidera à préparer votre séjour.

Hrútafjörður

L'entrée de ce petit fjord marque la limite entre le nord-ouest de l'Islande et les fjords de l'Ouest.

En suivant la Route 1 (Route circulaire), vous arrivez à **Staðarskáli** (jadis appelé Brú). Prisé des motards pour se dégourdir les jambes, Staðarskáli se résume à un carrefour avec une grande station-service N1 et une cafétéria.

À Reykir, un hameau à 13 km au nord de Staðarskáli, le **Sæberg HI Hostel** (☎894 5504 ; www.hostel.is ; dort/d sans sdb 3 700/9 200 ISK ; ⏲mars-oct ; wifi), une paisible auberge de jeunesse, offre des *hot pots*, des cottages et une vue panoramique. Les campeurs sont les bienvenus – apportez des provisions car le magasin le plus proche est à 15 km.

Hvammstangi

560 HABITANTS

À 6 km au nord de la Route circulaire, ce charmant village tranquille doit sa renommée à ses colonies de phoques.

À voir

Selasetur Íslands MUSÉE
(☎451 2345 ; www.selasetur.is ; Brekkugat ; adulte/enfant 950 ISK/gratuit ; ⏲9h-19h juin-août, horaires réduits sept-mai). La principale attraction du village est le centre du phoque islandais, sur le port, qui vous renseignera sur la protection des phoques, les anciens produits à base de phoque, et les contes folkloriques dont ces créatures sont les vedettes. Un comptoir d'information touristique y est installé ; le personnel vous indiquera volontiers les meilleurs endroits où observer ces mammifères.

Circuits organisés

Selasigling CIRCUITS EN BATEAU
(☎897 9900 ; www.sealwatching.is ; circuit 1 heure 45 adulte/enfant 7 900/3 900 ISK). Selasigling propose des excursions de découverte des phoques et de la nature à bord d'un bateau de pêche traditionnel en bois. Les circuits de 1 heure 45 partent du port à 10h, 13h et 16h tous les jours de juin à août (si le temps le permet). Possibilité de sorties de pêche et au soleil de minuit sur demande.

Où se loger et se restaurer

Le port est le centre de l'activité touristique. Lorsque vous serez sur place, un nouveau restaurant de poisson, le Sjávarborg (www.sjavarborg-restaurant.is), aura ouvert au-dessus du centre du phoque. Tenu par les propriétaires de l'excellent lodge Gauksmýri (p. 223), il mérite une visite.

Guesthouse Hanna Sigga PENSION €
(☎451 2407 ; www.simnet.is/gistihs ; Garðavegur 26 ; s/d sans sdb 8 900/13 500 ISK ; wifi). Excellent choix, cette pension accueillante et douillette se situe dans une rue résidentielle du centre. Les chambres sont bien tenues et une cuisine est à disposition, mais son principal atout est le petit-déjeuner maison (1 600 ISK), servi dans un endroit ravissant qui surplombe la mer. Option duvet 4 300 ISK.

Hvammstangi Cottages COTTAGES €
(☎860 7700 ; hvammstangichalets.webs.com ; cottages à partir de 15 000 ISK ; wifi). Ce groupe de 9 ravissants cottages se situe à côté du camping. Petits et entièrement équipés, ils comprennent chacun sdb, kitchenette et TV, et peuvent accueillir 5 personnes (3 lits, un canapé-lit).

Camping Kirkjuhvammur CAMPING €
(empl 1 000 ISK/pers ; ⏲mi-mai à mi-sept). Vaste et bien tenu, ce camping se tient sur la colline, près d'une vieille église pittoresque. Repérez l'embranchement à proximité de la piscine municipale.

HORS DES SENTIERS BATTUS

LA PÉNINSULE DE VATNSNES

S'avançant dans la baie d'Húnaflói, la courte péninsule de Vatnsnes, d'une austère beauté, est traversée tout du long par une crête de collines accidentées. La Route 711, cahoteuse et gravillonnée, serpente le long de la côte, et constitue un splendide détour à partir de la Route circulaire (82 km de la Route circulaire à Hvammstangi, puis le tour de la péninsule par la Route 711).

Du côté ouest de la presqu'île, la **ferme Illugastaðir** (empl 1 000 ISK/pers ; 20 juin-août) possède un camping sans fioritures, avec vue magnifique sur les sommets qui jalonnent la côte du Strandir dans les fjords de l'Ouest. De jolies promenades à travers des champs remplis d'oiseaux conduisent à un site où des phoques se dorent au soleil. Illugastaðir est fermé du 1er mai au 20 juin en raison de la couvaison des canards eiders.

Cette ferme fut le théâtre du crime sanctionné par la dernière exécution publique en Islande (1830) : Agnes Magnúsdóttir et Friðrik Sigurðsson, reconnus coupables du meurtre de deux hommes à Illugastaðir, furent décapités à Þrístapar, au sud de Blönduós. Leurs dépouilles reposent dans le cimetière de l'église de Tjörn, plus au nord de la péninsule. Cette histoire a donné lieu à un film et à un roman.

À 3 km après Illugastaðir (à quelque 25 km de Hvammstangi), l'excellent **Geitafell** (www.geitafell.is ; soupe de poisson 2 950 ISK ; 11h-22h juin-août), un restaurant aménagé dans une grange, est réputé pour sa soupe de poisson ; le *skyr* (sorte de yaourt) figure également sur la courte carte. Les propriétaires, Sigrún et Robert, habitent ici depuis longtemps et connaissent des histoires passionnantes. Le père de Robert était un pasteur écossais venu en Islande prêcher la bonne parole (et enseigner le football) ; Robert présente une petite exposition historique dans son "château écossais", non loin.

Sur la côte est de la péninsule, un chemin balisé conduit à **Hvítserkur**, un piton rocheux de 15 m qui surgit de la mer. Selon la légende, il s'agirait d'un troll surpris par le lever du soleil alors qu'il tentait de détruire le monastère de Þingeyrar.

Au sud de Hvítserkur (à 30 km au nord de la Route circulaire), une piste mène à un point d'observation des phoques. À l'intérieur des terres, l'**Ósar HI Hostel** (862 2778 ; www.hostel.is ; dort/d sans sdb 4 000/11 300 ISK ; mai-sept ;) est l'une des plus plaisantes auberges de jeunesse d'Islande grâce à Knútur, le sympathique propriétaire, ainsi qu'au beau panorama et à la faune sauvage alentour. Aménagée dans une ferme laitière en activité, elle dispose de chambres, de cottages, et d'une yourte mongole où le petit-déjeuner est servi ! Apportez des provisions car il n'y a pas de commerce à proximité. Remise de 700 ISK aux membres HI ; location de draps 1 500 ISK. L'Ósar abrite aussi des toilettes publiques et un bar (à la réception) qui sert bière, café et en-cas.

Hlaðan Kaffihús CAFÉ €
(Brekkugata 2 ; repas 1 500-2 700 ISK ; 9h-21h lun-sam, 10h-21h dim mi-mai à mi-sept ;). Sur le port, ce charmant café attire sa clientèle avec les habituels soupes, sandwichs et gâteaux.

Depuis/vers Hvammstangi

Les bus d'été Sterna (nos 60/60a) qui empruntent la Route circulaire (Route 1) entre Reykjavík et Akureyri ne desservent que le carrefour de Hvammstangi, à 6 km du village.

Le bus Strætó n°57, qui circule toute l'année entre Reykjavík et Akureyri, fait halte également au carrefour. Strætó offre un service depuis/vers le carrefour, qui assure la correspondance avec ces bus, mais il faut le réserver au moins 2 heures à l'avance (bus n°83 ; 350 ISK).

Strætó (540 2700 ; www.straeto.is) :

- Bus n°57 pour Reykjavík (4 550 ISK, 3 heures 30, 2/jour).
- Bus n°57 pour Akureyri (3 500 ISK, 2 heures, 2/jour).

De Hvammstangi à Blönduós

Le nord-ouest de l'Islande est le territoire du cheval, et les amoureux des chevaux seront au paradis au **Gauksmýri** (451 2927 ; www.gauksmyri.is ; d avec/sans sdb 21 600/14 800 ISK, petit-déj inclus ; @), un élevage réputé doublé d'un lodge sur la Route circulaire, à 3 km à l'est de l'embranchement vers Hvammstangi. Des promenades à cheval de 2 heures (10 000 ISK) ont lieu 4 fois par jour en été.

Le **restaurant** du Gauksmýri propose un dîner-buffet (5 200 ISK ; ouvert mi-mai à mi-septembre ; réservation recommandée) avec des viandes qui peuvent rebuter (baleine et poulain), mais aussi du saumon, de l'agneau et de la truite. Un buffet de soupes et de salades est proposé au déjeuner ; en-cas et café sont servis dans l'après-midi.

Les cavaliers expérimentés peuvent réserver auprès de **Brekkulækur** (451 2938 ; www.abbi-island.is), qui organise d'audacieuses randonnées de plusieurs jours très prisées (1 340-3 190 €, 8-15 jours). La ferme (avec pension) se situe à 9 km au sud de l'embranchement vers Hvammstangi, sur la Route 704.

En continuant vers l'est après le Gauksmýri, suivez la Route 715 vers le sud sur 6 km pour rejoindre les chutes de **Kolugljúfur**, un canyon enchanteur où vivait jadis un beau troll femelle.

À quelque 19 km avant Blönduós, un détour rapide de 6 km sur la Route 721 conduit à **Þingeyrar** (Thingeyrar ; adulte/enfant 600 ISK/gratuit ; 10h-17h), une superbe église en pierre au bord de la paisible lagune de Hóp. L'édifice actuel date des années 1860 ; 800 ans auparavant, le site accueillait le *þing* (assemblée) du district et un monastère bénédictin. Un petit musée est installé sur place (entrée libre).

Blönduós

810 HABITANTS

Blönduós, dotée de deux musées et d'une église moderne inhabituelle, n'offre guère d'intérêt. Si les hébergements n'ont rien d'attrayant, la bourgade constitue une étape correcte pour faire le plein d'essence.

La rivière Blanda traverse la localité. La station-service N1 est à l'entrée nord ; son bar-grill est l'endroit le plus animé du bourg.

À voir

Musée du Textile MUSÉE
(Heimilisiðnaðarsafnið ; www.textile.is ; Árbraut 29 ; adulte/enfant 900 ISK/gratuit ; 10h-17h juin-août). Aménagé dans un curieux bâtiment moderne sur la rive nord de la Blanda, ce petit musée renferme une collection d'artisanat local, dont des broderies élaborées et d'anciens costumes islandais.

Sea Ice Exhibition Centre MUSÉE
(Hafíssetrið ; www.blonduos.is/hafis ; Blöndubyggð 2 ; adulte/enfant 500 ISK/gratuit ; 11h-17h juin-août). Installé dans la demeure d'un marchand de 1733, ce centre présente des expositions modestes mais intéressantes sur la formation et les différents types d'icebergs, les tendances climatiques et les premiers colons islandais. Vous verrez aussi l'ourse polaire aperçue dans la région durant l'été 2008 ; elle a été abattue, comme ses rares congénères qui parviennent sur les rivages islandais.

Où se loger et se restaurer

Glaðheimar CAMPING, COTTAGES €
(820 1300 ; www.gladheimar.is ; empl 1 200 ISK/pers, cottages 21 000 ISK). Dans un joli cadre près de la rivière, ce camping comprend divers cottages indépendants qui peuvent accueillir jusqu'à 6 personnes ; les plus grands disposent d'un *hot tub* et quelques-uns s'agrémentent aussi d'un sauna. Location des draps en supplément ; option duvet à partir de 6 000 ISK. La réception fait office de **centre d'information touristique**.

Potturinn INTERNATIONAL €€
(www.pot.is ; Nordurlandsvegur 4 ; plats 1 500-4 000 ISK ; 11h-22h). Ce restaurant situé à côté de la station-service N1 propose une carte étonnamment variée. Il sert des soupes et des salades à toute heure, de bons burgers et pizzas, et des plats plus inattendus, comme du poulet tandoori.

Samkaup-Úrval SUPERMARCHÉ
(Húnabraut 4 ; 10h-19h lun-ven, 10h-18h sam, 13h-17h dim). Pour faire vos courses.

Depuis/vers Blönduós

Sterna (551 1166 ; www.sterna.is) :
- Bus n°60a pour Reykjavík (4 500 ISK, 3 heures 30, 1/jour lun-ven mi-juin à août).
- Bus n°60 pour Akureyri (2 700 ISK, 1 heure 45, 1/jour mi-juin à début sept).

Strætó (540 2700 ; www.straeto.is) :
- Bus n°57 pour Reykjavík (5 600 ISK, 4 heures, 2/jour).
- Bus n°57 pour Akureyri (2 450 ISK, 2 heures 15, 2/jour).

OUEST DU SKAGAFJÖRÐUR

Réputé pour ses élevages de chevaux et ses paysages sauvages, le Skagafjörður offre également des vestiges historiques et des activités riches en émotions. Le tourisme culinaire prenant de l'importance, un cachet rouge signale désormais les produits locaux sur les cartes de certains restaurants. Pour plus d'informations, consultez www.visitskagafjordur.is.

Varmahlíð

120 HABITANTS

Plus grand qu'un simple carrefour mais plus petit qu'une vraie ville, ce centre commerçant sur la Route circulaire est une bonne base pour pratiquer le rafting et l'équitation.

Circuits organisés

Outre d'excellentes pistes cavalières, les alentours de Varmahlíð recèlent les meilleurs sites de rafting du nord de l'Islande. Les sorties ont lieu de mai à septembre.

Les deux tour-opérateurs mentionnés proposent des descentes de la Vestari-Jökulsá (rivière glaciaire ouest ; rapides de niveau 2+) et de l'Austari-Jökulsá (rivière glaciaire est ; rapides de niveau 4+).

Les prix indiqués dans cette section datent de l'été 2014 ; consultez les sites Internet pour des tarifs actualisés.

Viking Rafting RAFTING

(823 8300 ; www.vikingrafting.com). Parmi les sorties proposées figurent une descente de 4 heures, parfaite pour les familles, sur la Vestari-Jökulsá (11 900 ISK ; enfant 6 ans minimum) ; une aventure plus sportive de 6 heures sur l'Austari-Jökulsá (21 990 ISK) ; et une expédition de 3 jours (109 990 ISK) qui part des hautes terres de Sprengisandur.

Le camp de base de l'agence se situe à Hafgrímsstaðir, à 15 km au sud de Varmahlíð sur la Route 752 (goudronnée). Des transferts peuvent être organisés à partir d'Akureyri pour les plus longues excursions.

Bakkaflöt RAFTING

(453 8245 ; www.bakkaflot.com). Au sud le long de la Route 752 (à 11 km de la Route circulaire), la ferme Bakkaflöt propose des descentes en rafting de 3 heures sur la Vestari-Jökulsá (10 900 ISK) et de 6 heures sur l'Austari-Jökulsá (18 900 ISK). Elle dispose aussi de bons hébergements.

Hestasport ÉQUITATION

(453 8383 ; www.riding.is). L'un des centres d'équitation les plus respectés du pays, avec un accueil agréable près de la Route circulaire sur la Route 752. Il offre des circuits de 1/2 heures le long de la Svartá (6 500/10 000 ISK), et des promenades d'une journée (19 000 ISK). Des sorties plus longues sont également organisées (réservez longtemps à l'avance), dont un périple de 8 jours dans les hautes terres (304 000 ISK).

Lýtingsstaðir ÉQUITATION

(453 8064 ; www.lythorse.com). Cette charmante ferme, à 20 km au sud de Varmahlíð sur la Route 752, propose un excellent programme de promenades d'une heure et de circuits de plusieurs jours (à partir de 170 500 ISK les 6 jours), ainsi qu'un forfait "Stop and Ride" qui comprend une nuit en cottage indépendant et 2 heures d'équitation (31 000 ISK pour 2 personnes, draps inclus).

Spectacles équestres

Les fermes équestres de la région offrent souvent des spectacles d'une heure, avec démonstration des cinq allures du cheval islandais et informations sur l'histoire de cette race. Ils sont habituellement organisés pour des groupes, mais les visiteurs indépendants peuvent y assister. Renseignez-vous à l'office du tourisme ou contactez directement les fermes.

Flugumýri (453 8814 ; www.flugumyri.is) propose souvent ces spectacles. Nous avons également aimé la soirée hebdomadaire "Horses & Heritage" de Lýtingsstaðir (voir ci-dessus), avec explications, histoires et en-cas (2 500 ISK).

Où se loger et se restaurer

La région compte de nombreux gîtes ruraux ; renseignez-vous au centre d'information. Si vous participez à un circuit de rafting ou d'équitation avec Bakkaflöt ou Lýtingsstaðir, sachez que ces deux tour-opérateurs possèdent d'excellents hébergements, ouverts à tous ; consultez leurs sites Internet.

Camping CAMPING €

(tjoldumiskagafirdi.is ; empl 1 100 ISK/pers ; mi-mai à mi-sept). Suivez les panneaux depuis l'hôtel pour trouver ce camping isolé.

Hestasport Cottages COTTAGES €€

(453 8383 ; www.riding.is/cottages ; cottages 2/4/6 pers 23 100/32 400/38 500 ISK ;). Perchés sur la colline au-dessus de Varmahlíð (suivez la route qui passe devant l'hôtel), ces 7 cottages en bois comportent des chambres confortables, un attrayant *hot pot* en pierre et bénéficient d'une belle vue ; certains peuvent accueillir jusqu'à 6 personnes.

Hótel Varmahlíð HÔTEL €€
(☎453 8170 ; www.hotelvarmahlid.is ; s/d petit-déj inclus 20 900/26 800 ISK ; @). Ce petit hôtel accueillant dispose de chambres récemment modernisées. Son excellent **restaurant** (plats 3 100-4 800 ISK ; 11h30-21h mi-mai à mi-septembre) est un bon endroit pour goûter des produits régionaux, dont l'agneau (provenant de la ferme du patron), la morue et le poulain, une spécialité locale ; il sert également des plats de brasserie plus simples.

KS Supermarket SUPERMARCHÉ
(9h-23h30 juin-août, horaires réduits sept-mai). Le supermarché qui avoisine la station-service N1 reste ouvert tard. Ne manquez pas la superbe boutique d'artisanat installée juste à côté.

Renseignements

Centre d'information touristique (☎455 6161 ; www.visitskagafjordur.is ; tlj toute l'année). Installé dans la station-service N1, ce centre efficace dispose de nombreuses brochures et cartes. Le personnel vous indiquera la route des chutes cachées de Reykjafoss.

Depuis/vers Varmahlíð

Tous les bus font halte à la station-service N1.

SBA-Norðurleið (☎550 0700 ; www.sba.is) :
- Bus n°610a pour Reykjavík via la piste de Kjölur (11 400 ISK, 9 heures, 1/jour mi-juin à mi-sept).

Sterna (☎551 1166 ; www.sterna.is) :
- Bus n°60a pour Reykjavík (5 300 ISK, 4 heures, 1/jour lun-ven mi-juin à août).
- Bus n°60 pour Akureyri (1 800 ISK, 1 heure, 1/jour mi-juin à début sept).
- Bus n°F35a pour Reykjavík via la piste de Kjölur (11 000 ISK, 12 heures, 1/jour mi-juin à début sept).

Strætó (☎540 2700 ; www.straeto.is) :
- Bus n°57 pour Reykjavík (5 950 ISK, 5 heures, 2/jour).
- Bus n°57 pour Akureyri (2 100 ISK, 1 heure 15, 2/jour).
- Bus n°57 pour Sauðárkrókur (700 ISK, 20 min, 2/jour).

Öxnadalur

Si vous n'avez pas le temps d'explorer le Skagafjörður ou la magnifique Tröllaskagi (péninsule du Troll), vous découvrirez des panoramas splendides dans l'Öxnadalur, une étroite vallée longue de 30 km sur la Route circulaire entre Varmahlíð et Akureyri. Des pics grandioses et des aiguilles rocheuses flanquent le col ; l'imposante flèche du **Hraundrangi** (1 075 m) et les sommets environnants de l'**Háafjall** comptent parmi les plus spectaculaires d'Islande.

Où se loger

Engimýri Guesthouse PENSION €€
(☎462 7518 ; www.engimyri.is ; d avec/sans sdb 18 900/15 900 ISK ; @). Cette pension bénéficie d'un emplacement privilégié au milieu de la splendeur de l'Öxnadalur, à quelque 35 km à l'ouest d'Akureyri. Elle possède un restaurant, un *hot pot*, et offre des chemins de randonnée et la possibilité de visiter la vallée en quad (17 400/29 000 ISK pour 1/2 heures ; circuits quotidiens à 14h).

Glaumbær

En suivant la Route 75 au nord de Varmahlíð vers le delta marécageux du Skagafjörður, vous rejoindrez le **musée de Glaumbær** (www.glaumbaer.is ; adulte/enfant 1 200 ISK/gratuit ; 9h-18h mi-mai à mi-sept), une ferme en tourbe du XVIIe siècle. Ce musée, le meilleur du genre dans le Nord, mérite largement le détour de 8 km depuis la Route circulaire.

La ferme islandaise traditionnelle en tourbe était composée de plusieurs petits bâtiments, reliés par un couloir central. Celle de Glaumbær, avec des pièces ornées de meubles et d'ustensiles d'époque, offre un fascinant aperçu des conditions de vie jadis.

À proximité se tiennent deux maisons du XIXe siècle ; l'une d'elles abrite l'**Áskaffi** (pâtisserie 390-950 ISK ; 9h-18h), un pittoresque salon de thé à l'atmosphère surannée. Une brochure explique l'histoire des délicieuses tartes, pâtisseries et crêpes islandaises.

Snorri Þorfinnsson, le premier Européen né en Amérique du Nord (en 1004), est inhumé près de l'**église** de Glaumbær.

Sauðárkrókur

2 570 HABITANTS

Sauðárkrókur borde la sinueuse Jókulsá à l'endroit où la rivière se jette dans le delta marécageux du Skagafjörður supérieur.

Cette jolie ville bénéficie d'une économie prospère grâce à la pêche, la tannerie et le commerce ; dotée d'une population

DRANGEY

Le petit îlot rocheux de Drangey, au milieu du Skagafjörður, est une masse de tuf volcanique au sommet plat, avec des falaises abruptes de 180 m qui surgissent de la mer. Les falaises servent de sites de nidification à des centaines de milliers d'oiseaux de mer (dont de nombreux macareux) et ont été utilisées au fil du temps comme une "épicerie naturelle". La *Saga de Grettir* raconte que Grettir et son frère Illugi vécurent sur l'île trois ans durant et y furent tués. Des fans de sagas intrépides (ou inconscients ?) viennent pour reproduire l'exploit de Grettir : franchir à la nage les 7 km entre Drangey et Reykir.

Drangeyjarferðir (☎ 821 0090 ; www.drangey.net ; circuit adulte/enfant 9 800/5 000 ISK) propose des excursions en bateau de 4 heures à Drangey ; elles partent de Reykir à 11h tous les jours de juin à mi-août ; réservez la veille par téléphone. Des sorties de pêche à la ligne sont aussi organisées.

dynamique, elle offre tous les services nécessaires ainsi que d'excellents hébergements et restaurants. Le musée fournit des informations touristiques.

À voir

Minjahúsið MUSÉE
(Aðalgata 16b ; adulte/enfant 900 ISK/gratuit ; ⏲12h-19h juin-août). La "maison du patrimoine" présente une collection excentrique, dont une série d'ateliers d'artisan restaurés, une Ford A de 1930 en parfait état et un ours polaire naturalisé, capturé à proximité en 2008.

Centre des visiteurs de la tannerie TANNERIE
(Gestastofa Sútarans ; www.sutarinn.is ; Borgamýri 5 ; ⏲9h-18h lun-ven, 11h-15h sam juin à mi-sept, 13h-16h mer et ven mi-sept à mai). Des visites de l'unique tannerie d'Islande (500 ISK) sont organisées en semaine à 10h et 14h. Sinon, vous pouvez venir à tout moment pour admirer (et acheter) les produits : magnifiques peaux de mouton, articles en cuir coloré et pièces uniques en galuchat (peau de poisson tannée).

Où se loger

MicroBar & Bed PENSION €
(☎ 467 3133 ; microbar2@outlook.com ; Aðalgata 19). Dans le nouveau MicroBar, installé dans la rue principale, la partie hébergement comprend 10 lits à prix doux dans 5 chambres au-dessus du bar ; ce n'est peut-être pas le meilleur choix pour ceux qui ont le sommeil léger, mais une aubaine pour les amateurs de bière. La pension était encore en travaux lors de notre passage ; consultez sa page Facebook pour des informations actualisées.

Camping CAMPING €
(tjoldumiskagafirdi.is ; empl 1 100 ISK/pers ; ⏲mi-mai à mi-sept). Le camping, à côté de la piscine, sans arbres et un peu aride, possède des équipements corrects.

♥ **Gamla Posthúsið** APPARTEMENTS €€
(☎ 892 3375 ; www.ausis.is ; Kirkjutorg 5 ; app à partir de 22 400 ISK ; wifi). Arrivée en 2010, Vicki, une Australienne, a restauré la vieille poste en face de l'église. Il en résulte 2 appartements d'une chambre où l'on se sent comme chez soi. Chacun s'agrémente d'une cuisine moderne, d'un panier garni de bienvenue, d'un grand espace et d'une décoration scandinave chic. En hiver, les prix baissant presque de moitié font de cette adresse une excellente affaire.

Guesthouse Mikligarður PENSION €€
(☎ 453 6880 ; www.arctichotels.is ; Kirkjutorg 3 ; s/d sans sdb petit-déj inclus 10 200/17 100 ISK ; wifi). Cette charmante pension accueillante, près de l'église, offre de confortables chambres modernes avec TV et joliment décorées (la plupart avec sdb commune). Une cuisine spacieuse et un salon TV sont à disposition.

Hótel Tindastóll HÔTEL €€€
(☎ 453 5002 ; www.arctichotels.is ; Lindargata 3 ; ch petit-déj inclus à partir de 27 900 ISK ; wifi). Selon la légende, Marlene Dietrich aurait séjourné dans cet hôtel de charme, qui date de 1884. Les chambres, toutes différemment décorées, mêlent meubles d'époque et style moderne. Un attrayant *hot pot* en pierre est installé à l'extérieur et un bar cosy occupe le sous-sol. Une annexe abrite des chambres modernes, plus banales.

Où se restaurer et prendre un verre

Ólafshús ISLANDAIS €€
(www.olafshus.is ; Aðalgata 15 ; déj 1 590-1 890 ISK, plats dîner 1 500-5 000 ISK ; 11h-22h30 ;). Peint en bleu vif, ce bon restaurant, ouvert toute l'année, propose du poulain poêlé, des queues de langoustine ainsi que des pizzas et des pâtes. L'accent est mis sur les produits de la région, une excellente excuse pour goûter la Gæðingur, la bière de la microbrasserie locale.

Kaffi Krókur ISLANDAIS €€
(www.kafflSKokur.is ; Aðalgata 16 ; plats 1 490-2 990 ISK ; 11h30-23h dim-mer, 11h30-1h jeu, 11h30-3h ven-sam juin-août ;). Ce café à la discrète façade beige offre une carte consensuelle. Il est réputé pour ses sandwichs aux langoustines et crevettes, ses crêpes farcies et son gâteau tiède à la rhubarbe. En hiver, il fait office de pub (avec musique live), ouvert seulement les jeudi, vendredi et samedi soir.

Skagfirðingabúð SUPERMARCHÉ
(Ástorg ; 9h-19h lun-ven, 10h-16h sam). Au sud de la ville, près de la station-service N1.

MicroBar & Bed BAR
(467 3133 ; Aðalgata 19). De belles illustrations graphiques de sommets montagneux et des canapés vintage composent le décor de cette excellente nouvelle adresse, dans l'artère principale de Sauðárkrókur. Tenu par l'équipe qui possède le Micro Bar prisé de Reykjavík, ce bar convivial sert des bières locales à la pression, et quantité d'autres en bouteille. La Gæðingur est la meilleure bière locale : Indian Pale Ale, bière de blé ou brune. *Skál !*

Depuis/vers Sauðárkrókur

L'arrêt de bus se trouve à la station-service N1, au sud du centre.

Strætó (540 2700 ; www.straeto.is) :

- Bus n°57 pour Reykjavík (5 950 ISK, 4 heures 30, 2/jour).
- Bus n°57 pour Akureyri (2 100 ISK, 1 heure 30, 2/jour).
- Bus n°57 pour Varmahlíð (700 ISK, 20 min, 2/jour).
- Bus n°85 pour Hólar et Hofsós (700 ISK pour chaque destination, 2/jour mer, ven et dim). Ces services ne fonctionnent que sur réservation. Appelez Strætó au moins 2 heures avant le départ.

Environs de Sauðárkrókur

Au nord de Sauðárkrókur, la côte ouest du Skagafjörður est un endroit étonnamment silencieux, couronné de belles montagnes. Gardant l'embouchure du Skagafjörður, les îles désertes de Drangey et Málmey constituent des havres paisibles pour les oiseaux de mer.

Le **Tindastóll** (989 m), un point de repère du Skagafjörður, s'étend le long de la côte sur 18 km. La montagne et ses grottes seraient peuplées de monstres marins, de trolls et de géants. Le sommet du Tindastóll offre une vue spectaculaire sur le Skagafjörður. Pour le rejoindre, suivez le chemin balisé qui part de la butte au bord de la Route 745, à l'ouest de la montagne (c'est une randonnée ardue). On y fait du ski en hiver.

À l'extrémité nord du Tindastóll se trouve un secteur géothermique, **Reykir**, mentionné dans la *Saga de Grettir*. Grettir serait arrivé à la nage de l'île de Drangey et se serait délassé dans une source. Aujourd'hui, **Grettislaug** (bain de Grettir ; 821 0090 ; www.drangey.net ; adulte/enfant 750/350 ISK ; matin-24h) est un lieu de baignade populaire, flanqué d'un second *hot pot*.

À proximité immédiate de Grettislaug se tiennent un petit café, un **camping** (empl 1 000 ISK/pers) bien équipé et une **pension** (7 500 ISK/pers) qui loue des lits sans draps pour 4 800 ISK. De là partent les bateaux pour Drangey, et le secteur offre de belles randonnées.

La route gravillonnée de 15 km entre Sauðárkrókur et Grettislaug est mauvaise et glissante.

PÉNINSULE DE TRÖLLASKAGI

La Tröllaskagi (péninsule des Trolls) est un massif montagneux qui s'étend entre le Skagafjörður et l'Eyjafjörður. Ses monts escarpés, ses vallées profondes et ses rivières turbulentes évoquent davantage les fjords de l'Ouest que les collines vallonnées qui couvrent la majeure partie du Nord. Bonne nouvelle pour les amateurs de routes spectaculaires : des tunnels relient désormais les villes de Siglufjörður et Olafsfjörður dans le nord de la péninsule, jadis des culs-de-sac peu visités par les touristes.

Le trajet de 95 km le long de la Route circulaire entre Varmahlíð et Akureyri est splendide. Toutefois, si vous avez du temps et que vous aimez sortir des sentiers battus, l'itinéraire de 186 km qui suit la côte de Tröllaskagi entre ces deux villes (Routes 76 et 82) offre un paysage magique et de nombreux endroits à explorer.

Hólar í Hjaltadalur

Avec son église imposante dominée par les montagnes, la petite **Hólar** (www.holar.is) constitue un intéressant détour historique. L'évêché d'Hólar fut la capitale œcuménique et le centre d'enseignement du nord de l'Islande de 1106 à la Réforme. Elle demeura un centre religieux et le siège des évêques du Nord jusqu'en 1798, date à laquelle l'évêché fut supprimé.

Hólar devint ensuite un presbytère (paroisse anglicane) jusqu'en 1861, avant que celui-ci ne soit transféré à Viðvík à l'ouest. L'actuel collège agricole, le Hólar University College, fut fondé en 1882 ; il est spécialisé dans la science équine, l'aquaculture et le tourisme rural. En 1952, le presbytère revint à Hólar.

À voir

Une brochure décrit un itinéraire historique (disponible au comptoir d'information de l'hébergement du village) qui fait découvrir quelques édifices d'Hólar. **Nýibær**, une ferme en tourbe du milieu du XIXe siècle, fut habitée jusqu'en 1945. **Auðunarstofa**, une copie de l'évêché du XIVe siècle construite avec des outils et des méthodes traditionnels, mérite aussi une visite.

Cathédrale ÉGLISE

(⌚10h-18h juin à mi-sept). Achevée en 1763, cette cathédrale en grès rouge est la plus vieille église en pierre d'Islande. Elle contient de nombreuses œuvres d'art anciennes, dont des fonts baptismaux de 1674 sculptés dans un bloc de stéatite qui dériva du Groenland sur un morceau de banquise.

L'extraordinaire autel sculpté fut offert par le dernier évêque catholique d'Hólar, Jón Arason, vers 1520. Après que ce dernier et ses fils eurent été exécutés à Skálholt pour s'être opposés à la Réforme danoise, la dépouille de l'évêque fut transférée à Hólar et enterrée dans le clocher. L'actuel clocher a été construit en 1950 comme mémorial.

Centre historique du cheval islandais MUSÉE

(www.sogusetur.is ; adulte/enfant 900/450 ISK ; ⌚10h-18h mar-ven, 13h-17h sam juin-août). Abrite une exposition très complète sur cette race unique et son rôle dans l'histoire du pays. Le billet d'entrée donne accès à une visite guidée. Le centre est installé dans une ancienne écurie au cœur d'Hólar.

Où se loger et se restaurer

Hólar Tourism Service PENSION, COTTAGES €€

(☎455 6333 ; www.holar.is ; d avec/sans sdb 19 800/16 700 ISK, app d 21 300 ISK ; @🛜🏊). L'internat du collège loue en été les chambres et appartements d'étudiants vacants. Dans le campus, des cottages en bois disponibles toute l'année peuvent accueillir jusqu'à 6 personnes. Un restaurant et une piscine sont à disposition, ainsi qu'un camping à proximité.

Hofsós

180 HABITANTS

Somnolent village de pêcheurs, Hofsós a été un centre de négoce à partir des années 1500. Sa fameuse piscine conçue par un designer le place désormais sur les itinéraires touristiques.

À voir et à faire

Centre de l'émigration islandaise MUSÉE

(Vesturfarasetrið ; ☎453 7935 ; www.hofsos.is ; adulte 700-1 500 ISK, enfant gratuit ; ⌚11h-18h juin-août). Dans le port, plusieurs bâtiments restaurés ont été transformés en un musée qui explique les causes de l'émigration islandaise en Amérique du Nord, les espoirs des migrants pour une vie nouvelle et la réalité des conditions lors de leur arrivée. De 1870 à 1914, 16 000 émigrants ont quitté ce petit pays, réduisant sa population à seulement 88 000 habitants.

L'exposition principale, "Nouvelle terre, nouvelle vie", décrit la vie d'émigrants à travers des photos, des lettres et des objets.

Le centre offre une passionnante leçon d'histoire, même si vous n'êtes pas d'origine islandaise, et constitue une bonne base si vous recherchez vos racines. Le prix de l'entrée dépend du nombre d'expositions que l'on souhaite voir.

♥ **Sundlaugin á Hofsós** PISCINE

(adulte/enfant 550/220 ISK ; ⌚9h-21h juin-août, 7h-13h et 17h-20h lun-ven, 11h-15h sam-dim

MERVEILLES HIVERNALES

Le nombre de visiteurs en Islande a grimpé en flèche ces dernières années. Malgré cette récente popularité, il reste possible d'apprécier la beauté naturelle du pays sans la foule : il suffit de venir en hiver. Pour les aurores boréales, bien sûr, mais pas seulement. Ne croyez pas devoir vous contenter de Reykjavík et ses environs. Des vols intérieurs desservent Akureyri toute l'année, et un nombre croissant d'activités et de tour-opérateurs dans le nord du pays aident à profiter des montagnes enneigées.

Akureyri, Tröllaskagi et Mývatn sont de parfaites destinations hivernales : Akureyri offre des festivals d'hiver et un accès facile à Hlíðarfjall (p. 239), le plus grand domaine skiable du pays. Tröllaskagi compte de plus petits domaines skiables (à Dalvík, Ólafsfjörður et Siglufjörður), ainsi que d'excellents tour-opérateurs de ski héliporté. À Mývatn, les activités comprennent randonnées en raquettes, ski de fond et circuits en motoneige sur le lac gelé. Un conseil : venez à partir de février, quand les jours rallongent (mais ne sous-estimez pas la période festive de Noël et du Nouvel An).

Si vous n'avez pas l'expérience de la conduite sur neige ou sur glace, mieux vaut vous en remettre aux professionnels, qui connaissent le terrain et disposent de Super-Jeep. Vous pouvez vous fier à des tour-opérateurs comme Saga Travel (p. 249), basé à Akureyri. Consultez aussi les sites Internet de compagnies comme Bergmenn Mountain Guides (p. 234), Hike & Bike (p. 250) et Sel-Hótel (p. 255) à Mývatn.

sept-mai). La splendide piscine municipale en plein air (avec *hot pot* adjacent) a fait connaître Hofsós dans tout le pays. Ouverte en 2010 grâce aux donations de deux villageoises, sa conception en bord de fjord, son intégration au paysage et une vue quasi illimitée frisent la perfection.

Circuits organisés

Haf og Land CIRCUITS EN BATEAU
(849 2409 ; www.hafogland.is ; circuits adulte/enfant 7 500/3 500 ISK). Récemment établi, ce tour-opérateur organise des sorties en bateau à partir du petit port (à côté du musée) pour découvrir le paysage et l'avifaune de l'îlot de Málmey, ainsi que le curieux promontoire Þórðarhöfði, rattaché au continent par une fine langue de terre. Les circuits partent généralement à 9h30 et 17h ; réservation indispensable.

Où se loger et se restaurer

Le centre de l'émigration islandaise peut vous aider à obtenir un lit avec option duvet (4 900 ISK) dans le cottage Prestbakki.

Sunnuberg PENSION €€
(893 0220, 861 3474 ; gisting@hofsos.is ; Suðurbraut 8 ; s/d 10 000/14 500 ISK). Cette pension accueillante dispose de chambres cosy avec sdb, mais ne possède pas de cuisine. Elle est située à 200 m après la piscine, en face de l'épicerie et pompe à essence.

Sólvík ISLANDAIS €€
(plats 980-3 300 ISK ; 10h-21h juin-août). Sur le petit port parmi les édifices du musée, ce charmant restaurant campagnard propose une courte carte de plats locaux classiques (morue, agneau, burgers).

D'Hofsós à Siglufjörður

Le **Lónkot** (453 7432 ; www.lonkot.com ; d avec/sans sdb 25 900/20 900 ISK, petit-déj inclus ; juin-août ;) est une halte gastronomique le long de la côte accidentée et balayée par les vents, à 13 km au nord d'Hofsós. La propriétaire, Pálína, le qualifie de "complexe hôtelier bucolique", et réalise des merveilles en cuisine, privilégiant les produits locaux et les cuissons lentes (restaurant 12h-21h30 ; plats dîner 3 950-5 000 ISK). Le Lónkot offre aussi un hébergement de charme (dont de grandes suites familiales) avec vue splendide sur la mer et superbe *hot pot* couvert.

Dans une belle vallée à mi-chemin entre le Lónkot (24 km) et Siglufjörður (25 km), **Bjarnagil** (467 1030 ; www.bjarnargil.is/en ; ch sans sdb petit-déj inclus 7 500 ISK/pers ; juin à mi-sept) est un gîte rural douillet tenu par Sibba et Trausti, un couple accueillant qui connaît parfaitement la région. Repas et visites guidées des alentours sont organisés sur demande ; un lit avec option duvet revient à 5 000 ISK.

Juste au nord de Bjarnagil, **Brúnastaðir** (467 1020 ; bruna@simnet.is ; à partir de 22 000 ISK) loue un nouveau cottage tout équipé de 3 chambres, qui peut accueillir 11 personnes (draps en supplément). À la vue fabuleuse s'ajoutent un jardin fleuri et de nombreux animaux, à la grande joie des enfants. Location d'un petit bateau et de kayaks.

Siglufjörður

1 190 HABITANTS

Sigló (surnommée ainsi par les habitants) se tient au pied d'une pente escarpée qui surplombe un fjord splendide. À son apogée, la bourgade abritait 10 000 travailleurs et des bateaux de pêche se pressaient dans le port pour décharger leurs prises que les femmes vidaient et salaient.

Après la disparition du hareng sur la côte nord islandaise à la fin des années 1960, Siglufjörður a décliné et ne s'est jamais rétablie complètement.

De nouveaux tunnels la relient à Olafsfjörður et d'autres destinations plus au sud. Les voyageurs s'intéressent aussi à Sigló, séduits par ses possibilités de randonnée, sa marina et ses excellentes distractions. Rejoindre la ville (dans un sens ou dans l'autre) est un trajet époustouflant.

À voir

Musée de l'Ère du hareng MUSÉE

(Síldarminjasafnið ; www.sild.is ; Snorragata 10 ; adulte/enfant 1 400 ISK/gratuit ; 10h-18h juin-août, 13h-17h mai et sept, sur rdv oct-avr). Peaufiné pendant plus de 16 ans, ce musée primé retrace brillamment l'âge d'or de Siglufjörður entre 1903 et 1968, quand la ville était la capitale islandaise de la pêche au hareng. Installé dans trois édifices qui faisaient partie d'une station norvégienne de pêche au hareng, le musée décrit le travail et la vie des habitants.

Commencez par le bâtiment rouge sur la gauche, où des photos, des expositions et un film anglais des années 1930 montrent la pêche et le salage ; à l'étage, le dortoir donne l'impression que les travailleurs viennent de le quitter. À côté a été recréée une usine de traitement, où les harengs étaient transformés en huile (une denrée précieuse) et en farine (utilisée comme engrais). Le troisième bâtiment reconstitue la vie du port, avec des chalutiers et les équipements de l'âge d'or.

Centre de musique folklorique islandaise MUSÉE

(www.siglo.is/setur ; Norðurgata 1 ; adulte/enfant 800 ISK/gratuit ; 12h-18h juin-août). Les amateurs de musique traditionnelle seront intéressés par ce joli petit musée qui présente des instruments du XIXe siècle et propose des enregistrements de chansons et mélopées islandaises. Entrée gratuite avec le billet du musée de l'Ère du hareng.

Activités

Siglufjörður constitue une excellente base de **randonnée**, avec plusieurs itinéraires intéressants aux alentours. Quelque 19 km de chemins balisés longent la barrière d'avalanche au-dessus de la ville et comportent plusieurs points d'accès. Un panneau d'information à la sortie nord de Siglufjörður, à côté d'un parking, recense ces pare-avalanches.

Une autre randonnée prisée franchit les cols d'Hólsskarð et Hestsskarð pour rejoindre le superbe **Héðinsfjörður**, le fjord voisin et inhabité, à l'est. C'est là que débouchent les tunnels qui relient Siglufjörður à Olafsfjörður.

En hiver, des remontées mécaniques fonctionnent dans les domaines skiables agrandis et améliorés de **Skarðsdalur** (878 3399 ; www.skardsdalur.is), au-dessus de l'extrémité du fjord. Un nombre croissant de tour-opérateurs de ski héliporté travaillent à Tröllaskagi tout l'hiver ; contactez **Viking Heliskiing** (846 1674 ; www.vikingheliskiing.com) pour vous renseigner.

En été, optez pour une partie de **golf** dans un cadre splendide sur le green de 9 trous nouvellement conçu.

Fêtes et festivals

Festival de musique folklorique MUSIQUE

(www.siglo.is/setur). Les fans de musique folklorique apprécieront ce festival de 5 jours, organisé début juillet.

Fête du Hareng CULTURE

La plus grande fête de Siglufjörður se déroule au cours d'un week-end férié début août. Elle redonne à la ville l'ambiance de son âge d'or. De nombreux événements animent la semaine qui précède : chants, danses et festins de poisson.

Où se loger

Siglufjörður HI Hostel AUBERGE DE JEUNESSE €

(Gistihhúsið Hvanneyri ; 467 1506 ; www.hvanneyri.com ; Aðalgata 10 ; dort/d sans sdb 4 100/11 200 ISK ;). Des chérubins ébréchés et des dorures fanées composent le décor de cet hôtel excentrique de 1930, dont les imposantes proportions évoquent des temps plus prospères. Il comprend 19 chambres aux aménagements kitsch, deux salons TV, une vaste salle à manger et une cuisine commune. Remise de 700 ISK pour les membres HI ; location de draps 1 500 ISK.

Camping CAMPING €
(empl 800 ISK/pers ; ⏲juin-août). Curieusement situé au milieu de la ville près du port, il comprend un petit bloc sanitaire et une laverie. Un second terrain herbeux se situe en dehors de la ville – suivez Suðurgata (ou empruntez Norðurtún, indiquée près de Sorragata).

♥ **Herring Guesthouse** PENSION €€
(☎868 4200 ; www.theherringhouse.com ; Hávegur 5 ; s/d sans sdb 11 900/15 900 ISK, app 4 pers 39 900 ISK ; 📶). Þorir (l'ancien maire) et Erla, des hôtes charmants et bien informés, offrent un service personnalisé dans leur pension stylée avec vue, qui compte désormais une annexe (Hlíðarvegur 1, derrière l'église). La maison principale comprend une cuisine commune et un délicieux petit-déjeuner est proposé (1 750 ISK). Les familles apprécieront l'appartement avec 2 chambres.

♥ **Siglunes Guesthouse** PENSION €€
(☎467 1222 ; www.hotelsiglunes.is ; Lækjargata 10 ; d avec/sans sdb 21 900/15 900 ISK, petit-déj inclus ; 📶). Cette pension séduit par sa personnalité et son ambiance détendue, mariant meubles rétro et art contemporain. Les chambres sont attrayantes, le petit-déjeuner (inclus dans les prix d'été) est servi dans une grande salle, et un bar cosy pratique un *happy hour* de 17h à 19h. Des sdb ultramodernes sont installées dans l'aile de style hôtel.

Hótel Sígló HÔTEL €€€
(☎467 1550 ; www.siglohotel.is). Le "patron" de la ville, un natif de Siglufjörður qui a fait fortune aux États-Unis, est derrière la réhabilitation de la marina. Il construit un hôtel haut de gamme de 68 chambres dans le port (avec restaurant et bar), qui devrait avoir ouvert quand vous lirez ces lignes. Consultez le site Internet.

Où se restaurer

Aðalgata, la rue en face du supermarché, abrite une boulangerie-pizzeria fréquentée. À l'heure des repas, la marina colorée attire la clientèle avec ses anciens entrepôts transformés en restaurants.

♥ **Hannes Boy** ISLANDAIS €€
(☎461 7730 ; www.raudka.is ; plats 3 290-5 990 ISK ; ⏲12h-14h et 18h-22h juin-août, horaires réduits sept-mai). Peint en jaune vif, ce restaurant stylé et lumineux est meublé de sièges originaux, fabriqués avec de vieux barils de harengs. La carte haut de gamme privilégie naturellement le poisson, avec une soupe de langoustines et les prises du jour. Réservation recommandée.

Kaffi Rauðka ISLANDAIS €€
(www.raudka.is ; plats 890-2 990 ISK ; ⏲11h-22h juin-août, horaires réduits sept-mai ; 📶). Pendant rouge rubis du Hannes Boy voisin, le Rauðka se distingue par une ambiance plus informelle et propose toute la journée une carte de sandwichs, salades et plats roboratifs comme des côtelettes grillées, ainsi qu'une soupe/un repas du jour en semaine d'un bon rapport qualité/prix (1 190/1 590 ISK). Musique live souvent le week-end.

Samkaup-Úrval SUPERMARCHÉ
(Aðalgata ; ⏲10h-19h lun-ven, 11h-19h sam, 13h-17h dim). Bien approvisionné pour faire ses courses. DAB à l'intérieur.

Vínbúðin VINS ET SPIRITUEUX
(Eyrargata 25 ; ⏲14h-18h lun-jeu, 13h-19h ven, 11h-14h sam juin-août, fermé sam sept-mai). Chaîne gouvernementale de vins et spiritueux.

Renseignements

La ville dispose de services tels qu'une banque, une pharmacie, une poste, etc. Le musée du Hareng offre quelques informations touristiques, ainsi que le **comptoir d'information** (⏲13h-17h lun-ven, 11h-15h sam-dim juin-août) du Ráðhús (hôtel de ville) dans Gránugata.

Le site www.fjallabyggd.is (Fjallabyggð est la municipalité qui couvre Siglufjörður et Ólafsfjörður) fournit peu d'informations ; pour les compléter, consultez www.trollaskagi.com.

Depuis/vers Siglufjörður

BUS

Strætó (☎540 2700 ; www.straeto.is) :
- Bus n°78 pour Ólafsfjörður (700 ISK, 15 min, 3/jour lun-ven, 1/jour dim).
- Bus n°78 pour Akureyri (2 100 ISK, 1 heure 10, 3/jour lun-ven, 1/jour dim). Via Dalvík.

VOITURE

Avant l'ouverture des tunnels en 2010, Siglufjörður et Ólafsfjörður étaient reliées par une route de montagne de 62 km via Lagheiði (ancienne Route 82). Cette route n'était accessible qu'en été ; en hiver, les deux villes étaient à 234 km l'une de l'autre. Grâce aux tunnels, la distance s'est réduite à 16 km.

En direction de l'est, un tunnel de 4 km débouche dans le superbe Héðinsfjörður, puis un second de 7 km conduit à Ólafsfjörður.

Ólafsfjörður

785 HABITANTS

Nichée entre deux versants escarpés et les eaux sombres du fjord, cette ville de pêcheurs semble toujours isolée malgré les tunnels qui la relient désormais à Siglufjörður, au nord.

D'Akureyri, vous devez traverser un étroit tunnel de 3 km pour entrer dans la ville.

À voir et à faire

Ólafsfjörður bénéficie d'un bon enneigement en hiver, quand les **pistes de ski** qui surplombent la ville sont ouvertes. La bourgade compte aussi une belle **piscine** et un **golf** (9 trous). Le Brimnes Hotel loue des bateaux et des kayaks ; consultez son site Internet pour une description des activités dans la région.

Náttúrugripasafnið MUSÉE
(Aðalgata 14 ; adulte/enfant 600 ISK/gratuit ; 10h-14h mar-dim juin-août). Ce petit musée consacré aux oiseaux constitue la seule curiosité d'Ólafsfjörður.

Où se loger et se restaurer

À l'heure du repas, il peut être judicieux de rejoindre Siglufjöður.

Camping CAMPING €
(800 ISK/pers). Toilettes, eau et électricité à disposition ; les campeurs utilisent les douches de la piscine voisine.

Gistihús Jóa PENSION €€
(Pension de Joe ; 847 4331 ; joesguesthouse.is ; Strandgata 2 ; d sans sdb petit-déj inclus 14 000-16 000 ISK ;). Cette ravissante pension occupe une ancienne poste restaurée à côté du supermarché. Elle comprend 6 chambres compactes avec lavabo, sol original et décor moderne couleur chocolat, un charmant café et un centre d'information au rez-de-chaussée (où le petit-déjeuner est servi).

Brimnes Hotel & Bungalows HÔTEL, BUNGALOWS €€
(466 2400 ; www.brimnes.is ; Bylgjubyggð 2 ; s/d petit-déj inclus 13 400/19 000 ISK, bungalows à partir de 27 000 ISK ;). Les fabuleux bungalows en rondins au bord du lac (de tailles diverses et pouvant accueillir jusqu'à 7 personnes), avec *hot tub* (Jacuzzi) dans la véranda et vue sur l'eau, constituent l'atout majeur du plus bel hébergement de la ville. Compte également 11 chambres pimpantes avec sdb récemment rénovées, et un restaurant correct (plats 1 450-3 800 ISK) qui sert les plats habituels (soupes, poisson, burgers).

Kaffi Klara CAFÉ €
(www.kaffiklara.is ; Strandgata 2 ; déj 900-1 400 ISK ; 11h-19h juin-août, horaires restreints sept-mai). Cet adorable café fournit de nombreux renseignements sur la région et propose une sélection de soupes, sandwichs et gâteaux. Les livres et les jeux de plateau permettent de passer le temps les jours de pluie. Installé dans l'ancienne poste, il a conservé les vieilles cabines téléphoniques.

Samkaup-Úrval SUPERMARCHÉ
(Aðalgata ; 9h-19h lun-ven, 11h-18h sam, 13h-17h dim). Pour faire ses courses.

Depuis/vers Ólafsfjörður

Strætó (540 2700 ; www.straeto.is) :
- Bus n°78 pour Siglufjörður (700 ISK, 15 min, 3/jour lun-ven, 1/jour dim).
- Bus n°78 pour Akureyri (1 750 ISK, 55 min, 3/jour lun-ven, 1/jour dim). Via Dalvík.

Dalvík

1 365 HABITANTS

Bourgade somnolente, Dalvík se niche dans un endroit pittoresque entre l'Eyjafjörður venteux et les collines de Svarfaðardalur. La plupart des touristes y viennent pour prendre le ferry de Grímsey mais, si vous avez du temps, de nombreuses raisons invitent à s'attarder : d'excellentes activités dans le secteur, d'intéressants musées et de superbes hébergements.

Un **point d'information touristique** (846 4908 ; www.dalvikurbyggd.is ; Goðabraut ; 10h-18h lun-ven, 13h-17h sam) utile est installé dans le Menningarhúsið Berg, le centre culturel moderne qui abrite la bibliothèque et un café. Le personnel vous renseignera sur les activités dans la région, dont l'équitation, le ski, le golf, le canoë, les randonnées guidées et l'observation des oiseaux.

À voir et à faire

Byggðasafnið Hvoll MUSÉE
(www.dalvik.is/byggdasafn ; Karlsbraut ; adulte/enfant 700 ISK/gratuit ; 11h-18h juin-août).

L'intéressant musée folklorique de Dalvík mérite la palme de l'insolite. Négligez les habituels animaux empaillés (un énième ours polaire) pour visiter les salles consacrées à l'histoire poignante de Jóhan Pétursson, un géant local de 2,34 m qui fut le plus grand homme d'Islande.

Birdland Exhibition MUSÉE
(www.birdland.is ; adulte/enfant 800/400 ISK ; 12h-17h juin-août ;). À 5 km de la ville sur la Route 805, ce musée présente des expositions interactives et créatives sur l'avifaune, qui intéressent beaucoup les enfants. Il jouxte une réserve marécageuse prisée pour l'observation des oiseaux. À proximité, Husabakki (www.husabakki.is) offre un camping, une auberge réputée, un restaurant et des activités.

Circuits organisés

Arctic Sea Tours OBSERVATION DES BALEINES
(771 7600 ; www.arcticseatours.is ; circuit 3 heures adulte/enfant 9 000/4 500 ISK ; toute l'année). Ce tour-opérateur professionnel propose des circuits de 3 heures plusieurs fois par jour en été (et même en hiver !). Ils comprennent une courte séance de pêche à la ligne, et vos prises sont grillées au barbecue dès le retour du bateau.

Autres possibilités : safari de 6 heures pour observer les baleines bleues (mi-mai à juin), croisière au soleil de minuit (départs à 23h juin à mi-juillet), ou sorties de pêche à la ligne en mer. Transferts possibles à partir d'Akureyri (2 000 ISK).

Bergmenn Mountain Guides CIRCUITS AVENTURE
(698 9870 ; www.bergmenn.com). Installée en dehors de Dalvík, cette compagnie réputée se spécialise dans le ski de fond, le ski alpin, l'escalade glaciaire ou alpine et d'autres activités liées à la montagne. Le nom du propriétaire, Jökull Bergmann, signifie "montagnard des glaciers" - sans doute l'origine de sa vocation... La compagnie gère aussi Arctic Heli Skiing (www.articheliskiing.com).

Où se loger et se restaurer

Dalvík HI Hostel AUBERGE DE JEUNESSE €
(Vegamót ; 865 8391, 466 1060 ; www.vegamot.net ; Hafnarbraut 4 ; dort/d sans sdb 4 500/11 100 ISK ;). L'une des meilleures auberges de jeunesse d'Islande au regard des prix et certainement la plus jolie, elle ressemble à une pension de charme. Heiða, l'aimable propriétaire, a créé un cadre original d'inspiration rétro. L'auberge de 7 chambres se situe dans le centre-ville, dans un bâtiment blanc appelé Gimli.

Les propriétaires possèdent d'autres hébergements, dont 3 bungalows en bois (14 700 ISK) à côté de leur maison et de la piscine, ainsi que le Gamli Bærinn (la "Vieille Ferme"), un cottage romantique indépendant (21 800 ISK).

Les membres HI bénéficient d'une remise de 700 ISK à l'auberge ; les tarifs s'entendent généralement sans les draps, qui peuvent se louer pour 1 500 ISK par personne. L'excellent petit-déjeuner (1 400 ISK) est servi non loin dans le café des propriétaires, le Kaffihús Bakkabræðra.

Camping CAMPING €
(camping-car/tente 2 100/1 600 ISK). Un grand camping à côté de la piscine municipale.

Kaffihús Bakkabræðra ISLANDAIS €
(Grundargata 1 ; soupe et buffet salades 1 790 ISK ; 8h-23h lun-ven, 10h-23h sam-dim). Indiqué "Gísli Eiríkur Helgi", du nom des trois frères d'un conte folklorique, ce café lambrissé, rempli d'un bric-à-brac vintage et de porcelaines dépareillées, déborde de charme (il appartient aux propriétaires de l'auberge de jeunesse). Il sert une délicieuse soupe de poisson et des gaufres aux confitures maison.

Prisé des habitants (à juste titre), il comprend un coin bar et un petit théâtre à l'arrière.

Samkaup-Úrval SUPERMARCHÉ
(10h-19h lun-ven, 10h-18h sam, 13h-17h dim). Supermarché central, à côté de la station-service N1.

Depuis/vers Dalvík

Dalvík est le point de départ des ferries pour Grímsey (p. 242).

Strætó (540 2700 ; www.straeto.is) :
- Bus n°78 pour Siglufjörður (1 050 ISK, 30 min, 3/jour lun-ven, 1/jour dim).
- Bus n°78 pour Akureyri (1 400 ISK, 45 min, 3/jour lun-ven, 1/jour dim).

Árskógsströnd

La riche région agricole appelée Árskógsströnd s'étend vers le nord le long de la rive occidentale de l'Eyjafjörður, qui offre une vue spectaculaire sur les montagnes de la rive opposée. C'est le principal point de départ pour la petite île de Hrísey.

À voir et à faire

Bruggsmiðjan – Kaldi BRASSERIE

(bière Kaldi ; 466 2505 ; www.bruggsmidjan.is ; Öldugötu 22, Árskógssandur ; visite 1 500 ISK ; visites sur rdv). Árskógsströnd abrite la microbrasserie Bruggsmiðjan qui produit les excellentes bières Kaldi selon des techniques tchèques. La brasserie accepte les visiteurs arrivant à l'improviste (si le moment convient), mais il vaut mieux téléphoner au préalable (indispensable pour les groupes). Sinon, l'agence Saga Travel, installée à Akureyri, propose un circuit organisé comprenant cette brasserie et d'autres producteurs locaux.

Níels Jónsson OBSERVATION DES BALEINES

(867 0000 ; www.whales.is ; circuit 3 heures adulte/enfant 7 800 ISK/gratuit ; mi-mai à mi-sept). D'Árskógsströnd, vous pouvez faire un court détour par Hauganes et grimper à bord du *Níels Jónsson*, un ancien bateau de pêche, pour une sortie qui comprend pêche et observation des baleines (c'est le plus ancien tour-opérateur d'observation des baleines en Islande). Hauganes est à 2 km de la Route 82, à 11 km au sud de Dalvík (à 30 km au nord d'Akureyri).

AKUREYRI

17 930 HABITANTS

Deuxième ville du pays, Akureyri, malgré une population inférieure à 18 000 habitants, témoigne d'une étonnante vitalité : ses cafés animés, ses restaurants de qualité et sa riche vie nocturne la distinguent nettement des autres localités de l'Islande rurale.

Elle se niche au fond du plus long fjord islandais (60 km), au pied de pics enneigés. En été, les jardinières, les arbres et les jardins soignés font oublier son emplacement, non loin du cercle polaire arctique. Des festivals d'hiver animés et d'excellentes possibilités de ski en font une destination attrayante en basse saison. Avec une ambiance simple et détendue, et un choix pléthorique de restaurants et d'hébergements, Akureyri est une base idéale pour explorer l'Eyjafjörður et au-delà.

Histoire

Le premier habitant de l'Eyjafjörður fut le colon irlando-nordique Helgi Magri (Helgi le Maigre), arrivé vers 890. Helgi vénérait Thor et laissa les dieux choisir le site où il s'établirait en jetant par-dessus bord les montants de son haut siège sculptés à leur effigie (les traditionnels Öndvegissúlur, symboles de l'autorité du chef de famille), qui s'échouèrent à 7 km au sud de l'actuelle Akureyri. Helgi appela néanmoins sa ferme Kristnes (péninsule du Christ).

En 1602, Akureyri se résumait à un comptoir marchand sans habitations permanentes, les colons possédant tous des fermes ou des domaines ruraux. À la fin du XVIIIe siècle, le village comptait 10 habitants, tous négociants danois, et obtint le statut de municipalité. Il commença alors à prospérer et, en 1900, sa population s'élevait à 1 370 âmes.

Aujourd'hui, la ville est florissante. Sa société de pêche et son chantier naval sont les plus importants du pays, et son université (fondée en 1987) lui confère une exubérance juvénile.

À voir

Akureyri compte plusieurs musées, et bien qu'il soit louable qu'une ville célèbre ses artistes, beaucoup n'ont qu'un intérêt limité à moins d'admirer l'œuvre d'un artiste en particulier. La ville comprend aussi des musées consacrés à l'aviation, à l'industrie locale, aux jouets anciens et aux motos.

Si vous disposez d'un véhicule, n'hésitez pas à visiter certains musées du grand Eyjafjörður, sur les rives orientale et occidentale du fjord.

Akureyrarkirkja ÉGLISE

(www.akirkja.is ; Eyrarlandsvegur ; généralement 10h-16h lun-ven). Perchée sur une colline qui domine la ville, l'église emblématique d'Akureyri fut conçue par Guðjón Samúelsson, l'architecte qui dessina l'Hallgrímskirkja de Reykjavík. Bien que toutes deux en basalte, l'Akureyrarkirkja ressemble plus à un gratte-ciel des années 1920 que sa grande sœur de la capitale.

Construite en 1940, l'église contient un orgue monumental de 3 200 tuyaux et des reliefs originaux retraçant la vie du Christ. Le bateau suspendu au plafond reflète une vieille tradition nordique d'offrandes votives pour la protection des êtres aimés en mer. Le superbe vitrail central du chœur, qui provient de la cathédrale de Coventry (Angleterre), reste sans doute son plus bel ornement.

L'église accepte les visiteurs presque tous les jours ; consultez le tableau à l'extérieur pour les horaires, qui changent fréquemment.

Akureyri

0 — 200 m
A B C D
1 2 3 4 5 6 7
Greiffin (350 m), Nettó (900 m), Akureyri HI Hostel (1 km) et supermarché Bónus (1,2 km)
Arrêt de bus - Strætó
Hof
Eyjafjörður
Ráðhústorg
Akureyrarkirkja
SBA-Norðurleið
Sterna
Gare routière - Sterna et SBA
Église catholique
Lystigarðurinn
Lystigarðurinn Akureyri (jardins botaniques)
Örkin hans Noá (200 m) et (1,2 km)
Sæluhús (370 m) et Jaðarsvöllur (2 km)
Háaloftið (180 m), Brynja (250 m), Nonnahús (900 m) et musée d'Akureyri (1 km)
Laxagata
Hólabraut
Gránufélagsgata
Brekkugata
Munkaþverárstræti
Strandgata
Geislagata
Glerárgata
Hofsbót
Skipagata
Hafnarstræti
Bjarkarstígur
Þórunnarstræti
Helgamagrastræti
Oddeyrargata
Hamarstígur
Bjarmastígur
Oddagata
Gilsbakkavegur
Kaupvangsstræti
Lögbergsgata
Þingvallastræti
Eyrarlandsvegur
Laugargata
Skólastígur
Möðruvallastígur
Hrafnagilsstræti
Byggðavegur
Spítalavegur
1 2 3 4 5 6 7 8 9 10 11 12 13 14 15 16 17 18 19 20 21 22 23 24 25 26 27 28 29 30 31 32 33 34 35 36 37 38

Akureyri

Les incontournables
1 Akureyrarkirkja C4
2 Lystigarðurinn C6

À voir
3 Centre des arts visuels C3

Activités
4 Ambassador D2
5 Ferðafélag Akureyrar D1
6 Nonni Travel C2
7 Saga Travel D3
8 SBA-Norðurleið D5
9 Sundlaug Akureyrar A4

Où se loger
10 Akureyri Backpackers C2
11 Camping municipal A5
12 Gula Villan C1
13 Gula Villan II A4
14 Hótel Akureyri D5
15 Hótel Edda B6
16 Hótel Íbúðir C1
17 Hótel Kea D3
18 Hrafninn C2
19 Icelandair Hotel Akureyri A4

Où se restaurer
20 Alaska Mini-Market C2
Blaá Kannan .... (voir 30)
21 Café Laut B7
Hamborgarafabrikkan .... (voir 17)
Icelandair Hotel Akureyri .... (voir 19)
Indian Curry Hut .... (voir 25)
22 Rub23 .... C3
23 Samkaup-Strax A6
24 Serrano C2
25 Símstöðin C2
26 Strikið D2
27 Vínbúðin C1

Où prendre un verre et faire la fête
28 Akureyri Backpackers C3
29 Café Amour C2
30 Götubarinn C3
31 Kaffi Akureyri C2

Où sortir
32 Borgarbíó C1
33 Græni Hatturinn C3
34 Hof D1
35 Leikfélag Akureyrar D5
36 Nyja-Bíó C2

Achats
37 Eymundsson D3
Fold-Anna .... (voir 10)
Geysir .... (voir 28)
38 The Viking C2

Musée d'Akureyri — MUSÉE

(Minjasafnið á Akureyri ; www.akmus.is ; Aðalstræti 58 ; adulte/enfant 1 000 ISK/gratuit ; 10h-17h juin à mi-sept, 14h-16h jeu-dim mi-sept à mai). Ce joli musée bien conçu renferme des objets historiques et des œuvres d'art reliés à la ville, dont des cartes, des photos et des reconstitutions d'anciennes maisons islandaises. Le **jardin du musée** est le premier lieu où furent cultivés des arbres en Islande avec la création d'une pépinière en 1899.

Nonnahús — MUSÉE

(www.nonni.is ; Aðalstræti 54 ; adulte/enfant 1 000 ISK /gratuit ; 10h-17h juin-août). Résidence d'artiste la plus intéressante, la Nonnahús fut la maison d'enfance du révérend Jón Sveinsson (1857-1944), célèbre auteur de livres pour enfants surnommé Nonni. Ses histoires de bravoure à l'ancienne possèdent une riche saveur locale. La maison date de 1850 ; ses pièces exiguës et son mobilier modeste offrent un aperçu de la vie en Islande au XIXe siècle.

Un billet combiné pour la Nonnahús et le musée d'Akureyri coûte 1 400 ISK.

Centre des arts visuels — MUSÉE

(Sjónlistamiðstöðin ; www.sjonlist.is ; Kaupvangsstræti 8-12 ; 10h-17h mar-dim juin-août, 12h-17h sept-mai). GRATUIT Stimulez vos sens en visitant ce centre des arts gratuit, qui regroupe le musée d'Art d'Akureyri et quelques galeries locales. Il accueille des expositions éclectiques et novatrices, de la conception graphique aux portraits.

♥ Lystigarðurinn — JARDIN

(www.lystigardur.akureyri.is ; Eyrarlandsholt ; 8h-22h lun-ven, 9h-22h sam-dim juin-sept). GRATUIT Le jardin tropical le plus septentrional au monde est un endroit charmant pour un pique-nique par beau temps. Le nombre de plantes stupéfie étant donné la proximité du cercle arctique : il contient toutes les espèces endémiques d'Islande, ainsi que des plantes de toutes latitudes et altitudes du globe. Il comprend aussi un café superbement situé.

Kjarnaskógur — BOIS

À 3 km au sud de la ville, les bois de Kjarnaskógur sont la "forêt" la plus visitée du pays. Ils comportent des sentiers pédestres et de

LONG WEEK-END : LE CERCLE DE DIAMANT

Idéalement située entre l'Amérique du Nord et l'Europe, l'Islande est devenue *la* destination pour une escapade d'un long week-end. L'afflux constant de visiteurs ayant transformé le circuit de 3 jours Reykjavík-Cercle d'or-Blue Lagoon en une autoroute touristique, il peut être judicieux de suivre un autre itinéraire pour découvrir les superbes sites du triangle du Nord : Mývatn, Húsavík et Akureyri. C'est moins compliqué qu'il n'y paraît : en arrivant à l'aéroport international de Keflavík, prenez une correspondance aérienne pour Akureyri (vous devrez peut-être rejoindre l'aéroport domestique de la capitale). Pour vous faciliter la tâche, voici un programme.

Premier jour : Akureyri

Commencez la visite du Nord par une promenade à cheval, une expérience aussi typique qu'unique ; le cheval islandais diffère de toute autre race chevaline. Consacrez ensuite une demi-journée à flâner dans les rues du centre-ville ou, si un autre vol ne vous rebute pas, passez l'après-midi à Grímsey, la seule partie du territoire islandais située au niveau du cercle arctique. Le soir, dînez au Strikið ou au Rub23 avant de profiter de l'animation nocturne.

Deuxième jour : Húsavík et ses environs

Le matin, rejoignez Húsavík. Visitez le musée de la Baleine pour approfondir vos connaissances, puis embarquez pour un circuit d'observation des baleines. Poursuivez vers l'est pour une promenade dans la gorge d'Ásbyrgi, écoutez le grondement de la chute de Dettifoss, puis racontez vos aventures en dînant au Naustið à Húsavík.

Troisième jour : Mývatn

Si les spas islandais aux eaux turquoise vous font rêver, découvrez les Mývatn Nature Baths à Mývatn, la version locale du Blue Lagoon. Après un bain délassant, entamez une randonnée de 3 heures dans l'est du Mývatn, émaillé d'anomalies géologiques. Faites étape à Hverir et ses fumerolles soufrées et, si vous en avez le temps, promenez-vous parmi les jets de vapeur du Krafla. Revenez ensuite à Akureyri pour prendre l'avion, après avoir visité un dernier site : la splendide chute de Goðafoss.

VTT, des aires de pique-nique et des barbecues, et des terrains de jeux pour les enfants. En hiver, les bois se prêtent au ski de fond. Le camping d'Hamrar offre un accès facile à Kjarnaskógur.

Activités

En hiver, les versants enneigés attirent des skieurs de tout le pays. En été, randonnée, cyclotourisme, golf et baignade dans des *hot pots* font partie des nombreuses possibilités.

Akureyri est aussi la base d'une multitude de circuits et activités guidés dans tout le nord de l'Islande (voir p. 239).

Sundlaug Akureyrar PISCINE

(Þingvallastræti 21 ; adulte/enfant 550/200 ISK ; 6h45-21h lun-ven, 8h-19h30 sam-dim ;). Cœur de la vie locale, la piscine en plein air d'Akureyri est l'une des plus belles du pays. Elle comporte 3 bassins chauffés, des *hot pots*, des toboggans, des saunas et des bains de vapeur.

Ferðafélag Akureyrar RANDONNÉE

(Touring Club d'Akureyri ; 462 2720 ; www.ffa.is ; Strandgata 23 ; 15h-18h lun-ven juin-août). Pour des informations sur la randonnée dans la région, contactez le Ferðafélag Akureyrar ; son site Internet répertorie (en anglais) les refuges qu'il possède dans le Nord et les hautes terres, décrit la piste d'Askja et fournit son programme (en islandais) de randonnées et de ski.

Les cartes de randonnée *Útivist & afþreying* (série de 7 ; les nos 1 et 2 couvrent la région de l'Eyjafjörður) sont disponibles au centre d'information touristique.

Jaðarsvöllur GOLF

(462 2974 ; www.golficeland.org ; partie 5 300-6 400 ISK). Envie d'une partie de golf à minuit ? De juin à début août, le soleil ne se couche jamais sur le parcours par 71 d'Akureyri, à seulement quelques degrés au sud du cercle polaire, et l'on peut jouer 24h/24.

Le golf accueille chaque année l'**Arctic Open** (www.arcticopen.is) de 36 trous, un tournoi qui dure deux nuits à la fin juin.

Domaine skiable de Hlíðarfjall SKI

(☎462 2280 ; www.hlidarfjall.is ; forfait journée adulte/enfant 3 000/1 200 ISK ; 👪). Le premier domaine skiable du pays se situe à l'ouest de la ville, à 5 km en amont de Glerárdalur. Il comporte 24 pistes de tous niveaux et un mur de 455 m. La plus longue piste dépasse 2,5 km. Il offre aussi 20 km d'itinéraires de ski de fond.

La saison de ski court généralement de décembre à fin avril, avec les meilleures conditions en février et mars, et un pic de fréquentation à Pâques. Pendant la longue nuit hivernale, nombre de pistes sont éclairées.

La station compte des loueurs de skis et de snowboards, deux restaurants et une école de ski. En saison, des bus la relient habituellement à Akureyri ; consultez le site Internet.

Mont Súlur RANDONNÉE

Une randonnée d'une journée, plaisante mais fatigante, remonte la vallée de Glerárdalur jusqu'au sommet du mont Súlur (1 213 m). Le chemin commence sur le Súluvegur, qui part à gauche de Þingvallastræti (Thingvallastræti) juste avant le pont de Glerá. Prévoyez au moins 6 heures aller-retour.

Circuits organisés

La plupart des circuits peuvent se réserver en ligne (avec des offres et des tarifs actualisés) ; vous pouvez aussi vous adresser au centre d'information ou aux diverses agences de réservation en ville.

Sachez que certains tour-opérateurs installés en dehors d'Akureyri organisent le transfert jusqu'à leur base moyennant un supplément (par exemple, pour les circuits d'observation des baleines au nord d'Akureyri, ou le rafting à Varmahlíð).

♥ **Saga Travel** CIRCUITS AVENTURE

(☎558 888 ; www.sagatravel.is ; Kaupvangsstræti 4). Un programme complet d'excursions et d'activités toute l'année dans le Nord couvrant aussi bien les destinations incontournables comme Mývatn, Húsavík (pour l'observation des baleines) et Askja dans les hautes terres, que des thématiques comme la gastronomie, l'art et le design. Consultez le programme complet sur le site Internet ou rendez-vous à l'agence (7h30- 22h en été).

Les circuits "soleil de minuit" partent à 22h en juin et conduisent à des endroits comme Dettifoss et Mývatn au petit matin ; les circuits d'hiver sont variés (motoneige, balades en raquettes, observation des aurores boréales). Des itinéraires individuels peuvent être organisés. Les guides connaissent parfaitement la région, dont ils sont originaires. Maximum de 16 participants par circuit.

SBA-Norðurleið CIRCUITS EN BUS

(☎550 0700 ; www.sba.is ; Hafnarstræti 82). Cette compagnie de bus propose divers circuits touristiques dans le Nord, notamment à Mývatn, Dettifoss, Húsavík et Askja.

Nonni Travel TOUR-OPÉRATEUR

(☎461 1841 ; www.nonnitravel.is ; Brekkugata 5). Une agence de voyages capable de réserver tout circuit dans la région, ainsi que des excursions plus lointaines (au Groenland et aux îles Féroé).

Ambassador OBSERVATION DES BALEINES

(www.ambassador.is ; adulte/enfant 9 990/4 995 ISK ; ⏲mi-mai à mi-oct). Outre les quelques tour-opérateurs le long de l'Eyjafjörður qui offrent des circuits d'observation des baleines, l'Ambassador, installé à Akureyri, organise des sorties de 3 heures ; selon les détracteurs, le trajet est long jusqu'au nord du fjord (où l'on voit plus fréquemment des baleines), mais compensé par un paysage splendide.

The Traveling Viking CIRCUITS AVENTURE

(☎896 3569 ; www.ttv.is). Cette agence propose de nombreux circuits locaux, classiques (Mývatn, Dettifoss, Húsavík) ou plus originaux, dont un de 4 heures consacré au "peuple caché" et parfait pour les familles, ou de la pêche sur la glace en hiver. L'agence est également renommée pour son circuit sur le thème *Game of Thrones* dans la région du Mývatn.

Skjaldarvík ÉQUITATION

(☎552 5200 ; www.skjaldarvik.is ; promenade 1 heure 30 7 900 ISK). Doté d'une superbe pension et d'un restaurant, le Skjaldarvik, à 6 km au nord de la ville, propose des promenades à cheval de 1 heure 30 le long du fjord et dans les collines alentour, tous les jours à 10h, 14h et 17h en été. D'un bon rapport qualité/prix, le circuit "Ride & Bite" comprend une balade à cheval à 17h, suivie

PLONGÉE DANS L'EYJAFJÖRÐUR

La plongée sous-marine évoque habituellement des plages ensoleillées et des poissons tropicaux. Pourtant, les froides eaux islandaises cachent un site des plus fascinants. Si la plupart des plongeurs affluent dans la cristalline Silfra, l'endroit le plus fabuleux se trouve dans l'Eyjafjörður : un cône géant (50 m), appelé **Strýtan**, s'élève du fond de l'océan et crache une eau bouillante. Cette cheminée géothermique composée de dépôts de silicate de magnésium, est une véritable anomalie. Les seules autres structures de ce type connues ont été découvertes à des profondeurs de 3 000 m et plus ; le sommet du *Strýtan* n'est qu'à 15 m *sous la* surface.

Nous avons eu la chance de partager un repas avec Erlendur Bogason, qui a découvert le Strýtan et le protège officiellement. Il nous a parlé des autres merveilles de l'Eyjafjörður.

Outre le majestueux Strýtan, il existe de plus petits cônes de vapeur de l'autre côté du fjord. Appelées **Arnanesstrýtur**, ces formations ne sont pas aussi spectaculaires, mais l'on estime que l'eau qui jaillit des évents aurait 11 000 ans. Il s'agit d'eau douce et vous pouvez placer une Thermos au-dessus d'un évent, récupérer l'eau bouillante et l'utiliser pour faire un chocolat chaud, une fois remonté à la surface !

Plonger autour de l'île de **Grímsey** est aussi une expérience mémorable. L'eau est étonnamment claire, mais les oiseaux constituent la principale attraction : des guillemots plongent en piqué à la recherche de nourriture, et nager parmi eux donne l'impression de voler !

Pour découvrir ces merveilles et d'autres encore, allez voir Erlendur à son centre de plongée, **Strytan Divecentre** (☎862 2949 ; www.strytan.is ; excursion journée 2 plongées à partir de 35 000 ISK), basé à Hjalteyri, à 20 km au nord d'Akureyri.

Les centres de plongée installés à Reykjavík proposent aussi des circuits de plusieurs jours dans la région ; consultez les sites de Dive.is (www.dive.is), DiveIceland.com (www.diveiceland.com) et Scuba Iceland (www.scuba.is).

Brandon Presser

d'un bain dans le *hot pot* en plein air et d'un dîner de 2 plats (11 900 ISK).

Kátur ÉQUITATION
(☎695 7218 ; www.hestaleiga.is ; Kaupangur ; promenade 1/2 heures 6 000/8 000 ISK ; ⌚juin à mi-sept). À quelques minutes au sud-est d'Akureyri près de la Route 829, cet autre centre équestre réputé propose de courtes promenades à cheval.

Fêtes et festivals

La page *Events & Festivals* (en anglais) du site Internet www.visitakureyri.is répertorie les principales célébrations et commémorations de l'année. Les festivités hivernales sont particulièrement favorisées.

Iceland Winter Games SPORTS D'HIVER
(www.icelandwintergames.com). Consolidant son statut de capitale islandaise des sports d'hiver, Akureyri accueille désormais cette compétition internationale de ski acrobatique en février/mars. Elle coïncide avec le festival de l'Éljagangur (blizzard), consacré aux activités hivernales (ski, motoneige, traîneau à chiens, etc.). Habillez-vous chaudement !

Fête d'Akureyri CULTURE
La plus grande fête estivale d'Akureyri, célébrée le dernier week-end d'août, s'accompagne de concerts, d'expositions et de manifestations diverses.

Où se loger

L'apparition de nombreux hôtels d'excellente qualité a transformé l'offre d'hébergements à Akureyri ces dernières années. Toutefois, la ville accueille de nombreux touristes en été, aussi vaut-il mieux réserver. Il existe également de nombreuses possibilités en dehors de la ville, dont d'attrayants gîtes ruraux (vous aurez besoin d'une voiture). Consultez la brochure *Icelandic Farm Holidays* ou le site www.farmholidays.is.

Le centre d'information touristique peut habituellement vous aider si vous n'avez pas de réservation (moyennant 500 ISK), mais les choix sont limités, surtout en été.

Nombre d'hébergements ouvrent toute l'année (forte affluence de skieurs les week-ends d'hiver). Le site de l'office du tourisme (p. 246) répertorie la plupart des établissements de la région. Autre bonne source d'information, **AirBnB** (www.airbnb.com) recense les chambres privées, les cottages, les appartements et les maisons à louer.

Comme toujours, consultez les sites Internet pour les tarifs actualisés, les prix de basse saison et les éventuelles promotions. Les prix indiqués correspondent à la haute saison estivale.

Akureyri Backpackers AUBERGE DE JEUNESSE €
(☎571 9050 ; www.akureyribackpackers.com ; Hafnarstræti 67 ; dort/d sans sdb 4 500-5 500/18 000 ISK ; @). Très bien située au cœur de la ville, cette auberge de jeunesse à l'ambiance détendue comprend un service de réservation de circuits et un bar prisé. Les dortoirs de 4 à 8 lits sont répartis sur trois niveaux et des chambres avec draps occupent le dernier étage. Seul inconvénient, les douches et le sauna sont au sous-sol (toilettes et lavabos à chaque étage).

Location de draps 990 ISK (dans les dortoirs) ; petit-déjeuner à 990 ISK.

Gula Villan PENSION €
(☎896 8464 ; www.gulavillan.is ; Brekkugata 8 ; s/d sans sdb 10 500/14 700 ISK). Sigriður, la propriétaire, a l'expérience du voyage et veille à la propreté de cette chaleureuse villa jaune et blanc. Centrale, elle comprend des chambres lumineuses et bien tenues. **Gula Villan II** (Þingvallastræti 14), gérée par la même équipe, offre plus de place en été. Chaque pension comporte une cuisine commune et sert le petit-déjeuner sur demande (un peu cher à 2 000 ISK). Apportez votre duvet pour réduire le prix.

Akureyri HI Hostel AUBERGE DE JEUNESSE €
(Stórholt ; ☎462 3657 ; www.hostel.is ; Stórholt 1 ; dort 4 100 ISK, d sans/avec sdb 11 200/15 500 ISK ; @). Dans la ville mais un peu loin de l'animation, cette auberge de jeunesse accueillante et bien tenue est à 15 minutes de marche au nord du centre. Elle dispose d'un salon TV et de deux cuisines (TV dans toutes les chambres) dans la maison principale, d'une terrasse avec barbecue et de 2 cottages qui peuvent accueillir 8 personnes. Le propriétaire partage volontiers sa connaissance de la région ; l'horaire d'enregistrement (à partir de 15h) est strictement respecté.

Remise de 700 ISK aux membres HI ; location de draps 1 250 ISK.

Camping municipal CAMPING €
(Þórunnarstræti ; empl 1 100 ISK/pers, plus taxe d'hébergement 100 ISK/empl ; mi-juin à mi-sept). Ce camping central comporte un lave-linge, un espace restauration et des douches gratuites, mais pas de cuisine. Les voitures sont interdites (sauf pour charger et décharger ses bagages). L'emplacement est pratique, près de la piscine et d'un supermarché.

Camping Hamrar CAMPING €
(www.hamrar.is ; empl 1 100 ISK par pers, plus taxe d'hébergement 100 ISK/empl ; mi-mai à mi-sept). Cet immense camping, à 1,5 km au sud de la ville, bénéficie d'un cadre verdoyant dans les bois de Kjarnaskógur. Il offre des équipements plus récents que ceux du camping municipal et donne sur la montagne.

♥ **Skjaldarvík** PENSION €€
(☎552 5200 ; www.skjaldarvik.is ; s/d sans sdb petit-déj inclus 14 900/19 900 ISK ; @). Cette ravissante pension est installée dans une ferme bucolique à 6 km au nord de la ville. Propriété d'une jeune famille, elle s'agrémente de détails originaux (plantes poussant dans des chaussures, vieilles machines à écrire accrochées aux murs). À cela s'ajoutent un exceptionnel buffet au petit-déjeuner, des promenades à cheval, un *hot pot*, un échange de livres et un salon confortable avec bar en libre-service.

Le joli **restaurant** (plats 3 700-5 900 ISK ; ouvert dîner juin à mi-sept) offre un petit choix de plats bien préparés ; il est ouvert aux non-résidents et la réservation est indispensable. L'excellente formule "Ride & Bite" (p. 239) combine équitation et restauration.

♥ **Sæluhús** APPARTEMENTS €€
(☎412 0800 ; www.saeluhus.is ; Sunnutröð ; studio/maison 23 700/42 500 ISK ;). Ce superbe hameau de studios et maisons modernes est parfait pour quelques jours de détente. Les maisons sont très bien équipées : 3 chambres (qui peuvent accueillir 7 personnes), cuisine, lave-linge et véranda avec Jacuzzi et barbecue. Les studios sont plus petits, avec cuisine et accès à une buanderie (certains plus chers disposent d'un Jacuzzi), et conviennent parfaitement pour un couple.

♥ **Icelandair Hotel Akureyri** HÔTEL €€
(☎518 1000 ; www.icelandairhotels.com ; Þingvallastræti 23 ; d petit-déj inclus à partir de 28 800 ISK ; @). Icelandair a ajouté cette propriété d'Akureyri à son portefeuille en 2011. Cet

VAUT LE DÉTOUR

GRÍMSEY

Seule portion du territoire islandais située sur le cercle arctique, l'île de Grímsey (77 habitants), à 40 km des côtes, compte environ 10 000 oiseaux pour un habitant.

L'attrait de Grímsey tient sans doute moins à la destination elle-même qu'à ce qu'elle représente. Les touristes viennent ici pour obtenir le certificat "J'ai visité le cercle arctique" et poser pour une photo devant le monument du cercle arctique (à 20 m au sud du "vrai" cercle). Ils ont ensuite tout le temps de contempler le paysage battu par les vents. Les falaises côtières et les spectaculaires formations de basalte accueillent des dizaines d'espèces d'oiseaux de mer, dont de nombreux macareux et des sternes arctiques. Détail amusant : la piste de l'aéroport doit être débarrassée des sternes quelques minutes avant l'arrivée d'un avion.

Si vous souhaitez passer la nuit sur le cercle arctique, l'île comprend deux hébergements. Un escalier conduit à la trappe du douillet **Gullsól** (☎ 467 3190 ; gullsol@visir.is ; ch sans sdb 5 500 ISK/pers), qui offre des chambres minuscules au-dessus de la boutique de cadeaux (qui ouvre à l'arrivée des ferries et vend café, thé et gaufres). La cuisine équipée permet de préparer des repas ; couchage avec duvet à 4 000 ISK.

Un peu plus haut de gamme, le **Básar** (☎ 467 3103 ; www.gistiheimilidbasar.is ; s/d sans sdb petit-déj inclus 11 000/16 000 ISK) se tient à côté de l'aéroport. Le couchage avec duvet revient à 6 000 ISK. Une cuisine est à disposition et des repas sont proposés, ainsi que des excursions en bateau et des sorties de pêche (sur demande).

Un petit camping jouxte la maison commune. Le **Krían**, le seul restaurant, ouvre tous les jours en été et se double d'une épicerie.

Depuis/vers Grímsey

Plusieurs possibilités permettent de rejoindre Grímsey.

Avion. De mi-juin à mi-août, Norlandair (www.norlandair.is) offre des vols quotidiens depuis/vers Akureyri, et 3 vols par semaine le reste de l'année. Le trajet de 25 minutes suit l'Eyjafjörður dans sa longueur et les trous d'air en font une expérience mémorable. Les billets (à partir de 10 000 ISK aller) sont délivrés par **Air Iceland** (☎ 570 3030 ; www.airiceland.is).

Excursion en avion. De mi-juin à mi-août, Air Iceland propose des excursions d'une demi-journée depuis Akureyri (28 200 ISK), qui comprennent le vol aller-retour et quelques heures sur l'île avec promenade guidée. Vous pouvez aussi partir de Reykjavík, en prenant d'abord un court vol intérieur jusqu'à Akureyri.

Ferry. De mi-mai à août, le **ferry Sæfari** (☎ 458 8970 ; www.saefari.is) part de Dalvík à 9h les lundi, mercredi et vendredi, et repart de Grímsey à 16h. La traversée dure 3 heures (aller adulte/enfant 4 830 ISK/gratuit), ce qui laisse 4 heures sur l'île.

Si vous venez d'Akureyri, le bus du matin (bus Strætó n°78) n'arrive pas à temps à Dalvík pour le départ du ferry.

Arctic Sea Tours (www.arcticseatours.is), installé à Dalvík, peut organiser un circuit de 10 heures (15 000 ISK) avec traversée à bord du ferry Sæfari, promenade guidée, déjeuner et rencontre des habitants. Transfert possible d'Akureyri moyennant un supplément.

En hiver, les départs du ferry sont identiques, mais il repart immédiatement après déchargement et chargement du fret.

Excursion en bateau. **North Sailing** (☎ 464 7272 ; www.northsailing.is) offre des expéditions de navigation/observation des baleines de 2 jours au départ d'Húsavík, avec une nuit à Grímsey ; départs hebdomadaires de mai à mi-juillet (115 000 ISK). Également au départ d'Húsavík, **Gentle Giants** (☎ 464 1500 ; www.gentlegiants.is) propose une excursion de 6 heures à Grímsey à bord de canots pneumatiques rapides (la traversée dure 1 heure environ). Elles ont lieu 2 fois par semaine en été (63 550 ISK) et requièrent un nombre minimum de participants.

hôtel haut de gamme expose des artistes et designers islandais dans un cadre pimpant blanc et caramel. Les chambres sont compactes mais bien conçues. La terrasse extérieure et le salon, où l'on sert un thé complet l'après-midi et des cocktails durant l'*happy hour* en début de soirée, constituent des atouts supplémentaires.

Hrafninn PENSION €€
(☎462 2300 ; www.hrafninn.is ; Brekkugata 4 ; s/d 12 900/19 900 ISK ; 📶). Moins chère que ses concurrents et nettement supérieure, la pension Hrafninn ("Corbeau") ressemble à un élégant manoir sans rien de guindé ou de prétentieux. Toutes les chambres disposent d'une sdb et d'une TV et celles du 3e étage ont été récemment rénovées. Une spacieuse cuisine commune est installée au 2e étage.

Hotel Natur HÔTEL €€
(☎467 1070 ; www.hotelnatur.com ; Þórisstaðir ; s/d petit-déj inclus 16 800/24 000 ISK ; 📶). À 15 km à l'est d'Akureyri sur la Route 1, cet hôtel géré par une famille offre des chambres minimalistes d'une simplicité nordique, une immense salle à manger et une vue époustouflante sur le fjord. Les chambres sont aménagées dans une ancienne étable (ce que vous n'auriez jamais deviné !).

Hótel Íbúðir APPARTEMENTS €€
(☎892 9838 ; www.hotelibudir.is ; Geislagata 10 ; app d à partir de 23 900 ISK ; 📶). L'Íbúðir propose 5 appartements luxueux de tailles diverses (le plus grand peut accueillir 8 personnes), dotés de balcons avec vue sur la ville. Centraux, ils constituent un bon choix pour les familles et les groupes.

Hótel Akureyri HÔTEL €€
(☎462 5600 ; www.hotelakureyri.is ; Hafnarstræti 67 ; s/d petit-déj inclus à partir de 10 600/17 100 ISK ; 📶). Cet hôtel de charme, proche de la gare routière, comprend des chambres compactes et bien équipées, avec vue sur le fjord en façade et sur la verdure à l'arrière (n'hésitez pas à payer plus cher pour une vue sur l'eau). Les nouveaux propriétaires sont sympathiques et attentifs au service.

Hótel Edda HÔTEL €€
(☎444 4900 ; www.hoteledda.is ; entrée Þórunnarstræti 14 ; d sans/avec sdb 15 200/24 700 ISK ; ⏲mi-juin à mi-août ; P@📶). Ce vaste hôtel occupe le pensionnat local en été et offre plus de 200 chambres impersonnelles. Celles de la nouvelle aile moderne sont lumineuses et bien équipées (sdb, TV) ; l'aile ancienne, moins chère et défraîchie, comporte des sdb communes. En revanche, les salons sont charmants. L'hôtel se situe à courte distance de la piscine et du jardin botanique. Petit-déjeuner 1 750 ISK.

Hótel Kea HÔTEL €€€
(☎460 2000 ; www.keahotels.is ; Hafnarstræti 87-89 ; s/d petit-déj inclus 29 200/36 500 ISK ; @📶). Plus grand hôtel d'Akureyri ouvert toute l'année, prisé des groupes et très central, le Kea compte 104 chambres de style affaires bien équipées (minibar et machines à thé/café), dont certaines avec balcon et vue sur le fjord. Si l'établissement manque de cachet, il abrite le Múlaberg, un restaurant chic, et possède un salon cosy. Dans cette catégorie de prix, l'hôtel Icelandair est plus attrayant (et moins cher).

Où se restaurer

Hamborgarafabrikkan RESTAURATION RAPIDE €
(www.fabrikkan.is ; angle Hafnarstræti et Kaupvangsstræti ; burger-frites 1 695-2 395 ISK ; ⏲11h-22h dim-jeu, 11h-24h ven-sam ; 📶👪). L'Islande est l'un des rares pays sans McDonald's, mais qui en a besoin ? Faisant partie d'une petite chaîne, la "Fabrique de hamburgers" offre le choix entre 16 garnitures (essentiellement du bœuf, mais aussi de l'agneau et du poulet). Salades, travers de porc et desserts classiques (banana split !) complètent la carte.

Serrano RESTAURATION RAPIDE €
(www.serrano.is ; Ráðhústorg 7 ; repas 1 200-1 700 ISK ; ⏲11h-21h lun-sam, 12h-21h dim). L'endroit où se régaler de copieux *burritos*, de *nachos*, de *quesadillas* ou de salades.

Brynja GLACIER €
(Aðalstræti 3 ; glaces à partir de 350 ISK ; ⏲9h-23h mai, 9h-23h30 juin-août, 11h-23h sept-avr ; 👪). Cette adresse légendaire est connue dans toute l'Islande pour confectionner les meilleures glaces du pays (avec du lait, et non pas de la crème). En contrebas du jardin botanique.

Blaá Kannan CAFÉ €
(Hafnarstræti 96 ; buffet déj 1 490 ISK ; ⏲9h-23h30 lun-ven, 10h-23h30 sam-dim). Dans l'artère principale, la "Théière Bleue" est un café fréquenté, idéalement situé pour observer les passants (dans le bâtiment bleu foncé du Cafe Paris). Des lustres éclairent l'intérieur lambrissé, la carte propose paninis et bagels, et une vitrine est remplie de desserts.

VAUT LE DÉTOUR

HRÍSEY

Deuxième plus grande île islandaise après Heimaey, Hrísey (166 habitants), paisible et plutôt plate, se rejoint aisément depuis le littoral islandais. Nichée au milieu de l'Eyjafjörður, elle offre des panoramas spectaculaires. Connue en tant que site de reproduction et secteur protégé du lagopède alpin, elle abrite aussi une impressionnante colonie de sternes arctiques.

Un **bureau d'information** (☎695 0077 ; ⊙13h-17h juin-août) se tient dans le petit musée Hús Hákarla Jörundur (500 ISK) consacré à la pêche au requin, à côté de l'église du village pittoresque où accoste le bateau. Procurez-vous ici ou à Akureyri la brochure sur Hrísey ; vous pouvez aussi consulter les sites www.hrisey.net et www.visithrisey.is. Le second répertorie des maisons à louer sur l'île.

Des lagopèdes incroyablement familiers fréquentent les rues du village. De là, 3 **sentiers nature** balisés contournent le sud-est de l'île et conduisent à de beaux points de vue. Ne manquez pas les amusantes **excursions en tracteur** (☎695 0077 ; adulte/enfant 1 200 ISK/gratuit) de 40 minutes, qui sillonnent l'île et passent par tous les sites importants. Elles partent régulièrement de l'embarcadère, généralement à 10h, 12h, 14h et 16h tous les jours en été.

Si une demi-journée suffit pour explorer l'île, vous apprécierez mieux la vie insulaire en y passant la nuit. **Brekka** (☎466 1751 ; www.brekkahrisey.is ; s/d sans sdb à partir de 9 000/12 000 ISK ; ⊙mi-mai à mi-sept), l'hôtel-restaurant de l'île, sert les habituels burgers et pizzas, ainsi que des délices comme la soupe de langoustines, et le steak de bœuf Galloway, élevé sur place.

Un **camping** (empl 1 000 ISK/pers) avec réception et commodités est installé dans le complexe moderne de la piscine. **Júllabúð** (⊙10h-17h lun-jeu, 10h-20h ven, 12h-17h sam-dim juin-août, horaires réduits sept-mai), l'épicerie du village, vend des provisions et des pizzas.

Le ferry de passagers **Sævar** (☎695 5544 ; adulte/enfant 1 500/750 ISK) circule entre Árskógssandur et Hrísey (15 min) au moins 7 fois par jour toute l'année ; consultez les horaires sur www.hrisey.net. Le bus n°78 en provenance d'Akureyri fait halte à Litli Árskógur, à 20 minutes de marche du port des ferries.

Toute l'année les mardi et jeudi, le **ferry Sæfari** (☎458 8970 ; www.saefari.is ; adulte/enfant 1 230 ISK/gratuit) part de Dalvík pour Hrísey à 13h15 (30 min), puis revient immédiatement après que passagers et marchandises aient été débarqués et rembarqués.

Indian Curry Hut INDIEN €
(Hafnarstræti 100b ; plats 1 795-2 295 ISK ; ⊙11h30-13h30 mar-ven, 17h30-21h mar-dim). Réchauffez une soirée glaciale avec un curry parfumé de cette échoppe de plats à emporter.

Café Laut CAFÉ €
(Eyrarlandsvegur 30 ; buffet déj 1 490 ISK ; ⊙10h-22h). Installé dans le jardin botanique, ce café de designer s'agrémente de baies vitrées et d'une grande terrasse ensoleillée. Il sert un bon café, des bagels et des paninis, ainsi qu'un buffet de soupes et de salades au déjeuner.

Icelandair Hotel Akureyri DESSERTS €€
(www.icelandairhotels.com ; Þingvallastræti 23 ; thé complet 2 300 ISK). Au cours d'un après-midi indolent, offrez-vous le thé complet servi tous les jours de 14h à 17h30 dans l'élégant salon de l'hôtel Icelandair. D'un excellent rapport qualité/prix, il se compose d'un plateau à 3 étages de délices salés et sucrés (café/thé compris, champagne en option).

Strikið INTERNATIONAL €€
(☎462 7100 ; www.strikid.is ; Skipagata 14 ; repas léger 2 400-3 500 ISK, plats 3 800-5 000 ISK ; ⊙à partir de 11h30 lun-sam, 18h dim). Les immenses fenêtres avec vue sur le fjord confèrent un côté magique à ce restaurant au 4e étage. La carte offre de multiples choix, des burgers aux plats composés d'excellents produits islandais (sushis ultra-frais, soupe de langoustines, filet de bœuf, magret de canard mijoté). La mousse de *skyr* à la fraise ponctue délicieusement un repas.

Örkin hans Nóa POISSON €€
(www.noa.is ; Hafnarstræti 22 ; plats 3 000-5 000 ISK ; 12h-14h et 16h-22h). À la fois galerie, magasin de meubles et restaurant, "L'Arche de Noé" est un endroit unique qui offre une cuisine simple et bien préparée. La carte propose une sélection de poissons frais, qui sont poêlés et servis avec des légumes (la poêle est apportée sur la table). Classique, efficace et savoureux.

Greifinn INTERNATIONAL €€
(460 1600 ; www.greifinn.is ; Glerárgata 20 ; plats 1 690-4 990 ISK ; 11h15-22h30 ;). Prisé des familles et toujours bondé, ce restaurant est l'un des plus appréciés de la ville. La carte privilégie les plats roboratifs : burgers juteux, plats tex-mex, pizzas, pâtes et glaces alléchantes. Également plats à emporter.

Símstöðin CAFÉ €€
(Hafnarstræti 102 ; repas 1 695-1 995 ISK ; 9h-23h30 ;). Le décor pimpant aux couleurs acidulées donne le ton dans ce nouveau café du centre-ville. Il sert toute la journée des smoothies, des jus de fruits fraîchement pressés et des salades, ainsi que de nombreux gâteaux.

Rub23 INTERNATIONAL €€€
(462 2223 ; www.rub23.is ; Kaupvangsstræti 6 ; déj 2 190-2 590 ISK, plats dîner 4 190-6 290 ISK ; 11h30-14h lun-ven, à partir de 17h30 tlj). Un concept original : vous choisissez le poisson ou la viande et l'un des 11 "rubs" (marinades) pour l'accompagner. Suivez les suggestions du chef comme la morue avec un rub asiatique fusion, ou le filet d'agneau avec un rub agrumes-romarin. Une carte de sushis est également proposée. Le déjeuner est plus classique (sans marinades).

Faire ses courses

Akureyri compte plusieurs supermarchés, mais aucun n'est vraiment central.

Alaska Mini-Market ÉPICERIE
(Ráðhústorg 3 ; 8h-22h). Une supérette, avec une sélection réduite de produits (pratique si vous logez dans le centre), ainsi que des jus de fruits, des smoothies et des sandwichs.

Nettó SUPERMARCHÉ
(Glerárgata ; 10h-19h lun-ven, 10h-18h sam, 12h-18h dim). Dans la galerie marchande Glerártorg.

Samkaup-Strax SUPERMARCHÉ
(Byggðavegur 98 ; 9h-23h lun-ven, 10h-23h sam-dim). Près du camping à l'ouest du centre.

Bónus SUPERMARCHÉ
(Langholt 11h-18h30 lun-jeu, 10h-19h30 ven, 10h-18h sam, 12h-18h dim). Supermarché discount.

Vínbúðin VINS ET SPIRITUEUX
(Hólabraut 16 ; 11h-18h lun-jeu et sam, 11h-19h ven). Chaîne gouvernementale de vins et spiritueux.

Où prendre un verre et faire la fête

Akureyri Backpackers BAR
(www.akureyribackpackers.com ; Hafnarstræti 67 ; 7h30-23h dim-jeu, 7h30-1h ven-sam). Rendez-vous convivial dans l'artère principale, le sympathique bar lambrissé de l'Akureyri Backpackers est prisé des habitants et des voyageurs pour ses concerts occasionnels, ses burgers d'un bon rapport qualité/prix, son brunch le week-end et son grand choix de bières, dont celles des microbrasseries locales, Kaldi et Einstök.

Götubarinn BAR
(Hafnarstræti 95 ; 17h-1h jeu, 17h-4h ven-sam). Bar favori des habitants, joyeux et central, le Götubarinn ("Bar de la Rue") est étonnamment cosy pour un établissement qui ferme à 4h. Bois, miroirs et canapés, et même un piano au rez-de-chaussée pour chanter en chœur tard dans la nuit.

Café Amour CAFÉ, BAR
(Ráðhústorg 9 ; 11h-1h dim-jeu, 11h-4h ven-sam). Ce café attire la jeunesse dorée d'Akureyri avec une longue carte de cocktails et de vins du Nouveau Monde. Le petit night-club à l'étage, plutôt tape-à-l'œil, est bondé le week-end.

Kaffi Akureyri CAFÉ, BAR
(Strandgata 7 ; 17h-1h dim-jeu, 17h-4h ven-sam). Ce café-bar est complet les vendredi et samedi soir, quand des groupes se produisent ; musique live ou night-club, il séduit une clientèle jeune.

Où sortir

Græni Hatturinn CONCERTS
(Hafnarstræti 96). Nichée dans une petite rue à côté du Blaá Kannan, cette salle intime est le meilleur endroit de la ville pour écouter de la musique live. N'hésitez pas à acheter un billet, quel que soit le programme.

Hof CENTRE CULTUREL
(www.menningarhus.is ; Strandgata 12). Le Hof est un centre culturel moderne conçu pour

la musique et d'autres arts de la scène. Outre des salles de conférence et d'exposition et un excellent restaurant (1862 Nordic Bistro), il abrite l'office du tourisme d'Akureyri, qui vous renseignera sur les spectacles prévus.

Borgarbíó CINÉMA
(www.borgarbio.is ; Hólabraut 12). Films grand public en version originale.

Nyja-Bíó CINÉMA
(www.sambio.is ; Ráðhústorg). Films grand public en version originale.

Leikfélag Akureyrar THÉÂTRE
(www.leikfelag.is ; Hafnarstræti 57). Le principal théâtre d'Akureyri propose pièces de théâtre, comédies musicales, ballets et opéras. La saison principale dure de septembre à mai. Consultez le programme sur le site Internet.

Achats

Plusieurs boutiques dans Hafnarstræti vendent les traditionnels *lopapeysur* (pulls islandais en laine), des livres, des bibelots et des souvenirs. Renseignez-vous sur les modalités de détaxe.

Geysir VÊTEMENTS, SOUVENIRS
(www.geysir.com ; Hafnarstræti 98 ; 11h-21h juil, 11h-19h juin et août, 11h-18h lun-ven sept-mai). Difficile de ne pas craquer pour les capes de style *lopapeysa*, les peaux de rennes, les anciennes cartes d'Islande ou les pantoufles brodées de macareux de cette boutique unique.

Eymundsson LIVRES, SOUVENIRS
(www.eymundsson.is ; Hafnarstræti 91-93 ; 9h-22h lun-ven, 10h-22h sam, 12h-22h dim). Cette excellente librairie vend des cartes, des livres souvenirs et une large sélection de magazines internationaux. Un bon café est installé sur place.

Christmas Garden SOUVENIRS
(Jólagarðurinn ; 10h-21h juin-août, 14h-21h sept-déc, 14h-18h jan-mai). Si vous appréciez l'ambiance de Noël hors saison, visitez cette maison à plusieurs niveaux qui propose des décorations et produits islandais traditionnels de Noël fabriqués localement. À 10 km au sud d'Akureyri sur la Route 821.

The Viking SOUVENIRS
(www.theviking.is ; Hafnarstræti 104 ; 8h-22h). Impossible à manquer avec son grand ours polaire devant l'entrée (sans parler des trolls), cette boutique offre un bon choix de *lopapeysur* et de souvenirs.

Fold-Anna VÊTEMENTS
(Hafnarstræti 100 ; 9h30-18h30 lun-ven, 10h-16h sam-dim). Les employés tricotent derrière le comptoir pendant que les clients explorent cette boutique remplie de *lopapeysur* et de divers vêtements artisanaux.

Háaloftið OBJETS ANCIENS
(Hafnarstræti 19 ; 13h-18h lun-ven, 13h-16h sam). Près du glacier Brynja, "Le Grenier", envahi d'antiquités et d'objets vintage, est le paradis des chineurs. Fouillez parmi les livres, disques, porcelaines et bric-à-brac pour dénicher un souvenir unique.

Renseignements

ACCÈS INTERNET

La plupart des hébergements permettent d'accéder gratuitement au Wi-Fi, ainsi que plusieurs cafés et musées. L'office du tourisme et la **bibliothèque** (Amtsbókasafnið á Akureyri ; www.amtsbok.is ; Brekkugata 17 ; 10h-19h lun-ven toute l'année, plus 11h-16h sam mi-sept-mi-mai ;) mettent à disposition des ordinateurs connectés moyennant un faible coût.

ARGENT

Les banques (ouvertes de 9h à 16h) se regroupent autour de Ráðhústorg. Toutes possèdent un service de change et des DAB accessibles 24h/24.

OFFICE DU TOURISME

Office du tourisme (450 1050 ; www.visitakureyri.is ; Hof, Strandgata 12 ; 8h-18h mi-mai à sept, 8h-16h lun-ven, 12h-17h sam, 12h-15h dim oct à mi-mai ;). Accueillant et efficace, à l'intérieur du Hof, avec de nombreuses brochures et cartes, l'accès à Internet et une belle boutique design. Le personnel compétent peut réserver des circuits, des transports et des hébergements dans la région (500 ISK).

POSTE

Poste principale (Strandgata 3 ; 9h-18h lun-ven).

SERVICES MÉDICAUX

Apótekarinn (Hafnarstræti 95 ; 9h-17h30 lun-ven). Pharmacie centrale.

Centre médical Heilsugæslustöðin (460 4600 ; 3e ét, Hafnarstræti 99 ; 8h-16h lun-ven)

Hôpital d'Akureyri (463 0100 ; www.fsa.is ; Eyrarlandsvegur). Au sud du jardin botanique.

Médecins de garde (848 2600 24h/24). En cas d'urgence uniquement.

HORS DES SENTIERS BATTUS

ENVIRONS D'AKUREYRI

Si vous avez du temps et un véhicule, quittez la Route circulaire pour explorer les alentours de l'Eyjafjörður, le fjord d'Akureyri.

Eyjafjarðarsveit, la vallée au sud d'Akureyri, est desservie par les Routes 821 et 829. La rivière Eyjafjarðará traverse une région agricole fertile, avec de nombreux gîtes ruraux et d'idylliques paysages champêtres sur fond de montagnes. Le **Kaffi Kú** (www.kaffiku.is ; 13h-21h tlj mi-juin à août) constitue une étape idéale – installé au-dessus d'une étable high-tech, vous vous régalerez de goulasch de bœuf, de gaufres et de pancakes accompagnés de crème fraîche de la ferme. Le café se situe à 11 km d'Akureyri sur la Route 829.

La **rive est** de l'Eyjafjörður, beaucoup plus calme que la rive ouest, compte quelques endroits plaisants où faire halte et profiter des vastes panoramas.

L'éclectique **musée d'Art folklorique islandais et étranger** (Safnasafnið ; www.safnasafnid.is ; adulte/enfant 1 000 ISK/gratuit ; 10h-17h mi-mai à août), à 12 km d'Akureyri sur la Route 1 (repérez la sculpture d'homme bleu), est un bel espace inondé de lumière, rempli de plantes et d'une curieuse sélection d'œuvres d'art (en islandais, son nom signifie littéralement "musée des Musées").

Plus au nord, la Route 83 part de la Route circulaire et conduit au petit village de pêcheurs de **Grenivík**, à 20 km au nord. En chemin, vous découvrirez les toits en tourbe de **Laufás** (adulte/enfant 1 000 ISK/gratuit ; 9h-17h juin-août), une ferme domaniale préservée, et les fameuses écuries de **Pólar Hestar** (463 3179 ; www.polarhestar.is), où vous pourrez faire de courtes promenades à cheval ou de plus longues randonnées d'une semaine dans des paysages lunaires.

À proximité, les maisons de vacances **Nollur** (www.nollur.is), conçues par des architectes, se louent à la semaine en haute saison (2 nuits au minimum de septembre à mai ; réservation en ligne). Très confortables, elles s'agrémentent de *hot pots* avec vue.

URGENCES

Police (non urgent 464 7700 ; Þórunnarstræti 138)

Pompiers et ambulances (112)

Depuis/vers Akureyri

AVION

L'**aéroport d'Akureyri** (www.akureyriairport.is) se situe à 3 km au sud du centre-ville.

Air Iceland (460 7000 ; www.airiceland.is) assure jusqu'à 8 vols quotidiens entre Akureyri et Reykjavík (45 min), et un vol par jour en été (3 par semaine en hiver) d'Akureyri à Grímsey (30 min). Un vol hebdomadaire dessert Vopnafjörður et Þórshöfn dans le Nord-Est. Tous les autres vols intérieurs (et internationaux) passent par Reykjavík.

Icelandair (www.icelandair.com) propose, de juin à septembre, 2 vols hebdomadaires depuis Keflavík, évitant ainsi aux voyageurs étrangers arrivant en Islande de rejoindre l'aéroport domestique de Reykjavík pour se rendre à Akureyri. Ces vols ne peuvent se réserver qu'avec un vol international depuis/vers l'Islande avec Icelandair.

BUS

Les services de bus changent constamment ; pour des informations actualisées sur les horaires et les tarifs, consultez les sites Internet des compagnies ou renseignez-vous dans les offices du tourisme.

La **gare routière** d'Akureyri est le carrefour des transports en bus SBA-Norðurleið et Sterna dans le Nord ; les bus Strætó partent d'un arrêt devant le Hof. NB : Il est question de construire une gare routière centrale qui sera desservie par toutes les compagnies ; vérifiez bien les points de départ.

Si vous devez retourner à Reykjavík, mieux vaut emprunter un itinéraire de bus tout-terrain à travers les hautes terres de l'intérieur, plutôt que la Route 1. Pour plus d'informations sur les services via la piste de Kjölur, reportez-vous p. 329.

SBA-Norðurleið (550 0700 ; www.sba.is ; Hafnarstræti 82) au départ de la gare routière d'Hafnarstræti :

- Bus n°62 pour Mývatn (3 700 ISK, 2 heures, 1/jour juin à mi-sept).
- Bus n°62 pour Egilsstaðir (9 000 ISK, 4 heures, 1/jour juin à mi-sept).
- Bus n°62 pour Höfn (17 800 ISK, 9 heures 30, 1/jour juin à mi-sept).
- Bus n°610a pour Reykjavík via la piste de Kjölur (15 000 ISK, 10 heures 30, 1/jour mi-juin à mi-sept).

- Bus n°641 pour Húsavík (3 700 ISK, 1 heure 30, 2/jour mi-juin à août).
- Bus n°641 pour Ásbyrgi (6 200 ISK, 3 heures, 1/jour mi-juin à août).
- Bus n°641 pour Dettifoss (8 900 ISK, 4 heures 30, 1/jour mi-juin à août).

Sterna (☎ 551 1166 ; www.sterna.is ; Hafnarstræti 77) au départ de la gare routière d'Hafnarstræti :

- Bus n°60a pour Reykjavík via la Route 1 (6 900 ISK, 5 heures 30, 1/jour lun-ven mi-juin à août).
- Bus F35a pour Reykjavík via la piste de Kjölur (13 900 ISK, 13 heures, 1/jour mi-juin à début sept).

Strætó (☎ 540 2700 ; www.straeto.is), au départ du centre culturel Hof, assure généralement ses liaisons toute l'année :

- Bus n°56 pour Mývatn (2 100 ISK, 1 heure 30, 2/jour). Liaisons réduites à 4/sem en hiver.
- Bus n°56 pour Egilsstaðir (6 300 ISK, 3 heures 30, 1/jour). Liaisons réduites à 4/sem en hiver.
- Bus n°57 pour Reykjavík via la Route 1 (7 700 ISK, 6 heures 30, 2/jour).
- Bus n°78 pour Siglufjörður (2 100 ISK, 1 heure 10, 3/jour lun-ven, 1/jour dim). Via Dalvík et Ólafsfjörður.
- Bus n°79 pour Húsavík (2 100 ISK, 1 heure 15, 3/jour). Services réduits le week-end en hiver (aucun le samedi, 2 le dimanche).
- Bus n°79 pour Þórshöfn (5 950 ISK, 4 heures, 1/jour dim-ven été, 3/sem hiver). Ce bus ne circule d'Húsavík à Þórshöfn (via Ásbyrgi, Kópasker et Raufarhöfn) que sur réservation. Téléphonez au moins 4 heures avant le départ.

VOITURE

Second carrefour de transport après Reykjavík, Akureyri compte plusieurs agences de location de voitures ; toutes les grandes enseignes sont présentes à l'aéroport. Moyennant un supplément, la plupart acceptent que vous preniez le véhicule à Akureyri et le rendiez à Reykjavík ou vice versa. Reportez-vous p. 396 pour la liste des agences de location.

Pour des informations sur le covoiturage, consultez www.samferda.is, ou les panneaux d'affichage des auberges de jeunesse.

> **UN NOUVEAU TUNNEL**
>
> Un nouveau tunnel routier de 7,5 km est en construction du côté est de l'Eyjafjörður. Il raccourcira de 16 km le trajet sur la Route 1 jusqu'à Húsavík. Il permettra d'éviter le col de Víkurskarð (souvent bloqué par la neige en hiver) et offrira un accès plus facile en hiver aux services d'Akureyri pour ceux qui habitent à l'est de la ville. Creusé sous la montagne Vaðlaheiði, le tunnel devrait être achevé en 2016.

Comment circuler

Compact, le centre d'Akureyri se parcourt aisément à pied. Renseignez-vous sur les réglementations si vous comptez stationner dans le centre.

BUS

Un service de bus municipaux gratuits (de couleur jaune) dessert 4 itinéraires ; ils circulent régulièrement de 7h à 19h en semaine (jusqu'à 22h sur une ligne). Certaines lignes ne fonctionnent pas le week-end et aucune ne rallie l'aéroport.

TAXI

Station de taxis BSO (☎ 461 1010 ; www.bso.is ; Strandgata). En face du Hof ; possibilité de réserver un taxi 24h/24.

Le site Internet de BSO et un panneau à la station indiquent les prix d'une voiture avec chauffeur pour visiter les sites alentour.

VÉLO

Quelques tour-opérateurs louent des vélos, dont **Bike Akureyri** (☎ 840 9850 ; www.bikeakureyri.is), installé dans l'Akureyri Backpackers, qui propose des vélos d'excellente qualité à partir de 3 500/4 900 ISK la demi-journée/journée ; renseignez-vous également sur les circuits guidés.

VOITURE

Akureyri applique le système de disque de stationnement dans le centre-ville (placez-le sur le tableau de bord pour qu'il soit visible de l'extérieur). Le stationnement est gratuit, mais la durée maximale (de 15 min à 2 heures entre 10h et 16h) diffère selon les emplacements. Tout dépassement est passible d'une amende. Pour vous simplifier la vie, vous pouvez stationner sans limite de temps au Hof.

D'Akureyri au Mývatn (Goðafoss)

Sur la route d'Akureyri au Mývatn (ou d'Akureyri à Húsavík en faisant un petit détour), vous passerez par la splendide Goðafoss.

Goðafoss CHUTE

La Goðafoss (chute des Dieux) dévale directement à travers le champ de lave de Bárðardalur, le long de la Route 1. Bien que plus petite et moins puissante que d'autres chutes islandaises, c'est sans conteste l'une des plus belles. Empruntez le chemin qui passe derrière la chute pour un point de vue moins fréquenté.

La Goðafoss tient une place importante dans l'histoire islandaise. En l'an 1000, à l'Alþing (Althing ; Parlement), le *lögsögumaður* (celui qui dit la loi) Þorgeir (Thorgeir) fut contraint de prendre une décision au sujet de la religion islandaise. Après 24 heures de réflexion, il choisit le christianisme. En revenant à sa ferme, il passa par la chute dans laquelle il jeta ses sculptures païennes de dieux nordiques. De là provient le nom de la chute.

Fosshóll PENSION, CAMPING **€€**
(☎464 3108 ; www.godafoss.is ; empl 1 000 ISK/pers, d avec/sans sdb 25 935/19 950 ISK, petit-déj inclus ; ⏲mi-mai à mi-sept ; 📶). Si le bruit de l'eau ne vous gêne pas pour dormir, passez la nuit dans l'une des chambres (surévaluées) de cet établissement jaune vif situé près de la chute. Il comprend un restaurant ouvert le soir et se trouve à proximité d'une station-service avec un point d'information, une cafétéria et une boutique de souvenirs.

RÉGION DU MÝVATN

Joyau incontesté du Nord-Est, le lac Mývatn et ses alentours offrent un paysage surréaliste d'une austère beauté, composé de marmites de boue, d'étranges formations de lave, de fumerolles et de cratères volcaniques.

Le bassin du Mývatn se tient sur la dorsale médio-atlantique et doit son aspect unique aux soubresauts géologiques propres à la région. Vous découvrirez l'Islande telle que vous vous l'imaginiez.

Histoire et géologie

Il y a 10 000 ans, le bassin du Mývatn était couvert d'une calotte glaciaire, qui fut détruite par de violentes éruptions volcaniques, lesquelles firent également disparaître le lac présent à l'époque. Les explosions formèrent les pics *móberg* (montagnes au sommet aplati créées par des éruptions volcaniques sous-glaciaires) symétriques au sud du lac actuel, tandis que l'activité volcanique à l'est créa les téphras (fragments solides projetés dans l'air lors d'une éruption volcanique) de Lúdent.

Une autre phase d'activité violente, après plus de 6 000 ans, fut à l'origine du volcan Ketildyngja, à 25 km au sud-est du Mývatn. La lave s'écoula du cratère vers le nord-ouest, le long de la vallée de Laxárdalur, formant un barrage et un nouveau lac. Près d'un millénaire plus tard, une explosion volcanique le long de la même fissure forma le Hverfell, le cratère de téphra qui domine le paysage actuel. Durant les 200 ans qui suivirent, l'activité s'intensifia le long du littoral est, et des cratères apparurent dans une vaste région, vomissant un flot continu de débris en fusion coulant vers Öxarfjörður. Le barrage de lave formé à la fin de ce cycle créa le rivage du Mývatn.

Entre 1724 et 1729, les éruptions de Mývatnseldar (Feux de Mývatn) commencèrent au Leirhnjúkur, près de Krafla, au nord-est du lac. Cette fissure à l'activité irrégulière entra de nouveau en éruption dans les années 1970 (les Kröflueldar, ou Feux de Krafla), un épisode qui dura 9 ans.

En 1974, la région du Mývatn fut désignée réserve naturelle de Mývatn-Laxá. Le champ de pseudo-cratères à Skútustaðir, à la pointe sud du lac, est préservé en tant que monument naturel national.

☞ Circuits organisés

Le tourisme règne en maître à Reykjahlíð, où de nombreux circuits organisés permettent d'explorer la région (dont certains au départ d'Akureyri). Ils sont vite complets en été, aussi réservez au moins la veille ; le centre d'information pourra vous aider.

Plusieurs tour-opérateurs organisent des circuits en Super-Jeep dans les hautes terres, jusqu'à **Askja et ses alentours**, de mi-juin (date de l'ouverture de la route) jusqu'à fin septembre si le climat le permet. Prévoyez une longue journée d'excursion, jusqu'à 15 heures au départ d'Akureyri, ou 12 heures depuis Reykjahlíð.

SBA-Norðurleið CIRCUIT EN BUS
(☎550 0700 ; www.sba.is). Circuit condensé en bus des principaux sites du Mývatn ; il part d'Akureyri, mais on peut souvent monter à bord à Reykjahlíð (départ de Reykjahlíð à 12h30 en été ; 3 heures 45, 7 700 ISK). Également proposé en hiver.

Saga Travel CIRCUITS AVENTURE
(☎558 888 ; www.sagatravel.is). Installée à Akureyri, Saga Travel propose toute l'année une gamme de fabuleux circuits dans la région du Mývatn (programme complet

Mývatn et Krafla

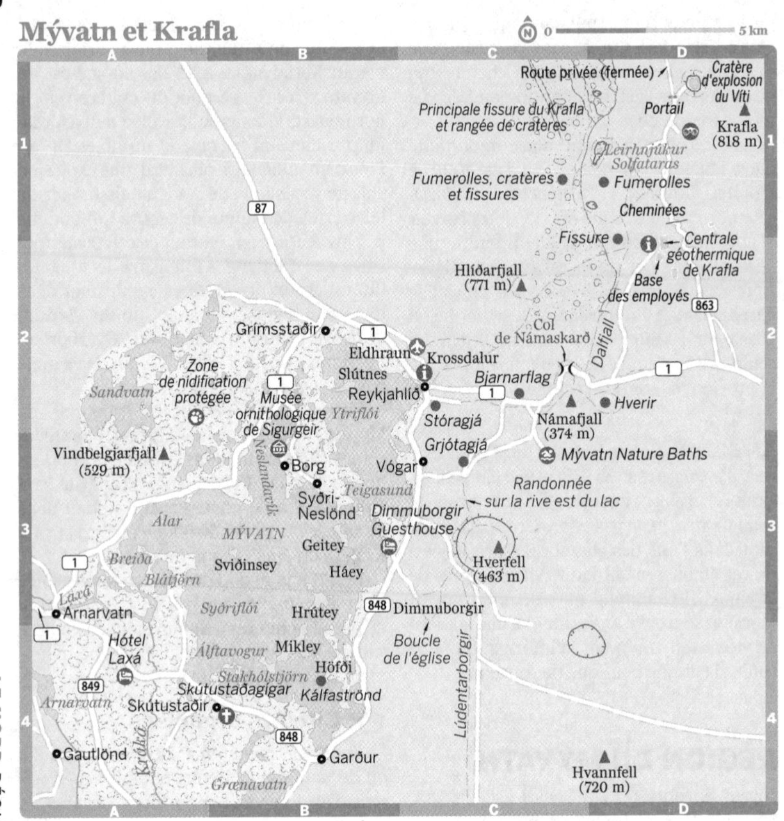

sur le site Internet). Vous pouvez partir d'Akureyri ou de Reykjahlíð.

Hike & Bike RANDONNÉE, CYCLOTOURISME

(☎899 4845 ; www.hikeandbike.is ; 9h-17h juin-août). Hike & Bike possède un kiosque à côté de la taverne Gamli Bærinn à Reykjahlíð, où il est possible de réserver des circuits et de louer des VTT (4 000 ISK/jour).

Le programme estival comprend une randonnée guidée de 4 heures jusqu'au Hverfell et au Dimmuborgir (7 900 ISK) ; un circuit de 3 heures à vélo dans l'arrière-pays (8 900 ISK) ; et un circuit de cyclotourisme qui s'achève par un bain aux Nature Baths (9 900 ISK, entrée comprise).

Découvrez sur le site Internet les excellentes excursions de plusieurs jours (dont 5 jours de marche et de vélo dans la région du Mývatn, ou 5 jours de VTT dans la Jökulsárgljúfur), et les activités hivernales (circuits en raquettes et ski de fond).

Saltvík ÉQUITATION

(☎847 6515 ; www.saltvik.is ; circuit 1/2 heures 6 000/8 500 ISK). Juste au sud de Reykjahlíð, Saltvík propose des circuits à cheval (généralement tous les jours à 10h, 13h et 16h de juin à août). Il possède une enseigne plus importante à Húsavík.

Safarí Hestar ÉQUITATION

(☎464 4203 ; www.safarihorserental.com ; circuit 1/2 heures 5 500/9 000 ISK). Belles balades sur les rives du lac et parmi les pseudo-cratères au départ de la ferme Álftagerði III, du côté sud du lac (à 400 m à l'ouest du Sel-Hótel).

Mýflug Air VOLS PANORAMIQUES

(☎464 4400 ; www.myflug.is ; aéroport de Reykjahlíð). Vols touristiques quotidiens (si le temps le permet). Un vol de 20 minutes au-dessus du Mývatn et de Krafla coûte 13 900 ISK ; le "super circuit" de 2 heures (45 400 ISK) comprend aussi Dettifoss, Ásbyrgi, Kverkfjöll, Herðubreið et Askja.

S'ORIENTER À MÝVATN

Une route asphaltée de 36 km (Route 1 sur les rives ouest et nord, et Route 848) fait le tour du lac Mývatn. Principale localité, Reykjahlíð se situe dans le coin nord-est et comprend un centre d'information, ainsi que la plupart des hébergements et restaurants.

Les sites sont presque tous desservis par la Route circulaire (Route 1), notamment les diverses formations de lave à l'est du Mývatn, les pseudo-cratères proches du sud de Mývatn et les plaines marécageuses peuplées d'oiseaux à l'ouest du lac.

Au nord du lac, la Route circulaire tourne vers l'est après Reykjahlíð, et franchit le col de Námaskarð pour rejoindre le secteur géothermique de Hverir. Ensuite, un embranchement vers le nord (Route 863) mène à Krafla, à 14 km de Reykjahlíð.

Avec votre propre véhicule, vous pourrez explorer la région en une journée ; si vous vous déplacez en bus ou à vélo, prévoyez 2 jours. Comptez au moins 3 jours si vous souhaitez découvrir des montagnes et des champs de lave plus éloignés.

Depuis/vers Reykjahlíð

Tous les bus prennent/déposent les passagers au centre d'information de Reykjahlíð ; les bus n[os]62/62a, 56, 14/14a et 17/17a s'arrêtent également à Skútustaðir, à côté du Sel-Hótel.

SBA-Norðurleið (☎ 550 0700 ; www.sba.is) :

- Bus n°62a pour Akureyri (3 700 ISK, 1 heure 45, 1/jour juin à mi-sept).
- Bus n°62 pour Egilsstaðir (5 700 ISK, 2 heures, 1/jour juin à mi-sept).
- Bus n°62 pour Höfn (14 400 ISK, 7 heures 30, 1/jour juin à mi-sept).
- Bus n°650 pour Húsavík (3 100 ISK, 40 min, 2/jour mi-juin à août).
- Bus n°661 pour Krafla (1 700 ISK, 15 min, 2/jour mi-juin à août).
- Bus n°661 pour Dettifoss (3 700 ISK, 1 heure, 1/jour mi-juin à août). À Dettifoss, vous pouvez prendre le bus n°641a pour Ásbyrgi, Húsavík ou Akureyri.

Strætó (☎ 540 2700 ; www.straeto.is) :

- Bus n°56 pour Akureyri (2 100 ISK, 1 heure 30, 2/jour). Services réduits à 4/sem en hiver.
- Bus n°56 pour Egilsstaðir (4 550 ISK, 2 heures, 1/jour). Services réduits à 4/sem en hiver.

Reykjavík Excursions (☎ 580 5400 ; www.re.is) :

- Bus n°14a pour Landmannalaugar par la piste de Sprengisandur dans les hautes terres (16 500 ISK, 10 heures, 3/sem juil-août).
- Bus n°17a pour Reykjavík par la piste de Sprengisandur dans les hautes terres (20 500 ISK, 11 heures 30, 3/sem juil-août).

Comment circuler

De superbes chemins de randonnée sillonnent les alentours du Mývatn (mais ils ne sont pas tous reliés). Sans moyen de transport, vous devrez marcher longtemps sur la route en bord de lac (vous pouvez toujours tenter le stop...).

Louez plutôt une voiture à Akureyri ou, par beau temps, un VTT auprès de Hike & Bike. Le tour du lac (36 km) peut s'effectuer en une journée.

Reykjahlíð

140 HABITANTS

Reykjahlíð, sur la rive nord-est du lac, est le principal village et la base la plus pratique pour visiter Mývatn. Il n'offre guère plus que quelques pensions et hôtels, un supermarché, une station-service et un centre d'information.

À voir et à faire

Église de Reykjahlíð ÉGLISE

Lors de l'éruption du Krafla en 1727, le cratère du Leirhnjúkur, à 11 km au nord-est de Reykjahlíð, entama 2 ans d'activité volcanique, déversant des coulées de lave le long d'anciennes moraines glaciaires vers le lac. Le 27 août 1729, la lave atteignit le village, détruisant fermes et bâtiments, mais épargnant l'**église** en bois à quelques mètres près ! Elle fut reconstruite sur ses fondations d'origine en 1876, puis en 1962.

LE LAC DES MOUCHERONS

Mývatn se traduit par "lac des Moucherons", et les voyageurs qui le découvrent en été ne sont pas près d'oublier ces nuées d'insectes. Aussi exaspérants puissent-ils être, ces moucherons représentent une source d'alimentation vitale pour la faune.

Pour vous protéger, portez un filet de protection sur la tête (en vente au supermarché de Reykjahlíð, et ailleurs), aspergez-vous de répulsif et... priez pour que le vent les repousse dans l'eau.

Sundlaug PISCINE

(proche de Hlíðavegur ; adulte/enfant 600/250 ISK ; ⏲10h-21h juin-août, horaires réduits sept-mai). Si vous souhaitez nager sans payer les prix prohibitifs des Nature Baths, envisagez la piscine découverte de 25 m de Reykjahlíð, avec *hot pots* et équipements sportifs.

Où se loger

En raison de la popularité du Mývatn, les prix flambent et la demande est largement supérieure à l'offre, aussi pensez à réserver. Les tarifs sont généralement exorbitants, 220 € étant la norme pour une double dans un hôtel quelconque en haute saison (les pensions sont presque aussi chères). Hors saison, les prix peuvent baisser jusqu'à 50%.

La plupart des établissements se situent à Reykjahlíð ou à Vógar, un petit groupe de bâtiments sur la rive est du lac, à quelque 2,5 km au sud de Reykjahlíð. D'autres hébergements sont installés à Dimmuborgir et sur la rive sud à Skútustaðir. Le site www.myvatnhotels.com indique de nombreuses adresses.

Consultez les sites Internet pour des prix actualisés (et de basse saison). Pour payer moins cher dans les pensions, renseignez-vous sur les options duvet (plus courantes en basse saison).

Bjarg CAMPING €

(☎464 4240 ; ferdabjarg@simnet.is ; empl 1 500 ISK/pers, d sans sdb 15 900 ISK ; ⏲mi-mai à sept ; @📶). Ce petit camping bénéficie d'un emplacement somptueux sur la rive du lac côté Reykjahlíð (quasiment en face du supermarché). Il comprend une tente-cuisine, un service de blanchissage, un comptoir de réservation de circuits, et loue en été barques et vélos. Le bâtiment principal abrite quelques chambres.

Hlíð CAMPING, PENSION €

(☎464 4103 ; www.myvatnaccommodation.is ; Hraunbrún ; empl 1 400 ISK/pers, dort 4 700 ISK, d petit-déj inclus 24 000 ISK, cottages 35 000 ISK ; @📶). Vaste camping bien tenu à 300 m au-dessus de l'église, il propose une gamme complète d'hébergements : camping, dortoirs avec option duvet, chambres avec accès à une cuisine commune, bungalows sommaires, cottages pouvant accueillir 6 personnes et chambres avec sdb. Buanderie, terrain de jeux et location de vélos complètent l'offre.

Helluhraun 13 B&B €€

(☎464 4132 ; www.helluhraun13.blogspot.com ; Helluhraun 13 ; s/d sans sdb petit-déj inclus 13 000/18 000 ISK ; ⏲juin-sept ; 📶). Petite pension douillette donnant sur les champs de lave, tenue par la charmante Ásdis. Comprend une sdb et 3 chambres lumineuses, impeccables et joliment décorées.

Eldá PENSION €€

(☎464 4220 ; www.elda.is ; Helluhraun 15 ; s/d sans sdb petit-déj inclus 14 000/19 700 ISK ; @📶). Tenu par une famille, cet établissement sympathique se compose de 3 propriétés le long d'Helluhraun, et offre un hébergement simple et douillet, avec cuisines communes et salons TV.

Vógar PENSION, CAMPING €€

(☎464 4399 ; www.vogahraun.is ; Vógar ; tentes 1 500 ISK/pers, d sans/avec sdb 15 400/27 700 ISK). Un choix d'hébergements corrects à 2,5 km au sud de Reykjahlíð : camping, couchage avec duvet dans des préfabriqués, et un nouveau bâtiment de chambres avec ou sans sdb. Prix réduit pour l'option duvet et pour une deuxième nuit.

Vogafjós Guesthouse PENSION €€€

(☎464 3800 ; www.vogafjos.net ; Vógar ; s/d petit-déj inclus 28 600/30 000 ISK ; 📶). Ces douillets bungalows en bois, avec chauffage au sol, fleurent bon le pin et le cèdre. Ils sont installés dans un champ de lave à 2,5 km au sud de Reykjahlíð et à deux pas du café Vogafjos, où le petit-déjeuner est servi. Si la plupart des chambres sont doubles, des chambres familiales sont aussi à disposition.

Hótel Reynihlíð HÔTEL €€€

(☎464 4170 ; www.myvatnhotel.is ; s/d petit-déj inclus à partir de 25 400/32 300 ISK ; @📶). Le plus bel hôtel du Mývatn compte 40 chambres, un restaurant, un salon-bar et un sauna. Les chambres supérieures bénéficient simplement de plus d'espace et d'une meilleure vue. Nous avons aimé les 9 chambres de l'annexe plus douillette en bord de lac, l'**Hótel Reykjahlíð** (mêmes prix).

Où se restaurer et prendre un verre

La spécialité locale est un pain de seigle humide semblable à un gâteau, appelé *hverabrauð* (souvent traduit par "pain de Geysir"). Il est cuit lentement sous terre à la chaleur géothermique et servi dans tous les restaurants de la ville.

♥ **Vogafjós** ISLANDAIS €€

(www.vogafjos.net ; plats 2 550-4 700 ISK ; ⏲7h30-23h ; 📶🥗👪). À 2,5 km au sud de Reykjahlíð,

"L'Étable" est un restaurant mémorable où l'on peut admirer un paysage verdoyant et la laiterie de la ferme (traite des vaches à 7h30 et 17h30). La carte est une ode aux produits locaux : agneau fumé, mozzarella maison, omble chevalier à l'aneth, pain de Geysir, pâtisseries et glaces maison. Tout est délicieux.

Gamli Bærinn ISLANDAIS €€
(www.myvatnhotel.is ; plats 1 900-4 900 ISK ; ⏲ 10h-23h). Accueillante et animée, la taverne de la "Vieille Ferme", à côté de l'Hótel Reynihlíð, sert des repas de pub, tels soupes et burgers au déjeuner, et poisson et steak au dîner. Les habitants s'y retrouvent en soirée – les heures d'ouverture se prolongent souvent le week-end, mais la cuisine ferme à 22 h.

Myllan ISLANDAIS €€
(☎ 464 4170 ; www.myvatnhotel.is ; plats 2 500-5 850 ISK ; ⏲ 18h30-21h). Le restaurant de l'Hótel Reynihlíð est le plus chic de la ville et propose des spécialités locales comme l'agneau fumé, l'omble chevalier sauté et le faux-filet grillé, sans oublier les habituels club-sandwichs des restaurants d'hôtel !

Daddi's Pizza PIZZERIA €€
(pizza 2 000-3 500 ISK ; ⏲ 11h30-23h). Dans le camping Vogár, ce petit établissement offre de savoureuses pizzas à déguster sur place ou à emporter. Essayez la spécialité maison : truite fumée, noix et crème de fromage (meilleure qu'il n'y paraît).

Samkaup-Strax SUPERMARCHÉ
(⏲ 9h-22h mi-juin à août, 10h-18h sept à mi-juin). Un supermarché bien approvisionné (avec pompes à essence) près du centre d'information touristique, avec un stand de burgers.

Renseignements

Centre d'information touristique (☎ 464 4390 ; www.visitmyvatn.is ; Hraunvegur 8 ; ⏲ 7h30-18h juin-août, horaires réduits sept-mai). Bien informé, avec d'intéressantes expositions sur la géologie locale ; réservation d'hébergements, de circuits et de transports. Emportez la brochure *Visit Mývatn* et la carte *Mývatn Lake*.

Poste (Helluhraun ; ⏲ 9h-16h). Dans la rue derrière le supermarché ; abrite une banque et un DAB accessible 24h/24.

Est du Mývatn

Si vous manquez de temps, explorez la rive est, dont les sites peuvent se visiter au cours d'une agréable promenade d'une demi-journée (voir p. 254).

Grjótagjá GROTTE
Les fans de *Game of Thrones* reconnaîtront sans doute l'endroit où John Snow est... défloré par Ygritte. Grjótagjá est une faille béante avec une grotte remplie d'eau à 45°C. Elle se trouve dans une propriété privée et il est interdit de se baigner, mais les propriétaires permettent les visites et les photos. L'endroit est magnifique, surtout quand le soleil filtre à travers des lézardes du plafond.

Hverfell CRATÈRE
Dominant les champs de lave à la lisière est du Mývatn, le Hverfell (ou Hverfjall) est un cône de téphra. Ce cratère quasiment symétrique est apparu il y a 2 700 ans lors d'une éruption cataclysmique de l'ensemble de Lúdentarhíð. Haut de 463 m et large de 1 040 m, cet imposant volcan est emblématique de la région du Mývatn.

Le cratère se compose de graviers ; un chemin facile mène de l'extrémité nord-ouest au sommet et offre une vue époustouflante sur le cratère et le paysage alentour. Un sentier suit le bord ouest jusqu'à un point de vue à l'extrémité au sud, avant de descendre en pente raide vers le Dimmuborgir.

Une route gravillonnée indiquée conduit au chemin à l'extrémité nord-ouest du cratère ; le parking se situe à environ 3 km de la route principale.

Lofthellir GROTTE
Avec ses magnifiques sculptures naturelles en glace (des trolls peut-être ?), la spectaculaire grotte de lave de Lofthellir est l'un des plus beaux sites du Mývatn.

Elle se trouve dans une propriété privée et ne se visite que dans le cadre d'un circuit d'une demi-journée organisé par Saga Travel (p. 249). Le circuit comprend un trajet de 45 minutes en 4x4 et une marche de 20 minutes à travers un champ de lave pour rejoindre la grotte, où l'on vous fournira un équipement spécial (lampes frontales, chaussures à crampons, etc.) pour pouvoir vous faufiler dans les espaces étroits. Habillez-vous chaudement.

Le circuit coûte 26 500/19 500 ISK au départ d'Akureyri/Reykjahlíð. Saga Travel propose aussi ce circuit en hiver, ce qui implique de rouler sur la neige puis de marcher avec des raquettes jusqu'à la grotte (34 500/27 500 ISK depuis Akureyri/Reykjahlíð).

RANDONNÉE SUR LA RIVE EST DU LAC

Facilement accessibles en voiture, les sites le long de la rive est du Mývatn peuvent aussi se découvrir au cours d'une agréable randonnée d'une demi-journée. Un chemin balisé court de Reykjahlíð au Hverfell (5 km), en passant par Grjótagjá. Il continue ensuite jusqu'au Dimmuborgir (3 km) et ses formations de lave ruiniformes. Si vous partez en fin d'après-midi et marchez d'un bon pas, vous pourrez terminer la journée par un repas à Dimmuborgir, alors que le soleil couchant éclaire un paysage lunaire. Autre possibilité : le circuit du coin nord-ouest du Hverfell jusqu'aux Nature Baths (2,3 km), avec des couchers de soleil tout aussi surprenants.

Dimmuborgir CHAMP DE LAVE

Les gigantesques formations déchiquetées de Dimmuborgir (littéralement “Châteaux noirs”) en font l'un des plus fascinants champs de lave du pays. Un réseau de chemins balisés sillonne ce paysage aux contours anthropomorphes. Le plus fréquenté est la **boucle de l'église** (2,3 km). En été, renseignez-vous au café sur les randonnées gratuites guidées par des gardes forestiers.

Il est communément admis que les étranges aiguilles et crevasses de Dimmuborgir sont apparues il y a quelque 2 000 ans, lorsqu'un lac de lave jailli des cratères de Þrengslaborgir et de Lúdentarborgir se forma à cet endroit, au-dessus d'un marais ou d'un petit lac. L'eau du marais se mit à bouillonner, et des jets de vapeur traversèrent la lave en fusion et la refroidirent, créant les colonnes. Tandis que la lave continuait de s'écouler plus bas, les colonnes creuses de lave solidifiée demeurèrent.

Höfði FORMATIONS DE LAVE

Le promontoire de lave d'Höfði, couvert de fleurs sauvages, de bouleaux et d'épicéas, offre l'un des paysages les plus doux de la région ; au large, des îlots et une eau cristalline attirent des oiseaux migrateurs.

Depuis les chemins qui longent le rivage, vous verrez des petites grottes et d'étonnants *klasar* (colonnes de lave), dont les plus fameuses surgissent des flots à Kálfaströnd, sur la rive sud de la péninsule d'Höfði.

Où se loger et se restaurer

Dimmuborgir Guesthouse PENSION €€

(☎464 4210 ; www.dimmuborgir.is ; s/d 20 000/23 500 ISK, d cottages avec/sans sdb 33 500/24 500 ISK, petit-déj inclus ;). Cette pension en bord de lac, proche du champ de lave de Dimmuborgir, compte une aile de chambres avec sdb (et cuisine-salle à manger commune), ainsi que quelques jolis cottages en bois. Le petit-déjeuner est servi dans la maison principale, derrière des baies vitrées qui surplombent le lac.

Remarquez le **fumoir** caché à l'arrière, où vous pourrez admirer les rangées de saumons... et faire vos provisions pour le pique-nique du lendemain. Le fumoir est ouvert à tous.

Helgi, le propriétaire, organise aussi de courtes **sorties en bateau** sur le lac – un excellent moyen de découvrir une autre perspective.

Kaffi Borgir ISLANDAIS €€

(www.kaffiborgir.is ; plats 1 800-4 100 ISK ; 9h-22h juin-août, horaires réduits sept-déc et avr-mai). Ce café-boutique de souvenirs se tient au sommet de la crête qui domine le champ de lave de Dimmuborgir. Installez-vous en terrasse, commandez la spécialité de la maison (truite grillée) et regardez le soleil dessiner des ombres parmi les pics de lave.

Sud du Mývatn

Si l'est du Mývatn est un trésor d'anomalies géologiques, la rive sud du lac séduit par son ensemble de pseudo-cratères appelé **Skútustaðagígar**.

Les pseudo-cratères ont été formés quand de la lave en fusion a coulé dans le lac, provoquant des explosions de vapeur. Ces plissements spectaculaires sont apparus quand l'eau bloquée sous la surface est devenue bouillante et a forcé le passage, formant ainsi des petits cônes et cratères de scories. L'ensemble de pseudo-cratères le plus accessible longe un court sentier en face de Skútustaðir, qui mène aussi à **Stakhólstjörn**, un étang peuplé d'oiseaux aquatiques.

Seul autre village autour du lac avec Reykjahlíð, **Skútustaðir** compte quelques hôtels, une pension et offre quelques activités touristiques.

Où se loger et se restaurer

Skútustaðir Farmhouse PENSION €€

(☎464 4212 ; www.skutustadir.com ; d avec/sans sdb 28 350/21 250 ISK, petit-déj inclus ; 📶). Des prix raisonnables, des propriétaires accueillants et une propreté irréprochable caractérisent cette pension recommandée, ouverte toute l'année. Elle offre des chambres avec sdb commune dans la ferme douillette, une annexe de 5 chambres avec sdb, un cottage de 2 chambres, et une nouvelle aile de chambres avec une grande cuisine commune.

♥ **Hótel Laxá** HÔTEL €€€

(☎464 1900 ; www.hotellaxa.is ; s/d petit-déj inclus 31 000/37 000 ISK ; 📶). Cet hôtel à l'architecture saisissante et respectueuse de l'environnement a ouvert durant l'été 2014 à 2 km à l'est de Skútustaðir. Il possède 80 chambres modernes et simples, chères mais confortables, dont les couleurs s'harmonisent avec les alentours. Les grandes fenêtres et les canapés verts du salon-bar invitent à la contemplation. Il y a aussi un élégant **restaurant** (plats 2 500-5 500 ISK).

Sel-Hótel Mývatn HÔTEL €€€

(☎464 4164 ; www.myvatn.is ; s/d petit-déj inclus 28 100/33 800 ISK ; @📶). Les projets d'agrandissement (22 nouvelles chambres prévues pour l'été 2015) devraient apporter un rajeunissement bienvenu à cet hôtel de Skútustaðir. Il comprend un *hot pot*, un sauna et un salon-bar, plus une cafétéria-boutique de souvenirs (ouverte 8h-22h de juin à août) à côté du parking. Le **restaurant** sans prétention propose des buffets appréciés des groupes (buffet déj/dîner 2 700/5 900 ISK).

Les forfaits d'**activités hivernales** constituent le meilleur atout du Sel : aurores boréales, exploration en Super-Jeep, circuits à motoneige sur le lac gelé, ski de fond, équitation, et des possibilités plus originales comme le karting sur la glace. Importante baisse du prix des chambres en basse saison.

Hótel Gígur HÔTEL €€€

(☎464 4455 ; www.keahotels.is ; s/d petit-déj inclus 29 200/36 500 ISK ; @📶). L'emplacement en bord de lac ne compense pas les prix excessifs des chambres exiguës. Le joli **restaurant** (plats dîner 3 990-5 600 ISK) vert est nettement plus séduisant, avec une vue superbe sur le lac et des spécialités locales bien préparées (truite poêlée, crème brûlée avec compote de rhubarbe).

Ouest du Mývatn

Laxá RIVIÈRE

Claire et turbulente, la Laxá (rivière aux saumons), l'une des nombreuses rivières islandaises à porter ce nom, traverse la partie ouest du Mývatn, coulant directement dans la toundra vers Skjálfandi (la baie peuplée de baleines d'Húsavík). La Laxá est l'un des meilleurs (et des plus chers) sites de pêche au saumon du pays. Pêcher la truite saumonée est également possible et plus abordable.

Vindbelgjarfjall MONTAGNE

Escarpé mais relativement facile à gravir, le Vindbelgjarfjall (529 m), sur la rive ouest, offre l'une des meilleures vues sur le lac et ses étranges pseudo-cratères. Le chemin débute au sud du mont, près de la ferme Vagnbrekka. Comptez environ 30 minutes pour rejoindre la montagne et autant pour atteindre le sommet.

♥ **Musée ornithologique de Sigurgeir** MUSÉE

(Fuglasafn Sigurgeirs ; ☎464 4477 ; www.fuglasafn.is ; adulte/enfant 1 000/500 ISK ; ⏲10h-18h juin-août, horaires réduits sept-mai). Pour approfondir vos connaissances sur les oiseaux, visitez ce musée, installé au bord du lac dans un superbe bâtiment alliant design moderne et maison de tourbe traditionnelle. Il renferme une impressionnante collection d'oiseaux naturalisés, avec plus de 180 espèces du monde entier, dont toutes celles présentes en Islande (à l'exception du phalarope à bec large). L'éclairage étudié et les explications détaillées enrichissent la visite.

Le musée est dédié à Sigurgeir Stefansson, qui débuta cette collection à titre privé et se noya dans le lac à 37 ans. Il comprend un petit café et prête des télescopes high-tech aux passionnés d'ornithologie. Il loue également des affûts pour l'observation.

Remarquez la petite pièce d'eau au centre de la salle d'exposition, qui contient des *boules de marimo* (voir encadré p. 256).

Observation des oiseaux ORNITHOLOGIE

L'ouest du Mývatn est l'un des meilleurs endroits du pays pour observer les oiseaux, avec plus de 115 espèces, dont 28 de canards. La plupart des oiseaux aquatiques d'Islande vivent ici en grand nombre. Parmi les 15 espèces de canards qui nichent ici, 3 d'entre elles – la macreuse, le canard

LES BOULES DE MARIMO

Les *boules* de *marimo (Cladophora aegagropila)* sont de petites sphères d'algues vertes qui pousseraient naturellement dans quelques rares endroits au monde – Mývatn et le lac Akan au Japon. *Marimo* est un terme japonais qui signifie "boules d'algues". Dans la région du Mývatn, les habitants les appellent *kúluskítur*, littéralement "boules d'excrément". On peut en voir au Musée ornithologique de Sigurgeir (p. 255), dans le bassin au centre de l'espace d'exposition.

chipeau et le garrot d'Islande – ne se reproduisent nulle part ailleurs en Islande.

Arlequins plongeurs, fuligules morillons, colverts, fuligules milouinans, cygnes chanteurs, plongeons huards, sternes arctiques et pluviers dorés comptent parmi les autres espèces qui fréquentent la région. Les marécages, les étangs et la toundra humide constituent d'importants secteurs de nidification, où il est interdit de sortir des sentiers du 15 mai au 20 juillet (période de la couvée). Les affûts d'observation près du Musée ornithologique de Sigurgeir permettent d'admirer les oiseaux.

Nord du Mývatn

Alors que la route qui longe le lac retourne vers Reykjahlíð, les marécages s'assèchent et cèdent la place aux étendues de lave qui couvrent la majeure partie de la région.

Eldhraun CHAMP DE LAVE

Le champ de lave qui borde la rive nord du Mývatn comprend la coulée qui faillit engloutir l'église de Reykjahlíð. Elle fut crachée par le Leirhnjúkur durant les Feux de Mývatn en 1729, et se déversa dans le canal Eldá. Vous pouvez explorer l'Eldhraun à pied depuis Reykjahlíð – la progression est lente.

Hlíðarfjall MONTAGNE

Si vous marchez directement jusqu'à Krafla depuis la crête nord du Mývatn, vous passerez par l'imposante montagne rhyolitique d'Hlíðarfjall (771 m ; aussi appelée Reykjahlíðarfjall), juste avant la marque de mi-parcours. À 5 km de Reykjahlíð, ce mont peut constituer une agréable promenade d'une journée, avec des vues spectaculaires sur le lac d'un côté, et sur les champs de lave de Krafla de l'autre.

Est de Reykjahlíð

Les trésors géologiques du nord du Mývatn longent la Route circulaire (Route 1) alors qu'elle serpente dans un terrain inhospitalier entre le nord du lac et l'embranchement vers Krafla. De nombreux chemins permettent d'explorer le secteur à pied.

Bjarnarflag SECTEUR GÉOTHERMIQUE

Bjarnarflag, à 3 km à l'est de Reykjahlíð, est un secteur géothermique actif, où la terre se soulève et bouillonne et où des colonnes de vapeur bordent la vallée. Il a toujours attiré des entrepreneurs désireux d'exploiter ses ressources naturelles. Des fermiers ont même tenté de faire pousser des pommes de terre, mais la chaleur extrême du sol a anéanti leurs espoirs.

À la fin des années 1960, 25 forages tests furent réalisés à Bjarnarflag pour juger de la faisabilité d'une centrale géothermique. L'un atteint 2 300 m et la vapeur s'en échappe toujours à 200°C.

Une usine de diatomite fut construite par la suite, mais il n'en reste plus qu'un étang turquoise que les habitants ont surnommé le "Blue Lagoon". Ce bassin attrayant est en réalité toxique et ne doit pas être confondu avec les Mývatn Nature Baths, un peu plus loin (parfois appelés "Blue Lagoon du Nord").

♥ Mývatn Nature Baths SPA

(Jarðböðin ; www.jardbodin.is ; adulte/enfant 3 500 ISK/gratuit ; 9h-24h juin-août, 12h-22h sept-mai). Le pendant septentrional du Blue Lagoon se situe à 3 km à l'est de Reykjahlíð. Plus petit et moins chic (sans doute préférable) que son homologue, c'est un endroit superbe où se baigner dans une eau bleu layette, riche en minéraux, en admirant le paysage. Après un bain relaxant, essayez l'un des deux bains de vapeur naturelle, puis offrez-vous un repas à la cafétéria.

Námafjall MONTAGNE

Des colonnes de vapeur jalonnent la crête rose-orangé du Námafjall, 3 km après Bjarnarflag (du côté sud de la Route circulaire). Formée par une éruption fissurale, la crête se tient entièrement sur la dorsale médio-atlantique. Franchissez le col de Námaskarð et dévalez l'autre côté pour entrer dans l'univers surréaliste de Hverir.

Hverir SECTEUR GÉOTHERMIQUE

Monde magique aux tons ocre, Hverir offre un paysage lunaire de chaudrons de boue, de colonnes de vapeur, de dépôts minéraux et de fumerolles. Les gargouillis de la boue et l'odeur de soufre peuvent sembler moins attrayants, mais tous les visiteurs sont saisis par la beauté éthérée d'Hverir.

Des sentiers sécurisés sont délimités par des cordes. Pour éviter de vous blesser ou de dégrader la nature, ne marchez pas sur des sols plus clairs et ne vous écartez pas des sentiers.

Un chemin de randonnée relie Hverir à la crête de Námafjall. Cette grimpée de 30 minutes offre une vue splendide sur le paysage fumant.

Krafla

Colonnes de vapeur et cratères composent le paysage de Krafla, une région volcanique active à 7 km au nord de la Route circulaire. À l'origine une montagne haute de 818 m, Krafla désigne désormais la région entière, une centrale géothermique et la série d'éruptions qui créèrent le plus impressionnant champ de lave d'Islande. Le cycle d'éruptions appelé Feux de Mývatn se produisit entre 1724 et 1729, quand s'ouvrirent de nombreuses fissures. Les Feux de Krafla (1975-1984), un phénomène très similaire, se caractérisèrent par des éruptions fissurales et des mouvements magmatiques intermittents pendant 9 ans.

De Reykjahlíð, une **randonnée** relativement facile de 13 km (3-4 heures) conduit à l'Hlíðarfjall et au Leirhnjúkur par un chemin balisé qui débute près de l'aérodrome. Un autre itinéraire (difficile ; 3-5 heures environ) conduit de Namaskarð le long de la crête du Dalfjall jusqu'au Leirhnjúkur.

Centrale de Krafla CENTRALE GÉOTHERMIQUE

(centre des visiteurs 10h-17h juin-août). L'idée de construire une centrale géothermique à Krafla naquit en 1973 ; les travaux préliminaires commencèrent par des forages afin de vérifier la faisabilité du projet. En 1975, après une longue période de tranquillité, la fissure du Krafla entra dans une phase d'activité. La centrale fut cependant construite et agrandie ultérieurement. Le **centre des visiteurs** explique son fonctionnement.

Leirhnjúkur CHAMP DE LAVE

Le cratère du Leirhnjúkur et ses solfatares constituent le site le plus impressionnant et potentiellement dangereux de Krafla. Il apparut en 1727 sous la forme d'une fontaine de lave et rejeta des débris en fusion pendant 2 ans avant de se calmer.

En 1975, les Feux de Krafla débutèrent par une petite éruption de lave à côté du Leirhnjúkur. Après 9 ans d'activité intermittente, le Leirhnjúkur devint le trou de boue sulfureuse à l'aspect menaçant que l'on connaît aujourd'hui. La croûte de terre est extrêmement fine et, par endroits, le sol est brûlant.

Un sentier bien tracé court vers le nord-ouest du parking de Krafla au Leirhnjúkur. En raison de l'activité volcanique, des hautes températures, des marmites de boue et des jets de vapeur, ne vous écartez pas des sentiers balisés.

Víti CRATÈRE

Le cratère brun du Víti recèle un lac vert, que l'on découvre du bord du volcan. Large de 300 m, le cratère d'explosion apparut en 1724, au début des dévastateurs Feux de Mývatn. Un chemin circulaire longe la crête du Viti jusqu'au secteur géothermique à l'est.

Gjástykki CHAMP DE LAVE

Cette zone de rift isolée à la pointe nord des fissures du Krafla fut la source des premières éruptions de 1724, et entra en activité à la suite du Leirhnjúkur, lors des éruptions de 1975. Entre 1981 et 1984, ce fut le principal site d'activité du volcan central de Krafla ; les actuels champs de lave de Gjástykki datent de cette époque.

Secteur dangereux, Gjástykki ne se visite qu'en circuit organisé ; **Saga Travel** (558 888 ; www.sagatravel.is) propose des excursions à Gjástykki (19 500 ISK depuis Mývatn), qui peuvent se combiner avec la grotte de Lofthellir.

Depuis/vers Krafla

SBA-Norðurleið (550 0700 ; www.sba.is) :
➡ Bus n°661 de Reykjahlíð à Krafla (1 700 ISK, 15 min, 2/jour mi-juin à août). Départs à 8h et 11h30 ; le second continue jusqu'à Dettifoss. Le bus qui revient de Krafla à Reykjahlíð part à 14h30.

DU MÝVATN À EGILSSTAÐIR (ROUTE CIRCULAIRE)

En roulant entre Reykjahlíð et Egilsstaðir, vous découvrirez bientôt les merveilles géologiques que sont Námafjall et Krafla, et vous quitterez certainement la Route circulaire pour admirer la majestueuse Dettifoss. L'embranchement de la Route F88 (uniquement praticable en 4x4) vers Askja et Herðubreið dans les hautes terres se situe à 7 km après la Route 862, goudronnée, vers Dettifoss ; à 3 km plus à l'est, vous traverserez un pont sur la rivière glaciaire Jökulsá á Fjöllum.

La Route 864 est indiquée juste à l'est du pont ; cette difficile route gravillonnée rejoint Dettifoss (côté est) après 28 km, et Ásbyrgi au bout de 56 km. Mieux vaut l'emprunter en 4x4.

De là, la Route circulaire coupe au travers des hautes terres désolées de l'arrière-pays nord-est. Si vous ne souhaitez pas explorer les hautes terres, vous en aurez un aperçu ici. Le paysage gris et aride est parsemé de basses collines, de petits lacs formés par la fonte des neiges, de ruisseaux et de rivières qui serpentent au hasard avant de disparaître dans un lit de graviers.

Möðrudalur et ses environs

Dans cette région inhospitalière, les fermes sont peu nombreuses et éloignées les unes des autres. Möðrudalur, une oasis dans le désert, est la ferme la plus haut perchée du pays à 469 m. Elle se trouve à 8 km au sud de la Route circulaire sur la Route 901, qui s'embranche à 63 km à l'est de Reykjahlíð.

À Möðrudalur, un petit village s'anime en été. Le **Fjalladýrð** (☎ 471 1858 ; www.fjalladyrd.is ; empl 1 150 ISK/pers, d sans sdb 13 500 ISK, cottage sans draps 19 900 ISK) fournit les prestations touristiques, avec un choix de bons hébergements dans divers bâtiments : camping, chambres de pension, ravissants cottages en tourbe et suites familiales.

Passez la nuit sur place si vous souhaitez avoir un aperçu de l'arrière-pays. Elisabet, la copropriétaire de la ferme, est une ancienne garde forestier des hautes terres, et le Fjalladýrð organise d'excellents circuits en Super-Jeep à Askja, Herðubreið et Kverkfjöll. Goûtez l'agneau de la ferme au **Fjallakaffi** (plats 1 690-5 500 ISK). Une charmante station-service est installée dans le village.

Après la visite de Möðrudalur, la plupart des voyageurs rejoignent la Route circulaire, à 8 km au nord. Si vous préférez suivre un autre itinéraire, empruntez la Route 901, gravillonnée, vers l'est ; il s'agit de l'ancienne Route 1, mauvaise mais praticable avec une voiture ordinaire en été.

Isolée, **Sænautasel** (☎ 471 1086 ; 500 ISK ; ⌚ 10h-22h juin à mi-sept), une ferme en tourbe reconstruite de 1843, ressuscite le passé ; elle est indiquée à 5 km au sud de la Route 901, sur la Route 907. Située dans un endroit ravissant en bord de lac, elle sert pancakes et café (1 200 ISK) et comprend un camping sommaire.

HÚSAVÍK ET SES ENVIRONS

Húsavík

2 205 HABITANTS

Húsavík, capitale islandaise de l'observation des baleines, est très prisée des voyageurs. Avec ses maisons colorées, ses fascinants musées et ses sommets enneigés de l'autre côté de la baie, la ville est le plus joli port de pêche du Nord-Est.

À voir et à faire

Ne vous sauvez pas juste après le circuit d'observation des baleines : Húsavíka réserve d'autres surprises. Malheureusement, sa curiosité la plus originale, le fameux Musée phallologique, a déménagé à Reykjavík.

♥ Musée de la Baleine d'Húsavík MUSÉE

(Hvalasafnið ; www.whalemuseum.is ; Hafnarstétt ; adulte/enfant 1 400/500 ISK ; ⌚ 8h30-18h30 juin-août, 9h-16h avr-mai et sept, 10h-15h30 lun-ven oct-mars). Cet excellent musée vous apprendra tout ce qu'il faut savoir sur les baleines de la baie de Skjálfandi. Installé dans un ancien abattoir sur le port, le musée renferme de superbes expositions sur l'écologie et les mœurs des baleines, leur protection et l'histoire de leur chasse en Islande, ainsi que d'énormes squelettes.

Exploration Museum MUSÉE

(www.explorationmuseum.com ; Héðinsbraut 3 ; adulte/enfant 900/500 ISK ; ⌚ 9h-17h). Inauguré en 2014, ce musée retrace l'histoire de l'exploration humaine, des voyages des Vikings aux expéditions polaires (une dameuse de 1952 est garée devant le bâtiment). Son exposition la plus singulière concerne les astronautes d'Apollo, envoyés en Islande dans les années 1960 pour s'exercer dans les paysages accidentés aux environs d'Askja, semblables à ceux de la Lune.

Húsavík

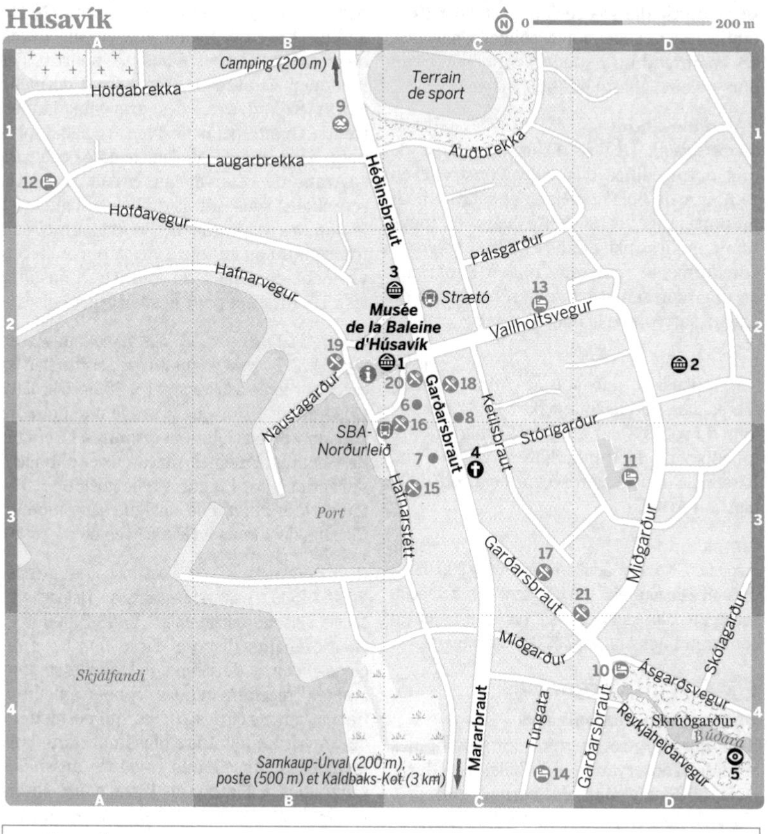

Húsavík

Les incontournables
1 Musée de la Baleine d'Húsavík C2

À voir
2 Maison de la Culture D2
3 Exploration Museum C2
4 Húsavíkurkirkja C3
5 Skrúðgarður D4

Activités
6 Gentle Giants C2
7 North Sailing C3
8 Salka C2
9 Sundlaugin B1

Où se loger
10 Árból D4
11 Fosshótel Húsavík D3
12 Húsavík Cape Hotel A1
13 Húsavík Hostel C2
14 Sigtún C4

Où se restaurer
15 Fish & Chips C3
16 Gamli Baukur C3
17 Heimabakarí Konditori C3
Hvalbakur Café .... (voir 16)
18 Kasko C2
19 Naustið B2
20 Salka Restaurant C2
21 Vínbúðin D3

Maison de la Culture MUSÉE
(Safnahúsið ; www.husmus.is ; Stórigarður 17 ; adulte/enfant 800 ISK/gratuit ; ⌚10h-18h juin-août, 10h-16h lun-ven sept-mai). À la fois musée folklorique, maritime et d'histoire naturelle, la Maison de la Culture est l'un des plus intéressants musées régionaux du Nord. L'exposition "Homme et Nature" retrace un

siècle de vie dans la région, de 1850 à 1950, tandis que la collection d'animaux naturalisés comprend un phoque à capuchon et un ours polaire, abattu en 1969 à Grímsey.

Húsavíkurkirkja ÉGLISE
(Garðarsbraut). L'église d'Húsavík diffère de tout autre édifice d'Islande. Construite en 1907 avec du bois norvégien et délicatement proportionnée, cette église blanc et rouge serait plus à sa place dans les Alpes. Son plan cruciforme se remarque plus à l'intérieur, où une représentation de la résurrection de Lazare surplombe le maître-autel.

Skrúðgarður JARDIN
Aussi plaisant que soit le front de mer, flâner dans le charmant parc de la ville, le long du cours d'eau rempli de canards, offre un moment de tranquillité. Accès via une passerelle dans Ásgarðsvegur ou à côté de la pension Árból.

Sundlaugin PISCINE
(Laugarbrekka 2 ; adulte/enfant 600/300 ISK ; 6h45-21h lun-ven, 10h-18h sam-dim juin-août, horaires réduits sept-mai ;). La piscine locale comprend des *hot pots* et des toboggans.

Circuits organisés

Observation des baleines

Bien que d'autres localités proposent des circuits d'observation des baleines (Reykjavík et Eyjafjörður, au nord d'Akureyri), Húsavík est devenue la première destination : jusqu'à 11 espèces de cétacés viennent s'y nourrir en été. La meilleure période s'étend de juin à août, la haute saison touristique, avec quasiment 100% de chances d'en voir.

Trois tour-opérateurs partent du port d'Húsavík. Ils pratiquent des prix similaires et proposent des services comparables pour le circuit standard de 3 heures (guide, survêtements chauds, boissons chaudes et pâtisserie).

Les offres diffèrent pour les excursions moins classiques. Quand les macareux sont présents, toutes les agences offrent des circuits qui comprennent l'observation des baleines et la traversée jusqu'à l'île de Lundey, peuplée de macareux ; North Sailing l'effectue en 4 heures à bord d'une vieille goélette pittoresque et Gentle Giants en 2 heures 30 avec un canot pneumatique rapide.

Les circuits partent toute la journée (de juin à août) de 8h30 à 20h. Les bateaux circulent aussi en avril, mai, septembre et octobre, à une fréquence moindre (North Sailing propose même un circuit quotidien en novembre). Vous ne pourrez pas manquer les bureaux sur le front de mer : North Sailing avec des drapeaux jaunes, Gentle Giants peint en bleu, et Salka, plus petit, dans son café de l'autre côté de la rue.

Avant de réserver un circuit standard, renseignez-vous sur la taille du bateau et le nombre de passagers. Préférez un circuit tôt le matin ou en soirée (les groupes en bus viennent en milieu de journée). Consultez les sites Internet pour des tarifs actualisés.

North Sailing OBSERVATION DES BALEINES
(464 7272 ; www.northsailing.is ; Hafnarstétt 9 ; circuit 3 heures adulte/enfant 9 280/4 640 ISK). L'opérateur historique possède une flotte de bateaux anciens joliment restaurés. Le circuit de 4 heures "Baleines, macareux et phoques" s'effectue à bord d'une vieille goélette ; si le temps le permet, elle navigue sans moteur. Circuits de 2 jours à Grímsey en été.

Gentle Giants OBSERVATION DES BALEINES
(464 1500 ; www.gentlegiants.is ; Hafnarstétt ; circuit 3 heures adulte/enfant 9 100/3 900 ISK). Gentle Giants dispose d'une flottille d'anciens bateaux de pêche, à laquelle se sont ajoutés récemment des canots pneumatiques rapides et des Zodiac, qui permettent de couvrir un territoire plus important dans la baie. Gentle Giants organise aussi des excursions à Flatey (île Plate) pour observer les oiseaux, et des balades rapides (et coûteuses) à Grímsey. Des sorties de pêche à la ligne sont également proposées.

Salka OBSERVATION DES BALEINES
(464 3999 ; www.salkawhalewatching.is ; Garðarsbraut 6 ; circuit 3 heures adulte/enfant 8 640/4 000 ISK). Ce nouveau venu concurrence les tour-opérateurs établis de longue date avec un seul bateau en chêne de 42 passagers, des prix inférieurs (pour l'instant), et un choix de sorties plus restreint. Il est installé dans son café inondé de lumière, dans la rue principale.

Autres circuits organisés

Les deux principaux tour-opérateurs organisent des circuits combinés, comprenant croisière et équitation à Saltvík. Gentle Giants propose une sortie de pêche ou une randonnée de 2 jours ; North Sailing offre en avril un forfait unique de plusieurs jours, "Ski jusqu'à la mer", en collaboration avec des guides de ski. Détails sur les sites Internet.

PAROLE D'EXPERT

LES BALEINES D'HÚSAVÍK

Edda Elísabet Magnúsdóttir est une biologiste marine qui travaille au centre de recherche d'Húsavík (une branche de l'université d'Islande), dédié à l'étude des mammifères marins.

Quelle spécificité géologique attire les baleines dans la région d'Húsavík ?

Húsavík se situe au bord d'une baie pittoresque appelée Skjálfandi – "la tremblotante" en islandais –, un nom approprié puisque de petits séismes se produisent très fréquemment, habituellement sans qu'on s'en rende compte. Ces tremblements sont provoqués par la faille verticale de décrochement, juste en dessous de la baie. La topographie en forme de bol de Skjálfandi et l'eau douce provenant de deux estuaires signifient qu'une grande quantité de nutriments s'amasse dans la baie. Les dépôts de nutriments s'accumulent en hiver et, au début de l'été, avec les longues journées ensoleillées, les eaux froides de la baie de Skjálfandi se remplissent de plancton. Ces riches dépôts agissent comme des balises, et attirent certains mammifères adaptés à la vie dans les eaux subarctiques froides.

Quelles espèces de baleines fréquentent Húsavík?

Chaque été, de 9 à 11 espèces de baleines sont repérées dans la baie, du petit marsouin commun (*Phocoena phocoena*) à l'énorme baleine bleue (*Balaenoptera musculus*), le plus gros animal vivant sur la Terre.

L'apparition du plancton démarre la période d'alimentation : les baleines commencent à arriver en nombre dans la baie, tout d'abord les baleines à bosse (*Megaptera novaeangliae*), puis les baleines de Minke (*Balaenoptera acutorostrata*). Les premières sont connues pour leur nature curieuse, leur équanimité et leur taille spectaculaire, tandis que les secondes sont réputées pour leur silhouette élégante : un corps noir, fin et hydrodynamique, et un aileron pectoral rayé de blanc.

Bien que la baleine de Minke pèse en moyenne à peu près autant que deux ou trois éléphants adultes, elle est surnommée la "petite cousine" du rorqual commun. Elle a tendance à sortir totalement hors de l'eau lorsqu'elle saute, et c'est sans doute le seul rorqual capable d'une telle prouesse.

Plusieurs baleines à bosse et de Minke restent dans la baie toute l'année, mais la plupart migrent vers le sud en hiver. La baleine bleue, sûrement la plus intéressante de Skjálfandi, est un visiteur récent : les premières sont arrivées il y a dix ans. Elles restent habituellement de la mi-juin à la mi-juillet, offrant une vision spectaculaire.

Parmi les autres espèces observées en été à Skjálfandi figurent l'orque, ou épaulard (*Orcinus orca* ; certains viennent dans la baie se nourrir de poissons, d'autres chassent des mammifères), la baleine à bec commune du nord (ou hyperoodon boréal, *Hyperoodon ampullatus* ; une mystérieuse espèce qui plonge profondément), le rorqual commun (*Balaenoptera physalus*), le rorqual boréal (*Balaenoptera borealis*), la baleine-pilote (*Globicephala melas*) et le cachalot (*Physeter macrocephalus*).

Brandon Presser

Ferme équestre de Saltvík ÉQUITATION
(847 9515 ; www.saltvik.is ; circuits 1/2 heures 6 000/8 500 ISK ; mi-avr à oct). De courtes promenades à cheval avec vue somptueuse sur la baie de Skjálfandi sont proposées par la ferme équestre de Saltvík, à 5 km au sud d'Húsavík. Elle offre également des chevauchées d'une semaine (autour du Mývatn, dans les confins du Nord-Est, ou sur la piste de Sprengisandur dans les hautes terres), et l'hébergement à la ferme.

Fjallasýn CIRCUITS AVENTURE
(464 3941 ; www.fjallasyn.is). Cette agence d'Húsavík bien établie organise divers circuits dans la région : à Húsavík, ou plus loin dans divers endroits du Nord-Est et les hautes terres ; sorties en 4x4, à pied, d'observation des oiseaux, etc.

Où se loger

Húsavík Hostel AUBERGE DE JEUNESSE €
(463 3399 ; www.husavikhostel.com ; Vallholtsvegur 9 ; dort 5 000 ISK, d sans sdb 14 500 ISK ;

). Les travaux étaient quasiment achevés lors de notre visite. Seule adresse pour petits budgets dans la ville, son succès semble assuré. Elle comprend des dortoirs avec lits superposés, quelques chambres privées (draps fournis) et une cuisine commune. Les propriétaires (une fratrie) ont aussi ouvert l'Húsavík Cape Hotel.

Árbót AUBERGE DE JEUNESSE €
(464 3677 ; www.hostel.is ; dort/d sans sdb 4 100/11 200 ISK ; avr-sept ;). L'une des deux auberges de jeunesse HI installées dans des propriétés rurales de la région, paisibles et reculées (et appartenant à la même famille). Toutes deux se situent à 20 km au sud d'Húsavík, près de la Route 85 ; vous devrez disposer d'un moyen de transport et apporter vos provisions.

Pour rejoindre Árbót, suivez la Route 85 au sud d'Húsavík sur 14 km, puis repérez le panneau indiquant la ferme d'élevage (à 4 km par une bonne route gravillonnée). Les installations sont d'excellente qualité et les espaces communs confortables. Remise pour les membres HI ; location de draps.

Camping CAMPING €
(empl 1 200 ISK/pers ; mi-mai à mi-sept). À côté du terrain de sport à l'extrémité nord de la ville, ce camping soigné dispose de lave-linge et d'installations limitées pour cuisiner, presque insuffisantes pour faire face à la demande en été. Paiement au musée de la Baleine, ou au gardien qui vient chaque soir.

Kaldbaks-Kot COTTAGES €€
(464 1504 ; www.cottages.is ; cottages 2-4 pers sans draps 20 800-30 100 ISK, séjour 2 nuits minimum ; mai-sept ;). Ce bel ensemble de confortables cottages en bois est à 3 km au sud d'Húsavík. Choisissez votre niveau de service : apportez vos draps ou louez-les, amenez des provisions ou prenez le petit-déjeuner (1 550 ISK) dans la superbe étable.

Le séjour minimum de 2 nuits permet de profiter de la propriété, des *hot pots*, de la tranquillité et de l'avifaune. De plus grandes maisons peuvent accueillir 10 personnes.

Sigtún PENSION €€
(864 0250 ; www.guesthousesigtun.is ; Túngata 13 ; s/d sans sdb 10 500/17 500 ISK, petit-déj inclus ;). Machine à café gratuite, blanchissage gratuit, une belle cuisine et un petit-déjeuner en libre service constituent les atouts de cette petite pension.

Árból PENSION €€
(464 2220 ; www.arbol.is ; Ásgarðsvegur 2 ; s/d sans sdb petit-déj inclus 10 600/18 100 ISK). Cette demeure de 1903 jouxte un joli ruisseau et le parc municipal. Les grandes chambres impeccables sont réparties sur 3 niveaux ; celles du rez-de-chaussée et du dernier étage sont les plus attrayantes (les chambres lambrissées sous les toits sont particulièrement charmantes). Cuisine commune en accès limité.

Fosshótel Húsavík HÔTEL €€
(464 1220 ; www.fosshotel.is ; Ketilsbraut 22 ; s/d petit-déj inclus à partir de 23 600/28 500 ISK ;). Fosshótel, une chaîne hôtelière en pleine expansion, prévoit de rénover et d'agrandir cet établissement en 2015. Les chambres standards bénéficieront certainement d'un rajeunissement, de même que le restaurant. Tenez-vous au courant : les rénovations de Fosshótel ailleurs en Islande ont donné d'excellents résultats (les prix augmenteront sans doute). Côté décoration, le thème de la baleine devrait être conservé.

Húsavík Cape Hotel HÔTEL €€€
(463 3399 ; www.husavikhotel.com ; Laugarbrekka 16 ; s/d petit-déj inclus 28 500/31 350 ISK ;). Cet hôtel de charme, aménagé dans une ancienne conserverie de poisson au-dessus du port, projette de s'agrandir. Les chambres sont modernes, pimpantes et spacieuses (certaines avec lits superposés pour les familles), mais à des prix prohibifs en été.

Où se restaurer

Fish & Chips RESTAURATION RAPIDE €
(Hafnarstétt 19 ; fish et chips 1 500 ISK ; 11h30-20h juin-août). Sans surprise, cette petite gargote sur le port sert du poisson (souvent du cabillaud) et des frites. Elle dispose de quelques tables en terrasse et d'une salle à l'étage. Descendez les marches en face de l'église et tournez à gauche.

Heimabakarí Konditori BOULANGERIE, CAFÉ €
(Garðarsbraut 15 ; 7h-18h lun-ven, 7h-16h sam-dim). Pain frais, sandwichs et pâtisseries.

Naustið POISSON €€
(Naustagarði 4 ; plats 1 700-3 500 ISK ; 12h-22h). Au bout du port et délicieusement rustique, le Naustið est réputé pour son poisson ultra-frais et son concept simple et plaisant : des brochettes de poisson et de légumes, grillées sur commande. Il propose également de la soupe de poisson, du saumon, des langoustines, et une tarte maison au dessert.

Gamli Baukur ISLANDAIS €€
(www.gamlibaukur.is ; Hafnarstétt 9 ; plats 3 100-4 990 ISK ; 11h30-23h dim-mer, 11h30-1h jeu, 11h30-3h ven-sam juin-août, horaires réduits sept-mai). Ce bar-restaurant lambrissé au thème nautique propose une excellente cuisine (burgers juteux, spaghettis aux coquillages, agneau bio) et un succulent dessert, le *skyramisu*. Les concerts et la grande terrasse en font l'un des endroits les plus animés du Nord-Est. La cuisine ferme à 21h.

Salka Restaurant ISLANDAIS €€
(www.salkarestaurant.is ; Garðarsbraut 6 ; plats 1 790-4 150 ISK ; 11h30-22h). Jadis la première coopérative d'Islande, ce bâtiment historique abrite un restaurant prisé à la carte variée : macareux fumé, pizza, langoustines, burgers, ou encore morue salée. Visitez aussi son bar-bistrot ouvert en été, en bas de la colline, à l'ambiance plus détendue.

Hvalbakur Café CAFÉ €€
(Hafnarstétt 9 ; pizzas 1 950-2 250 ISK ; 8h-20h). Ce café pourvu d'une terrasse ensoleillée en surplomb du front de mer sert des pizzas toute la journée. Sandwichs, *wraps*, muffins et gâteaux remplissent une grande vitrine.

Kasko SUPERMARCHÉ
(Garðarsbraut 5 ; 9h-18h30 lun-jeu, 9h-19h ven, 10h-18h sam). Supermarché central.

Samkaup-Úrval SUPERMARCHÉ
(Garðarsbraut 64 ; 10h-19h lun-sam, 12h-19h dim). Au sud de la ville, près de la station-service Olís.

Vínbúðin VINS ET SPIRITUEUX
(Garðarsbraut 21 ; 11h-18h lun-jeu, 11h-19h ven, 11h-14h sam juin-août, horaires réduits sept-mai). Chaîne gouvernementale de vins et spiritueux.

Renseignements

Centre d'information touristique
(464 4300 ; www.visithusavik.is ; Hafnarstétt ; 8h30-18h30 juin-août, 9h-16h avr-mai et sept, 10h-15h30 lun-ven oct-mars). Au musée de la Baleine ; nombreuses cartes et brochures.

Depuis/vers Húsavik

AVION

L'aéroport d'Húsavík se situe à 12 km au sud de la ville. **Eagle Air** (562 2640 ; www.eagleair.is) relie toute l'année Reykjavík et Húsavík (aller 27 100 ISK).

BUS

SBA-Norðurleið (550 0700 ; www.sba.is) ; départ devant le restaurant Gamli Baukar, sur le front de mer :
- Bus n°641a pour Akureyri (3 700 ISK, 1 heure 30, 2/jour mi-juin à août).
- Bus n°641 pour Ásbyrgi (2 200 ISK, 50 min, 1/jour mi-juin à août).
- Bus n°641 pour Dettifoss (5 800 ISK, 2 heures 45, 1/jour mi-juin à août). À Dettifoss, bus n°661a pour Mývatn.
- Bus n°650a pour Mývatn (3 100 ISK, 40 min, 2/jour mi-juin à août).

Strætó (540 2700 ; www.straeto.is) ; départ de la station-service N1 :
- Bus n°79 pour Akureyri (2 100 ISK, 1 heure 15, 3/jour).
- Bus n°79 pour Ásbyrgi (1 750 ISK, 1 heure, 1/jour dim-ven été, 3/sem hiver). Ce bus ne circule d'Húsavík à Þórshöfn (via Ásbyrgi, Kópasker et Raufarhöfn) que sur réservation. Appelez au moins 4 heures avant le départ.
- Bus n°79 pour Þórshöfn (4 200 ISK, 2 heures 45, 1/jour dim-ven été, 3/sem hiver). Voir ci-dessus.

D'Húsavík à Ásbyrgi

En suivant la Route 85 vers le nord à la sortie d'Húsavík, vous longez la côte de la petite **péninsule de Tjörnes**, connue pour ses falaises côtières riches en fossiles (les strates les plus anciennes datent d'environ 2 millions d'années).

À la pointe de la péninsule, le **musée Mánárbakki** (adulte/enfant 500 ISK/gratuit ; 9h-18h juin-août) renferme l'éclectique collection du sympathique fermier Aðalgeir, qui fait visiter sa maison en tourbe et expose photos, meubles et vaisselle.

D'immenses fissures et grabens (dépressions entre des failles géologiques) sillonnent le sol à **Kelduhverfi**, où la dorsale médio-atlantique pénètre dans l'océan Arctique. Comme à Þingvellir, la région révèle des preuves de la dislocation de l'Islande.

Où se loger et se restaurer

River Guesthouse PENSION €
(463 3390 ; www.skulagardur.com ; s/d sans sdb 5 500/9 000 ISK ;). Cet immense préfabriqué bleu compte 30 chambres sans prétention pour petits budgets, avec sdb et cuisine communes. Les prix indiqués correspondent au couchage avec option duvet ; avec des draps, prévoyez 6 500/13 000 ISK.

Hótel Skúlagarður HÔTEL RUSTIQUE €€
(☎465 2280 ; www.skulagardur.com ; s/d petit-déj inclus 16 600/23 000 ISK ; 📶). Derrière la façade rébarbative d'un ancien pensionnat, cet hôtel offre un accueil chaleureux, des chambres compactes et modernes avec sdb, et un restaurant simple qui sert une bonne cuisine maison (omble chevalier au four ou filet d'agneau ; plats 2 800-4 200 ISK). À 12 km à l'ouest d'Ásbyrgi.

Keldunes PENSION €€
(☎465 2275 ; www.keldunes.is ; s/d sans sdb petit-déj inclus 12 900/18 900 ISK, cottages à partir de 18 900 ISK ; 📶). À 11 km à l'ouest d'Ásbyrgi, cette pension comporte une cuisine-salle à manger, un *hot pot* et de grands balcons pour observer les oiseaux. Excellents cottages avec sdb, et quelques bungalows sommaires avec couchage en duvet (4 000 ISK). Le dîner est proposé.

JÖKULSÁRGLJÚFUR (PARC NATIONAL DU VATNAJÖKULL – NORD)

En 2008, le parc national du Vatnajökull, le plus grand secteur protégé d'Europe, a été créé en réunissant le parc national de Jökulsárgljúfur et celui de Skaftafell au sud. Son but est de préserver la calotte glaciaire du Vatnajökull et ses ruissellements. Reportez-vous p. 307 pour plus de détails.

La partie de Jökulsárgljúfur protège une crête éruptive sous-glaciaire et une gorge de 30 km creusée par le **Jökulsá á Fjöllum**, le second plus long fleuve d'Islande qui prend sa source dans la calotte glaciaire du Vatnajökull et court sur près de 200 km avant de se jeter dans l'océan Arctique, à Öxarfjörður. Des *jökulhlaup* (crues provoquées par une éruption volcanique sous-glaciaire) ont formé la gorge et sculpté un gouffre de 100 m de profondeur sur 500 m de largeur.

La partie nord du parc national du Vatnajökull peut se diviser en trois parties :

- **Ásbyrgi** L'entrée nord. Une plaine boisée et verdoyante encerclée par les parois verticales de la gorge. Le centre des visiteurs est installé ici.
- **Vesturdalur** La partie centrale, truffée de grottes et d'anomalies géologiques.
- **Dettifoss** Cette chute puissante marque l'entrée sud du parc.

Une superbe randonnée de 2 jours serpente le long de la gorge et traverse les principaux sites. Si vous n'avez pas envie de marcher, les sites majeurs, comme les cascades à l'extrémité sud du parc et la gorge d'Ásbyrgi en forme de fer à cheval à la lisière nord, sont desservis par de bonnes routes asphaltées. La route entre Ásbyrgi et Dettifoss devrait être goudronnée dans les prochaines années.

De meilleures routes et un nombre accru de visiteurs devraient inévitablement aboutir à plus d'infrastructures et à la modification des horaires des transports ; consultez le site Internet du parc (ou renseignez-vous au centre des visiteurs). Les gardes forestiers sont en train d'aménager une piste de VTT dans le parc (pour cyclistes expérimentés).

De mi-juin à mi-août, les gardes forestiers guident des **parcours d'interprétation** gratuits, qui partent tous les jours du centre des visiteurs. Consultez le site Internet ou renseignez-vous sur place.

Circuits organisés

En été, les bus qui desservent Ásbyrgi et Dettifoss facilitent la découverte de la gorge en indépendant. Plusieurs tour-opérateurs proposent des circuits organisés à partir de Mývatn, Akureyri et Húsavík.

Active North ÉQUITATION
(☎858 7080 ; www.activenorth.is ; circuit 2 heures 8 900 ISK ; ⌚mi-juin à août). Envie de découvrir à cheval une gorge qui aurait été formée par un sabot mythique ? En face du centre des visiteurs, Active North propose de faciles et pittoresques randonnées équestres de 2 heures dans la gorge d'Ásbyrgi à 10h, 14h et 17h. Un circuit de 4 heures, qui comprend la visite d'une grotte de lave, est également disponible sur demande (15 900 ISK).

Où se loger et se restaurer

Quelques hébergements sont installés à 15 km du parc, entre Húsavík et Ásbyrgi.

La **station-service** (Route 85 ; ⌚9h-22h juin-août, 10h-18h sept-mai), près du centre des visiteurs d'Ásbyrgi, vend quelques produits d'épicerie et abrite un bar-grill. Si vous partez en randonnée, approvisionnez-vous plutôt à Akureyri ou Húsavík.

Campings du parc national CAMPINGS €
(☎470 7100 ; www.vatnajokulsthjodgardur.is ; empl 1 400 ISK /pers plus 100 ISK/tente ; ⌚mi-mai à

Jökulsárgljúfur 0 — 2 km

sept ; 📶). Le camping à l'intérieur du parc est strictement limité aux campings officiels d'Ásbyrgi, de Vesturdalur et de Dettifoss.

Le grand camping d'**Ásbyrgi**, facilement accessible, possède des douches propres (500 ISK) et une buanderie.

Celui de **Vesturdalur** (ouvert de juin à mi-septembre) se situe près du bureau des gardes forestiers et n'a ni électricité ni eau chaude ; les toilettes sont le seul luxe.

Le **camping** gratuit de Dettifoss, contingenté en eau potable, est strictement réservé aux marcheurs qui effectuent la randonnée de 2 jours.

Renseignements

Les gardes forestiers ont créé plusieurs bonnes cartes de la région. L'excellente carte du parc (350 ISK) au 1/55 000 classe les randonnées par niveau de difficulté. Les cartes *Útivist & afþreying* sont également utiles – la n°3 (650 ISK) décrit l'itinéraire Ásbyrgi-Dettifoss.

Un poste de gardes est installé à Vesturdalur.

Centre des visiteurs (Gljúfrastofa ; ☎ 470 7100 ; www.vatnajokulsthjodgardur.is ; 🕘 9h-21h juil à mi-août, 9h-19h juin et 16-31 août, 10h-16h mai et sept ; 📶). Le bureau d'Ásbyrgi comprend un comptoir d'information avec brochures et cartes en vente et présente des expositions sur la région ; le personnel compétent peut vous aider pour les hébergements, les transports et les circuits.

Depuis/vers Jökulsárgljúfur

BUS

Quand la Route 862 sera entièrement asphaltée entre Ásbyrgi et Dettifoss (dans les prochaines années), les itinéraires des bus risquent de changer. Consultez les sites Internet des compagnies ou renseignez-vous auprès du centre des visiteurs du parc national.

SBA-Norðurleið (☎ 550 0700 ; www.sba.is) au départ d'Ásbyrgi :

- Bus n°641a pour Húsavík (2 200 ISK, 45 min, 1/jour mi-juin à août).
- Bus n°641a pour Akureyri (6 200 ISK, 2 heures, 1/jour mi-juin à août).
- Bus n°641 pour Hljóðaklettar, à Vesturdalur (1 800 ISK, 20 min, 1/jour mi-juin à août).
- Bus n°641 pour Dettifoss (3 200 ISK, 1 heure 30, 1/jour mi-juin à août). À Dettifoss, bus n°661a pour Krafla et Mývatn.

Strætó (☎ 540 2700 ; www.straeto.is) au départ d'Ásbyrgi ; le bus n°79 (1/jour sauf sam été, 3/sem hiver) ne circule entre Húsavík et Þórshöfn (via Ásbyrgi, Kópasker et Raufarhöfn) que sur réservation. Appelez au moins 4 heures avant le départ :

- Bus n°79 pour Húsavík (1 750 ISK, 1 heure).
- Bus n°79 pour Kópasker (1 050 ISK, 30 min).
- Bus n°79 pour Þórshöfn (3 500 ISK, 2 heures).

VOITURE

La Route 85 (goudronnée) conduit à la partie nord du parc et au centre des visiteurs d'Ásbyrgi (à 65 km d'Húsavík).

Deux routes nord-sud courent parallèlement de chaque côté de la gorge :

- **Route 862 (ouest).** Asphaltée de la Route circulaire à Dettifoss (24 km), la route devient gravillonnée sur 37 km au nord de Dettifoss et passe par Hólmatungur et Vesturdalur avant de rejoindre la Route 85 et Ásbyrgi. Il est question de goudronner cette partie dans les années à venir (renseignez-vous sur place).

➡ **Route 864 (est).** Cette mauvaise piste gravillonnée de 60 km peut s'emprunter avec une voiture ordinaire, mais les ornières et les nids-de-poule rendent la conduite éreintante. Pas d'amélioration en perspective.

Si le parc est ouvert toute l'année, les routes gravillonnées ne le sont que de fin mai/début juin à début octobre ou novembre (selon le temps).

Ne vous aventurez pas hors des routes et chemins balisés. Rouler en dehors des routes détruit le fragile écosystème et est interdit.

Ásbyrgi

Lorsque la Route 85 débouche dans la plaine herbeuse à l'extrémité nord du parc, rien n'indique que l'on est au bord d'une immense gorge en forme de fer à cheval. La verdoyante **gorge d'Ásbyrgi** s'étend sur 3,5 km du nord au sud avec une largeur moyenne de 1 km.

Près du centre se dresse l'affleurement d'**Eyjan** et, vers le sud, les parois sombres atteignent 100 m. Les falaises protègent une forêt de bouleaux des vents violents et des moutons, et les arbres parviennent à pousser jusqu'à 8 m de hauteur. Du camping, vous pouvez grimper au sommet de l'Eyjan (4,5 km aller-retour) ou escalader les falaises à **Tófugjá**. De là, un chemin fait le tour de l'**Áshöfði** après la gorge.

Deux histoires expliquent l'apparition d'Ásbyrgi. Les premiers colons nordiques croyaient que le cheval volant à 8 pattes d'Odin, Slættur, avait accidentellement touché le sol et laissé l'empreinte d'un sabot. L'autre théorie est plus scientifique : d'après les géologues, la gorge aurait été créée par une énorme éruption du volcan Grímsvötn, en contrebas du lointain Vatnajökull ; elle aurait déclenché une gigantesque *jökulhlaup* (inondation glaciaire), qui se serait déversée au nord jusqu'à la Jökulsá á Fjöllum et aurait creusé la gorge en quelques jours. Le fleuve aurait coulé dans Ásbyrgi pendant une centaine d'années, avant que son cours ne dévie vers l'est.

Du parking proche du bout de la route (à 3,5 km au sud du centre des visiteurs), plusieurs courts chemins faciles traversent la forêt jusqu'à des sites superbes sur la gorge. Le chemin en direction de l'est mène à une source à proximité de la paroi de la gorge, tandis que le chemin vers l'ouest grimpe jusqu'à un bon point de vue sur le fond de la vallée. Celui qui part tout droit aboutit au **Botnstjörn**, un petit lac peuplé de canards au bout d'Ásbyrgi.

Vesturdalur

Hors des sentiers battus, Vesturdalur est une destination prisée des randonneurs et offre des paysages divers. Du camping, des chemins sinueux traversent les broussailles alentour jusqu'aux pics criblés de grottes et aux formations rocheuses de Hljóðaklettar, à la rangée de cratères de Rauðhólar, aux bassins de l'Eyjan (à ne pas confondre avec l'Eyjan à Ásbyrgi) et à la gorge elle-même.

RANDONNÉE D'ÁSBYRGI À DETTIFOSS

La randonnée la plus prisée dans la gorge de Jökulsárgljúfur est une marche de 2 jours (30 km) d'Ásbyrgi à Dettifoss. Elle traverse des forêts de bouleaux, des formations rocheuses spectaculaires, des vallées verdoyantes, des falaises verticales et tous les sites majeurs de la région.

D'Ásbyrgi, vous pouvez suivre le bord ouest de la gorge ou la berge du fleuve jusqu'à Vesturdalur (12 km, 3-4 heures), où vous resterez la nuit (camping sauvage interdit). Le deuxième jour, vous avez le choix entre deux itinéraires jusqu'à Dettifoss : le plus difficile implique une marche impressionnante via les basses terres d'Hafragil (18 km), le plus facile passe au nord d'Hafragil (19,5 km, 6-8 heures). Le parcours est globalement pénible.

La randonnée peut s'effectuer dans les deux sens ; toutefois, les gardes du parc recommandent de partir d'Ásbyrgi, où vous pourrez vous procurer les cartes et brochures indispensables. Le panorama est aussi plus saisissant en se dirigeant vers le sud (vers le nord, vous grimpez). En raison des horaires changeants des bus et des travaux pour goudronner la Route 862, le personnel du parc est le mieux placé pour répondre aux questions pratiques de stationnement (laisser sa voiture à Ásbyrgi et revenir en bus de Dettifoss à la fin de la randonnée – ou vice versa).

Hljóðaklettar FORMATIONS ROCHEUSES

Les colonnes et formations de basalte de Hljóðaklettar (rochers des Échos) comptent parmi les attraits majeurs d'une randonnée dans Vesturdalur. Il est difficile d'imaginer qu'une activité volcanique ait pu produire ces formations rocheuses tordues. Outre des roches en accordéon et des motifs répétés, vous verrez des colonnes de basalte (formées de lave qui se refroidit rapidement) horizontales, et non verticales comme à l'accoutumée.

Ces étranges formations créent un effet acoustique qui rend impossible de déterminer la direction du fleuve grondant, une curiosité qui a donné son nom à la région.

Un chemin de randonnée circulaire part du parking (3 km ; moins d'une heure). Les plus belles formations, également criblées de grottes de lave, se trouvent le long du fleuve, au nord-est du parking.

Rauðhólar RANGÉE DE CRATÈRES

Les cônes couverts de cendre de la rangée de cratères de Rauðhólar (Collines rouges), juste au nord de Hljóðaklettar, présentent une belle palette de couleurs vives. Une boucle de 5 km à partir du parking de Vesturdalur permet d'en faire le tour à pied.

Karl og Kerling FORMATIONS ROCHEUSES

Deux colonnes rocheuses, Karl og Kerling ("Vieil homme" et "Vieille femme"), qui seraient des trolls pétrifiés, se dressent sur la rive ouest du fleuve – une marche de 2 km aller-retour depuis le parking de Vesturdalur. Sur l'autre rive, **Tröllahellir**, la plus grande grotte de la gorge, ne peut se rejoindre que par une randonnée de 5 km à partir de la Route 864, du côté est.

Eyjan FORMATIONS ROCHEUSES

De Karl og Kerling, on peut revenir à Vesturdalur par un chemin de 7 km qui contourne l'Eyjan, une "île" semblable à une mesa couverte de broussailles et de petits étangs. Suivez le fleuve vers le sud jusqu'à Kallbjörg, puis tournez vers l'ouest le long de la piste jusqu'au site abandonné de Svínadalur, où la gorge devient une large vallée, puis contournez la base ouest des falaises de l'Eyjan jusqu'au parking de Vesturdalur.

Hólmatungur SECTEUR

Une végétation luxuriante, des cascades et une tranquillité absolue font d'Hólmatungur l'un des plus beaux secteurs du parc. Des sources souterraines jaillissent pour former de courtes rivières qui serpentent et dévalent jusqu'à la gorge. La randonnée la plus prisée, une boucle de 4,5 km, part du parking vers le nord le long de la rivière Hólmá jusqu'à **Hólmáfossar**, où les parois abruptes de la gorge s'adoucissent, ponctuées de plusieurs jolies cascades.

De là, vous retournez vers le sud le long du Jökulsá jusqu'à sa confluence avec la Melbugsá, où la rivière dévale par-dessus une saillie, formant la cascade d'**Urriðafossar**. Pour voir la cascade, vous devrez suivre le chemin escarpé de Katlar.

Pour une belle vue d'ensemble d'Hólmatungur, grimpez au sommet de l'**Ytra-Þórunnarfjall**, une colline au sud du parking.

Hólmatungur n'est accessible qu'en 4x4. Si vous circulez en voiture ordinaire, vous pouvez vous garer à Vesturdalur et effectuer une longue randonnée d'une journée. Le camping est interdit à Hólmatungur, un lieu en revanche idéal pour un pique-nique.

Dettifoss

La puissance de la nature apparaît dans toute sa gloire à Dettifoss, l'une des cascades les plus impressionnantes d'Islande.

Bien que haute de 44 m seulement et large de 100 m, elle déverse 193 m³ d'eau par seconde, créant un panache de gouttelettes visible à 1 km. Ce débit, inégalé en Europe, en fait un site spectaculaire. Quand le soleil est au rendez-vous, deux arcs-en-ciel se forment au-dessus du fracas des eaux glaciales, et il faut jouer des coudes pour profiter de la vue. Soyez prudent sur les chemins, rendus glissants par les gouttelettes d'eau.

La cascade peut s'admirer des deux côtés de la gorge. Une route asphaltée, la Route 862, relie la Route circulaire et la rive ouest de Dettifoss, aboutissant dans un grand parking avec toilettes. Du parking, une boucle de 2,5 km conduit au superbe panorama sur Dettifoss au bord de la gorge et offre la vue sur une chute plus modeste, **Selfoss**.

Depuis/vers Dettifoss

En voiture, trois itinéraires desservent Dettifoss :

➡ Route 862 au sud d'Ásbyrgi (37 km). Lors de nos recherches, cette route était encore gravillonnée et fermée en hiver, mais devrait être goudronnée dans les prochaines années.

➡ Route 862 au nord de la Route circulaire. L'embranchement vers Dettifoss se situe à 27 km à l'est de Reykjahlíð (Mývatn) ; ensuite, une bonne route asphaltée de 24 km rejoint la cascade. Des chutes de neige peuvent provoquer la fermeture de cette route en hiver.

➡ Route 864 du côté est de la rivière. Elle est gravillonnée sur 60 km, de la Route circulaire à Ásbyrgi. Ce n'est pas une route "F", mais la conduite est difficile avec une voiture ordinaire (et impossible en hiver).

La cascade figure au programme de nombreux circuits organisés, et **SBA-Norðurleið** (☎ 550 0700 ; www.sba.is) offre un service de bus en été. Une fois par jour de mi-juin à fin août, le bus n°641 circule d'Akureyri à Húsavík, continue jusqu'à Ásbyrgi, puis la Route 862 vers le sud en faisant halte à Hljóðaklettar, Vesturdalur et Dettifoss, où il reste 1 heure ; vous pouvez revenir avec le bus n°641a, ou prendre le bus n°661a pour Krafla et Mývatn.

Vérifiez bien les itinéraires et les horaires des bus, car ils changeront sans doute quand la Route 862 sera entièrement goudronnée.

CIRCUIT DU NORD-EST

Ignorée par les touristes qui filent le long de la Route circulaire, cette route côtière sauvage et peu peuplée, qui fait le tour de la péninsule nord-est, constitue une alternative intéressante à la route directe Mývatn-Egilsstaðir. Elle traverse une région de landes désolées et de paysages superbes, qui s'étend à quelques kilomètres du cercle arctique, et permet d'accéder à une Islande authentique, sans touristes et préservée.

Comment s'y rendre et circuler

AVION

Air Iceland (☎ 570 3030 ; www.airiceland.is) offre en semaine un vol quotidien entre Akureyri, Þórshöfn et Vopnafjörður.

BUS

Strætó (☎ 540 2700 ; www.straeto.is) :

➡ Bus n°79 d'Akureyri à Húsavík, puis jusqu'à Þórshöfn par la Route 85 (et en sens inverse ; tlj sauf sam été, 3/sem hiver). Ce service continue au-delà d'Húsavík (avec arrêts à Ásbyrgi, Kópasker, Raufarhöfn et Þórshöfn) uniquement sur réservation. Appelez au moins 4 heures avant le départ.

Aucun bus ne circule depuis/vers Vopnafjörður.

Kópasker

120 HABITANTS

Kópasker, sur la rive est de l'Öxarfjörður à 35 km au nord d'Ásbyrgi, est la première localité que vous traversez avant de vous perdre dans les confins sauvages du Nord-Est.

Un violent séisme a frappé le village en 1976 ; le petit **musée du Séisme** (Skjálfta Setrið ; Akurgerði ; 13h-17h juin-août) GRATUIT, installé dans l'école, explique cette catastrophe et d'autres phénomènes tectoniques en Islande. Au sud de Kópasker, le **Byggðasafn** (13h-17h juin-août) GRATUIT, dans la ferme Snartarstaðir, présente les traditions locales de textiles et d'artisanat. Remarquez les jolis épouvantails dans les champs alentour.

Un **camping** gratuit se tient sur la route du village. Gérée par Benni, l'accueillante **Kópasker HI Hostel** (☎ 465 2314 ; www.hostel.is ; Akurgerði 7 ; dort/d sans sdb 4 100/11 200 ISK ; mai-oct ; wifi) offre des chambres réparties dans 2 maisons bien tenues ; le secteur est propice à l'observation des oiseaux (et parfois des phoques). Remise de 700 ISK aux membres HI ; location de draps 1 250 ISK. Paiement uniquement en espèces.

Le village comprend une petite épicerie et une pompe à essence.

ROUTES DU NORD-EST

Une route intérieure asphaltée (Route 85) relie depuis peu Kópasker à l'Est, rejoignant la côte non loin de Rauðanes. De cette nouvelle route, la Route 874 part vers le nord jusqu'à Raufarhöfn.

La nouvelle route est encore peu fréquentée mais, depuis sa construction, la magnifique route côtière non asphaltée (Route 870, anciennement Route 85) desservant la **Melrakkaslétta** (plaine du renard arctique), plaine morne et peu visitée, n'est plus entretenue. Difficile, elle reste néanmoins praticable avec une voiture ordinaire.

Sur 55 km entre Kópasker et Raufarhöfn, la Route 870 traverse les basses terres, lacs et marais de cette région riche en avifaune. Des chemins et des embranchements desservent des phares solitaires sur des caps isolés. Longtemps, Hraunhafnartangi a été considéré comme le point le plus septentrional d'Islande, mais des mesures récentes ont conféré cet honneur à sa voisine Rifstangi, à 2,5 km du cercle arctique.

Raufarhöfn

165 HABITANTS

Localité la plus septentrionale d'Islande, Raufarhöfn est étrangement calme, avec un cimetière très visible. Si le port date de l'époque des sagas, l'économie locale a connu son apogée au début du XXe siècle durant le boom du hareng, quand Raufarhöfn était second après Siglufjörður en termes de volume pêché. Aujourd'hui, les rangées de tristes maisons préfabriquées donnent peu d'indices sur ce glorieux passé.

Suivant un ambitieux projet à long terme, un imposant cercle de monolithes est en cours de construction sur la colline juste au nord du village. Quand il sera achevé, l'**Arctic Henge** (www.facebook.com/ArcticHenge) mesurera 50 m de diamètre avec 4 portes de 7 m de haut (qui représenteront les saisons). Le but est d'utiliser ce cercle de pierres comme cadran solaire pour célébrer les solstices, voir le soleil de minuit et expliquer les fortes croyances locales à la mythologie du poème *Völuspá* (Prophétie de la voyante) de l'Edda. Entrez dans l'Hótel Norðurljós pour voir une maquette du cercle.

Un **camping** gratuit est situé dans la partie sud du village. Une nouvelle pension, **The Nest** (472 9930 ; www.nesthouse.is ; Aðalbraut 16 ; s/d sans sdb à partir de 9 200/13 800 ISK), offre des chambres lumineuses et attrayantes, et l'accès à la cuisine.

Si la façade de l'**Hótel Norðurljós** ("Aurore boréale" ; 465 1233 ; www.hotelnordurljos.is ; Aðalbraut 2 ; s/d 12 600/21 000 ISK ; wifi) semble avoir essuyé bien des tempêtes, l'intérieur est plutôt douillet. Erlingur, le propriétaire, prépare une excellente cuisine maison au **restaurant** (dîner 3 plats 5 700 ISK).

Rauðanes

Au sud de Raufarhöfn, Rauðanes offre d'excellentes possibilités de randonnée, avec des chemins balisés qui mènent à d'étranges formations rocheuses, des arches naturelles, des grottes et des plages isolées. L'embranchement vers Rauðanes se situe à mi-chemin entre Raufarhöfn et Þórshöfn (signalé par un petit panneau), mais la piste n'est praticable qu'en 4x4. Tous les véhicules peuvent se garer à 1 km de la Route 85, d'où une boucle de 7 km traverse un secteur étrange.

Þórshöfn et ses environs

380 HABITANTS

Þórshöfn (Thorshöfn) fut un port animé dès l'époque des sagas et connut son âge d'or quand une usine de salage de harengs s'installa au début du XXe siècle. Aujourd'hui, ce modeste village constitue une base idéale pour rejoindre la péninsule de Langanes.

Sauðaneshús (adulte/enfant 800 ISK/gratuit ; 11h-17h juin-août), l'ancien presbytère dans la propriété de l'église à 7 km au nord de la ville sur la route de Langanes, offre un aperçu de la vie des habitants il y a un siècle. Il abrite un café. Pour des renseignements touristiques, adressez-vous à l'**Íþróttahús** (Langanesvegur 18 ; adulte/enfant 600/300 ISK ; 8h-20h lun-ven, 11h-17h sam-dim juin-août, horaires réduits sept-mai), un grand complexe sportif avec piscine.

Þórshöfn abrite un **camping** (empl 1 000 ISK/pers) et la jolie **Lyngholt Guesthouse** (897 5064 ; www.lyngholt.is ; Langanesvegur 12 ; s/d 9 500/13 900 ISK) en bois près de la piscine. À 18 km à l'ouest de la ville, la ferme **Ytra-Áland** (468 1290 ; www.ytra-aland.is ; d avec/sans sdb 18 000/14 000 ISK) propose le couchage avec option duvet (4 500 ISK), ainsi que le dîner (et l'accès à la cuisine). Les pancakes et les grands sourires de la sympathique Bjarnveig accueillent les hôtes au petit-déjeuner. Elle vous renseignera sur la pêche et la randonnée dans la région.

Þórshöfn offre peu de choix en matière de restauration. L'adresse la plus fiable est le **grill** impersonnel de la station-service N1 (burgers, côtelettes d'agneau, etc.). Un restaurant dans le port, derrière la N1, change fréquemment de nom et d'orientation ; il mérite peut-être le coup d'œil. Pour faire vos courses, allez au supermarché **Samkaup-Strax** (9h30-18h lun-ven, 10h-14h sam).

Langanes

En forme d'oie à grosse tête, la brumeuse péninsule de Langanes est l'un des endroits les plus isolés d'Islande. Son terrain plat, couvert de prairies moussues et parsemé de bâtisses en ruine, est idéal pour la randonnée.

La Route 869 s'achève au bout de 17 km dans cette péninsule longue de 50 km, et bien qu'il soit possible de continuer en 4x4 le long de la piste jusqu'au phare de Fontur au bout de la presqu'île, certains tronçons sont difficiles.

Avant d'explorer la région, installez-vous dans l'excellente **Ytra Lón HI Hostel** (☎846 6448 ; www.hostel.is/ytralon ; dort/d sans sdb 4 300/11 200 ISK, app d à partir de 15 900 ISK), à 14 km au nord-est de Þórshöfn et tout près de la Route 869. Cette auberge de jeunesse fait partie d'une ferme ovine en activité, tenue par une accueillante famille hollando-islandaise. Elle propose des chambres propres et lumineuses, un espace commun confortable et un *hot pot*. De beaux studios avec sdb et kitchenette sont aménagés dans des conteneurs et alignés sous un toit de style serre. Petit-déjeuner 1 600 ISK ; remise de 700 ISK aux membres HI à l'auberge de jeunesse. Les prix ne comprennent généralement pas les draps, qui peuvent se louer (1 250 ISK). Lors de nos recherches, la location des appartements était incertaine ; téléphonez avant.

Si vous n'êtes pas motorisé, vous pouvez appeler l'auberge de jeunesse pour que l'on vienne vous chercher à Þorsförn (moyennant un supplément).

Vopnafjörður et ses environs

550 HABITANTS

Ce fjord était jadis le territoire d'un dragon redouté qui protégeait le nord-est de l'Islande. Les dragons ont aujourd'hui disparu et ce village somnolent est réputé pour ses rivières pleines de saumons (le prince Charles est venu pêcher ici).

Sachez que Vopnafjörður est considéré comme faisant partie de l'est de l'Islande et vous trouverez des informations en ligne sur le site www.east.is. Nous l'avons classé dans le chapitre *Nord* en raison de la logistique du Circuit du Nord-Est via la Route 85.

À voir et à faire

Kaupvangur ÉDIFICE HISTORIQUE

(Hafnarbyggð 4). Principal édifice du village, le Kaupvangur est un hôtel des douanes rénové. Un excellent **café** et un **centre d'information** sont installés au rez-de-chaussée. À l'étage, une exposition bien présentée est consacrée à Jónas et Jón Muli, des compositeurs islandais. Au même étage, une petite exposition s'intéresse aux émigrés islandais de la région, qui achetèrent leur billet de bateau pour l'Amérique dans ce bâtiment.

Bustarfell MUSÉE

(www.bustarfell.is ; adulte/enfant 700/100 ISK ; ⏰10h-17h mi-juin à mi-sept). Bien mis en valeur, ce musée folklorique occupe un beau manoir en tourbe du XVIIIe siècle au sud-ouest du village. L'idyllique Cafe Croft sert des gâteaux maison et du café. Le musée se situe à 6 km de la Route 85, et à 19 km de Vopnafjörður (vous pouvez aussi le rejoindre par la Route 920, goudronnée).

HORS DES SENTIERS BATTUS

À PIED OU EN VOITURE JUSQU'AU BOUT DU MONDE

Fermes abandonnées, phares isolés, colonies de phoques et falaises battues par les vents et couvertes d'oiseaux – peu d'endroits au monde semblent aussi perdus que Langanes. Son principal attrait est la nouvelle plate-forme d'observation au-dessus des falaises peuplées d'oiseaux à **Skoruvíkurbjarg** : elle surplombe un pilier rocheux où nichent d'innombrables fous de Bassan, tandis qu'à proximité vivent des colonies de pingouins, de guillemots et de macareux.

Langanes se prête idéalement à la randonnée. Pour préparer votre itinéraire, procurez-vous la carte *Útivist & afþreying* n°7 (disponible à l'Ytra Lón et dans les centres d'information locaux). Autre excellente ressource, la carte *Birding Trail* donne des renseignements sur l'observation des oiseaux dans le Nord-Est (du Mývatn à Langanes) ; pour des informations en ligne, consultez le site www.birdingtrail.is.

Si vous manquez de temps, envisagez une excursion en 4x4 à Langanes ; l'Ytra Lón (ci-dessus) l'organise avec le tour-opérateur **Fjallasýn** (p. 261), basé à Húsavík, et vous pouvez partir d'Húsavík ou de l'auberge de jeunesse. De l'Ytra Lón, une excursion de 2 heures 30 jusqu'aux falaises peuplées d'oiseaux de Skoruvík coûte 8 600 ISK (au moins 2 personnes) ; vous pouvez aussi effectuer une excursion de 5 heures, avec visite du village abandonné de Skálar et du phare de Fontur (14 400 ISK). Réservation obligatoire. Fjallasýn propose également une randonnée guidée de 4 jours dans la péninsule de Langanes, qui commence et s'achève à l'Ytra Lón ; consultez son site Internet pour plus d'informations.

Selárdalslaug PISCINE
(adulte/enfant 500/200 ISK ; ⏲10h-20h). Cette nouvelle piscine, au milieu de nulle part, est indiquée à 8 km au nord de Vopnafjörður près de la Route 85, juste au sud de la rivière Selá. Faites halte pour un bain dans l'eau géothermale du *hot pot* et pour admirer les vestiaires éclairés à la bougie ; il n'y a pas d'électricité.

Où se loger et se restaurer

Les vallées autour de Vopnafjörður recèlent quelques excellents gîtes ruraux.

Under the Mountain/ Refsstaður II PENSION €
(☎473 1562 ; undirfjoll@underthemountain.is ; s/d sans sdb 5 000/8 000 ISK ; wifi). Cathy, une Américaine d'ascendance islandaise, se distingue par son hospitalité et possède une ferme douillette à 9 km au sud du village ; prenez la Route 917 après l'aérodrome, puis suivez la Route 919 sur 4 km. Le couchage avec duvet revient à 3 500 ISK ; accès à la cuisine et remises pour les séjours prolongés (téléphonez avant de venir en hiver).

Cathy, qui s'occupe de l'exposition sur l'émigration locale, offre une intéressante perspective sur la vie dans l'Islande rurale.

Camping CAMPING €
(empl 1 100 ISK/pers). Un bon camping avec vue sur le fjord et la ville en contrebas. Suivez Miðbraut vers le nord et tournez à gauche à l'école.

Hvammsgerði PENSION €€
(☎588 1298 ; www.hvammsgerdi.is ; s/d sans sdb 10 800/16 900 ISK, petit-déj inclus ; wifi). Juste au nord de l'embranchement vers Selárdalslaug (à 9 km au nord du village), cette nouvelle pension cosy en bord de rivière accueille volontiers les familles : chambres attrayantes, chiens et chats affectueux, et œufs frais de la ferme au petit-déjeuner. Option duvet disponible (3 300 ISK).

Kaupvangskaffi CAFÉ €
(Hafnarbyggð 4 ; buffet soupes 1 250 ISK ; ⏲10h-22h ; wifi). Il semble que quiconque passe par le village s'arrête ici, et pour une bonne raison. Installé dans le Kaupvangur, il sert un excellent café, un grand buffet de soupes au déjeuner et d'alléchants desserts.

VAUT LE DÉTOUR

ROUTE 917

À l'est de Vopnafjörður, un trajet montagneux spectaculaire de 73 km le long de la Route 917, essentiellement non goudronnée, grimpe à 665 m jusqu'à **Hellisheiði**, puis descend vers la côte est. Impraticable par mauvais temps, la route peut généralement s'emprunter en été avec une petite voiture ordinaire. Elle monte en une succession de lacets avant de dévaler jusqu'aux stupéfiants deltas glaciaires de l'**Héraðssandur**.

Kauptún SUPERMARCHÉ
(Hafnarbyggð ; ⏲9h30-18h lun-ven, 12h-16h sam). Le supermarché partage un parking avec le Kaupavangur.

Vinbúðin VINS ET SPIRITUEUX
(⏲16h-18h lun-jeu, 13h-18h ven juin-août, horaires réduits sept-mai). Chaîne gouvernementale de vins et spiritueux.

Renseignements

Centre d'information touristique (☎473 1331 ; www.vopnafjordur.com ; Hafnarbyggð 4 ; ⏲11h-17h lun-ven). Dans le Kaupavangur, il fournit de bonnes informations. Des brochures sont à disposition en dehors des heures d'ouverture ; guides pratiques et gratuits sur les itinéraires de randonnée alentour.

Depuis/vers Vopnafjördur

Aucun bus ne dessert Vopnafjörður.

Vopnafjörður se situe à 137 km de Reykjahlíð et à 136 km d'Egilsstaðir (par la Route 85 et la Route circulaire) ; vérifiez votre jauge d'essence avant de partir.

La Route 917 (route de montagne gravillonnée) est un itinéraire plus court, plus pittoresque et plus vertigineux jusqu'à Egilsstaðir (95 km).

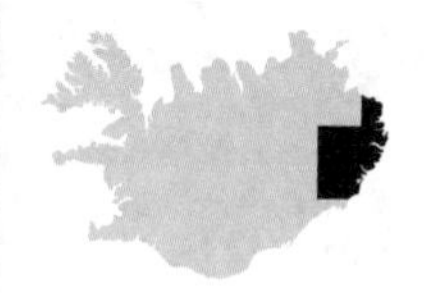

L'Est

Dans ce chapitre

Le top des restaurants

- Skaftfell (p. 288)
- Randulffs-sjóhus (p. 291)
- Gistihúsið Egilsstöðum (p. 278)
- Klausturkaffi (p. 280)
- Kaupfélagsbarinn (p. 293)

Le top des hébergements

- Ferðaþjónustan Mjóeyri (p. 291)
- Skálanes (p. 289)
- Hótel Aldan (p. 287)
- Silfurberg (p. 294)

Pourquoi y aller

À l'opposé de la capitale (à quelque 650 km), l'est de l'Islande, étonnamment varié et peu peuplé, se montre plus discret que d'autres parties du pays. Les fjords de l'Est sont la plus belle destination de la région ; le paysage est particulièrement spectaculaire autour des villages du fjord nord, adossés à des montagnes abruptes, constellées de cascades. Par beau temps, plusieurs jours de randonnée ou de kayak dans la région vous laisseront des souvenirs inoubliables.

À l'écart de la côte accidentée, le lac le plus long du pays s'étire vers le sud-ouest à partir d'Egilsstaðir. Dans l'arrière-pays, vous découvrirez des fermes oubliées, des montagnes, des landes peuplées de rennes et le Snæfell, l'un des plus beaux sommets d'Islande.

Les conducteurs qui empruntent la Route circulaire ne restent souvent qu'une nuit à Egilsstaðir, puis quittent aussitôt l'Est. Pourtant, la région recèle des fjords majestueux, de pittoresques chemins de randonnée, une géologie fascinante et des villages accueillants.

Distances par la route (km)

	Djúpivogur	Reykjavík	Egilsstaðir	Borgarfjörður Eystri	Seyðisfjörður	
Reykjavík	552					
Egilsstaðir	85	698				
Borgarfjörður Eystri	155	702	70			
Seyðisfjörður	111	660	27	92		
Neskaupstaður	164	703	72	140	96	
Breiðdalsvík	64	612	84	153	109	1[illegible]

Comment s'y rendre

Les pages "Travel" du site Visit East Iceland (www.east.is) fournissent des informations sur les transports depuis/vers et dans la région, dont les horaires des bus pour les fjords.

AVION

L'aéroport d'Egilsstaðir est à 1 km au nord de la ville. **Air Iceland** (Flugfélag Íslands ; ☎ 570 3030 ; www.airiceland.is) offre jusqu'à 5 vols par jour toute l'année entre Egilsstaðir et Reykjavík.

BUS

Depuis/vers l'Est Egilsstaðir est une étape majeure sur la Route circulaire.

Aucun bus ne circule en hiver entre Egilsstaðir et Höfn.

SBA-Norðurleið (☎ 550 0720 ; www.sba.is) ; arrêt au camping ; pas de services en hiver :

- Bus n°62 pour Höfn (8 800 ISK , 4 heures 30, 1/jour juin à mi-sept).
- Bus n°62a pour Reykjahlíð, Mývatn (5 700 ISK, 2 heures 30, 1/jour juin à mi-sept).
- Bus n°62a pour Akureyri (9 000 ISK, 4 heures, 1/jour juin à mi-sept).

Strætó (☎ 540 2700 ; www.straeto.is) ; arrêt en face de la station-service N1, au coin de Miðvangur :

- Bus n°56 pour Reykjahlíð, Mývatn (4 550 ISK, 2 heures, 1/jour juin à mi-sept, 4/sem reste de l'année).
- Bus n°56 pour Akureyri (6 300 ISK, 3 heures 30, 1/jour juin à mi-sept, 4/sem reste de l'année).

Comment circuler

BUS

Les bus quotidiens SBA-Norðurleið n°62/62a circulent entre les fjords de l'Est. D'Egilsstaðir à Höfn, ils font halte à Reyðarfjörður, Fáskrúðsfjrður, Stöðvarfjörður, Breiðdalsvík, l'auberge de jeunesse Berunes et Djúpivogur.

Les bus de la compagnie **SVAust** (☎ 471 2320 ; www.east.is) partent d'Egilsstaðir pour les villages des fjords. Vélos interdits à bord.

Outre des services directs pour Borgarfjörður Eystri (en été) et Seyðisfjörður, SVAust dessert les deux itinéraires suivants toute l'année, essentiellement pour les employés d'Alcoa. Les bus circulent tous les jours (moins fréquemment le week-end) et le prix du billet dépend de la distance.

- Itinéraire 1 : Egilsstaðir-Reyðarfjörður-Eskifjörður-Neskaupstaður (Nordfjörður).
- Itinéraire 2 : Reyðarfjörður-Fáskrúðsfjörður-Stöðvarfjörður-Breiðdalsvík.

VOITURE

La Route circulaire (Route 1) traverse Egilsstaðir ; vous devrez la quitter ici pour explorer les fjords de l'Est. Trois possibilités :

- Route 92 vers le sud jusqu'à Reyðarfjörður et des fjords proches.
- Route 93 vers l'est jusqu'à Seyðisfjörður.
- Route 94 vers le nord jusqu'à Borgarfjörður Eystri.

Location de voiture Si vous arrivez en avion, ou en ferry depuis l'Europe sans voiture, les principaux loueurs (Avis, Budget, Hertz et Europcar) disposent d'agences à Egilsstaðir.

INTÉRIEUR DES TERRES

Egilsstaðir

2 330 HABITANTS

Principal carrefour régional de transports et centre du commerce local, Egilsstaðir n'a guère de charme mais offre de bons services, dont des hôtels et restaurants de qualité. La ville grandit rapidement, de manière anarchique et sans véritable centre.

L'attrait d'Egilsstaðir tient à la proximité du ravissant **Lagarfljót**, le troisième plus grand lac du pays. Depuis l'époque des sagas, des récits affirment qu'un monstre vit dans ses profondeurs. La ville constitue une base idéale pour explorer le lac et la forêt sur la rive est.

Évitez si possible Egilsstaðir le mercredi soir en été : le ferry vers l'Europe part de Seyðisfjorður (à 27 km) le jeudi matin et les hôtels, campings et restaurants affichent complet. Si vous prenez le ferry, réservez une chambre longtemps à l'avance.

À voir et à faire

De récents projets industriels d'envergure, tels que le barrage hydroélectrique de Kárahnjúkar et la fonderie d'aluminium Alcoa (tous deux dénoncés par les écologistes, mais salués par de nombreux habitants pour les emplois créés), ont provoqué un afflux de travailleurs dans l'Est.

La construction de logements s'est alors fortement développée à Egilsstaðir et dans la région ; à terme, les divertissements devraient aussi se multiplier, mais actuellement pas grand-chose ne retient les visiteurs.

Minjasafn Austurlands MUSÉE
(musée de l'Est de l'Islande ; www.minjasafn.is ; Laufskógar 1 ; adulte/enfant 800 ISK/gratuit ; ⏲ 13h-17h juin-août). Le musée culturel d'Egilsstaðir présente de belles expositions consacrées à l'histoire de la région.

À ne pas manquer

1. L'arrivée en Islande par bateau, le long d'un beau fjord jusqu'au village bohème de **Seyðisfjörður** (p. 285)
2. Une rencontre avec le peuple caché et les colonies de macareux de **Borgarfjörður Eystri** (Bakkagerði ; p. 282)
3. Une promenade le long des berges boisées du **Lagarfljót** (p. 279), à la recherche de monstres aquatiques
4. Le doux sentiment d'isolement au milieu des ruines du **Mjóifjörður** (p. 289), dans la verdoyante **Skálanes** (p. 289) ou parmi les chevaux d'**Húsey** (p. 278)
5. La splendide collection de minéraux de **Stöðvarfjörður** (p. 293)
6. La route vertigineuse et spectaculaire du col proche d'**Oddsskarð** (p. 291) entre Eskifjörður et Neskaupstaður

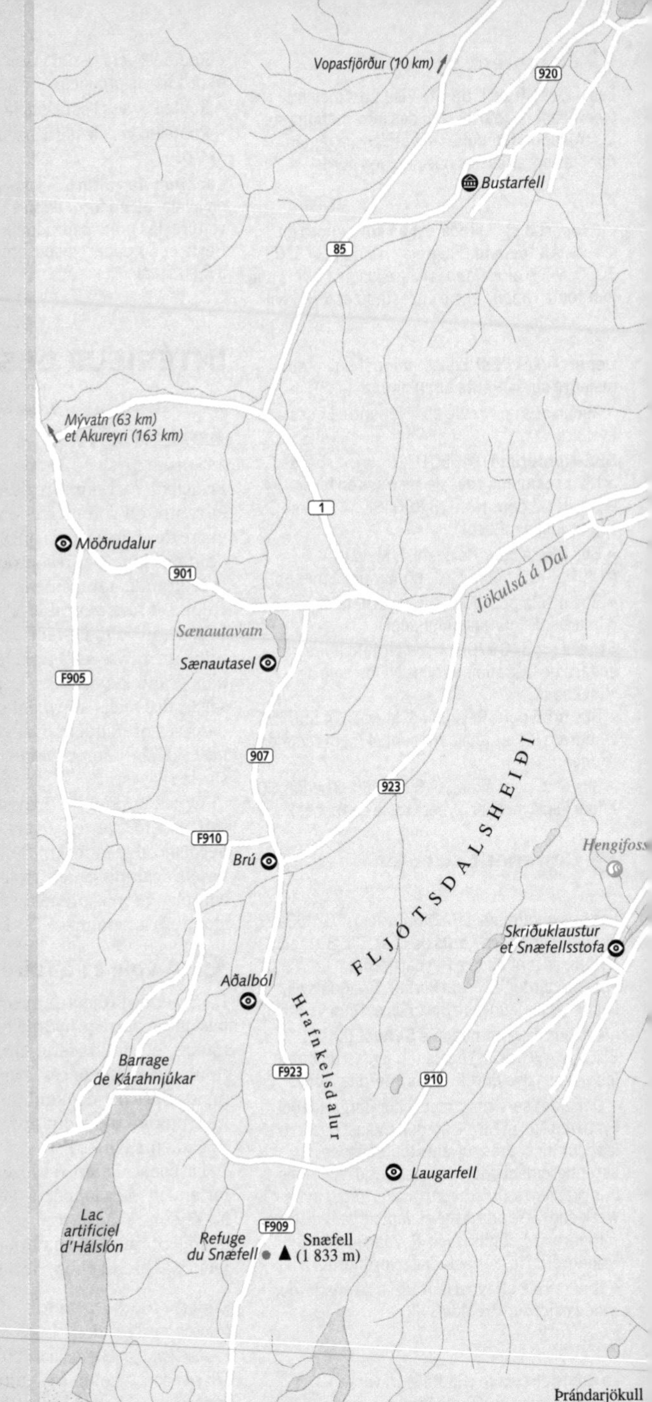

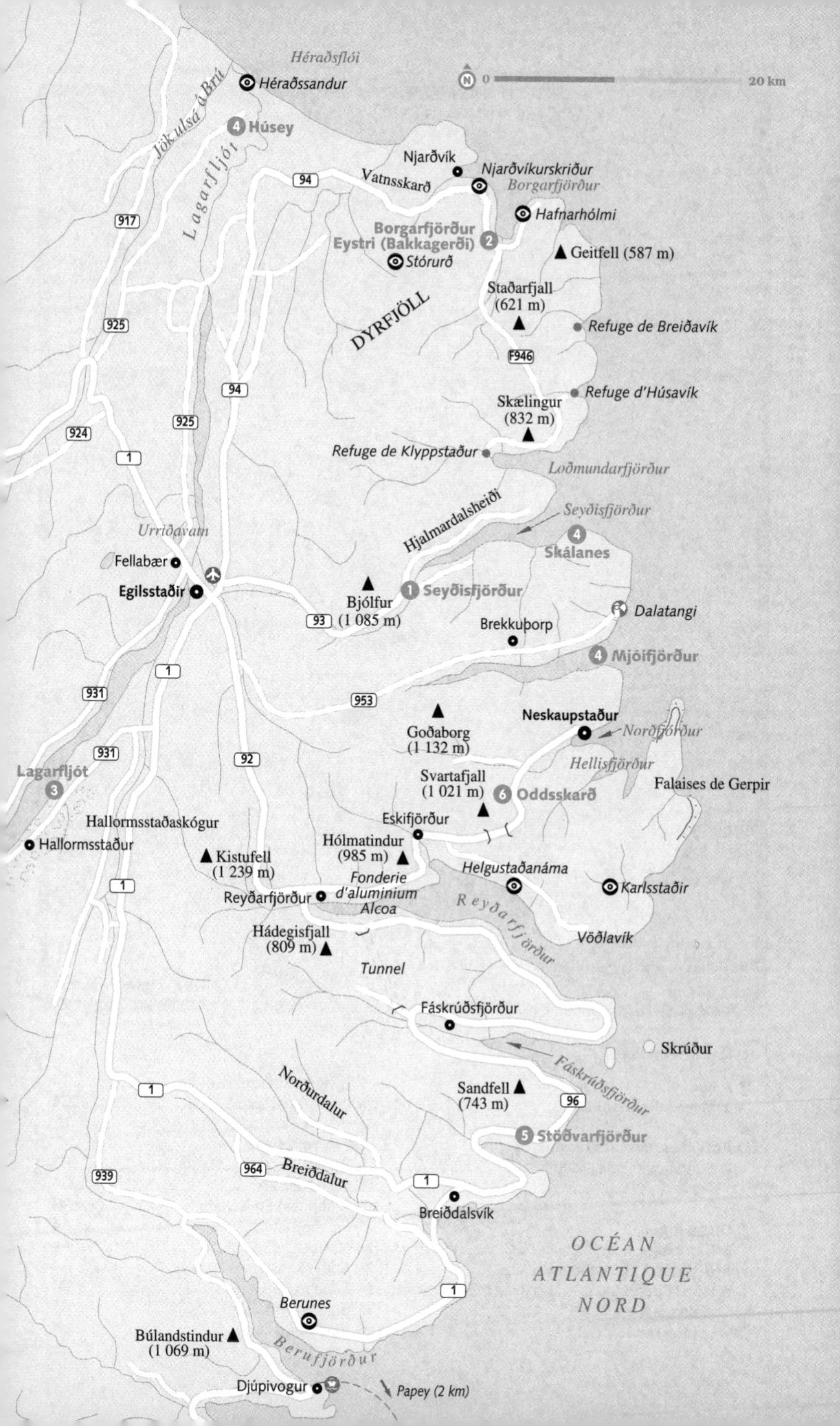

Héraðsflói
Héraðssandur
0
20 km
Jökulsá á Brú
4 Húsey
Lagarfljót
Njarðvík
Njarðvíkurskriður
Vatnsskarð
Borgarfjörður
Hafnarhólmi
2 Borgarfjörður Eystri (Bakkagerði)
Stórurð
Geitfell (587 m)
Staðarfjall (621 m)
DYRFJÖLL
Refuge de Breiðavík
Refuge d'Húsavík
Skælingur (832 m)
Refuge de Klyppstaður
Loðmundarfjörður
Seyðisfjörður
Hjalmardalsheiði
4 Skálanes
Urriðavatn
Fellabær
Egilsstaðir
Bjólfur (1 085 m)
1 Seyðisfjörður
Dalatangi
Brekkuþorp
4 Mjóifjörður
Goðaborg (1 132 m)
Neskaupstaður
Norðfjörður
Hellisfjörður
Lagarfljót
3
Svartafjall (1 021 m)
6 Oddsskarð
Falaises de Gerpir
Hallormsstaðaskógur
Hallormsstaður
Eskifjörður
Hólmatindur (985 m)
Kistufell (1 239 m)
Fonderie d'aluminium Alcoa
Helgustaðanáma
Karlsstaðir
Reyðarfjörður
Reyðarfjörður
Hádegisfjall (809 m)
Vöðlavík
Tunnel
Fáskrúðsfjörður
Skrúður
Fáskrúðsfjörður
Norðurdalur
Sandfell (743 m)
5 Stöðvarfjörður
Breiðdalur
Breiðdalsvík
OCÉAN ATLANTIQUE NORD
Berunes
Búlandstindur (1 069 m)
Berufjörður
Djúpivogur
Papey (2 km)
94
917
925
924
1
93
931
953
92
F946
96
964
939

Egilsstaðir

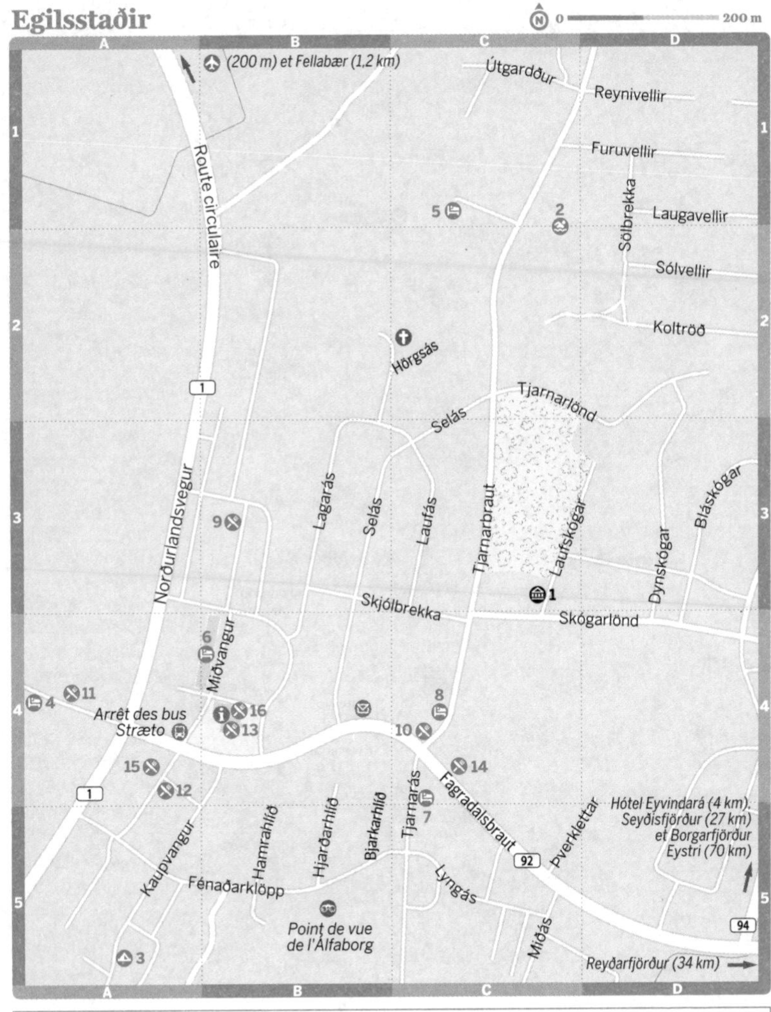

Egilsstaðir

À voir
1 Minjasafn Austurlands C3

Activités, circuits organisés
2 Sundlaugin Egilsstöðum C2
Travel East .... (voir 3)

Où se loger
3 Camping A5
4 Gistihúsið Egilsstöðum A4
5 Hótel Edda C1
6 Icelandair
Hótel Hérað B4
7 Lyngás Guesthouse C4
8 Olga Guesthouse C4

Où se restaurer
9 Bónus B3
10 Café Nielsen C4
Gistihúsið Egilsstöðum .... (voir 4)
11 Fjóshornið A4
12 Nettó A4
13 Salt B4
14 Skálinn C4
15 Söluskálinn A4
16 Vínbúðin B4

Sundlaugin Egilsstöðum PISCINE, HOT POT
(Tjarnarbraut 26 ; adulte/enfant 550/250 ISK ; 6h30-21h30 lun-ven, 10h-18h sam-dim juin-août, ferme 1 heure plus tôt sept-mai). Au nord du centre, avec saunas, *hot pots* et gymnase.

Circuits organisés

Jeep Tours CIRCUITS EN JEEP
(898 2798 ; www.jeeptours.is). Agnar, très compétent, organise d'excellents circuits en 4x4 d'une journée d'Egilsstaðir aux hautes terres : à Askja et Herðubreið (38 000 ISK), au Snæfell (34 000 ISK), ou des safaris d'observation des rennes. C'est aussi l'une des seules agences à visiter le Kverkfjöll dans la journée (38 000 ISK), via la Route 910 (asphaltée) jusqu'au barrage de Kárahnjúkar, avant d'emprunter des pistes reculées. Circuits hivernaux également (voir site Web).

Travel East ÉQUITATION, CIRCUITS EN JEEP
(471 3060 ; www.traveleast.is ; Kaupvangur 17). De son comptoir dans le camping, cette agence peut réserver diverses activités dans la région : équitation, randonnées, circuits en Super-Jeep, ski, pêche à la ligne, etc.

Wild Boys RANDONNÉES
(864 7393, 896 4334 ; www.wildboys.is). Un petit opérateur qui offre des randonnées guidées dans la région, d'une journée au Snæfell, ou à Dyrfjöll et Stórurð près de Borgarfjörður Eystri, ou de plusieurs jours dans les hautes terres de l'Est.

Fêtes et festivals

Pour un calendrier plus complet, consultez la rubrique "What's On" du site www.east.is.

JEA Jazz Festival MUSIQUE
(www.jea.is). Fin juin, le plus ancien festival de jazz d'Islande se déroule à Egilsstaðir.

Ormsteiti CULTURE
(www.ormsteiti.is). La légende du monstre du lac est un bon prétexte pour ce carnaval culturel de 10 jours, fin août.

Dagar Myrkurs CULTURE
Durant 10 jours début novembre à Egilsstaðir et Lagarfljót, les "Journées de l'obscurité" célèbrent le déclin de la lumière et la venue de l'hiver avec des histoires de fantômes, la contemplation des aurores boréales et des processions aux flambeaux.

Où se loger

Consultez les sites Internet pour obtenir les derniers tarifs actualisés.

Lyngás Guesthouse PENSION €
(471 1310 ; www.lyngas.is ; Lyngási 5-7 ; d sans sdb 14 900 ISK ;). Derrière une façade quelconque, cette pension offre 6 chambres pimpantes, dont 2 parfaites pour les familles, ainsi qu'une cuisine et une jolie vue. Option duvet disponible.

Olga Guesthouse PENSION €
(860 2999 ; www.gistihusolgu.com ; Tjarnabraut 3 ; s/d sans sdb à partir de 12 400/14 700 ISK). Centrale et peinte en rouge, la pension Olga compte 5 chambres, toutes avec machines à café/thé, TV et réfrigérateur, 3 sdb communes et une cuisine. Deux maisons plus bas, la Birta Guesthouse, peinte en jaune et tenue par les mêmes propriétaires sympathiques, comporte d'identiques équipements de qualité. Petit-déjeuner à 1 550 ISK.

Camping CAMPING €
(Kaupvangur 17 ; empl 1 200 ISK/personne ; juin-sept ; @). Malgré des emplacements disposés en rangées, on apprécie sa situation centrale et ses équipement corrects : une laverie, un café, mais pas de cuisine. Vous pouvez louer des vélos à la réception (3 900 ISK pour 24 heures) ou réserver des circuits auprès de Travel East, installé ici.

Hótel Eyvindará HÔTEL, COTTAGES €€
(471 1200 ; www.eyvindara.is ; Eyvindará II ; s/d petit-déj inclus à partir de 18 600/23 000 ISK ; avr-oct ;). À 4 km de la ville sur la Route 94, l'Eyvindará, tenu par une famille, est un bel ensemble de nouvelles chambres d'hôtel, de bonnes chambres de style motel avec véranda et vue, et de cottages en bois cachés dans les sapins. Restaurant correct.

Hótel Edda HÔTEL €€
(444 4880 ; www.hoteledda.is ; Tjarnarbraut 25 ; s/d 19 200/21 700 ISK ; juin à mi-août ; @). Installé dans l'école en face de la piscine, il s'agit d'un hôtel Edda classique et bien tenu. Les chambres sans prétention s'agrémentent d'une petite sdb et le restaurant bénéficie d'une vue panoramique.

Gistihúsið Egilsstöðum HÔTEL RUSTIQUE €€€
(471 1114 ; www.lakehotel.is ; s/d petit-déj inclus 22 520/30 100 ISK ; @). La ville tire son nom de cette ferme et splendide hôtel historique sur les rives du Lagarfljót, à 300 m à l'ouest du carrefour. Dans l'aile ancienne, les chambres avec sdb conservent leur cachet. En revanche, les 30 chambres modernes de l'extension flambant neuve sont un peu anonymes. Le restaurant est excellent.

VAUT LE DÉTOUR

HÚSEY

Rejoindre Húsey implique un long et superbe trajet de 30 km à partir de la Route circulaire le long des mauvaises Routes 925 et 926 non asphaltées, qui suivent la rivière Jökulsá á Dal (en tout 60 km depuis Egilsstaðir). Une seule et bonne raison de s'aventurer jusqu'à cette ferme isolée : séjourner dans le rustique **Húsey HI Hostel** (☎ 471 3010 ; www.husey.de ; dort/d sans sdb 4 030/9 600 ISK).

Vous pourrez monter à cheval (circuits de 2 heures d'observation des phoques tous les jours à 10h et 17h ; 6 200 ISK) et suivre des sentiers pour épier oiseaux et phoques. Restez quelques jours pour apprécier l'atmosphère chaleureuse ; de plus longues randonnées à cheval s'organisent facilement. Il y a une cuisine, mais il faut apporter ses provisions car il n'y a aucun magasin alentour. Petit-déjeuner sur commande et location de draps à 1 100 ISK. Réservez et renseignez-vous sur les transferts si vous n'êtes pas motorisé.

Icelandair Hótel Hérað HÔTEL €€€
(☎ 471 1500 ; www.icelandairhotels.is ; Miðvangur 5-7 ; ch à partir de 30 000 ISK ; @ 📶). Stylé et accueillant, cet hôtel d'affaires offre tout le confort attendu et des touches de couleur égaient les 60 chambres douillettes. Bon restaurant (plats 2 700-7 250 ISK), dont le renne est la spécialité.

Où se restaurer

Les automobilistes qui font le plein pourront avaler un repas rapide au **Söluskálinn** (⏲ 8h-23h30), dans la station-service N1 sur la Route circulaire. Sur la route des fjords, essayez le **Skálinn** (Fagradalsbraut ; ⏲ 8h-22h lun-ven, 9h-22h sam-dim) à la station Shell.

Bókakaffi Hlöðum CAFÉ €
(www.bokakaffi.is ; Helgafelli 2 ; buffets de soupe 1 590 ISK ; ⏲ 10h-17h lun-ven ; 📶). À Fellabær, à l'extrémité ouest du pont en venant d'Egilsstaðir, se tient ce charmant café discret : bon café, meubles rétro, disques vinyles, livres d'occasion et pâtisseries maison.

Fjóshornið CAFÉ €
(⏲ 14h-18h lun-ven juin-août). Pour savourer des produits locaux de premier choix, arrêtez-vous au "Coin Étable", à côté de la Gistihúsið Egilsstöðum, où vous pourrez acheter du bœuf et des produits laitiers comme le *skyr* (une sorte de yaourt), les yaourts et la feta de la ferme. Également café et gâteaux maison.

Salt INTERNATIONAL €€
(www.saltbistro.is ; Miðvangur 2 ; repas 1 290-3 000 ISK ; ⏲ 10h-23h ; 📶 🥗 👪). Cet agréable café-bistrot offre une carte intéressante et variée. Sa nourriture attire les foules : essayez la pizza à l'orge nappée d'une garniture gourmet, ou encore un burger, une salade, une crêpe ou un plat au tandoori.

Café Nielsen INTERNATIONAL €€
(Tjarnarbraut 1 ; repas 1 600-7 100 ISK ; ⏲ 11h30-23h30 lun-ven, 13h-23h30 sam-dim ; 📶 👪). Installé dans la plus vieille maison d'Egilsstaðir, ce café propose une longue carte qui peut satisfaire tous les goûts, de la soupe de langoustines et du steak de renne aux *nachos* et aux sandwichs de porc grillé. En été, on peut s'installer sur la terrasse verdoyante ou dans le jardin. Le buffet du déjeuner (soupe, salade, pâtes) coûte 1 850 ISK.

♥ **Gistihúsið Egilsstöðum** ISLANDAIS €€€
(☎ 471 1114 ; www.lakehotel.is ; déj 1 290-2 590 ISK, dîner plats 2 790-5 890 ISK ; ⏲ 11h30-22h ; 📶). Le restaurant de l'hôtel éponyme se distingue par une cuisine créative qui privilégie les produits locaux (agneau, poisson, gibier). Sa spécialité est le bœuf élevé à la ferme : essayez le chateaubriand nappé de béarnaise, ou le filet accompagné de confit d'oie. Les desserts sont délicieux. Réservez.

Nettó SUPERMARCHÉ
(⏲ 9h-20h lun-ven, 9h-18h sam, 12h-18h dim). Derrière la station-service N1.

Bónus SUPERMARCHÉ
(⏲ 11h-18h30 lun-jeu, 10h-19h30 ven, 10h-18 sam, 12h-18h dim). Sur la Route circulaire au nord de la station-service N1.

Vínbúðin VINS ET SPIRITUEUX
(Miðvangi 2-4 ; ⏲ 11h-18h lun-jeu, 11h-19h ven, 11h-16h sam juin-août, horaires réduits sept-mai). Chaîne gouvernementale de vins et spiritueux.

Renseignements

Centre d'information touristique
(☎ 471 2320 ; www.east.is ; Miðvangur 2-4 ; ⏲ 8h-18h lun-ven, 10h-16h sam-dim juin-août, 8h-16h lun-ven sept-mai). Tout ce dont vous

avez besoin (y compris des cartes) pour explorer les fjords de l'Est et au-delà.

Orientation

Au nord, après l'aéroport et de l'autre côté du lac, se trouve la ville jumelle d'Egilsstaðir, Fellabær. Elle compte quelques hébergements, mais la plupart des services se regroupent dans un grand pâté de maisons à Egilsstaðir, près de la Route circulaire (un bon endroit pour faire du stop).

Depuis/vers Egilsstaðir

Carrefour des transports de l'Est, Egilsstaðir possède un aéroport et tous les bus traversent la ville (voir p. 273).

Lagarfljót

Les eaux grisâtres du fleuve-lac Lagarfljót abriteraient un monstre effrayant, le **Lagarfljótsormurinn**, qui vivrait là depuis l'époque viking. La dernière "apparition" de l'animal (également appelé *wyrm*, le ver) a fait sensation : en 2012, un fermier du coin a filmé une grande créature serpentine nageant dans le fleuve. Le clip a été regardé près de 5 millions de fois sur YouTube et a suscité l'intérêt des médias internationaux. Plus de détails sur le site www.ormur.com.

Réel ou imaginaire, l'animal doit être gelé : le Lagarfljót prend sa source dans la calotte glaciaire du Vatnajökull et coule en direction du nord jusqu'à l'océan Arctique, formant un lac de 38 km de long et 50 m de profondeur, souvent appelé Lögurinn, au sud d'Egilsstaðir.

Il s'agit d'un joli plan d'eau, dont on peut faire le tour en voiture. La Route 931, avec des tronçons asphaltés ou gravillonnés (ces derniers sur la rive ouest moins fréquentée), part de la Route circulaire à 10 km au sud d'Egilsstaðir et fait le tour du lac jusqu'à Fellabær – un circuit de quelque 70 km.

Hallormsstaðaskógur

Plus grande **forêt** d'Islande, Hallormsstaðaskógur est vénérée dans ce pays peu boisé. Bien que petite selon les standards de nombreux pays, elle offre un cadre verdoyant bienvenu après le paysage morne et désolé des versants montagneux au nord et au sud d'Egilsstaðir. La forêt comprend des bouleaux nains et des sorbiers des oiseleurs, deux espèces endémiques, ainsi que 80 autres provenant du monde entier.

Où se loger et se restaurer

Camping d'Atlavík CAMPING €
(empl 1 200 ISK/pers). Au bord du lac dans une anse boisée, Atlavík est un camping idyllique et fréquenté. Des fêtes s'y déroulent souvent le week-end en été. Locations de pédalos, barques et canoës.

Camping d'Höfðavík CAMPING €
(empl 1 200 ISK/pers). Un autre camping au bord du lac, plus petit et calme, au nord de la station-service.

Hótel Hallormsstaður HÔTEL €€
(☎471 2400 ; www.hotel701.is ; hôtel s/d 23 900/30 700 ISK, pension s/d sans sdb 14 250/19 400 ISK, toutes petit-déj inclus ; @ wifi).

CHOIX D'ITINÉRAIRES

D'Egilsstaðir vers le sud, plusieurs itinéraires sont possibles (à emprunter en sens inverse de Djúpivogur vers le nord).

Route 1 D'Egilsstaðir, la **Route circulaire** court vers le sud, puis vers l'est à travers la vallée de Breiðdalur jusqu'à Breiðdalsvík ; elle serpente ensuite le long de la côte jusqu'à Djúpivogur. Le trajet de 82 km entre Egilsstaðir et Breiðdalsvík n'est pas entièrement goudronné ; reportez-vous p. 294.

Route 939 Gravillonnée mais pittoresque, elle constitue un raccourci via le **col d'Öxi** ; à éviter par mauvais temps ou brouillard. Elle part de la Route circulaire à 48 km au sud d'Egilsstaðir, et rejoint le bout du Berufjörður après 19 km.

Routes 92 et 96 Une troisième possibilité consiste à emprunter les Routes 92 et 96 entre Egilsstaðir et Breiðdalsvík en traversant les **fjords** de Reyðarfjörður, Fáskrúðsfjörður et Stöðvarfjörður. Un peu plus long que l'itinéraire par la Route circulaire, ce trajet de 92 km est entièrement goudronné. Il est souvent le seul praticable en hiver, quand la neige bloque la Route 1 à Breiðdalsheiði. Il a même été suggéré de dévier officiellement la Route circulaire par les Routes 92 et 96.

100% LOCAL

À LA RENCONTRE DES HABITANTS

Avec peu d'habitants (11 000 environ), l'éloignement de la capitale, et la Route circulaire qui le traverse rapidement, l'est de l'Islande peine à attirer les voyageurs malgré ses atouts. **Tanni Travel** (476 1399 ; www.meetthelocals.is) tente d'y remédier et travaille avec des habitants pour offrir des expériences uniques. L'agence, installée à Eskifjörður, propose des activités dans toute la région, dont diverses promenades guidées dans des villages (tous les jours de juin à mi-sept) ; elle peut aussi établir des itinéraires et vous mettre en relation avec des guides. Offre unique en Islande, elle organise également des dîners chez l'habitant (13 000 ISK/personne).

Véritable campus parmi des arbres, cette retraite bucolique comprend des chambres d'hôtel modernes, des cottages, la **pension Grái Hundurinn**, deux restaurants (avec un dîner-buffet réputé en été) et un espace extérieur attrayant.

Équitation et circuits en quad font partie des nombreuses activités. Location de vélos.

Hengifoss

Hengifoss CASCADE

Traversez le pont qui enjambe le Lagarfljót sur la Route 931 pour rejoindre le parking de l'Hengifoss, la deuxième plus haute cascade du pays. Elle dévale sur 118 m dans une gorge striée de brun et de rouge et jonchée de rochers.

Prévoyez 1 ou 2 heures de marche aller-retour pour atteindre l'Hengifoss, à 2,5 km du parking ; de là, un long escalier grimpe à flanc de colline et la cascade apparaît bientôt à distance. La montée est raide par endroits, mais le chemin devient plat à l'entrée dans la gorge.

À mi-chemin, une cascade plus petite, la Lítlanesfoss, est entourée d'orgues basaltiques.

Skriðuklaustur

Skriðuklaustur MUSÉE

(www.skriduklaustur.is ; adulte/enfant 1 000 ISK/gratuit ; 10h-18h juin-août, 12h-17h mai et sept). D'Hengifoss, parcourez 5 km vers le sud pour arriver à Skriðuklaustur, le beau site d'un monastère du XVIe siècle et la demeure d'un auteur islandais célébré par le IIIe Reich. L'inhabituelle maison noir et blanc à toit de tourbe fut édifiée en 1939 par Gunnar Gunnarsson et abrite désormais un centre culturel qui lui est dédié. Cet écrivain prolifique bénéficiait d'une forte popularité au Danemark et en Allemagne ; au sommet de sa gloire, seul Goethe le surpassait. Vous pourrez notamment lire en français *Frères jurés* (1918 ; Fayard, 2000).

La maison contient aussi une exposition sur l'ancien monastère augustinien, détruit pendant la Réforme de 1550. Des fouilles archéologiques ont mis au jour des ossements, qui indiquent que Skriðuklaustur servait d'hospice.

Klausturkaffi CAFÉ €€

(www.skriduklaustur.is ; Skriðuklaustur ; buffet déj adulte/enfant 2 800/1 400 ISK ; 10h-18h juin-août, 12h-17h mai et sept). Excellent déjeuner-buffet à base de produits locaux (soupe de poisson, tourte au renne, gâteau aux mûres et au *skyr*). Plus alléchant encore, un buffet de gâteaux à volonté (adulte/enfant 1 850/925 ISK) est offert entre 15h et 17h30.

Snæfellsstofa

Centre des visiteurs du parc national CENTRE DES VISITEURS

(470 0840 ; www.vatnajokulsthjodgardur.is ; 9h-18h lun-ven, 10h-18h sam-dim juin-août, 10h-16h lun-ven, 13h-17h sam-dim mai et sept). Couvre la partie est du gigantesque parc national du Vatnajökull. D'intéressantes expositions présentent l'environnement naturel des hautes terres de l'Est. Le personnel vend des cartes et conseille volontiers visiteurs et randonneurs.

Région du Snæfell

Personne ne semble savoir si le Snæfell (1 833 m) est un volcan éteint ou simplement assoupi. Plus haut sommet d'Islande après le Vatnajökull, il est relativement accessible et prisé des randonneurs et des alpinistes.

Le Snæfell domine l'extrémité sud de Fljótsdalsheiði, une étendue de toundra humide, de champs de rochers, de plaques de neige éternelle et de lacs alpins, qui s'étire du Lagarfljót vers les hautes terres à l'ouest. Il fait partie du vaste parc national du Vatnajökull, dont le site (www.

vatnajokulsthjodgardur.is) fournit des informations utiles. Le centre des visiteurs du parc, Snæfellsstofa, propose également des renseignements, ainsi que des expositions et des cartes. Pour explorer la région sans conduire, consultez les offres de Jeep Tours, à Egilsstaðir (p. 277).

Kárahnjúkar

La construction de la centrale hydroélectrique controversée de Kárahnjúkar a permis l'amélioration des routes autour de Snæfell ; goudronnée, la Route 910 à partir de Fljótsdalur est la meilleure. L'embranchement se situe juste au nord de Skriðuklaustur ; la route, accessible en voiture ordinaire, monte rapidement, puis s'aplanit.

Un trajet pittoresque de 60 km depuis l'embranchement conduit au barrage et au lac artificiel, où un bureau d'information et des points de vue permettent d'apprécier ce chef-d'œuvre d'ingénierie, et de découvrir l'incroyable gorge d'**Hafrahvammagljúfur**, en contrebas du barrage. Venez entre 14h et 17h un mercredi ou un samedi de juin à août, quand un représentant de la compagnie électrique propose la visite guidée gratuite du barrage (consultez www.landsvirkjun.com/company/visitus).

Le long de la Route 910, guettez les rennes sauvages et arrêtez-vous aux sources thermales du **Laugarfell Highland Hostel** (☎773 3323 ; www.laugarfell.is ; dort/lits jum 5 500/16 000 ISK), qui offre des lits confortables, un dîner chaud et des en-cas dans la journée. L'auberge de jeunesse se tient à 2 km de la Route 910.

Pour continuer vers le sud après le barrage, vous aurez besoin d'un gros 4x4 à garde élevée, et d'un GPS ; la région est très loin des sentiers battus...

Snæfell

Un 4x4 est indispensable pour emprunter la Route F909 (qui part de la Route 910) et atteindre le **refuge du Snæfell** (☎842 4367 ; snaefellsstofa@vjp.is ; N 64°48.250', W 15°38.600' ; empl/dort 1 400/5 600 ISK par pers) au pied du volcan. Doté d'une cuisine, d'un camping et de douches, il peut accueillir 50 personnes.

Si l'ascension de la montagne ne présente pas de difficultés pour des randonneurs expérimentés et bien préparés, le temps peut poser problème et les crampons sont conseillés. Elle s'effectue généralement par l'ouest, et il faut compter de 6 à 9 heures de marche selon l'état de la glace. Discutez de l'itinéraire avec le gardien du refuge.

L'une des randonnées les plus difficiles et gratifiantes d'Islande (5 jours, 45 km) mène **du Snæfell à la réserve naturelle de Lónsöræfi**, dans le sud-est du pays. Elle part du refuge du Snæfell, traverse le glacier Eyjabakkajökull (un bras du Vatnajökull) jusqu'aux refuges de Geldingafell, d'Egilssel et de Múlaskáli, avant de descendre jusqu'à la côte, à Stafafell.

N'entreprenez pas ce trek à la légère – il ne convient qu'aux marcheurs expérimentés. Vous aurez besoin d'un GPS et, pour la traversée du glacier, savoir utiliser une corde, des crampons et un piolet. Si vous n'êtes pas sûr de vos compétences, choisissez plutôt un circuit organisé par un tour-opérateur comme Icelandic Mountain Guides (p. 305) ; le circuit de 5 jours organisé par ce dernier à travers le Lónsöræfi (50 km, à partir de 119 000 ISK), appelé "In the Shadow of Vatnajökull", commence dans les marais d'Eyjabakkar à l'est du Snæfell et évite la traversée du glacier.

UNE BUVETTE INSOLITE

À mi-chemin entre Egilsstaðir et Borgarfjörður se dresse l'une des plus étranges curiosités de l'Est : une cabane vert pistache au milieu de nulle part. Construite par un excentrique local, cette cahute abrite un distributeur de boissons réfrigérées fonctionnant à l'énergie solaire. S'il est éteint, mettez l'interrupteur sur "on" (ce n'est pas une plaisanterie), attendez deux minutes (signez le livre d'or pendant ce temps), puis choisissez une boisson fraîche ou un en-cas.

Hrafnkelsdalur

La Route F923 (qui part de la Route 910, et réservée aux 4x4) conduit à la vallée de Hrafnkelsdalur, jalonnée de sites liés à la *Saga de Hrafnkell*. La ferme isolée d'**Aðalból** (☎471 2788 ; www.simnet.is/samur ; empl 1 700 ISK/pers, s/d sans sdb 9 900/14 800 ISK ; ⏲juin-août) était la demeure du héros de la saga, Hrafnkell Freysgoði, enterré ici. Un chemin balisé relie les sites mentionnés dans la saga (voir l'encadré p. 282). La ferme comprend une pension, un camping et sert des repas sur commande ; elle possède aussi une pompe à essence.

LA SAGA DE HRAFNKELL

La *Saga de Hrafnkell* est l'une des sagas islandaises les plus lues en raison de son intrigue succincte et de ses personnages mémorables. Ce récit est particulièrement intéressant car les principes semblent aller à l'encontre des notions modernes de bien, de mal et de justice. Les seules conclusions que l'on peut en tirer sont qu'il vaut mieux être vivant que mort et qu'il est plus utile d'avoir l'appui de chefs puissants que compter sur un dieu quelconque.

Le personnage principal, Hrafnkell, est un religieux fanatique qui construit un temple pour le dieu Freyr dans la ferme Aðalból, dans la Hrafnkelsdalur. L'étalon de Hrafnkell, Freyfaxi, est dédié au dieu, et Hrafnkell fait le serment de tuer quiconque osera le monter sans sa permission. Bien évidemment, l'irréparable est commis. Découvrant l'outrage, Hrafnkell tue le jeune homme avec une hache.

Quand le père du garçon, Þorbjörn (Thorbjörn), demande une compensation pour la mort de son fils, Hrafnkell refuse de payer, proposant à la place de veiller sur Þorbjörn dans ses vieux jours. Fièrement, celui-ci décline l'offre et s'ensuit un procès au terme duquel Hrafnkell est déclaré hors la loi. Hrafnkell décide d'ignorer la sentence et rentre chez lui.

Entre alors en scène Sámur Bjarnason, le neveu de Þorbjörn, qui vient sauver l'honneur de la famille. Après avoir pendu Hrafnkell par ses tendons d'Achille jusqu'à ce qu'il accepte de donner sa ferme et tous ses biens, Sámur lui offre le choix entre mourir sur place ou vivre dans le déshonneur et l'assujettissement. Contrairement à ce qu'on attendrait d'un héros de saga, Hrafnkell choisit la vie.

Sámur s'installe à Aðalból, détruit le temple païen et leste le cheval Freyfaxi de pierres avant de le jeter du haut d'une falaise pour le noyer. Hrafnkell, convaincu que son dieu ne s'intéresse pas à lui, perd la foi et s'installe dans une nouvelle ferme, Hrafnkelsstaðir. Il jure de changer sa nature vengeresse et devient un simple fermier, tellement apprécié de son nouveau voisinage qu'il acquiert plus de richesse et de pouvoir qu'auparavant.

Un jour, Sámur et son frère Eyvindur passent par Hrafnkelsstaðir sur le chemin d'Aðalból. La servante de Hrafnkell les voit et incite son employeur à se venger de son humiliation. Retrouvant rapidement son ancienne personnalité, Hrafnkell part à la poursuite des deux frères, tue Eyvindur et fait à Sámur la même proposition qu'il avait reçue : quitter Aðalból et vivre dans la honte ou être tué. Sámur décide à son tour de rester en vie et Hrafnkell retrouve son ancienne propriété.

Vous pouvez aussi rejoindre Aðalból depuis la Route circulaire, en parcourant 43 km sur la Route 923, non asphaltée, qui devient une Route F au sud de la ferme.

FJORDS DE L'EST

Les fjords sont les joyaux de l'est de l'Islande. Malgré des routes en bon état (pour la plupart) et l'activité due à Alcoa, la région semble toujours isolée, une sensation accrue par les montagnes imposantes et les petits villages de pêcheurs nichés à leur pied.

Outre quelques superbes chemins de randonnée, vous pouvez rejoindre en kayak de lointains promontoires et longer des falaises peuplées de milliers d'oiseaux. Chaque fjord possède ses spécificités et il semble impossible d'en recommander un plus particulièrement : Borgarfjörður se distingue par des falaises de rhyolite et des randonnées bien organisées, une joyeuse ambiance bohème règne à Seyðisfjörður, Mjóifjörður est constellé de cascades, et Norðfjörður offre une montée/descente vertigineuse. Visitez-les et choisissez votre favori. Cette section est organisée du nord au sud ; notez que Vopnafjörður est décrit dans le chapitre *Le Nord* (p. 270).

Borgarfjörður Eystri (Bakkagerði)

90 HABITANTS

Ce petit village bénéficie d'un cadre époustouflant, bordé de pics de rhyolite déchiquetés d'un côté et des spectaculaires monts Dyrfjöll de l'autre ; les randonnées dans la région sont fantastiques. S'il n'y a pas grand-chose à voir dans le village, les sculptures en bois flotté, les elfes cachés et les cris des oiseaux de mer lui confèrent un charme magique.

Pour des informations locales, consultez le site www.borgarfjordureystri.is.

À voir et à faire

Hafnarhólmi ÎLE

(www.puffins.is). À 5 km du village se tient le pittoresque petit port et îlot d'Hafnarhólmi, peuplé d'une importante **colonie de macareux**. La plate-forme d'observation permet d'approcher ces jolies créatures pataudes et d'autres oiseaux de mer. Les macareux arrivent mi-avril et repartent mi-août, mais d'autres espèces (dont des mouettes tridactyles et des fulmars) s'attardent davantage.

Lindarbakki SITE HISTORIQUE

Vous ne pouvez manquer cette maison dans le village. D'un rouge vif, la Lindarbakki (1899) est complètement couverte d'herbe verte et n'apparaissent que quelques fenêtres et une paire de bois de renne. Cette résidence privée est fermée au public, mais un intéressant panneau informatif relate son histoire.

Álfaborg RÉSERVE NATURELLE

Álfaborg (rocher des Elfes), un petit tertre et réserve naturelle près du camping, est le "borg" qui a donné son nom à Borgarfjörður Eystri. Certains habitants croient que la reine des elfes islandais vit ici. De la table d'orientation au sommet, une vue fabuleuse s'étend sur les champs alentour.

Bakkagerðiskirkja ÉGLISE

Jóhannes Sveinsson Kjarval (1885-1972), le peintre islandais le plus connu, a grandi près d'ici et s'est beaucoup inspiré de Borgarfjörður Eystri et des environs. Au-dessus de l'autel de la petite église, sa peinture insolite représente le Sermon sur la montagne et s'adresse directement au village : Jésus prêche depuis l'Álfaborg, avec le mont Dyrfjöll en arrière-plan.

Musteri Spa SPA

(861 1791 ; www.blabjorg.is ; adulte/enfant 2 800/1 000 ISK ; 14h-22h ou sur rdv). Sous la Blábjörg Guesthouse, ce spa comporte des Jacuzzis et des saunas intérieurs et extérieurs (les plus courageux pourront plonger dans la mer). La vue est splendide.

Ævintýraland CENTRE POUR ENFANTS

(Terre d'aventure ; 500 ISK ; 13-17h juin-août ;). Dans ce centre ravissant, vos enfants pourront se pelotonner avec un iPod et écouter des histoires d'elfes locaux. Déguisements, peintures et collections de pierres magiques sont également à disposition.

Festival

Bræðslan MUSIQUE

(www.braedslan.is). Organisé dans une ancienne conserverie de hareng le 3e week-end de juillet, Bræðslan est l'un des meilleurs festivals musicaux d'été, réputé pour sa programmation de qualité et son ambiance intime. Des célébrités locales (et quelques stars internationales) s'y produisent chaque année.

Emiliana Torrini (qui passe souvent l'été à Borgarfjörður), Damien Rice, Of Monsters and Men et Mugison ont compté parmi les artistes invités.

Où se loger

Blábjörg Guesthouse PENSION €

(861 1792 ; www.blabjorg.is ; s/d sans sdb petit-déj inclus 10 100/14 400 ISK ;). Dans une ancienne usine de poisson habilement transformée, cette pension bien tenue propose 11 chambres d'un blanc impeccable, une cuisine commune et un salon. Un bel appartement est aussi disponible. Atout de taille : le spa Musterið Heilsulind (prix réduit pour les hôtes), au rez-de-chaussée.

Camping CAMPING €

(empl 1 000 ISK/pers ; mi-mai à sept). Ce camping bien entretenu comporte une cuisine, une machine à laver et des douches. La troisième nuit est gratuite.

Borg Guesthouse PENSION €

(472 9870, 894 4470 ; gistiheimilidborg.wordpress.com ; s/d sans sdb 8 000/14 000 ISK ;). Le Borg offre des chambres vieillottes mais correctes, une cuisine et un salon. Le propriétaire possède d'autres hébergements dans le village (dont des lits avec option duvet, moins chers). Randonnées, circuits en 4x4 ou guidés peuvent être organisés.

Álfheimar Guesthouse HÔTEL RUSTIQUE €€

(471 2010 ; www.alfheimar.com ; s/d petit-déj inclus 20 000/23 100 ISK ; mai-sept ; @). De loin l'hébergement le plus haut de gamme (le seul avec des sdb privées !), l'Álfheimar compte 30 chambres de style motel dans de longues annexes. Celles lambrissées ont plus de charme que celles du nouveau bâtiment, mais toutes sont impeccables et bien équipées. Les aimables propriétaires connaissent parfaitement la région et peuvent organiser des circuits.

Le restaurant (menus 2/3 plats 4 900/5 900 ISK), ouvert à tous à partir de 19h, propose un plat du jour composé de produits locaux.

Où se restaurer et prendre un verre

Álfacafé ISLANDAIS €€
(soupe de poisson 1 900 ISK ; 10h-22h juin-août, 10h-20h mai et sept ;). Principal restaurant et café du village, avec de grandes tables en pierre, il sert une savoureuse soupe de poisson, accompagnée de pain plat et de truite, ainsi que des gâteaux et des gaufres. Vend aussi échantillons géologiques et souvenirs.

Já Sæll Fjarðarborg ISLANDAIS €€
(repas 1 400-3 500 ISK ; 11h30-24h juin-août). Installé dans le Fjarðarborg (le centre communal), le Já Sæll offre une carte simple et un cadre quelconque ; il mérite néanmoins une visite pour ses burgers ou ses côtes d'agneau, et pour une bière en compagnie des habitants. Concerts hebdomadaires en été.

Samkaup-Strax SUPERMARCHÉ
(10h-18h lun-ven, 12h-16h sam-dim juin-août, 12h30-17h30 lun-jeu, 12h30-18h ven sept-mai). Une supérette près de la jetée.

Depuis/vers Borgarfjörður Eystri

BUS

Le seul transport public est le service de bus en semaine durant l'été (aller 1 750 ISK) entre le centre communal Fjarðarborg (départ à 8h) et le centre d'information d'Egilsstaðir (départ à 12h).

VOITURE

Le village se situe à 70 km d'Egilsstaðir sur la Route 94, dont la moitié est goudronnée (praticable en voiture ordinaire en été). La route serpente abruptement dans les monts Dyrfjöll avant de descendre vers la côte. Une pompe à essence jouxte la supérette.

Environs de Borgarfjörður Eystri

De nombreux chemins balisés sillonnent la région autour de Borgarfjörður, des faciles promenades d'une heure aux éprouvantes randonnées en montagne. Pour un aperçu complet, procurez-vous la carte *Víknaslóðir – Trails of the Deserted Inlets* (1 000 ISK), largement disponible.

RANDONNÉE DE BORGARFJÖRÐUR À SEYÐISFJÖRÐUR

Sauvage et inexplorée, la campagne accidentée entre Borgarfjörður et Seyðisfjörður offre l'une des meilleures randonnées de plusieurs jours dans la région. Pour l'organiser, procurez-vous la carte *Víknaslóðir – Trails of the Deserted Inlets* (1 000 ISK), ou bien contactez l'Álfheimar Guesthouse (p. 283) ou la Borg Guesthouse (p. 283) à Borgarfjörður si vous cherchez un guide. Pour des informations sur les refuges le long de cet itinéraire, consultez www.fljotsdalsherad.is/ferdafelag (cliquez sur "*Houses*").

Jour 1 : Partez de Kolbeinsfjara, à 4 km de Borgarfjörður Eystri, et pénétrez dans les montagnes par le col de Brúnavíkurskarð (chemin n°19 sur la carte). Tournez vers le sud (chemin n°21) à hauteur du refuge d'urgence de Brúnavík, et passez devant le superbe Kerlingfjall plus loin. Après 6 ou 7 heures de marche (15 km), installez-vous pour la nuit dans la ferme-camping à Breiðavík.

Jour 2 : Comptez de nouveau 6 ou 7 heures de marche (13,5 km sur le chemin n°30). Vous traversez d'abord les prés herbeux au pied du Hvítafjall, puis vous rejoignez la piste de 4x4 qui court vers le sud jusqu'au refuge d'Húsavík, où vous passez la deuxième nuit. Le secteur entre Breiðavík et Húsavík est hanté par le "peuple caché" – le shérif elfe vit à Sólarfjall, et l'évêque elfe à Blábjörg, plus au sud le long du littoral.

Jour 3 : Suivez le chemin n°37 sur 14 km (6 ou 7 heures de marche) pour rejoindre la côte au paisible Loðmundarfjörður. La piste de 4x4 s'achève au refuge de Klyppstaður, sur le delta de la Norðdalsá, au fond du fjord.

Jour 4 : Le dernier jour vous conduit de Loðmundarfjörður à Seyðisfjörður (chemin n°14). Au sommet du col, vous trouverez un livre en bois signé par les randonneurs précédents. Le grondement des cascades accompagne la descente dans le Seyðisfjörður.

Dyrfjöll

L'un des massifs les plus spectaculaires d'Islande, les monts Dyrfjöll s'élèvent abruptement jusqu'à 1 136 m d'altitude entre les plaines marécageuses d'Héraðssandur et Borgarfjörður Eystri. Dyrfjöll signifie Porte de la montagne, et le massif doit son nom à l'énorme entaille dans le sommet le plus élevé. Deux sentiers traversent le massif, offrant des marches d'une journée ou plus à partir de Borgarfjörður Eystri.

Stórurð, sur le versant ouest des Dyrfjöll, est un paradis pour les randonneurs, parsemé d'énormes rochers et de petits lacs glaciaires. Plusieurs chemins d'accès sont indiqués le long de la Route 94. Bon itinéraire, le chemin n°9 commence au parking du col de Vatnsskarð, puis revient par le chemin n°8 (indiqué sur la carte *Víknaslóðir*). Cette randonnée de 15 km s'effectue en un peu plus de 5 heures.

Njarðvíkurskriður

Dangereuse pente d'éboulis sur la Route 94 près de Njarðvík, Njarðvíkurskriður fut autrefois le site de nombreux accidents. Ces tragédies étaient attribuées à Naddi, une créature malfaisante mi-homme mi-animal qui habitait une grotte au niveau de la mer, au pied du versant.

Au début du XIVe siècle, Naddi fut exorcisé par les autorités religieuses et une croix portant l'inscription *"Effigiem Christi qui transis pronus honora, Anno MCCCVI"* – "Vous qui vous dépêchez, honorez l'image du Christ, An 1306" – fut érigée sur le site en 1306. Les voyageurs étaient supposés réciter une prière en traversant le secteur dangereux afin d'être protégés des pouvoirs maléfiques. La croix a été depuis remplacée plusieurs fois, et l'actuelle porte toujours l'inscription d'origine.

Seyðisfjörður

650 HABITANTS

Si vous ne visitez qu'un village dans les fjords de l'Est, choisissez celui-ci. Composé de maisons en bois colorées et entouré de montagnes enneigées et de cascades, Seyðisfjörður est incroyablement pittoresque. Localité la plus intéressante de la région tant sur le plan historique qu'architectural, c'est aussi un endroit accueillant, habité par des artistes et des artisans.

L'été est la saison la plus animée, en particulier quand le ferry *Norröna*, de Smyril Line, remonte majestueusement le fjord sur 17 km jusqu'au village – une façon magique d'arriver en Islande.

Par beau temps, le trajet le long de la Route 93 à partir d'Egilsstaðir est superbe, montant jusqu'à un col haut perché avant de descendre en suivant la rivière Fjarðará, jalonnée de cascades.

Histoire

À l'origine centre marchand en 1848, Seyðisfjörður prospéra plus tard grâce à "l'argent de la mer", le hareng. Son long fjord protégé l'avantageait par rapport aux autres villages de pêcheurs, et il devint la plus grande et la plus prospère localité de l'est de l'Islande. La plupart de ses édifices en bois furent construits par des marchands norvégiens, attirés par l'industrie du hareng.

Durant la Seconde Guerre mondiale, Seyðisfjörður servit de base aux forces britanniques et américaines. Il n'essuya qu'une seule attaque, le bombardement d'un pétrolier (*El Grillo*) par trois avions allemands. Les bombes manquèrent leur cible, mais l'une d'elles explosa si près que le bateau coula – il repose toujours au fond et constitue un bon site de plongée.

Les versants escarpés de la vallée de Seyðisfjörður la rendent sujette aux avalanches. En 1885, une avalanche dévala du Bjólfur, tua 24 personnes et entraîna plusieurs maisons directement dans le fjord. En 1996, une avalanche détruisit une usine locale, sans faire de victime. Près de l'église, le **mémorial des avalanches** a été réalisé avec des poutres tordues de l'usine, peintes en blanc et érigées telles qu'elles ont été trouvées.

À voir

Seyðisfjörður comprend de nombreux bâtiments en bois du XIXe siècle, apportés en kit de Norvège ; plusieurs ont été transformés en ateliers d'artisan. Un rapide circuit dans le village vous fera découvrir des boutiques où dépenser quelques krónur pour des œuvres d'art, de l'artisanat ou des lainages. La galerie installée au-dessus du centre culturel Skaftfell mérite aussi une visite.

♥ Bláa Kirkjan ÉGLISE

(www.blaakirkjan.is ; Ránargata). La jolie "Église Bleue" est le plus haut bâtiment en bois de Seyðisfjörður. Le mercredi soir de juillet à mi-août, elle accueille des concerts de jazz,

Seyðisfjörður

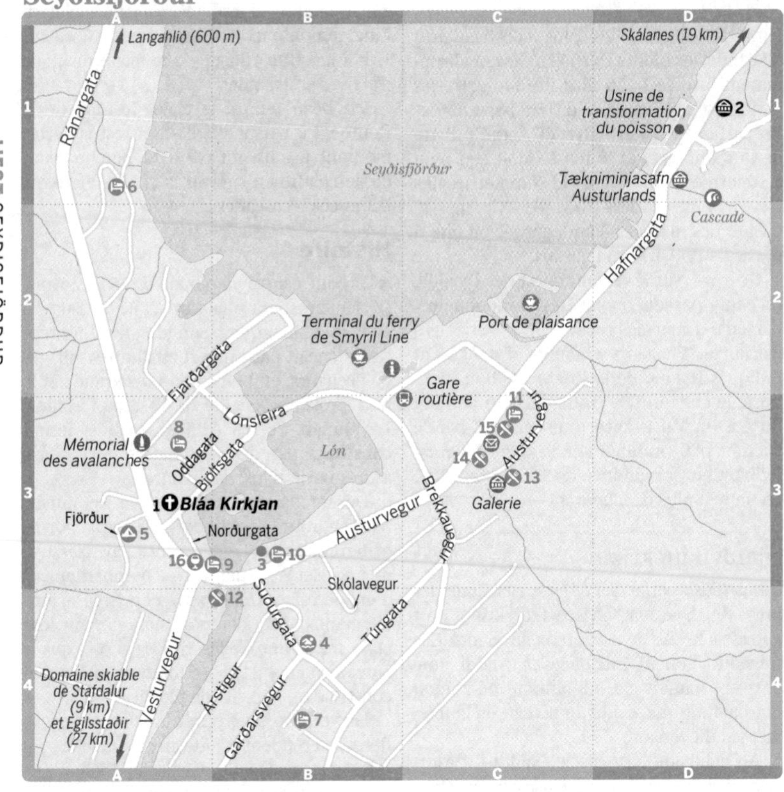

de musique classique ou de folk (à partir de 20h30 ; 2 000 ISK) ; consultez le site Internet pour le programme. Si vous partez un jeudi par le ferry, c'est une excellente façon de conclure votre séjour en Islande.

Tækniminjasafn Austurlands MUSÉE
(www.tekmus.is ; Hafnargata 44 ; adulte/enfant 1 000 ISK/gratuit ; ⏲11h-17h lun-ven juin à mi-sept). Cet intéressant musée consacré à l'histoire locale de la pêche et des télécommunications occupe deux bâtiments dans Hafnargata : l'imposante maison (1894) de l'armateur norvégien Otto Wathne (l'ancien bureau du télégraphe) et un atelier de mécanique de 1907.

Activités

Sundhöll Seyðisfjarðar PISCINE, HOT POT
(Suðurgata 5 ; adulte/enfant 480 ISK/gratuit ; ⏲6h30-9h et 15h-20h lun-ven, 13h-16h sam juin-août, horaires réduits sept-mai). Piscine couverte comprenant un sauna et des *hot pots*.

Domaine skiable de Stafdalur SKI
Entre décembre et mai, Stafdalur, à 9 km de Seyðisfjörður sur la route d'Egilsstaðir, se prête au ski alpin et de fond ; renseignez-vous à l'office du tourisme (p. 288).

Randonnée

De courts chemins de randonnée montent du secteur du musée jusqu'aux cascades et à la “sculpture sonore” de **Tvísöngur**, composée de 5 dômes en béton communicants. Une autre petite marche mène de la route à la rive nord du fjord (à 6 km de l'Église Bleue) et au **Dvergasteinn** (rocher des Nains) indiqué ; selon la légende, il s'agit d'une église de nains qui se déplaça de l'autre côté du fjord pour suivre l'église des hommes.

Les collines qui surplombent Seyðisfjörður sont idéales pour une plus longue randonnée. **Vestdalur**, une vallée herbeuse au nord du village (juste avant les cottages de Langahlið), est renommée pour ses cascades. En longeant la rivière Vestdalsá

Seyðisfjörður

Les incontournables
1 Bláa Kirkjan A3

À voir
2 Tækniminjasafn Austurlands D1

Activités, circuits
3 Hlynur Oddsson B3
4 Sundhöll Seyðisfjarðar B4

Où se loger
5 Camping A3
6 Halfaldan HI (Harbour) A1
7 Hafaldan HI (Hospital) B4
8 Hótel Aldan (Old Bank) A3
9 Hótel Aldan (réception et restaurant) B3
10 Hótel Aldan (Snæfell) B3
11 Post Hostel C3

Où se restaurer
Hótel Aldan .... (voir 9)
12 Samkaup-Strax B4
13 Skaftfell Bistro C3
14 Skálinn C3
15 Vínbúðin C3

Où prendre une verre
16 Kaffi Lára - El Grillo Bar A3

pendant 2 ou 3 heures, vous arriverez au Vestdalsvatn, un petit lac gelé la majeure partie de l'année.

Les chemins sont indiqués sur la carte *Víknaslóðir – Trails of the Deserted Inlets* (1 000 ISK), en vente partout ; le site Internet visitseydisfjordur.com présente quelques beaux itinéraires, dont la Seven Peaks Hike (chemins gravissant 7 des sommets à plus de 1 000 m autour du village).

VTT

Contactez Hlynur, un guide de circuits en kayak, pour louer des VTT (demi-journée/journée/2 jours 2 500/3 000/5 000 ISK). La piste de 19 km jusqu'à Skálanes est un excellent itinéraire.

Circuits organisés

Hlynur Oddsson KAYAK

(☎ 865 3741 ; www.iceland-tour.com ; ⊙ juin-août). Pour une expérience mémorable, contactez le sympatique Hlynur, qui passe l'été dans le village et propose des circuits sur mesure. Avec des enfants, vous pouvez opter pour une demi-heure de canotage facile dans la lagune (1 500 ISK) ; les circuits dans le fjord varient de 1 à 6 heures, avec visite d'une épave ou de cascades (4 000 ISK l'heure, 8 000 ISK les 3 heures).

Les kayakistes chevronnés peuvent choisir de plus longs circuits, comme jusqu'à Skálanes (une journée 25 000 ISK, 2 personnes minimum). Les circuits d'Hlynur partent devant l'Hótel Aldan (Snæfell).

Où se loger

Réservez longtemps à l'avance pour la nuit du mercredi en été (le ferry à destination de l'Europe continentale part le jeudi matin). Consultez les sites Internet pour obtenir les derniers tarifs actualisés.

♥ Hafaldan HI Hostel AUBERGE DE JEUNESSE €

(☎ 611 4410 ; www.hafaldan.is ; Suðurgata 8 ; dort 4 100 ISK, d avec/sans sdb 15 200/11 200 ISK ; @ 📶). Le meilleur établissement pour petits budgets de Seyðisfjörður occupe deux emplacements : l'**Harbour Hostel** (Ranárgata 9), un peu en dehors du village après l'Église Bleue ; et l'**Hospital Hostel** (Suðurgata 8), l'annexe estivale plus centrale. Cette dernière abrite la réception principale des deux bâtiments de juin à août.

Une salle à manger et un salon confortables, agrémentés d'une belle vue, compensent les murs fins et les chambres banales de l'Harbour Hostel. L'annexe (dans l'ancien hôpital du village) comprend quelques chambres avec sdb et une superbe cuisine-salle à manger. Remise de 600 ISK pour les membres HI. Location de draps 1 250 ISK.

Camping CAMPING €

(Ránargata ; empl 1 150 ISK/pers ; ⊙ mai-sept ; 📶). Il se divise en deux secteurs : l'un protégé et herbeux pour les tentes, en face de l'église ; l'autre, à proximité, pour les camping-cars. Comprend cuisine, douches et buanderie.

♥ Hótel Aldan HÔTEL €€

(☎ 472 1277 ; www.hotelaldan.com ; réception Norðurgata 2 ; s/d petit-déj inclus à partir de 17 900/23 900 ISK ; 📶). Ce superbe établissement est réparti dans 3 vieux bâtiments en bois. La réception et le bar-restaurant (où le petit-déjeuner est servi) sont dans Norðurgata. L'hôtel Snaefell occupe l'ancien bureau de poste (Austurvegur 3), suranné et plein de cachet, et offre sur 3 niveaux les chambres les moins chères, peintes en blanc et dotées de couvre-lits indiens ; quelques nouvelles suites ont été ajoutées au rez-de-chaussée et peuvent accueillir 4 personnes. Enfin, The Old Bank (Oddagata 6) est une pension de charme à l'ambiance raffinée, décorée de meubles anciens.

Langahlið COTTAGES €€
(897 1524 ; www.seydis.is ; cottages pour 2/6 pers 16 000/18 500 ISK). Réservez longtemps à l'avance ces confortables cottages de 3 chambres d'un excellent rapport qualité/prix, qui peuvent accueillir jusqu'à 6 personnes ; ils comprennent une cuisine, un salon et un grand porche avec Jacuzzi et barbecue. Le solarium, équipé d'un *hot pot*, bénéficie d'une vue splendide sur le fjord. À 2 km au nord de la réception de l'Aldan.

Post Hostel PENSION €€
(898 6242 ; www.posthostel.com ; s/d sans sdb 11 400/15 900 ISK ;). Cette pension (aménagée dans un autre bureau de poste) possède des chambres plutôt petites, dont quelques-unes équipées pour les familles, ainsi qu'une cuisine et une buanderie. Elle loue également un grand appartement luxueux avec 3 chambres. Les propriétaires prévoient d'ajouter des chambres avec sdb.

Où se restaurer et prendre un verre

Skálinn RESTAURATION RAPIDE €
(Hafnargata 2 ; 8h-22h lun-ven, 9h-22h sam, 10h-22h dim). Le grill de la station-service offre les plats classiques de fast-food, et sert des repas à prix doux midi et soir.

Skaftfell Bistro INTERNATIONAL €€
(skaftfell.is/en/bistro ; Austurvegur 42 ; repas 1 200-3 100 ISK ; à partir de 11h30 tlj, cuisine fermée à 22h ;). Ce fabuleux bistrot-centre culturel est parfait pour se détendre, savourer un repas et rencontrer les habitants. À la courte carte qui change tous les jours s'ajoutent diverses pizzas appréciées (dont une au renne et une autre aux langoustines). Intéressantes expositions dans la galerie à l'étage.

Hótel Aldan ISLANDAIS €€
(472 1277 ; www.hotelaldan.is ; Norðurgata 2 ; plats déj 1 550-2 600 ISK, dîner 3 500-9 400 ISK ; 7h-21h mi-mai à mi-sept). Cet élégant restaurant rustique sert café et gâteaux toute la journée ; au déjeuner, soupes, salades et poisson du jour composent le menu. Le soir, des chandelles embellissent les tables et la carte propose des plats islandais traditionnels (agneau, langoustine, renne, poisson), préparés avec une touche de modernité. Réservation conseillée.

Kaffi Lára – El Grillo Bar CAFÉ, BAR
(Norðurgata 3 ; 11h30-1h30 dim-jeu, 11h30-3h30 ven-sam). Si vous ne pouvez obtenir une table ailleurs dans le village, vous trouverez probablement une place dans cet accueillant café-bar à 2 niveaux, qui propose des plats simples. Goûtez à la bière El Grillo, brassée selon une recette à l'histoire fascinante, et qui porte le nom du pétrolier britannique qui gît au fond du fjord.

Samkaup-Strax SUPERMARCHÉ
(Vesturvegur 1 ; 9h-18h lun-ven, 10h-16h sam, 12h-16h dim). Pour faire vos courses.

Vínbúðin VINS ET SPIRITUEUX
(Hafnargata 4a ; 16h-18h lun-jeu, 13h-18h ven juin-août, horaires réduits sept-mai). Chaîne gouvernementale de vins et spiritueux.

Renseignements

Le site www.visitseydisfjordur.com est excellent.

Landsbanki Íslands (Hafnargata 2 ; 13h30-16h lun-ven, plus 9h-12h jeu). Une banque avec un DAB accessible 24h/24, qui peut être bondée à l'arrivée du ferry.

Office du tourisme (472 1551 ; 8h-16h lun-ven mai-sept). Dans le terminal des ferries ; renseignements sur la région et sur tout le pays.

Depuis/vers Seyðisfjörður

BATEAU

De fin mars à octobre, le car-ferry *Norröna* de **Smyril Line** (www.smyrilline.com) relie chaque semaine Hirsthals (Danemark) et Seyðisfjörður via Tórshavn (îles Féroé).

De mi-juin à fin août, le *Norröna* arrive à Seyðisfjörður le jeudi à 9h30, et repart pour la Scandinavie 2 heures plus tard. De fin mars à mi-juin, puis de fin août à octobre, il arrive à Seyðisfjörður le mardi à 9h et repart le mercredi à 20h. Des traversées sont également possibles en hiver (selon les conditions météorologiques) ; consultez le site Internet.

BUS

FAS (893 2669, 472 1515) offre un service de bus entre Egilsstaðir et Seyðisfjörður (1 050 ISK, environ 45 min) toute l'année, avec 1 à 3 bus par jour du lundi au samedi (les bus circulent le dimanche de mi-juin à mi-août). Des services supplémentaires coïncident avec l'arrivée et le départ du ferry. Horaires actualisés sur le site www.visitseydisfjordur.com.

Environs de Seyðisfjörður

♥ **Skálanes** CENTRE NATURE, PENSION
(☎861 7008, 690 6966 ; www.skalanes.com ; ⊙mai-sept, sur rdv oct-avr). La ferme isolée de Skálanes, à 19 km à l'est de Seyðisfjörður le long du fjord, est une réserve naturelle indépendante et un centre de préservation du patrimoine. Le propriétaire a restauré cette ferme abandonnée pour en faire un paradis pour les botanistes, les écologistes, les archéologues (des vestiges de l'époque de la colonisation ont été découverts) et les ornithologues amateurs (avec plus de 45 espèces d'oiseaux).

Son isolement et son caractère expérimental (il se présente comme un lieu d'étude, et non comme une pension) séduiront les passionnés de nature ; un séjour de plusieurs jours est recommandé.

Divers forfaits sont proposés, comprenant activités guidées et repas (les hôtes peuvent aussi utiliser la cuisine). L'hébergement en B&B dans des chambres confortablement rénovées coûte 14 100/19 500 ISK en simple/double ; un dîner de 2 plats revient à 3 500 ISK.

Rejoindre Skálanes est déjà une aventure. Vous pouvez marcher depuis Seyðisfjörður (des passerelles enjambent les trois rivières) ; ou venir à VTT ou avec un kayak loué à Hlynur Oddsson. En voiture ordinaire, vous devrez parcourir 13 km sur la mauvaise route en terre jusqu'à la rivière, puis cheminer sur environ 4 km (la marche est préférable ; en voiture ordinaire, téléphonez avant pour vous renseigner sur l'état de la route). Avec un gros 4x4, vous pourrez conduire jusqu'au centre (attention en traversant les rivières). Dernière possibilité : demandez au centre que l'on vienne vous chercher à Seyðisfjörður/la rivière (8 000/6 000 ISK aller-retour par véhicule).

Mjóifjörður

35 HABITANTS

Prochain fjord au sud de Seyðisfjörður, Mjóifjörður (le Fjord étroit) est flanqué de falaises spectaculaires et de cascades. Avec une voiture ordinaire, vous devrez rouler lentement sur la route gravillonnée qui le dessert (Route 953), mais une fois arrivé, vous serez entouré de collines verdoyantes parsemées de ruines fascinantes, et de poissons sautant hors de l'eau glacée du fjord. Un harenguier rouillé, échoué sur la plage, compose une photo parfaite.

Du côté nord du fjord à Brekkuþorp (souvent qualifié de plus petit village d'Islande), le **Sólbrekka** (☎476 0007 ; mjoifjordur.weebly.com ; cottages option duvet 16 000 ISK ; ⊙juin-sept) est le seul hébergement des alentours, prisé des randonneurs.

Une ancienne école près de la mer (camping/option duvet 1 000/4 000 ISK par pers) ouvre de mi-juin à mi-août, mais l'endroit le plus attrayant se situe sur la colline : 2 petits cottages en pin indépendants qui peuvent accueillir jusqu'à 6 personnes en se serrant (une chambre, une mezzanine et un canapé-lit). Un petit café ouvre l'après-midi à l'école, et les cottages comprennent un *hot pot* couvert (accessible à tous moyennant une modeste participation). Petit-déjeuner, dîner, excursions et sorties de pêche en bateau peuvent être organisés.

Les alentours du Mjóifjörður offrent quelques superbes **randonnées**. Moyennant finances, le personnel du Sólbrekka peut vous transporter de l'autre côté du fjord, d'où une randonnée de 4 heures conduit à Neskaupstaður ; vous pouvez aussi franchir les montagnes du nord pour rejoindre Seyðisfjörður au cours d'un trek de 6 ou 7 heures. La route continue à l'est de Brekkuþorp jusqu'au **phare** de Dalatangi, le premier d'Islande (1895) ; à côté se dresse le phare “moderne” de 1908, toujours en service. L'endroit mérite la visite.

D'Egilsstaðir, il faut parcourir 30 km pour arriver au bout du Mjóifjörður, puis encore 12 km pour atteindre Brekkuþorp. Aucun transport public ne circule dans le fjord. La route du Mjóifjörður est impraticable en hiver ; un bateau dessert le fjord 2 fois par semaine à partir de Neskaupstaður.

Reyðarfjörður

1 135 HABITANTS

Localité relativement récente et sans grand attrait, Reyðarfjörður a été fondée au début du XXe siècle en tant que port de commerce.

Plus récemment, elle a attiré l'attention quand Alcoa a construit une gigantesque fonderie d'aluminium, longue de 2 km, à la sortie du village au bord du fjord, malgré les protestations des écologistes. L'arrivée de travailleurs étrangers a apporté un léger parfum cosmopolite à Reyðarfjörður et aux bourgades alentour. Les emplois créés par Alcoa (environ 450) ont aussi contribué au développement économique de la région, comme en témoignent les nouvelles maisons.

Sur les cartes et les panneaux d'information, vous pourrez voir Fjarðabyggð – il s'agit de la municipalité centrée à Reyðarfjörður et qui englobe les fjords de Mjóifjörður au sud jusqu'à Stöðvarfjörður.

À voir

Íslenska Stríðsárasafnið MUSÉE
(stridsarasafn.fjardabyggd.is ; Spítalakampu ; adulte/enfant 1 000 ISK/gratuit ; 13-17h juin-août). Durant la Seconde Guerre mondiale, quelque 3 000 soldats alliés – soit près de 10 fois la population locale – furent basés à Reyðarfjörður. Au bout d'Heiðarvegur, l'excellent musée islandais de la Seconde Guerre mondiale retrace ces années étranges. Le bâtiment est entouré de mines, de Jeeps et d'hélices d'avion, et abrite d'autres reliques de la guerre. Des photos et des tableaux donnent un aperçu de l'implication du pays.

Le musée se cache derrière des baraquements militaires rouillés, construits pour servir d'hôpital militaire en 1943, mais jamais utilisés dans ce but.

Où se loger et se restaurer

Des bars-grills sont installés dans les stations-service Shell et Olís, et vous pourrez faire des courses au **supermarché Krónan** (Hafnargata 2 ; 11h-18h lun-jeu, 11h-19h ven, 11h-17h sam, 12h-16h dim).

Hjá Marlín AUBERGE DE JEUNESSE €
(474 1220, 892 0336 ; www.bakkagerdi.net ; Vallargerði 9 ; dort 5 200 ISK, d avec/sans sdb option duvet 18 000/14 000 ISK ; @). Marlín, un Belge polyglotte qui habite en Islande depuis plus de 20 ans, est l'hôte chaleureux de cette auberge de jeunesse HI qui ne cesse de s'agrandir. La maison principale abrite un **restaurant** (17h- 20h) douillet ; dans la même rue, une autre grande maison comprend des chambres sans prétention, un barbecue et un sauna ; et, depuis 2014, un magasin de meubles superbement reconverti (dans Austurvegur) compte 12 dortoirs de 4 lits avec sdb.

Location de draps 1 200 ISK ; remise de 500 ISK pour les membres HI.

Tærgesen PENSION, RESTAURANT €€
(470 5555 ; www.taergesen.com ; Búðargata 4 ; d pension/motel 15 000/22 000 ISK ;). Bâtiment noir en tôle ondulée de 1870, le Tærgesen offre de confortables chambres lambrissées (avec sdb communes), agrémentées de volets blancs. Le **restaurant** (plats 1 120-4 820 ISK ; 10h-22h), au rez-de-chaussée, est renommé pour ses pizzas et sa cuisine traditionnelle roborative. À cela s'ajoutent 22 chambres spacieuses de style motel avec sdb.

À côté et sous la même direction, le Kaffi Kósý, un bar prisé des habitants, ouvre les vendredi et samedi soir.

Sesam Brauðhús BOULANGERIE, CAFÉ €
(Hafnargata 1 ; 7h30-17h30 lun-ven, 9h-16h sam). Entrez dans cette boulangerie-café et choisissez dans la vitrine remplie de sandwichs, de salades et de pâtisseries.

Eskifjörður

1 026 HABITANTS

Cette bourgade accueillante et prospère s'étend dans un repli du Reyðarfjörður. Le cadre est magnifique, face à l'imposant mont Hólmatindur (985 m), qui se dresse abruptement de l'eau scintillante du fjord.

À voir

Sjóminjasafn Austurlands MUSÉE
(Strandgata 39b ; adulte/enfant 1 000 ISK/gratuit ; 13-17h juin-août). Dans l'entrepôt en bois noir "Gamlabuð" de 1816, le Musée maritime de l'est de l'Islande retrace deux siècles de l'industrie régionale du hareng, du requin et de la baleine. Pour plus de souvenirs de loups de mer, dînez au Randulffs-sjóhus.

Helgustaðanáma CARRIÈRE
Les vestiges de la plus grande carrière de spath au monde se trouvent à l'est d'Eskifjörður. Le spath d'Islande (*silfurberg* en islandais) est une sorte de calcite cristalline biréfringente et totalement transparente. C'était un composant essentiel des premiers microscopes, et d'importantes quantités de ce minéral ont été exportées en Europe depuis le XVIIe siècle jusqu'à la fermeture de la carrière en 1924.

Exposé au British Natural History Museum à Londres, le plus gros spécimen extrait à Helgustaðanáma pèse 220 kg. Aujourd'hui, de la calcite étincelle encore dans les roches autour de la carrière. L'endroit est devenu une réserve nationale et il est interdit de déplacer ou d'emporter des morceaux de roche. Après le Mjóeyri, suivez la route gravillonnée sur 8 km le long de la côte jusqu'à un panneau d'information ; la carrière est à 500 m à flanc de montagne, à parcourir à pied.

Activités

Sundlaug Eskifjarðar
PISCINE, HOT POTS

(Norðfjarðarvegur ; adulte/enfant 600/200 ISK ; 6h-21h lun-ven, 10h-18h sam-dim). La piscine comporte toboggans, *hot pots* et sauna ; elle borde la route principale.

Péninsule d'Hólmanes
RANDONNÉE

La rive sud de la péninsule d'Hólmanes, au pied du pic Hólmatindur, est une réserve naturelle. Elle offre de superbes vues maritimes et vous apercevrez peut-être des bancs de dauphins. La randonnée d'Hólmaborgi, au sud de la route principale, est un circuit prisé qui s'effectue en 1 ou 2 heures.

Quantité d'itinéraires plus longs grimpent dans les montagnes voisines. De nombreuses randonnées de plusieurs jours explorent les péninsules à l'est d'Eskifjörður ; lors de nos recherches, il était difficile d'obtenir sur place une carte de randonnée ; renseignez-vous.

La Semaine de la randonnée, "Gönguvikan", qui se déroule durant la semaine après le solstice d'été, est un gros événement ici.

Oddsskarð
SKI

Si les conditions sont bonnes, il est possible de skier de mi-novembre à avril sur les pentes proches d'Oddsskarð, le col qui conduit à Neskaupstaður. Le site www.oddsskard.is fournit des informations actualisées.

Où se loger et se restaurer

Pour un repas rapide, rendez-vous au grill de la station-service ou au supermarché Samkaup-Strax (9h-18h lun-ven, 10h-14h sam).

Camping
CAMPING €

(empl 1 000 ISK/pers). Un camping simple dans un joli cadre, près de l'entrée de la ville.

Kaffihúsið
PENSION, RESTAURANT €

(476 1150 ; www.kaffihusid.is ; Strandgata 10 ; s/d sans sdb 9 900/12 900 ISK ; 12h-22h dim-jeu, 12h-3h ven-sam ;). Vous ne pourrez manquer la grande tasse de café qui signale cet endroit, essentiellement un bar-restaurant (plats 2 000-4 700 ISK ; cuisine fermée à 21h) et un rendez-vous pour les habitants, avec musique live régulièrement. Il propose également quelques chambres sans prétention à l'arrière, avec lavabo et TV.

Ferðaþjónustan Mjóeyri
PENSION, COTTAGES €€

(477 1247, 696 0809 ; www.mjoeyri.is ; Strandgata 120 ; s/d sans sdb 12 500/16 500 ISK, cottages à partir de 27 300 ISK ;). À l'extrémité est de la ville, cet ensemble s'avance dans l'eau à la pointe d'une petite péninsule et bénéficie d'une vue époustouflante. Si le bâtiment principal renferme des chambres, les excellents cottages disséminés dans la propriété et assez grands pour les familles constituent le principal atout du Mjóeyri. Il est également possible de camper et le *hot pot* est particulièrement original (dans un bateau transformé).

Les propriétaires proposent des circuits et activités guidés : randonnée, ski, chasse, pêche, etc. Le prix des cottages n'inclut pas les draps (disponibles pour 1 600 ISK) ; dans la pension, la nuit avec option duvet revient à 7 500 ISK. Petit-déjeuner à 1 650 ISK.

Hotel Askja
PENSION €€

(477 1247, 696 0809 ; www.hotelaskja.is ; s/d sans sdb 11 900/15 900 ISK ;). Dans un bâtiment en tôle ondulée au bord de l'eau avec vue sur l'Hólmatindur, l'Askja offre des chambres simples, l'accès à la cuisine et un attrayant salon. Option duvet à 7 500 ISK. Petit-déjeuner à 1 650 ISK.

Hótelíbúðir
APPARTEMENTS €€

(892 8657 ; www.hotelibudir.net ; Strandgata 26 ; app à partir de 22 500 ISK ;). L'établissement comporte 4 appartements avec une chambre, modernes, spacieux et bien équipés (grande cuisine et lave-linge), qui peuvent accueillir jusqu'à 4 personnes. Loue aussi quelques grandes chambres avec sdb, moins bien aménagées.

Randulffs-sjóhus
ISLANDAIS €€

(Strandgata 96 ; plats 2 590-3 390 ISK ; 12h-21h juin-août ou sur rdv). Cet extraordinaire hangar à bateaux date de 1890. Quand les nouveaux propriétaires ont emménagé en 2008, ils ont constaté que rien n'avait changé depuis 80 ans. Ils ont laissé en l'état les dortoirs des pêcheurs à l'étage, et installé un restaurant orné de souvenirs maritimes au rez-de-chaussée. Sans surprise, la carte privilégie le poisson (dont les spécialités locales : requin et poisson séché).

Contactez le Mjóeyri pour visiter le hangar à bateaux en dehors des heures d'ouverture (1 000 ISK) ; vous pourrez aussi louer des bateaux à moteur et des cannes à pêche à cet endroit.

Neskaupstaður (Norðfjörður)

1 485 HABITANTS

Rejoindre Neskaupstaður tient du périple : vous franchissez un col par la plus haute nationale d'Islande (632 m), empruntez un tunnel à voie unique long de 630 m, puis dévalez en pente raide jusqu'à la ville ; si vous tentez de continuer plus à l'est, il n'y a plus de route. Bien que Neskaupstaður soit l'une des plus grandes localités des fjords, son emplacement en bout de route la fait paraître petite et éloignée du reste du monde. Cela pourra changer quand un nouveau tunnel de 8 km à partir d'Eskifjörður ouvrira en 2017, remplaçant l'ancienne route.

À l'instar de nombreuses bourgades des fjords de l'Est, Neskaupstaður fut fondée au XIXe siècle en tant que centre de commerce, et prospéra au début du XXe siècle grâce au boom du hareng. Son avenir fut assuré par la construction de la plus importante conserverie et usine de congélation d'Islande, la Síldarvinnslan (SNV), au bout du fjord.

À voir et à faire

Safnahúsið MUSÉE

(Egilsbraut 2 ; adulte/enfant 1 000 ISK/gratuit ; 13h-17h juin-août). Trois collections sont regroupées dans un entrepôt rouge vif sur le port, appelé la "Maison Musée". Le **Tryggvasafn** présente une collection de peintures du célèbre artiste moderne Tryggvi Ólafsson, né en 1940 à Neskaupstaður. Au 1er étage, le **Musée maritime** renferme une collection privée d'artefacts reliés à la mer, tandis qu'au dernier étage le **musée d'Histoire naturelle** possède une importante collection de roches locales (dont du spath de la carrière d'Helgustaðanáma), ainsi que divers animaux empaillés.

Fólksvangur Neskaupstaðar RÉSERVE NATURELLE

À l'extrémité est de la ville où la route s'achève, cette jolie réserve naturelle est idéale pour de courtes promenades. Plusieurs chemins franchissent des petits ponts en bois, contournent des rochers, des tourbières et longent des falaises et la mer, avec les cris des oiseaux en bruit de fond. Vous apercevrez peut-être des baleines au large.

Goðaborg RANDONNÉE

Pour une randonnée plus sportive, un bel itinéraire grimpe au Goðaborg (1 148 m) depuis la ferme Kirkjuból, à 8 km à l'ouest de la ville. Du sommet, vous pouvez descendre jusqu'au Mjóifjörður, le fjord suivant au nord. Comptez 6 heures ; en raison de la neige qui persiste en altitude, ne tentez cette marche qu'en plein été.

Circuits organisés

Skorrahestar ÉQUITATION

(477 1736 ; www.skorrahestar.is ; Skorrastaður). Dans une ferme à l'ouest de la ville, Skorrahestar organise de longues randonnées pour cavaliers expérimentés, dont une de 3 nuits jusqu'à des fjords inhabités conduite par Doddi, un guide conteur et guitariste, jadis biologiste et professeur (le guide idéal ?). De courtes promenades sont également proposées (durée suggérée : 3 ou 4 heures), ainsi que l'hébergement en pension.

Festival

Eistnaflug MUSIQUE

(www.eistnaflug.is). Festival apprécié de métal et de punk, Eistnaflug ('"Testicules volants") a lieu tous les ans à Neskaupstaður, le deuxième week-end de juillet. Public sympathique et soleil de minuit.

Où se loger et se restaurer

Le grill de la station-service Olís sert des plats de style fast-food. Vous pourrez faire vos courses aux **supermarchés Samkaup-Úrval** (Hafnarbraut 13 ; 10h-19h lun-ven, 12h-18h sam-dim), proche de la station-service, et **Nesbakki** (Bakkavegur 3 ; 10h-19h), plus près du camping.

Tónspil PENSION €

(477 1580 ; www.tonspil.is ; Hafnarbraut 22 ; s/d sans sdb 7 900/13 900 ISK ;). Vous devrez vous adresser au disquaire pour les chambres sans prétention au-dessus de la boutique. La pension comprend une salle TV et une cuisine avec machine à laver. Option duvet possible hors saison, à 4 900 ISK par personne.

Camping CAMPING €

(empl 1 000 ISK/pers). Haut perché au-dessus de la ville, près des barrières paravalanches, il est indiqué depuis l'hôpital et jouit d'une vue splendide.

♥ **Hildibrand Hotel** HÔTEL €€
(☎477 1950 ; www.hildibrand.com ; Hafnarbraut 2 ; d app à partir de 23 250 ISK). Ce complexe de 15 appartements très spacieux et entièrement équipés se situe au centre de la ville. Chacun dispose de 1 à 3 chambres, d'une cuisine, d'un balcon avec vue superbe et de meubles sur mesure ; les plus grands peuvent accueillir 8 personnes. Des chambres standards devraient être prochainement disponibles.

Hótel Edda HÔTEL €€
(☎444 4860 ; www.hoteledda.is ; Nesgata 40 ; s/d 19 200/21 700 ISK ; ⊙début juin à mi-août ; @). Au bord de l'eau à l'extrémité est de la ville, cet hôtel d'été bien tenu offre une belle vue, des chambres propres (toutes avec sdb) et un restaurant correct le soir (2 plats 4 650 ISK). Petit-déjeuner proposé.

Nesbær Kaffihus CAFÉ €
(Egilsbraut 5 ; déj 800-1 500 ISK ; ⊙9h-18h lun-mer et ven, 9h-22h30 jeu, 10h-18h sam, 13h-18h dim). Ce café-boulangerie-boutique d'artisanat sert gâteaux, sandwichs, gaufres et soupes.

♥ **Kaupfélagsbarinn** ISLANDAIS €€
(www.hildibrand.com ; Hafnarbraut 2 ; déj 2 150-2 950 ISK, plats dîner 3 590-5 290 ISK ;). Faisant partie du nouveau complexe Hildibrand, le restaurant le plus chic du secteur est un vaste espace aux tons pastel où se régaler de sushis, de cabillaud glacé au caramel, et de gâteau au *skyr* avec citron vert et chocolat blanc. Le menu du jour est tout aussi alléchant : essayez le burger d'agneau, ou les tagliatelles aux langoustines.

Fáskrúðsfjörður

660 HABITANTS

Le village de Fáskrúðsfjörður, parfois appelé Búðir, fut fondé par des marins français, notamment de Paimpol, qui venaient pêcher au large de l'Islande entre la fin du XIXe siècle et 1914 (on pourra lire à ce titre *Pêcheur d'Islande* de Pierre Loti, paru en 1886). Afin de rappeler ce passé, les noms des rues sont en islandais et en français.

À voir et à faire

Hôpital français ÉDIFICE HISTORIQUE
(Hafnargata 11-14). L'histoire des marins français à Fáskrúðsfjörður est présentée au Fosshotel Eastfjords, installé dans l'ancien hôpital français et d'autres bâtiments de la même époque joliment rénovés. Dans le hall de l'hôtel, un excellent **musée** (adulte/enfant 1 000 ISK/gratuit) explique en détail le lien entre les Français et le fjord ; au sous-sol, visitez les quartiers des marins reconstitués.

Sandfell RANDONNÉE
Les géologues apprécieront le Sandfell (743 m), qui domine la rive sud du fjord ; ce mont lacolithique a été formé par de la rhyolite en fusion qui a jailli à travers d'anciennes couches de lave. C'est l'un des plus beaux exemples au monde de ce type de montagne ignée. Comptez 2 ou 3 heures pour grimper au sommet.

Où se loger et se restaurer

Camping CAMPING €
(empl 1 000 ISK/pers). Petit et simple, à l'ouest du village.

Guesthouse Elín Helga PENSION €€
(☎868 2687 ; elinhelgak99@gmail.com ; Stekkholt 20 ; d sans sdb 14 000-17 050 ISK ;). Nous aimons cette pension haut perchée au-dessus du village (suivez Skólavegur puis Holtavegur) pour ses lambris en pin, sa charmante hôtesse et sa belle vue (pas de cuisine).

♥ **Fosshotel Eastfjords** HÔTEL €€€
(☎470 4070 ; www.fosshotel.is ; Hafnargata 11-14 ; ch à partir de 27 200 ISK ;). Ce nouvel hôtel a ouvert en 2014 dans l'ancien hôpital français. Tout n'est qu'élégance : 26 chambres haut de gamme décorées de tons subtils bleus et gris, un **restaurant** (plats dîner 4 600-5 300 ISK), et un salon-bar avec une vue grandiose, parfait pour une pause café et gâteau.

Café Sumarlina CAFÉ, BAR
(www.sumarlina.is ; Búðavegur 59 ; repas 1 000-4 350 ISK ; ⊙11h-22h ;). L'accueillant café Sumarlina, dans une maison en bois à l'entrée du village, sert des pizzas, des burgers et des crêpes.

Samkaup-Strax SUPERMARCHÉ
(Skólavegur 59 ; ⊙10h-18h lun-ven, 10h-14h sam). Pour faire vos courses.

Stöðvarfjörður

200 HABITANTS

Si vous croyez la géologie ennuyeuse, vous changerez sans doute d'avis dans ce petit village.

À voir

Steinasafn Petru MUSÉE
(www.steinapetra.is ; Fjarðarbraut 21 ; adulte/enfant 1 000 ISK/gratuit ; 9h-18h mai-sept). La merveilleuse "Collection de pierres de Petra" a été rassemblée par Petra Sveinsdóttir tout au long de sa vie. Dans sa maison, pierres et minéraux s'empilent du sol au plafond ; 70% proviennent de la région. La collection comprend de superbes morceaux de jaspe, d'agate polie, d'améthyste, de cristal de quartz scintillant... Une véritable malle au trésor !

Le grand jardin est parsemé d'autres pierres, de nains de jardin et de babioles trouvées sur la plage. D'autres séries d'objets (stylos, boîtes d'allumettes, oiseaux empaillés, etc.) prouvent la passion de Petra pour les collections.

Gallerí Snærós GALERIE D'ART
(www.gallerisnaeros.is ; Fjarðarbraut 42 ; 11h-17h juin-août). Établie de longue date, la galerie Snærós expose les œuvres d'une famille d'artistes locaux qui utilisent divers médias.

Salthússmarkaður ARTISANAT
(Fjarðarbraut 40 ; 11h-17h juin-août). Le marché offre de charmants objets faits main.

Où se loger et se restaurer

Kirkjubær PENSION €
(847 2966, 849 1112 ; www.simnet.is/birgiral ; Fjarðarbraut 37a ; dort 4 500-6 000 ISK). Petite église de 1925, la Kirkjubær a été rénovée et transformée en auberge de jeunesse. La chaire et l'autel ont été conservés, et quelques bancs font partie des meubles. L'auberge comprend une cuisine et une sdb ; les lits (principalement des matelas) sont installés dans la mezzanine.

Si elle peut accueillir 10 personnes, il est préférable pour une famille ou un groupe d'amis de louer la pension entière (22 500 ISK sans draps). Birgir, le propriétaire, habite la maison jaune en dessous de l'église, Skolúbraut 1.

Camping CAMPING €
(empl 1 000 ISK/pers). Un camping bien tenu, juste à l'est du village.

Saxa PENSION €€
(511 3055 ; www.saxa.is ; Fjarðarbraut 41 ; s/d 9 900/18 600 ISK ;). Le Saxa, aménagé dans un ancien supermarché, offre des chambres modernes et pimpantes, ainsi qu'un plaisant **café** (en-cas et repas 400-3 700 ISK).

Brekkan RESTAURATION RAPIDE €
(Fjarðarbraut 44 ; 9h30-22h lun-ven, 10h-22h sam, 11h-21h dim). Une gargote locale qui sert burgers et sandwichs ; elle vend aussi des produits d'épicerie.

D'EGILSSTAÐIR À DJÚPIVOGUR (ROUTE CIRCULAIRE)

Breiðdalur

Alors que la Route circulaire court d'Egilsstaðir vers la côte, elle traverse Breiðdalur, la plus large vallée d'Islande, nichée entre des sommets de rhyolite colorés.

Circuits organisés

Odin Tours Iceland ÉQUITATION
(849 2009 ; www.odintoursiceland.com). Odin Tours, à 24 km de Breiðdalsvík, organise des randonnées à pied et à cheval dans Breiðdalur, et possède un cottage à louer.

Strengir PÊCHE
(660 6890 ; www.strengir.com). Strengir emmène les pêcheurs à la ligne dans des eaux riches en saumons et gère l'Eyjar Fishing Lodge, un hébergement haut de gamme ouvert toute l'année.

Où se loger et se restaurer

Hótel Staðarborg HÔTEL €€
(475 6760 ; www.stadarborg.is ; s/d petit-déj inclus à partir de 16 900/22 500 ISK ;). Dans une ancienne école à 6 km à l'ouest de Breiðdalsvík, cet hôtel accueillant propose d'impeccables chambres modernes et la possibilité de pêcher dans un lac. Option duvet disponible (6 500 ISK) ; dîner proposé (3 plats à partir de 5 200 ISK).

Silfurberg PENSION €€€
(475 1515 ; www.silfurberg.com ; Þorgrímsstaðir ; ch petit-déj inclus à partir de 34 000 ISK ; mai à mi-sept). Le Silfurberg est une superbe pension de charme dans une propriété rurale à 53 km au sud d'Egilsstaðir (à 30 km de Breiðdalsvík). Avec style, humour et savoir-faire, la grange a été transformée en 4 chambres, une suite et de luxueuses parties communes. Le sauna en plein air et le *hot pot* sous une coupole ajoutent à l'attrait du lieu.

Breiðdalsvík

135 HABITANTS

Joliment situé au bout de la Breiðdalur, Breiðdalsvík est un paisible village de pêcheurs sans grand intérêt ; il constitue une base idéale pour des promenades dans les collines alentour et pour pêcher dans les rivières et lacs voisins.

Circuits organisés

Tinna Adventure CIRCUITS AVENTURE

(☎ 475 1100 ; www.tinna-adventure.is). Ouvert en 2014, Tinna Adventure propose des sorties de pêche en mer à partir de Breiðdalsvík tous les jours à 13h en été (10 500 ISK ; réservation indispensable) ; vous avez la garantie de ne pas rentrer bredouille et vous verrez des macareux et d'autres oiseaux de mer. Tinna organise aussi des circuits en Super-Jeep et des randonnées dans la région. Renseignez-vous à l'Hótel Bláfell.

Où se loger et se restaurer

Hótel Bláfell HÔTEL €€

(☎ 475 6770 ; www.hotelblafell.is ; Sólvellir 14 ; s/d petit-déj inclus 17 050/23 250 ISK ;). Au centre du village, l'Hótel Bláfell offre d'élégantes chambres monochromes, un sauna en accès libre pour les hôtes et un superbe salon avec une cheminée. Ne vous laissez pas rebuter par le cadre quelconque du restaurant : le dîner-buffet (5 900 ISK) est prisé à juste titre.

Les campeurs pourront planter leur tente gratuitement sur le terrain à l'arrière. Les propriétaires ont récemment repris le **Café Margret**, une confortable pension et café en dehors du village, sur la Route 96 en direction de Stöðvarfjörður.

Kaupfjelagið CAFÉ €

(Sólvellir 23 ; 10h30-18h juin-août). Le Kaupfjelagið sert des cafés et des repas légers aux voyageurs, fournit des informations et vend des souvenirs et des vêtements de sport.

Berufjörður

La Route circulaire serpente autour du Berufjörður, un long fjord flanqué de pics de rhyolite escarpés. La rive sud-ouest est dominée par le **Búlandstindur**, une montagne en forme de pyramide qui s'élève à 1 069 m.

Autour du Berufjörður, plusieurs itinéraires de randonnée sillonnent le terrain escarpé. Le plus connu grimpe de Berufjörður, la ferme au bout du fjord, et franchit le Berufjarðarskarð (700 m) pour rejoindre la Breiðdalur.

Où se loger et se restaurer

Auberge de jeunesse

HI de Berunes AUBERGE DE JEUNESSE €

(☎ 478 8988, 869 7227 ; www.berunes.is ; dort/d sans sdb 4 900/10 500 ISK, bungalows à partir de 15 000 ISK ; avr-oct ; @). L'auberge de jeunesse de Berunes se tient dans une ferme centenaire, tenue par l'aimable Ólafur et sa famille. Ce bâtiment agréablement suranné abrite des chambres, des alcôves, une cuisine et un salon ; des chambres sont également installées dans la nouvelle ferme. Un camping (1 350 ISK/personne) et des bungalows avec sdb complètent l'offre. De délicieuses crêpes sont servies au petit-déjeuner et un restaurant ouvre en été (vous pouvez aussi apporter des provisions).

Remise pour les membres HI ; location de draps à 1 350 ISK.

L'auberge se situe à 22 km au sud de Breiðdalsvík le long de la Route circulaire, et à 40 km de Djúpivogur. Les bus qui circulent entre Egilsstaðir et Höfn y font halte.

Djúpivogur

370 HABITANTS

Si les bâtiments historiques et le petit port méritent le coup d'œil, la principale raison de visiter cet accueillant village de pêcheurs, à l'embouchure du Berufjörður, est de prendre le bateau pour Papey.

Djúpivogur est le plus ancien port des fjords de l'Est ; il date du XVIe siècle, lorsque des marchands allemands venaient commercer. Le dernier fait marquant remonte à 1627 : des pirates d'Afrique du Nord débarquèrent, pillèrent le village et les fermes alentour, et emmenèrent des dizaines d'esclaves.

À voir et à faire

Musée de Langabúð MUSÉE

(adulte/enfant 500/300 ISK ; 10h-18h juin-août). Le plus vieil édifice de Djúpivogur est le long Langabúð rouge vif, un entrepôt en rondins dans le port qui date de 1790. Il abrite aujourd'hui un café et un musée local inhabituel. Au rez-de-chaussée sont exposées des œuvres du sculpteur Rikarður Jónsson (1888-1977), allant des bustes grandeur nature d'Islandais importants aux miroirs décorés de sirènes et aux reliefs

VAUT LE DÉTOUR

PAPEY

Le nom de l'île de **Papey** (île des Moines) suggère qu'elle était jadis un ermitage pour les moines irlandais qui vécurent brièvement en Islande avant de fuir à l'arrivée des Scandinaves. Une ferme était autrefois installée sur cette petite île paisible (2 km²), aujourd'hui habitée par des phoques et des oiseaux de mer, dont une colonie de macareux. Parmi les autres curiosités figurent le rocher Kastali (le Château), demeure du "peuple caché" local, un phare de 1922, et la plus petite et plus ancienne église de bois d'Islande (1807).

Papeyjarferðir (☎ 862 4399 ; www.djupivogur.is/papey ; adulte/enfant 8 000/4 000 ISK) propose des circuits de 4 heures jusqu'à l'île, avec observation de la faune et promenade le long des sentiers de l'île. Si le temps le permet, départ quotidien à 13h du port de Djúpivogur, de juin à août.

représentant des personnages de sagas. À l'étage, dans le grenier qui sent le goudron, est présentée une collection d'artefacts reliés à l'histoire locale.

Eggin í Gleðivík ART PUBLIC

Rejoignez le front de mer derrière Langabuð, à pied ou en voiture, et suivez la route vers l'est jusqu'à cette œuvre d'art : 34 œufs gigantesques le long de la jetée, chacun représentant un oiseau local.

Bones Sticks & Stones JARDIN

Sur le chemin de la jetée, vous passerez devant ce curieux jardin de sculptures, rempli de roches, d'ossements et de divers bois flottés et débris rejetés sur le rivage.

Où se loger et se restaurer

Klif Hostel AUBERGE DE JEUNESSE €

(☎ 478 8802 ; www.klifhostel.is ; Kambur 1 ; dort 5 000 ISK ; ⏲ mai-sept ; 📶). Nouvelle adresse plaisante, cette petite auberge de jeunesse de 5 chambres est installée dans l'ancien bureau de poste. L'option duvet coûte 5 000 ISK ; une chambre double (draps compris) avec sdb commune revient à 16 300 ISK.

Camping CAMPING €

(empl 1 250 ISK/pers ; ⏲ avr-oct). Derrière le Við Voginn, ce camping est géré par l'Hótel Framtíð (payez à la réception de l'hôtel). Il comporte des douches et des installations pour cuisiner et faire sa lessive.

Hótel Framtíð HÔTEL €€

(☎ 478 8887 ; www.hotelframtid.com ; Vogaland 4 ; d avec/sans sdb 25 950/18 300 ISK ; 📶). Cet hôtel accueillant, à côté du port, surprend dans ce petit village. Établi de longue date (le bâtiment d'origine a été apporté en kit de Copenhague en 1906), il offre un choix d'hébergements (et de prix) dans plusieurs bâtiments : double avec option duvet (10 500 ISK), chambres d'hôtel lambrissées, 4 jolis cottages et 5 appartements (dont 2 chics et flambant neufs).

L'élégant **restaurant** (plats dîner 4 650-5 960 ISK) est de loin le meilleur du village. Au dîner, les queues de langoustine et le filet d'agneau sont aussi succulents que coûteux, mais des pizzas sont également proposées toute la journée (à partir de 1 800 ISK).

Langabúð Kaffihús CAFÉ €

(déj 750-1 700 ISK ; ⏲ 10h-18h dim-jeu, 10h-23h30 ven-sam mi-mai à sept). Le café très prisé du Langabúð sert gâteaux, soupes et sandwichs dans une atmosphère à l'ancienne.

Við Voginn RESTAURATION RAPIDE €

(Vogaland 2 ; soupe du jour 980 ISK ; ⏲ 9h-21h lun-ven, 11h-21h sam-dim). Un grill apprécié des habitants, avec une épicerie attenante.

Samkaup-Strax SUPERMARCHÉ

(Búland 2 ; ⏲ 10h-18h lun-ven, 10h-16h sam, 12h-16h dim). Sur la route principale, avec un **Vínbúðin** (⏲ 16h-18h lun-jeu, 13h-18h ven juin-août) attenant.

Renseignements

Le village dispose de services corrects (banque, poste) ; procurez-vous une carte à l'**office du tourisme** (☎ 478 8204 ; Bakki 3 ; ⏲ 9h-17h lun-ven, 12h-16h sam-dim mi-mai à mi-sept), en face du magasin d'artisanat Bakkabuð.

Les oiseaux sont nombreux dans la région ; consultez www.birds.is pour de bonnes informations générales, malheureusement non actualisées.

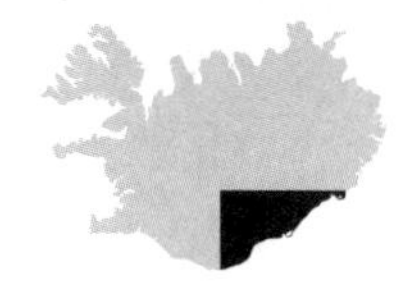

Le Sud-Est

Dans ce chapitre

Le top des restaurants

- Humarhöfnin (p. 321)
- Pakkhús (p. 321)
- Jöklasel (p. 318)
- Hólmur (p.317)

Le top des hébergements

- Hrífunes Guesthouse (p. 302)
- Glacier View Guesthouse (p. 302)
- Guesthouse Dyngja (p. 320)
- Árnanes Country Lodge (p. 317)

Pourquoi y aller

Des paysages d'une beauté époustouflante défilent sur 200 km entre Kirkjubæjarklaustur et Höfn. La Route circulaire traverse de vastes deltas de sable glaciaire gris, passe devant des fermes isolées, contourne des montagnes escarpées et longe des langues glaciaires et des lagunes parsemées d'icebergs... Mais pas une seule ville !

L'imposant Vatnajökull domine la région, avec ses énormes rivières de glace dévalant des vallées encaissées jusqu'à la mer. Dans la lagune de Jökulsárlón, l'eau et le vent sculptent des icebergs aux formes invraisemblables.

Les déserts côtiers de sable glaciaire sont les vestiges de terribles collisions entre le feu et la glace. Dans les terres se trouvent les cratères du Laki (*Lakagígar*), souvenirs de la plus violente éruption d'Islande. Rien d'étonnant, donc, à ce que le Skaftafell soit si apprécié. Entre glaciers et étendues de sable, cette enclave abritée déborde de vie et de couleurs.

Distances par la route (km)

	Höfn	Reykjavík	Jökulsárlón	Skaftafell
Reykjavík	459			
Jökulsárlón	79	378		
Skaftafell	135	323	57	
Kirkjubæjarklaustur	200	257	122	69

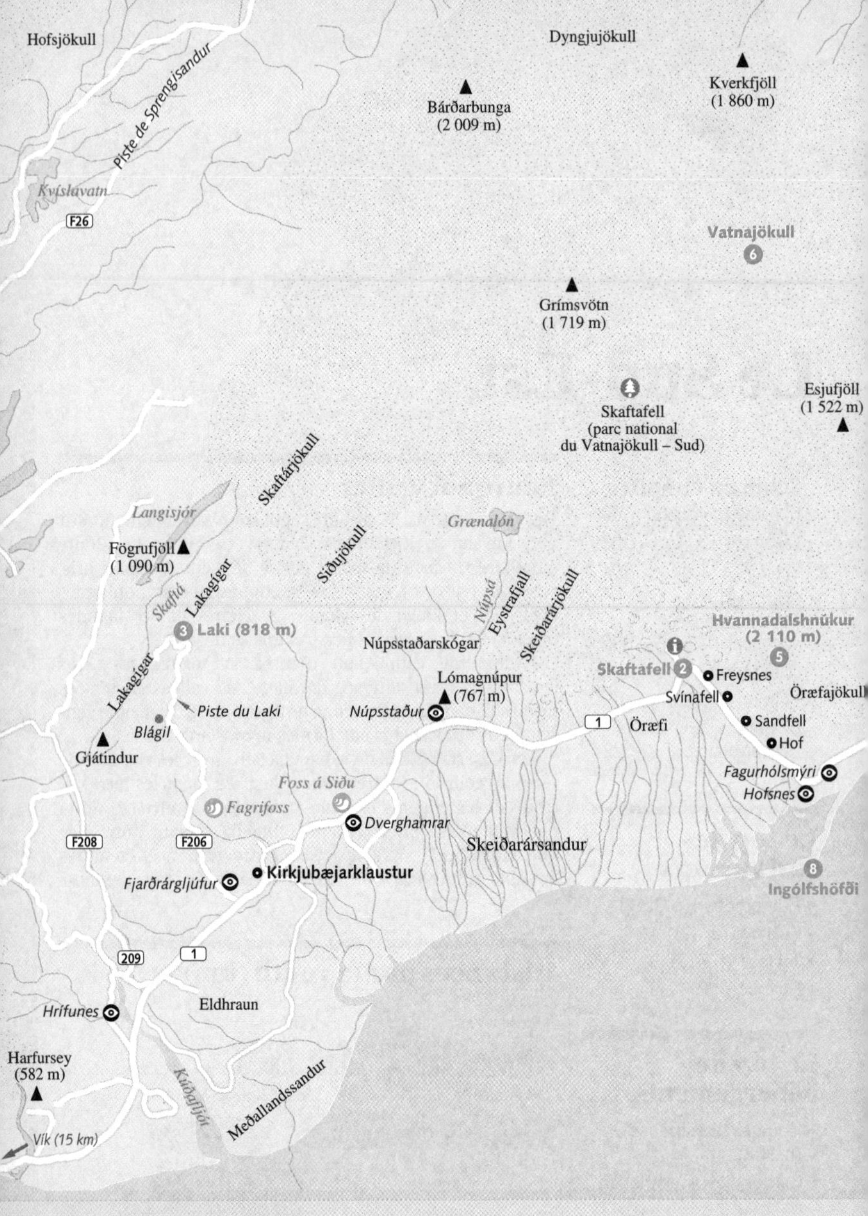

À ne pas manquer

1 Les sculptures de glace aux formes changeantes de **Jökulsárlón** (p. 313), une envoûtante lagune glaciaire

2 Le **Skaftafell** (p. 305), une spectaculaire enclave de nature protégée parmi les vastes deltas de sable

3 Une ascension du **Laki** (p. 304), pour admirer la vue sur trois glaciers… et juger des effets dévastateurs de l'activité volcanique

4 Une exaltante **randonnée glaciaire** guidée (p. 309) à la portée de tous

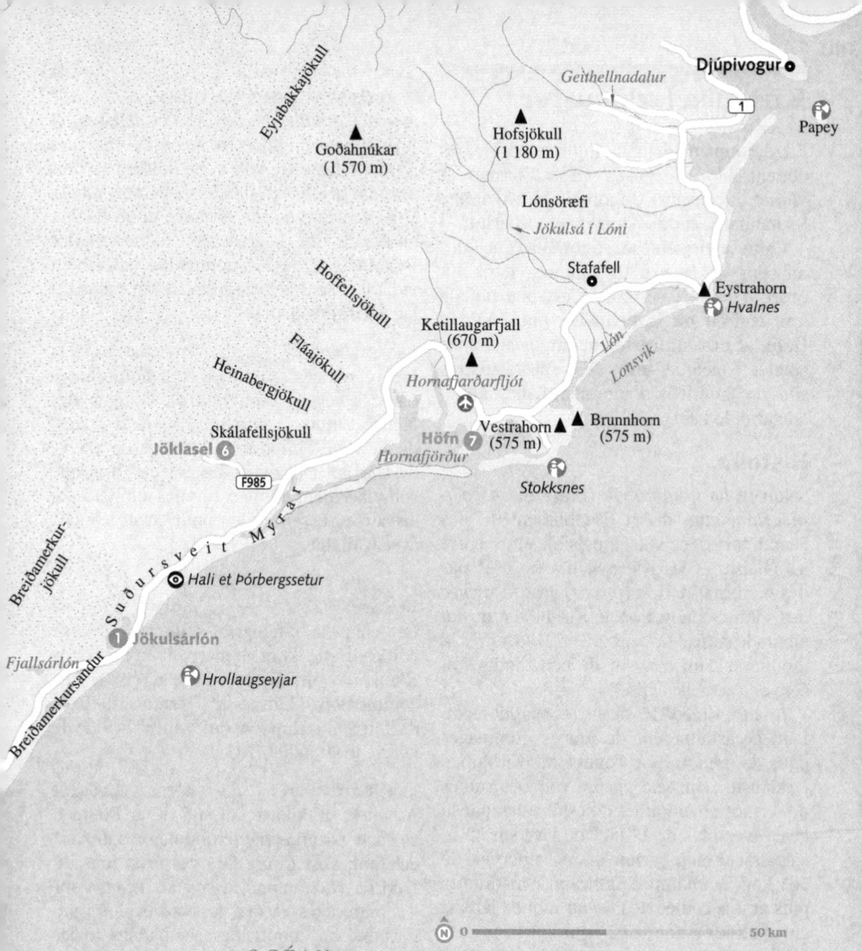

5 Une randonnée sur le **Hvannadalshnúkur** (p. 311), le plus haut sommet d'Islande

6 L'irrésistible **circuit en motoneige** (p. 318) qui fonce sur la glace depuis Jöklasel

7 Un festin de produits de la mer fraîchement sortis des filets des pêcheurs dans l'un des restaurants de **Höfn** (p. 318)

8 Une balade en tracteur à **Ingólfshöfði** (p. 312) pour saluer les macareux moines et s'extasier devant les plongeons en piqué des grands labbes

Kirkjubæjarklaustur

125 HABITANTS

En découpant ce nom imprononçable, on obtient *kirkju* (église), *bæjar* (ferme) et *klaustur* (couvent). Un conseil : faites comme les habitants et dites simplement Klaustur.

Cette bourgade se résume à quelques maisons et fermes disséminées dans un cadre d'un vert éclatant. C'est pourtant le seul endroit où se ravitailler entre Vík et Höfn, et c'est un carrefour important pour gagner quelques-uns des spectaculaires sites de l'intérieur, notamment Landmannalaugar et le Laki.

Histoire

Selon le *Landnámabók* (*Livre de la colonisation*, qui décrit l'établissement des Scandinaves), ce village paisible situé entre les falaises et la rivière Skaftá fut créé par des moines irlandais *(papar)* avant l'arrivée des Vikings. Jadis appelé Kirkjubær, on lui ajouta le suffixe "*klaustur*" en 1186, après la fondation d'un couvent de bénédictines (à côté de l'actuelle église).

À la fin du XVIIIe siècle, les éruptions du Laki occasionnèrent de graves dommages dans la région ; à l'ouest de Kirkjubæjarklaustur, on peut encore voir des ruines de fermes abandonnées ou détruites par la lave. Avec plus de 15 km^3 de lave sur 12 m d'épaisseur en moyenne et une superficie de 565 km^2, le champ d'Eldhraun constitue la plus grosse coulée de lave au monde jamais enregistrée en une seule éruption.

À voir et à faire

Si vous voulez découvrir les forces de la nature et l'histoire de la région, dénichez le petit livre *Klaustur trail* (800 ISK) : il décrit un sentier balisé de 20 km qui entoure le village et passe par bon nombre de ses sites naturels (on peut le diviser en plusieurs tronçons courts).

Kirkjugólf FORMATION ROCHEUSE

Les colonnes de basalte de Kirkjugólf ("sol de l'église"), aplanies et comme cimentées par la mousse, ont jadis été prises pour le sol d'une vieille église. Il s'agit pourtant bel et bien d'une œuvre de la nature. Cette structure alvéolaire gît dans un champ à environ 400 m au nord-ouest de la station-service N1 : un chemin qui part du panneau d'information y mène ; vous pouvez aussi rouler sur la Route 203 jusqu'à l'autre portail.

Systrafoss CASCADE

À l'extrémité ouest du village, cette belle cascade double dégringole des falaises, et un panneau indique trois courtes marches à faire dans cette jolie zone boisée (les plus grands arbres d'Islande poussent ici !). Une agréable balade en haut de la falaise, au-dessus de la cascade, mène au lac **Systravatn**, où les nonnes se baignaient jadis. Un sentier balisé de 2,5 km mène du lac à Kirkjugólf.

Systrastapi FORMATION ROCHEUSE

Les références religieuses sont nombreuses dans la région. Non loin de la ligne des falaises située à environ 1,5 km à l'ouest de la ville, l'imposante colonne de pierre Systrastapi ("colonne des Sœurs") marque l'emplacement où deux nonnes auraient été exécutées et enterrées pour avoir couché avec le diable.

Chapelle Steingrímsson ÉGLISE

La chapelle Steingrímsson, un étrange édifice triangulaire en pierre et en bois dans Klausturvegur, fut consacrée en 1974. Elle commémore l'Eldmessa ("sermon du feu") de Jón Steingrímsson, qui "sauva" la ville de la lave le 20 juillet 1783.

Landbrotshólar CURIOSITÉ GÉOLOGIQUE

À l'ouest du village, au sud de la Route 1, ce vaste pseudo-cratère onduleux, d'un vert éclatant, s'est formé lors des éruptions du Laki de 1783, quand la lave se déversa sur les marécages et que les gaz explosèrent, formant ces monticules semblables à des tumulus.

Circuits organisés

Hólasport CIRCUITS AVENTURE

(660 1151 ; www.holasport.is ; mai-oct). Basé à l'Hótel Laki, au sud de Klaustur, Hólasport propose des circuits en Super-Jeep, dont un d'une journée complète à Laki (32 500 ISK), ou une excursion plus courte dans les montagnes, avec passage de rivière à gué (16 500 ISK). Également d'amusants circuits en quad vers les pseudo-cratères de Landbrotshólar, ou sur les plages de sable noir (à partir de 14 500 ISK).

Slóðir RANDONNÉES GUIDÉES

(852 2012 ; www.slodir.is ; juin à mi-sept). De leur base à l'est de la ville, un trio de guides-biologistes très compétents propose des randonnées tout en vous expliquant l'histoire et la nature des environs (marche

d'une demi-journée 5 000 ISK/personne ; 4 personnes minimum). Réservation nécessaire.

Où se loger

Il existe beaucoup d'options de qualité, très demandées (où l'on peut dîner sur place), dans les superbes paysages aux alentours de Klaustur (voir aussi p. 303).

Klausturhof PENSION €
(☎567 7600 ; www.klausturhof.is ; Klausturvegur 1-5 ; dort 4 500 ISK, d avec/sans sdb 17 400/14 500 ISK ; 📶). Avec pour voisine la jolie cascade de Systrafoss, cette pension propose un assortiment de dortoirs et de petites chambres à des prix raisonnables, avec accès à une cuisine commune et à un café. Option duvet proposée. Petit-déjeuner 1 580 ISK.

Kirkjubæ II CAMPING €
(☎894 4495 ; www.kirkjubaer.com ; empl 1 200 ISK/pers, bungalows 18 000 ISK ; ⏱juin-sept). Dans le village, ce terrain verdoyant abrité par des haies est bien équipé, avec notamment une cuisine, des douches chaudes et une laverie. Bénédiction en cas de mauvais temps : trois nouveaux refuges tout simples, de 4 lits chacun (apportez votre duvet).

Kleifar CAMPING €
(empl 750 ISK/pers ; ⏱juin-août). Un deuxième camping, très basique (toilettes et eau courante), situé à 1,5 km sur la Route 203 (indiqué en direction de Geirland) à côté d'une jolie cascade.

Icelandair Hótel Klaustur HÔTEL €€
(☎487 4900 ; www.icelandairhotels.com ; Klausturvegur 6 ; d à partir de 25 000 ISK ; 📶). Une valeur sûre : un personnel sympathique, 57 chambres joliment décorées et bien équipées (un nouveau bâtiment comporte des chambres de catégorie supérieure), une terrasse ensoleillée et abritée pour dîner, et un lounge-bar. Le restaurant (plats dîner 3 950-5 550 ISK) sert des produits locaux appétissants : omble de l'Arctique poêlé et pommes de terres récoltées sur place, carpaccio d'agneau mariné aux myrtilles, langoustine (homard islandais) grillée à l'ail...

Où se restaurer

Skaftárskáli RESTAURATION RAPIDE €
(Route 1 ; ⏱9h-22h juin-août, 9h-20h sept-mai). Pour manger sur le pouce, le sempiternel bar-grill de la station N1 ouvert toute la journée est suffisant. La cuisine ferme à 21h30 en été.

Systrakaffi INTERNATIONAL €€
(www.systrakaffi.is ; Klausturvegur 12 ; plats 1 000-4 500 ISK ; ⏱11h30-22h juin-août, horaires réduits en mai et sept). Ce café-bar est l'endroit le plus animé de la ville (bondé en été). Sa carte variée affiche des soupes, des salades, des pizzas et des hamburgers – mais table évidemment aussi sur le local, avec l'agneau et la truite.

Kaffi Munkar CAFÉ €€
(Klausturvegur 1-5 ; plats 1 250-3 200 ISK ; ⏱10h-22h). À la frontière ouest de la ville, le Kaffi Munkar est le lumineux café-réception du Klausturhof. Essayez la soupe du jour ("faite de soleil et de légumes", selon la carte affichée sur une ardoise), le poulet épicé ou le ragoût de poisson.

Kjarval SUPERMARCHÉ
(Klausturvegur 13 ; ⏱9h-20h juin à mi-sept, 10h-18h lun-ven, 10h-14h sam mi-sept à mai). Pour faire vos courses.

Vínbúðin VINS ET SPIRITUEUX
(Klausturvegur 15 ; ⏱16h-18h lun-jeu, 13h-19h ven, 12h-14h sam juin-août, 17h-18h lun-jeu, 14h-18h ven sept-mai). Chaîne gouvernementale de vins et spiritueux.

Information

Office du tourisme (☎487 4620 ; www.visitklaustur.is ; Klausturvegur 2 ; ⏱8h30-18h, mi-mai à mi-sept). L'office du tourisme, bien documenté, se trouve dans le centre d'information de Skaftárstofa. Il fournit des renseignements utiles et donne une bonne idée du géoparc de Katla et du parc national du Vatnajökull par ses présentations. On peut aussi y voir un court-métrage sur l'éruption du Laki. Dans le même bâtiment, le "marché fermier" vend des produits locaux et de l'artisanat.

Depuis/vers Kirkjubæjarklaustur

Tous les bus assurant la liaison Reykjavík-Vík-Höfn marquent l'arrêt à Klaustur ; la ville sert de carrefour pour se rendre à Landmannalaugar et au Laki. L'arrêt est à la station-service N1.

Les bus qui se dirigent vers l'est s'arrêtent à Skaftafell et à Jökulsárlón. Les tarifs indiqués sont ceux de 2014.

Sterna (☎551 1166 ; www.sterna.is) :

- Bus n°12 pour Höfn (4 600 ISK, 5 heures, 1/jour juin à mi-sept). S'arrête 1 heure 30 à Jökulsárlón.

VAUT LE DÉTOUR

L'HOSPITALITÉ DE HRÍFUNES

Hrífunes est un tout petit hameau idéalement situé entre Kirkjubæjarklaustur et Vík, dans le décor calme et incroyablement vert du Skaftártunga. Vous y trouverez deux pensions accueillantes qui valent le détour (un conseil : choisissez l'option dîner, il n'est pas possible de cuisiner sur place).

Pour y arriver, prenez la Route 209 qui part de la Route circulaire. L'embranchement est à 39 km à l'est de Vík, et vous arriverez à Hrífunes au bout de 6 km. En venant de Klaustur, la Route 209 est à 24 km à l'ouest, et vous l'emprunterez sur 13 km.

Si vous avez un gros 4×4, Hrífunes est un bon point de départ pour aller explorer l'intérieur des terres du Sud, saisissant, dont Landmannalaugar et la route de Fjallabak.

Glacier View Guesthouse (☎ 770 0123 ; www.glacierviewguesthouse.is ; s/d sans sdb petit-déj inclus 14 000/20 000 ISK ; ⏲ mai-oct ; 📶). Borgar et Elín, vos hôtes, sont des pros du voyage – ils organisent des voyages en Afrique pour les Islandais, et sauront vous mettre à l'aise dans leur maison simple et confortable. Eh oui, quand il fait beau, on peut voir le Vatnajökull *et* le Mýrdalsjökull de leur grand salon. Les menus du soir (5 500 ISK) sont exquis.

Hrífunes Guesthouse (☎ 863 5540 ; www.hrifunesguesthouse.is ; d avec/sans sdb petit-déj inclus 26 000/21 000 ISK ; 📶). Cette vieille maison communale a été rajeunie avec inspiration par ses propriétaires, Haukur et Hadda. Ils l'ont transformée en une élégante maison de campagne, décorée de superbes clichés pris par Haukur, qui organise des excursions-photo (consultez www.phototours.is). Salon confortable avec cheminée et dîners gourmets pour 6 000 ISK.

- Bus n°12a pour Vík (1 100 ISK, 1 heure, 1/jour juin à mi-sept).
- Bus n°12a pour Reykjavík (5 800 ISK, 5 heures, 1/jour juin à mi-sept).

Strætó (☎ 540 2700 ; www.straeto.is) :

- Bus n°51 pour Höfn (4 550 ISK, 2 heures 45, 2/jour).
- Bus n°51 pour Vík (1 050 ISK, 1 heure, 2/jour).
- Bus n°51 pour Reykjavík (5 950 ISK, 4 heures 15, 2/jour).

En hiver (mi-sept à mai), le bus n°51 ne circule qu'une fois par jour.

Reykjavík Excursions (☎ 580 5400 ; www.re.is) :

- Bus n^os^10/10a Skaftafell-Klaustur-Eldgjá-Landmannalaugar ; un bus par jour de mi-juin à mi-septembre. Lignes régulières pouvant faire office de circuit organisé. Aller simple de Klaustur à Landmannalaugar : 6 500 ISK.
- Bus n^os^16/16a Skaftafell-Lakagígar via Klaustur (1/jour fin juin à mi-sept). Peuvent être empruntés pour un circuit à la journée depuis Skaftafell ou Klaustur, avec un arrêt de 3 heures 30 à Laki (12 000 ISK depuis Klaustur).
- Bus n°20 pour Skaftafell (3 000 ISK, 1 heure, 1/jour mi-juin à mi-sept). De Skaftafell, un bus quotidien de Reykjavík Excursions dessert Höfn, plus à l'est.
- Bus n°20a pour Vík (2 500 ISK, 1 heure, 1/jour, mi-juin à mi-sept).
- Bus n°20a pour Reykjavík (9 500 ISK, 6 heures, 1/jour mi-juin à mi-sept). S'arrête 1 heure à Vík et 25 minutes à Skógafoss.

Environs de Kirkjubæjarklaustur

À voir et à faire

Fjarðrárgljúfur CANYON

Ce canyon à la beauté sombre, creusé par la rivière Fjarðrá, est vieux de 2 millions d'années. Un sentier longe sa rive sud sur 2 km, permettant à plusieurs occasions d'en observer les profondeurs vertigineuses.

Le canyon est à 3,5 km au nord de la Route circulaire ; traversez le champ de lave à pied ou suivez la Route 206 (tournez à gauche au panneau indiquant Laki), vous atteindrez le canyon avant qu'elle ne devienne une route F.

Foss á Síðu et Dverghamrar CASCADES

À 11 km à l'est de Kirkjubæjarklaustur, la Foss á Síðu est une belle cascade qui dévale des falaises – par gros temps, le vent marin y propulse l'eau vers le haut ! En face de la cascade, l'affleurement de Dverghamrar ("les Falaises du nain") arbore quelques **colonnes de basalte**. Une partie du fameux "peuple caché" islandais y aurait élu domicile.

Où se loger et se restaurer

Hörgsland CAMPING, BUNGALOWS €€
(☎487 6655 ; www.horgsland.is ; empl 1 000 ISK, bungalows 2/6 pers à partir de 14 100/26 650 ISK, pension d avec/sans sdb petit-déj inclus 19 850/16 700 ISK ; 📶). À environ 8 km au nord-est de Klaustur, sur la Route circulaire, se trouve ce mini-village aux maisonnettes indépendantes, spacieuses et impeccables pouvant accueillir 6 personnes chacune. Une annexe flambant neuve abrite des chambres. Également sur place : un camping, des *hot pots* extérieurs, un petit magasin et un café servant le petit-déjeuner et le dîner.

Toutes les possibilités d'hébergement (avec/sans petit-déj, avec/sans draps, etc.) sont répertoriées sur le site Web. Découvrez le buffet asiatique proposé une fois par semaine au dîner (le complexe est tenu par un couple islando-philippin) pour déguster une cuisine savoureuse à un prix modique (3 200 ISK).

Hunkubakkar PENSION €€
(☎487 4681 ; www.hunkubakkar.is ; s/d sans sdb 13 400/18 100 ISK petit-déj inclus ; 📶). Une adresse très photogénique : de petits bungalows rouges dispersés dans le décor vert brillant d'un élevage d'ovins, à 7 km à l'ouest de Klaustur (sur la Route 206, à 2 km du canyon de Fjaðrárgljúfur). Chaque bungalow comprend 2 chambres avec sdb et kitchenette partagées). Le petit-déjeuner servi au restaurant sur place est inclus.

Hótel Laki HÔTEL €€€
(Efri-Vík ; ☎487 4694 ; www.hotellaki.is ; s/d petit-déj inclus à partir de 27 825/31 800 ISK ; 📶). Ce petit gîte rural des débuts s'est transformé en un grand hôtel de 64 chambres, sur un terrain situé à 5 km au sud de Klaustur, sur la Route 204. En plus des chambres confortables (au prix toutefois excessif), on y trouve 15 petits bungalows autonomes (moins chers que les chambres), un parcours de golf de 9 trous, des circuits organisés en quad et en Super-Jeep, un grand restaurant-bar et du matériel pour pêcher au lac.

En été, le restaurant propose un buffet du soir apprécié (6 900 ISK).

Lakagígar

L'éruption du Laki fut l'une des éruptions volcaniques les plus catastrophiques de l'histoire de l'humanité.

Au début de l'été 1783, une énorme fissure s'ouvrit, et près de 135 cratères se formèrent, dénommés *Lakagígar*, faisant tour à tour jaillir de la roche fondue jusqu'à 1 km de hauteur. Les *Skaftáreldar* (feux de la Skaftá) durèrent huit mois, crachant environ 14 km^3 de matière volcanique, et les coulées de lave (baptisées *Eldhraun*) recouvrirent une surface de 565 km^2. Vingt fermes de la région furent envahies et détruites par la lave ; 30 autres tellement endommagées qu'elles durent être abandonnées temporairement.

Les centaines de millions de tonnes de cendres et d'acide sulfurique qui se déversèrent de la déchirure furent plus dévastatrices encore. Le soleil disparut derrière un écran de fumée, l'herbe se dessécha et les deux tiers des troupeaux islandais moururent de faim ou intoxiqués. Près de 9 000 personnes – un cinquième de la population – périrent et ceux qui restèrent durent affronter la famine qui s'ensuivit, connue sous le nom de Moðuharðindin ("la dureté du brouillard").

Les dégâts ne se limitèrent pas à l'Islande : dans tout l'hémisphère Nord, des nuages de cendres masquèrent le soleil, les températures chutèrent et une pluie acide détruisit d'innombrables récoltes au Japon, en Alaska et en Europe. Aujourd'hui, ce champ de lave ne laisse rien imaginer de l'apocalypse qui l'engendra il y a 230 ans. Ses tortueuses formations de lave noire sont recouvertes par un tapis de mousse verte.

La région de Lakagígar se trouve dans le **parc national du Vatnajökull** (www.vatnajokulsthjodgardur.is). Le site Web du parc renseignera parfaitement les visiteurs.

En haute saison (de mi-juillet à mi-août), les gardiens sont disponibles au parking du Laki de 11h à 15h, et organisent à midi des promenades guidées, du lundi au vendredi. Un sentier de découverte – une petite promenade de 500 m – a été créé ; procurez-vous la brochure d'accompagnement (ou téléchargez-la) pour une passionnante plongée dans l'histoire, la géologie et l'écologie de la région. Dans ce secteur à l'écosystème très fragile, il est impératif de rester sur les sentiers balisés.

Il est interdit de camper dans la réserve du Laki. Le camping le plus proche, comportant un refuge sommaire, des toilettes et l'eau courante, est à Blágil, à 11 km de Laki. Lit/empl 4 100/1 400 ISK par personne (tarifs 2014) ; contactez snorri@vjp.is.

À voir

Laki MONTAGNE

Si le Laki (818 m) est un volcan qui n'est pas entré en éruption, il a donné son nom au Lakagígar, une rangée de cratères de 25 km de longueur, qui s'étend en direction du nord-est et du sud-ouest depuis sa base. L'ascension du Laki dure environ 40 minutes depuis le parking. Du sommet, vous aurez une vue à 360° sur la fissure, les vastes champs de lave et les glaciers scintillant au loin.

Rangée de cratères de Lakagígar SITE GÉOLOGIQUE

Ce fascinant secteur est constellé de dunes de sable noir et de tunnels de lave, dont beaucoup contiennent de minuscules stalactites. Au pied du Laki, des sentiers balisés vous permettront d'accéder aux deux cratères les plus proches, en passant par un intéressant tunnel de lave.

Fagrifoss CASCADE

Avec ses petits ruisseaux dévalant un immense rocher noir, la bien-nommée Fagrifoss ("belles cascades") est l'une des plus envoûtantes cascades d'Islande. La bifurcation se trouve sur la piste du Laki, à environ 24 km sur la Route F206. Les circuits jusqu'au Lakagígar y marquent tous l'arrêt.

Circuits organisés

Les départs de ces circuits dépendent de l'état des routes et de la météo. Apportez votre déjeuner.

Hólasport CIRCUITS EN SUPER-JEEP

(☎660 1151 ; www.holasport.is). Basée à l'Hôtel Laki, au sud de Kirkjubæjarklaustur, l'agence Hólasport organise des circuits d'une journée (8 heures) en Super-Jeep au Laki (32 500 ISK) de juin à fin octobre.

Reykjavík Excursions CIRCUITS EN BUS

(☎580 5400 ; www.re.is). L'excursion d'une journée permet de marcher environ 3 heures 30 dans la zone du cratère. Indiquée dans les brochures comme la ligne de bus n°16, qui assure un départ quotidien de fin juin à début septembre, à 8h de Skaftafell (15 500 ISK) et à 9h de la station-service N1 à Kirkjubæjarklaustur (12 000 ISK).

Depuis/vers le Lakagígar

La Route F206 (à l'ouest de Kirkjubæjarklaustur) est généralement praticable de juillet à début septembre (vérifiez sur www.vegagerdin.is). Il faut parcourir 50 km de route cahoteuse pour atteindre les cratères de Lakagígar ; on ne peut absolument pas s'y rendre avec une voiture ordinaire, car il faut franchir plusieurs rivières. Lors du dégel printanier ou après les pluies, lorsque les rivières sont plus profondes, les traversées peuvent même être problématiques avec un 4x4 ayant une faible garde au sol. Si votre voiture n'est pas adaptée, préférez le circuit en bus.

Sandar

Les *sandar* (pluriel de *sandur*) sont ces régions plates, vides et monotones bordant la côte sud-est de l'Islande. En haut des montagnes, les glaciers absorbent le limon, le sable et les graviers produits par l'érosion de la roche sous-jacente, qui sont ensuite transportés vers la côte par les rivières glaciaires – ou, plus spectaculairement, par les débâcles glaciaires – et se déversent dans d'immenses plaines désertiques. Ici, les *sandar* sont si vastes que le mot islandais est utilisé dans toutes les langues pour désigner le phénomène topographique d'une plaine d'alluvions glaciaires.

Le Skeiðarársandur est le plus visible et le plus impressionnant. Entre la calotte glaciaire et la côte de Núpsstaður à Öræfi, sur environ 40 km, tout n'est que grandes étendues de sable gris-noir, vents extrêmement

GARE AUX GRANDS LABBES !

Sur la côte sud de l'Islande, les vastes *sandar* (plaines d'alluvions glaciaires) constituent la zone de nidification du grand labbe *(Stercorarius skua* en latin, *skúmur* en islandais) la plus étendue au monde. Ce grand oiseau marron et charnu a tendance à nicher parmi les touffes d'herbe, dans le sable cendreux. Il n'hésite pas à attaquer des mouettes pour leur voler leur casse-croûte, à tuer et à dévorer des macareux et d'autres petits oiseaux ou à vous foncer dessus si vous vous approchez trop près de son nid.

Heureusement, contrairement aux sternes arctiques, les labbes cesseront de vous harceler si vous vous éloignez de leur territoire. Vous pouvez aussi éviter l'attaque en portant un chapeau ou en tenant un bâton au-dessus de votre tête.

violents (le cauchemar des cyclistes) et puissants torrents gris et marron. À respecter absolument : ne sortez pas des routes dans ces étendues ! C'est interdit, et destructeur pour ce fragile environnement.

Skeiðarársandur

Le Skeiðarársandur, le plus vaste *sandar* du monde, qui a été formé par le puissant Skeiðarájökull, s'étend sur 1 000 km². Depuis l'âge de la colonisation, le Skeiðarársandur a gagné considérablement sur les terres agricoles, un phénomène qui se poursuit. La région était relativement peuplée (en tout cas pour l'Islande), mais en 1362, le volcan situé sous l'Öræfajökull (qu'on appelait alors le Knappafellsjökull) entra en éruption, et l'inondation causée par cette éruption sous-glaciaire, ou *jökulhlaup*, ravagea toute la zone. Après cette éruption, l'endroit prit le nom d'Öræfi ("désert").

Le tronçon de la Route circulaire qui traverse le Skeiðarársandur fut la dernière partie de la route nationale à être construite, en 1974 (auparavant, pour aller de Höfn à Reykjavík, il fallait passer par Akureyri). De longues digues de gravier placées de manière stratégique visent à protéger cette artère très sensible lors des crues. Cependant, en 1996, elles ne se révélèrent d'aucun secours lorsque trois ponts de la Route circulaire furent emportés par une puissante *jökulhlaup* libérée par l'éruption du Grímsvötn (ou Gjálp). Au bord de la Route circulaire, juste à l'ouest du parc national de Skaftafell, un **mémorial** constitué de poutrelles tordues et un panneau d'information rappellent cet événement.

Núpsstaður et Núpsstaðarskógar

Cerise sur le gâteau d'un voyage impressionnant, les falaises abruptes de Lómagnúpur dominent la vieille ferme au toit herbeux incroyablement photogénique de Núpsstaður. Le corps de ferme date du début du XIXe siècle, et l'**église** est l'une des dernières du genre en Islande. Autrefois un musée, la ferme était fermée au public lors de nos recherches (la propriété, interdite aux voitures, est accessible à pied). On vous en dira plus à la **Hvoll Guesthouse**.

Le Núpsstaðarskógar est une superbe zone boisée située sur les flancs de la montagne Eystrafjall. Il est préférable de visiter la région dans le cadre d'un circuit organisé, car la traversée de la rivière Núpsá est trop dangereuse. En juillet et en août, **Icelandic Mountain Guides** (☎587 9999 ; www.mountainguide.is) organise une randonnée guidée de 4 jours (60 km) qui traverse Núpsstaðarskógar jusqu'à Grænalón (un lac latéral glaciaire), puis le glacier de Skeiðarárjökull et la Morsárdalur à Skaftafell (à partir de 104 900 ISK).

Où se loger

Hvoll Guesthouse PENSION €€
(☎487 4785 ; www.road201.is ; d sans sdb à partir de 15 180 ISK ; ⏲mi-mars à mi-oct). Anciennement affiliée au réseau HI, cette pension, également surnommée "Road 201", se trouve au bord du Skeiðarársandur (à 3,5 km de la Route circulaire en passant par une route de gravier) et offre un sentiment d'isolement malgré sa taille et son atmosphère animée. On y trouve plusieurs cuisines (apportez des provisions car le supermarché le plus proche est à Klaustur, à 25 km) et une laverie.

Un bémol : l'absence de connexion Internet ou Wi-Fi. Le petit-déjeuner est servi l'été moyennant 1 600 ISK. Une base idéale pour explorer le Skaftafell et les *sandar* environnants. Les bus acceptent habituellement de vous déposer à la sortie de la Route circulaire.

Fosshótel Núpar HÔTEL €€
(☎517 3060 ; www.fosshotel.is ; d petit-déj inclus à partir de 24 000 ISK ; Wi-Fi). À l'ouest de la pension Hvoll, malgré une façade de type Algeco, cet hôtel de chaîne offre des chambres minimalistes mais modernes, souvent avec une belle vue. Restaurant plutôt quelconque avec buffet le soir (6 800 ISK).

Dalshöfði Guesthouse PENSION €€
(☎861 4781 ; dalshofdi@gmail.com ; s/d sans sdb petit-déj inclus 12 300/17 600 ISK ; ⏲mai-oct). La pension Dalshöfði, occupant une ferme isolée dans un beau paysage à 6 km au nord de la Route 1, est un bon choix. Les chambres sont claires et impeccables, avec un accès à la cuisine et une terrasse ensoleillée. Un appartement de 2 pièces est aussi à disposition.

Skaftafell (parc national du Vatnajökull – Sud)

Le Skaftafell, joyau du parc national du Vatnajökull, englobe un ensemble vertigineux de pics et de glaciers. C'est le coin de nature préféré des Islandais :

JÖKULHLAUP !

Fin 1996, l'éruption dévastatrice du Grímsvötn – la quatrième plus grave du XXe siècle en Islande, après celles du Katla (1918), de l'Hekla (1947) et de Surtsey (1963) – frappa le sud-est du pays et provoqua une incroyable *jökulhlaup* (inondation glaciaire) dans le Skeiðarársandur. La genèse de cet événement résume bien le fascinant mélange de feu et de glace inhérent à l'Islande.

Au matin du 29 septembre 1996, un séisme de magnitude 5 secoua la calotte glaciaire du Vatnajökull. Le magma d'un nouveau volcan, situé sous le Vatnajökull à proximité du Grímsvötn, s'était frayé un passage jusqu'à la glace à travers la croûte terrestre, provoquant une éruption au niveau du Gjálp, une fissure de 4 km de longueur en subsurface. Le lendemain, l'éruption explosa à la surface, crachant une colonne de vapeur de 10 km de hauteur dans le ciel.

Le lac subglaciaire, dans la caldeira du Grímsvötn, commença à se remplir d'eau provenant de la glace fondue au cours de l'éruption, ce qui provoqua l'inquiétude des scientifiques. Selon les premières prévisions du 3 octobre, la glace allait se soulever et le lac se déverser dans le Skeiðarársandur, menaçant la Route circulaire et ses ponts. Afin de détourner l'eau des ponts, on entreprit la construction d'énormes digues dans le Skeiðarársandur.

Le 5 novembre, plus d'un mois après le début de l'éruption, la glace finit par se soulever et une énorme *jökulhlaup* se forma dans le lac artificiel du Grímsvötn : 3 000 milliards de litres d'eau se déversèrent en quelques heures. Les torrents, charriant des icebergs gros comme des immeubles de trois étages, détruisirent les ponts de Gígjukvísl (375 m de longueur) et de Skeiðará (900 m de longueur), tous deux sur le Skeiðarársandur. Aux centres d'information des visiteurs du Skaftafell et de Höfn, vous pourrez voir une vidéo de l'éruption et des gigantesques blocs de glace voguant sur le Skeiðarársandur.

L'éruption du Grímsvötn fut également à l'origine du canyon d'Ásbyrgi, qui fut creusé en quelques jours seulement par une terrible inondation. En 1934, une éruption avait entraîné une *jökulhlaup* de 40 000 m^3/seconde et la rivière Skeiðará avait gonflé jusqu'à atteindre 9 km de largeur, dévastant de vastes parcelles agricoles.

Le Grímsvötn se déchaîna à nouveau en décembre 1998, en novembre 2004 et dernièrement en mai 2011. L'énorme nuage de cendres qu'il cracha alors dans l'atmosphère perturba le trafic aérien (mais sans commune mesure avec l'éruption de l'Eyjafjallajökull en 2010). Ces trois dernières éruptions ne provoquèrent pas de *jökulhlaup*.

Depuis août 2014, les scientifiques surveillent l'activité sismique près de la caldeira de Bárðarbunga, sous la partie nord-ouest du Vatnajökull. La première fissure éruptive de cette activité s'est produite à Holuhraun (et donc, pas sous la glace), mais il existe un risque qu'une éruption sous-glaciaire survienne, ce qui produirait une *jökulhlaup*. Affaire à suivre.

300 000 visiteurs par an viennent admirer ses cascades grondantes, ses bois de bouleaux noueux, le réseau de rivières qui parcourent les *sandar* et le Vatnajökull scintillant d'un blanc bleuté, avec ses langues glaciaires qui descendent des montagnes comme le glaçage d'un gâteau.

Le Skaftafell mérite sa réputation et peu de visiteurs lui résistent. Au cœur de l'été, on peut avoir la sensation que tous les touristes du pays se sont donné rendez-vous ici. Mais si vous êtes prêt à sortir des sentiers battus, vous abandonnerez la foule. Autre bon choix : venez en hiver.

Le tourisme hivernal dans la région est en augmentation, l'attrait des aurores boréales et des grottes de glace (assez solides et sûres pendant les mois les plus froids) étant fort. On peut aussi faire de la randonnée glaciaire en hiver : les glaciers paraissent plus purs, et se parent de cette nuance de bleu adorée des photographes. Habituellement, les chutes de Svartifoss gèlent en janvier-février (revers de la médaille : elles sont parfois inaccessibles, à cause des sentiers glissants et dangereux).

La faune et la flore du parc étant protégées, il est naturellement interdit de faire du feu ou de laisser des déchets. Dans la zone

PARC NATIONAL DU VATNAJÖKULL

Le parc

Fondé en 2008, le parc national du Vatnajökull regroupe la calotte glaciaire du Vatnajökull et les anciens parcs nationaux de Skaftafell et de Jökulsárgljúfur (p. 264). Il couvre 13 900 km², soit près de 14% de la superficie de l'Islande. La diversité de ses paysages est stupéfiante, résultat de l'action combinée des forces des cours d'eau, de la glace, des volcans et de l'activité géothermique.

Le Vatnajökull et les glaciers secondaires

Le Vatnajökull est l'une des plus grandes calottes glaciaires du monde en dehors des pôles, avec une superficie de 8 100 km² (soit plus de trois fois le Luxembourg) et une épaisseur de glace d'une moyenne de 400 m, atteignant le kilomètre par endroits. Sous cette énorme couche de glace s'étend une myriade de sommets et de vallées, dont quelques volcans actifs et des lacs subglaciaires, ainsi que la plus haute montagne d'Islande : le Hvannadalshnúkur (2 110 m).

D'immenses **glaciers secondaires** striés de crevasses descendent depuis le centre du Vatnajökull. Il y en a une trentaine, dont beaucoup sont visibles (et plus ou moins accessibles) de la Route circulaire (Route 1) au sud-est.

Le plus connu est probablement le Skaftafellsjökull, relativement petit, qui se termine à 1,5 km du camping de Skaftafell. Également célèbre, le beau Breiðamerkurjökull libère ses icebergs dans l'époustouflante lagune glaciaire de Jökulsárlón.

Près de Skaftafell, des tour-opérateurs organisent des randonnées glaciaires avec des guides, sur des langues comme celles de Svínafellsjökull et Falljökull. Entre Jökulsárlón et Höfn, des propriétaires fonciers, en partenariat avec le parc national, permettent l'accès à quelques langues glaciaires sur leur domaine.

Les règles de bon sens habituelles doivent prévaloir : ne vous approchez pas trop près des glaciers et ne vous y aventurez pas sans équipement adéquat et sans guide.

Renseignements

Le parc possède quatre grands centres d'information pour les visiteurs :

- Skaftafell (p. 310) au sud.
- Höfn (p. 321) au sud-est.
- **Jökulsárgljúfur** (Gljúfrastofa ; ☎ 470 7100 ; www.vatnajokulsthjodgardur.is ; ⏲ 9h-21h mi-juin à mi-août, 9h-19h début juin et fin août, 10h-16h mai et sept) au nord.
- Snæfellsstofa (p. 280) à l'est.

Le centre d'information touristique de Kirkjubæjarklaustur est aussi partenaire du parc. Les meilleurs sites Web pour organiser une visite dans la partie sud du parc sont ceux du **parc national du Vatnajökull** (www.vatnajokulsthjodgardur.is) et de **Visit Vatnajökull** (www.visitvatnajokull.is).

fréquentée autour du Skaftafellsheiði, restez sur les sentiers afin de ne pas endommager la fragile végétation.

Il y a très peu d'hébergements disponibles près du parc, et les hôtels du Sud-Est sont surchargés en été – si vous voulez explorer un peu la région, il vous faudra soit une tente, soit une réservation sûre.

Histoire

Skaftafell était à l'origine une vaste ferme située au pied des collines, à l'ouest du camping actuel. Quand les sables glaciaires mouvants commencèrent à ensevelir les champs, la ferme dut être déplacée sur la lande, à 100 m au-dessus du *sandur*. La zone prit le nom d'Hérað Milli Sandur ("contrée entre les sables"), mais après l'anéantissement de toutes les fermes par les éruptions de 1362, la région devint la "contrée sous les sables" et fut renommée Öræfi (désert). Lorsque la végétation repoussa, la ferme de Skaftafell fut reconstruite à son emplacement initial.

Le parc national de Skaftafell fut créé en 1967 par le gouvernement islandais et le WWF. En juin 2008, il fusionna avec le parc national de Jökulsárgljúfur, au nord de

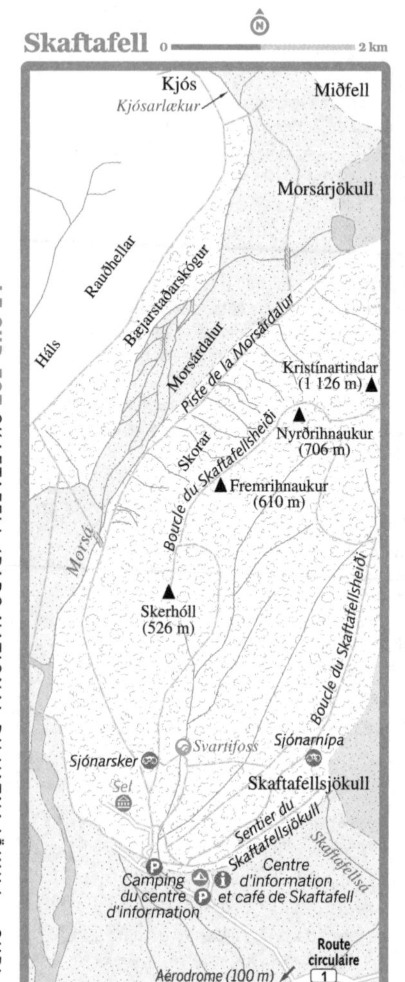

l'Islande, pour former l'immense étendue sauvage du parc national du Vatnajökull.

Activités

Le Skaftafell se prête à des **randonnées d'une journée** et à des **treks plus longs** dans les étendues sauvages. Beaucoup de visiteurs s'en tiennent aux itinéraires populaires sur le Skaftafellsheiði. Les randonnées dans d'autres zones accessibles, telles que le haut des vallées de Morsárdalur et du Kjós, demandent plus de temps, de motivation et d'organisation. Le parc fournit de bonnes cartes indiquant les randonnées les plus courtes (350 ISK), et vend les cartes topographiques détaillées de plusieurs éditeurs.

Le camping sauvage est autorisé dans certaines parties du parc – demandez au centre d'information, où l'on vous donnera aussi un permis de camper obligatoire (gratuit) pour Kjós (à noter : Kjós n'est accessible que par une marche de 12 km). Renseignez-vous également sur les possibilités de traverser les rivières sur l'itinéraire prévu.

Il existe aussi une randonnée d'une journée qui vous mènera au-delà de Bæjarstaðarskógur, dans le Skaftafellsfjöll accidenté. Nous vous recommandons la **crête du Jökulfell** (862 m) pour la fabuleuse perspective offerte sur les étendues du Skeiðarárjökull. L'excursion dans le vallon de Kjós est encore plus spectaculaire.

Il existe un nouveau sentier de 13 km accessible aux **VTT**, qui traverse le lit asséché de la Skeiðará et passe par la Morsárdalur jusqu'aux forêts de Bæjarstaðarskógur. Glacier Guides (p. 310) loue des VTT (3 000 ISK les 3 heures), et organise quatre fois par semaine des circuits guidés à pied et à vélo de 5 heures ("Skaftafell on Wheels", 19 990 ISK, vélo compris).

Tous les jours de mi-juin à mi-août, les gardes forestiers proposent des **promenades de découverte** gratuites partant du centre d'information des visiteurs, un excellent moyen d'en apprendre davantage sur la région. Consultez le site ou renseignez-vous auprès du personnel du parc.

Svartifoss

Vedette de centaines de cartes postales, Svartifoss ("la cascade noire") est une chute superbe, presque mélancolique, entourée de colonnes géométriques de basalte noir. Elle est facilement accessible par le sentier qui part du centre d'information et passe par le camping (1,8 km, environ 1 heure 30 aller-retour).

De Svartifoss, cela vaut la peine de continuer vers l'ouest sur le sentier jusqu'à **Sjónarsker** : la vue sur le Skeiðarársandur est inoubliable. De là, vous pouvez aller visiter la ferme traditionnelle au toit recouvert de gazon baptisée **Sel** ; cette randonnée de 2 heures 30 (5,3 km aller-retour) est sans difficulté.

Sinon, de Svartifoss, dirigez-vous vers l'est à travers la lande jusqu'au point de vue de **Sjónarnípa** qui donne sur le

Skaftafellsjökull. Cette randonnée est éprouvante ; comptez 3 heures aller-retour (7,4 km).

Skaftafellsjökull

Également très populaire, un itinéraire facile (1 heure aller-retour) mène au Skaftafellsjökull. Ce sentier asphalté de 3,7 km part du centre d'information des visiteurs et mène au **front du glacier**, où vous entendrez les craquements et gémissements de la glace (elle est assez grise et sableuse à cet endroit). Le Skaftafellsjökull a énormément reculé ces dernières décennies, à tel point que la terre réapparaît progressivement le long du sentier ; procurez-vous la brochure qui en explique la géologie.

Boucle du Skaftafellsheiði

Par une belle journée, l'excursion de 5-6 heures autour du Skaftafellsheiði est le rêve de tout randonneur. Du camping, on commence par une montée en passant devant la Svartifoss et Sjónarsker, puis on traverse la lande jusqu'au **Fremrihnaukur** (610 m). Ensuite, le sentier suit le bord du plateau jusqu'au prochain sommet, le **Nyrðrihnaukur** (706 m), qui offre un superbe panorama sur la Morsárdalur, le Morsárjökull et le lac immobilisé par des icebergs à sa base. Puis le chemin se dirige en direction du sud-est, vers un point de vue sur la falaise, **Gláma**, au-dessus du Skaftafellsjökull.

Pour un spectacle imprenable sur le Skaftafellsjökull, la Morsárdalur et le Skeiðarársandur, escaladez le **Kristínartindar** (1 126 m). Le meilleur itinéraire est un sentier bien balisé (2 km, classé difficile) surplombant l'immense vallée, au sud-est du belvédère de Nyrðrihnaukur, et redescendant près de Gláma.

Morsárdalur et Bæjarstaðarskógur

La randonnée de 7 heures (20,6 km aller-retour) depuis le camping jusqu'au lac glaciaire de la Morsárdalur est assez ordinaire, mais néanmoins agréable. Vous pouvez aussi traverser la Morsá au pied du Skaftafellsheiði et vous frayer un chemin à travers le lit de la rivière en gravier jusqu'aux **forêts de bouleaux** de Bæjarstaðarskógur. Le trajet aller-retour jusqu'à Bæjarstaðarskógur dure environ 6 heures (13 km). Suivez la même piste si vous êtes à **VTT**.

Circuits organisés

Le point d'orgue de toute visite du Skaftafell est une **randonnée glaciaire**. Progresser sur la glace chaussé de crampons procure un plaisir infini, sans compter la beauté du site : chutes d'eau, grottes de glace, balles de mousses et cendres multicolores héritées d'explosions passées. Mais prenez garde : aussi attirants que soient les glaciers, ils sont également parcourus de fissures et potentiellement dangereux, ne vous y aventurez pas sans guide et sans l'équipement adéquat.

Des guides officiels font visiter la région et les langues glaciaires plus à l'est, vers Höfn. Icelandic Mountain Guides et Glacier Guides, les deux principales agences, ont un kiosque sur le parking du centre d'information des visiteurs du Skaftafell ; vous y rencontrerez des spécialistes et pourrez vous équiper pour votre excursion sur glacier (des vêtements chauds et des chaussures de marche sont indispensables ; des vêtements imperméables sont disponibles à la location).

Ces deux prestataires proposent aussi des randonnées plus exigeantes et de l'escalade glaciaire, y compris l'ascension du plus haut sommet d'Islande (le Hvannadalshnúkur). Il existe des circuits combinés, du type randonnée glaciaire + tour en bateau sur Jökulsárlón ou Fjallsárlón, ou visite d'Ingólfshöfði. Très souvent, on peut venir vous chercher au camping de Svínafell ou à l'Hótel Skaftafell (réservation obligatoire). Consultez les sites Internet pour plus de détails.

Nouveauté très recherchée : la visite en hiver de **grottes de glace**. Local Guide, qui organise des circuits de mi-novembre à mars, est la meilleure agence en la matière. Le parc national est encore plus beau, et moins fréquenté, en hiver. Icelandic Mountain Guides propose des marches glaciaires toute l'année.

Les tarifs ci-après sont ceux de 2014. Ils sont mis à jour sur les sites Internet.

Icelandic Mountain Guides CIRCUITS AVENTURE (IMG ; ☎bureau de Reykjavík 5879999, Skaftafell 8942959 ; www.mountainguide.is). L'option la plus populaire d'IMG est l'excursion "Blue Ice Experience", accessible aux familles, consistant en une randonnée de 1 heure 30-2 heures sur le Svínafellsjökull (adulte/enfant 8 900/5 700 ISK, âge minimum requis 8 ans). Jusqu'à 4 départs quotidiens du Skaftafell toute l'année (à 10h et 14h, plus 11h et 15h en juillet et août).

Il existe des randonnées plus longues et plus ardues sur le même glacier (3 heures-6 heures 30), et des escalades glaciaires à la carte pour tous les niveaux (18 900 ISK).

L'impressionnant programme d'IMG est consultable en ligne, et comprend aussi excursions à vélo de plusieurs jours, circuits en Super-Jeep et randonnées, dont une intitulée "Rivières et glacier du Vatnajökull", de 5 jours.

Glacier Guides CIRCUITS AVENTURE
(☎Bureau de Reykjavík 571 2100, Skaftafell 659 7000 ; www.glacierguides.is). Glacier Guides propose des randonnées glaciaires de durées et de niveaux divers, ainsi que de l'escalade sur roche ou sur glace et du VTT, depuis Skaftafell.

L'option pour débutants "Glacier Wonders", accessible aux familles, est une randonnée de 2 heures 30 jusqu'au Falljökull (adulte/enfant 8 490/6 500 ISK, âge minimum requis 10 ans) ; 4 départs quotidiens du Skaftafell de mi-mai à mi-septembre. Il existe aussi une randonnée de 5 heures sur le même glacier, plus difficile (12 990 ISK), et un circuit de 6 heures 30 qui combine escalade et marche glaciaires (19 990 ISK).

Local Guide CIRCUITS AVENTURE
(Öræfaferðir ; ☎894 0894 ; www.localguide.is). La même famille occupe depuis des générations la ferme d'Hofsnes, leur connaissance de l'endroit est donc de première main (ils organisent les circuits d'été vers Ingólfshöfði). Leur nouvelle agence est à Fagurhólsmýri (où il y a une station-service N1), à 26 km de Skaftafell.

De là, ils proposent des randonnées et escalades glaciaires sur mesure, toute l'année (le prix varie selon le nombre de personnes dans votre groupe). Local Guide est aussi le spécialiste des grottes de glace dans la région, et organise des visites de mi-novembre à mars. La visite normale d'une grotte de glace coûte 14 900 ISK, mais il en existe une plus longue, destinée aux photographes, à 24 900 ISK. Options et tarifs figurent en détail sur le site Web.

Atlantsflug VOLS TOURISTIQUES
(☎478 2406, 854 4105 ; www.flightseeing.is). Des vols touristiques décollent du minuscule aérodrome situé sur la Route circulaire, à proximité de l'embranchement pour le centre d'information des visiteurs. Choisissez parmi six possibilités pour survoler les sommets de Landmannalaugar, Lakagígar, Skaftafell, Jökulsárlón et Grímsvötn. À partir de 22 000 ISK les 30 minutes.

Où se loger et se restaurer

Pour manger dans le parc, le choix se limite au nouveau café (très animé !) du centre d'information des visiteurs, qui sert du café, des soupes, des sandwichs et vend quelques produits d'épicerie.

L'hôtel le plus proche se trouve à Freysnes, à 5 km à l'est de l'entrée du parc. Vous trouverez aussi à vous loger à Hof, 15 km plus loin vers l'est.

Camping du centre d'information CAMPING €
(☎470 8300 ; www.vatnajokulsthjodgardur.is ; empl 1 400 ISK/pers plus 100 ISK/tente ; ⌚mai-sept ; Wi-Fi). La plupart des visiteurs apportent leur tente dans ce grand site panoramique, très caillouteux. On peut y faire sa lessive, et il y a des douches chaudes (500 ISK). Très fréquenté en été (il contient jusqu'à 400 emplacements), les réservations ne sont obligatoires que pour les groupes importants (40 personnes et plus). Wi-Fi et casiers disponibles.

Si vous recherchez la tranquillité, envisagez le camping de Svínafell, 8 km plus à l'est.

Renseignements

Centre d'information des visiteurs
(Skaftafellsstofa ; ☎470 8300 ; www.vatnajokulsthjodgardur.is ; ⌚8h-21h juin-août, 9h-19h mai et sept, 10h-17h mars, avr et oct, 11h-16h nov-fév ; Wi-Fi). Ouvert toute l'année et très utile, le centre d'information des visiteurs offre un guichet d'information avec des brochures gratuites et des cartes à vendre, des explications instructives sur la région d'Öræfi, un fascinant film de 10 minutes sur la *jökulhlaup du* Grímsvötn de 1996, des expositions, un café (l'été seulement) et un accès Internet. Personnel très compétent.

Depuis/vers le Skaftafell

Les bus assurant la liaison Reykjavík-Höfn marquent l'arrêt au Skaftafell ; c'est aussi le point de départ vers les régions sauvages de Landmannalaugar et de Lakagígar. Liaisons fréquentes avec Jökulsárlón.

L'arrêt est en face du centre d'information des visiteurs. Les tarifs suivants sont ceux de 2014.
Sterna (☎551 1166 ; www.sterna.is) :

➡ Bus n°12 pour Höfn (3 100 ISK, 3 heures 30, 1/jour, juin à mi-sept). S'arrête 1 heure 30 à Jökulsárlón.

➡ Bus n°12a pour Reykjavík (7200 ISK, 6 heures 45, 1/jour juin à mi-sept).

Strætó (☎ 540 2700 ; www.straeto.is) :

➡ Bus n°51 pour Höfn (2 800 ISK, 1 heure 45, 2/jour juin à mi-sept, 1/jour le reste de l'année).

➡ Bus n°51 pour Reykjavík (7 700 ISK, 5 heures, 2/jour juin à mi-sept, 1/jour le reste de l'année).

Reykjavík Excursions (☎ 580 5400 ; www.re.is) :

➡ Bus n^{os}10/10a pour Landmannalaugar (9 000 ISK, 5 heures, 1/jour mi-juin à mi-sept). Passe par Eldgjá. On peut utiliser ce service régulier pour un circuit d'une journée.

➡ Bus n°15 pour Jökulsárlón (2 500 ISK, 45 min, 3/jour mi-juin à mi-sept).

➡ Bus n^{os}16/16a pour Lakagígar (1/jour fin juin à mi-sept). On peut le prendre pour un circuit d'une journée, avec un arrêt de 3 heures 30 à Laki (aller-retour 15 500 ISK).

➡ Bus n°19 pour Höfn (5 500 ISK, 2 heures, 1/jour mi-juin à mi-sept). S'arrête à Jökulsárlón.

➡ Bus n°20a pour Reykjavík (11 000 ISK, 7 heures, 1/jour mi-juin à mi-sept). S'arrête 1 heure à Vík, et 25 minutes à Skógafoss.

Du Skaftafell à Jökulsárlón

Des glaciers étincelants et des montagnes menaçantes bordent la bande d'asphalte de 60 km reliant le Skaftafell et la lagune parsemée d'icebergs de Jökulsárlón ; il est parfois difficile de garder les yeux sur la route tant les paysages qui défilent sont grandioses.

Freysnes, Svínafell et Svínafellsjökull

Flosi Þórðarson, le personnage qui brûla Njáll et sa famille dans la *Saga de Njáll le Brûlé*, vécut dans la ferme de **Svínafell**, à 8 km au sud-est du Skaftafell. C'est également ici que les familles de Flosi et de Njáll finirent par se réconcilier, mettant fin à l'une des querelles les plus sanglantes de l'histoire islandaise. Il ne reste quasiment rien de ce minuscule village, mais vous pourrez y loger.

Au XVIIe siècle, le glacier **Svínafellsjökull** avait presque englouti la ferme, mais il a reculé depuis. Sur la face nord du glacier (vers le Skaftafell), une piste de terre de 2 km mène à un parking, d'où la ferme est facilement accessible à pied. Ne vous aventurez pas sur le glacier sans guide – **Icelandic Mountain Guides** (IMG ; ☎ 587 9999 ; www.mountainguide.is) y organise de très bonnes excursions. Et si le paysage vous semble familier, c'est peut-être parce que des scènes du film *Interstellar* (2014) ont été tournées ici.

Circuits organisés

Glacier Horses BALADES À CHEVAL
(☎ 847 7170 ; www.glacierhorses.is ; circuits adulte/enfant 8 500/6 000 ISK). Un peu après Svínafell (vers Hof), cette nouvelle agence propose de courtes balades à cheval (1 heure-1 heure 30) dans la superbe campagne environnante : départs à 10h, 13h et 16h (réservation requise).

Où se loger et se restaurer

Svínafell CAMPING €
(☎ 478 1765 ; www.svinafell.com ; empl 1 300 ISK/pers, bungalow et ch 3 900-4 500 ISK/pers ; ⏲ camping mai-sept ; 📶). Ce camping bien organisé propose 6 bungalows pour 4 personnes, et des installations impeccables dont une vaste salle à manger. Si vous êtes motorisé, c'est une bonne alternative au camping de Skaftafell. Consultez Internet pour les tarifs actualisés.

Hótel Skaftafell HÔTEL €€
(☎ 478 1945 ; www.hotelskaftafell.is ; Freysnes ; s/d petit-déj inclus 24 500/29 000 ISK ; @📶). L'hôtel, qui appartenait auparavant à la chaîne Fosshotel, est l'établissement le plus proche de Skaftafell, 5 km à l'est, à Freysnes. C'est l'un des rares de la région, il est donc très demandé – ce qui transparaît dans les prix. Ses 63 chambres sont plus fonctionnelles que luxueuses, mais le personnel est serviable. Le **restaurant** (plats 3 500-4 100 ISK), correct, privilégie les produits locaux.

Söluskálinn Freysnesi ISLANDAIS €
(⏲ 9h-22h lun-ven, 9h-20h sam-dim). La station-service face à l'Hótel Skaftafell propose des plats du jour chauds et bon marché, ainsi que des hamburgers, des pizzas et un rayon épicerie correct.

Öræfajökull et Hvannadalshnúkur

Plus haute montagne d'Islande, le Hvannadalshnúkur (2 110 m) se dresse sur l'Öræfajökull, une ramification du Vatnajökull. Cet imposant sommet constitue le rebord nord-ouest d'un immense cratère de 5 km de largeur, qui compose le plus grand volcan en activité d'Europe après l'Etna. Il entra en éruption en 1362, expulsant la plus grande quantité de téphra de toute l'histoire de l'Islande. La région fut entièrement dévastée, d'où son nom d'Öræfi (désert).

Le meilleur itinéraire pour escalader le Hvannadalshnúkur part du Sandfellsheiði, à environ 12 km au sud-est du Skaftafell. La plupart des expéditions guidées réalisent l'ascension en une très longue et épuisante journée (départ vers 5h) et, bien qu'il ne s'agisse pas d'une ascension technique, elle est éprouvante tant sur le plan mental que physique. Il y a plus de 2 000 m de dénivelé, pour une longueur totale de 23 km. Les grimpeurs indépendants devront emporter suffisamment de vivres et de matériel pour plusieurs jours, et avoir une bonne expérience de la marche sur glacier.

Avril et mai, avant la fonte des ponts de neige, sont les meilleurs mois pour tenter l'aventure. D'année en année, les ponts de neige qui permettent l'excursion fondent plus tôt et plus vite, ce qui écourte la saison d'escalade. Si des expéditions sont théoriquement possibles durant l'été, les conditions après le mois de juin peuvent obliger les tour-opérateurs à recourir à plus de guides par groupe, ce qui augmente considérablement les tarifs (ou clôt prématurément la saison - en 2014, la dernière ascension du Hvannadalshnúkur a eu lieu en juin). Consultez leurs sites pour plus de détails.

Circuits organisés

Icelandic Mountain Guides, Glacier Guides et Local Guide (tous basés à Skaftafell ou aux environs) proposent l'ascension du Hvannadalshnúkur ; les briefings ont lieu la veille au soir. Les tarifs indiqués sont ceux de 2014.

Local Guide CIRCUITS AVENTURE
(Öræfaferðir ; ☎894 0894 ; www.localguide.is). Einar, le propriétaire, détient le record du monde d'ascensions du Hvannadalshnúkur (plus de 270 !). Ascension à skis possible de mars à mai ; les prix varient en fonction du nombre de participants (45 000 ISK/pers pour 2 personnes).

Icelandic Mountain Guides CIRCUITS AVENTURE
(☎Bureau de Reykjavík 587 9999, Skaftafell 894 2959 ; www.mountainguide.is). Pour cette ascension guidée (12-15 heures), il faut débourser au moins 34 900 ISK/pers (2 pers minimum), transport et matériel inclus. Trois départs par semaine d'avril à mi-août (lorsque la météo le permet). Réservez bien à l'avance et prévoyez des jours supplémentaires en cas d'annulation pour mauvais temps.

Glacier Guides CIRCUITS AVENTURE
(☎Bureau de Reykjavík 571 2100, Skaftafell 659 7000 ; www.glacierguides.is). L'ascension (2 pers minimum) revient à 31 990 ISK. Départs sur demande de mi-mai à août, si les conditions le permettent.

Hof

Hof compte une **église** digne d'un livre de contes, en bois et en tourbe, bâtie sur les fondations d'un édifice du XIVe siècle. Reconstruite en 1884, elle est maintenant entourée d'un joli bosquet de bouleaux et de frênes. Son toit est couvert d'herbe et de fleurs.

Où se loger et se restaurer

Lækjarhús BUNGALOWS €€
(☎616 1247 ; www.laekjarhus.is ; bungalows 18 000 ISK ; ⊙fév-oct ; ☎). Le Lækjarhús loue 3 bungalows indépendants et très confortables, avec 4 couchettes chacun (apportez votre duvet ou louez des draps pour 1 500 ISK/pers). Tous possèdent une petite kitchenette et une sdb.

Hof 1 Hotel GÎTE RURAL €€
(☎478 2260 ; www.hof1.is ; d avec/sans sdb petit-déj inclus 26 900/21 900 ISK ; ☎). Le très raffiné Hof 1 Hotel jouit d'un cadre sans pareil en contrebas du glacier Öræfajökull. Il abrite une impressionnante collection d'art moderne islandais, un élégant petit salon, ainsi qu'un attrayant coin détente avec sauna et *hot pot*. Les chambres sont réparties entre plusieurs annexes, et le restaurant ouvre pour le dîner (2 plats à partir de 4 500 ISK).

Ingólfshöfði

Si tous les regards se portent naturellement vers l'intérieur dans cette partie spectaculaire de l'Islande, la côte est également digne d'intérêt - et notamment le promontoire d'Ingólfshöfði, haut de 76 m, qui jaillit de la plaine comme une vision étrange.

Au printemps et en été, cette **réserve naturelle** superbe et isolée est envahie par les macareux, les grands labbes et autres oiseaux marins qui viennent y nicher. On voit parfois des phoques et des baleines au large. Par ailleurs, c'est ici qu'Ingólfur Arnarson, le premier colon installé en Islande, passa l'hiver lors de sa première incursion dans le pays en 874.

La réserve est ouverte aux visiteurs. Les circuits commencent avec l'amusante traversée d'une lagune littorale peu profonde sur 6 km (dans un chariot tiré par un tracteur), puis une montée courte mais raide dans du sable, suivie d'une visite guidée de 1 heure 30 autour du promontoire. La visite est axée sur l'observation des oiseaux, et le décor de montagnes alentour est admirable. Notez que les macareux partent vers la mi-août.

Les circuits sont organisés par **Local Guide** (Öræfaferðir ; ☎894 0894 ; www.localguide.is ; circuits adulte/enfant 6 900/1 000 ISK ; ⏲départs 13h30 lun-sam mai-août, et 10h15 lun-sam juin à mi-août). Leur nouvelle agence est à Fagurhólsmýri (où il y a une station-service N1), à 26 km de Skaftafell. Le point de départ pour la visite d'Ingólfshöfði se trouve à l'ouest de l'agence (il est indiqué), à 2 km de la Route circulaire.

Vérifiez les horaires sur le site Web, où vous pouvez aussi réserver vos billets (ce qui est recommandé).

Breiðamerkursandur

La partie la plus orientale des grands *sandar*, le Breiðamerkursandur, forme l'une des principales zones de nidification des grands labbes d'Islande. Le nombre croissant de ces oiseaux nichant à terre a entraîné l'augmentation de la population de renards polaires. Le Breiðamerkursandur figure également dans la *Saga de Njáll le Brûlé,* qui se termine par l'arrivée de Kári Sölmundarson dans ce lieu idyllique pour "y vivre heureux jusqu'à la fin de ses jours"… un miracle dans une saga !

Le *sandur* s'adosse à un vaste panorama de montagnes couronnées de glace, avec parfois de profonds lagons à leur pied. Le glacier de **Kvíárjökull** serpente jusqu'à la rivière Kvíá et on y accède facilement depuis la Route 1 – guettez le panneau qui indique Kvíármýrarkambur à l'ouest du pont qui enjambe la rivière. Laissez votre voiture au petit parking et suivez le sentier jusqu'à la pittoresque vallée.

Le **Breiðamerkurfjall** (742 m) était autrefois un nunatak (piton rocheux) enclavé entre le Breiðamerkurjökull et le Fjallsjökull, mais les glaciers ont reculé depuis et l'ont libéré.

Un petit panneau en retrait de la Route circulaire indique Fjallsárlón, et conduit à deux lagunes glaciaires entre lesquelles coule une petite rivière. À la fourche, prenez à gauche pour celle de **Fjallsárlón**, où des icebergs se détachent du Fjallsjökull. Tournez à droite pour le sentier, plus long, menant à celle de **Breiðárlón**, où finissent les eaux de fonte du Breiðamerkurjökull ; c'est également la source de la lagune de Jökulsárlón. La route de Breiðárlón est très cahoteuse.

Fjallsárlón Glacier Lagoon SORTIES EN BATEAU
(☎666 8006 ; www.fjallsarlon.is ; adulte/enfant 5 500/3 000 ISK ; ⏲10h-17h mi-mai à mi-sept). Un kilomètre de piste rude sépare la Route circulaire du parking pour Fjallsárlón, où s'est installé ce nouveau prestataire qui organise des circuits en Zodiac de 45 minutes au milieu des icebergs de la lagune. Une bonne alternative aux croisières partant de Jökulsárlón, lagune très fréquentée, 10 km plus à l'est et qui donne directement sur la Route circulaire.

Fjallsárlón est plus petite et moins spectaculaire que Jökulsárlón, mais plus isolée et donc beaucoup moins visitée, ce qui a son avantage. Le sentier qui mène au point de départ des bateaux se prête plus à l'aventure et le circuit sur la lagune a un côté plus intime – le parcours est plus rapide pour parvenir au museau du glacier.

Jökulsárlón

De nombreux icebergs spectaculaires d'un bleu lumineux dérivent à travers la **lagune de Jökulsárlón**, près de la Route circulaire, entre Höfn et le Skaftafell. On a beau s'y préparer, la scène est surréaliste. Vous pouvez passer plusieurs heures sur place, à admirer les superbes sculptures de glace (dont certaines sont zébrées par la cendre d'éruptions volcaniques passées), à guetter les phoques ou à faire un tour en bateau.

Les icebergs se détachent du Breiðamerkurjökull, une ramification du Vatnajökull, s'écrasent dans l'eau et dérivent inexorablement vers l'océan Atlantique. Certains flottent jusqu'à cinq ans dans la lagune de 25 km² et 260 m de profondeur, fondent, regèlent et s'effondrent parfois dans un grand bruit qui effraie les oiseaux. Ils dérivent ensuite via Jökulsá, la plus courte rivière d'Islande, jusqu'à l'océan.

JÖKULSÁRLÓN AU CINÉMA

La lagune de Jökulsárlón a servi de décor à des films et à de nombreux spots publicitaires. On la voit brièvement dans *Lara Croft : Tomb Raider* (2001), où elle figure la Sibérie – pour l'occasion, les bateaux de tourisme amphibies avaient été peints en gris et camouflés en navires russes. On l'a également vue dans *Batman Begins* (2005) ou dans le James Bond *Meurs un autre jour* (2002), pour lequel la lagune avait été spécialement gelée et six Aston Martin avaient été détruites sur la glace.

La lagune, dont on croirait qu'elle date de la dernière période glaciaire, n'a en fait que 80 ans. Jusqu'au milieu des années 1930, le Breiðamerkurjökull atteignait la Route circulaire ; désormais il recule à une vitesse stupéfiante (jusqu'à 500 m par an), et la lagune grandit en conséquence.

Les sorties en bateau sur la lagune sont excellentes, mais vous pouvez approcher ces merveilles bleues de presque aussi près en longeant la rive à pied, et goûter la glace ancienne en la tirant hors de l'eau. Sur la Route circulaire à l'ouest du parking, des aires de stationnement ont été aménagées pour que vous puissiez escalader les monticules de terre et découvrir la lagune depuis des endroits moins fréquentés de la rive.

La visite de l'embouchure (vous trouverez des parkings sur la Route circulaire, côté océan) est également très recommandée : vous y verrez de gros amas de glace très photogéniques déposés sur la plage de sable noir, dernière étape avant leur voyage en mer.

Si vous y passez fin août, admirez le **feu d'artifice annuel** qu'on tire ici pour récolter de l'argent et financer les équipes de secourisme locales. L'entrée coûte environ 1 000 ISK, et des bus partent de Höfn pour l'occasion. Consultez www.visitvatnajokull.is pour plus de détails.

Un nouveau **sentier** a été balisé depuis le parking de l'ouest, menant à Breiðárlón (10 km aller) et à Fjallsárlón (15,3 km).

Circuits organisés

Bateaux amphibies

Glacier Lagoon SORTIES EN BATEAU

(☎478 2222 ; www.icelagoon.is ; adulte/enfant 4 000/1 000 ISK ; ⏲9h-19h juin-août, 10h-17h avr-mai et sept-oct). Offrez-vous une mémorable visite à bord d'un bateau amphibie (40 min) ; cet engin avance lentement le long du rivage, comme un bus, avant d'entrer dans l'eau. À bord, les guides racontent des anecdotes aux participants, qui peuvent même goûter à la glace millénaire. Départs réguliers (pas d'horaires fixes, au moins un départ toutes les 30 min en été) depuis le parking est, à côté du café.

Notez que le dernier bateau part environ une heure avant la fermeture. Il peut y avoir des sorties entre novembre et mars, selon les demandes et la météo – contactez le prestataire.

L'agence propose aussi des sorties en Zodiac d'une heure (adulte/enfant 6 500/3 250 ISK ; déconseillé aux enfants de moins de 10 ans), moins populaires que celles à bord d'un bateau amphibie.

Circuits en Zodiac

Ice Lagoon SORTIES EN BATEAU

(☎860 9996 ; www.icelagoon.com ; adulte/enfant 6 500/4 900 ISK ; ⏲9h-17h30 mi-mai à mi-sept). Un second opérateur, plus modeste, propose des circuits sur la lagune uniquement en Zodiac. Ils durent 1 heure, avec un maximum de 20 passagers par bateau, et rejoignent très vite le bord du glacier (ce qui n'est pas le cas des bateaux amphibies) avant de revenir lentement. Réserver en ligne est préférable ; les enfants doivent avoir au moins 6 ans.

En 2014, ce prestaire opérait depuis le parking est, mais pourrait se déplacer sur celui à l'ouest en 2015 – consultez leur site Web.

Ice Walk RANDONNÉE GLACIAIRE

(☎866 3490 ; www.icewalk.is ; ⏲circuit 12 500 ISK). Thor, un guide local, vous propose des marches glaciaires sur le Breiðamerkurjökull, qui partent tous les jours du parking de Jökulsárlón à 10h et à 14h30 (réservation conseillée). Vous passerez 2 ou 3 heures sur la glace.

Où se loger et se restaurer

Si vous avez un camping-car avec des toilettes, vous pourrez rester sur le parking. Pour les autres, il n'est pas vraiment possible de camper près du lac (en particulier sur la rive est, où nichent de nombreux oiseaux). L'hébergement le plus proche est l'hôtel Hali, à 12 km à l'est.

À NE PAS MANQUER

LA BIÈRE DU VATNAJÖKULL

On adore les bons arguments de vente, et cette bière en a quelques-uns : brassée avec une eau qui a plus de mille ans (celle des icebergs de Jökulsárlón) et parfumée au thym de l'Arctique cultivé sur place. Elle est brassée par Ölvisholt Brugghús près de Selfoss, et vendue dans les restaurants du Sud-Est. Goûtez-la pour sa saveur fruitée et maltée.

Café CAFÉ €

(9h-19h juin-août, 10h-17h sept-mai). Le café ouvert toute l'année à côté de la lagune est l'endroit idéal pour glaner des informations et se restaurer. Petit, daté, il est vite bondé en été.

Depuis/vers Jökulsárlón

De très nombreux circuits organisés incluent Jökulsárlón.

Le bus n° 12/12a de **Sterna** (551 1166 ; www.sterna.is) relie quotidiennement Reykjavík et Höfn de juin à mi-septembre. Dans les deux sens, le bus s'arrête 1 heure 30 à Jökulsárlón (assez longtemps pour un tour en bateau).

Le bus n°51 de **Strætó** (540 2700 ; www.straeto.is) entre Reykjavík et Höfn s'arrête ici 2 fois par jour de juin à mi-septembre (1/jour le reste de l'année). Il dépose ou prend des passagers, sans s'attarder.

Reykjavík Excursions (580 5400 ; www.re.is) a 2 lignes pratiques en été :

- Le bus n°15 effectue une boucle quotidienne entre le centre d'information des visiteurs du Skaftafell et Jökulsárlón (2 500 ISK, 45 min, 2-3/jour de mi-juin à mi-sept).
- Le bus n°19 circule tous les jours de Höfn à Skaftafell et retour ; il s'arrête assez longtemps à la lagune dans les deux sens (pour Höfn 3 500 ISK, 1 heure, 1/jour mi-juin à mi-sept).

De Jökulsárlón à Höfn

La section de la Route circulaire qui va de Jökulsárlón à Höfn, divine, longe une vingtaine de propriétés rurales (ayant souvent un glacier dans le "jardin") qui proposent un hébergement. Nombre d'entre elles se sont agrandies récemment mais, en été, la demande dépasse encore de loin l'offre (et les prix sont élevés). Réservez longtemps à l'avance.

À voir et à faire

Outre son accueil chaleureux et familial, la région présente de nombreux autres atouts : on y trouve une ribambelle d'animaux domestiques, des producteurs de crème glacée, un musée de qualité, des zones marécageuses où vivent nombre d'oiseaux et des *hot pots* extérieurs. Les visiteurs en quête d'action opteront pour une randonnée jusqu'aux (ou sur les) langues glaciaires, une promenade à cheval, un tour en quad ou une excursion à motoneige.

Þórbergssetur MUSÉE

(www.thorbergur.is ; adulte/enfant 1 000 ISK/gratuit ; 9h-20h). Ce musée à l'architecture ingénieuse (la façade figure une étagère de livres) rend hommage au personnage le plus célèbre de cette région faiblement peuplée, l'écrivain Þórbergur Þórðarson (Thorbergur Thordarson, 1888-1974), né à Hali í Suðursveit. Þórbergur était un non-conformiste (avec comme passions le yoga, l'espéranto et l'astronomie) ; son premier livre, intitulé *Bréf til Láru* (*Lettre à Laura*), causa une immense polémique en raison de son contenu radical-socialiste.

Le Þórbergssetur est également une sorte de centre culturel, qui accueille des expositions artistiques temporaires et un excellent **café-restaurant** (plats dîner 2 900-5 500 ISK) dont la spécialité est l'omble chevalier. Plusieurs solutions d'hébergement aux alentours.

Circuits organisés

Glacier Jeeps CIRCUITS AVENTURE

(478 1000, 894 3133 ; www.glacierjeeps.is). Si vous voulez grimper sur le Vatnajökull, le père de tous les glaciers de la région, à motoneige ou en Super-Jeep (p. 318), c'est ici que vous devrez bifurquer vers les montagnes. La Route F985, qui conduit à Jöklasel, est à environ 35 km à l'est de Jökulsárlón ; Glacier Jeeps peut vous y conduire depuis le petit parking de la Route circulaire.

Où se loger et se restaurer

Dans ce secteur, une grande partie des hébergements font restaurant. Pour vous approvisionner, arrêtez-vous à Kirkjubæjarklaustur ou à Höfn.

Les options ci-après sont classées en allant de l'ouest vers l'est. Les tarifs indiqués sont majoritairement ceux de 2014.

À VOS GLACIERS

La direction du parc national du Vatnajökull s'associe à des propriétaires de la région pour ouvrir au public l'accès à certaines zones naturelles restées vierges. Elles sont signalées depuis la Route circulaire – et encore peu connues, vous avez donc une chance d'avoir pour vous seul une étendue sereine de merveilles glaciaires.

Les pensions citées ici servent de points d'information (cartes disponibles), ou vous pouvez vous arrêter au centre d'information de Höfn pour connaître l'état des routes et savoir si l'on peut accéder à de nouvelles zones. Vous trouverez aussi des renseignements sur le site Web du parc : www.vatnajokulsthjodgardur.is.

- Les sentiers des environs de **Hjallanes** et d'**Heinaberg** sont accessibles depuis la pension de Skálafell (ci-dessous) ; vous pouvez aussi rejoindre Heinabergjökull par une route difficile de 8 km qui ne convient pas aux petits véhicules.
- Un très beau chemin de randonnée (qui emprunte un pont suspendu) mène à la langue glaciaire de **Fláajökull**. La route d'accès est signalée depuis la Route circulaire, juste à côté de la pension Hólmur ; elle mène, au bout de 8 km caillouteux mais praticables en véhicule de tourisme, jusqu'à un petit parking (équipé de toilettes).
- De la pension Hoffell, une route de 4 km conduit à la langue glaciaire d'**Hoffellsjökull**, qui donne naissance à un petit lac. La route est rude, et n'était pas encore adaptée aux voitures de tourisme quand nous y sommes passés, mais un projet est à l'étude.

Skyrhúsid PENSION €
(☎899 8384 ; d à partir de 14 000 ISK ;). Cette jolie petite pension est située à Hali, juste après Þórbergssetur. L'endroit est douillet, avec 9 chambres récentes (sans cuisine pour les clients), et un petit espace coloré pour petit-déjeuner.

Auberge de jeunesse HI de Vagnsstaðir AUBERGE DE JEUNESSE €
(☎478 1048 ; www.hostel.is ; dort/d sans sdb 4 300/11 400 ISK ; avr à mi-oct ;). C'est ici, sur la Route circulaire, qu'est basée l'équipe de Glacier Jeeps, dont on aperçoit les motoneiges à l'entrée. Les lits superposés sont un peu entassés dans cette petite auberge au coin-repas ensoleillé. Il y a aussi des bungalows de 6 lits (tous avec toilettes, mais sans douches) à côté du bâtiment principal. Un reproche souvent formulé : les installations sanitaires et la cuisine sont à présent trop petites pour le nombre de lits.

Hótel Smyrlabjörg GÎTE RURAL, RESTAURANT €€
(☎478 1074 ; www.smyrlabjorg.is ; s/d petit-déj inclus 20 300/30 000 ISK ;). Une bonne adresse alliant confort moderne, panorama sur la montagne et tranquillité absolue. Vaste et chaleureux (sa taille a été multipliée par 2 récemment), le Smyrlabjörg abrite un restaurant réputé pour sa convivialité et son copieux buffet du soir (6 200 ISK).

Skálafell PENSION €€
(☎478 1041 ; www.skalafell.net ; d avec/sans sdb petit-déj inclus 23 000/19 000 ISK ;). Au pied du glacier Skálafell, cette accueillante ferme familiale abrite une poignée de chambres dans ses pittoresques bâtiments, et propose aussi quelques chambres de style motel. Pas de cuisine, mais on peut y dîner.

En partenariat avec le parc national, les propriétaires, qui connaissent bien l'endroit, ont balisé des **sentiers** (ouverts à tous) dans les paysages glaciaires environnants et peuvent vous renseigner.

La **boucle de Hjallanes** fait environ 7 km et prend 2-3 heures – consultez le site de la pension (rubrique "*Walking Paths*" sous "*The Area*") pour tout savoir sur cette boucle et d'autres sentiers.

Hali Country Hotel HÔTEL, RESTAURANT €€
(☎478 1073 ; www.hali.is ; d avec/sans sdb petit-déj inclus à partir de 32 200/20 800 ISK ;). Le musée Þórbergssetur sert de réception et de restaurant à cet hôtel élégant, le plus proche de Jökulsárlón, à Hali. Vous pouvez choisir parmi différentes options de très bonne qualité : chambres d'hôtel avec sdb (sans cuisine), chambres d'hôtes (sdb et cuisine partagées), ainsi que 2 appartements indépendants de 2 chambres chacun.

Glacier Adventure (☎699 1003 ; www.glacieradventures.is) est un tour-opérateur basé à Hali. Haukur vous emmènera faire des randonnées sur les glaciers des environs, de durées et de niveaux variables, à partir de 11 500 ISK.

Heinaberg Guesthouse PENSION €
(478 1497 ; www.heinaberg.is ; s/d 9 900/ 14 900 ISK ;). Le sympathique Birgir tient cette nouvelle pension d'un bon rapport qualité/prix. Les petites chambres regroupées dans le bâtiment sans prétention d'une ferme laitière sont impeccables. On peut cuisiner, et la vue est superbe ; petit-déj 1 500 ISK.

Hólmur PENSION, RESTAURANT €
(478 2063 ; www.eldhorn.is/mg/gisting ; s/d sans sdb 10 000/13 200 ISK ;). L'Hólmur est l'étape idéale pour les familles : logement bon marché à la ferme (demandez l'option duvet pour payer encore moins cher) et **zoo fermier** (adulte/enfant 700/500 ISK ; 10h-17h) où rencontrer beaucoup de petits amis à plumes ou à poils – il y a même des rennes.

La famille travaille en lien avec le parc national : elle peut vous renseigner, et la pension est idéalement placée pour explorer le **Fláajökull**. Il y a également un **café-restaurant** sur place (que l'on projetait de transférer en 2015 dans un bâtiment plus grand de la ferme), où l'on sert de bons plats bien présentés : langoustine grillée, poitrine de porc rôtie ou crème brûlée aux œufs de canards de la ferme (plats dîner 3 400-5 900 ISK). Le café propose des en-cas légers en journée, et des repas le soir.

Lambhús BUNGALOWS €€
(662 1029 ; www.lambhus.is ; bungalow option duvet 15 000-19 000 ISK ; juin-août ;). Vous trouverez ici canards, chevaux, et 9 jolis petits bungalows indépendants (logeant 4-6 pers, parfaits pour les familles) dans un superbe panorama. Les propriétaires, une adorable famille polyglotte, travaillent comme guides depuis des années. Location de draps 2 000 ISK/pers.

Brunnhóll GÎTE RURAL, RESTAURANT €€
(478 1029 ; www.brunnholl.is ; s/d petit-déj inclus à partir de 18 700/24 000 ISK ; avr-oct ;). L'hôtel de cette sympathique ferme laitière propose des chambres simples mais de belle taille, avec une superbe vue. En dehors de la haute saison (juin-août), une option duvet est disponible à partir de 4 800 ISK. Les propriétaires sont aussi les fabricants de la délicieuse Jöklaís (qui signifie "crème glacée du glacier"), que vous pourrez goûter au **buffet du soir** (5 800 ISK) ouvert à tous, ou acheter à la ferme.

Hoffell GÎTE RURAL, PENSION €€
(Glacier World ; 478 1514 ; www.glacierworld.is ; d avec/sans sdb 29 600/16 900 ISK). La pension de l'Hoffell offre des chambres claires, récentes, avec sdb partagée et cuisine destinée aux hôtes. Un nouveau bâtiment a été ouvert mi-2014 dans une ancienne étable, qui abrite des chambres d'hôtel avec sdb.

En plus des propriétaires accueillants, les visiteurs ici sont attirés par les activités proposées (accessibles aussi aux non-clients) : **circuits en quad** jusqu'au glacier (à partir de 12 500 ISK), et jusqu'à plusieurs ***hot pots* extérieurs** (500 ISK ; de 7h à 23h).

Les propriétaires, qui coopèrent avec le parc national, peuvent vous renseigner sur les environs incroyables de la ferme, et sur la route de 4 km qui mène à l'**Hoffellsjökull**.

Hótel Glacier GÎTE RURAL €€
(478 1400 ; www.hoteljokull.is ; Nesjaskóli ; d avec/sans sdb 21 700/13 700 ISK ; mai-sept ;). À 8 km au nord de Höfn, cette adresse (qui porte aussi le nom d'Hótel Jökull) installée dans une ancienne école est bien tenue et offre un bon rapport qualité/prix. Elle a ajouté 40 nouvelles chambres pourvues de sdb (cette fois dans un ancien stade). Le restaurant propose le soir un buffet de poisson (5 900 ISK).

Árnanes Country Lodge HÔTEL DE CAMPAGNE, RESTAURANT €€
(478 1550 ; www.arnanes.is ; d avec/sans sdb petit-déj inclus 28 200/22 100 ISK ;). Cet établissement rural rénové de 21 chambres est à 6 km de Höfn, et propose des chambres de motel ou d'hôtel. Il loue également une grande maison familiale dans un quartier résidentiel voisin, pourvue de 5 chambres avec sdb. Ouvert l'été seulement, l'agréable restaurant (plats 5 500-5 500 ISK) privilégie les excellents produits locaux. Possibilités de promenades à cheval pour cavaliers débutants à confirmés (y compris pour les non-résidents).

Fosshótel Vatnajökull HÔTEL €€€
(478 2555 ; www.fosshotel.is ; ch petit-déj inclus à partir de 33 100 ISK ;). Cet hôtel de chaîne haut de gamme, à 14 km au nord-ouest de Höfn, est passé l'année dernière de 26 à 66 chambres. L'extension moderne en béton et en bois est une réussite, avec

ses nuances de bleu et de gris qui rappellent la nature impressionnante que l'on peut admirer depuis les chambres. En 2015, les chambres les plus anciennes auront été rénovées également. Il y a un **restaurant** (plats dîner 4 000-6 500 ISK) sur place.

Höfn

1 700 HABITANTS

Malgré sa population peu nombreuse, la principale localité du Sud-Est fait l'effet d'une ville étendue quand on a auparavant roulé à travers des espaces déserts. Le cadre est stupéfiant : par beau temps, promenez-vous au bord de l'eau, asseyez-vous sur un banc au calme et admirez le Vatnajökull et les autres glaciers.

"Höfn" signifie "port", et ce nom est fort approprié. Extrêmement dépendante de la pêche et des usines de poisson, cette bourgade moderne est célèbre pour ses *humar* (il s'agit en fait de langoustines et non pas de homards).

Les voyageurs se déplaçant en bus transitent par Höfn, et beaucoup s'y arrêtent pour profiter de ses nombreux services ; l'été, il est donc plus prudent d'y réserver votre logement.

À L'ASSAUT DU VATNAJÖKULL

Même si la calotte glaciaire du Vatnajökull et les glaciers voisins sont fort impressionnants depuis la Route circulaire, de nombreux voyageurs éprouvent l'irrésistible envie de s'en approcher. Toutefois, le Vatnajökull n'est accessible que dans le cadre d'un circuit organisé. Et pour cause : la calotte est striée de profondes crevasses dissimulées par de la neige fraîche, et des tempêtes de blizzard peuvent éclater subitement. On peut accéder à toute cette blancheur en se joignant à des circuits organisés en motoneige ou en Super-Jeep.

L'accès le plus facile s'effectue par la piste de 4x4 F985 (à environ 35 km à l'est du Jökulsárlón et à 45 km à l'ouest de Höfn) jusqu'à la large saillie du Skálafellsjökull. Ce tronçon de 16 km est quasiment vertical par endroits et en hiver, il est en partie recouvert de glace. Ne vous y aventurez surtout pas en voiture de tourisme, vous risqueriez de devoir payer une énorme facture pour les secours.

Au sommet (840 m) se trouve le refuge de Jöklasel, où est basée l'agence Glacier Jeeps (p. 315). Le **restaurant** (déj buffet 2 900 ISK ; ⌚ déj 11h15-14h juin à mi-sept) du refuge offre le plus beau panorama du pays, et donne l'impression d'être sur le toit du monde. Sachez qu'il n'y a aucun hébergement à Jöklasel.

De là, le circuit le plus prisé est une formidable balade d'une heure en **motoneige**. On vous fournira une combinaison, un casque, des bottes et des gants, puis vous suivrez le guide à la queue leu leu le long d'une piste. L'aventure est amusante et permet de se familiariser un peu avec le glacier, mais le bruit du moteur et l'odeur de l'essence font qu'une heure suffit amplement. Les balades en Super-Jeep sont plus paisibles. Des randonnées plus longues à motoski sont proposées, ainsi que de l'escalade glaciaire.

Si vous avez votre propre 4x4, comptez 19 500 ISK pour les excursions à motoneige ou en Super-Jeep. Pour 21 000 ISK, le transport jusqu'à Jöklasel est inclus à partir de la Route circulaire. Les prix indiqués sont entendus par personne, à raison de 2 personnes par motoski (supplément de 8 500 ISK pour être seul). Glacier Jeeps récupère les participants sur le petit parking au début de la F985, à 9h30 et 14h tous les jours de mai à octobre. Il faut absolument téléphoner avant pour réserver une place – pour les petits groupes, un jour à l'avance suffit généralement.

Glacier Jeeps assure aussi ses excursions à motoneige et en Super-Jeep l'hiver ; les horaires varient et le départ se fait des bureaux de l'agence à l'auberge de jeunesse de Vagnsstaðir.

Aucun bus régulier ne propose d'horaires coïncidant avec ceux de Glacier Jeeps, qui permettraient d'arriver en temps voulu au parking de la F985. Si vous n'êtes pas motorisé, adressez-vous à **Vatnajökull Travel** (☎ 894 1616 ; www.vatnajokull.is), une agence basée à Höfn qui propose de vous conduire à Jöklasel puis à Jökulsárlón pour un tour en bateau sur la lagune. Les tarifs varient en fonction des options ; contactez l'agence pour un devis.

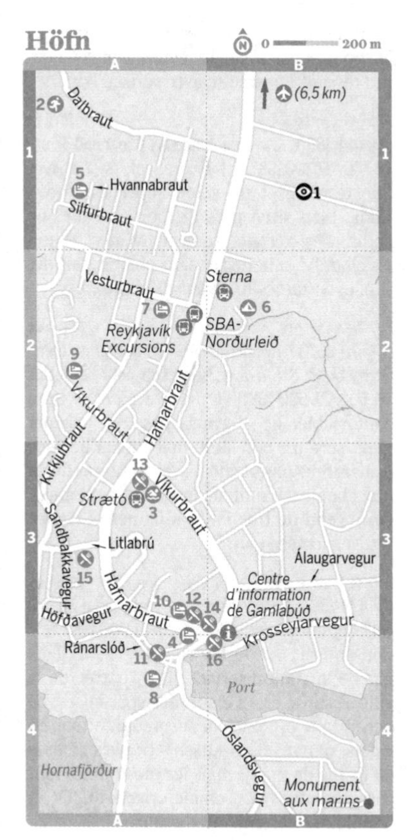

Höfn

À voir

1 Gamlabúð ... B1

Activités, circuits

2 Silfurnesvöllur ... A1
3 Sundlaug Hafnar ... A3

Où se loger

4 Guesthouse Dyngja ... A4
5 Auberge de jeunesse HI ... A1
6 Camping de Höfn ... B2
7 Höfn Inn ... A2
8 Hótel Edda ... A4
9 Hótel Höfn ... A2
10 Nýibær Guesthouse ... A3

Où se restaurer

11 Hafnarbúðin ... A4
12 Humarhöfnin ... A3
13 Kaffi Hornið ... A3
14 Kaffi Nýhöfn ... B3
15 Nettó ... A3
Ósinn ... (voir 9)
16 Pakkhús ... B4
Vínbúðin ... (voir 15)

À voir et à faire

Gamlabúð CENTRE D'INFORMATION, MUSÉE

(www.vatnajokulsthjodgardur.is ; 8h-20h juin-août, 10h-18h mai et sept, 10h-12h et 16h-18h oct-avr). L'entrepôt datant de 1864, qui abritait autrefois le musée régional des Arts et Traditions populaires, a été transféré de la périphérie de la ville à un emplacement plus central, dans le port de Höfn. Il a été rénové pour servir de centre d'information, avec de belles expositions qui décrivent les merveilles (dont la flore et la faune) du parc national, symbole de la région, et projette des films documentaires.

Si vous êtes intéressé, différentes expositions muséographiques sont présentées en ville, dont une collection géologique et un ancien fumoir à poisson qui vous renseigne sur la pêche et la mer.

Front de mer SENTIERS

Höfn jouit d'incroyables points de vue sur le glacier, à découvrir lors de balades sur deux courts **sentiers au bord de l'eau** – l'un se trouve à côté de l'Hótel Höfn, l'autre contourne les marécages et les lagunes au bout du promontoire d'Ósland (environ 1 km derrière le port – dirigez-vous vers le monument aux marins sur les hauteurs). Ce dernier sentier vous permettra d'observer les oiseaux marins, mais faites attention aux plongeons en piqué des sternes arctiques.

Depuis le monument aux marins, vous pouvez suivre une **piste** qui a été dessinée pour reproduire fidèlement le système solaire – à l'échelle de 2,1 milliards.

Sundlaug Hafnar PISCINE, HOT POT

(Víkurbraut 9 ; adulte/enfant 600/200 ISK ; 6h45-21h lun-ven, 10h-19h sam-dim). La populaire piscine municipale découverte dispose de toboggans, de *hot pots* et d'un bain de vapeur.

Silfurnesvöllur GOLF

(Dalbraut ; 9 trous, 1/2 personnes 3 500/5 000 ISK). Il y a un parcours de 9 trous et un petit club-house à l'extrémité de Dalbraut, au nord de la ville. Combien d'occasions aurez-vous de jouer sous le soleil de minuit, avec vue sur les glaciers ? Location de clubs 2 000 ISK.

 Fête

Humarhátíð GASTRONOMIE

Tous les ans à la fin juin ou au début juillet, la Fête de la Langoustine (homards islandais) de Höfn met à l'honneur ce succulent crustacé, que les pêcheurs locaux trouvent en abondance. Il y a généralement une fête foraine, un marché aux puces, des danses, de la musique, des concours de sculpture sur glace, et l'alcool coule à flots.

Où se loger

Voici une liste d'hébergements dans Höfn même, mais il y a beaucoup d'autres bons choix (souvent avec restaurant sur place) sur la Route circulaire, à l'ouest de la ville (voir p. 315). L'été, les tarifs sont élevés car Höfn est très fréquentée.

On peut aussi louer des appartements en ville – Booking.com est le meilleur site pour voir les disponibilités.

Camping de Höfn CAMPING, BUNGALOWS €
(478 1606 ; www.campsite.is ; Hafnarbraut 52 ; empl 1 200 ISK/pers, bungalow 17 000-22 000 ISK ; mai à mi-oct ;). Beaucoup de voyageurs séjournent dans ce camping situé sur la route principale menant à Höfn, qui se distingue par la serviabilité de ses propriétaires, jamais avares de bons conseils sur la région. Il y a 11 bungalows, d'un juste rapport qualité/prix, qui peuvent accueillir jusqu'à 6 personnes – certains avec WC privatifs, mais les douches sont communes. Le camping compte un terrain de jeux, une laverie et un magasin qui vend du matériel de camping.

Auberge de jeunesse HI AUBERGE DE JEUNESSE €
(478 1736 ; www.hostel.is ; Hvannabraut ; dort/d sans sdb 4 500/11 200 ISK ;). De la station-service, suivez les panneaux indiquant la seule option à Höfn pour les budgets serrés, située à l'écart dans un quartier résidentiel et jouissant d'une vue unique. Bien qu'immense (il occupe une ancienne maison de retraite), l'endroit est souvent bondé en été. On y trouve tout le nécessaire : une laverie et une cuisine (mais pas d'espace détente). Remise de 700 ISK pour les membres HI ; 1 650 ISK la location de draps.

♥ **Guesthouse Dyngja** PENSION €€
(846 0161 ; www.dyngja.com ; Hafnarbraut 1 ; d sans sdb petit-déj inclus à partir de 18 500 ISK ;). Derrière cette petite pension de 5 chambres, idéalement située sur le port, se cache un jeune et adorable couple ayant su insuffler charme et gaieté à l'endroit. On relèvera notamment les couleurs vives, le tourne-disque et la collection de vinyles, le petit-déjeuner en self-service, la terrasse et les bons conseils sur la région. Nouvel ajout intéressant : une suite avec sdb, en bas.

Hótel Edda HÔTEL €€
(444 4850 ; www.hoteledda.is ; Ránarslóð 3 ; s/d 24 700/27 200 ISK ; mi-mai à sept ;). Avec une terrasse et un salon superbes, l'hôtel Edda, bien situé près du port, est un bon choix. Les gérants sont nouveaux. Toutes les chambres, nettes et sans chichis, ont des sdb, et certaines une vue sur les glaciers.

Nýibær Guesthouse PENSION €€
(478 2670 ; nyibaerguesthouse.wordpress.com ; Hafnarbraut 8 ; d avec/sans sdb petit-déj inclus 26 500/21 500 ISK ;). Cette jolie pension confortable ne permet pas de cuisiner mais sert un bon petit-déjeuner. Elle loue 8 chambres plutôt chères, dont 2 avec sdb, et une chambre familiale logeant 4 personnes. On y vend de très jolies mitaines et chaussettes tricotées main !

Höfn Inn HÔTEL €€
(478 1544 ; www.hofninn.is ; Vesterbraut 3 ; s/d petit-déj inclus à partir de 15 000/21 000 ISK ;). Cet endroit moderne et original, à deux pas de la station-service N1 à l'entrée de la ville, dispose de 12 chambres spacieuses. La décoration est parfois surprenante (sol en galets, œuvres d'art kitsch, étranges chaises en forme de main) mais les prestations sont correctes dans l'ensemble, avec sdb, TV et bouilloire dans chaque chambre.

Hótel Höfn HÔTEL €€€
(478 1240 ; www.hotelhofn.is ; Víkurbraut ; d petit-déj inclus à partir de 28 000 ISK ;). Cet hôtel d'affaires est souvent occupé par des groupes en été. Les chambres, rénovées avec goût dans des tons neutres, disposent d'une TV écran plat ; demandez-en une avec vue imprenable sur le glacier, mais d'autres clients auront certainement eu la même idée ! Également sur place, le tout nouveau restaurant **Ósinn** (plats dîner 3 940-6 490 ISK), ouvert toute l'année.

Où se restaurer et prendre un verre

Le humar (langoustine, ou "homard islandais") est la spécialité de Höfn, habituellement servi grillé (juste la queue ou l'animal entier) dans du beurre à l'ail. Les prix commencent à plus de 6 000 ISK. Si votre budget ne vous l'autorise pas, vous trouverez toujours des options moins onéreuses, à base de crustacés également, comme la bisque, les sandwichs et la pizza ou les pâtes aux langoustines.

Hafnarbúðin RESTAURATION RAPIDE €
(Ránarslóð ; en-cas et repas 320-1 550 ISK ; 9h-22h). Ce petit restaurant à l'ancienne est un sympathique survivant de l'espèce, avec son ambiance joyeuse et sans prétention, et un menu de grill typique : hamburgers et sandwichs toastés – celui à la langoustine est peut-être le moins cher de la ville (1 200 ISK). Il y a même un comptoir de vente à emporter pour automobilistes !

Kaffi Nýhöfn CAFÉ €€
(www.nyhofn.is ; sandwichs 800-2 500 ISK ; 10h30-18h30 juin-août). Dans ce mignon "bistrot nordique", le service est agréable et la carte affiche d'intéressantes tartines danoises et des gâteaux. Il occupe la maison construite par le premier habitant de Höfn, en 1897, qui a gardé son atmosphère d'antan.

Kaffi Hornið ISLANDAIS €€
(478 2600 ; www.kaffihorn.is ; Hafnarbraut 42 ; buffet déj 2 100 ISK, plats 1 590-7 390 ISK ; 11h30-23h). Ce chalet abrite un bar-restaurant sans prétention. L'ambiance est plus sophistiquée chez Humarhöfnin et chez Pakkhús, mais les plats de langoustines sont quasiment aux mêmes prix. Le buffet de soupes et de salades du déjeuner est bon, et la carte va des hamburgers de renne aux côtes d'agneau. Bon choix de bières artisanales.

Humarhöfnin ISLANDAIS €€€
(478 1200 ; www.humarhofnin.is ; Hafnarbraut 4 ; plats 3 900-7 900 ISK ; 12h-22h juin-août, 18h-22h avr-mai et sept). Humarhöfnin sert de la "langoustine gastronomique" dans un cadre soigné et chaleureux, où une grande attention est portée aux détails : les rebords de fenêtre sont décorés de plantes aromatiques et les tables de roses. Les prix des plats à base de langoustines commencent à 6 000 ISK, mais il existe aussi un choix plus économique : une délicieuse baguette à la langoustine (3 900 ISK).

Pakkhús ISLANDAIS €€€
(478 2280 ; www.pakkhus.is ; front de mer ; plats 3 190-6 000 ISK ; 12h-22h mai-sept). Un menu vous donnant le nom du bateau qui ramène son produit phare, la langoustine, mérite un coup de chapeau. Situé dans un entrepôt du port, le Pakkhús offre une cuisine d'une inventivité rare dans l'Islande rurale. Langoustine locale de premier ordre, agneau et canard séduiront vos papilles, et les desserts subtils concluront le repas en beauté : qui peut résister à un mets baptisé "skyr du volcan" ?

Nettó SUPERMARCHÉ
(Miðbær ; 9h-20h lun-ven, 9h-18h sam, 12h-18h dim juin-août, horaires réduits sept-mai). Supermarché (avec boulangerie) dans le centre commercial Miðbær. Faites des provisions – la prochaine épicerie, dans les deux directions, est à des kilomètres !

Vínbúðin VINS ET SPIRITUEUX
(Miðbær ; 14h-18h lun-jeu, 11h-19h ven, horaires réduits sept-mai). Chaîne gouvernementale de vins et spiritueux.

Renseignements

Centre d'information de Gamlabúð
(470 8330 ; www.visitvatnajokull.is ; 8h-20h juin-août, 10h-18h mai et sept, 10h-12h et 16h-18h oct-avr). Sur le front de mer, Gamlabúð abrite un centre d'information des visiteurs sur le parc national comportant une belle exposition, ainsi qu'un office du tourisme local. Renseignez-vous ici sur les activités et les sentiers des environs.

Depuis/vers Höfn

AVION

L'aéroport de Höfn se trouve à environ 6,5 km au nord-ouest de la ville. **Eagle Air** (562 2640 ; www.eagleair.is) assure toute l'année une liaison entre Reykjavík et Höfn (28 100 aller).

BUS

Bizarrement, les compagnies qui traversent Höfn ne s'arrêtent pas toutes au même endroit : renseignez-vous pour savoir où se trouve l'arrêt qui vous concerne.

Les bus circulant de Höfn à Reykjavík s'arrêtent dans les localités et aux sites les plus importants : Jökulsárlón, Skaftafell, Kirkjubæjarklaustur, Vík, Skógar, Hvolsvöllur, Hella et Selfoss.

Notez qu'il n'y a pas de correspondance en hiver entre Egilsstaðir et Höfn (le bus n°62a ne circule pas). Les prix indiqués sont ceux de 2014.

SBA-Norðurleið (550 0720 ; www.sba.is, arrêt à la station-service N1) :

- Bus n°62a pour Egilsstaðir (8 800 ISK, 5 heures, 1/jour juin à mi-sept). S'arrête à Djúpivogur, Breiðdalsvík et aux fjords le long des Routes 92 et 96.
- Bus n°62a pour Mývatn (14 400 ISK, 7 heures 30, 1/jour juin à mi-sept).
- Bus n°62a pour Akureyri (17 800 ISK, 9 heures 15, 1/jour juin à mi-sept).

Sterna (☎ 551 1166 ; www.sterna.is ; arrêts au camping et à l'auberge de jeunesse) :
➡ Bus n°12a pour Reykjavík (9 900 ISK, 10 heures 45, 1/jour juin à mi-sept).

Strætó (☎ 540 2700 ; www.straeto.is ; arrêt devant la piscine) :
➡ Bus n°51 pour Reykjavík (10 150 ISK, 7 heures, 2/jour juin à mi-sept, 1/jour le reste de l'année).

Reykjavík Excursions (☎ 580 5400 ; www.re.is ; arrêt à la station-service N1) :
➡ Bus n°19 pour Skaftafell (5 500 ISK, 4 heures 15, 1/jour mi-juin à mi-sept). S'arrête 2 heures 30 à Jökulsárlón. On peut l'emprunter pour un circuit d'une journée avec retour à Höfn (avec 5 heures d'arrêt à Skaftafell, aller-retour 9 500 ISK).

De Höfn à Djúpivogur

Les 105 km qui longent la partie sud-est de l'Islande, entre Höfn et Djúpivogur, présentent également des panoramas incroyables. La route ne passe que devant une poignée de fermes, au pied de sommets vertigineux. Il n'y a pas de localités, et aucun endroit pour une pause-café (ou toilettes) à moins de faire un détour par le Viking Cafe (p. 323).

Lón

Le nom de Lón (qui signifie "lagune") résume la nature de cette baie peu profonde encadrée par deux longues langues de terre, entre les monts Eystrahorn et Vestrahorn (indiqués Austurhorn et Vesturhorn sur certaines cartes), quelque peu effrayants. Au nord-ouest s'étend le delta de la rivière **Jökulsá í Lóni**, où vient nicher une énorme colonie de cygnes au printemps et à l'automne.

À l'instar d'autres montagnes de la région, le pic de batholite **Eystrahorn**, à l'extrémité est de Lón, a été formé par une intrusion ignée de la subsurface, progressivement révélée par l'érosion. Il offre le meilleur accès pour se promener sur la bande de sable qui ferme le côté est de Lón.

À l'ouest de Lón, l'imposant **Vesturhorn** et son comparse le **Brunnhorn** forment un cap entre Skarðsfjörður et Papafjörður. Prenez la route balisée jusqu'à Stokksnes pour explorer cette zone saisissante appelée Horn – c'est là qu'on trouve le Viking Cafe (p. 323), ainsi qu'un propriétaire qui fait payer l'accès à ses terres.

Stafafell

Au milieu de nulle part, Stafafell est une ferme solitaire au pied des montagnes. C'est une base de randonnée idéale pour explorer le Lónsöræfi. Le site www.stafafell.is est une mine d'informations.

Trois frères possèdent la ferme : l'un d'eux tient une pension et loue quelques bungalows tout simples ; un second gère un camping sommaire en été. On ne peut pas acheter de nourriture : vous devez apporter vos provisions de Höfn (à 35 km) ou de Djúpivogur (70 km).

Les possibilités de balades d'une journée sont nombreuses dans les vallées au nord de Stafafell. Le sentier bien balisé reliant Stafafell et **Hvannagil**, canyon de rhyolite coloré sur la rive est de la rivière Jökulsá í Lóni, offre peut-être la plus belle randonnée d'une journée de la région (14,3 km ; 4-5 heures aller-retour). Les fermiers vous fourniront plus de détails.

Les bus circulant entre Höfn et Egilsstaðir traversent Stafafell et s'arrêtent sur demande.

🛏 Où se loger

Stafafell Guesthouse PENSION, BUNGALOWS €
(☎ 478 1717 ; www.stafafell.is ; ch sans sdb 3 750/pers, bungalows 15 000 ISK). Abritée dans une ferme rustique à côté de l'église, cette modeste pension est pourvue d'une cuisine. On y trouve aussi une poignée de bungalows indépendants pouvant accueillir 4 personnes. Draps non inclus (location 1 750 ISK/pers).

Lónsöræfi

Si vous voyagez en Islande pour découvrir l'ermite qui est en vous, la réserve naturelle reculée et accidentée de Lónsöræfi est idéale. Cette zone protégée de l'intérieur, à la hauteur de Staftafell, recèle des montagnes de rhyolite colorées, et avec ses 320 km², est l'une des plus grandes réserves d'Islande.

Les randonnées dans cette région sont ardues et réservées aux marcheurs chevronnés (certains itinéraires nécessitent de traverser des rivières importantes). Les plus longues se dirigent vers la partie est du Vatnajökull, et vers le nord-ouest jusqu'à Snæfell (voir p. 281). Il y a des sites de camping dans la réserve, et des refuges de montagne le long du sentier de Snæfell à

VAUT LE DÉTOUR

CAFÉ VIKING

À environ 7 km à l'est de l'embranchement pour Höfn, juste avant que la Route circulaire ne s'engage dans un tunnel au col d'Almannaskarð, suivez les panneaux indiquant la station radar de Stokksnes, au sud. Après 4,5 km, dans un cadre sauvage dominé par le mont Litla Horn, découvrez un adorable petit avant-poste : le **Viking Cafe** (www.vikingcafe-iceland.com ; ⌚9h-19h juin à mi-sept). Prenez le temps d'avaler un bon café, une part de gâteau ou des gaufres.

C'est le propriétaire de la ferme qui tient le café, et il fait payer 600 ISK aux visiteurs pour explorer son incroyable domaine, qui comprend un décor de cinéma figurant un pittoresque village viking, et des kilomètres de plage de sable noir.

Notez que le décor de cinéma, construit en 2009 par le réalisateur islandais Baltasar Kormakúr, s'animera peut-être très bientôt, lorsque le cinéaste dirigera *Vikings*, un projet de film sur lequel il travaille depuis plus de dix ans. Espérons que le décor restera en place après le tournage !

Vous pouvez camper dans les environs, avec l'autorisation du propriétaire (1 000 ISK/pers).

Lónsöræfi, qui se termine (ou commence) au parking d'Illikambur.

La seule route de la réserve est la F980, une piste cahoteuse de 25 km qui se termine à Illikambur. Elle ne convient qu'aux conducteurs expérimentés au volant d'une Super-Jeep – il y a une rivière profonde et rapide à traverser, et les petits 4x4 n'y parviendront pas. Contactez **Fallastakkur** (☎478 1517 ; www.fallastakkur.is) si vous voulez que l'on vous conduise depuis/vers Lónsöræfi (10 000 ISK aller, 2 personnes minimum).

Bien que Lónsöræfi ne fasse pas partie du parc national du Vatnajökull, le site Web du parc (www.vatnajokulsthjodgardur.is) détaille les sentiers de randonnée qui y conduisent, et les centres de visiteurs de Skaftafell, Höfn et Skríðuklaustur (à l'est, qui couvrent la zone du parc national autour de Snæfell) peuvent vous conseiller et vous vendre les cartes topographiques dont vous aurez sûrement besoin. Le site Web de la pension Stafafell donne aussi de bons renseignements sur la manière d'accéder à la région (www.stafafell.is).

Circuits organisés

Iceguide CIRCUITS AVENTURE
(☎661 0900 ; www.iceguide.is). Óskar, basé à Höfn, organise des circuits d'une journée en Super-Jeep à Lónsöræfi, qui comprennent quelques heures de randonnée, des marches glaciaires et des visites de grottes de glace. Prévoyez 21 900 ISK par personne (2 personnes minimum). Un excellent choix pour les randonneurs moins aguerris.

Icelandic Mountain Guides CIRCUIT DE RANDONNÉE
(IMG ; ☎587 9999 ; www.mountainguide.is). IMG propose une traversée de 5 jours (50 km, à partir de 119 000 ISK) dans le Lónsöræfi, avec hébergement en refuge (en voyageant du nord au sud). Vous retrouvez ce trek sur le site Internet de l'agence, sous le nom de “In the Shadow of Vatnajökull”.

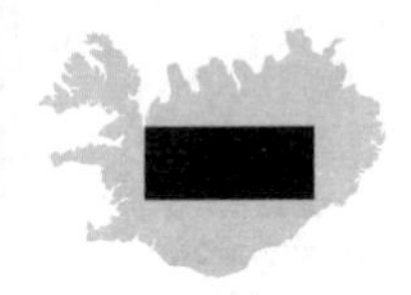

Les hautes terres

Dans ce chapitre

Le top des merveilles naturelles

- Askja (p. 333)
- Herðubreið (p. 333)
- Hveravellir (p. 328)
- Kverkfjöll (p. 335)
- Drekagil (p. 333)
- Kerlingarfjöll (p. 328)

Le top des lieux où se baigner

- Víti (p. 334)
- Hveravellir (p. 328)
- Laugafell (p. 330)
- Kerlingarfjöll (p. 328)

Pourquoi y aller

Les voyageurs qui ont suivi la Route circulaire en pensant que les villes et les stations-service étaient bien rares, et que les moutons étaient sans doute plus nombreux que les hommes, n'ont encore rien vu. Dans les hautes terres intérieures, les services, les hébergements et les ponts sont quasiment inexistants, tout comme les secours en cas de problème.

En regardant ces étendues désolées, on pourrait se croire dans l'outback australien, ou sur la Lune. Les astronautes d'*Apollo* se sont d'ailleurs entraînés ici avant de marcher sur la Lune.

Cet isolement constitue le principal attrait de la région. Si certains sont déçus par les paysages extrêmement austères, d'autres sont éblouis par la splendeur de la nature à l'état brut. La solitude est exaltante et les panoramas sont immenses, mais l'accès est limité ; les routes réservées aux 4×4 ne sont généralement ouvertes qu'au milieu de l'été, et sont aussi desservies par des bus tout-terrain. Les parcourir à vélo ou à pied est tout aussi éprouvant que gratifiant.

Bon à savoir

Piste de Kjölur (Route 35). Route nord-sud à travers la contrée. Desservie par des bus en été. Pas de rivière à traverser à gué.

Piste de Sprengisandur (Route F26). Route nord-sud à travers la contrée. Desservie par des bus en été.

Öskjuleið (piste d'Askja ; Route F88 ou F905/910). Accès depuis le nord de l'Islande à la caldeira d'Askja et au mont Herðubreið. Desservie par de nombreux tour-opérateurs, en particulier de Mývatn.

Piste de Kverkfjöll (Routes F905, F910, puis F902). Accès du nord de l'Islande (ou de l'est, via la Route 910) aux grottes de glace du Kverkfjöll. Desservie par quelques tour-opérateurs.

Piste de Kjölur (Kjalvegur)

Pour découvrir les déserts centraux de l'Islande en évitant de traverser des rivières à gué, la piste de Kjölur, longue de 200 km, comporte des ponts sur tous les cours d'eau. En été, des bus quotidiens l'utilisent même comme "raccourci" entre Reykjavík et Akureyri. Si le bus semble attrayant à première vue, sachez qu'après une heure d'émerveillement dans ce paysage désolé, il reste 9 heures facilement soporifiques si vous ne descendez pas en chemin.

En venant du sud, la Route 35 débute juste après Gullfoss, et traverse deux grands glaciers avant d'arriver près de Blönduós sur la côte nord-ouest. Elle atteint son plus haut point (environ 700 m) entre les calottes glaciaires de Langjökull et de Hofsjökull, près du mont Kjalfell (1 000 m). Sa section nord passe par Blöndulón, un grand lac artificiel exploité par la centrale hydroélectrique Blanda. L'état de la route est meilleur au nord qu'au sud.

La piste de Kjölur ouvre habituellement mi-juin et ferme en septembre, selon les conditions climatiques. Notez qu'elle est indiquée Route 35 (et non F35) ; il s'agit bien d'une route de montagne, et même s'il est techniquement possible de l'emprunter en voiture de tourisme, nous vous le déconseillons (des nids-de-poule/ornières sont presque assez profonds pour engloutir une voiture, vous risquez d'endommager le châssis et le trajet sera lent et cahoteux). Les compagnies de location interdisent formellement de conduire leurs voitures ordinaires sur cet itinéraire.

Circuits organisés

Une recherche sur Internet vous indiquera des circuits à pied, à vélo ou à cheval le long de la piste de Kjölur (cherchez également "Kjalvegur").

Icelandic Mountain Guides (☎ 587 9999 ; www.mountainguides.is) propose d'excellentes randonnées dans les hautes terres, dont un trek de 4 jours (45 km) le long de la piste de Kjölur, entre Hveravellir et Hvítárvatn (à partir de 130 000 ISK).

Hvítárvatn

Le lac bleu pâle de Hvítárvatn, à 35 km au nord-est de Gullfoss, est la source de la rivière glaciaire Hvítá, une destination prisée des opérateurs de rafting de Reykjavík. Une langue du Langjökull, la seconde plus grande calotte glaciaire d'Islande,

COMMENT CIRCULER

Conditions climatiques Imprévisibles et la neige n'est pas rare, même en plein été. Pour les prévisions, consultez www.vedur.is.

Date d'ouverture des routes Dépend de la météo, et survient généralement entre début juin et début juillet. Consultez www.vegagerdin.is.

4x4 Les pistes des hautes terres sont réservées aux robustes 4x4 surélevés, car le terrain est accidenté et les traversées de rivière souvent dangereuses.

Convoi Il est recommandé de voyager à deux voitures, ainsi si l'une s'embourbe ou tombe en panne, l'autre pourra la tirer, chercher de l'aide ou conduire les passagers à l'abri. La circulation étant plus importante en juillet et août sur les itinéraires les plus populaires, cette précaution n'est pas absolument nécessaire en été, mais recommandée si vous suivez des pistes moins fréquentées.

Carburant La seule station-service des hautes terres se trouve à Hrauneyjar, au sud de la piste de Sprengisandur. Faites le plein avant de partir.

Bus et/ou circuits Ils constituent une bonne alternative. Vous pouvez prendre les bus 4x4 d'été sur les pistes de Kjölur et de Sprengisandur comme des circuits d'une journée (par exemple, de Reykjavík à Akureyri), ou comme des bus réguliers, en faisant étape le long de l'itinéraire. Les tour-opérateurs proposent des Super-Jeep confortables et des chauffeurs/guides expérimentés.

Voies balisées Dans les hautes terres, comme partout en Islande, restez sur les routes et les chemins balisés. Illégale, la conduite hors piste endommage gravement le fragile écosystème islandais.

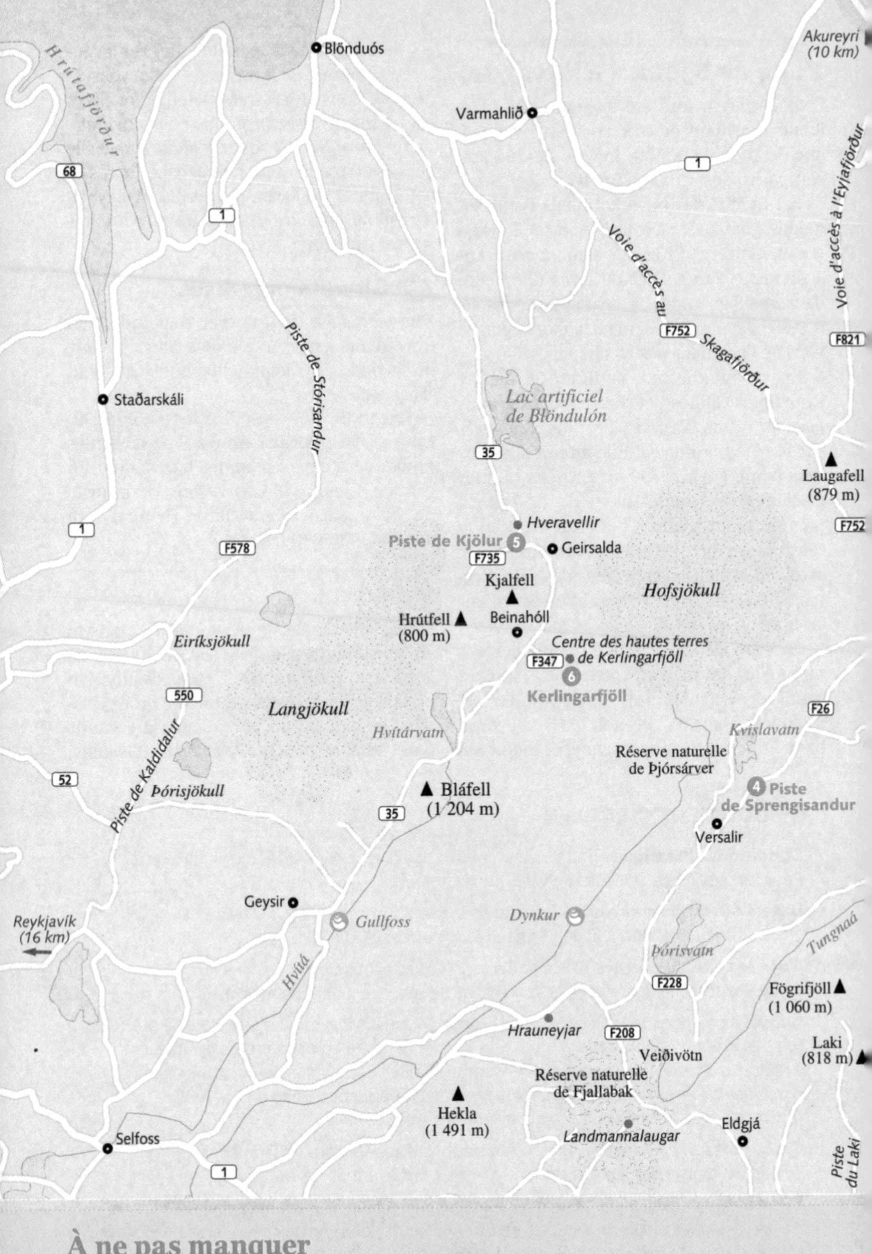

À ne pas manquer

1. Une randonnée dans le champ de lave venteux d'**Askja** (p. 333), puis un plongeon dans l'eau tiède du cratère Víti

2. Les sculptures de glace dans les grottes géothermiques du **Kverkfjöll** (p. 335)

3. Un hommage à la "Reine des montagnes", l'**Herðubreið** (p. 333)

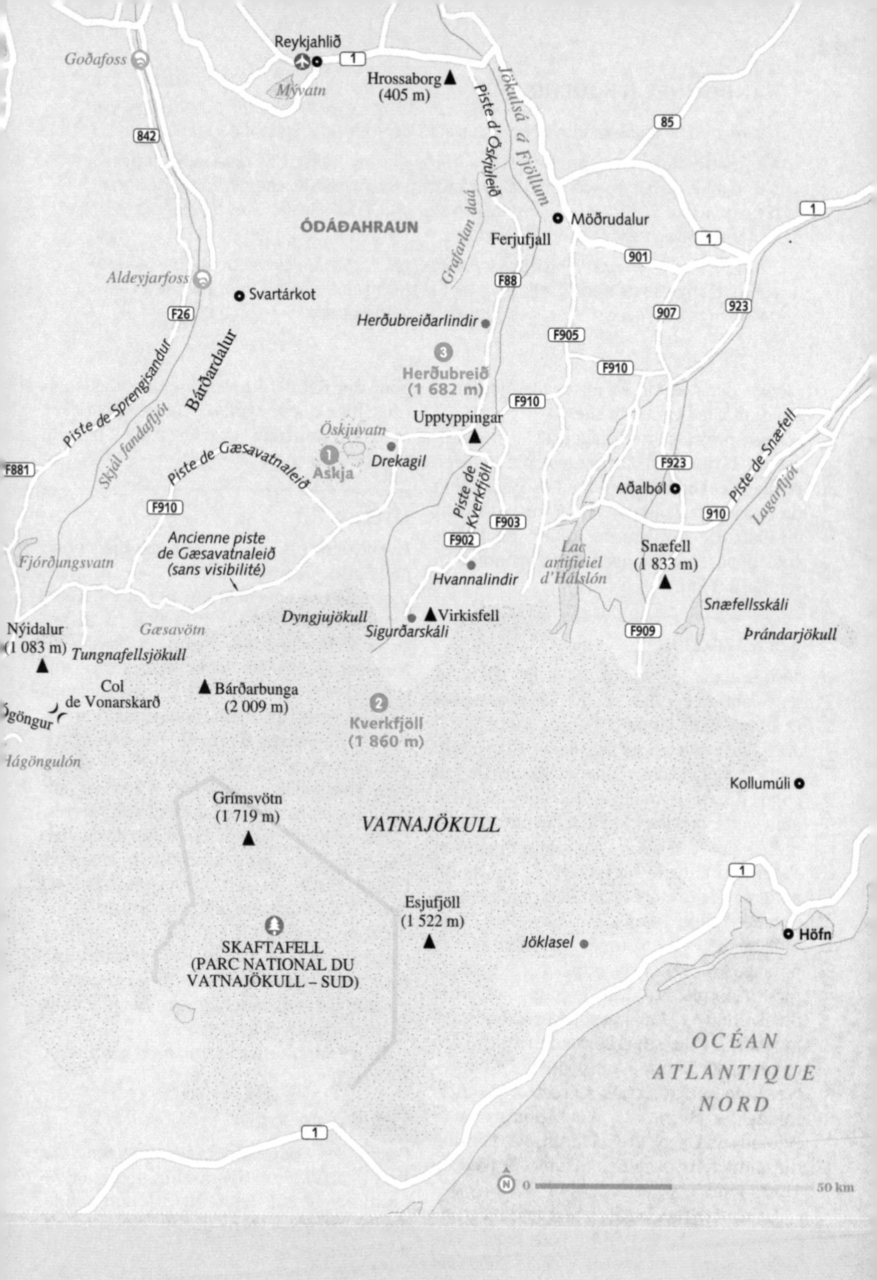

4 Une pensée pour les fantômes et les proscrits sur la **piste de Sprengisandur** (p. 329), la plus longue et la plus isolée d'Islande

5 Des haltes aux sources thermales et aux rochers escarpés que l'on gravit facilement le long de la **piste de Kjölur** (p. 325)

6 Les nouveaux chemins qui sillonnent le majestueux massif de **Kerlingarfjöll** (p. 328)

RANDONNÉE À KJÖLUR

À la recherche d'une randonnée de plusieurs jours en indépendant dans la région ?

Ancienne piste de Kjalvegur (www.fi.is/en/hiking-trails). Une randonnée facile et pittoresque de 3 jours (39 km) de Hvítárvatn à Hveravellir. Le chemin suit l'ancienne piste cavalière de Kjölur (à l'ouest de la piste actuelle), via les refuges de montagne de Hvítárnes, Þverbrekknamúli et Þjófadalir.

Hringbrautin (www.kerlingarfjoll.is/routes). Un éprouvant circuit de 3 jours (47 km) autour du massif de Kerlingarfjöll, partant et s'achevant au centre des hautes terres de Kerlingarfjöll, avec des refuges à Klakkur et Kisubotnar.

plonge dans le lac et forme des icebergs, ajoutant à la beauté du site.

Les prairies marécageuses au nord-est du Hvítárvatn abritent le plus ancien refuge de Ferðafélag Íslands (Association du tourisme islandais), Hvítárnes, construit en 1930. De la piste de Kjölur, où le bus vous déposera, une piste de 4x4 conduit au refuge, à 8 km.

Kerlingarfjöll

Jusque dans les années 1850, les Islandais croyaient que cette chaîne de montagnes (à 10 km de la Route 35 sur la Route F347) abritait de dangereux hors-la-loi. On pensait qu'ils vivaient dans une vallée isolée, au cœur de ce massif de 150 km². Si forte était cette croyance qu'il fallut attendre le milieu du XIXe siècle pour que quelqu'un s'aventure dans le Kerlingarfjöll, qui ne fut entièrement exploré qu'en 1941 par l'association Ferðafélag Íslands.

Parsemé de sources thermales, ce paysage coloré, entrecoupé d'arêtes et de pics déchiquetés - dont le plus haut est le Snækollur (1 477 m) –, est assurément spectaculaire. Une superbe marche de 5 km (1 heure 30) conduit du centre des hautes terres de Kerlingarfjöll au secteur géothermique de Hveradalir. Vous pouvez aussi rejoindre en voiture (15 min) le parking du mont Keis, à courte distance à pied de Hveradalir.

Le **centre des hautes terres de Kerlingarfjöll** (☎été 664 7878, toute l'année 664 7000 ; www.kerlingarfjoll.is ; empl 1 550 ISK/pers, d avec sdb et petit-déj 29 300 ISK ; ⊙mi-juin à mi-sept ;) compte quelques bungalows et maisons, avec douche ou sdb commune et draps en supplément (option duvet 4 950-6 500 ISK), un camping, une cuisine commune, un restaurant correct et des *hot pots* naturels. Consultez le site Internet pour des détails sur les chemins des environs. Bien que le symbole figure encore sur certains panneaux et cartes, il n'y a plus de pompe à essence.

Hveravellir

Hveravellir est un secteur géothermique populaire de fumerolles et de sources thermales, signalé à 30 km au nord de l'embranchement vers Kerlingarfjöll (à 90 km au nord de Gullfoss). Parmi les bassins se trouvent le Bláhver, d'un bleu scintillant, l'Öskurhólshver, qui émet un jet constant de vapeur, et un magnifique bassin artificiel. Autre source thermale, l'Eyvindurhver doit son nom au hors-la-loi Fjalla-Eyvindur. Hveravellir aurait été l'une de ses nombreuses cachettes dans les hautes terres.

Hveravellir (☎été 452 4200, toute l'année 894 1293 ; www.hveravellir.is ; empl/dort 1 200/4 500 ISK par pers ; ⊙mi-juin à mi-sept) possède 2 refuges de randonneurs de 50 lits (location de draps 1 400 ISK ; ch privée à partir de 8 000 ISK/pers), un camping, une cuisine (réservée aux hôtes des refuges) et un café. Le personnel vous renseignera sur les randonnées et les activités.

Il n'y a plus de pompe à essence à Hveravellir.

Où se loger

Outre les populaires hébergements à Kerlingarfjöll et Hveravellir, deux organisations gèrent des refuges le long de la piste (apportez votre duvet). Réservation indispensable.

Ferðafélag Íslands REFUGE €
(☎568 2533 ; www.fi.is ; dort 4 500-5 000 ISK). Les refuges suivants disposent de toilettes et d'une cuisine (sans ustensiles). Du sud au nord : **Hvítárnes** (N 64°37.007', W 19°45.394' ; 30 pers), au nord-est du lac Hvítárvatn, tenu par un gardien bénévole en juillet et août ;

TERRITOIRES HORS LA LOI

Traditionnellement en Islande, les proscrits perdaient tous leurs droits et leurs ennemis pouvaient les tuer sans conséquence. De nombreux *útilegumenn* (hors-la-loi), tel le fameux Eiríkur Rauðe (Erik le Rouge), s'exilèrent à l'étranger. D'autres se réfugièrent dans les montagnes et les vallées de l'arrière-pays, où rares étaient ceux qui osaient les poursuivre.

Quiconque pouvait survivre une année entière dans ces déserts désolés devait être hors du commun. Les hors-la-loi islandais étaient crédités de toutes sortes d'exploits terribles, et la population craignait ces territoires inhospitaliers, considérés comme le repaire du Mal. Les *útilegumenn* vinrent ainsi grossir les rangs des géants et des trolls, et enrichir les récits populaires, comme la fantastique *Saga de Grettir*.

Un hors-la-loi devint le sujet de quantité de légendes. Fjalla-Eyvindur ("Eyvindur des montagnes"), un charmant et incorrigible voleur du XVIIIe siècle, s'enfuit dans les hautes terres avec son épouse et continua à se faire des ennemis en volant des moutons pour survivre. Dans toute la région, vous verrez des abris et des cachettes où il se serait terré, et vous entendrez des récits sur sa capacité à survivre dans des conditions extrêmes, sans se laisser rattraper par ses poursuivants.

Þverbrekknamúli (N 64°43.100', W 19°36.860' ; 20 pers), à environ 4 km de la petite calotte glaciaire de Hrútfell ; et **Þjófadalir** (N 64°48.900', W 19°42.510' ; 12 pers), au pied du mont Raudkollur, à 12 km au sud-ouest de Hveravellir.

Gljásteinn REFUGE €
(☎486 8757 ; www.gljasteinn.is ; empl/dort 1 000/4 500 ISK par pers ; ⊙mi-juin à août). Possède 3 refuges bien équipés en bord de route ou à proximité. Du sud au nord : **Fremstaver** (N 64°45.207', W 19°93.699' ; 25 pers), sur le versant sud du mont Bláfell ; **Árbúðir** (N 64°609.036', W 19°702.947' ; 30 pers), sur les berges de la Svartá, au bord de la Route 35 à 42 km au nord de Gullfoss (les bus Sterna s'y arrêtent) ; et **Gíslaskáli** (N 64°744.187', W 19°432.508' ; 50 pers), à 4 km au nord de l'embranchement vers Kerlingarfjöll et à 1 km de la Route 35.

ℹ Depuis/vers la piste de Kjölur (Kjalvegur)

BUS

En été, des bus circulent régulièrement le long de la piste de Kjölur entre Reykjavík et Akureyri (dans les deux sens). Ces liaisons sont comprises dans certains forfaits de bus.

SBA-Norðurleið (☎550 0770, 550 0700 ; www.sba.is) :

➡ Bus n°610 Reykjavík-Akureyri, n°610a Akureyri-Reykjavík (15 000 ISK, 10 heures 30, 1/jour mi-juin à début sept). Arrêts de 30 min à Geysir et Gullfoss, de 15 min à Kerlingarfjöll et de 1 heure à Hveravellir (le temps d'une baignade).

Sterna (☎551 1166 ; www.sterna.is) :

➡ Bus n°F35 Reykjavík-Akureyri, n°F35a Akureyri-Reykjavík (13 900 ISK, 13 heures, 1/jour mi-juin à début sept). Envisagez-le comme un circuit d'une journée : arrêts le long du Cercle d'or (à Gullfoss et Geysir notamment), et haltes de 2 heures 30 à Kerlingarfjöll et de 30 min à Hveravellir.

VÉLO

De tous les itinéraires de l'arrière-pays, la piste de Kjölur est la plus propice au cyclotourisme.

VOITURE

Les conducteurs de 4x4 ne rencontreront aucun problème sur la piste de Kjölur. En revanche, aucune agence de location n'acceptera de vous assurer si vous souhaitez l'emprunter avec une voiture de tourisme.

Si vous disposez d'une voiture ordinaire et souhaitez avoir un aperçu des hautes terres, sachez que les 14 premiers kilomètres de la piste (au nord de Gullfoss) sont asphaltés.

Piste de Sprengisandur

Pour les Islandais, le nom de Sprengisandur évoque des hors-la-loi, des fantômes et de longs cortèges de moutons dans un paysage désolé. La piste de Sprengisandur (F26), la plus longue d'Islande sur un axe nord-sud, traverse d'inquiétantes landes désertiques.

Sprengisandur offre des panoramas splendides sur le Vatnajökull, le Tungnafellsjökull et l'Hofsjökull, ainsi que sur Askja et Herðubreið à l'ouest. Une piste plus ancienne, aujourd'hui abandonnée, court à quelques kilomètres à l'ouest.

La piste de Sprengisandur part de la Route 842, près de Goðafoss, dans le nord-ouest de l'Islande. Après quelque 41 km, vous passez sous un portail métallique rouge alors que la route devient la F26. Une affiche indique les sites et les plus beaux endroits de la route ; 3 km plus loin, vous découvrez l'une des plus belles cascades du pays, **Aldeyjarfoss**. L'eau dévale de la falaise dans une gorge étroite, bordée d'orgues basaltiques caractéristiques.

Après la cascade, la piste continue sur 240 km vers le sud-ouest à travers un territoire inhospitalier jusqu'à la Þjórsárdalur (Thjórsárdalur). Il existe deux autres itinéraires pour rejoindre Sprengisandur (voir p. 331), tous deux reliés à la route principale à mi-chemin.

La piste ouvre généralement début juillet.

Laugafell

Principal site en venant du Skagafjörður, le **Laugafell**, une montagne haute de 879 m, comporte quelques sources thermales sur son versant nord-ouest. À proximité, Ferðafélag Akureyrar possède un **refuge** (juil-août 822 5192 ; www.ffa.is ; N 65°01.614', W 18°19.923' ; empl/dort 1 200/6 000 ISK) de 35 lits, avec une cuisine et une magnifique piscine naturelle, chauffée par la géothermie. Un gardien est présent en juillet et août. Le reste de l'année, contactez FFA via son site Internet.

Quelques tour-opérateurs d'Akureyri, dont The Traveling Viking (p. 239), organisent des excursions en 4x4 d'une journée dans la région.

Nýidalur

Le Nýidalur (également appelé Jökuldalur), le massif juste au sud de la calotte glaciaire de Tungnafellsjökull, fut découvert par un voyageur égaré en 1845. Avec un camping, deux **refuges Ferðafélag Íslands** (juil-août 860 3334 ; www.fi.is ; N 64°44.130', W 18°04.350' ; empl/dort 1 200/6 500 ISK), qui peuvent accueillir jusqu'à 120 personnes, et de nombreuses possibilités de randonnée, l'endroit est idéal pour faire étape sur la piste de Sprengisandur. Les refuges disposent de cuisines (sans ustensiles) et de douches, et un gardien est présent en juillet-août.

Parmi les deux rivières, celle à 500 m du refuge peut être difficile à franchir, même avec un 4x4. Demandez conseil au gardien.

Þórisvatn

Avant que le cours de la Kaldakvísl soit dévié dans le Þórisvatn (Thórisvatn), le lac artificiel de la centrale hydroélectrique de Tungnaá dans le sud-ouest du pays, celui-ci couvrait une superficie de 70 km². Devenu depuis l'un des plus grands lacs d'Islande (85 km²), il s'étend à 11 km au nord-est du carrefour de la Route F26 et de la piste de Fjallabak.

Hrauneyjar

Étonnamment, à l'endroit le plus désolé (à l'ouest du Þórisvatn dans la région de Hrauneyjar), une pension et un hôtel ouvrent toute l'année ! Au croisement de la piste de Sprengisandur (F26) et de la F208 vers Landmannalaugar, ils sont pratiques pour explorer la région, sillonnée de chemins de randonnée balisés.

La **Hrauneyjar Guesthouse** (487 7782 ; www.hrauneyjar.is ; d avec/sans sdb 25 100/18 950 ISK, petit-déj inclus ; @) propose de petites chambres sommaires où l'on dort avec son duvet (s/d 10 350/12 800 ISK). De mi-juin à mi-septembre, les hôtes ont accès à une cuisine dans l'annexe ; un restaurant sans prétention sert le déjeuner et le dîner.

Pour plus de luxe – chambres confortables, bar, élégant restaurant, *hot pot* et sauna –, préférez l'**Hotel Highland** (487 7782 ; www.hotelhighland.is ; s/d petit-déj inclus 35 800/39 500 ISK ; @), à 1,4 km de la pension et tenu par les mêmes propriétaires.

Essence et diesel sont disponibles à la Hrauneyjar Guesthouse. En venant de l'ouest par la Route 32, une route asphaltée mène à Hrauneyjar. La pension loue des 4x4 (29 500 ISK les 12 heures !), ce qui vous permettra d'explorer les hautes terres si vous êtes venu avec une voiture ordinaire.

Veiðivötn

Cette région splendide, juste au nord-est de Landmannalaugar, est un enchevêtrement de petits lacs dans un bassin volcanique, un prolongement de la fissure qui a formé le Laugahraun dans la réserve naturelle de Fjallabak. C'est un endroit merveilleux à explorer, en parcourant les pistes de 4x4 qui serpentent à travers les sables de téphra entre les lacs (réputés pour la pêche à la truite). Pour rejoindre Veiðivötn, suivez la Route F228 à l'est de Hrauneyjar.

Depuis/vers la piste de Sprengisandur

BUS

En juillet-août, **Reykjavík Excursions** (☎580 5400 ; www.re.is) offre 2 services réguliers le long de la piste de Sprengisandur. Ils sont compris dans plusieurs forfaits de bus.

Services Reykjavík Excursions :

➡ Bus n°14 Landmannalaugar-Mývatn, n°14a Mývatn-Landmannalaugar (16 500 ISK, 10 heures, 3/sem juil-août). Service régulier, il s'utilise comme un bus touristique, avec de longs arrêts à Nýidalur, Aldeyjarfoss et Goðafoss.

➡ Bus n°17 Reykjavík-Mývatn, n°17a Mývatn-Reykjavík (20 500 ISK, 11 heures 30, 3/sem juil-août). Même commentaire que ci-dessus, avec des haltes à Nýidalur, Aldeyjarfoss et Goðafoss.

VOITURE

Il n'y a aucune station-service le long de la piste. Hrauneyjar se situe à 240 km de Goðafoss ; soyez prévoyant.

Les stations-service les plus proches sont à Akureyri (en venant de l'Eyjafjörður), à Varmahlíð (en venant du Skagafjörður), ou à Fosshóll, près de Goðafoss (en venant du nord par la route principale via Bárðardalur). Vous trouverez du carburant à Hrauneyjar si vous arrivez du sud.

Depuis l'Eyjafjörður Du nord, la F821, qui part du sud de l'Eyjafjörður (au sud d'Akureyri), rejoint l'itinéraire en provenance du Skagafjörður à Laugafell.

Depuis le Skagafjörður Du nord-ouest, la F752, longue de 81 km, relie le sud du Skagafjörður (la ville la plus proche est Varmahlíð sur la Route circulaire) et la piste de Sprengisandur. Les routes se rejoignent près du lac de Fjórðungsvatn, à 20 km à l'est d'Hofsjökull.

Öskjuleið (piste d'Askja)

L'Öskjuleið (ou Route F88) traverse les hautes terres jusqu'à l'Herðubreið (1 682 m), la "Reine des montagnes" chère aux Islandais, et l'immense caldeira d'Askja, la merveille la plus prisée du désert.

Principale route d'accès, la Route F88 part de la Route circulaire à 32 km à l'est du Mývatn à Hrossaborg, un cratère en forme d'amphithéâtre vieux de 10 000 ans ; il a servi de décor au film de science-fiction *Oblivion* (2013), avec Tom Cruise. On peut aussi accéder à l'Askja plus à l'est via les Routes F905 et F910 (près de Möðrudalur).

La F88, plate sur la majeure partie du trajet, longe la rive ouest de la rivière glaciaire Jökulsá á Fjöllum, serpente à travers un désert de téphra, puis sinue dans l'Ódáðahraun (littéralement "Champ de lave des Criminels"), un champ de lave accidenté de 4 400 km².

Après un long parcours dans les plaines érodées par la lave et les inondations, vous arriverez à la charmante oasis d'Herðubreiðarlindir, au pied de l'Herðubreið. La route se dirige alors vers l'ouest à travers des dunes et des coulées de lave, passe par les refuges de Dreki et grimpe à flanc de colline vers l'Askja, où vous laisserez votre voiture pour rejoindre à pied la caldeira, à 2,4 km.

L'Askja fait partie du vaste parc national du Vatnajökull, qui possède un site Internet très utile (www.vatnajokulsthjodgardur.is).

Activités

Pour les randonneurs indépendants, le site Internet de Ferðafélag Akureyrar (FFA, Touring Club d'Akureyri ; www.ffa.is) décrit le chemin de l'Askja. Ce chemin de randonnée du FFA, avec des refuges dans l'Ódáðahraun, part d'Herðubreiðarlindir et se termine à la ferme Svartárkot, dans la vallée supérieure de Bárðardalur (Route 843). Les lits dans les refuges doivent se réserver bien à l'avance au FFA ; consultez le site Internet.

Le site du parc national (www.vatnajokulsthjodgardur.is) offre également des renseignements sur les randonnées.

Mývatn Tours constitue le meilleur choix pour le transport des randonneurs dans la région. L'agence peut vous déposer à un refuge et venir vous récupérer quelques jours plus tard.

Circuits organisés

Randonnées

Ferðafélag Akureyrar RANDONNÉE (FFA ; ☎462 2720 ; www.ffa.is ; Strandgata 23, Akureyri). Deux fois par an (habituellement en juillet), Ferðafélag Akureyrar organise une randonnée de 5 jours d'un refuge à un autre (59 600 ISK/personne) le long du chemin de l'Askja. Consultez la page "*Touring Program*" sur son site ; le programme est en islandais, aussi cherchez "Öskjuvegur" en juillet pour voir les dates.

Icelandic Mountain Guides RANDONNÉE (IMG ; ☎587 9999 ; www.mountainguides.is). IMG propose des randonnées de plusieurs jours dans la région, dont une de 5 jours de Mývatn à Askja (95 km ; à partir de 115 900 ISK), et une autre de 6 jours d'Askja à Nýidalur (95 km ; à partir de 134 000 ISK).

Circuits en Super-Jeep

Plusieurs tour-opérateurs proposent des circuits en Super-Jeep à Askja, de mi-juin (quand la route ouvre) à septembre (aussi tard que le temps le permet).

D'Akureyri, prévoyez une longue journée (jusqu'à 15 heures) ; partez plutôt de Reykjahlíð à Mývatn (11-12 heures). Si vous préférez un rythme moins soutenu (et découvrir le calme absolu des soirées dans les hautes terres), choisissez un circuit de 2 jours.

Pour tous les circuits, vous devez apporter/commander votre pique-nique ; quelques opérateurs (Geo, Saga) font halte pour un café en fin d'après-midi à Möðrudalur. Prévoyez maillot de bain et serviette pour un plongeon dans le cratère Víti, à Askja.

Si vous manquez de temps, Mývatn Tours organise des vols panoramiques au-dessus d'Askja au départ de Mývatn.

Avec l'accroissement du tourisme ces dernières années, la plupart des tour-opérateurs offrent davantage d'excursions dans les hautes terres, dont des circuits de plusieurs jours, des randonnées guidées, et des treks en 4x4 vers des sites naturels moins connus. Ils proposent aussi plus de circuits en hiver (dans d'énormes Super-Jeep insensibles aux intempéries). Tous seront prêts quand le tourisme sera autorisé dans le secteur volcanique du Bárðarbunga. Consultez leurs sites Internet pour leurs offres et prix actualisés.

Fjalladýrð CIRCUITS EN JEEP
(☎471 1858 ; www.fjalladyrd.is). Installé à la ferme Möðrudalur sur la Route 901, un emplacement idéal pour accéder à Askja via la F905 et la F910. Hébergement et restauration de qualité à son point de départ. Les circuits à l'Askja coûtent 29 800 ISK. Propose également des sorties d'une journée pour escalader l'Herðubreið (31 000 ISK), ou visiter les grottes de glace du Kverkfjöll (31 000 ISK), ainsi que des circuits de 2 jours comprenant l'Askja, le Kverkfjöll et le Vatnajökull (65 800 ISK).

Fjallasýn CIRCUITS EN JEEP
(☎464 3941 ; www.fjallasyn.is). Des circuits quotidiens en bus depuis Reykjahlíð (à partir de 19 000 ISK), ainsi qu'en Super-Jeep (à partir de 29 000 ISK) ; consultez le site Internet pour leur description. Nombreuses explorations de l'arrière-pays (dont un circuit de 2 jours à Kverkfjöll sur demande) et randonnées guidées. Départ possible de l'agence à Húsavík.

PAYSAGES LUNAIRES

Si le désert infini de sable gris et de formations de lave déchiquetées d'Ódáðahraun vous semble appartenir à un autre monde, vous comprendrez pourquoi les astronautes de la mission *Apollo* vinrent à deux reprises dans les années 1960 pour effectuer des études astro-géologiques dans la région d'Askja (au sud de la F910, à l'est d'Askja).

Geo Travel CIRCUITS EN JEEP
(☎864 7080 ; www.geotravel.is). Circuits en petits groupes au départ de Reykjahlíð (27 500 ISK). En collaboration avec Fjallasýn, un circuit de 2 jours à Askja et Kverkfjöll (78 000 ISK).

Jeep Tours CIRCUITS EN JEEP
(☎898 2798 ; www.jeeptours.is). Alors que les autres compagnies approchent l'Askja depuis le nord, Jeep Tours propose des circuits uniques à partir d'Egilsstaðir, dans l'est. Visitez l'Askja (39 000 ISK) ou le Kverkfjöll (39 000 ISK) au cours d'un circuit d'une journée. Vous suivrez la Route 910 (goudronnée) jusqu'au barrage de Kárahnjúkar, avant d'emprunter des pistes de 4x4 moins connues. Panier-repas proposé.

Mývatn Tours CIRCUITS EN BUS
(☎464 1920 ; www.askjatours.is). Excursions dans un grand bus 4x4 tous les jours en juillet et août (21 000 ISK), et 3 ou 4 fois par semaine le reste de l'été (quand les routes sont ouvertes). C'est la meilleure option pour les randonneurs qui veulent rejoindre la région et reprendre le bus un autre jour.

Saga Travel CIRCUITS EN JEEP
(☎558 888 ; www.sagatravel.is). Des circuits très fiables à partir d'Akureyri ou de Mývatn (48 000/38 000 ISK depuis Akureyri/Mývatn), et un circuit plus lent de 2 jours, avec nuit en refuge ou camping (prix variable).

SBA-Norðurleið CIRCUITS EN BUS
(☎550 0700 ; www.sba.is). Propose un circuit hebdomadaire prisé de 3 jours Askja-Kverkfjöll-Vatnajökull de juillet à mi-/fin

août. SBA part d'Akureyri et prend des passagers à Mývatn. 42 900 ISK (guide compris ; nourriture et hébergement en sus).

Herðubreiðarlindir

L'oasis d'Herðubreiðarlindir, une réserve naturelle riche en mousses, en angéliques et en épilobes à feuilles larges (*Epilobium latifolium*, une fleur rose violacé de l'Arctique), a été créée par des sources naissant sous la coulée de lave de l'Ódáðahraun. La réserve offre une vue superbe sur l'Herðubreið (à condition que vous ne soyez pas accueilli par un épais brouillard ou une tempête de sable).

Le petit complexe touristique comprend un bureau d'information tenu par les gardiens en été, un camping et le confortable **refuge Þorsteinsskáli** (☎822 5191 ; www.ffa.is ; N 65°11.544', W 16°13.360' ; empl/dort 1 200/6 000 ISK), avec 30 lits, des douches et une cuisine.

Derrière le refuge se tient un autre repaire de Fjalla-Eyvindur ; il y aurait vécu pendant l'hiver 1774-1775, se nourrissant de racines d'angélique et de viande de cheval crue, conservée sur le toit de sa cachette pour retenir la chaleur.

Herðubreið

Montagne la plus caractéristique d'Islande, l'Herðubreið (1 682 m) est surnommé la "Reine des montagnes". Sa beauté a inspiré de nombreux peintres et poètes islandais.

Si l'Herðubreið (littéralement "large d'épaules") semble sorti d'un moule à gâteau, cette image correspond presque à la réalité. Il s'agit d'un mont *móberg*, formé par des éruptions volcaniques subglaciaires. Si la glace du Vatnajökull devait soudainement disparaître, le Grímsvötn et le Kverkfjöll ressembleraient plus ou moins à l'Herðubreið.

Une carte topographique ne vous sera d'aucun secours si vous souhaitez gravir l'Herðubreið. Aussi paisible et magnifique qu'il paraisse, l'ascension peut être épuisante et frustrante si vous n'êtes pas correctement préparé. Au printemps, quand le climat se réchauffe légèrement, de nombreux rochers chutent, modifiant les sentiers et la topographie. Des nuages enveloppent souvent la montagne, rendant l'orientation difficile. Un GPS est indispensable, de même qu'un casque, des crampons et un piolet.

Du refuge Þórsteinsskáli, un chemin balisé rejoint l'Herðubreið et vous pouvez faire le tour de la montagne en une journée. L'ascension de l'Herðubreið, jadis estimée impossible, fut réalisée pour la première fois en 1908. Dans des conditions optimales, vous pouvez gravir la montagne en été par le versant ouest en une longue journée. Cette ascension est difficile ; le risque de neige, de chutes de pierres, de glissement de terrain ou de mauvais temps la rend impossible sans un équipement adéquat. Ne partez pas seul, préparez-vous au mauvais temps, et discutez impérativement de votre projet avec les gardiens à Herðubreiðarlindir. Envisagez une expédition organisée par Fjalladýrð (p. 332) ou Fjallasýn (p. 332).

Drekagil

La gorge de Drekagil ("gorge du Dragon"), à 35 km au sud-ouest de l'Herðubreið, doit son nom à la formation rocheuse (en forme de dragon) qui la surplombe. La gorge, derrière les refuges Dreki de Ferðafélag Akureyrar, évoque les paysages désertiques d'Arizona ou du Sinaï. Attendez-vous à des vents mordants et des températures glaciales.

Les **refuges Dreki** (☎822 5190 ; www.ffa.is ; N 65°02.503', W 16°35.690' ; empl/dort 1 200/6 500 ISK ; ⏱mi-/fin juin à début sept) constituent une base idéale pour explorer la région pendant un jour ou deux. La gorge spectaculaire offre une promenade facile jusqu'à une belle cascade et une randonnée de 8 km suit un chemin balisé jusqu'à Askja. Un autre chemin balisé de 20 km conduit au refuge de Bræðrafell. Les refuges Dreki, avec douches, cuisine et centre d'information, peuvent accueillir 60 personnes. Le camping est autorisé, mais le vent et le froid peuvent être oppressants. Il y a un gardien en été.

Des promenades gratuites d'une heure, guidées par un garde forestier, partent du parking d'Askja tous les jours à 13h de mi-juillet à mi-août.

À Dreki, la piste de Gæsavatnaleið (F910) bifurque de l'Öskjuleið pour traverser de vastes étendues et rejoint la piste de Sprengisandur à Nýidalur, à 125 km. Cet itinéraire implique plusieurs passages de rivière et ne peut s'emprunter qu'avec un gros 4x4.

Askja

Le paysage désolé de la caldeira d'Askja est la principale destination des circuits dans cette partie des hautes terres. Découvrez

LE VOLCAN BÁRÐARBUNGA

Le 16 août 2014, des détecteurs ont constaté une augmentation de l'activité sismique sur et autour du volcan Bárðarbunga, l'un des nombreux volcans enfouis sous la calotte glaciaire du Vatnajökull. Cet immense système volcanique s'étend sous la partie nord-ouest de la calotte glaciaire.

Le magma dans la caldeira du Bárðarbunga a formé une lame de roche magmatique sous un glacier secondaire, le Dyngjujökull. Le 29 août, une fissure éruptive, avec de spectaculaires fontaines de lave, est apparue à Holuhraun, un champ de lave vieux de 200 ans à 5 km du bord du Dyngjujökull.

Des scientifiques ont surveillé l'évolution, se préparant à divers scénarios. Ils ont constaté que la caldeira du Bárðarbunga s'enfonce, et qu'une dépression se forme dans la glace au-dessus. Cela indique qu'une éruption peut se produire sous le Vatnajökull.

Les volcanologues prévoient diverses conséquences de l'activité du Bárðarbunga. L'affaissement de la caldeira peut cesser et l'éruption dans l'Holuhraun décliner graduellement. Ou l'éruption de l'Holuhraun peut se prolonger ou se renforcer, et se prolonger au sud sous le Dyngjujökull. Le Bárðarbunga lui-même peut entrer en éruption, ou d'autres fissures éruptives (comme celle de l'Holuhraun) peuvent s'ouvrir.

Toutes les éruptions qui se produisent sous la glace risquent de provoquer la fonte du glacier (causant de destructrices *jökulhlaup*, ou débâcles glaciaires) et un nuage de cendres – potentiellement semblable à celui de l'éruption de l'Eyjafjallajökull en 2010, qui avait empêché tout trafic aérien en Europe pendant 6 jours.

Il est impossible de savoir quel scénario va se produire, ni quand cette activité va diminuer. Lors de nos recherches, l'avion était la seule possibilité de voir l'éruption. La fissure d'Holuhraun s'est produite dans une région reculée et inhabitée (au sud d'Askja), et le seul danger immédiat vient des gaz sulfurés libérés dans l'atmosphère qui polluent divers endroits du pays (selon les vents dominants). L'éventualité d'autres éruptions et d'inondations signifie que certaines parties des hautes terres sont interdites d'accès. Certaines routes (reculées et réservées aux 4x4) ont été fermées.

Quand le secteur redeviendra sûr, nul doute que les tour-opérateurs seront prêts à emmener les touristes. Ceux qui desservent Askja et Kverkfjöll à partir de Mývatn, Möðrudalur et Egilsstaðir (répertoriés p. 325) seront les mieux placés ; il s'agit d'une région reculée et difficile d'accès, aussi préparez-vous à payer le prix fort !

En attendant, suivez l'actualité du Bárðarbunga (et de toute autre activité volcanique) sur divers sites Internet, comme ceux de l'Office météorologique islandais (www.vedur.is) et de la Radiotélévision nationale islandaise (www.ruv.is).

cette immense caldeira de 50 km², accessible par une marche facile de 2,4 km à partir du parking.

Le cataclysme qui forma le lac de la caldeira (et le cratère Víti) se produisit en 1875, quand le volcan projeta 2 km³ de téphras, avec une force telle que des débris atteignirent l'Europe continentale. Les cendres de l'éruption empoisonnèrent de nombreuses têtes de bétail en Islande du Nord, provoquant une vague d'émigration aux États-Unis. Le volcan n'est pas éteint et une telle catastrophe pourrait se reproduire.

Après l'éruption initiale, une chambre magmatique s'effondra, formant un cratère de 11 km², à 300 m en contrebas du bord du cratère d'explosion d'origine. Cette nouvelle dépression se remplit d'eau et devint le lac bleu saphir d'**Öskjuvatn**, le deuxième plus profond d'Islande (220 m).

En 1907, les chercheurs allemands Max Rudloff et Walther von Knebel canotaient sur le lac quand ils disparurent ; leurs corps ne furent jamais retrouvés. Si l'on a pensé à des courants ou des tourbillons, le mauvais état du bateau et l'eau glacée peuvent facilement expliquer leur mort. Un cairn et une plaque commémorative dédiés aux deux hommes se dressent au bord de la caldeira.

Durant l'éruption de 1875, un évent proche du coin nord-est du lac explosa et forma le cratère **Víti**, qui contient de l'eau géothermique. Il y a un autre cratère Víti ("enfer" en islandais) à Krafla, près de Mývatn.

Bien que l'eau soit un peu fraîche pour un bain relaxant (entre 22°C et 30°C), un plongeon dans le lac bleu laiteux du Víti est l'un des plaisirs d'un circuit à Askja. La descente au fond du cratère est glissante mais moins raide qu'il n'y paraît ; elle peut être fermée pour des raisons de sécurité.

Depuis/vers l'Öskjuleið (piste d'Askja)

Aucun transport public ne circule le long de l'Öskjuleið. Choisissez l'un des nombreux circuits (voir p. 332) ou louez un gros 4x4 et préparez-vous aux cahots (demandez conseil pour traverser les rivières à gué ; voir p. 395). La piste ouvre habituellement à mi-/fin juin.

Si vous avez rejoint Askja par la F88, repartir par la F910 vous évitera de revenir sur vos pas. D'Askja, vous pouvez vous diriger à l'est vers Egilsstaðir, ou à l'ouest sur la piste de Gæsavatnaleið (F910) jusqu'à Sprengisandur (renseignez-vous localement sur les conditions). Pour atteindre les grottes de glace du Kverkfjöll, suivez la F910 vers l'est, puis la F902 vers le sud.

La piste ne compte aucune station-service. Les plus proches sont à Möðrudalur (à 90 km d'Askja) et à Mývatn (à 130 km au nord d'Askja).

Piste de Kverkfjöll

Comme son nom l'indique, cette piste de 108 km court vers le sud jusqu'aux grottes de glace du Kverkfjöll. Elle relie Möðrudalur (à 70 km à l'est de Mývatn, près de la Route circulaire) au refuge Sigurðarskáli, à 3 km des grottes inférieures, via la F905, la F910 et la F902. Après avoir visité Askja, vous pouvez rejoindre Kverkfjöll en suivant la Route F902 vers le sud.

Plusieurs sites intéressants jalonnent la piste, dont les deux collines pyramidales d'**Upptyppingar**, près du pont sur la Jökulsá á Fjöllum, et l'oasis de **Hvannalindir**, qui abrite un autre repaire hivernal de Fjalla-Eyvindur. Hvannalindir se situe à 20 km environ au nord du refuge Sigurðarskáli.

Le Kverkfjöll est en fait un éperon montagneux recouvert par la glace du Kverkjökull, une langue septentrionale du Vatnajökull. Ce nom désigne aussi les grottes de glace remplies de sources thermales qui se forment souvent sous le bord est du glacier Dyngjujökull.

Source de la tumultueuse Jökulsá á Fjöllum, la rivière la plus importante du centre du pays, le Kverkfjöll est aussi l'une des plus grandes zones géothermiques au monde. Les **grottes de glace inférieures du Kverkfjöll** se situent à 3 km du refuge Sigurðarskáli et à 15 minutes de marche du bout de la piste de 4x4.

À cet endroit, la rivière chaude coule sous le glacier, et des nuages de vapeur s'élèvent et créent des motifs sur les parois de glace. Ce site spectaculaire est peut-être à l'origine du cliché tant employé pour décrire l'Islande : un pays de glace et de feu.

De gros blocs de glace tombent fréquemment du plafond ou peuvent fermer l'entrée. Renseignez-vous sur le point d'accès le plus sûr et sur les consignes de sécurité. À l'intérieur des grottes, des émanations de soufre peuvent être dangereuses. Des grottes inférieures, les circuits conduits par des gardes forestiers continuent sur le glacier lui-même.

Le grand **refuge Sigurðarskáli** (refuge du Kverkfjöll ; ☎ été 863 9236, toute l'année 863 5813 ; www.fljotsdalsherad.is/ferdafelag ; N 64°44.850', W 16°37.890' ; empl/dort 1 300/6 000 ISK par pers ; ⏲ mi-juin à début sept) propose un hébergement confortable et un camping bien entretenu. Derrière le refuge, un chemin balisé (2 km aller-retour) grimpe au sommet du **Virkisfell** (1 109 m) pour une vue spectaculaire sur le Kverkfjöll et la source de la Jökulsá á Fjöllum.

La route de Kverkfjöll ouvre habituellement vers mi-/fin juin. En début de saison, vous aurez plus de chances d'accéder aux grottes, (temps doux = fonte de la glace et chute de gros blocs). Renseignez-vous auprès du garde forestier sur l'état des grottes et suivez ses recommandations pour une exploration sûre ; un circuit organisé permet de bénéficier de l'expérience d'un professionnel.

Le Kverkfjöll fait partie du parc national du Vatnajökull ; consultez son site Internet pour plus d'informations (www.vatnajokulsthjodgardur.is).

Circuits organisés

Sans un robuste 4x4, un circuit organisé est le seul moyen de visiter le Kverkfjöll. Si vous disposez d'un véhicule, vous pouvez vous garer et rejoindre les grottes à pied ; aller plus loin en voiture est fortement déconseillé.

Outre de courtes marches aux alentours, les gardes forestiers proposent des randonnées guidées par beau temps : de 4 heures sur le glacier (7 500 ISK), ou de 9 heures dans la zone géothermique (13 500 ISK) ; les tarifs comprennent l'équipement. Appelez le ☎ 863 9236 (en été) pour plus de détails.

Des tour-opérateurs proposent également des circuits, transport et guide compris. Fjallasýn (p. 332) organise des randonnées dans la région, Jeep Tours (p. 332) offre une excursion d'une journée à partir d'Egilsstaðir, et Fjalladyrð (p. 332) des circuits de 2 jours depuis Möðrudalur.

Autre possibilité, le circuit populaire de 3 jours Askja-Kverkfjöll-Vatnajökull proposé par la compagnie de bus **SBA-Norðurleið** (☎ 550 0700 ; www.sba.is). Le bus part le lundi de juillet à mi-/fin août d'Akureyri (8h15) et de Mývatn (10h). Prévoyez 42 900 ISK, transport et guide inclus. La nourriture et l'hébergement sont à votre charge (réservez au refuge Sigurðarskáli ou emportez une tente).

ℹ Depuis/vers la piste de Kverkfjöll

À l'attention des automobilistes : la station-service de Möðrudalur est le dernier endroit où faire le plein d'essence.

Comprendre l'Islande

L'Islande aujourd'hui

Il y a dix ou vingt ans, l'Islande s'est fait un nom dans la conscience collective mondiale grâce à la réussite de musiciens originaux qui obtinrent un succès international inattendu. Ensuite, elle a fait la une avec l'effondrement de son système bancaire en 2008 et l'éruption d'un volcan au nom imprononçable qui a cloué les avions au sol en 2010. Mais ces événements ont prouvé qu'il n'existe pas de mauvaise publicité : les feux de l'actualité ont placé les charmes de l'Islande en pleine lumière, et le tourisme a explosé.

À voir

101 Reykjavík (2000). Comédie noire sur le sexe, la drogue et la vie d'un fainéant à Reykjavík.
Jar City (2006). Très bon film policier d'après le roman d'Arnaldur Indriðason.
Heima (2007). Documentaire sur le groupe Sigur Rós en tournée en Islande.
La Vie rêvée de Walter Mitty (2013). Les paysages d'Islande y ont la part belle (tout comme le Groenland et l'Himalaya).
Des chevaux et des hommes (2013). Une description poétique des liens qui unissent hommes et chevaux.

À lire

L'Homme du lac (Arnaldur Indriðason, 2004). Une histoire captivante signée par un maître du roman noir nordique.
Gens indépendants (Halldór Laxness, 1934-1935). Tragicomédie pessimiste du lauréat du prix Nobel.
Sagas islandaises (trad. Régis Boyer, 1987). Un volume de la collection "Bibliothèque de la Pléiade", indispensable pour qui s'intéresse à ce genre littéraire.
Úa ou Chrétiens du glacier (Halldór Laxness, 1968). Un roman hilarant qui vous fera découvrir une autre facette de la littérature d'Halldór Laxness.

Tourisme : le nouvel Eldorado ?

Les éruptions n'ont rien d'exceptionnel en Islande, et l'attention internationale suscitée par l'explosion de cendres de l'Eyjafjallajökull a surpris la population. L'office du tourisme islandais s'empara vite de l'événement pour lancer une grande campagne touristique. Ce fut un énorme succès : la frustration continentale s'est muée en curiosité, et les visiteurs ont commencé à affluer, séduits par la beauté naturelle de l'Islande et par la gentillesse de sa population (la plus accueillante du monde, selon le classement 2013 du Forum économique mondial).

Le nouvel Eldorado, comme l'ont baptisé certains Islandais, était né, avec l'explosion des services à destination de touristes toujours plus nombreux. L'Islande a battu des records en termes de fréquentation, accueillant 1 million de touristes étrangers en 2014 (contre 489 000 en 2010), et il n'y a aucun signe de fléchissement - surtout si les volcans du pays continuent à offrir un spectacle qui captive médias et voyageurs (telle l'éruption du Bárðarbunga en 2014). Le tourisme hivernal est aussi en hausse ; tous les visiteurs semblent vouloir voir une aurore boréale une fois dans leur vie.

Le revers de la médaille

Il est difficile d'échapper à la ruée des touristes au cœur de l'été, surtout à Reykjavík et dans le Sud. Interrogés, les Islandais reconnaissent que le tourisme a stimulé la reprise économique du pays et créé des emplois. Ils apprécient les retombées de l'augmentation de la fréquentation (par exemple, il y a plus de festivals musicaux et de restaurants, et une vie nocturne plus riche). Et beaucoup d'Islandais admettent que la curiosité des visiteurs étrangers a renforcé leur propre intérêt pour la nature et la culture de leur pays.

Mais ils s'inquiètent aussi car ce pays de 325 000 habitants est mal équipé pour satisfaire aux exigences de plus d'un million de touristes. Les histoires de propriétaires reykjavikois qui expulsent leurs locataires pour transformer leurs propriétés en pensions sont légion. Les médias insistent sur le cas des touristes qui ne respectent pas la nature (conduite en dehors des routes, non-respect du règlement des piscines) ou qui prennent d'énormes risques par ignorance (comme partir en randonnée par mauvais temps sans équipement adéquat, ou traverser une rivière avec un véhicule qui y reste bloqué).

Protéger la poule aux œufs d'or

Il y a actuellement dans le pays un grand débat pour savoir si le fragile environnement islandais peut résister aux contraintes auquel il est soumis. La nature vierge du pays est citée par 80% des touristes comme une des raisons de leur venue. Mais combien de visiteurs les cascades, les sentiers de randonnée et les champs de lave peuvent-ils accueillir ? Et comment protéger ces sites naturels tout en continuant à offrir aux voyageurs ce qu'ils en attendent ?

Tout cela mène à des questions plus vastes sur l'avenir de l'industrie touristique. Si les chiffres continuent à ce rythme, l'Islande accueillera 2 millions de visiteurs en 2020. Si les magnifiques paysages du pays ne décevront jamais, comment la population concernée peut-elle faire en sorte que l'intérêt des visiteurs s'étende à d'autres domaines ? *Quid* de ces scènes récentes de foules trop nombreuses dans certains sites, ou du manque de toilettes publiques dans certaines zones touristiques ? Du réseau routier, de la qualité de l'hébergement ou plus globalement de la valeur de l'argent (un grief courant, surtout avec des prix qui augmentent à chaque saison) ? Comment éduquer les visiteurs pour qu'ils minimisent l'impact de leur passage ? Et, plus important encore, comment éviter que les Islandais ne se voient marginalisés dans leur propre pays ?

Un avenir énergétique

Le tourisme est maintenant la première industrie de l'Islande, devant la pêche, et a permis au pays de se remettre de sa crise bancaire. Mais pour assurer la pérennité de cette prospérité, même dans le cas où le boom du tourisme cesserait brutalement, l'Islande renforce sa position de superpuissance de l'énergie verte et cherche à exporter son savoir-faire (et même son énergie grâce à des câbles sous-marins). Elle courtise de plus en plus d'industries énergivores, qu'elle essaie de convaincre de s'installer dans le pays (les grands fondeurs d'aluminium sont déjà là en raison d'une électricité abondante et bon marché). Des entreprises publiques et privées explorent les possibilités de produire des "carburants verts" comme le biométhane et le biodiesel. L'Islande, "Arabie saoudite verte" ? Tout est possible.

POPULATION : **325 671 HABITANTS**

SUPERFICIE : **103 000 KM²**

VISITEURS : **807 300 (2013)**

ÉLECTRICITÉ PRODUITE À PARTIR D'ÉNERGIES RENOUVELABLES : **100%**

CROISSANCE DU PIB : **3,5 %**

MOUTONS : **476 000**

Sur 100 personnes en Islande

93 sont islandaises
3 sont polonaises
1 est d'une autre nationalité nordique
2 sont d'autres nationalités
1 est d'une nationalité asiatique

Religions

(en % de la population)

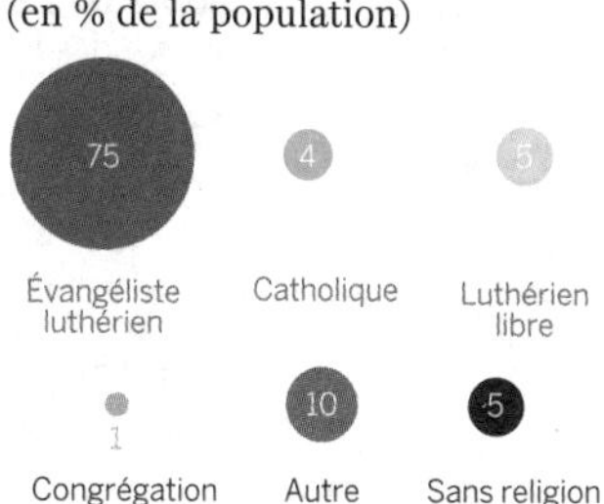

Population au km²

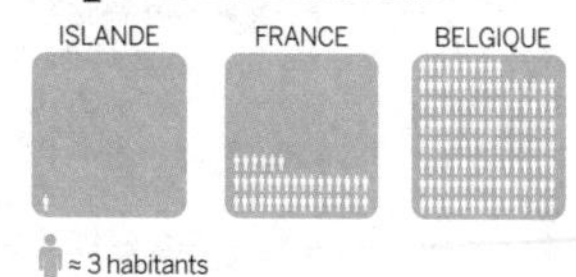

Histoire

Jeune d'un point de vue géologique, résolument indépendante et souvent rudoyée par les catastrophes naturelles (et, plus récemment, économiques), l'Islande est riche d'une histoire mouvementée et passionnante, où se mêlent Vikings, littérature et batailles politiques. Rien, en ces contrées inhospitalières, n'augurait d'une vie facile. Les épreuves et les difficultés ont façonné l'âme de l'Islande moderne, consciente de son passé orageux, remarquablement résistante, sereinement novatrice et fière d'elle, à juste titre.

Premiers voyageurs et moines irlandais

Si, sur le plan géologique, l'Islande est née il y a environ 20 millions d'années, c'est autour de 330 av. J.-C. que l'île apparaît pour la première fois dans l'histoire européenne. Ainsi, Pythéas, explorateur grec, décrit l'île de Thulé, située à six jours de navigation au nord de la Bretagne, comme une terre absente de ses cartes, surgissant d'une "mer figée".

Pendant longtemps, les mythes et récits de tempêtes violentes, de vents furieux et de barbares à tête de chien gardèrent les explorateurs à distance du grand océan du Nord, l'*oceanus innavigabilis*. Les moines irlandais, installés aux îles Féroé en quête de solitude et d'isolement, furent les premiers à débarquer en Islande. Les *papar* (pères) irlandais se seraient installés en Islande autour de l'an 700. En 825, le moine Dicuil décrivit un territoire plongé dans l'obscurité en hiver, mais où l'on pouvait, pendant les nuits d'été, "effectuer n'importe quelle tâche, même ôter les poux d'une chemise, comme en plein jour". À n'en pas douter un portrait de l'Islande et de ses longues nuits d'été. Les *papar* fuirent à l'arrivée des Vikings, au début du IXe siècle.

Le mot "Viking" vient de *vik*, qui signifie "baie" ou "crique" en vieux norrois. Il renverrait aux mouillages choisis par les Vikings lors de leurs attaques.

L'arrivée des Vikings

Après les moines irlandais, les habitants suivants arrivèrent de Norvège. C'est l'âge de la colonisation, qui s'étale de 870 à 930, durant lequel des conflits politiques en Scandinavie continentale obligèrent de nombreux habitants à fuir. La majorité de ces colons étaient des Scandinaves du peuple : fermiers, éleveurs et commerçants, mariés à des Bretonnes (d'Angleterre), à des Irlandaises et à des Écossaises.

CHRONOLOGIE

600-700

Des moines irlandais accostent et s'installent en Islande. Il existe peu de preuves archéologiques de cette présence, mais l'élément *"papar"* (pères) figure dans des noms de lieux.

850-930

Des colons vikings arrivent de Norvège et de Suède, baptisent l'île Snæland (terre de Neige), puis Garðarshólmi (île de Garðar) et enfin Ísland (terre de Glace). Les fermes se multiplient sur le territoire.

871

Le Viking norvégien Ingólfur Arnarson navigue jusqu'à la côte sud-ouest et s'installe dans une baie accueillante qu'il baptise Reykjavík (baie des Fumées).

Les Vikings ont probablement découvert l'Islande par hasard, après s'être égarés sur la route des îles Féroé. Le premier d'entre eux, Naddoddr, partit de Norvège et atteignit la côte est vers l'an 850. Il baptisa l'endroit Snæland (terre de Neige), avant de prendre le chemin du retour.

Deuxième visiteur de l'Islande, Garðar Svavarsson fit le tour de l'île et s'installa à Húsavík, sur la côte nord, pour passer l'hiver. Il repartit au printemps, mais certains membres de son équipage restèrent sur place, devenant les premiers habitants de l'Islande.

Vers 860, le Norvégien Flóki Vilgerðarson accosta au Snæland. Il navigua en suivant les corbeaux et, après quelques erreurs, arriva à destination, ce qui lui valut le surnom de Hrafna-Flóki (Flóki aux Corbeaux). Hrafna-Flóki atteignit le Vatnsfjörður, sur la côte ouest, mais déchanta devant les icebergs qui flottaient dans le fjord. Il rebaptisa le pays Ísland (terre de Glace) et repartit en Norvège. Finalement, il revint en Islande et s'établit dans la région de Skagafjörður, sur la côte nord.

Selon le *Livre des Islandais*, écrit au XIIe siècle, la première installation volontaire revint à Ingólfur Arnarson, qui quitta la Norvège avec son frère de sang Hjörleifur. Il débarqua à Ingólfshöfði (sud-est de l'Islande) en 871, puis longea la côte et construisit sa maison dans un lieu qu'il nomma Reykjavík (baie des Fumées), en référence aux vapeurs des sources thermales. Hjörleifur s'installa à côté de l'actuelle ville de Vík, mais fut assassiné par ses esclaves peu de temps après.

Quant à Ingólfur, c'est un fascinant rituel païen qui l'aurait conduit à Reykjavík. Chez les Vikings, la tradition voulait qu'à l'approche d'une terre, on jette à la mer des piliers du trône (symboles d'autorité du chef de clan). L'endroit où les dieux les pousseraient serait l'emplacement de la nouvelle demeure du Viking – une pratique qui fut ensuite respectée par d'innombrables migrants arrivant de Norvège.

Où retrouver l'esprit viking

Musée national, Reykjavík

Exposition Reykjavík 871±2, Reykjavík

Parc national de Þingvellir, près de Selfoss

Víkingaheimar (Le monde viking), Njarðvík

Eiríksstaðir (reconstitution), Dalir

Ferme de Stöng, Þjórsárdalur

Sites de la Saga de Njáll le Brûlé, Hvolsvöllur

La formation de l'Alþing

Lorsque le fils d'Ingólfur, Þorsteinn, atteignit l'âge adulte, l'île était déjà largement colonisée par de nombreux fermiers ; le besoin de se doter d'un gouvernement se faisait ressentir. Les propriétaires terriens se réunirent dans des assemblées régionales pour réguler le commerce et gérer les conflits. Mais la nécessité d'une assemblée à l'échelle de l'île entière s'imposa rapidement. À l'époque, cette idée était encore nouvelle, mais les Islandais la tinrent pour une amélioration au regard du système oppressif de la monarchie nordique qu'ils avaient subi précédemment.

Au début du Xe siècle, Þorsteinn Ingólfsson présida la première grande assemblée régionale près de Reykjavík, et dans les années 920, le légiste autoproclamé Úlfljótur fut envoyé en Norvège pour étudier les lois norvégiennes et proposer un système de gouvernance pour l'Islande.

On pourra se procurer l'*Atlas des Vikings 789-1100. De l'Islande à Byzance : les routes du commerce et de la guerre* (Autrement, 1995), de John Haywood.

930

Fondation de l'Alþing, le plus ancien Parlement du monde encore en activité. Un représentant élu mémorise les lois et aide à résoudre les différends lors des rassemblements annuels.

986

Erik le Rouge fonde la première colonie européenne pérenne au Groenland et construit les villes d'Eystribyggð et de Vestribyggð dans le sud-ouest du pays.

1000

L'Islande se convertit au christianisme sous la pression du roi norvégien, mais les croyances et les rituels païens perdurent. Leif le Chanceux débarque à Terre-Neuve ; il serait le premier Européen à avoir gagné l'Amérique.

1100-1300

Âge d'or de la littérature islandaise et écriture des sagas en nordique ancien. De nombreux textes sont attribués à Snorri Sturluson – historien, poète et homme politique le plus habile de son époque.

L'Alþing (Althing) est le plus ancien Parlement démocratique du monde : il a fonctionné sans discontinuer depuis sa fondation, en 930.

Dans le même temps, Grímur Geitskör fut chargé de trouver un lieu pour établir l'Alþing (ou Althing, Parlement). Situé près de la frontière est de la propriété d'Ingólfur, le site de Bláskógar semblait idéal, entre lac et plaine boisée. Cette dernière était bordée d'une longue falaise (du fait de la dorsale médio-atlantique) d'où les orateurs et les représentants pourraient surplomber la foule en contrebas.

En 930, Bláskógar fut renommé Þingvellir ou Thingvellir, plaines de l'Assemblée. Þorsteinn Ingólfsson obtint le titre honorifique d'*allsherjargoði* (chef suprême) et Úlfljótur devint le premier *lögsögumaður* ("celui qui dit

LES VIKINGS

Au VIIIe siècle, de plus en plus de Norvégiens se retrouvèrent sans terre. Les progrès dans le domaine de la construction navale les poussèrent à partir en quête de fortune et d'aventure.

Dès les années 780, des fermiers norvégiens s'étaient pacifiquement installés dans les Orcades et les Shetland ; l'âge des Vikings proprement dit fut inauguré par un événement sanglant : en 793, des Vikings pillèrent le monastère de Saint-Cuthbert, sur l'île de Lindisfarne, au large de la côte du Northumberland (Angleterre).

Les attaques de monastères se révélant très fructueuses, après les îles Britanniques, les Vikings jetèrent leur dévolu sur le reste de l'Europe continentale. Bien qu'assez belliqueux, ils n'étaient pas plus violents que les autres envahisseurs. C'est probablement le succès rapide et l'étendue géographique de leurs prises qui furent à l'origine de leur terrible réputation.

Les Vikings revinrent de leurs premières attaques avec de puissants navires : ils assassinèrent, réduisirent à l'esclavage, assimilèrent ou déplacèrent les populations locales, et envahirent de nombreuses régions en Grande-Bretagne, en Irlande, en Normandie et jusqu'en Russie. Ils atteignirent même l'Espagne maure (Séville fut attaquée en 844) et le Moyen-Orient (jusqu'à Bagdad). Constantinople fut assaillie six fois mais jamais soumise, et des Vikings finirent par devenir mercenaires à la solde de l'Empire byzantin.

Selon la tradition islandaise, l'installation des Vikings en Islande serait due au tyrannique Harald Haarfager (Harald à la Belle Chevelure), roi de la région de Vestfold, au sud-est de la Norvège. En 890, pris d'aspirations expansionnistes, il remporta une importante victoire navale à Hafrsfjord (Stavanger), où les chefs et les fermiers vaincus préférèrent fuir plutôt que de se soumettre. Beaucoup se rendirent alors en Islande.

En 986, tandis que les attaques vikings se poursuivaient en Europe, Eiríkur Rauðe (Erik le Rouge) partit vers l'ouest avec 500 hommes et fonda la première colonie européenne permanente au Groenland. Leif le Chanceux, son fils, explora la côte nord-est de l'Amérique en l'an 1000 et baptisa ce nouveau continent Vínland ("terre du Vin"). L'hostilité des *skrælings* (Indiens d'Amérique) empêcha les Vikings de s'y installer durablement.

Les raids se raréfièrent à mesure que la Scandinavie se dotait de structures nationales. L'âge des Vikings s'acheva en 1066 avec la mort du roi de Norvège Harald Harðráði, dernier grand aventurier viking, lors de la bataille de Stamfordbridge, en Angleterre.

1104

Éruption de l'Hekla. Le volcan recouvre la vallée de Þjórsárdalur et ses fermes prospères d'une épaisse couche de cendres, de pierres et de scories.

1200

L'Islande sombre dans l'anarchie pendant l'âge des Sturlungar. Le gouvernement est dissous ; en 1281, l'Islande passe sous domination norvégienne.

1241

Soixante-dix hommes armés se présentent chez Snorri Sturluson, à Reykholt, avec l'ordre de l'emmener en Norvège pour répondre d'une accusation de trahison. Snorri est poignardé à mort dans sa cave.

1397

Le 17 juin, l'union de Kalmar, conclue en Suède, unit la Norvège, la Suède et le Danemark sous la coupe d'un roi unique. Ce traité confère au Danemark le contrôle de l'Islande.

la loi"), tenu de mémoriser et de réciter chaque année les lois du pays. Il partageait le pouvoir législatif avec 48 *goðar* (chefs).

Malgré des querelles entre certains chefs et la remise en cause permanente des allégeances, le nouveau système parlementaire perdura.

Lors de la réunion annuelle de l'an 1000, la foule était largement divisée entre païens et chrétiens et la guerre civile menaçait. Selon le *Livre des Islandais,* Þorgeir, juriste et fin diplomate, se retira pendant une journée et une nuit pour trouver une solution. À son retour, il décréta que l'Islande devait se convertir au christianisme. Cependant, les païens (comme lui) garderaient le droit de pratiquer leur croyance en privé. Cette décision préserva l'unité nationale et, bientôt, les premiers évêchés furent fondés à Skálholt, dans le Sud-Ouest, et à Hólar, dans le Nord.

Au cours des années qui suivirent, les assemblées nationales organisées pendant plusieurs jours à Þingvellir devinrent le plus grand événement social de l'année. Tout citoyen libre pouvait y assister. Les célibataires venaient chercher un conjoint, des mariages étaient contractés et célébrés, on négociait des affaires commerciales, on procédait à des duels ou des exécutions, et la cour d'appel statuait sur les cas litigieux.

Régis Boyer, le grand spécialiste français de l'Islande médiévale, a publié maints ouvrages et traductions, dont *L'Islande médiévale* (Belles Lettres, 2001) et *Les Vikings* (Perrin, 2004), dans lequel il remet en cause l'image du Viking sanguinaire.

L'anarchie et l'âge des Sturlungar

La fin du XIIe siècle correspond à l'âge des sagas, période au cours de laquelle des historiens et des écrivains immortalisèrent des histoires mettant en scène les premiers migrants, les luttes familiales, les passions amoureuses et les personnages héroïques. Ce que l'on sait de cette époque vient en grande partie de deux imposants volumes traitant de la colonisation : l'*Íslendingabók* (le *Livre des Islandais*), une fresque historique écrite au XIIe siècle par Ari Þorgilsson (Ari l'Érudit), et le *Landnámabók* (le *Livre de la colonisation*).

Au début du XIIIe siècle, la relative paix qui régnait depuis 200 ans fut mise à mal. Les perpétuelles luttes de pouvoir entre chefs rivaux provoquèrent de violents affrontements et des armées privées, à l'instar des bandes de Vikings d'antan, attaquèrent des fermes. Cette sombre période de l'histoire islandaise est connue sous le nom d'âge des Sturlungar, en référence au puissant clan éponyme. Les événements tragiques et sanglants de cette période de quarante années sont rapportés avec force illustrations dans les trois volumes de la *Saga des Sturlungar*.

Alors que l'Islande sombrait dans le chaos, le roi norvégien Hákon Hákonarson encouragea les chefs, prêtres et nouveaux aristocrates à se soumettre à son autorité. Les Islandais n'eurent d'autre choix que de dissoudre le gouvernement local et de jurer fidélité au roi. Un accord de confédération entre les deux territoires fut signé en 1262. En 1281, un nouveau code de loi, le Jónsbók, fut instauré par le roi, et l'Islande passa sous domination norvégienne.

Régis Boyer a aussi traduit plusieurs sagas majeures, réunies dans un volume intitulé *Sagas islandaises*, publié à la Bibliothèque de la Pléiade (Gallimard, 1987, rééditées depuis). Certains autres récits figurent dans le volume *Sagas légendaires islandaises* (Anacharsis, 2012).

1402-1404

La peste noire (la "mort noire") s'abat sur l'Islande, 50 ans après la première épidémie en Europe. L'île perd environ la moitié de sa population.

1550

Après plusieurs tentatives, le roi Christian III finit par imposer le luthéranisme après que l'évêque catholique Jón Árason fut capturé et décapité à Skálholt, de même que deux de ses fils.

1590

L'évêque Guðbrandur Þorláksson publie une carte assez précise de l'Islande. La mer est parsemée de monstres aux allures de baleines et il est précisé que l'Hekla "vomit des roches avec un bruit terrible".

1602

Le Danemark instaure un monopole commercial qui donne aux entreprises danoises et suédoises des droits exclusifs en Islande. Cela se traduit par un appauvrissement de l'île.

On doit également à Régis Boyer la version française du *Livre de la colonisation de l'Islande* (Brepols, 2000).

La Norvège envoya immédiatement des évêques norvégiens à Hólar et à Skálholt et imposa de lourds impôts. Les anciens chefs se disputèrent les postes importants, en particulier celui de *járl* (comte), qui fut finalement attribué à l'impitoyable Gissur Þorvaldsson. C'est ce dernier qui avait assassiné, en 1241, le célèbre historien et écrivain Snorri Sturluson.

Pendant ce temps, le volcan Hekla connut trois éruptions, couvrant de cendres un tiers du territoire ; s'ensuivit une mini-période de glaciation, marquée par de terribles hivers qui anéantirent troupeaux et récoltes. La peste noire tua la moitié de la population de l'île.

Les Danois entrent en scène

En 1397, l'union de Kalmar, signée par la Norvège, la Suède et le Danemark, mit l'Islande sous tutelle danoise. Après des conflits opposant l'Église et l'État, le gouvernement danois saisit les propriétés du clergé et imposa la Réforme luthérienne en 1550. L'évêque catholique de Hólar, Jón Árason, entouré de fidèles, tenta de résister. Mais il fut emmené avec ses deux fils à Skálholt, où ils furent décapités.

En 1602, le roi du Danemark imposa un monopole commercial attribuant aux entreprises suédoises et danoises des droits exclusifs en Islande pour des périodes de 12 ans. S'ensuivirent des extorsions généralisées, des importations de marchandises abîmées ou de qualité inférieure, et d'autres calamités qui allaient durer encore 250 ans. Ce monopole eut néanmoins un aspect positif. Afin de contourner l'embargo et de stimuler l'industrie locale, le puissant trésorier royal Skúli Magnússon créa des ateliers de tissage, de tannerie et de teinture de la laine, posant ainsi les fondations de la Reykjavík moderne.

Nouvelles épreuves

Cet appauvrissement sous l'ère danoise se doubla d'invasions barbares dans les fjords de l'Est et la péninsule de Reykjanes, puis dans les îles Vestmann en 1627. La population sans défense tenta de se cacher dans les falaises et les grottes d'Heimaey, mais les pirates pillèrent l'île, tuant ou emmenant des centaines d'habitants à bord de leurs navires. Certains furent conduits jusqu'à Alger pour y être vendus comme esclaves. Treize d'entre eux furent libérés après le versement d'une rançon par les Islandais. La plus célèbre fut Guðríður Símonardóttir, qui rentra en Islande et épousa le célèbre poète islandais Hallgrímur Pétursson ; les trois cloches de l'Hallgrímskirkja portent leur nom et celui de leur fille.

À cette même période, la chasse aux sorcières qui sévissait en Europe toucha aussi les rivages islandais. Contrairement au continent, la plupart des persécutions concernèrent des hommes : sur les 130 cas répertoriés dans les annales des tribunaux, seuls 10% visaient des femmes. Les accusés les plus chanceux étaient condamnés au fouet, tandis qu'une vingtaine

1625-1685
Période de la chasse aux sorcières dans les fjords de l'Ouest : 21 Islandais sont exécutés, à commencer par Jón Rögnvaldsson, mort sur le bûcher pour avoir notamment "élevé un fantôme".

1627
"Enlèvements par les Turcs" : des pirates barbaresques envahissent l'est de l'Islande et les îles Vestmann, capturant des centaines de prisonniers et tuant tous ceux qui leur résistent.

1703
Premier recensement : le pays compte 50 358 habitants, dont 55% de femmes. Les hommes, occupés aux travaux de force, sont plus touchés par la malnutrition.

1783-1784
Le Laki entre en éruption ; les gaz toxiques provoquent la mort de 25% de la population et de plus de 50% du bétail. Les nuages de cendres touchent toute l'Europe.

furent brûlés vifs. L'accusation principale portait sur l'empoisonnement ou sur la possession d'objets ou d'ouvrages traitant de magie.

Si le XVIIIe siècle fut le siècle des Lumières pour une partie de l'Europe continentale, ce fut celui des fléaux pour l'Islande. La population, estimée à 50 000 personnes, fut en proie à de nombreuses épidémies, dont celle de la variole. En 1707, 18 000 victimes furent comptabilisées. À cela s'ajoutèrent plusieurs éruptions volcaniques dont celles du Katla en 1660, en 1721 et de nouveau en 1755 ; celles de l'Hekla en 1693 et en 1766 ; et celles de l'Öræfajökull en 1727.

En 1783, le Laki entra dans une phase éruptive exceptionnelle d'une durée de huit mois, crachant des milliards de tonnes de lave et de nuages toxiques. Des dizaines de fermes furent détruites et les poussières et vapeurs toxiques détruisirent les cultures et le bétail. La famine provoqua la mort de quelque 9 000 Islandais. Les nuages de cendres touchèrent toute l'Europe, provoquant des phénomènes météorologiques telles des pluies acides ou des inondations. Les autorités danoises envisagèrent alors sérieusement de "rapatrier" ce qui restait de la population islandaise (réduite à seulement 47 000 personnes en 1801) au Danemark.

Le retour à l'indépendance

Au XIXe siècle, après cinq siècles d'oppression étrangère et sensibles à l'appel de la liberté qui soufflait sur l'Europe, les premières revendications des indépendantistes se firent entendre. En 1855, l'érudit islandais Jón Sigurðsson fit rétablir le libre commerce et, en 1874, le pays se dota d'un projet de Constitution et reprit le contrôle de ses affaires intérieures.

Les premiers partis politiques islandais se formèrent à cette époque et l'urbanisation commença autour de la capitale et de quelques autres bourgades. Le développement de l'industrie de la pêche attira de nombreux paysans miséreux touchés par les éruptions volcaniques successives, dont celle de l'Askja en 1875 fut la plus spectaculaire et décima une partie du bétail de l'île. Incapables de trouver du travail sur les seuls bateaux de pêche, près de 16 000 Islandais entre 1870 et 1914 émigrèrent vers l'Amérique du Nord en quête d'une vie meilleure.

En 1918, l'Islande signa l'acte de l'Union et devint un État indépendant au sein du royaume du Danemark, ce dernier continuant à gérer la défense et la politique étrangère des Islandais.

Pendant la Première Guerre mondiale, l'augmentation des prix à l'exportation de la laine, de la viande et du poisson permit au pays de se développer. À la veille de la Seconde Guerre mondiale, l'Islande déclara sa neutralité, dans l'espoir de maintenir ses liens commerciaux avec à la fois la Grande-Bretagne et l'Allemagne.

Le 9 avril 1940, l'invasion du Danemark par l'Allemagne contraignit l'Alþing à gérer les affaires étrangères de l'Islande. Un an plus tard,

À la grâce des hommes, d'Hannah Kent, est un roman inspiré de l'histoire vraie de la dernière exécution publique en Islande. Minutieusement documenté, il se déroule en 1829 et évoque à merveille l'éprouvante vie rurale islandaise.

1786

Fondation officielle de Reykjavík, qui compte à peine 200 habitants. La ville reçoit une charte de commerce et les marchands sont incités à s'y installer au moyen d'avantages fiscaux.

1855-1890

L'Islande avance vers l'indépendance, avec le rétablissement du libre commerce et un projet de Constitution. Les Islandais migrent en masse en Amérique du Nord pour échapper à la misère.

1917-1918

L'Islande est touchée par "l'hiver des grands gels". Les températures atteignent -38°C et des icebergs bloquent tous les ports.

1918

L'emprise du Danemark sur l'Islande se relâche peu à peu. Après l'autonomie de 1904, l'acte de l'Union est signé le 1er décembre. L'Islande devient un État indépendant au sein du royaume du Danemark.

le 17 mai 1941, les Islandais réclamèrent l'indépendance totale. La république d'Islande naquit officiellement à Þingvellir, le 17 juin 1944, jour officiel de la fête de l'Indépendance.

La Seconde Guerre mondiale et l'intervention des États-Unis

Pêcheur d'Islande (1886 ; Gallimard, 1988), de Pierre Loti, évoque la vie des "Islandais", ces marins bretons qui partaient pêcher en mer d'Islande entre 1850 et 1930.

L'absence totale de forces militaires islandaises inquiétant les Alliés, en mai 1940, les Britanniques envoyèrent des troupes dans l'île, ce qui permit la modernisation d'une partie des infrastructures du pays.

En 1941, les Britanniques furent remplacés par les forces américaines, étant entendu qu'elles quitteraient le territoire à la fin de la guerre. De fait, l'armée américaine se retira en 1946, en conservant toutefois une base militaire à Keflavík. Après la guerre, une fois repris le contrôle de leur pays, les Islandais devinrent très méfiants à l'égard de toute ingérence étrangère. Lorsque le gouvernement fut sollicité pour devenir membre fondateur de l'OTAN en 1949, des émeutes éclatèrent à Reykjavík. Les autorités acceptèrent finalement d'adhérer à l'OTAN, mais à condition que l'Islande ne participe à aucune manœuvre ou opération militaire et qu'aucune base ne soit établie dans le pays en temps de paix.

Cet accord fut rapidement rompu. Lorsque la guerre de Corée éclata, les États-Unis s'installèrent à nouveau sur l'île à partir des années 1950 et 1951. Pendant 40 ans, dans un contexte de guerre froide, l'Islande devint une importante station de surveillance ; les effectifs en hommes et en matériel ne cessèrent de s'accroître à la base de Keflavík. Très controversée, la présence militaire américaine ne prit fin qu'en septembre 2006, à la fermeture de la base.

L'Islande moderne

En moins d'un siècle, l'Islande passa du statut de pays parmi les plus pauvres d'Europe à celui de pays au niveau de vie parmi les plus élevés de la planète, en 1re place au palmarès mondial du développement humain.

Pendant la guerre froide, l'Islande connut une période de croissance, de reconstruction et de modernisation. Achevée en 1974, la Route circulaire désenclava les régions isolées, en particulier celle du Sud-Est. Des projets comme la centrale géothermique de Krafla, dans le Nord-Est, et celle de Svartsengi, à côté de Reykjavík, furent lancés. Dans les années 1970, l'essor de l'industrie de la pêche amena l'Islande à repousser les limites de sa zone de pêche. En résulta une "guerre de la morue", le Royaume-Uni refusant d'entériner cette nouvelle zone. Durant sept mois de conflit, de multiples incidents opposèrent les navires islandais et les chalutiers britanniques : coups de feu, filets de pêche sectionnés et abordages volontaires visaient à intimider l'adversaire.

1940-1941	1944	1974	1975
Après l'occupation du Danemark par les nazis, le Royaume-Uni envoie des troupes en Islande, de peur que l'Allemagne n'y installe une garnison. Une base américaine est ensuite établie à Keflavík.	Une majorité d'Islandais vote pour l'indépendance vis-à-vis du Danemark ; la république d'Islande est officiellement fondée le 17 juin. Le roi Christian X adresse ses félicitations par télégramme.	La construction de la Route circulaire autour de l'île s'achève par l'ouverture du pont de Skeiðarárbrú le 14 juillet. Jusqu'alors, la ville de Höfn était l'une des plus isolées d'Islande.	Troisième "guerre de la morue" entre l'Islande et le Royaume-Uni. Ces querelles portant sur les zones de pêche dans l'Atlantique Nord éclatent au moment où l'Islande accroît ses eaux territoriales (années 1950-1970).

Il faut dire que, malgré une évolution en dents-de-scie, l'industrie de la pêche a toujours revêtu une importance capitale pour l'île. Après la réévaluation à la baisse des quotas dans les années 1990 (pour permettre le renouvellement des ressources halieutiques après une période de surpêche), le secteur connut une crise, qui fit monter le chômage et chuter fortement la couronne. Avec la stabilisation de l'industrie de la pêche, le pays entama peu à peu sa reconstruction économique. Aujourd'hui encore, la pêche représente 40% des revenus d'exportation, plus de 12% du PIB, et emploie près de 5% de la main-d'œuvre. Son évolution future est fragilisée par le déclin inexorable des ressources halieutiques.

À partir de 2003, en dépit d'un moratoire à l'échelle mondiale, l'Islande, comme la Norvège et le Japon, recommença à chasser les baleines sous le prétexte d'un programme de recherche scientifique.

LA DÉBÂCLE ÉCONOMIQUE DE L'ISLANDE

Jusqu'au début de l'année 2008, l'Islande était confiante dans son économie. Pourtant, le naufrage économique viendra de son navire financier. Un secteur qui a grossi au point de peser dix fois le PIB annuel de l'île. C'est dans ce contexte singulier que les effets de la crise financière mondiale prirent des allures de tremblement de terre, balayant en quelques mois l'économie du pays.

En octobre 2008, la Bourse islandaise s'effondra ; la couronne plongea, perdant la moitié de sa valeur en quelques jours ; les trois banques nationales furent placées sous administration judiciaire et le pays entier frôla la banqueroute.

En novembre 2008, le Fonds monétaire international (FMI) accorda un prêt de 2,1 milliards de dollars à l'Islande, tandis que ses voisins scandinaves renflouaient ses caisses à hauteur de 3 milliards de dollars. En raison de l'inflation galopante, de la baisse des salaires et des licenciements, les revenus des Islandais diminuèrent d'un quart en termes réels. La crise économique se doubla d'une crise politique avec d'importantes manifestations à Reykjavík, entraînant la démission du Premier ministre en janvier 2009.

Hausse de l'endettement des ménages et de l'inflation, chômage à 10%, émigration massive d'Islandais vers la Norvège, sont quelques-uns des effets de cette crise.

Contrairement à d'autres pays, le gouvernement et les Islandais ont refusé que l'argent des contribuables vole au secours des établissements bancaires privés, préférant donner la priorité au système de protection sociale, aider les citoyens les plus touchés par la crise et laisser les créanciers des banques privées se débrouiller. Bien que ceux-ci (pour beaucoup, des fonds d'investissement britanniques) cherchent toujours à récupérer leur argent, les mesures adoptées par l'Islande ont été saluées par le FMI et par de nombreux économistes.

Ces décisions atypiques semblent payer. Tandis que d'autres nations sont contraintes par les effets de l'austérité et confrontées à un taux de chômage record, l'Islande paraît repartir du bon pied.

1986

Mikhaïl Gorbatchev, secrétaire général de l'URSS, et Ronald Reagan, président des États-Unis, participent à une rencontre au sommet à la maison Höfði (Reykjavík).

2006

Après 45 ans d'existence, la base militaire américaine de Keflavík ferme ses portes. Le gouvernement approuve la reprise de la chasse commerciale à la baleine.

2008

La crise économique mondiale frappe l'Islande de plein fouet, provoquant une débâcle bancaire. Les trois plus grandes banques s'effondrent.

2009

L'Islande fait acte de candidature à l'adhésion à l'UE. Les négociations sont ouvertes en 2010, puis interrompues en 2013.

Aujourd'hui, la pêche des baleines de Minke et des rorquals communs, une espèce menacée, se poursuit dans les eaux territoriales islandaises, suscitant de nouvelles condamnations internationales.

Après la crise financière

On pourra lire *Comment l'Islande a vaincu la crise* (Éditions Versilio, 2013), par le cofondateur de Rue 89, Pascal Riché.

La forte dépendance de l'Islande à la pêche et aux importations de marchandises s'est toujours traduite par des prix relativement élevés et par la vulnérabilité d'une économie dépendante du contexte international. Cette fragilité est apparue spectaculairement en septembre 2008, quand la crise économique mondiale a frappé le pays de plein fouet. De violentes manifestations se sont déroulées pendant des mois devant le Parlement islandais, tandis que la popularité du gouvernement de l'époque fondait aussi rapidement que les réserves bancaires du pays.

Le Premier ministre Geir Haarde a démissionné en janvier 2009. Sa remplaçante Jóhanna Sigurðardóttir a fait les gros titres comme première dirigeante affichant ouvertement son homosexualité. Sa première mesure importante a été de demander l'adhésion à l'UE et à la zone euro.

En avril 2010, l'Islande est revenue en tête de l'actualité internationale quand un nuage de cendres causé par l'éruption de l'Eyjafjallajökull a paralysé le trafic aérien en Europe pendant six jours. En comparaison de cette éruption, celle du volcan Grímsvötn, l'année suivante, semblait relever d'une broutille – ses cendres n'ayant perturbé les transports aériens que pendant trois jours. En 2014, les grondements du Bárðarbunga ont de nouveau braqué les projecteurs sur l'instabilité volcanique de l'Islande, et ravivé la menace d'une fermeture de l'espace aérien.

Suite à l'éruption de 2010, qui a propulsé malgré elle l'Islande sur le devant de la scène, le tourisme a décollé. Le pays est devenu la destination touristique européenne à la croissance la plus rapide, avec toutes les retombées positives (croissance économique, emplois) et négatives (problèmes d'infrastructures, impact écologique) que cela implique.

C'est dans ce contexte de convalescence économique que les Islandais se sont rendus aux urnes en avril 2013. La population étant toutefois sévèrement touchée par les mesures d'austérité du gouvernement, les sociaux-démocrates alors au pouvoir ont subi un revers cinglant. Le centre-droit, rassemblant le Parti du progrès et le Parti de l'indépendance, a fait campagne avec succès sur les thèmes de l'allègement de la dette, de la baisse des impôts et de l'opposition à l'adhésion de l'Islande à l'UE.

Au début de l'année 2014, ce gouvernement de coalition a mis un frein à toutes les négociations avec l'UE – et ce en dépit de sa promesse d'organiser un référendum sur la poursuite ou non des négociations. En mars 2015, l'Islande a officiellement retiré sa candidature à l'adhésion à l'UE. Le retour de la croissance économique sur l'île et l'impopularité des quotas de pêche imposés par Bruxelles sont à l'origine de cette décision.

2010

Le volcan situé sous le glacier Eyjafjallajökull entre en éruption en mars. En avril, son panache de cendres haut de 9 km bloque l'activité aérienne européenne pendant 6 jours.

2013

Lors des élections législatives, les sociaux-démocrates essuient un échec cinglant. Un nouveau gouvernement de coalition rassemblant les partis de centre-droit prend la tête du pays.

2014

À la mi-août, recrudescence de l'activité sismique autour du Bárðarbunga, volcan situé sous le Vatnajökull. Une petite éruption débute à Holuhraun. On s'attend à ce que l'activité volcanique s'accentue.

2015

L'Islande retire officiellement sa candidature à l'adhésion à l'Union européenne et à la monnaie unique.

Environnement

Difficile de ne pas être ébloui par la variété des paysages islandais. Contrairement aux idées reçues, le pays n'est pas entièrement recouvert de glace, pas plus qu'il ne se limite à un territoire lunaire et désolé composé de coulées de lave et de toundras. Si ces deux types de paysages sont présents, on trouve aussi des fjords escarpés, des collines verdoyantes, des vallées sculptées par les glaciers, des mares de boue bouillonnantes et de vastes étendues désertiques. Cette incroyable diversité et cette rencontre des extrêmes ne peuvent qu'attirer et fasciner les visiteurs.

Instable Islande

Située sur la dorsale médio-atlantique, une immense fracture de 15 000 km de long séparant deux des principales plaques tectoniques terrestres, l'Islande offre une formidable leçon de géologie grandeur nature. Tentez de vous rappeler vos devoirs d'écolier sur les types de volcans, la définition d'une solfatare, la différence entre lave et magma.

L'Islande est l'une des plus jeunes terres du monde, formée par des éruptions volcaniques sous-marines à la frontière entre les plaques nord-américaine et eurasiatique il y a environ 20 millions d'années. La croûte terrestre n'y mesure qu'un tiers de son épaisseur normale, et du magma continue de s'élever en faisant s'écarter les deux plaques. Le résultat est clairement visible à Þingvellir, où la grande faille d'Almannagjá s'élargit de 1 à 18 mm par an, et au mont Námafjall (près de Mývatn), où des fumerolles jalonnent le rift.

L'Islande a une superficie de 103 000 km², soit grosso modo celle du Portugal. Le pays possède 30 volcans actifs. Son territoire est composé de lacs (3%), de glaciers et de calottes glaciaires (11%), de végétation (23%) et de déserts (63%).

Volcans

La finesse de la croûte terrestre et le mouvement des plaques provoquent de passionnants phénomènes volcaniques. Certains volcans sont actifs, d'autres éteints ou en sommeil. Les fissures actives et les cratères associés sont probablement le type d'éruption le plus répandu en Islande. Toujours instable, la rangée de cratères du Lakagígar entourant le mont Laki en est l'exemple le plus extraordinaire. L'éruption des années 1783 et 1784 fut exceptionnelle. La lave recouvra 565 km² sur une épaisseur de 12 m et près de 20% de la population islandaise fut décimée par les conséquences de l'éruption, en particulier la famine. Les historiens considèrent que cette éruption fut même l'un des déclencheurs de la Révolution française de 1789. Elle perturba en effet pendant plusieurs années les récoltes des pays européens.

Certains des volcans islandais les plus actifs se trouvent sous des glaciers. Dans ce cas, les éruptions de lave en fusion se doublent de la fonte des glaces et d'inondations (*jökulhlaup*) et de coulées de boue (*lahars*) qui peuvent être encore plus dévastatrices. Ce fut le cas de l'éruption de l'Eyjafjallajökull en 2010 qui endommagea une partie de la Route circulaire avant de clouer au sol pendant près d'une semaine les avions de l'hémisphère Nord. Le Grímsvötn, volcan le plus actif du pays, situé sous la calotte du Vatnajökull, s'est aussi réveillé en 2011 mais avec de moindres conséquences pour l'environnement.

En plus des éruptions sous-glaciaires, les phénomènes sous-marins ne sont pas rares. En 1963, l'île de Surtsey est littéralement sortie de mer, donnant aux scientifiques l'occasion d'observer comment les morceaux fumants d'une terre nouvellement créée sont colonisés par la faune et la flore. Surtsey est interdite au public, mais on peut gravir de nombreux cônes comme l'Hekla, l'Eldfell – qui a bien failli ensevelir Heimaey en 1974 – et le Snæfellsjökull, sur la péninsule de Snæfellsnes.

Les dernières éruptions ont été moins tragiques – on les qualifie souvent d'éruptions touristiques car leurs fontaines de lave, leurs orages électriques et leurs nuages de cendres sont photogéniques mais ne causent pas de graves dégâts.

Mais le principal danger réside dans les émissions gazeuses : dioxyde de carbone, gaz à base d'acide sulfurique et gaz fluor, qui tua les habitants et décima les troupeaux pendant les éruptions du Laki. Ces émissions sont aujourd'hui surveillées par le bureau de météorologie islandais (Veðurstofa Íslands ; www.vedur.is), qui fournit des informations utiles.

Les cartes *Forlagið (Mál og Menning)* comprennent maintenant quelques suppléments thématiques, comme la *Fuglakort* (ornithologie), la *Höggunarkort* (tectonique), la *Jarðfræðikort* (géologie) ou la *Plöntukortið* (botanique). Le texte est en islandais et en anglais.

Geysers, sources et fumerolles

À 70 km à l'est de la capitale, le site de Geysir (du verbe islandais qui signifie "jaillir") a donné son nom aux phénomènes éruptifs de sources chaudes décrits en géologie. Plus ou moins actif selon les périodes, la hauteur de son jet dépend de la pression interne et donc de l'activité sismique de l'île. Sur les 10 dernières années, le rythme de son explosion est de 2 ou 3 par jour pour une hauteur de 80 m. Le Strokkur, voisin du précédent, est aussi le geyser le plus actif d'Islande. Il se déclenche toutes les 5 minutes et émet une colonne d'eau d'une vingtaine de mètres.

Les geysers sont des phénomènes assez rares puisqu'il n'en existe qu'un millier sur Terre. En Islande, l'eau qui a traversé la roche par percolation avant d'être surchauffée par le magma peut faire surface de plusieurs autres manières. Elle peut prendre la forme de sources, de bassins ou de rivières à la température élevée. On trouve des sources d'eau chaude partout en Islande, notamment à Landmannalaugar, dans la rivière de Hveragerði et le bassin situé au pied du cratère Víti. Les Islandais ont depuis longtemps apprivoisé ce don de la nature en construisant des piscines géothermales et des spas, les plus élégants étant les Mývatn Nature Baths et le Blue Lagoon. Ces deux lieux ne sont pas des piscines naturelles creusées dans la roche, mais des lagons artificiels alimentés par l'eau provenant des centrales géothermiques environnantes.

Les fumerolles sont les points où l'eau à très haute température atteint la surface de la terre sous forme de vapeur – l'exemple le plus intéressant

TERMES GÉOLOGIQUES

Basalte Type le plus commun de lave solidifiée. Cette roche volcanique noire, dure et dense se solidifie souvent en colonnes hexagonales.

Roche ignée Roche formée par la lave ou le magma se solidifiant.

Moraine Accumulation de pierres, d'argile et de sable entraînés puis abandonnés par un glacier.

Obsidienne Roche de couleur sombre à noire, vitreuse, formée par la solidification rapide de lave sans cristallisation.

Rhyolite Roche volcanique claire à grain fin, similaire au granit dans sa composition.

Scorie Gravier volcanique poreux qui a refroidi rapidement tout en bougeant, créant ainsi une surface vitreuse composée de cristaux riches en fer qui lui donnent une apparence étincelante.

Téphra Fragments solides projetés dans l'air lors d'une éruption volcanique.

se trouve à Hverir. Plus tranquilles mais plus opaques, il y a les marmites de boue comme celle de Krýsuvík sur la péninsule de Reykjanes, où une source d'eau chaude se mêle à la boue et à l'argile. Les giclées colorées de certaines marmites sont dues à la présence de minéraux (jaune sulfureux, rouge ferreux) mais aussi à des bactéries et algues extrêmophiles qui se plaisent dans ce milieu chaud et acide.

Glaciers

Les glaciers et les calottes glaciaires recouvrent environ 11% du territoire islandais. La plupart sont le résultat d'une période de mini-glaciation qui a débuté sur l'île il y a 2 500 ans. Ils se forment du fait de l'accumulation de la neige et des températures le plus souvent négatives. Sous son propre poids, la neige se comprime lentement et devient la calotte glaciaire.

Le Vatnajökull couvre 8% de la surface de l'île. Cette vaste calotte glaciaire arrive en 3e position mondiale après celles des deux pôles. Sur le pourtour de cette immense masse de glace, les glaciers et les rivières de glace se déplacent lentement le long de la montagne pour descendre vers les vallées. Ce vaste mouvement transporte des sédiments rocheux qui sont déposés dans des moraines grisâtres au pied des montagnes ou dans de vastes *sandar* comme le Skeiðarársandur dans le sud-est de l'Islande. Le processus peut être très rapide si les volcans sous-glaciaires entrent en éruption et provoquent une *jökulhlaup* (débâcle glaciaire) : la *jökulhlaup* causée en 1996 par l'éruption du Grímsvötn a détruit le plus long pont d'Islande et a changé la physionomie de certaines vallées.

À l'extrémité de certains glaciers, on trouve parfois une lagune, à l'instar du Jökulsárlón dont les blocs de glace du Breiðamerkurjökull dérivent comme des petits icebergs. Une teinte d'un bleu lumineux indique une glace plus ancienne, des siècles de compression ayant chassé les bulles d'air qui donnent à la glace sa transparence argentée habituelle (la teinte bleue des icebergs peut aussi être due à la réfraction de la lumière).

Les glaciers ont façonné une grande partie du paysage islandais depuis sa création, formant vallées et fjords. La glace avance ou recule selon les périodes. Comme ailleurs sur la planète, des marqueurs précis indiquent que les grandes calottes glaciaires islandaises – Vatnajökull, Mýrdalsjökull (dans le Sud-Ouest) et Langjökull et Hofsjökull dans les hautes terres – fondent plus rapidement depuis l'an 2000. Les glaciologues estiment que le Snæfellsjökull, à l'ouest, dont l'épaisseur ne dépasse pas 30 m, pourrait avoir disparu dans quelques décennies. De même que certains glaciers issus des grandes calottes glaciaires.

L'angélique officinale (*Angelica archangelica*) pousse à l'état sauvage dans de nombreuses régions. Appréciée pour ses vertus médicinales depuis l'ère des Vikings, elle figure dans un nombre croissant de recettes de cuisine. Parmi les bières Kaldi, on en trouve même une à l'angélique (la Stinnings Kaldi).

Faune et flore

Mammifères et faune marine

Excepté les moutons, les vaches et les chevaux, on croise peu d'animaux en Islande. Le seul mammifère terrestre indigène est le renard arctique, observé surtout dans le Hornstrandir, dans les fjords de l'Ouest. Vous pouvez même y consacrer du temps en devenant bénévole à l'Arctic Fox Center (www.arcticfoxcenter.com ; p. 214). Dans l'Est, on aperçoit parfois des troupeaux de rennes. Importés de Norvège au XVIIIe siècle, ils peuplent aujourd'hui les versants des montagnes. Des ours polaires dérivent parfois du Groenland sur des morceaux de banquise. Ils sont rarement les bienvenus en Islande, et souvent abattus par des fermiers.

L'Islande est pourvue d'une riche faune marine. Lors d'excursions en bateau au départ d'Húsavík (entre autres), dans le nord de l'Islande, on peut observer dauphins, marsouins, baleines de Minke et baleines à bosse, mais également cachalots, rorquals communs, rorquals boréals, globicéphales, orques et baleines bleues. On peut apercevoir des phoques dans les fjords de l'Est, dans la péninsule de Vatnsnes

La sterne arctique a l'âme d'un kamikaze : elle vous attaque si vous approchez de son nid. Lorsque vous marchez en territoire peuplé de sternes, portez un chapeau, levez un bras en l'air ou ayez un long bâton : elles s'en prennent toujours au point culminant.

LE MACAREUX MOINE

Membre de la famille des pingouins, le macareux moine passe une bonne partie de l'année en mer. Mais pendant quatre ou cinq mois, il rejoint la terre ferme pour se reproduire, fidèle au même partenaire et au même terrier (de plusieurs pièces !) creusé dans la falaise. Récemment encore, 60% de la population mondiale de macareux se reproduisait en Islande et de grandes colonies étaient visibles autour de l'île de fin mai à août. Malheureusement, le nombre de macareux a brutalement chuté dans le sud du pays au cours de la dernière décennie. Ils continuent de fréquenter cette région mais en plus petit nombre et avec un taux de reproduction bien inférieur. On en ignore la raison, mais on pense que le réchauffement des océans a entraîné le déclin de leur principale source de nourriture, l'anguille de sable. Il est également possible que la chasse et les collectionneurs d'œufs soient en cause.

Que les amateurs d'ornithologie se rassurent : les populations de macareux présentes dans le nord du pays ne semblent pas touchées (pour l'instant). On peut toujours observer ces oiseaux sur les falaises de Grímsey et Drangey, ainsi qu'à Borgarfjörður Eystri et dans les fjords de l'Ouest.

(nord-ouest de l'Islande), dans la région du Mýrar sur la côte sud-est (notamment à Jökulsárlón), dans le Breiðafjörður à l'ouest et dans les fjords de l'Ouest.

Oiseaux

Si les mammifères sont rares, en revanche l'avifaune est particulièrement riche en Islande, en particulier pendant la nidification, entre mai et août. Les colonies s'installent le long des falaises, en bord de mer et dans les îles dont certaines sont des réserves naturelles. Le plus connu est le macareux moine avec sa petite tête ronde et son bec orange. On trouve également de vastes colonies de fous de Bassan, guillemots, goélands, pingouins tordas, mouettes tridactyles et fulmars. On peut voir aussi, en moins grand nombre, chevaliers sylvains, sternes arctiques, labbes, puffins des Anglais, pluviers dorés, océanites tempêtes et océanites cul-blanc. Par ailleurs, l'Islande compte de nombreuses espèces de canards, lagopèdes, cygnes, grives mauvis, plongeons et gerfauts, ainsi que deux espèces de hiboux. Pour connaître les sites où observer des oiseaux dans les meilleures conditions, reportez-vous p. 41.

> Le pâturage intensif a entraîné une dramatique érosion des sols. Dans les années 1950 et 1960, c'était un acte patriotique de semer des graines de lupin d'Alaska sur des sols stériles pour combattre ce problème. De vastes zones ont été revégétalisées avec succès, mais aujourd'hui, cette grande fleur menace la biodiversité islandaise, privant de lumière des mousses, lichens et arbustes indigènes.

Végétation, fleurs et champignons

En raison des conditions climatiques et de la géologie de l'Islande, la végétation dans l'île, pourtant variée, se réduit le plus souvent à un tapis de plantes. La plupart des plantes poussent au ras du sol, s'étendant le plus possible pour mieux s'accrocher à une terre qui s'érode facilement. Les forêts qui recouvraient une partie de l'île au début de la colonisation ont disparu sous l'effet du peuplement et de l'élevage. Cependant, depuis le début du XXe siècle, le reboisement est devenu une préoccupation et le phénomène s'est accéléré ces dernières années. Certaines vallées bien abritées sont boisées ainsi que des versants de montagnes. À Reykjavík, les rues sont bordées de feuillus de différentes espèces importées.

En été, collines et vallées se couvrent d'un tapis de fleurs. La plupart de ces végétaux sont des espèces importées, en particulier le lupin soyeux, devenu une nuisance après avoir été un auxiliaire environnemental. En 2004, un sondage a été réalisé pour choisir la fleur nationale. La dryade à huit pétales *(Dryas octopetala)* – *holtasóley* ("bouton-d'or de landes") en islandais – a été l'heureuse élue. Vous apercevrez dans les zones caillouteuses et sur les affleurements rocheux cette fleur de quelques centimètres de diamètre avec ses huit délicats pétales blancs et un cœur jaune vif.

Les régions côtières se composent généralement d'herbes rases, de tourbières et de marécages. À plus haute altitude, la toundra domine.

On trouve aussi en Islande quelque 2 000 espèces de champignons. Le long des sentiers de randonnée, sur le bord des routes ou dans les champs, on en voit de toutes sortes, allant du blanc à l'orange vif.

Dans le Sud et l'Est, les récentes coulées de lave sont vite colonisées par des mousses, qui recouvrent le terrain rocheux irrégulier d'un tapis vert. Les coulées plus anciennes, dans l'Est et à plus haute altitude, sont généralement colonisées par des lichens. La mousse d'Islande *(Cetraria islandica)* gris-vert ou brun pâle visible partout est en réalité un lichen.

Parcs nationaux et réserves

L'Islande compte trois parcs nationaux et plus d'une centaine de réserves naturelles, monuments naturels et zones protégées, représentant au total 18 806 km² (soit environ 18% de la superficie du pays).

L'**Umhverfisstofnun** (Agence islandaise de l'environnement ; www.ust.is) est chargée de protéger nombre de ces sites. Son site Web présente des informations sur les actions menées, ainsi que des renseignements sur la façon de respecter la nature. Par ailleurs, cette agence recrute chaque été des bénévoles pour participer à des projets dans les parcs. Pour en savoir plus, reportez-vous p. 375.

Le **parc national de Þingvellir** (p. 110 ; www.thingvellir.is), le plus ancien d'Islande, abrite un beau lac de 84 km², la faille d'Almannagjá, d'une grande importance géologique, et le site du premier Alþing (Parlement). Il figure sur la liste du patrimoine mondial de l'Unesco.

Le **parc national du Snæfellsjökull** (p. 187 ; www.ust.is/snaefellsjokull-national-park), créé en 2001 dans l'ouest du pays, protège le Snæfellsjökull, ainsi que la côte et les champs de lave environnants.

Plus grand parc national d'Europe, le **parc national du Vatnajökull** (p. 13 et 307) couvre environ 13% de l'Islande. Issu en 2008 de la fusion entre deux parcs préexistants, le Skaftafell, dans le sud-est du pays, et le Jökulsárgljúfur, plus au nord, il englobe la totalité de la calotte glaciaire du Vatnajökull, la puissante cascade de Dettifoss et une grande variété de curiosités géologiques.

En 2002, les scientifiques ont découvert la deuxième plus petite créature du monde, *Nanoarchaeum equitans*, qui vit dans l'eau proche de l'ébullition d'une cheminée hydrothermique près de la côte nord de l'Islande.

Écologie

La faible densité de population, les vastes étendues sauvages, l'absence d'industrie polluante et l'utilisation de l'énergie géothermique et hydroélectrique valent à l'Islande une réputation de pays écologique. La maîtrise de la géothermie depuis des décennies par les techniciens et ingénieurs islandais fait de ces derniers des experts reconnus au niveau mondial et de l'Islande un laboratoire pour l'énergie du futur.

Cette énergie non polluante, fournie par la nature, n'intéresse pas que les Islandais. Des groupes étrangers en quête d'énergie bon marché convoitent les rivières glaciaires et les zones géothermiques. Le spécialiste américain de l'aluminium, Alcoa, est à l'origine d'un des projets les plus controversés. Achevé en 2009, le complexe hydroélectrique de Kárahnjúkar, dans l'est du pays, a été le plus grand chantier de l'histoire islandaise. Il comprend un réseau de barrages et de tunnels, un immense lac artificiel, une centrale électrique et des kilomètres de lignes à haute tension alimentant une fonderie située au bord d'un fjord à Reyðarfjörður, 80 km plus loin.

Le groupe américain souligne que l'aluminium qui est produit sur ce site utilise une énergie non polluante. En revanche, l'immense barrage construit pour alimenter son usine a profondément modifié le paysage. Les objections soulevées à l'époque par les écologistes n'ont guère rencontré d'échos parmi les habitants qui se satisfaisaient des perspectives économiques. L'est de l'Islande ne compte que 12 500 habitants et la mobilisation citoyenne face à ce type de projet immense est donc forcément compliquée.

Le pouvoir de l'énergie

Le barrage et l'aluminerie de Kárahnjúkar sont une terrible illustration du dilemme auquel l'Islande est confrontée aujourd'hui.

Pour assurer sa prospérité économique, le pays cherche à s'imposer comme l'un des grands acteurs de l'énergie du futur, l'énergie non polluante. Grâce à ses sources illimitées d'énergies géothermique et hydroélectrique (auxquelles s'ajoute aujourd'hui l'énergie éolienne), l'Islande produit plus d'électricité par habitant que tout autre pays (deux fois plus que la Norvège, qui arrive en seconde position) – 80% de

CHASSE À LA BALEINE

À la fin du XIXe siècle, la chasse à la baleine devint une activité commerciale lucrative grâce à l'apparition des bateaux à vapeur et des harpons explosifs. Les chasseurs norvégiens construisirent 13 grandes stations de pêche en Islande et pêchèrent jusqu'à l'extinction presque complète de l'espèce en 1913. Les Islandais se lancèrent à leur tour dans cette pêche de 1935 à 1986 mais, le nombre de baleines ayant dangereusement diminué encore une fois, la pêche commerciale fut interdite par la Commission baleinière internationale. L'Islande a repris la pêche à la baleine en 2006, au grand dam des écologistes du monde entier. Pourquoi les Islandais pêchent-ils la baleine aujourd'hui ? La réponse n'est pas simple.

Les autorités islandaises soulignent qu'elles ont toujours privilégié une gestion durable des populations de baleines, comme pour toutes les autres ressources marines, en respectant les quotas de capture annuels conseillés par l'Institut islandais de recherche marine, pour les baleines de Minke et les rorquals. Pour les saisons 2014 et 2015, ces quotas sont de 229 et 154 individus, respectivement.

Ces chiffres suscitent néanmoins la polémique, car les rorquals communs, en particulier, figurent sur la Liste rouge des espèces menacées publiée par l'Union internationale pour la conservation de la nature (IUCN). L'office du tourisme islandais soutient que l'industrie nationale de la pêche à la baleine nuit à l'observation de ces animaux (une opinion contestée par le ministère des Industries et de l'Innovation).

L'industrie locale de la pêche à la baleine est condamnée à l'étranger. En septembre 2014, 35 nations, dont les États-Unis, l'Australie et certains pays européens, ont officiellement protesté auprès du gouvernement islandais par voie diplomatique. Leurs arguments rencontrent toutefois peu d'échos en Islande et les protestations semblent n'avoir eu aucun effet. Une nouvelle campagne américaine, intitulée "Don't Buy From Icelandic Whalers", qui encourage le public, les grossistes et les revendeurs à ne pas acheter de poisson aux sociétés baleinières islandaises, pourrait frapper là où ça fait mal : au porte-monnaie.

Un sondage mené au milieu de l'année 2013 révélait que près de 60% des Islandais soutenaient la chasse au rorqual, tandis que 9% étaient contre et que 24% ne se prononçaient pas (75% des habitants n'achètent jamais de viande de baleine, qui est exportée en grande partie du Japon). L'industrie de la pêche est d'une importance cruciale pour le pays, et beaucoup pensent que réduire la population de baleines permet de préserver les stocks de poissons (un argument démenti par de nombreuses études – le WWF, par exemple, en publie quelques-unes sur son site Web, qui concluent que la principale menace pour les poissons est la mauvaise gestion des pêcheries).

Par-dessus tout, la chasse à la baleine est intrinsèquement liée à l'orgueil national. Les Islandais ne se sont jamais laissé dicter leur conduite par les autres et, face à la critique mondiale, leur demander s'ils sont pour la chasse à la baleine revient à leur demander s'ils soutiennent leur pays.

Paradoxalement, ce sont les touristes qui consomment 35 à 40% de la viande de baleine vendue en Islande. En 2012, le Fonds international pour la protection des animaux (IFAW) et Ice Whale (Icelandic Whale Watching Association) ont lancé une grande campagne ("Venez nous voir, pas nous manger") pour encourager les visiteurs à observer les baleines plutôt que les consommer.

cette électricité est vendue à une poignée d'entreprises internationales installées sur place, mais son exportation générerait de nouveaux revenus.

L'Islande et le Royaume-Uni étudient ainsi la possibilité d'exporter de l'énergie hydroélectrique par l'intermédiaire d'un câble sous-marin long de 1 000 km (un projet qui porte le nom d'IceLink au Royaume-Uni ; voir askjaenergy.org). L'Islande espère également accueillir des industries gourmandes en énergie en devenant notamment un leader mondial des *data centers*.

Si ces projets se réalisent, l'Islande devra produire toujours plus d'énergie et donc forcément des barrages hydroélectriques, des centrales géothermiques et des kilomètres de lignes électriques. Ces investissements seront réalisés dans des espaces sauvages et en particulier dans les hautes terres centrales. Certaines ONG défendent l'idée de protéger ce territoire en le classant parc national, ce qui permettrait un meilleur contrôle des projets industriels. Landvernd, association de défense de l'environnement (www.landvernd.is), fait des points réguliers sur les programmes en cours et les actions de défense de l'environnement.

L'Islande n'est pas réellement un pays arctique : l'île s'arrête à quelques kilomètres du cercle polaire. Pour franchir cette ligne imaginaire, il faut rejoindre l'île de Grímsey, le seul morceau d'Islande en zone arctique.

Impact du tourisme sur la nature

Chaque année, l'Islande accueille près d'un million de visiteurs, ce qui n'est pas sans impact sur l'environnement.

Vers un futur "pass nature" ?

Le gouvernement envisage de prélever une redevance unique (sous la forme d'une taxe d'arrivée payable à l'aéroport ou d'un "pass nature" dont le prix dépendra de la durée du séjour) afin que les voyageurs contribuent à la protection et l'entretien des sites naturels. Ce projet ne paraît pas déraisonnable, compte tenu de la population islandaise, contrainte d'accueillir des randonneurs venus de toute l'Europe et des bus remplis de vacanciers qui nécessitent l'installation de nouvelles infrastructures et l'entretien de celles existantes. Routes, canalisations, stations-service, ou encore gardes forestiers, le coût est important lorsqu'il est rapporté au nombre d'habitants.

Renseignez-vous et ne soyez pas surpris si une forme de taxe ou de "pass nature" était instaurée dans les années à venir. Les autorités devraient agir rapidement. Pendant l'été 2014, des habitants ont pris l'initiative de faire payer l'accès à certains sites naturels situés sur leur propriété (comme Geysir et Hverir), avant que les tribunaux ne déclarent cette pratique illégale.

Importé par les Vikings, le cheval islandais pure race *(Equus scandinavicus)* est une race petite et résistante parfaitement adaptée aux conditions difficiles du pays. Ce cheval possède cinq allures dont le *tölt*, un galop si coulé que le cavalier peut boire une bière sans en renverser une goutte.

Sécurité et respect de l'environnement

Voici quelques règles à suivre pour voyager sans risque et en respectant la nature (et les habitants !) :

Écoutez les conseils. Personne ne cherche à vous gâcher vos vacances – quand un habitant vous conseille de ne pas emprunter telle ou telle route avec votre voiture ou d'éviter une zone en raison d'émissions de soufre ou d'une débâcle glaciaire, c'est parce qu'il connaît son pays et ses dangers.

Soyez prévoyant. Consultez les sites qui indiquent la météo et l'état des routes. Emportez une bonne carte et le matériel adéquat et faites preuve de jugeote. Ne partez pas en randonnée vêtu d'un jean, ne tentez pas de traverser une rivière au volant d'une petite voiture, ne vous aventurez pas sur un glacier sans être parfaitement équipé et accompagné d'un guide.

Respectez la nature. Les paysages qui font la particularité de l'Islande doivent être préservés. Si vous avez loué un 4x4, restez sur les pistes balisées ; la conduite hors route est interdite et endommage de manière irréversible la nature fragile.

Culture

L'Islande compense son isolement, son hiver interminable et sa population peu nombreuse par une passion brûlante pour la culture sous toutes ses formes. Son patrimoine littéraire singulier s'étend des sagas médiévales mouvementées aux romans noirs à succès d'aujourd'hui. Il semblerait également que le fait de se joindre à une formation musicale soit un passage obligé pour tout Islandais, et le pays a produit nombre de grands interprètes. Les artistes s'inspirent du mode de vie et des paysages grandioses de leur terre natale pour exprimer leur identité typiquement islandaise par le biais du cinéma, de l'art et du design.

Littérature

Sanglantes, mystiques et nuancées, les sagas de la fin du XIIe et du XIIIe siècle comptent parmi les chefs-d'œuvre de la culture islandaise. Les célèbres *Passíusálmar* (*Psaumes de la Passion*), écrits en 1659 par le révérend Hallgrímur Pétursson, ont longtemps été lus ou chantés pendant le carême. Au XXe siècle, Halldór Laxness, lauréat du prix Nobel, a propulsé l'Islande sur la scène littéraire mondiale. Mais les Islandais ne se reposent pas sur leurs lauriers : aujourd'hui, le pays s'enorgueillit du plus grand nombre d'écrivains et de traductions littéraires par habitant dans le monde.

"Je préfère aller nu-pieds que sans livre" (*Betra er berfættum en bókarlausum að vera*), affirme un vieux dicton islandais. Les Islandais aimant toujours passionnément l'écrit, il est naturel que Reykjavík appartienne au réseau des Villes Unesco de littérature ; la capitale offre d'ailleurs toutes sortes de circuits et de programmes dans ce domaine.

Les sagas

Les sagas en prose de l'Islande médiévale figurent parmi les œuvres les plus imaginatives et émouvantes du début de la littérature. Ces récits épiques et brutaux sont ponctués de passages empreints de sagesse, de magie, de mélancolie et d'amour.

Rédigées entre le XIIe et le début du XIVe siècle, les sagas racontent la vie, les conflits et les amours tragiques de héros hauts en couleur et de leurs familles. Guerriers, poètes ou hors-la-loi, ces personnages vécurent à l'époque de la colonisation. Si la plupart des sagas sont des œuvres anonymes, la *Saga d'Egill* a été attribuée à Snorri Sturluson. Certaines constituent des sources importantes pour les historiens, comme la *Saga des Groenlandais* et la *Saga d'Erik le Rouge*, qui décrivent les voyages entrepris par Erik et sa famille, notamment son fils Leif (qui débarqua en Amérique du Nord).

Rédigées au cours des siècles durant lesquels l'Islande se désespérait d'être sous les jougs norvégien et danois, les sagas n'apportaient pas seulement un divertissement, mais aussi un fort sentiment d'appartenance culturelle. Les soirs d'hiver, les gens se retrouvaient dans les fermes pour la *kvöldvaka* (veillée) et tandis que les hommes tressaient les crins de chevaux pour fabriquer des cordages et que les femmes filaient la laine ou tricotaient, un membre de la famille lisait les sagas ou récitait des *rímur* (poèmes épiques de style allitératif).

L'Islande publie le plus grand nombre de livres par habitant au monde et affiche un taux d'alphabétisation de 100%.

Les sagas restent très présentes aujourd'hui. La langue ayant peu évolué depuis l'époque des Vikings, les Islandais, jeunes et vieux, se plaisent à les lire dans le texte. La plupart des gens peuvent en citer de longs passages, connaissent les fermes où les personnages vécurent et moururent, et affluent au cinéma pour voir les dernières adaptations de ces récits intemporels. Pour en savoir plus, consultez l'Icelandic Saga Database (www.sagadb.org). On peut admirer les manuscrits originaux des sagas à la Maison de la Culture de Reykjavík (Þjóðmenningarhúsið, p. 65).

Dans *Contes et Légendes de la mythologie nordique* (Ancre de marine, 2010), Jean Mabire nous conte les mondes extraordinaires des dieux du Nord.

Poésie eddique et scaldique

Les premiers colons venus d'autres régions scandinaves apportèrent avec eux leurs traditions poétiques, et ces poèmes furent retranscrits par écrit à partir du XIIe siècle.

Les poèmes eddiques se regroupent en trois catégories : mythologique, gnomique (porteur de vérités intemporelles) et héroïque. Ils sont composés en vers libres, sur une structure très proche de celle de l'ancienne poésie germanique. La poésie mythologique évoquant les antiques dieux norrois constitue sans doute une provocation délibérée à l'égard des sentiments chrétiens croissant en Islande. La poésie gnomique consiste en une œuvre majeure, les *Hávamál* (Dits du Très-Haut), qui exaltent les vertus du quotidien. Quant aux poèmes eddiques héroïques, ils sont analogues par la forme, le fond et les caractères aux premières œuvres germaniques telles que les *Nibelungenlied.*

La poésie scaldique était composée à l'origine par les *scaldes* (poètes de cour norvégiens) pour célébrer les hauts faits des rois scandinaves ; elle développa ensuite d'autres thèmes, à mesure que le genre croissait en popularité. Le plus célèbre scalde fut Egill Skallagrímsson – celui de la *Saga d'Egill* – qui, entre autres exploits, s'attira l'hostilité mortelle d'Eirík "hache sanglante", roi de Jorvík (actuel York), en 948. Après avoir été capturé et condamné à mort, dans la nuit précédant son exécution, Egill composa une ode à Eirík. Le monarque flatté fit relâcher Egill sain et sauf. Son poème est aujourd'hui connu sous le nom de *Höfuðlausn* (Rançon de la tête).

Régis Boyer a traduit l'intégralité de l'Edda poétique dans un ouvrage intitulé tout simplement... *Edda poétique* (Fayard, 1992).

Les poèmes scaldiques, essentiellement conçus pour des éloges, concentrent en quelques vers à la structure très stricte une foule

LES GRANDES SAGAS ISLANDAISES

La Saga d'Egill Située en grande partie près de l'actuelle ville de Borgarnes, elle a pour personnage central Egil Skallagrímsson, un homme complexe, retors mais sensible. Poète (ou *skald*) réputé, guerrier triomphant, habile négociateur et petit-fils d'un loup-garou/métamorphe, il vécut jusqu'à un âge avancé, contrairement à bien des héros de sagas.

La Saga des Gens du Val-au-Saumon (Saga de Laxdæla) Se déroulant dans le Breiðafjörður et le Dalir (nord-ouest de l'Islande), cette tragique saga est riche en mariages ratés, amours contrariées et meurtres.

La Saga de Njáll le Brûlé Njál et Gunnar, deux des plus grands héros de saga islandais, sont entraînés dans 50 années d'une rivalité fatale entre deux familles.

La Saga de Gisli Sursson Quintessence des histoires de hors-la-loi, cette saga parle de vengeance, de fratricide et de bannissement.

Völsungasaga (Saga des Völsung) Certaines parties de cette saga vous sembleront peut-être familières puisque Richard Wagner *(L'Anneau du Nibelungen)* et J. R. R. Tolkien *(Le Seigneur des anneaux)* y ont puisé des épisodes.

La Saga d'Eyrbyggja Cette saga mineure située dans la péninsule de Snæfellsnes mérite d'être lue pour son ambiance originale et surnaturelle ; c'est le seul récit médiéval islandais où des fantômes sont traduits devant un tribunal pour avoir hanté des lieux.

HALLDÓR LAXNESS

Au cours de sa longue vie, Halldór Laxness (1902-1998), lauréat du prix Nobel, a remodelé le visage de la littérature islandaise et remis à l'honneur les récits épiques. Il est aujourd'hui l'auteur islandais le plus célèbre du XXe siècle. Pourtant, une quinzaine seulement de ses 51 romans, innombrables nouvelles, pièces et poèmes sont disponibles en français.

Né Halldór Guðjónsson, l'auteur choisit comme nom de plume celui de la ferme familiale, Laxnes (auquel il ajouta un "s"). Doté d'une curiosité insatiable et d'une plume féconde, Laxness publia sa première œuvre à 14 ans et commença à voyager à 17 ans. Il rejoignit un monastère au Luxembourg, où il se convertit au catholicisme, étudia le latin et rédigea son premier vrai roman, *Undir Helgahnúk* (*Sous le pic sacré*). Assez vite déçu par la vie monastique, il fit un bref retour en Islande, puis se rendit en Italie où il écrivit *Vefarinn Mikli frá Kasmír* (*Le Grand Tisserand de Cachemire*), dans lequel il explique sa désaffection pour l'Église et son intérêt croissant pour les idées de gauche. Dans les années 1930, Laxness partit en Amérique tenter sa chance à Hollywood dans l'industrie cinématographique naissante, avant d'embrasser la cause du communisme et de se rendre souvent dans le bloc soviétique. En 1962, Laxness s'établit définitivement dans la banlieue de Reykjavík (sa maison, près de Mosfellsbær, est aujourd'hui transformée en musée). C'est là qu'il écrivit *Skáldatími* (*Le Temps des poètes*), poignante abjuration de tous ses écrits à la gloire du Parti communiste.

En 1955, Laxness se vit décerner le prix Nobel de littérature et devint un héros dans son pays. Ses ouvrages sont de petits bijoux d'ironie dont les personnages, aussi égarés soient-ils, sont dépeints avec compassion. Son roman le plus célèbre, *Gens indépendants* (1934-1935), sombre tragi-comédie écrite dans un style foisonnant et évocateur, décrit les rudes conditions de vie dans l'Islande du début du XXe siècle. Le récit, centré sur l'obstiné paysan Bjartur de Summerhouses et sa famille laborieuse, plonge le lecteur dans le quotidien d'une ferme traditionnelle. Autre grand roman, *La Cloche d'Islande* (1943-1946 ; Flammarion, 1998), une trilogie dans l'esprit des sagas, dresse un tableau de la misère et de l'injustice qui accablaient le peuple islandais sous la domination danoise. Parmi ses autres œuvres actuellement disponibles en français, signalons *Lumière du monde* (1937-1940 ; Aubier, 1992), *Station atomique* (1948 ; La Dispute 1991), *La Saga des fiers-à-bras* (1952 ; Anacharsis, 2006), *Le Paradis retrouvé* (1960 ; Gallimard, 1990) et *Les Annales de Brekkukot* (1957 ; Fayard, 2009), qui portent l'empreinte de ses recherches vers le taoïsme.

de descriptifs. Outre des règles extrêmement rigides concernant les allitérations, le nombre de pieds ou les syllabes accentuées, ces poèmes doivent respecter aussi des figures de style très complexes. L'une d'elles, le *kenning*, consiste à remplacer le mot propre par une métaphore filée : le sang est ainsi appelé "rosée de blessure", une bataille est souvent désignée comme "le glorieux chant des Walkyries" et un bras peut être décrit comme un "perchoir de faucon".

Littérature contemporaine

Le lauréat du prix Nobel, Halldór Laxness, domine de son génie la littérature contemporaine. Parmi les autres écrivains notoires figurent notamment un auteur de littérature pour enfants du début du XXe siècle : le révérend Jón Sveinsson (dit Nonni), natif d'Akureyri. Inspirés de sa jeunesse en Islande, ses récits sur les aventures du jeune Nonni ont été écrits essentiellement en allemand et traduits en 40 langues. Un des épisodes a été publié en français sous le titre de *Nonni. Aventures d'un jeune Islandais racontées par lui-même* (Elor Éditions, 2001). La maison de Sveinsson, à Akureyri, est devenue un intéressant musée. Peu après, le poète et dramaturge Jóhann Sigurjónsson (1880-1919) écrivit *Les Proscrits* (Éditions Théâtrales, 2001), biographie de Fjalla-Eyvindur, un proscrit du XVIIIe siècle. Le texte fut adapté au cinéma par le réalisateur suédois Victor Sjöström en 1917. Parmi les autres maîtres de la littérature islandaise, signalons également Gunnar Gunnarsson (1889-1975), dont on pourra notamment lire en français *Frères jurés* (1918 ; Fayard, 2000), et Þórbergur Þórðarson (Thorbergur Thordarson ; 1888-1974).

Parmi les œuvres disponibles en français d'écrivains plus récents, figure *La Sagesse des fous* (Points, 2009), d'Einar Kárason, extraordinaire évocation de la vie à Reykjavík dans les années 1950. C'est le premier tome d'une saga familiale qui s'étend sur trois générations, mais dont les deux autres tomes n'ont malheureusement pas été traduits en français. *101 Reykjavík* (Actes Sud, 2002), de Hallgrímur Helgason, dont a été tiré un film (voir p. 338), est une comédie noire sur la vie de Hlynur, jeune glandeur à l'imagination fertile, qui habite encore chez sa mère dans le centre de Reykjavík. Plus noir encore, mais zébré d'humour, *Les Anges de l'univers* (10/18, 2001, tirage épuisé), d'Einar Már Gudmundsson, est un étrange roman basé sur les délires schizophréniques d'un homme enfermé dans un hôpital psychiatrique. La *Saga de Gunnlöd,* de Svava Jakobsdóttir, mêle vie contemporaine et mythologie nordique.

Le Reykjavík Arts Festival (fin mai-début juin) est l'occasion de découvrir les arts visuels, la littérature, la musique et les arts de la scène islandais.

Quant à Arnaldur Indriðason, il est l'auteur de romans policiers se déroulant principalement à Reykjavík, dont plusieurs sont des best-sellers. La plupart sont aujourd'hui traduits en français et disponibles au format poche aux éditions Points. Figurent parmi les plus fameux *La Cité des jarres* (Métailié, 2005), adapté au cinéma sous le titre de *Jar City, La Femme en vert* (Métailié, 2007), *L'Homme du lac* (Métailié, 2008), *Hiver arctique* (Métailié, 2009) et *Étranges Rivages* (Métailié, 2013), qui a pour cadre les fjords de l'Est. Les thrillers d'Yrsa Sigurðardóttir ont également été traduits dans de nombreux pays – *Je sais qui tu es* est son dernier roman publié en français. D'autres auteurs sont à découvrir : Guðrún Eva Mínervudóttir pour *Le Créateur,* un roman noir psychologique, et Sjón, ancien membre du groupe Sugarcubes, pour *Le Moindre des mondes,* une aventure fantastique dont l'action se déroule au XIXe siècle. Enfin, Audur Ava Ólafsdóttir s'est fait connaître en France avec *Rosa Candida* (Zulma, 2010), un roman à l'humour fantasque.

Musique

Pop

L'Islande se distingue dans le monde de la pop. Parmi les musiciens mondialement célèbres, Björk et son ancien groupe, les Sugarcubes, arrivent bien sûr en tête. À Reykjavík, tâchez de vous procurer *Gling Gló,* le grand succès de la chanteuse, une compilation de classiques du jazz et de chansons traditionnelles islandaises, difficile à trouver à l'étranger.

Le groupe Sigur Rós a emboîté le pas de Björk sur le chemin de la célébrité ; *Takk* (2005), leur album le plus vendu, a été encensé dans le monde entier. Il a été suivi de *Með suð í eyrum við spilum endalaust* (2007), un opus plus pop. Le film *Heima*, qui suit leur tournée en 2007, est également un incontournable. Après une longue pause, le groupe a sorti ses sixième et septième albums en studio, *Valtari* (2012) et *Kveikur* (2013). Jónsi, chanteur du groupe, a aussi connu le succès avec son joyeux album solo *Go* (2010).

À Reykjavík, la salle de concert Harpa, à la pointe du modernisme, se distingue par sa façade couverte de miroirs hexagonaux, ses quatre scènes et son acoustique exceptionnelle. C'est l'endroit idéal où voir un spectacle.

Le groupe indé-folk Of Monsters and Men a fait un malheur dans les *charts* nord-américains en 2011 avec son premier album, *My Head is an Animal.* Le single *Little Talks* tiré de cet album est arrivé numéro un du classement des meilleures chansons de rock alternatif établi par le magazine américain *Billboard* en 2012. La chanson *Silhouettes* fait partie de la bande originale de *Hunger Games : L'Embrasement.*

Plus récemment, Ásgeir Trausti, plus connu sous le nom d'Ásgeir, a fait un tabac avec l'album en anglais *In the Silence* (2014) ; ses concerts à l'étranger se jouent à guichets fermés.

D'aucuns connaîtront aussi Emiliana Torrini, chanteuse italo-islandaise qui interprète *Gollum's Song* dans le film *Le Seigneur des anneaux : les Deux Tours* (Peter Jackson, 2002).

De nombreux peintres et musiciens islandais s'épanouissent dans plusieurs disciplines. Certains font sensation à l'étranger, comme Ragnar Kjartansson, digne représentant de ces nouveaux artistes, mi-peintres, mi-acteurs, réalisateurs ou musiciens. Le Hafnarhús du musée d'Art de Reykjavík et les galeries de la capitale leur rendent un bel hommage.

La scène musicale florissante de Reykjavík connaît un afflux régulier de nouveaux groupes et sons – visitez www.icelandmusic.is pour vous faire une idée de sa variété. Plusieurs membres du groupe indé-folk Seabear se sont fait un nom en solo, comme Sin Fang (écoutez l'album *Flowers* sorti en 2013) et Sóley (*We Sink*, 2012). Le groupe indé-folk minimaliste Árstíðir a rencontré un vif succès sur YouTube en 2013 avec un hymne islandais du XIIIe siècle chanté a cappella dans une gare allemande. GusGus, un groupe de pop électronique avec neuf albums à son actif, a assuré la première partie du concert de Justin Timberlake en 2014 à Reykjavík.

On peut également citer le groupe d'électro FM Belfast, qui a fondé son propre label pour enregistrer son premier album, *How to Make Friends*, en 2008 (le plus récent, *Brighter Days*, date de 2014) ; Múm (mix d'électronique et d'instruments traditionnels) qui a sorti *Smilewound* en 2013 ; Mínus (dont les guitares trash ont joué pour Foo Fighters et Metallica, mais qui semble actuellement faire une pause) ; Hafdís Huld (chanteuse pop ombrageuse) et l'exubérant groupe de garage-rock Benny Crespo's Gang. Côté hard-rock, HAM, dont le premier album date de 1988, est récemment réapparu après une interruption de 16 ans, avec la sortie de *Svik, harmur, og dauði* ("Trahison, tragédie et mort", 2011). Retro Stefsson est un nouveau groupe de pop alternatif, tandis que Hermigervill connaît un certain succès sur la scène électro-pop.

Les salles de concert changent constamment à Reykjavík – consultez le journal et site Web gratuit *Reykjavík Grapevine* (www.grapevine.is) pour connaître les adresses et les dates. Si votre séjour dans le pays coïncide avec l'un des nombreux festivals musicaux, précipitez-vous ! Le fabuleux Iceland Airwaves (organisé à Reykjavík tous les ans en novembre) présente des talents islandais et de grands noms internationaux, de même que le Secret Solstice (juin) et l'ATP (juillet). Le Þjóðhátíð (Festival national) qui se tient dans les Vestmannaeyjar fin juillet ou début août attire plus de 16 000 personnes pour quatre jours de musique et de fête.

Musique traditionnelle

Jusqu'à l'arrivée du rock and roll au XXe siècle, l'Islande ne connaissait guère d'instruments de musique. Les Vikings avaient apporté avec eux la *fiðla* et le *langspil*, sortes de boîtes à deux cordes que le musicien posait sur ses genoux et dont il jouait avec un archet. Jamais utilisés seuls, ces instruments servaient à accompagner des chanteurs.

Les instruments sont donc longtemps restés un luxe inconnu, le chant étant alors la seule forme musicale. Les deux grands types de chants étaient les *rímur*, poèmes ou récits épiques tirés des sagas, chantés sous forme de sourdes mélopées (Sigur Rós s'y est essayé), et les *fimmundasöngur*, chants en duo croisé. Coupée des influences extérieures, la musique vocale islandaise n'évolua guère du XIVe au XXe siècle ; elle réussit par ailleurs à conserver des harmonies qui furent interdites par l'Église dans le reste de l'Europe sous prétexte qu'elles étaient l'œuvre du diable !

L'Islande possède un répertoire de centaines de chansonnettes que les enfants apprennent avant même d'aller à l'école et que la plupart des Islandais chantent encore avec plaisir dans leur vieil âge. Elles ressortent chaque fois que les différentes générations se retrouvent : fêtes familiales, sorties, camping. Les deux favorites (qu'on entend sans cesse) sont *Á Sprengisandi*, une chanson sur les bergers et les proscrits des hautes terres désertiques, et une berceuse inspirée de la légende selon laquelle la femme du proscrit Fjalla-Eyvindur jeta son bébé affamé dans une cascade. Des florilèges de cette musique traditionnelle sont vendus un peu partout, dans les magasins de musique et dans les boutiques de souvenirs.

Dans tout le pays, des chœurs chantent de la musique traditionnelle, tandis que des albums, comme *Inspired by Harpa - The Traditional Songs of Iceland* (2013), permettent de découvrir les chants folkloriques islandais, ou *rímur*.

Cinéma

L'industrie cinématographique islandaise, qui n'a véritablement démarré qu'au début des années 1980, est néanmoins jalonnée de quelques œuvres marquantes. Des courts-métrages ont reçu plusieurs récompenses internationales. Plus rares, les longs-métrages explorent souvent des thèmes récurrents, sombres et décalés, sur fond de paysages grandioses.

Pour tout savoir sur les longs-métrages, documentaires et films d'animation islandais, consultez www.icelandic-filmcenter.is.

En 1992, le monde du cinéma s'est pour la première fois tourné vers l'Islande lors de la nomination du film *Les Enfants de la nature* de Friðrik Þór Friðriksson (Fridrik Thor Fridriksson) aux Oscars, dans la catégorie du meilleur film étranger. Ce film raconte l'échappée belle dans la campagne d'un couple de personnes âgées enfermées dans un hospice à Reykjavík. Son réalisateur est une véritable légende dans le milieu cinématographique islandais. Parmi ses autres films, citons notamment *Cold Fever* (1994), *Les Anges de l'univers* (2000) et *The Sunshine Boy* (2009), un documentaire sur les enfants autistes.

Si un film a placé Reykjavík sur la scène cinématographique, c'est *101 Reykjavík* (2000), réalisé par Baltasar Kormákur et tiré du roman de Hallgrímur Helgason. Cette comédie noire explore le monde du sexe et de la drogue à travers la vie d'un tire-au-flanc qui habite dans le centre de Reykjavík. Dans *Jar City* (2006), le séduisant Ingvar E. Sigurðsson incarnait Erlendur, l'inspecteur préféré des Islandais (personnage récurrent de l'écrivain Arnaldur Indriðason). *The Deep* (2012) a rencontré un grand succès et, l'année suivante, Kormákur s'est lancé à la conquête d'Hollywood en tournant *2 Guns,* avec Denzel Washington et Mark Wahlberg. *Everest,* avec Keira Knightley, Robin Wright et Jake Gyllenhaal, sortira en 2015.

Autre réalisateur islandais à avoir atteint un succès international, Dagur Kári possède à son palmarès *Nói l'albinos* (2003), l'histoire d'un

GROS PLAN SUR L'ISLANDE

L'île est aujourd'hui une destination appréciée des équipes de cinéma. La beauté du pays et les avantages financiers consentis par le gouvernement ont incité les réalisateurs hollywoodiens à tourner en Islande. Amusez-vous à repérer les paysages islandais dans des films à grand succès comme *Tomb Raider* (2001), *Meurs un autre jour* (2002), *Batman Begins* (2005), *Mémoires de nos pères* (2006), *Stardust* (2007), *Voyage au centre de la Terre* (2008), *Prometheus* (2012), *Oblivion* (2013), *Star Trek: Into Darkness* (2013), *La Vie rêvée de Walter Mitty* (2013), *Noé* (2014) et dans la série de HBO *Game of Thrones*. *Star Wars, épisode VII : Le Réveil de la Force* a également été tourné ici.

Les réalisateurs ne sont pas les seuls à aimer l'Islande. Les musiciens la choisissent aussi pour tourner leurs clips, comme Björk, Of Monsters and Men ou encore Sigur Rós. *Heima*, filmé lors de la tournée de Sigur Rós *en* 2007, met ainsi à l'honneur les Islandais, leurs cascades grondantes et leurs montagnes escarpées. Le clip *Holocene* de Bon Iver (2011), de 6 minutes, mériterait d'être repris par l'Office national du tourisme islandais dans ses campagnes publicitaires.

adolescent agité dans un fjord du nord de l'Islande enseveli sous la neige, et *The Good Heart* (2009), tourné en anglais, accueilli par une *standing ovation* lors de sa première au Festival international du film de Toronto. À voir aussi *Kaldaljós* (Lumière froide ; 2004), de Hilmar Oddsson, un film poignant au rythme lent, sur la vie dans un fjord perdu, avec l'étonnante performance d'un jeune garçon en personnage central.

Mettant en scène deux ouvriers qui peignent des lignes sur les routes, le premier film d'Hafsteinn Gunnar Sigurðsson, *Either Way* (2011), a été repris aux États-Unis par David Gordon Green sous le titre *Prince of Texas* (2013). Du même réalisateur, *Paris of the North* (2014), une comédie dramatique sur les relations père-fils dans un petit village de l'est de l'Islande, a été très bien accueilli par la critique.

Nominé aux Academy Awards, *Des chevaux et des hommes* (2013), de Benedikt Erlingsson, a fait sensation pour sa description surréaliste des destins croisés d'un groupe d'hommes et de chevaux, observés à travers le regard de ces derniers. Également acteur, Erlingsson a joué dans *Volcano* (*Eldfjall*, 2011) de Rúnar Rúnarsson, l'histoire d'un couple âgé contraint de quitter les îles Vestmann à la suite de l'éruption de l'Eldfjall et qui s'efforce de concilier la maladie et la famille. Tourné en 2012, *The Final Member* est un curieux documentaire qui raconte la recherche d'un pénis d'*homo sapiens* à exposer au Musée phallologique islandais de Reykjavík.

Peinture et sculpture

Parmi les artistes les plus réputés d'Islande, beaucoup ont étudié à l'étranger avant de revenir au pays se colleter avec l'énigmatique âme islandaise. Résultat : un style influencé par l'Europe, mais des thèmes inspirés par les sagas et les paysages islandais. Les musées permettent de découvrir des œuvres réalisées aussi bien par des hommes que des femmes.

Le premier peintre paysagiste islandais fut le prolifique Ásgrímur Jónsson (1876-1958), qui produisit un nombre étonnant d'huiles et d'aquarelles. On peut voir ses œuvres à la Galerie nationale, à Reykjavík.

Élève d'Ásgrímur, Jóhannes Sveinsson Kjarval (1885-1972), dont le succès ne se dément pas, a passé son enfance à Borgarfjörður Eystri, un village reculé de l'est du pays. Ses premières commandes furent des dessins de leurs fermes que voulaient emporter avec eux les émigrants, mais il est surtout célèbre pour ses premiers dessins au fusain des villageois et pour ses paysages surréalistes. Un bâtiment tout entier, superbe, du musée d'Art de Reykjavík (le Kjarvalsstadir) porte son nom.

Bien représentée en Islande, la sculpture émaille les parcs, les jardins et les galeries. Les plus célèbres sculpteurs islandais ont tous un musée qui leur est dédié à Reykjavík. Parmi les plus notables figurent Einar Jónsson (1874-1954), dont les œuvres mystiques traitent de la mort et de la résurrection, et Ásmundur Sveinsson (1893-1982), connu pour ses captivantes sculptures cinétiques qui célèbrent l'Islande, ses histoires et son peuple. Au musée d'Art de Reykjavík, admirez les œuvres présentées dans le paisible Asmundarsafn, ancien studio de l'artiste. Sigurjón Ólafsson (1908-1992) s'est spécialisé dans les bustes mais a aussi travaillé les formes abstraites. À Kópavogur, un musée est dédié aux magnifiques vitraux et sculptures de Gerður Helgadóttir (1928-1975), dont les œuvres sont aussi exposées dans le parc Hljómskálagarður de Reykjavík, parmi d'autres signées Gunnfríður Jónsdóttir (1889-1968), Nína Sæmundson (1892-1962), Þorbjörg Pálsdóttir (1919-2009) et Ólöf Pálsdóttir (née en 1920).

Le peintre islandais contemporain le plus célèbre est sans doute l'icône du pop art Erró (Guðmundur Guðmundsson), qui a fait don de tous ses tableaux à l'Hafnarhús du musée d'Art de Reykjavík.

L'artiste islando-danois Olafur Eliasson (né en 1967) crée d'imposantes installations et a également conçu la façade du Harpa, la nouvelle salle de concert de Reykjavík.

Architecture et design

Les maisons longues vikings d'Islande ont succombé aux outrages du temps, mais les techniques traditionnelles de construction à base de tourbe et de bois ont été utilisées jusqu'au XIXe siècle. On en trouve un bon exemple à Glaumbær, dans le nord du pays.

Guðjón Samúelsson (1887-1950), l'un des architectes islandais les plus connus du XXe siècle, s'est efforcé de créer un style typiquement islandais ; on peut admirer ses réalisations minimalistes dans tout le pays, comme l'église Hallgrímskirkja et la piscine Sundhöllin, à Reykjavík, la Þingvallabær (ferme de Þingvellir) ou encore l'Héraðsskólinn, une ancienne école de Laugarvatn.

Les designers, artistes et architectes islandais sont généralement basés à Reykjavík. Beaucoup d'entre eux forment des collectifs et ouvrent des boutiques et des galeries présentant de belles œuvres originales. L'Iceland Design Centre (www.icelanddesign.is), à Reykjavík, fournit de nombreuses informations et organise tous les ans le DesignMarch (www.designmarch.is) au cours duquel des centaines d'expositions et d'ateliers sont ouverts au public.

Le Designers and Farmers Project (www.designersandfarmers.com/en) a été créé afin d'opérer la fusion entre les produits agricoles locaux et le penchant national pour les lignes épurées et le design soigné.

Le musée du Design et des Arts appliqués (www.honnunarsafn.is), à Garðabær, 7,5 km au sud de Reykjavík, présente des créateurs islandais du début du XXe siècle à aujourd'hui.

Les Islandais

Des siècles d'isolement et d'épreuves ont instillé un caractère particulier à cette nation homogène et faiblement peuplée. Les Islandais sont très attachés à leur terre natale, à leur histoire et à leurs compatriotes. Cette population de 325 000 habitants a tendance à affronter l'adversité avec un mélange de courage, de franchise et d'originalité, teinté d'un humour noir, forcément glacé.

Les Islandais et leur devise : "Þetta reddast" ("Tout finit par s'arranger")

Les Islandais ont une réputation de gens solides, tenaces et prosaïques. Les communautés rurales restent attachées à l'agriculture et à la pêche. Sur le plan strictement géographique, le mot "rural" peut s'appliquer à la majeure partie du pays, hors la région de la capitale ; cela étant, il ne concerne en fait que 36% de la population totale.

Vivant sur une île isolée à l'environnement difficile, les Islandais sont particulièrement individualistes. Habitués à ne compter que sur eux-mêmes, ils détestent qu'on leur dicte leur conduite. En atteste l'actuel débat sur la chasse à la baleine : alors que la plupart des Islandais n'ont pas spécialement envie de manger de la viande de baleine, la majorité en soutient la chasse, façon de revendiquer leur indépendance.

Derrière ce caractère bien trempé, se cache également un peuple éduqué et créatif. Le riche patrimoine culturel de l'île en atteste, tout comme le niveau élevé des études suivies par ses habitants. Il suffit de se promener dans le centre-ville de Reykjavík pour s'en rendre compte. Ici l'art est une passion et les pratiques culturelles sont variées et souvent plus originales qu'ailleurs. Musique, design, mode, cinéma, littérature : l'énergie créatrice des habitants est présente dans tous les domaines.

Ce caractère confiant et intrépide a été mis à rude épreuve durant la crise financière de 2008. Des soupes populaires ont fleuri dans la capitale et des milliers de jeunes Islandais ont quitté le pays pour tenter leur chance en Norvège. Mais la résilience a ici rang de qualité nationale. Aujourd'hui, le taux d'émigration a chuté, un parfum de confiance s'est remis à flotter un peu partout, et de nouvelles entreprises ont vu le jour pour répondre à l'essor du tourisme. Le pays se remet doucement à croire dans le vieux dicton "*Þetta reddast*" ("Tout finit par s'arranger"), qui est même passé au rang de devise nationale.

Si l'influence américaine a toujours été marquée en Islande, en particulier du fait de la présence des GI dans l'ancienne base de Keflavík pendant des dizaines d'années, les Islandais se sentent aussi culturellement très proches des pays scandinaves. Calme et toujours réservé, l'Islandais, comme le Scandinave, n'affiche guère ses sentiments face à l'inconnu. Cependant, les Islandais faisant preuve d'un patriotisme assumé, ils aiment aussi savoir ce que l'on pense d'eux et de leur île à l'extérieur : "Comment trouvez-vous l'Islande ?" est souvent une question posée. Une métamorphose spectaculaire s'opère les vendredi et samedi soir, lorsque les inhibitions tombent et que la parole circule aussi librement que l'alcool.

L'Islande est le pays le plus paisible au monde selon l'indice mondial de la paix (GPI), qui la classe en tête de liste tous les ans depuis 2008. Cet indice est basé sur des critères comme le taux de crimes violents, l'instabilité politique et le pourcentage de détenus.

Le Petit Livre des Islandais (Éditions Vaka Helgafell, 2013), d'Alda Sigmundsdóttir, est un merveilleux recueil de 50 textes courts sur les singularités et les faiblesses des Islandais. D'origine islandaise, l'auteure est revenue vivre dans son pays après avoir passé 22 ans à l'étranger.

Mode de vie

Au cours du siècle dernier, le mode de vie a profondément changé en Islande : plus de communautés familiales qui vivaient isolées dans des fermes disséminées ou dans des villages du littoral, mais une société désormais urbanisée. Aujourd'hui, près des deux tiers des Islandais vivent dans la région de Reykjavík, où les jeunes des régions rurales s'installent souvent pour finir leurs études et travailler.

L'âge du départ à la retraite est fixé à 67 ans. Il n'est pas rare pour un Islandais de cumuler plusieurs emplois, surtout pendant la courte saison touristique qui voit affluer des centaines de milliers de visiteurs.

Jusqu'en 2008, date du début de la crise financière, les Islandais ont consommé sans retenue, vivant à crédit grâce à des banques dont le poids cumulé représentait presque 10 fois le PIB du pays. Le naufrage économique a néanmoins pu être évité grâce à l'adaptabilité, la résilience et l'imagination des Islandais. Même si la situation économique n'a pas retrouvé son niveau d'avant 2008, la plupart des menaces qui planaient au-dessus de l'île ont disparu.

Le goût pour les loisirs est ici à l'aune de l'acharnement au travail. La détente des vendredi et samedi soir à Reykjavík vire à des excès de folie. En témoignent également ces centaines de maisons de vacances autour du Cercle d'or, et le nombre exceptionnel de piscines publiques, hauts lieux de convivialité.

L'Islande n'avait qu'une chaîne de télévision jusqu'en 1988, laquelle ne fonctionnait pas le jeudi afin que les citoyens pussent se livrer à des activités plus constructives. On dit que beaucoup d'enfants nés avant 1988 ont été conçus un jeudi...

Être femme en Islande

En 2013, l'Islande s'est retrouvée en tête, pour la 5e année consécutive, de l'indice du Forum économique mondial qui mesure l'égalité homme/femme dans 136 pays du monde. Cet écart est mesuré dans les domaines de l'accès aux soins et à l'éducation, ainsi que du pouvoir économique et politique.

Les sagas qui racontent la colonisation de l'Islande sont peuplées de femmes fortes (telle Hallgerður Höskuldsdóttir, qui refusa de sauver la vie de son époux à cause d'une gifle qu'il lui avait assénée plusieurs années auparavant). À l'instar d'autres régions côtières, les femmes devaient s'occuper de la ferme, du bétail et des cultures pendant que les

QUE DIT LE NOM ?

Les noms islandais se composent du prénom suivi du prénom du père (plus rarement de la mère), auquel on ajoute le suffixe *dóttir* (fille de) pour les filles, ou *son* (fils de) pour les garçons. Ainsi, Jón, fils de Einar, sera Jón Einarsson et Guðrun, fille de Einar, sera Guðrun Einarsdóttir.

Les patronymes islandais revenant à faire dire aux gens comment se nomme leur père, les Islandais se contentent d'utiliser les prénoms, même quand ils s'adressent à des étrangers. Ainsi, ils appellent le président ou le chef de la police par leurs prénoms, ce qui donne un côté hautement démocratique à cette société ! Dans l'annuaire téléphonique, ce sont les prénoms qui apparaissent, par ordre alphabétique.

Environ 10% des Islandais ont des noms de famille (qui remontent pour la plupart au début de l'époque de la colonisation), mais ils sont rarement utilisés. Pour tenter d'uniformiser le système, la législation interdit à quiconque de prendre un nouveau nom de famille ou d'adopter le nom de famille de son conjoint.

Il existe aussi une liste officielle des prénoms dont on peut appeler ses enfants. Tout ajout à cette liste doit être auparavant approuvé par un comité national des noms. Pour les quelque 5 000 naissances qui ont lieu chaque année en Islande, le comité recevrait environ une centaine de demandes, la moitié étant rejetée. Ses exigences tiennent notamment au fait que les noms "doivent pouvoir avoir une terminaison grammaticale islandaise", et "n'entrent pas en conflit avec la structure linguistique de l'Islande".

hommes partaient en mer. Hommes et femmes luttaient donc en parallèle pour survivre dans ces mondes hostiles, mais l'égalité des sexes, qui est maintenant dans les gènes de la société islandaise, reste un phénomène assez récent.

L'espérance de vie en Islande est l'une des plus élevées au monde : 81 ans pour les hommes et 84 ans pour les femmes.

Si les femmes ont obtenu le droit de vote en 1915, ce n'est qu'après les mouvements protestataires des années 1970 que les attitudes évoluèrent. La "grève des femmes" du 24 octobre 1975, lors de laquelle 30 000 femmes défilèrent pour réclamer l'égalité des salaires avec les hommes, fut particulièrement efficace.

En 1980, l'Islande est devenue la première démocratie à élire une femme – la très aimée Vigdís Finnbogadóttir – à la présidence de la République. En 2009, le pays était encore une fois précurseur en choisissant pour Premier ministre une femme ayant publiquement révélé son homosexualité, Jóhanna Sigurðardóttir. En Islande, 78,5% des femmes travaillent, l'un des taux les plus élevés du monde occidental.

Le système de protection sociale est si performant que les femmes n'ont guère à s'inquiéter si elles doivent élever un enfant seules : les dispositions relatives aux congés de maternité sont très favorables, la garde ne coûte pas cher, la maternité n'est pas considérée comme incompatible avec le travail ou les études, et les mères célibataires ne sont pas stigmatisées. Enfin, 90% des enfants de moins de 5 ans sont scolarisés.

Ancêtres et recherche génétique

Si la recherche biotechnologique se porte bien en Islande, c'est en partie grâce à l'historien Ári le Savant qui vécut au XIIe siècle. Son *Livre de la colonisation* (*Landnámabók*) et son *Livre des Islandais* (*Íslendingabók*) permettent de retracer la généalogie islandaise jusqu'au IXe siècle.

Si les Islandais parlent la langue la plus proche de celle des Vikings, leur sang scandinave est, au niveau du peuplement originel de l'île, le plus mêlé de tous les pays nordiques. L'étude de leur ADN montre que leur patrimoine génétique est en grande partie celtique, ce qui suggère que beaucoup de colons vikings auraient eu des enfants de leurs esclaves britanniques et irlandaises.

En 1996, le neuroscientifique Kári Stefánsson a reconnu que ce matériel généalogique, appliqué à la population exceptionnellement homogène de l'Islande, faisait du pays un laboratoire d'études génétiques idéal. En 1998, le gouvernement a voté, non sans oppositions, la création d'une base de données regroupant, par consentement présumé, toutes les informations généalogiques, génétiques et médicales des Islandais. Décision encore plus contestée, il a autorisé la société de biotechnologies de Kári Stefánsson, deCODE Genetics, à créer cette base de données, et à s'en servir afin d'identifier les gènes responsables de maladies héréditaires. La décision a soulevé un tollé dans le pays et des débats dans le monde entier sur ses implications quant aux droits de l'homme et à l'éthique médicale.

Tandis que la controverse faisait rage (et que les investisseurs affluaient), la société s'est mise au travail. La base de données a été déclarée anticonstitutionnelle en 2003, et deCODE, qui a fait faillite en 2010, a été vendue en 2012 à Amgen, le géant américain des biotechnologies. Toutefois, deCODE avait eu le temps de constituer une base de données pour la recherche en s'appuyant sur l'ADN et les données cliniques de plus de 100 000 volontaires (un tiers de la population), et d'isoler des gènes mutants liés à l'infarctus du myocarde, aux AVC et à la maladie d'Alzheimer. Aujourd'hui dirigée par une nouvelle équipe, deCODE continue d'explorer les mystères du génome humain. En 2014, la société a de nouveau lancé une campagne très contestée encourageant les Islandais à renseigner leur matériel génétique pour enrichir sa base de données.

Religion

Religion nordique

À l'époque de la colonisation, la religion de l'Islande était l'Ásatrú, qui signifie "foi dans les Aesir" (ou "Ases", principal panthéon des anciens dieux nordiques). C'était l'ancienne religion, de souche indo-européenne, de la plupart des peuples germaniques. Le *Galdrabók*, un texte islandais médiéval, révèle que les gens invoquaient encore les Aesir bien après l'adoption du christianisme dans le nord de l'Europe. Le panthéon comptait de nombreux dieux, Þór (Thor), Óðinn et Freyr constituant la grande trinité vénérée dans toute la Scandinavie. La pratique était étroitement liée au culte des grandes forces naturelles. Óðinn, dieu borgne de la Guerre et de la Poésie, était le chef des dieux. En l'absence de guerre, en Islande, la plupart des gens vénéraient Þór, le maître du tonnerre, du vent, de l'orage et des désastres naturels : se le concilier était donc vital pour les paysans et les pêcheurs. Freyr et sa sœur jumelle Freyja, les enfants de la divinité de la mer Njörður, étaient le dieu et le déesse de la Fertilité et de la Sexualité. Freyr était en charge de la permanence des espèces.

Alors que les autres religions conservent un nombre d'adeptes constant, l'Ásatrúarfélagið progresse. Avec 2 400 fidèles, c'est aujourd'hui la plus grande organisation religieuse non chrétienne du pays.

Christianisme

L'Islande s'est convertie au christianisme vers l'an 1000. Ce changement de religion releva d'un choix politique. Les chrétiens et les païens constituaient deux factions radicalement opposées, dont la division menaçait l'intégrité du pays. Þorgeir, le *lögsögumaður* (celui qui dit la loi), appela à la modération et il fut finalement décidé que le christianisme deviendrait la nouvelle religion officielle, mais que les païens continueraient à pouvoir pratiquer la leur en privé. Aujourd'hui, environ 80% des Islandais appartiennent à l'Église protestante luthérienne, comme c'est d'ailleurs le cas dans les autres pays scandinaves. Cela dit, beaucoup ne sont pas pratiquants et les églises sont très peu fréquentées.

Les Islandais (Ateliers Henry Dougier, 2014) est un court ouvrage écrit par Gérard Lemarquis, correspondant du journal *Le Monde*, parti à la rencontre des habitants de l'île, connus ou inconnus. Auteur également d'une anthologie de la poésie islandaise.

LE MONDE SURNATUREL : FANTÔMES, TROLLS ET PEUPLE CACHÉ

Il suffit de voir les étranges paysages islandais pour comprendre pourquoi les habitants croient leur pays peuplé par le *huldufólk* (peuple caché) et les fantômes.

Jarðvergar (gnomes), *álfar* (elfes), *ljósálfar* (fées), *dvergar* (nains), *ljúflingar* (mignons), *tívar* (esprits de la montagne) et *englar* (anges) habitent les laves. Il font l'objet d'histoires transmises de génération en génération et de nombreux Islandais affirment en avoir vu, ou connaître quelqu'un qui en a vu.

Comme en Irlande, on raconte que des problèmes surviennent lorsqu'on tente de construire une route sur les maisons du *huldufólk* : le temps se dégrade, les machines ne fonctionnent plus et les ouvriers tombent malades. À la mi-2014, la "fantaisie" islandaise a de nouveau fait la une de l'actualité internationale. La construction d'une route reliant la péninsule d'Álftanes à la banlieue reykjavikoise de Garðabær a en effet été interrompue après que des militants se sont inquiétés du fait que cela perturberait l'habitat des elfes.

Quant aux fantômes, ils sont tenus pour des êtres palpables, non des ombres flottantes comme ailleurs en Europe. Írafell-Móri (*móri* et *skotta* désignent respectivement les fantômes mâle et femelle) a besoin de dîner chaque soir, et l'un des plus célèbres revenants du pays, Sel-Móri, a le mal de mer quand il s'embarque clandestinement sur un bateau ; deux fantômes qui hantent les mêmes parages joignent quant à eux leurs forces pour redoubler de méfaits. On dit souvent que les empilements de roches et les formations de lave aux formes étranges sont des trolls surpris par le lever du soleil et pétrifiés pour l'éternité.

D'après les enquêtes d'opinion, plus de la moitié des Islandais croient à l'existence du *huldufólk* (ou du moins n'écartent pas cette possibilité). Mais attention : les Islandais ne supportent pas que les visiteurs leur demandent s'ils croient à ces créatures surnaturelles ou qu'ils se montrent attendris face à une telle croyance. Alors même s'ils n'y croient pas vraiment, ce n'est pas devant un étranger qu'ils l'admettront ! Pour en savoir plus, participez à un circuit à Hafnarfjörður (voir p. 95) ou à un cours d'initiation de 4 heures dispensé par l'**école des elfes islandaise** (Álfaskólinn ; www.elfmuseum.com) à Reykjavík.

Cuisine islandaise

Celui qui connaît un peu la cuisine islandaise pense habituellement au requin fermenté ou à la tête de mouton... Vision bien restrictive si l'on songe aux produits de l'île : grande variété de poisson et de fruits de mer, production des fermes d'élevage et de culture, ou encore les astucieuses techniques de conservation de la nourriture remises au goût du jour par les célèbres chefs de la cuisine néo-nordique.

Patrimoine culinaire

La cuisine islandaise a été marquée par des siècles de misère et de frugalité. Les paysans-pêcheurs islandais avaient la vie dure : avec la rareté des terres cultivables et la rudesse des interminables hivers, les récoltes étaient maigres, tandis qu'en bord de mer, la pêche côtière suffisait à peine pour vivre. Le mouton, le poisson, ainsi que les oiseaux marins et leurs œufs constituaient la nourriture de base et l'on mangeait jusqu'au moindre morceau de chaque animal : frais ou séché, salé, fumé, lacto-fermenté, voire enterré (dans le cas de la chair de requin) pour assurer la conservation en prévision des années de mauvaises récoltes.

Le poisson salé (filets de morue salés et séchés au vent) a joué un rôle si important pour les Islandais qu'il figurait jadis sur le drapeau du pays.

Poisson, fruits de mer, agneau, pain et légumes composent aujourd'hui l'essentiel de l'alimentation. Depuis quelques années, producteurs et chefs locaux revisitent des recettes et techniques traditionnelles, avec un résultat parfois singulier. En Islande, le mouvement Slow Food, qui privilégie les aliments locaux, remporte un franc succès.

Spécialités locales

Poisson et fruits de mer

"La mer est la moitié de notre pays", affirme un dicton islandais. Effectivement, le poisson est au cœur de l'alimentation : prépondérant sur les marchés, il est cuisiné de multiples façons dans les restaurants.

Dans le passé, les Islandais conservaient les joues et la langue du *þorskur* (cabillaud ou morue) – des morceaux délicats – et exportaient le reste. Aujourd'hui, on trouve couramment des filets de *þorskur* au menu, ainsi que du *ýsa* (églefin), du *bleikja* (omble chevalier) et du *skötuselur* (lotte), très prisé pour sa texture charnue. Parmi les autres poissons, signalons le *lúða* (flétan), le *steinbítur* (poisson-chat), le *sandhverfa* (turbot), le *sild* (hareng), le *skarkoli* (plie) et le *skata* (pocheteau gris). En été, on peut goûter au *silungur* (truite d'eau douce) et au *villtur lax* (saumon sauvage). L'*eldislax* (saumon d'élevage) se déguste toute l'année et figure sur d'innombrables cartes de restaurant (dans sa version fumée).

L'*harðfiskur*, que l'on mange souvent en en-cas avec du beurre, est vendu dans les supermarchés et sur les marchés. Il s'agit d'églefin (ou d'un autre poisson), que l'on aura dépouillé puis mis à sécher en plein air.

Les crevettes (*rækja*), les coquilles Saint-Jacques (*hörpudiskur*) et les moules (*kræklingur*) se pêchent dans les eaux islandaises. Les moules fraîches apparaissent au début de l'été. Les *leturhumar*, que les Islandais appellent "homard" mais qui sont en fait des langoustines, sont un vrai délice. Höfn, dans le Sud-Est, en est la capitale et organise chaque année la Fête de la Langoustine.

Où les trouver frais...

Langoustines : Höfn

Tomates : Flúðir

Renne : Egilsstaðir et fjords de l'Est

Hverabrauð ("pain de sources chaudes") : Mývatn

Moules : Stykkishólmur

Poulain : Skagafjörður

Viande

L'agneau islandais est très réputé. En été, les moutons broutent en liberté dans les hautes terres et les vallées, avant le *réttir* (rassemblement des troupeaux) de septembre. Ensuite, ils passent l'hiver dans les granges. Résultat : une viande très tendre avec un léger goût de gibier. La plupart des restaurants le proposent en filet, sauté ou fumé.

La viande de bœuf est excellente, mais l'animal étant moins répandu, les prix sont plus élevés. Le cheval figure également sur les tables. Il est considéré comme un mets délicat, et souvent appelé "filet de poulain".

Dans l'est du pays, où les rennes sauvages sont plus fréquents dans les hautes terres, on trouve de la viande de renne sur les cartes. La chasse est très réglementée ; la saison s'étend de fin juillet jusqu'à septembre.

Côté oiseaux, le *lundi* (macareux), autrefois servi fumé ou grillé, se fait rare dans les assiettes depuis que la population diminue de manière inquiétante. Autre oiseau marin, le *svartfugl*, traduit par "blackbird" sur les cartes en anglais, est en réalité du guillemot. Les restaurants gastronomiques privilégiant les produits de saison proposent aussi, en automne, de l'*heiðagœs* (oie à bec court) rôtie.

Les gastronomes seront peut-être alléchés par le circuit dégustation "Culinary Coastline and Countryside" de Saga Travel (www.sagatravel.is) ; il permet de goûter poisson, bœuf, agneau, bière et glaces produits sur les fertiles terres agraires des environs d'Akureyri.

Desserts

Dégustez le *skyr*, un délicieux laitage à base de lait écrémé. On le sert souvent avec du sucre, des fruits (myrtilles par exemple) et un peu de crème fraîche. On en trouve dans les supermarchés et dans les restaurants.

Les *pönnukökur* sont de fines crêpes sucrées et parfumées à la cannelle. Les *kleinur* (beignets), moelleux et délicieux, ont pour variantes les *ástar pungur* (boules d'amour), des boulettes de pâte épicée. Ces desserts sont vendus dans les boulangeries, à côté d'un impressionnant assortiment de gâteaux et de pâtisseries – l'un des rares doux legs de l'occupation danoise.

Les fermes laitières préparent de délicieuses glaces, largement présentes sur les cartes des restaurants. À la classique vanille s'ajoutent de nouveaux parfums comme la bière, la réglisse ou la sauce béarnaise.

TOUR D'HORIZON CULINAIRE

Commencez par goûter au poisson et à l'agneau islandais. Ensuite, vous aurez peut-être envie de tester des mets plus "exotiques" comme la baleine, le macareux ou même le *hákarl* (requin du Groenland faisandé), en sachant que la consommation de ces espèces n'est pas sans poser problème (voir p. 81). En revanche, avec les délices suivants, faites-vous plaisir sans compter !

Skyr Sorte de yogourt épais et crémeux, parfois assaisonné de sucre et de baies. Il se consomme sous forme de yaourt à boire ou de dessert, et c'est aussi l'ingrédient vedette de préparations comme le cheesecake, la crème brûlée, ou encore le "skyramisu".

Hangikjöt Viande séchée – généralement de l'agneau fumé – servie en fines tranches (plat de Noël).

Harðfiskur Morceaux de haddock séché, généralement consommés avec du beurre.

Pýlsur Hot dog à base de viandes d'agneau, de bœuf et de porc, agrémenté d'oignons crus et d'oignons frits, de ketchup, de moutarde et de rémoulade acidulée (demandez un "eina með öllu" – un complet).

Réglisse Salée ou enrobée de chocolat, elle occupe une place importante dans les rayons confiserie.

Rúgbrauð Pain de seigle noir, à la mie compacte. Dans la région du Mývatn, régalez-vous de *hverabrauð* – pain cuit sous terre grâce à la vapeur des sources géothermales.

TOUT SE MANGE, EN CUISINE TRADITIONNELLE

Dans la cuisine traditionnelle, tout était bon à manger : tête, intestins, foie, rognons... Il ne fallait rien laisser se perdre ! Si ces plats ne figurent plus guère au menu des restaurants, on peut en consommer dans les buffets de *þorramatur* (littéralement, "aliments de Þorri"), pendant la fête d'hiver de Þorrablót (du nom du mois de Þorri dans l'ancien calendrier norrois, soit de mi-janvier à mi-février). Pour l'occasion, le *brennivín* (eau-de-vie) coule à flots.

Svið Tête de mouton bouillie mangée telle quelle ou macérée dans du vinaigre.

Sviðasulta Fromage de tête fait à partir du *svið*.

Slátur (mot signifiant "abattage"). Se présente sous deux formes : la *lifrarpylsa* est une panse de brebis farcie d'un mélange d'intestins de mouton, de foie et de graisse, puis cuite (rappelle le fameux haggis écossais). Le *blóðmör* contient en plus du sang de mouton (proche du boudin).

Súrsaðir hrútspungar Pain de testicules de bélier cuits dans du petit-lait puis tassés dans un moule.

Hákarl Le plus célèbre des mets islandais ! Le *hákarl* est un requin du Groenland qu'il faut laisser six mois enfoui sous terre pour qu'il devienne comestible (sa chair fraîche est toxique car elle a une forte teneur en acide urique liée au fait que l'animal "transpire" son urine). Les effluves d'ammoniac sont difficilement supportables pour des étrangers, mais le goût est meilleur que l'odeur... D'aucuns jugent toutefois l'arrière-goût un peu rude... Il est d'usage d'avaler une rasade de *brennivín* (eau-de-vie) pour le faire passer.

Boissons

Boissons sans alcool

Une vie sans *kaffi* (café) serait impensable pour les Islandais. Dans les cafés et les stations-service, une imposante cafetière pleine trône sur le comptoir et certaines boutiques offrent gracieusement un café à leurs clients. Les établissements servant des expressos, des *latte*, des cappuccinos et autres mokas, de plus en plus prisés, fleurissent jusque dans les hameaux les plus isolés. Le thé a moins la cote auprès des Islandais, et le choix dans le commerce en est plutôt limité.

Salt Eldhús (www.salteldhus.is), une petite école de cuisine de Reykjavík, propose un cours intitulé "Local in Focal" qui permet d'apprendre à concocter un repas de 3 plats avec des produits locaux.

Grands amateurs de caféine, les Islandais détiennent le record du monde de consommation de Coca-Cola par habitant. Également appréciés : les sodas de fabrication locale Egils Appelsín, à l'orange, et Egils Malt Extrakt, qui a le goût d'une bière très sucrée.

L'eau en bouteille n'est pas proscrite en Islande, mais elle le devrait car l'eau du robinet, généralement en provenance directe d'un glacier, est très pure.

Boissons alcoolisées

La consommation d'alcool en Islande est rarement modérée. C'est particulièrement vrai à Reykjavík, où le week-end, les consommateurs ingurgitent des quantités impressionnantes.

La vente de bière, vin et spiritueux est interdite aux moins de 20 ans. Seuls les bars et les restaurants qui possèdent une licence, ainsi que les Vínbúðin (www.vinbudin.is), les magasins de vins et de spiritueux d'État, peuvent vendre de l'alcool. Ces derniers sont une bonne cinquantaine dans l'île ce qui représente pratiquement un dans chaque bourg comportant plus de deux rues, et une douzaine dans Reykjavík et sa périphérie. Dans les zones urbanisées, ils ouvrent généralement de 11h à 18h du lundi au samedi (jusqu'à 19h le vendredi) et sont fermés le dimanche. Dans les villages, ils n'ouvrent qu'une heure ou deux en fin d'après-midi. La file d'attente est impressionnante le vendredi vers 17h.

Prévoyez au moins 1 300 ISK pour une bouteille de vin d'importation et environ le tiers des tarifs des bars pour la bière.

Les stations-service et les supermarchés vendent un breuvage peu alcoolisé (2°) appelé "pilsner", qui n'a plus beaucoup de succès auprès des Islandais. Egils, Gull, Thule et Viking, les principales marques de bière islandaises, sont des lagers ou des pils standards. On trouve aussi des bières d'importation. Ces dernières années, d'excellentes distilleries et brasseries locales ont fleuri en Islande. Elles produisent selon les cas du whisky, de la vodka et quantité de bières artisanales de grande qualité – pour plus de détails, reportez-vous p. 87. Découvrez les bières saisonnières, en particulier celles qui sont brassées avant Noël.

La réputation des prix élevés pour l'alcool en Islande n'est pas entièrement vraie. Une pinte de bière dans un bar coûte entre 800 ISK et 1 200 ISK. À Reykjavík, nombre d'établissements pratiquent l'*happy hour* en début de soirée (500-700 ISK). Afin d'alléger votre budget boissons, téléchargez l'application pour Smartphone *Reykjavík Appy Hour*.

L'alcool traditionnel islandais, le *brennivín* (littéralement "vin brûlé"), est une puissante eau-de-vie à base de pommes de terre fermentées et aromatisées aux graines de carvi. Il a le surnom peu engageant de *svarti dauði* ("mort noire"), mais c'est en tout cas le breuvage incontournable pour accompagner les savoureux *þorramatur* (les plats servis pendant le mois de þorri, en particulier le requin ou la tête de mouton).

La Fête de la Bière (1er mars) remonte à 1989, glorieuse année où la bière fut légalisée en Islande (elle fut interdite pendant la majeure partie du XXe siècle). Comme de juste, il règne pour l'occasion une ambiance particulièrement débridée dans les boîtes et les bars de Reykjavík.

Établissements

Restaurants

Les meilleurs restaurants se trouvent à Reykjavík, mais il existe aussi, en dehors de la capitale, quelques établissements à la réputation flatteuse qui s'adressent à une clientèle de touristes en quête de saveurs authentiques. Ces restaurants travaillent en collaboration avec des petits producteurs locaux : cultivateurs d'orge, mytiliculteurs, producteurs de légumes, éleveurs de moutons et pêcheurs du coin. Ces produits sont travaillés en cuisine le plus souvent sans ajout d'autres ingrédients.

L'écart de prix entre une table gastronomique et un restaurant moyen est assez faible. À choisir, mieux vaut opter pour le haut de gamme. Dans les campagnes cependant, le choix se limite souvent au seul restaurant du village, généralement celui de l'hôtel local, et au grill de la station-service. Au cœur de la saison estivale, on peut avoir beaucoup de mal à obtenir une table sans avoir réservé, et/ou il faut attendre longtemps.

Les cartes proposent habituellement au moins un plat de poisson, un plat végétarien (souvent des pâtes) et quelques plats de viande (l'agneau figure bien sûr en bonne place). Nombre de restaurants offrent aussi la possibilité de repas moins chers à base de hamburgers et de pizzas. Il y a souvent de la soupe en plat au déjeuner (sous la forme d'un buffet soupes et salades), ou en entrée au dîner. La *fiskisúpa* (soupe de poisson) se prépare selon des recettes traditionnelles, et la *kjötsúpa* (soupe à la viande) se compose généralement de légumes mélangés avec des morceaux de viande d'agneau.

Le chef new-yorkais Anthony Bourdain a décrit le *hákarl* comme étant "probablement la pire chose [qu'il ait] jamais eue en bouche".

BUDGET

Les rubriques "Où se restaurer" de ce guide sont divisées en trois catégories basées sur le prix moyen d'un plat principal.

€ moins de 2 000 ISK (13 €)

€€ 2 000-5 000 ISK (13-32 €)

€€€ plus de 5 000 ISK (32 €)

À Reykjavík, et à un moindre degré à Akureyri, on trouve de plus en plus de restaurants thaïlandais, japonais, italiens, mexicains, indiens ou chinois.

Les restaurants ouvrent généralement de 11h30 à 14h30 et de 18h à 22h, tous les jours.

Cafés et pubs

Les cafés-bars un peu bohèmes, où l'on peut s'attarder autour d'un café, bavarder ou tapoter sur son ordinateur, fleurissent dans le centre de Reykjavík. Les cartes vont de la soupe basique et du sandwich à l'assiette de poisson en passant par le burger créatif. Depuis quelques années, les cartes des cafés se sont rapprochées de celles des restaurants (avec des tarifs *ad hoc*). Les cafés se multiplient également en dehors de la capitale.

À Reykjavík, de nombreux cafés se métamorphosent en bar à l'atmosphère endiablée les soirs de week-end, restant généralement ouverts jusque vers 4h ou 5h. En dehors de la capitale, l'ambiance est beaucoup plus calme et feutrée, même si la vie nocturne est animée le vendredi et le samedi à Akureyri.

En Islande, le carvi sert à parfumer le fromage, le café, le pain noir et le *brennivín*. Mi-août, après la floraison, certains habitants de Reykjavík se rendent sur l'île de Viðey pour récolter des graines de carvi.

Stands de hot dogs et stations-service

Les Islandais aiment manger sur le pouce. Si vous apercevez une file d'attente à Reykjavík, elle conduit probablement à un stand de *pýlsur* (hot dogs). Les stations-service importantes comportent souvent des cafétérias et des bons grills, pas chers et très fréquentés. Ils proposent généralement des sandwichs et des plats de restauration rapide entre 11h et 21h/22h. Certains servent un menu copieux pour le déjeuner, le plus souvent avec de la soupe à la viande, du poisson, du mouton, etc.

Supermarchés et boulangeries

Chaque ville, bourg ou village possède au moins un petit supermarché. Les 10-11 sont les plus chers, mais restent généralement ouverts plus tard. Les supermarchés Bónus (reconnaissables à leur enseigne voyante, jaune ornée d'un cochon rose) sont une chaîne pour petits budgets. Vous trouverez aussi les enseignes suivantes : Hagkaup, Kjarval, Krónan, Nettó, Nóatún, Samkaup-Strax et Samkaup-Úrval. Les heures d'ouverture varient beaucoup : à Reykjavík, la plupart des enseignes ouvrent tous les jours de 9h à 23h. En dehors de la capitale, les horaires sont plus limités. Certains établissements sont fermés le dimanche.

Les *bakarí* (boulangeries) à l'ancienne sont appréciées des visiteurs et l'on en trouve dans la plupart des localités (parfois installées dans les supermarchés). Elles sont généralement ouvertes de 7h/8h à 16h en semaine (parfois aussi le samedi). Elles vendent toutes sortes de pains, gâteaux et sandwichs à petits prix, servent du café et disposent généralement de tables et de chaises.

La plupart des produits d'épicerie étant importés, les prix sont souvent exorbitants (deux ou trois fois plus chers que sur le continent européen). En revanche, les poissons (en conserve ou fumés) et les produits laitiers sont étonnamment abordables. Les fruits et légumes cultivés localement sont toujours frais, contrairement à ceux qui sont importés.

La *rabarbarasulta* (confiture de rhubarbe), fabriquée localement et vendue dans la plupart des petites villes, est un savoureux souvenir à rapporter dans sa valise.

Végétariens

Pas de problèmes pour les végétariens à Reykjavík. Il y a d'excellents cafés-restaurants ne servant pas de viande en ville, et bien d'autres restaurants proposent des plats végétariens (gageons que vous aurez envie de prendre tous vos repas chez Gló). En dehors de la capitale, la plupart des restaurants affichent au moins un plat végétarien au menu, mais il s'agit le plus souvent de pâtes au fromage et à la tomate ou de pizzas avec fromage, poivrons et oignons.

Islande pratique

Carnet pratique

Activités sportives

Paysages époustouflants, grands espaces sauvages et atmosphère irréelle : l'Islande est un paradis pour les amoureux du grand air. Reportez-vous p. 38 pour plus d'informations.

Alimentation

Vous trouverez les renseignements sur la cuisine et les spécialités islandaises, ainsi que les catégories de prix utilisées dans ce guide pour les restaurants au chapitre Cuisine islandaise, p. 368.

Ambassades et consulats

Vous trouverez la liste des pays ayant une ambassade ou un consulat honoraire à Reykjavík sur le site du ministère islandais des Affaires étrangères (www.mfa.is ; cliquez sur *Diplomatic Missions*, puis *Foreign Missions*).

France (☎575 9600 ; www.ambafrance-is.org ; Túngata 22)
Belgique (☎570 0300 ; magnus@garri.is ; Lynghåls 2)
Suisse (☎551 7172 ; jvh@ruv.is ; Laugavegur 13)
Canada (☎575 6500 ; www.canadainternational.gc.ca/iceland-islande ; Túngata 14)

Argent

Les Islandais paient très peu en espèces et utilisent leur carte pour quasiment tous leurs achats.

En conséquence, les chèques de voyage présentent peu d'intérêt et vos retraits d'argent pourront se limiter à de petites sommes.

Cela dit, les chèques de voyage et les espèces peuvent être échangés contre des couronnes islandaises (ISK) dans toutes les grandes banques.

Distributeurs automatiques de billets (DAB)

- Presque toutes les villes islandaises disposent d'une banque avec DAB acceptant notamment les cartes MasterCard, Visa, Maestro et Cirrus.
- On trouve aussi des distributeurs dans les grandes stations-service et les centres commerciaux.

Cartes bancaires

- Vérifiez auprès de votre banque que votre carte fonctionne à l'étranger et si un surcoût s'applique pour une utilisation en Islande.
- Les principales cartes – Visa, MasterCard, et dans une moindre mesure Amex, Diners et JCB – sont acceptées dans la plupart des magasins, des restaurants et des hôtels.
- Vous pourrez même payer par carte le bus Flybus qui relie l'aéroport international au centre de Reykjavík, ce qui est très pratique à l'arrivée dans le pays.
- Emportez en revanche suffisamment d'espèces si vous prévoyez de séjourner dans des fermes ou de visiter des villages isolés.

Espèces

- La devise nationale est la couronne islandaise (ISK).
- Il existe des pièces de 1, 5, 10, 50 et 100 ISK, et des billets de 500, 1 000, 2 000, 5 000 et 10 000 ISK.

IMPORTANT : CARTE BANCAIRE À CODE CONFIDENTIEL

Attention : pour payer avec votre carte bancaire, ainsi que pour faire le plein aux pompes en libre-service, un code PIN à quatre chiffres est nécessaire. Si vous n'avez pas de carte à code, achetez une carte prépayée dans une station N1, que vous pourrez ensuite utiliser dans les pompes à essence automatiques.

ACHATS DÉTAXÉS

Toute personne résidant hors d'Islande de manière permanente peut réclamer un remboursement de 15% sur les achats effectués pour une somme supérieure à 4 000 ISK (dans un même point de vente). Cherchez les magasins indiquant "tax-free shopping" sur leur vitrine et demandez un formulaire à la caisse.

Si la somme remboursée pour un même formulaire dépasse 5 000 ISK, vous devrez, avant de quitter le pays, présenter vos achats au service des douanes, qui vous délivrera un cachet (cela ne s'applique pas aux articles en laine).

Pour vous faire rembourser, vous pouvez poster les formulaires dûment remplis (assurez-vous de bien y indiquer votre numéro de carte bancaire), ou bien les présenter à un guichet pour les remboursements internationaux en espèces (à l'aéroport de Keflavík ou au terminal des ferries de Seyðisfjörður). Troisième solution : vous faire rembourser aux offices du tourisme principaux de Reykjavík ou d'Akureyri, ou à l'accueil des centres commerciaux de Kringlan et Smáralind, dans la capitale, en espèces également. Pour plus de détails, consultez le site www.taxfreeworldwide.com/Iceland.

➡ Certains hébergements et voyagistes donnent leurs prix en euros, mais il faut payer en couronnes islandaises.

➡ Pour les taux de change, reportez-vous p. 19 et le site www.xe.com.

Pourboires

Le service et la TVA sont toujours inclus dans les tarifs. Il n'est pas nécessaire de laisser un pourboire.

Assurance

➡ Bien que l'Islande soit une destination très sûre, il est conseillé de souscrire une police d'assurance qui vous couvrira en cas d'annulation de votre voyage, de vol, de perte de vos affaires, de maladie ou encore d'accident.

➡ Lisez avec la plus grande attention les clauses en petits caractères : c'est là que se cachent les restrictions. Vérifiez notamment que les "sports à risques", comme la randonnée, l'escalade, l'équitation, le ski ou le motoski, ne sont pas exclus de votre contrat, ou encore que le rapatriement médical d'urgence, en ambulance ou en avion, est couvert.

➡ Attention ! Avant de souscrire une assurance, vérifiez que vous ne bénéficiez pas déjà d'une assistance par votre carte de crédit, votre mutuelle ou votre assurance automobile. C'est bien souvent le cas.

Bénévolat

Le bénévolat est une manière idéale de découvrir, à moindres frais, la société et les paysages islandais. En France, des organismes offrent l'occasion de participer bénévolement à divers projets tournés vers l'action sociale, la construction, les arts ou encore l'environnement, parfois sur des périodes courtes, d'une à quatre semaines. Certaines associations s'adressent plus spécifiquement aux jeunes. Il s'agit d'une bonne formule pour s'immerger dans le pays, connaître l'envers du décor touristique et bénéficier d'une ambiance internationale (les volontaires viennent en général de divers pays).

Vous pourrez notamment contacter le **Comité de coordination pour le service volontaire international** (CCVIS ; ☎01 45 68 49 36 ; Maison de l'Unesco, 1 rue Miollis, 75015 Paris ; ccivs.org). **Cotravaux** (☎01 48 74 79 20 ; www.cotravaux.org ; 11 rue de Clichy, 75009 Paris) est une coordination de 11 associations, dont plusieurs proposent des missions en Islande, en lien avec des partenaires locaux. En voici la liste :

➡ **Concordia** (siège national ; ☎01 45 23 00 23 ; 64 rue Pouchet, 75017 Paris ; www.concordia-association.org). Née en 1950 de la volonté de jeunes Anglais, Allemands et Français, cette association prône des valeurs de tolérance et de paix à travers des chantiers internationaux de jeunes. Huit délégations régionales en France.

➡ **Études et chantiers** (UNAREC ; ☎01 45 38 96 26 ; 33 rue Campagne-Première, 75014 Paris ; www.unarec.org). Ce mouvement développe des projets de volontariat, ainsi que des plans de lutte contre les exclusions. Plusieurs associations régionales en France.

➡ **Jeunesse et reconstruction** (☎01 47 70 15 88 ; 10 rue de Trévise, 75009 Paris ; www.volontariat.org). Cette association, créée en 1948, a pour objectif principal de favoriser les échanges interculturels à travers des projets de volontariat, dans un esprit de tolérance, de respect et de fraternité.

➡ **Service civil international** (☎03 20 55 22 58 ; 75 rue du

Chevalier-Français, 59800 Lille ; www.sci-france.org). Ce réseau international, qui a pour objectif la construction de la paix, le rapprochement des peuples, le développement durable et la justice sociale internationale, propose des missions de volontariat à court et long termes.

➡ **Solidarités Jeunesses** (☎01 55 26 88 77 ; 10 rue du 8-Mai-1945, 75010 Paris ; www.solidaritesjeunesses.org). Cette association regroupe des personnes jeunes et adultes autour de projets et de pratiques d'engagement social. Sept délégations régionales.
En Islande, **Iceland Conservation Volunteers** (ICV ; www.ust.is/the-environment-agency-of-iceland/volunteers/), l'Office national pour la protection de la nature, connu sous le nom de Umhverfisstofnun (UST), recrute chaque été plus de 200 bénévoles pour des projets de conservation dans le pays, consistant pour la plupart à créer ou à entretenir des sentiers dans le parc national du Vatnajökull. Ses programmes courts (inférieurs à 4 semaines) sont généralement gérés en collaboration avec des associations dont SEEDS et Worldwide Friends. Pour des missions plus longues, l'association locale **Trail Teams** propose des projets de 11 semaines en été ; consultez le site Internet de l'UST.

SEEDS (www.seeds.is) organise des chantiers bénévoles essentiellement axés sur la nature et l'environnement (aménagement de sentiers, écologie), mais aussi sur la construction et la rénovation d'édifices publics, et l'aide durant les festivals et événements.

Volunteer Abroad (www.volunteerabroad.com) offre un aperçu des projets proposés en Islande, dont beaucoup relèvent de l'Office national pour la protection de la nature (Umhverfisstofnun) mais sont organisés par différentes associations bénévoles internationales.

Worldwide Friends (Veraldarvinir; www.wf.is) gère également des chantiers bénévoles au profit de la nature et de l'environnement, de projets communautaires et d'événements artistiques et culturels.

WWOOF (www.wwoofindependents.org) "World Wide Opportunities On Organic Farms" (ou "Willing Workers On Organic Farms") propose quelques fermes qui acceptent les "wwoofers" en Islande, même s'il n'y a pas d'association WWOOF islandaise. En échange de travail bénévole, les hôtes offrent couvert, gîte, et la possibilité d'en apprendre plus sur l'agriculture biologique.
Outre les options précédentes, vous pouvez passer par l'**Arctic Fox Center** (Melrakkasetur ; ☎456 4922 ; www.arcticfoxcenter.com ; adulte/enfant 900 ISK/gratuit ; ⏲9h-20h juin-août, 10h-17h mai et sept, horaires réduits oct-avril), qui offre des possibilités de bénévolat dans les fjords de l'Ouest.

Cartes et plans

➡ En France, l'IGN publie une carte touristique de l'Islande au 1/750 000. Vous pourrez aussi vous procurer la carte *Islande* au 1/800 000 de

Climat

Akureyri

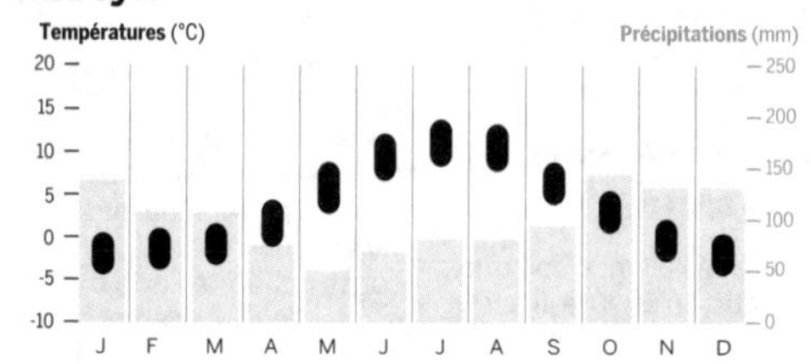

Reykjavík

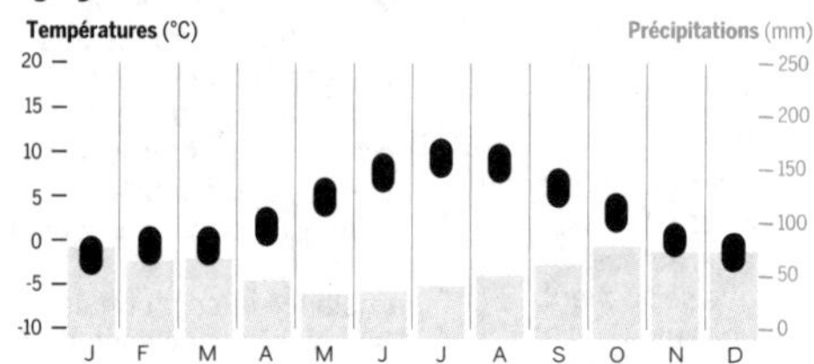

Vík

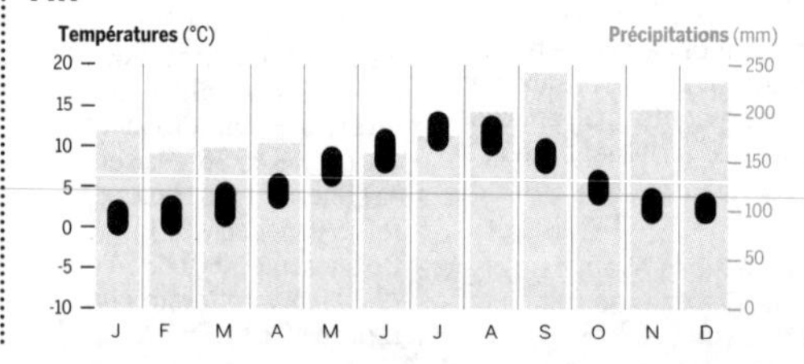

Berlitz ou celle de Marco Polo, au 1/750 000.

➡ Ces dernières années, l'Islande a investi dans la construction de routes et de tunnels, et dans le goudronnage de tronçons en graviers. L'achat d'une carte récente est donc recommandé.

➡ Les centres d'information touristique possèdent des cartes gratuites de leur ville et région ainsi que le livret touristique gratuit *Around Iceland*, qui contient moult informations et plans de villes. Offices du tourisme, stations-service et librairies vendent atlas routiers et cartes.

➡ L'éditeur **Ferðakort** (www.ferdakort.is) vend des cartes en ligne et dispose d'un rayon à la **librairie Iðnú** (carte p. 56 ; www.ferdakort.is ; Brautarholt 8 ; ⏲10h-17h lun-jeu, 10h-16h ven). Forlagið (Mál og Menning) est un autre bon éditeur de cartes qui propose un vaste choix – à explorer à la **boutique Mál og Menning** (carte p. 60 ; ☎580 5000 ; Laugavegur 18 ; ⏲9h-22h lun-ven, 10h-22h sam) dans la capitale.

➡ Les deux éditeurs proposent une bonne carte touristique de l'Islande (1/500 000 ou 1/600 000 ; 2 000 ISK environ), utile pour circuler en voiture. L'atlas routier de Ferðakort (1/200 000, 5 000 ISK), plus précis, indique hébergements, musées et piscines. Tous deux offrent également nombre de cartes régionales – Forlagið (Mál og Menning) propose un ensemble de huit cartes régionales au 1/200 000 (1 700 ISK la carte). Il existe aussi 31 cartes topographiques très détaillées au 1/100 000 couvrant tout le pays, qui sont parfaites pour les randonneurs, et des cartes thématiques (centrées sur les sagas, la géologie ou l'ornithologie, par exemple).

➡ Les marcheurs aguerris peuvent s'adresser aux offices de tourisme locaux ou à l'accueil des parcs nationaux, qui proposent souvent des cartes bon marché détaillant les itinéraires et les randonnées des environs.

Désagréments et dangers

Le taux de criminalité est très bas en Islande et les seuls risques sont généralement liés à la sécurité routière, à la météo changeante et aux conditions géologiques.

Safetravel (www.safetravel.is) vous apprendra à voyager sans risque en Islande. Ce site, à l'initiative de l'Icelandic Association for Search and Rescue - ICE-SAR (association islandaise de recherches et de secours), donne aussi des explications sur l'application "112 Iceland" pour les Smartphones et sur la procédure de dépôt d'un plan de voyage auprès de l'ICE-SAR, d'un ami ou d'un contact.

NUMÉRO D'URGENCE

Pour appeler la police, une ambulance ou les pompiers en Islande, composez le ☎112.

Sécurité routière

➡ Il existe des dangers spécifiques tels que la présence de bétail, les ponts à voie unique, les côtes sans visibilité et l'absence de revêtement.

➡ Pour les conditions routières, consultez www.vegagerdin.is ou appelez le ☎1777.

➡ Pour plus de détails sur la conduite en Islande, reportez-vous p. 392.

Conditions météorologiques

➡ Ne sous-estimez jamais les conditions météorologiques. Une tenue et un équipement adaptés sont essentiels.

➡ Les visiteurs doivent se préparer à une mauvaise météo toute l'année. Le temps peut changer sans prévenir et les randonneurs doivent impérativement s'informer sur les prévisions météorologiques avant de partir. Appelez le ☎902 0600 (composez le "1" après l'introduction) ou consultez le site en.vedur.is pour des prévisions en anglais.

➡ Des refuges d'urgence sont installés aux endroits où il existe un risque de rester bloqué par les intempéries.

CONSEILS AUX VOYAGEURS

La plupart des gouvernements possèdent des sites Internet qui recensent les dangers possibles et les régions à éviter. Consultez notamment les sites suivants :

Ministère des Affaires étrangères français (www.diplomatie.gouv.fr)

Ministère des Affaires étrangères de Belgique (diplomatie.belgium.be)

Ministère des Affaires étrangères du Canada (www.voyage.gc.ca)

Département fédéral des Affaires étrangères suisse (www.eda.admin.ch/eda/fr)

➡ En hiver, emportez systématiquement de la nourriture, de l'eau et des couvertures dans votre véhicule.

➡ Les voitures de location sont généralement équipées de pneus neige en hiver.

Risques géologiques

➡ En randonnée, la traversée des rivières peut être périlleuse : pendant les chaudes journées d'été, avec la fonte des glaciers, les ruisseaux se muent parfois en torrents rugissants. Reportez-vous p. 395 pour plus d'informations.

➡ Dans les régions où le sable volcanique est meuble, les vents violents peuvent provoquer de grosses tempêtes de sable.

➡ Beaucoup de sentiers côtiers ne sont accessibles qu'à marée basse ; renseignez-vous auprès de personnes fiables et procurez-vous les horaires des marées (*sjávarfallatöflur*).

➡ Dans les zones géothermiques, restez sur les passerelles ou sur les parcelles de terre solides et évitez les fines couches moins foncées autour des fissures fumantes ou des trous de boue.

➡ De même, méfiez-vous de l'eau des sources chaudes et des trous de boue – elle peut jaillir du sol à une température de 100°C.

➡ Méfiez-vous des dangereux sables mouvants à l'extrémité des glaciers, ne vous aventurez jamais sur la glace sans crampons et piolets et prenez garde aux crevasses.

➡ La neige peut recouvrir des crevasses, des morceaux de lave tranchants ou des pentes recouvertes de scories volcaniques glissantes.

➡ Demandez toujours conseil aux habitants avant de partir en randonnée autour de volcans en activité.

➡ N'effectuez des randonnées et ascensions de glacier en solo que si vous êtes aguerri. Renseignez-vous auprès des habitants et/ou embauchez un guide.

➡ Les panneaux d'avertissement et barrières sont rares dans les zones à risques (cascades, fronts glaciaires, falaises). Faites preuve de bon sens et surveillez vos enfants.

Douane

➡ Les restrictions douanières sont assez strictes en Islande. Pour connaître tous les règlements, consultez www.customs.is.

➡ Pour l'alcool, les voyageurs de plus de 20 ans ont le droit d'importer sans taxe :

- 1 l de spiritueux et 1 l de vin et 6 l de bière, OU
- 3 l de vin et 6 l de bière, OU
- 1 l de spiritueux et 9 l de bière, OU
- 1,5 l de vin et 9 l de bière, OU
- 12 l de bière

➡ Les plus de 18 ans peuvent importer 200 cigarettes ou 250 g de tabac.

➡ On peut également importer jusqu'à 3 kg de nourriture (les produits à base d'œufs, de viande et de lait frais sont proscrits), à condition que la valeur totale n'excède pas 25 000 ISK.

➡ Afin d'éviter toute contamination, le matériel de pêche et les vêtements d'équitation doivent être accompagnés d'un certificat vétérinaire de désinfection. Si vous ne l'avez pas, vous paierez la désinfection en arrivant. Il est interdit de pénétrer sur le territoire avec du matériel d'équitation (selles, brides, etc.). Consultez www.mast.is.

➡ Beaucoup de visiteurs embarquent leur véhicule sur le ferry en provenance d'Europe (voir p. 396). Des dérogations douanières sont accordées pour les séjours d'un an maximum.

Électricité

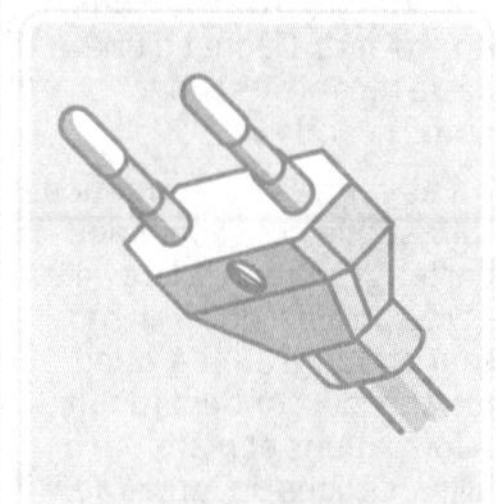

230 V/50 Hz

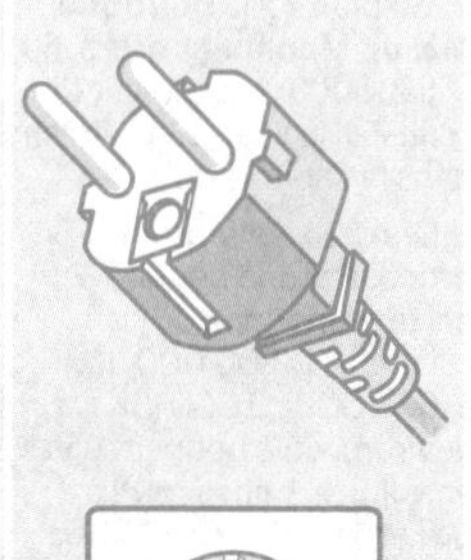

230 V/50 Hz

Enfants

Il est assez facile de voyager avec des enfants en Islande, et si peu d'activités leur sont spécifiquement destinées, les paysages somptueux, les innombrables piscines et la gentillesse des habitants contribuent au bon déroulement des choses. Si vos enfants sont férus de sciences naturelles, ils adoreront les colonies d'oiseaux, les chutes d'eau, les zones volcaniques et les glaciers. Les activités à faire en famille ne manquent pas : randonnée, circuit en Super-Jeep, balade à cheval, observation des baleines, sortie en bateau et marche sur les glaciers (à partir de 8-10 ans environ).

Il est important de bien cibler ce que vous voulez voir. Il peut être judicieux de se limiter à une partie de l'île pour épargner à vos chérubins d'interminables trajets – et tous les désagréments qui leur sont associés. Grâce à son grand choix d'activités et d'équipements, Reykjavík est la destination la plus accueillante pour les familles.

Pratique

➡ Dans les musées et les piscines, l'entrée pour les enfants peut aller de 50 % de réduction à la gratuité. L'âge limite pour le tarif adulte varie d'un endroit à un autre (entre 12 et 18 ans).

➡ Sur les vols intérieurs et les circuits d'Air Iceland, les 2-11 ans paient demi-tarif et les moins de 2 ans voyagent gratuitement.

➡ La plupart des bus et des agences de tourisme offrent une remise de 50 % pour les enfants entre 4 et 11 ans. Les circuits de Reykjavík Excursion sont gratuits pour les moins de 11 ans et à demi-tarif pour les 12-15 ans.

➡ Les compagnies internationales de location de voiture proposent des sièges enfant moyennant un supplément (à réserver bien à l'avance).

➡ Météo capricieuse, froid et pluie : le camping n'est pas forcément la meilleure idée avec des petits. Les enfants de 2 à 12 ans paient généralement moitié prix dans les campings, mais aussi dans les pensions, les fermes et d'autres hébergements. Habituellement, les moins de 2 ans logent gratuitement.

➡ Nombre d'auberges de jeunesse, pensions et fermes possèdent des chambres familiales. Les grands hôtels disposent parfois de lits de bébé.

➡ Beaucoup de restaurants de Reykjavík et des grandes villes proposent des menus enfant et des chaises hautes.

➡ Les toilettes des musées et d'autres institutions sont parfois dotées d'espaces pour changer les bébés ; ailleurs, vous devrez improviser.

➡ Allaiter en public ne pose généralement pas de problème.

➡ Le lait en poudre, les couches et autres produits de base sont disponibles partout.

Formalités et visas

➡ Pour un séjour inférieur à 3 mois, les Français, les Belges et les Suisses peuvent entrer en Islande avec une carte d'identité ou un passeport en cours de validité (le permis de conduire n'est pas une pièce d'identité). Au-delà de 3 mois, il faut déposer une demande d'inscription auprès du bureau du Registre national (Registers Iceland).

➡ Les Canadiens doivent fournir un passeport valide au moins 3 mois après la date du retour. Notez que la durée totale d'un séjour au sein de l'espace Schengen ne doit pas excéder 3 mois sur une période de 6 mois. Pour un séjour plus long, il faut faire une demande de permis de séjour auprès du bureau de l'Immigration avant de se rendre en Islande.

➡ Nous vous conseillons de photocopier tous vos documents importants (carte d'identité, pages d'introduction de votre passeport, cartes bancaires, police d'assurance, billets de train/d'avion/de bus, permis de conduire, etc.). Emportez un jeu de ces copies, que vous conserverez à part des originaux. Vous remplacerez ainsi plus aisément ces documents en cas de perte ou de vol. Vous pouvez également en laisser une copie dans un fichier joint à un e-mail envoyé sur votre propre messagerie.

➡ Pour toute question sur les visas et les permis en général, contactez le **bureau de l'Immigration islandais** (Icelandic Directorate of Immigration, Útlendingastofnun ; www.utl.is).

Handicapés

L'Islande est peut-être l'une des destinations les plus compliquées d'Europe du Nord pour les voyageurs handicapés.

➡ Pour obtenir des détails sur l'accessibilité des installations, appelez le centre d'information pour personnes handicapées : **Þekkingarmiðstöð Sjálfsbjargar** (☎550 0118 ; www.thekkingarmidstod.is). Site en islandais uniquement.

➡ Le site **God Adgang** (www.godadgang.dk) permet de trouver des prestataires de service possédant un label d'accessibilité.

➡ Les agences **All Iceland Tours** (www.allicelandtours.is) et **Iceland Unlimited** (www.icelandunlimited.is) proposent des voyages sur mesure pour les personnes à mobilité réduite.

➡ La plupart des musées et sites touristiques proposent un tarif réduit. Air Iceland (avion) et Smyril Line (ferry) accordent aussi des

RÉSERVATION EN LIGNE

Trouvez un vol, un séjour ou un hôtel en quelques clics dans la rubrique "Réserver" de www.lonelyplanet.fr.

réductions à leurs passagers handicapés.

➡ À Reykjavík, les bus urbains sont équipés pour les fauteuils roulants. Ailleurs, les bus sont souvent pourvus de marches qui en compliquent l'accès.

➡ L'**APF** (Association des paralysés de France ; ☎01 40 78 69 00 ; www.apf.asso.fr ; 17 bd Auguste-Blanqui, 75013 Paris) et l'association **Handi Voyages** (handivoyages.free.fr) fournissent des informations utiles sur les voyages accessibles. L'association **Ailleurs & Autrement** (www.ailleursetautrement.fr) organise des voyages adaptés aux personnes à mobilité réduite. **Yanous** (www.yanous.com) et **handicap.fr** (www.handicap.fr) sont également de bonnes sources d'information.

Hébergement

L'Islande possède un large choix d'hébergements, du refuge pour routards aux hôtels de luxe, en passant par les auberges de jeunesse, les fermes, les pensions, les appartements ou, l'été, des chambres en établissements scolaires. On trouvera les hôtels de luxe et les hôtels de charme surtout à Reykjavík et dans les lieux touristiques du Sud-Ouest, ainsi que quelques-uns en régions.

Beaucoup de nouveaux hôtels et pensions ont ouvert, et bon nombre d'établissements déjà existants se sont agrandis et modernisés pour accueillir les touristes de plus en plus nombreux. Malgré cela, la demande dépasse souvent l'offre dans les lieux les plus touristiques (la capitale, le Sud, Mývatn). Les tarifs en été sont hauts, et augmentent encore avec la demande. Pour les prix pratiqués, la qualité ne correspond pas toujours à ce que l'on pourrait escompter : les chambres, généralement impeccables, sont en revanche souvent petites, et dotées de cloisons fines et d'équipements limités.

À noter :

➡ Entre juin et août, nous vous recommandons de réserver tous vos hébergements suffisamment à l'avance (sauf pour les campings, pour lesquels c'est rarement nécessaire).

➡ Les centres d'information touristique fournissent généralement les coordonnées de tous les hébergements de leur ville/région. Les centres les plus grands proposent un service de réservation (moyennant une modique commission d'environ 500 ISK). Cependant, ce service n'étant disponible que sur place et non par e-mail, mieux vaut ne pas trop s'y fier et anticiper – certains endroits affichent très vite complet.

➡ La plupart des hébergements d'Islande sont représentés sur le site Booking.com – très utile puisqu'il permet d'accéder à la liste de tous les hébergements disponibles dans une ville/région à une date souhaitée. Vous obtiendrez peut-être un meilleur tarif en contactant directement les propriétaires.

➡ Nous indiquons en général les prix pour l'été 2014 (ou 2015 lorsqu'ils étaient disponibles). Attention, les prix augmentent chaque année. Les sites Internet des hébergements donnent toujours les tarifs actualisés.

➡ De septembre à mai, la plupart des pensions et hôtels réduisent leurs prix de 20 à 50%. Là encore, consultez les sites Internet.

➡ Beaucoup d'hôtels et de pensions ferment en hiver, et d'autres entre Noël et le Jour de l'An. Si aucune date de fermeture n'est mentionnée dans nos descriptifs, cela signifie que l'adresse est ouverte toute l'année.

➡ Les prix sont parfois indiqués en euros, ceci afin d'éviter les fluctuations du taux de change, mais le paiement se fait en couronnes islandaises (ISK).

➡ Beaucoup de pensions et de fermes proposent

OPTION DUVET

Spécificité islandaise, on peut utiliser son propre sac de couchage dans les auberges de jeunesse, de nombreuses pensions et certains hôtels. Cette option, désignée par la mention "duvet" dans ce guide, permet d'obtenir un lit sans draps ni couvertures, pour un prix réduit. Cela n'implique pas automatiquement de dormir en dortoir, puisque l'option existe également pour les chambres privatives. Généralement, vous n'aurez pas non plus de serviette, pensez à prendre la vôtre (ainsi qu'une taie d'oreiller). Le petit-déjeuner n'est jamais inclus avec cette option, mais vous aurez souvent la possibilité de le prendre moyennant un supplément. Notez que l'option duvet est plus courante en dehors de la haute saison estivale.

DORMIR CHEZ L'HABITANT

Voici deux sites Internet qui pourront vous aider à trouver un lit chez des hôtes islandais :

AirBnB (www.airbnb.com). Chambres privées, cottages, appartements et maisons à louer dans toute l'Islande, avec un grand choix dans la capitale.

Couchsurfing (www.couchsurfing.com). Grand réseau de voyageurs accueillant d'autres voyageurs.

plusieurs choix d'hébergement : camping, chambres avec/sans sdb, lits avec ou sans draps (duvet à apporter), cottages avec ou sans cuisine et/ou sdb. Nous nous efforçons d'indiquer toutes les options, mais établir un tarif pour toutes les possibilités est presque impossible. Consultez les sites Web pour obtenir tous les détails.

➡ Nous indiquons si une sdb privée est mise à disposition, si les draps sont inclus ou s'il existe une option duvet, et si le petit-déjeuner est compris.

Camping

➡ Il y a des *tjaldsvæði* (campings aménagés) dans quasiment toutes les villes, dans des fermes en zone rurale et le long des principaux chemins de randonnée. Les meilleurs sont équipés de machines à laver, d'espaces pour cuisiner et de douches chaudes, d'autres disposent uniquement d'un robinet d'eau froide et de toilettes. Certains sont rattachés à la *sundlaug* (piscine municipale), avec accès aux douches moyennant une somme modique.

➡ La météo en Islande est très changeante, et si vous comptez camper, il est conseillé d'investir dans une tente de bonne qualité. Quelques boutiques de Reykjavík proposent du matériel de camping à louer, et certains loueurs de voitures peuvent aussi fournir tentes, matelas et matériel de cuisine.

➡ Avec l'augmentation du nombre de visiteurs, les campings sont de plus en plus bondés, et les sanitaires pourvus de seulement une ou deux douches suffisent à peine à satisfaire aux besoins des dizaines de campeurs.

➡ Il est rarement nécessaire de réserver dans les campings. Ceux des petites villes sont souvent dépourvus de personnel : le numéro de téléphone du gardien est affiché dans les sanitaires, ou bien une note indique d'aller payer au centre d'information touristique ou à la piscine. Il arrive aussi que le gardien passe en soirée pour percevoir les paiements.

➡ Le camping sauvage est généralement découragé, bien qu'il soit envisageable dans certaines régions. Dans les parcs nationaux et les réserves naturelles, vous devrez utiliser des emplacements signalés. Partout ailleurs, il faut obtenir la permission avant de camper sur un terrain clos.

➡ Lorsque vous campez dans les parcs nationaux et les réserves naturelles, les règles d'usage s'appliquent : laissez le site dans l'état où vous l'avez trouvé, utilisez du savon biodégradable et emportez tous vos détritus.

➡ Les feux de camp sont interdits, vous devez donc amener votre réchaud. Les stations-service vendent des cartouches de butane et du combustible liquide. Les cartouches bleues pour Campingaz ne sont pas disponibles partout ; les grises type Coleman sont plus répandues.

➡ Un emplacement pour un camping-car ou une caravane coûte généralement 1 000-1 400 ISK/pers. Comptez 800 ISK supplémentaires pour l'électricité. La douche est souvent payante.

➡ Il y a quelques années, une taxe de séjour de 107 ISK par emplacement a été introduite. Certains campings l'incluent à leur tarif par personne, d'autres la font payer en plus.

➡ Il est possible d'acheter une Camping Card (www.campingcard.is), qui coûte 105 € (en 2015) et donne droit à 28 nuits de camping dans 44 sites à travers tout le pays, pour deux adultes et quatre enfants maximum (mais qui n'inclut pas la taxe de séjour, ni les suppléments pour les douches ou l'électricité). Consultez le site Web pour plus de détails.

➡ La plupart des campings ouvrent de mi-mai à mi-septembre. Les grands campings avec bungalows et cottages sont parfois ouverts toute l'année.

➡ *Áning* (disponible dans les offices du tourisme) est un annuaire gratuit des hébergements recensant beaucoup de campings en

FOURCHETTES DE PRIX DES HÉBERGEMENTS

Les prix s'entendent pour une chambre double en haute saison :

€ moins de 15 000 ISK (100 €)

€€ 15 000-30 000 ISK (100-200 €)

€€€ plus de 30 000 ISK (200 €)

Islande – mais il n'est pas exhaustif.

Refuges d'urgence

➡ Des refuges d'urgence, orange vif, sont situés dans les cols de haute montagne et les secteurs isolés du littoral (ils sont généralement indiqués sur les cartes). Ces refuges contiennent des rations de survie, du combustible, des couvertures et une radio pour appeler à l'aide. Il est illégal de les utiliser en dehors d'une situation d'urgence.

Séjours à la ferme

➡ De nombreuses fermes offrent diverses possibilités : camping, option duvet, chambres classiques et bungalows. Certaines fermes sont même devenues de véritables hôtels ruraux.

➡ Les services sont variables : certaines proposent des repas ou disposent d'une cuisine pour les hôtes, d'autres sont dotées de *hot pots* ; la plupart organisent des balades à cheval ou des activités telles que la pêche. Sur la route, des pancartes signalent les fermes assurant un hébergement et indiquent les services offerts.

➡ Les tarifs sont similaires à ceux des pensions en ville : environ 6 000 ISK avec l'option duvet et 9 000-14 000 ISK/pers pour un lit classique. Comptez 1 500-2 000 ISK pour le petit-déjeuner (s'il n'est pas compris) et 7 000 ISK pour le dîner (généralement servi à heure fixe).

➡ L'organisme Icelandic Farm Holidays (www.farmholidays.is) regroupe quelque 180 fermes proposant un hébergement et des services variés ; son annuaire, appelé *Discover Rural Iceland*, est disponible gratuitement dans la plupart des centres d'information touristique.

Pensions

➡ Le terme islandais *gistiheimilið* (pension) recouvre divers types d'établissements, des maisons familiales avec quelques chambres à louer aux véritables mini-hôtels.

➡ On en trouve de tous genres, de la pension contemporaine stylée à celle au décor anonyme ou suranné. La sdb est souvent commune.

➡ La plupart du temps confortables, ces établissements à l'ambiance familiale mettent à disposition une cuisine, un salon TV et un buffet de petit-déjeuner (soit inclus, soit en supplément pour 1 500-2 000 ISK).

➡ Certaines pensions proposent l'option duvet à un prix très réduit. Il arrive que cette option ne soit pas présentée ; aussi posez la question.

➡ En général, l'option duvet coûte 6 000 ISK, une chambre double entre 14 000 et 20 000 ISK, et un logement indépendant à partir de 15 000 ISK la nuit.

Auberges de jeunesse

➡ **Hostelling International Iceland** (www.hostel.is) gère 32 excellentes auberges de jeunesse. Reykjavík et Akureyri comptent également plusieurs auberges indépendantes. La réservation est vivement conseillée, surtout de juin à août.

➡ La moitié des auberges de jeunesse d'Hostelling International sont ouvertes toute l'année. Vérifiez sur Internet leurs périodes d'ouverture.

➡ Toutes possèdent des douches chaudes et une cuisine ; elles proposent l'option duvet et la plupart du temps des chambres individuelles. Si vous n'avez pas votre duvet, vous pouvez louer des draps (environ 1 500 ISK par séjour).

➡ Lorsqu'il est proposé, comptez 1 500-2 000 ISK pour le petit-déjeuner.

➡ Adhérez à **Hostelling International** (www.hihostels.com) dans votre pays, avant le départ, pour bénéficier de 700 ISK de réduction par personne. Les non-membres paieront environ 4 100 ISK en dortoir et 6 900/11 200 ISK pour une chambre simple/double (plus cher avec sdb privée). Les enfants de moins de 12 ans ont droit à une réduction de 1 500 ISK.

Hôtels

➡ Toutes les grandes villes possèdent au moins un hôtel d'affaires, généralement doté d'un restaurant correct et de chambres confortables mais quelconques avec sdb privative, téléphone, TV et parfois un minibar.

➡ En été, les tarifs des simples/doubles commencent autour de 16 000/22 000 ISK, buffet du petit-déjeuner inclus. Une chambre double dans un hôtel confortable mais sans luxe d'une région touristique peut au plus fort de l'été facilement dépasser 30 000 ISK.

➡ Les prix baissent notablement en dehors de la haute saison (de juin à août) et on trouvera alors de meilleurs tarifs par les moteurs de réservation en ligne.

➡ Les trois plus grandes chaînes d'hôtels se nomment **Icelandair Hotels** (www.icelandairhotels.is), **Fosshótel** (www.fosshotel.is), en plein développement, et **Keahotels** (www.keahotels.is). De nouvelles chaînes émergent aussi, comme **Stracta Hótels** (www.stractahotels.is), basée à Hella, et qui projette de s'étendre au-delà.

HÔTELS D'ÉTÉ

➡ Pendant les vacances scolaires, beaucoup

d'écoles, d'universités et de centres de conférences se transforment en hôtels d'été. La plupart sont ouverts de début juin à fin août (certains plus longtemps), douze d'entre eux font partie d'une chaîne baptisée Hótel Edda, chapeautée par Icelandair Hotels.

➡ Le plus souvent, l'hébergement est simple (chambres fonctionnelles avec lits jumeaux, lavabo et sanitaires partagés), mais certains ont des chambres avec sdb, et les quelques chambres "Edda Plus" comprennent sdb privée, TV et téléphone.

➡ Quelques hôtels Edda proposent l'option duvet, et la plupart ont un restaurant.

➡ Comptez autour de 5 000 ISK pour un hébergement avec option duvet (le cas échéant) ; 15 000/25 000 ISK pour une chambre double sans/avec sdb privative.

Refuges de montagne

➡ Des clubs de randonnée et des prestataires touristiques privés assurent l'entretien des *skálar* (refuges de montagne ; *skáli au singulier*) le long des principaux chemins de randonnée. Ces refuges sont ouverts à tous ; on y dort en sac de couchage, dans des dortoirs sommaires. Certains disposent d'une cuisine et d'un terrain pour camper, et il y a parfois un gardien durant la saison estivale.

➡ On peut gagner les refuges de Landmannalaugar, de Þórsmörk (Thórsmörk) et d'Askja en 4x4, et ceux du Hornstrandir en bateau. Pour la plupart, les autres ne sont accessibles qu'à pied.

➡ Les coordonnées GPS des refuges sont indiquées dans les différents chapitres de ce guide.

➡ Principale organisation dans ce secteur, la **Ferðafélag Íslands** (Iceland Touring Association ; carte p. 56 ; ☎568 2533 ; www.fi.is ; Mörkin 6, Reykjavík) possède 38 refuges en Islande. Les meilleurs sont gardés et possèdent des douches, une cuisine et l'eau potable ; les plus modestes offrent des lits, des toilettes et un espace rudimentaire pour cuisiner. Comptez 4 500-6 500 ISK pour les non-membres. On peut parfois camper pour environ 1 200 ISK/personne.

➡ Citons également **Ferðafélag Akureyrar** (Touring Club of Akureyri ; ☎462 2720 ; www.ffa.is ; Strandgata 23, Akureyri), qui gère des refuges dans le Nord-Est (notamment sur la piste d'Askja), et **Útivist** (☎562 1000 ; www.utivist.is ; Laugavegur 178, Reykjavík), présent à Básar et au col de Fimmvörðuháls à Þórsmörk.

➡ Dans tous les cas, mieux vaut réserver auprès de l'organisme concerné, car les dortoirs affichent souvent complet.

Heure locale

➡ L'Islande est à l'heure GMT (comme Londres) hiver comme été. Elle n'applique pas de changement d'heure.

➡ De fin octobre à fin mars, quand il est 12h à Paris, il est 11h à Reykjavík.

➡ Le reste de l'année, quand il est 12h à Paris, il est 10h à Reykjavík.

Heures d'ouverture

➡ De nombreux sites et commerces touristiques n'ouvrent qu'en été, généralement de juin à août.

➡ Le tourisme connaissant une croissance fulgurante, certains commerces sont souples sur leurs dates d'ouverture (de plus en plus souvent, des pensions ou restaurants saisonniers ouvrent un peu en mai, voire en avril, et peuvent rester ouverts jusqu'à fin septembre ou en octobre si la demande l'exige).

➡ Avec la hausse du nombre de visiteurs en hiver, certains professionnels ouvrent toute l'année. Notez cependant que beaucoup d'hôtels et de pensions en Islande sont fermés entre Noël et le Nouvel An.

➡ Il est toujours préférable de consulter les sites Web et de demander autour de vous. Dans un pays aussi petit, il y a toujours quelqu'un qui connaît quelqu'un qui peut vous aider – pour un repas, un déplacement, ou un itinéraire.

➡ La plupart des musées (surtout en dehors de la capitale) n'ont des horaires réguliers qu'en été (de juin à août). De septembre à mai, les horaires d'ouverture peuvent être très limités (quelques heures par semaine), mais nombre d'entre eux ouvrent volontiers sur demande. Même sans être un grand groupe, contactez le musée via son site Internet ou via l'office du tourisme local.

➡ Généralement, les heures d'ouverture s'allongent de juin à août. Les horaires standards sont les suivants :

Banques lun-ven 9h-16h.

Cafés-bars dim-jeu 10h-1h ; ven-sam 10h-entre 3h et 6h.

Cafés 10h-18h.

Administrations lun-ven 9h-17h.

Stations-service 8h-22h ou 23h.

Postes lun-ven 9h-16h ou 16h30 (18h dans les grandes villes).

Restaurants 11h30-14h30 et 18h-21h ou 22h.

Boutiques lun-ven 10h-18h, sam 10h-16h ; parfois ouvertes le dimanche dans certains centres commerciaux et à Reykjavík.

Supermarchés 9h-20h (plus tard à Reykjavík).

Vínbúðin (magasins gouvernementaux d'alcool) horaires variables ; en dehors de Reykjavík, beaucoup n'ouvrent que quelques heures par jour.

PRATIQUE

Réductions Étudiants et seniors ont droit à des réductions sur les vols intérieurs, certains ferries, bus, circuits et musées, sur présentation d'un justificatif de scolarité ou d'âge.

DVD et vidéos L'Islande utilise le système vidéo PAL et relève de la zone 2 pour les DVD.

Lessive Il est difficile de trouver des laveries. Les campings, auberges de jeunesse et pensions disposent parfois d'une machine à laver pour les clients (payante). Les hôtels d'affaires ont quelquefois un service de blanchisserie, plutôt cher. Certains appartements à louer ont des machines à laver.

Journaux et magazines Le quotidien *Morgunblaðið* (www.mbl.is) est en islandais, en revanche son site Internet présente les actualités locales en anglais. Les journaux gratuits *Iceland Review* (icelandreview.com) et *Reykjavik Grapevine* (grapevine.is) proposent d'excellents articles en anglais sur le tourisme et la vie quotidienne.

Radio RÚV (Radio nationale islandaise ; www.ruv.is) compte deux stations : Rás 1 (infos, météo, programmes culturels) et Rás 2 (musique pop, actualités). Rás 1 (à Reykjavík, FM 92.4 et 93.5) diffuse les actualités en anglais à 7h30 du lundi au vendredi.

Tabac Fumer est interdit dans les lieux publics fermés, y compris les cafés, bars, discothèques, restaurants et transports publics. La plupart des hébergements sont non-fumeurs.

Poids et mesures Système métrique.

Homosexualité

Les Islandais se montrent très ouverts vis-à-vis de l'homosexualité, même si la scène gay reste discrète, y compris à Reykjavík (voir p. 89).

Internet (accès)

➡ Dans ce guide, le symbole 📶 indique la disponibilité du Wi-Fi pour les hôtes/clients. Le symbole @ signifie qu'un ordinateur est à disposition.

➡ Le Wi-Fi est très répandu en Islande : il y aura une connexion dans la plupart des endroits où vous pourrez dormir et manger. Elle est souvent gratuite pour les clients. De nombreuses stations-service N1 le proposent gratuitement. Dans certains établissements, il faut demander un code d'accès.

➡ Même dans les petites villes, la plupart des bibliothèques islandaises disposent d'ordinateurs permettant d'accéder à Internet. Nombre de centres d'information touristique proposent également un accès à la Toile, souvent gratuit pour un court usage.

Jours fériés

Les jours fériés sont souvent l'occasion de se retrouver en famille ou, lorsqu'ils correspondent à un week-end, d'aller camper à la campagne. Si vous projetez un séjour pendant les périodes de vacances, notamment le week-end prolongé de la Fête des Commerçants, réservez longtemps à l'avance les refuges de montagne et les moyens de transport.

Voici les jours fériés nationaux :

Nouvel An 1er janvier

Pâques mars ou avril (dès Jeudi et Vendredi saints jusqu'au lundi de Pâques)

Premier jour de l'été premier jeudi après le 18 avril

Fête du Travail 1er mai

Ascension mai ou juin

Dimanche et lundi de Pentecôte mai ou juin

Fête de l'Indépendance 17 juin

Fête des Commerçants premier lundi d'août

Noël du 24 au 26 décembre

Saint-Sylvestre 31 décembre

Vacances scolaires

➡ Les vacances d'été s'étendent de la première semaine de juin à la troisième semaine d'août, ce qui correspond à la période d'ouverture de la plupart des hôtels d'été et des hôtels Edda.

➡ Les vacances de Noël durent environ 2 semaines (autour du 20 décembre jusqu'au 6 janvier). Il y a également des vacances scolaires au printemps d'une semaine environ, aux alentours de Pâques.

Offices du tourisme

Accueillant, bien informé et efficace, le personnel des offices du tourisme en Islande apporte une aide précieuse pour trouver un hébergement, réserver un circuit ou repérer les meilleurs sites d'une région.

En dehors des heures d'ouverture, la station-service locale est souvent en mesure de fournir cartes et renseignements.

Sites Internet

Visit Iceland (fr.visiticeland.com), le site touristique officiel du pays, contient des informations complètes. Jetez un coup d'œil à leur site "Inspired by Iceland" (www.inspiredbyiceland.com) pour y trouver… l'inspiration.

Chaque région possède son propre site :

Reykjavík (www.visitreykjavik.is)

Sud-Ouest (www.visitreykjanes.is, www.south.is)

Ouest (www.west.is)

Fjords de l'Ouest (www.westfjords.is)

Nord (www.northiceland.is, www.visitakureyri.is)

Est (www.east.is)

Sud-Est (www.south.is, www.visitvatnajokull.is)

Poste

➡ Le **service postal islandais** (www.postur.is) est fiable et efficace.

➡ Envoyer une lettre ou une carte postale en Europe revient à 180/310 ISK ; pour expédier un courrier vers d'autres parties du monde, comptez 240/490 ISK. Tous les tarifs d'affranchissement sont indiqués sur le site Internet.

Problèmes juridiques

La police islandaise est généralement discrète et il est peu probable que vous y soyez confronté. Mieux vaut savoir toutefois que :

➡ La législation est très stricte concernant l'alcool au volant. Même deux verres d'alcool peuvent vous faire dépasser le taux d'alcoolémie autorisé de 0,4g/l ; vous essuierez un retrait de permis et une grosse amende.

➡ En cas d'infraction au code de la route, et notamment d'excès de vitesse, vous pourrez être conduit au poste de police pour payer une amende sur-le-champ.

➡ Si vous êtes ivre et que votre comportement attente à l'ordre public, vous risquez de passer la nuit en cellule de dégrisement – vous serez généralement relâché au matin.

➡ La possession, l'usage et le trafic de drogues sont lourdement condamnés : les contrevenants encourent de longues peines de prison et de grosses amendes.

➡ En cas d'arrestation, vous pourrez demander à ce que l'on prévienne votre ambassade ou votre consulat.

Santé

Voyager en Islande ne présente guère de risque pour la santé. L'eau du robinet est excellente, le niveau d'hygiène élevé et on n'y recense aucune espèce dangereuse. Aucun vaccin spécifique n'est exigé.

Soins de santé

Les soins médicaux sont d'excellente qualité, et le personnel médical parle très souvent anglais. Toutefois, ces services sont limités en dehors des zones urbaines.

Pour les bobos sans gravité, les pharmacies peuvent être de bon conseil et fournir des médicaments sans ordonnance (cherchez les enseignes *apótek*, pharmacie). Elles pourront vous orienter vers un spécialiste si nécessaire. On peut se faire soigner en se rendant dans un dispensaire : *heilsugæslustöð* en islandais. On en trouve la liste pour la région de Reykjavík sur www.heilsugaeslan.is ; en région, demandez à l'office du tourisme ou à l'endroit où vous logez où est le dispensaire le plus proche.

La carte européenne d'assurance maladie, nominative et individuelle, donne droit à une aide médicale d'urgence (mais pas au rapatriement sanitaire) pour les citoyens de l'Union européenne et de l'Espace économique européen. Vous devez en faire la demande auprès de votre caisse d'assurance maladie au moins 2 semaines avant votre départ.

Les ressortissants d'autres pays doivent payer leurs soins médicaux en totalité (et se faire rembourser plus tard par leur assurance, s'ils en ont une). Il est fortement conseillé de souscrire une assurance voyage. Plus d'informations sur les soins aux touristes sur le site www.sjukra.is/english/tourists/ (en anglais seulement).

Hypothermie et gelures

Le principal risque de santé encouru par les voyageurs est l'exposition à des températures extrêmes. Une préparation adaptée est donc essentielle. Même en période estivale, la météo peut changer rapidement en montagne. Emportez des vêtements chauds et imperméables, et prévenez d'autres personnes de votre itinéraire.

➡ L'hypothermie aiguë est due à la chute soudaine de la température corporelle en un court laps de temps. L'hypothermie chronique est causée par une baisse graduelle de la température corporelle sur plusieurs heures. Elle débute par des frissons et une perte de jugement et de l'équilibre. En l'absence d'un réchauffement, s'ensuivent alors apathie, confusion et coma. Évitez toute perte de chaleur supplémentaire en cherchant un abri, en enfilant des vêtements secs et chauds, en buvant des boissons chaudes et sucrées et en vous rassemblant pour partager la chaleur corporelle.

➡ Les gelures sont provoquées par le gel. Elles sont fonction du vent (froid), de la température extérieure et de la durée d'exposition. Les gelures débutent par des engelures (peau blanche et engourdie), qui disparaissent généralement lors d'un réchauffement. En cas de gelure profonde, la peau cloque et devient noire. Les tissus touchés peuvent être définitivement détériorés. Portez des vêtements appropriés et secs, hydratez-vous et mangez en quantité suffisante. Un réchauffement rapide est impératif.

Téléphone

➡ Les téléphones publics sont rares en Islande, où le téléphone portable est roi. Il y en a parfois devant les bureaux de poste, les gares routières ou les stations-service. De nombreuses cabines acceptent les cartes bancaires et les pièces de monnaie. Comptez environ 20 ISK par minute pour un appel local.

➡ D'Islande, pour téléphoner dans un autre pays, composez le ☎00, puis l'indicatif du pays (☎33 pour la France, 32 pour la Belgique, 41 pour la Suisse et 1 pour le Canada), suivi du numéro de votre correspondant sans l'éventuel 0 initial.

➡ Pour appeler en Islande depuis l'étranger, composez le code d'accès international en vigueur dans votre pays (☎00 en France, en Belgique et en Suisse, ☎011 au Canada), suivi de l'indicatif ☎354 et des 7 chiffres du numéro de téléphone (l'Islande n'a pas d'indicatif régional).

➡ Les numéros gratuits commencent par ☎800 ; les numéros de téléphones portables par ☎6, ☎7 ou ☎8.

➡ L'annuaire est accessible sur Internet via le site en.ja.is.

➡ Numéros utiles : Renseignements téléphoniques ☎118 (locaux) et ☎1811 (internationaux).

Téléphones portables

➡ Le plus pratique et le moins cher pour téléphoner au tarif local est d'acheter une carte SIM islandaise, à insérer dans votre propre téléphone portable. Avant de partir, vérifiez que votre opérateur permet ce type de manipulation. Si vous résidez hors de l'Europe, assurez-vous aussi que votre téléphone fonctionne sur le réseau européen GSM 900/1800.

➡ Vous trouverez des cartes SIM prépayées ainsi que des recharges dans les librairies, épiceries et stations-service. Il y a deux fournisseurs principaux de cartes SIM : **Síminn** (www.siminn.is/prepaid), la compagnie islandaise de télécoms, qui offre la meilleure couverture réseau ; **Vodafone** (www.vodafone.is/en/prepaid) n'est pas loin derrière. Les deux compagnies proposent des kits de base avec du temps d'appel, du débit de données et une carte SIM locale ; celui de Síminn coûte 2 000 ISK (et donne un crédit d'appels équivalent).

Cartes téléphoniques

➡ Pour appeler d'une cabine, les cartes téléphoniques les moins chères sont à 500 ISK. Vous les trouverez dans les épiceries, les stations-service et les agences Síminn.

➡ Des cartes permettant de passer des appels internationaux à bas prix sont disponibles dans de nombreux commerces et chez les marchands de journaux.

À LA LETTRE

En raison de la manière dont les patronymes sont composés en Islande (les filles ajoutent le suffixe *–dóttir*, fille de, au prénom de leur père et les garçons ajoutent le suffixe *–son*, fils de), les répertoires téléphoniques adoptent un système alphabétique par prénoms.

APPLICATIONS POUR SMARTPHONES

Il y a d'innombrables applications pour les Smartphones. "112 Iceland" peut se révéler vitale pour voyager en toute sécurité, "Vedur" (météo) est très utile, ainsi que les applications des compagnies de bus comme Strætó et Reykjavík Excursions. Les cartes disponibles hors connexion peuvent également être d'une grande aide.

"Be Iceland" est une bonne application généraliste. Il y en a bien d'autres, qui couvrent toutes sortes de domaines, de l'histoire et de la langue islandaises à l'observation d'aurores boréales et aux visites guidées de la capitale. Mention spéciale à "Reykjavík Appy Hour", une appli qui détaille les *happy hours* pratiquées et leurs tarifs !

Transports

DEPUIS/VERS L'ISLANDE

Depuis quelques années, l'Islande est beaucoup plus accessible, grâce à un choix accru de vols en provenance de destinations plus nombreuses. Les liaisons en ferry, qui permettent de voyager avec son propre véhicule, peuvent constituer une solution intéressante.

Entrer en Islande

➡ L'Islande fait partie de l'espace Schengen. Pour un séjour inférieur à 3 mois, les Français, les Belges et les Suisses peuvent entrer en Islande avec une carte d'identité ou un passeport. Les Canadiens doivent être en possession d'un passeport, valide au moins 3 mois après la date du retour.

➡ Pour plus de détails, reportez-vous p. 379.

Voie aérienne

Aéroports et compagnies aériennes

AÉROPORTS

➡ Principal aéroport international du pays, l'**aéroport international de Keflavík** (www.kefairport.is/english) est situé à 48 km au sud-ouest de Reykjavík.

➡ Le petit **aéroport domestique de Reykjavík** (Reykjavíkurflugvöllur ; www.reykjavikairport.is), proche du centre-ville, assure les vols intérieurs, ainsi que les vols vers le Groenland et les îles Féroé.

COMPAGNIES AÉRIENNES

De plus en plus de compagnies desservent l'Islande (dont des compagnies à bas coût) depuis l'Europe et l'Amérique du Nord. Certaines n'assurent leurs vols que de juin à août. La liste des compagnies desservant le pays figure à l'adresse www.kefairport.is/English/Service/Airlines/.

Icelandair (www.icelandair.com), la compagnie nationale, a un excellent niveau en matière de sécurité. **Air Iceland** (Flugfélag Íslands ; www.airiceland.is) est la principale compagnie de vols intérieurs ; elle dessert en outre le Groenland et les îles Féroé. **WOW Air** (wowair.com), compagnie islandaise à bas coût, dessert de plus en plus de destinations en Europe et en Amérique du Nord.

Depuis la France

La compagnie **Icelandair** (☎01 44 51 60 51 ; www.icelandair.fr) assure toute l'année des liaisons régulières directes entre Paris et Reykjavík (3 heures 30, de 5 à 15 vols/semaine selon la saison, à partir de 400 € aller-retour en moyenne).

VOYAGES ET CHANGEMENTS CLIMATIQUES

Tous les moyens de transport fonctionnant à l'énergie fossile génèrent du CO_2 – la principale cause du changement climatique induit par l'homme. L'industrie du voyage est aujourd'hui dépendante des avions. Si ceux-ci ne consomment pas nécessairement plus de carburant par kilomètre et par personne que la plupart des voitures, ils parcourent en revanche des distances bien plus grandes et relâchent quantité de particules et de gaz à effet de serre dans les couches supérieures de l'atmosphère. De nombreux sites Internet utilisent des "compteurs de carbone" permettant aux voyageurs de compenser le niveau des gaz à effet de serre dont ils sont responsables par une contribution financière à des projets respectueux de l'environnement. Lonely Planet "compense" les émissions de tout son personnel et de ses auteurs.

AVERTISSEMENT

Les informations contenues dans ce chapitre sont particulièrement susceptibles de changements. Vérifiez directement auprès de la compagnie aérienne ou de l'agence de voyages les modalités d'utilisation de votre billet d'avion. N'hésitez pas à comparer les prestations. Les détails fournis ici doivent être considérés à titre indicatif et ne remplacent en rien une recherche personnelle attentive.

La compagnie à bas prix **WOW Air** (wowair.fr) propose des vols entre Paris et Reykjavík (à partir de 200 € aller-retour environ) presque tous les jours de juin à octobre et environ un jour sur deux de novembre à mai, ainsi que quelques vols au départ de Lyon. **Transavia** (☎0 892 058 888 ; www.transavia.com) assure une liaison Paris-Reykjavík de mai à septembre. Air France n'offre pas de vol direct vers l'Islande.

Vous pouvez aussi passer par un voyagiste comme **Nouvelles Frontières** (☎0 825 000 747 ; www.nouvelles-frontieres.fr). Pour des circuits organisés, reportez-vous page ci-contre.

Depuis la Belgique

De juin à septembre, **Icelandair** (☎02 346 30 60 ; www.icelandair.com) assure 4 vols directs hebdomadaires entre Bruxelles et Reykjavík (3 heures 15, à partir de 400 € aller-retour). Le reste de l'année, en partenariat avec **SAS** (☎02 643 6900 ; www.flysas.com) ou d'autres compagnies, Icelandair propose des vols avec escale, via Stockholm, Oslo ou Copenhague notamment (à partir de 550 € aller-retour). Brussels Airlines ne dessert pas l'Islande.

Voici quelques adresses utiles :

Airstop (☎070 233 188 ; www.airstop.be)

Connections (☎070 23 33 13 ; www.connections.be)

Gigatours Voyages Éole (☎070 22 44 32 ; www.voyageseole.be)

Depuis la Suisse

Icelandair (www.icelandair.com) propose désormais 2 vols par semaine entre Genève et Reykjavík de fin mai à fin septembre, ainsi que 4 vols hebdomadaires depuis Zurich de mi-avril à fin octobre (3 heures 40, à partir de 500 FS aller-retour). Enfin, **easy-Jet** (www.easyjet.com) offre des prix intéressants au départ de Genève et de Bâle.

Depuis le Canada

Icelandair (☎800 223 5500 ; www.icelandair.ca) propose des vols directs Halifax-Reykjavík (4 heures 15, à partir de 800 $C) et Toronto-Reykjavík (5 heures 30, à partir de 850 $C). Dessert également Vancouver et Edmonton, ainsi que de nombreuses destinations aux États-Unis (généralement plus chères).

Vous pourrez contacter notamment :

Travel CUTS - Voyage Campus (☎800 667 2887 ; www.travelcuts.com)

Travelocity (☎800 457 8010 ; www.travelocity.ca)

Voie maritime

➡ **Smyril Line** (www.smyrilline.com) affrète le *Norröna* sur une ligne de car-ferry hebdomadaire assez chère mais très fréquentée de Hirtshals (Danemark) à Seyðisfjörður dans l'est de l'Islande, en passant par Tórshavn (îles Féroé).

➡ Le bateau navigue toute l'année entre le Danemark et les îles Féroé ; l'Islande figure sur l'itinéraire fixe qu'il emprunte de fin mars à octobre. En hiver, les possibilités de traversée sont limitées (départs en fonction des conditions météorologiques) – consultez le site Internet.

➡ Les tarifs varient fortement selon les dates de traversée, le véhicule qui vous accompagne (si vous en avez un), et le type de cabine choisi.

➡ À titre indicatif, comptez 559 € par personne l'aller d'Hirtshals à Seyðisfjörður (47 heures) si vous voyagez à deux avec une petite voiture en haute saison (mi-juin à mi-août), avec couchettes dans une cabine d'entrée de gamme. Pour un voyageur seul (sans véhicule), le tarif de base de l'aller en haute saison est de 261 € (en "couchette" de style dortoir).

➡ Il est possible de faire une escale aux îles Féroé. Contactez Smyril Line ou consultez le site Web pour connaître les formules.

VOYAGES ORGANISÉS

Des tour-opérateurs proposent des circuits et des séjours en Islande. Beaucoup offrent la possibilité de voyages à la carte ; certains incluent dans leurs périples des escapades au Groenland, au Spitzberg, en Norvège ou aux îles Féroé. Tous font la part belle à l'extraordinaire richesse naturelle du pays – fjords, geysers, volcans, glaciers, observation des aurores boréales... Le grand air est bien évidemment l'atout phare du pays et vous pourrez notamment en profiter à pied, à cheval, à skis (de fond ou de randonnée) ou avec des raquettes au pied. Ceux qui aspirent à davantage de confort et de tranquillité opteront par exemple pour un autotour, un circuit en 4x4 ou une croisière. Quelle que soit la formule, les prix sont généralement élevés. Ils descendent rarement en dessous de 1 500 € par personne pour un séjour de 8 jours, vols internationaux compris. Pour des circuits organisés locaux, reportez-vous p. 44.

Spécialistes de l'Islande et des pays du Nord

66° Nord (☎04 78 92 30 80 ; 36-37 quai Arloing, 69009 Lyon ; www.66nord.com). Voyages individuels et sur mesure ou accompagnés (de 4 à 15 jours), randonnée pédestre ou équestre, ski, raquettes, par un spécialiste des terres polaires.

Comptoir des voyages (Paris ☎01 53 10 30 15 ; 2 au 18 rue Saint-Victor, 75005 Paris, Lyon ☎04 72 44 13 40 ; 10 quai Tilsitt, 69002 Lyon, Toulouse ☎05 62 30 15 00 ; 43 rue Peyrolières, 31000 Toulouse, Marseille ☎04 84 25 21 80 ; 12 rue Breteuil, 13001 Marseille ; www.comptoir.fr). Séjours, circuits itinérants et autotours, de 5 à 15 jours ; 33 idées de voyages : road-trip, l'Islande en famille, rando libre, week-end bien-être... Plusieurs circuits au Groenland.

Grand Nord Grand Large (☎01 40 46 05 14 ; 75 rue de Richelieu, 75002 Paris ; www.gngl.com). Ce spécialiste des voyages polaires propose des activités d'été (randonnée, navigation...) et d'hiver (ski de fond, ski de randonnée, raquettes, observation des aurores boréales...), ainsi que des croisières (certaines incluent le Spitzberg et le Groenland). Différentes formules (individuel, accompagné, autotour...), de 5 à 16 jours.

Island Tours (☎01 56 58 30 20 ; 23 boulevard Henri-IV, 75004 Paris ; www.islandtours.fr). Circuits accompagnés, autotours, croisières (incluant le Groenland, la Norvège et le Spitzberg), week-ends et courts séjours, organisation des moyens de transport et des hébergements, voyages thématiques (marathon de Reykjavík, éclipse et aurores boréales, etc.)...

Nord Espaces (☎01 45 65 00 00 ; 35 rue de la Tombe-Issoire, 75014 Paris ; www.nord-espaces.com). Escapades, autotours, circuits accompagnés, croisières, voyages "découverte", de 6 à 14 jours. Offres vols inclus.

Scanditours (☎01 55 87 82 05 ; La Maison de la Scandinavie, 54-56 avenue Bosquet, 75007 Paris ; www.scanditours.fr). Seize circuits pour découvrir le pays, de 4 à 14 jours – en voiture de location, en 4x4, avec marches, possibilité de mini-croisières, randonnées à cheval...

Voyages Gallia Tourisme (☎01 53 43 36 10 ; 12 rue Auber, 75009 Paris ; islande.voyages-gallia.fr). Pour ceux qui souhaitent rejoindre l'Islande en bateau par la compagnie Smyril Line.

Randonnée et aventure

Allibert (France ☎04 76 45 50 50 ; agences à Paris, Chapareillan, Toulouse, Chamonix, Nice ; Belgique ☎02 318 32 02 ; ☎Suisse 022 519 03 23 ; www.allibert-trekking.com). Ce spécialiste du trekking propose 26 circuits – randonnée, trekking, ski de rando, ski nordique et raquettes –, de 6 à 20 jours. Différents niveaux de difficultés et formules (avec/sans les vols internationaux, les repas, etc.).

Atalante (Lyon ☎04 72 53 24 80 ; 36 quai Arloing, 69009 Lyon ; Paris ☎01 55 42 81 00 ; 41 bd des Capucines, 75002 Paris ; Bruxelles ☎02 627 07 97 ; rue César-Franck, 44 B-1050 Bruxelles ; www.atalante.fr). Dix-huit formules – marche et découverte, trek ou séjour en liberté –, de 8 à 20 jours.

Aventure et Volcans (☎04 78 60 51 11 ; BP 3154, 73 cours de la Liberté, 69406 Lyon Cedex 03 ; www.aventurevolcans.com). Quatre circuits de 4 à 15 jours (groupe de 6 à 12 personnes) : la saga des volcans ; lacs, cratères, fjords et glaciers ; cratères, glaciers et aurores boréales ; spécial éruption du Bardarbunga.

Chamina Voyages (☎04 66 69 00 44 ; Naussac, BP 5, 48300 Langogne ; www.chamina-voyages.com). Quatre randonnées (itinérantes ou semi-itinérantes), accompagnées ou libres, de 8 à 15 jours.

Fjallabak (☎354 511 3070 ; PO BOX 1622 - 121 Reykjavík ; fjallabak.is). Agence de voyages réceptive francophone et indépendante basée à Reykjavík proposant du trekking sans portage, des séjours de découverte itinérante pour petits groupes et des voyages naturalistes (observation ornithologique, volcanologie, géologie, photographie).

Huwans Clubaventure (☎04 96 15 10 20 ; 18 rue Séguier, 75006 Paris ; 38 quai Arloing, 69009 Lyon ; 4 rue Henri et Antoine-Mauras, 13016 Marseille ; www.

AGENCES EN LIGNE

Vous pouvez réserver votre vol via une agence en ligne ou vous renseigner auprès d'un comparateur de vols :

- www.bourse-des-vols.com
- www.ebookers.fr
- www.expedia.fr
- www.govoyage.com
- www.illicotravel.com
- www.kayak.fr
- www.opodo.fr
- www.skyscanner.fr
- voyages.kelkoo.fr
- www.voyages-sncf.com

huwans-clubaventure.fr). Une quinzaine de circuits tournés vers la randonnée (pédestre ou équestre) et la découverte, de niveau facile à modéré, de 5 à 20 jours (nombre de jours de marche variable).

Nomade Aventure (☎0825 701 702 ; 40 rue de la Montagne-Sainte-Geneviève, 75005 Paris ; agences à Lyon, Toulouse et Marseille ; www.nomade-aventure.com). Douze circuits et 6 voyages individuels, tranquilles ou dynamiques, en voiture, en 4x4, ou axés sur la neige. De 8 à 15 jours.

RandoCheval (☎04 37 02 20 00 ; 2 place Charles-de-Gaulle, 38200 Vienne ; www.randocheval.com). Découverte de l'Islande (et de ses chevaux) grâce à 11 randonnées au choix, de 4 à 15 jours, en été et en automne.

Terres d'aventure (Paris ☎0825 700 825 ; 30 rue Saint-Augustin, 75002 Paris ; plusieurs agences en province ; Belgique ☎02 543 95 60 ; Suisse ☎022 518 05 13 ; www.terdav.com). Voyages en groupe ou individuels, de 4 à 15 jours – randonnée, neige, ski de fond, raquettes, désert, îles... Par un spécialiste du "voyage à pied".

Zig Zag (☎01 42 85 13 93 ; www.zigzag-randonnees.com ; 54 rue de Dunkerque, 75009 Paris). Six circuits de randonnée en Islande, de 8 à 14 jours (possibilité d'extension aux îles Vestmann).

COMMENT CIRCULER

L'Islande ne possède pas de réseau ferroviaire. Généralement, les visiteurs choisissent de louer une voiture pour circuler.

De mi-mai à mi-septembre, un réseau correct de bus rallie les principales destinations de l'île, mais ne négligez pas les vols intérieurs qui peuvent vous faire gagner du temps.

Avion

➡ L'Islande possède un vaste réseau de vols intérieurs, que les Islandais empruntent presque aussi facilement que les bus. En hiver, l'avion peut être le seul moyen de rallier une destination donnée – toutefois, les horaires peuvent être perturbés par les conditions climatiques.

➡ Pratiquement tous les vols nationaux partent du petit aéroport domestique de Reykjavík, proche du centre-ville (à ne pas confondre avec l'aéroport international).

➡ Une poignée de petits aéroports proposent régulièrement des vols touristiques, par exemple à Mývatn, à Skaftafell, ainsi que l'aéroport domestique de Reykjavík.

Compagnies aériennes

Air Iceland (Flugfélag Íslands ; www.airiceland.is). À ne pas confondre avec Icelandair, une compagnie internationale. Destinations couvertes : Reykjavík, Akureyri, Grimsey, Ísafjörður, Vopnafjörður, Egilsstaðir et Þórshöfn. Propose des circuits en avion sur une journée. Sur Internet, on trouve des allers simples à partir de 9 500 ISK environ.

Eagle Air (www.eagleair.is).Vols réguliers au départ de Reykjavík à destination de 5 petits aéroports : Vestmannaeyjar (îles Vestmann), Húsavík, Höfn, Bíldudalur et Gjögur. De 19 200 ISK à 28 300 ISK l'aller. Également plusieurs circuits à la journée.

Bateau

Plusieurs ferries circulent toute l'année en Islande. Pour plus de détails, reportez-vous aux chapitres régionaux concernés. Principales lignes :

➡ Landeyjahöfn–Vestmannaeyjar (www.herjolfur.is)

➡ Stykkishólmur–Brjánslækur (www.seatours.is)

PRINCIPAUX SITES INTERNET

Quatre sites Internet que tout voyageur devrait connaître :

Sécurité : Safetravel (www.safetravel.is). Pour voyager en Islande en toute sécurité.

Prévisions météo : Veðurstofa Íslands (www.vedur.is). Ne sous-estimez jamais la météo en Islande et ses répercussions sur vos trajets. Consultez ce site pour des prévisions fiables (ou appelez le ☎902 0600 et composez le 1 après le message d'accueil).

État des routes : Vegagerðin (www.vegagerdin.is). Le site de l'administration des routes islandaises donne tous les détails sur les ouvertures et fermetures de routes dans le pays. Indispensable pour qui veut explorer des coins peu fréquentés.

Covoiturage : (www.samferda.is). Site de covoiturage bien conçu. Les passagers paient souvent une partie du carburant. Une astucieuse alternative à l'auto-stop pour les passagers, et un bon moyen de financer en partie la location du véhicule et/ou l'essence pour les conducteurs.

- Dalvík–Hrísey/Grímsey (www.saefari.is)
- Arskógssandur–Hrísey (www.hrisey.net)

De juin à août, des ferries partent régulièrement de Bolungarvík et Ísafjörður vers Hornstrandir (fjords de l'Ouest).

Bus

- Le pays dispose d'un vaste réseau de bus longue distance, servi par de nombreuses compagnies. Gratuite, la carte *Public Transport in Iceland* offre une vue d'ensemble des itinéraires desservis. Vous la trouverez dans les offices du tourisme et les gares routières, en particulier à Reykjavík.
- De mi-mai à mi-septembre approximativement, des bus réguliers desservent la plupart des sites de la Route circulaire, les secteurs de randonnée populaires du Sud-Ouest, les principales localités des fjords de l'Ouest et de l'Est, ainsi que celles des péninsules de Reykjanes et de Snæfellsnes. Le reste de l'année, les bus peuvent aussi bien être quotidiens qu'inexistants.
- En été, des bus 4x4 empruntent quelques-unes des routes F (routes de montagne), dont les pistes de Kjölur et Sprengisandur, dans les hautes terres (impraticables en voiture ordinaire).
- Bon à savoir : nombre de liaisons en bus peuvent faire office d'excursions à la journée (arrivé à sa destination finale, le bus passe quelques heures sur place avant de regagner son point de départ, et peut même faire halte une demi-heure dans divers sites touristiques en chemin). Les bus peuvent aussi s'emprunter comme transport classique (possibilité de descendre à un endroit, et de poursuivre le voyage un ou deux jours plus tard).
- Les compagnies de bus opèrent depuis différentes gares routières ou arrêts. Reykjavík compte quelques gares routières. Dans les petites villes, les bus s'arrêtent normalement à la station-service principale (cela vaut tout de même la peine de vérifier).

Compagnies

Voici les grandes compagnies de bus :

Reykjavík Excursions (☎580 5400 ; www.re.is)

SBA-Norðurleið (☎550 0700 ; www.sba.is)

Sterna (☎551 1166 ; www.sternatravel.com)

Strætó (☎540 2700 ; www.straeto.is)

Forfaits

Les compagnies de bus proposent chaque été des forfaits (valables de mi-juin à la première semaine de septembre), dans le but de promouvoir et faciliter les transports en commun sur l'île. Lors de nos recherches, aucun forfait ne couvrait les fjords de l'Ouest, mais les liaisons via les pistes de Sprengisandur et Kjölur dans les hautes terres pouvaient être incluses.

Si vous envisagez de visiter l'Islande en bus, renseignez-vous avant d'acheter un forfait. Il reste en effet nettement plus pratique (et plus économique si l'on voyage à plusieurs) de louer un véhicule.

Un forfait vous condamne à recourir aux services d'une compagnie donnée, or aucune ne propose le réseau d'itinéraires parfait. Chacune a ses lacunes en termes de secteurs couverts, et la plupart des itinéraires ne sont desservis qu'une fois par jour. La compagnie Strætó, qui possède le réseau le plus étendu, ne propose aucun forfait. Vous aurez peut-être tout intérêt à acheter des billets distincts pour chaque tronçon de votre trajet, et à recourir à la compagnie offrant le meilleur itinéraire au moment opportun.

Forfaits "Iceland On Your Own" Reykjavík Excursions et SBA-Norðurleið proposent en partenariat des forfaits "Iceland On Your Own" ; toutes les précisions sur www.ioyo.is. Points forts de ces forfaits : les pistes de Kjölur et de Sprengisandur sont desservies ; bonnes liaisons dans le Sud (grâce au réseau très dense de Reykjavík Excursions) ; dans le Nord, entre autres destinations desservies, on trouve le secteur Akureyri/Húsavík, Ásbyrgi et Dettifoss (grâce au réseau de SBA-Norðurleið). Inconvénients : leur prix ; sur la côte ouest, une partie de la Route circulaire n'est pas desservie – les forfaits circulaires mettent cap au nord par la piste de Kjölur, puis empruntent la Route circulaire.

Circle Passport De Reykjavík à Varmahlíð via la piste de Kjölur, puis le long de la Route circulaire dans tout le pays (42 000 ISK).

Beautiful South Passport Trajets sur toute la côte sud (de Reykjavík à Höfn) ; inclut le trajet jusqu'à Gullfoss, Þórsmörk, Landmannalaugar et Lakagígar (5/9/11 jours 36 000/53 000/60 500 ISK).

Beautiful South Circle Passport Côte sud (de Reykjavík à Skaftafell), plus Landmannalaugar (22 000 ISK).

Highlights Passport Pistes de Kjölur et Sprengisandur, plus la côte sud et le secteur nord autour d'Akureyri/Húsavík – mais pas de desserte dans l'est, de Mývatn à Höfn (7/11/15 jours 46 500/66 000/80 000 ISK).

Highland Circle Passport Valable pour une boucle via les pistes de Sprengisandur et Kjölur. Également : de Reykjavík à Skaftafell (44 000 ISK).

Combo Passport Combine la Route circulaire (sauf la partie occidentale) et les deux pistes des hautes terres, plus quelques itinéraires sur la côte sud (7/11/15 jours 58 000/77 000/91 500 ISK).

Hiking on Your Own Forfait le plus vendu, et à juste titre. Si vous faites le trek du Laugarvegur, il vous dépose à Landmannalaugar et vous récupère à la fin de l'itinéraire à Þórsmörk (ou vice versa). Si vous randonnez dans le Fimmvörðuháls, vous pouvez prendre une correspondance entre Skógar et Þórsmörk (12 500 ISK).

Forfaits Sterna Sterna propose 2 forfaits utilisables sur son réseau. Avantages : moins coûteux que la concurrence ; dessert l'intégralité de la Route circulaire (côte ouest comprise), ainsi qu'un itinéraire dans les hautes terres (Kjölur, mais pas Sprengisandur). Inconvénients : itinéraires limités hors la Route circulaire.

East Circle Passport De Reykjavík à Varmahlíð via la piste de Kjölur, puis le long de la Route circulaire dans tout le pays (39 500 ISK).

Full Circle Passport La Route circulaire, tout simplement (37 500 ISK).

En stop

➡ Faire du stop n'est jamais sans risque, et nous le déconseillons. Même minime, il existe toujours un danger, et il faut en être conscient. Néanmoins, nous avons rencontré quantité de touristes voyageant en stop en Islande et qui, pour la plupart, en étaient satisfaits. Sachez qu'il n'est pas toujours évident pour un homme seul d'être pris rapidement.

➡ Dans tous les cas, armez-vous de patience et choisissez un emplacement stratégique : près d'un carrefour, d'une station-service ou encore d'un supermarché Bónus, plutôt que dans une ligne droite.

➡ À l'arrivée à votre lieu d'hébergement, n'hésitez pas à faire savoir où vous comptez vous rendre le lendemain. Un autre voyageur allant dans la même direction vous emmènera peut-être.

Vélo

➡ Le cyclotourisme est un moyen merveilleux (et de plus en plus prisé) pour découvrir les paysages islandais, à condition d'être capable de supporter des conditions très rudes. Vents violents, pluies battantes, tempêtes de sable et rafales soudaines de neige peuvent survenir à tout moment de l'année.

➡ Bon à savoir : sur les grandes lignes, les bus transportent les vélos. Cette solution peut être envisagée si le temps se gâte ou si votre excursion à vélo dans les hautes terres ne se déroule pas comme prévu. Impossible d'annoncer de façon fiable le nombre de vélos qu'un bus peut transporter, tout dépend de la place à bord. Dans les bus Strætó, le transport de vélo est gratuit ; les autres compagnies (Sterna, SBA-Norðurleið) facturent environ 3 500 ISK.

➡ Excellente ressource : les pages en anglais du site Internet du **club de VTT islandais** (fjallahjolaklubburinn.is). Il comporte un lien vers la carte *Cycling Iceland*, actualisée tous les ans. C'est une source d'information inestimable (pour n'avoir pas toujours pu la trouver dans les offices du tourisme, nous vous conseillons de la consulter en ligne avant le départ).

➡ Les pièces de rechange et kits de réparation pour les crevaisons sont difficiles à se procurer en dehors de Reykjavík. Apportez les vôtres ou achetez-en dans la capitale. Sur la route, il est indispensable de savoir effectuer les réparations de base.

➡ Si vous voulez vous attaquer à l'intérieur du pays, sachez que la piste de Kjölur, qui franchit les principaux fleuves par des ponts, est assez facilement accessible aux cyclistes. Autre route moins difficile : la F249 jusqu'à Þórsmörk. Les fjords de l'Ouest offrent aussi d'excellentes opportunités pour les cyclotouristes, quoique le terrain soit rude.

Location

➡ Les loueurs de VTT s'adressent à une clientèle visant plutôt une utilisation locale qu'un long périple.

➡ Si vous avez l'intention de découvrir le pays à vélo, mieux vaut apporter le vôtre ou en acheter un à l'arrivée. Sinon, **Reykjavík Bike Tours** (www.icelandbike.com) loue des vélos de tourisme.

Transport de vélo

➡ La plupart des compagnies aériennes embarqueront votre vélo en soute si vous l'emballez correctement dans un étui porte-vélo.

➡ Reykjavík City Hostel (attenant au camping municipal) propose le matériel nécessaire à l'assemblage et au démontage des vélos, et garde en consigne les étuis porte-vélo. À l'aéroport de Keflavík, **Bílahótel** (www.bilahotel.is) assure un service de consigne à bagages (y compris pour les étuis porte-vélo).

➡ Le ferry de Smyril Line en provenance du Danemark transporte les vélos pour 15 € l'aller.

Voiture et moto

➡ Être motorisé donne une liberté inégalée pour découvrir l'Islande. Les routes étant bonnes et le trafic réduit, il est en outre relativement simple de circuler.

➡ La Route circulaire (Route 1) ceinture tout le pays et, à l'exception de petits tronçons dans l'est de l'île, est entièrement goudronnée. La plupart des localités en dehors de la Route circulaire sont desservies par des routes en asphalte ou en gravier.

➡ Dans les régions côtières, certaines routes spectaculaires n'en finissent pas de tournicoter pour franchir des cols de montagne et s'enfoncer dans de longs fjords. La circulation y est incroyablement lente. Un véhicule à deux roues motrices reste néanmoins suffisant pour aller pratiquement partout en été (sauf dans les hautes terres et sur les routes F).

➡ En hiver, les fortes neiges peuvent entraîner la fermeture de nombreuses routes. Celles de montagne ne sont généralement ouvertes qu'à partir du mois de juin, et certaines deviennent inaccessibles dès le mois de septembre. Détails sur l'état des routes sur le site www.vegagerdin.is.

Assurance

➡ Un véhicule immatriculé dans un pays scandinave ou membre de l'UE est considéré comme ayant une assurance valide en Islande. Si votre véhicule est immatriculé ailleurs, vous devrez être en possession d'une "carte verte" pour prouver que vous êtes assuré pour la conduite en Islande. Renseignez-vous auprès de votre assureur dans votre pays.

➡ Lors de la location d'une voiture, vérifiez bien le contrat. En général, il couvre les dommages aux tiers et comprend une assurance-collision sans franchise (collision damage waiver – CDW). En cas de franchise, vérifiez bien son montant, qui peut se révéler étonnamment élevé.

➡ Les voitures de location ne sont pas assurées pour les dommages causés aux pneus, aux phares et au pare-brise, ni pour les dommages sur le dessous du véhicule occasionnés par la conduite sur des pistes de terre, par le passage de gués ou par des tempêtes de sable. Beaucoup d'agences essaieront de vous vendre des assurances complémentaires pour couvrir ces éventualités. Il vous faut donc estimer si ces formules sont adaptées à vos projets, et les dépenses que vous pourrez engager en cas de problème. Songez aussi qu'il est impossible de prévoir avec certitude les conditions météorologiques auxquelles vous serez confronté pendant votre périple.

Carburant et pièces détachées

➡ Des stations-service, régulièrement espacées, jalonnent tout le pays. Dans les hautes terres, mieux vaut cependant vérifier vos niveaux et l'emplacement de la prochaine station avant de s'embarquer pour un trajet.

➡ Lors de nos recherches, le diesel et l'essence sans plomb coûtaient environ 245 ISK (1,60 €)/litre.

➡ Les routes étant souvent désertes, veillez à avoir un cric, une roue de secours et des câbles de démarrage.

➡ En cas de panne ou d'accident, appelez en priorité votre agence de location.

➡ Si vous êtes membre d'un automobile-club affilié à Arc Europe, il se peut qu'en cas de panne vous soyez couvert par l'automobile-club islandais, le **Félag Íslenskra Bifreiðaeigenda** (FÍB ; www.fib.is), par ailleurs réservé aux résidents. Renseignez-vous avant de partir.

➡ Le numéro d'urgence du FÍB, accessible 24h/24, est

ROUTES F

Les routes F sont des pistes en terre cahoteuses, au tracé parfois quasiment inexistant. La lettre "F" vient du mot *fjall* ("montagne"). Il ne faut pas confondre les routes F avec les routes gravillonnées classiques (en principe accessibles aux voitures à deux roues motrices, même si sur certaines, le trajet peut être rude pour les petits véhicules à faible garde au sol).

Les routes F sont indiquées sur les cartes et les panneaux par la lettre "F" suivie du numéro de la route (par exemple, F26, F88, etc.).

Les routes F ne sont accessibles qu'en 4x4. Le fait de vous engager sur une route F avec un véhicule de location à deux roues motrices invalide votre assurance. Ces routes étant dangereuses pour ce genre de véhicules, évitez-les, ou bien louez un 4x4 (ou encore, optez pour un circuit en bus 4X4 ou en Super-Jeep).

Avant d'attaquer une route F, mieux vaut vous préparer à ce qui vous attend (franchissements de gué par exemple) et vérifier que la route est entièrement ouverte. Le site Internet www.vegagerdin.is détaille les fermetures des routes.

Bien que certaines routes F se fondent quasiment dans la nature, il est *strictement interdit* de rouler hors piste où que ce soit en Islande, car cela porte atteinte au fragile écosystème.

ACHAT DE CARBURANT

La plupart des petites stations-essence sont en self-service et les pompes sont automatiques, même s'il est toujours possible de demander à la caisse de passer la pompe en mode manuel et de payer ensuite.

Pour faire le plein, mettez votre carte dans l'appareil puis suivez les instructions. Indiquez le montant maximum que vous êtes prêt à dépenser et attendez l'autorisation. Vous ne serez de toute façon débité que du prix du carburant effectivement mis dans le réservoir (soit n'importe quel montant jusqu'au plafond que vous aurez choisi). Si vous avez besoin d'un reçu, insérez à nouveau votre carte. La première fois que vous ferez le plein, rendez-vous dans une station-service avec du personnel, au cas où il y aurait un problème.

Notez qu'il faut une carte bancaire fonctionnant avec un code à quatre chiffres – pour l'achat de carburant mais également pour à peu près toutes les autres transactions en Islande. Au besoin, il faudra vous en procurer une auprès de votre banque avant le départ. Si vous n'avez pas de carte à code, achetez une carte prépayée dans une station N1, que vous pourrez ensuite utiliser dans les pompes à essence automatiques.

le ☎511 2112. Même si vous n'êtes pas membre, il pourra vous informer et vous donner les numéros de téléphone de services de remorquage et de dépannage.

Code de la route

- La conduite se fait à droite.
- Le port de la ceinture de sécurité est obligatoire à l'avant comme à l'arrière.
- Les codes doivent être allumés en permanence.
- Le taux d'alcoolémie autorisé est de 0,4 g/l.
- Il est interdit d'utiliser son téléphone portable au volant, sauf avec un kit mains libres.
- Le siège auto est obligatoire pour les enfants de moins de 6 ans.
- Il est interdit de conduire hors route (c'est-à-dire hors des routes balisées et des pistes de 4x4.

LIMITATIONS DE VITESSE

- Agglomération : 50 km/h
- Routes non asphaltées : 80 km/h
- Routes asphaltées : 90 km/h

État des routes et sécurité

Relativement facile, la conduite en Islande réserve cependant quelques surprises. Pour plus de précisions, regardez la vidéo "Conduire en Islande" sur www.youtube.com/watch?v=x1HF-CpJCNM.

Bétail En été, les moutons paissent dans les champs et s'aventurent souvent sur les routes. Ralentissez lorsque vous apercevez des animaux près de la route.

Routes non goudronnées Le passage aux graviers est signalé par le panneau *Malbik Endar* – ralentissez avant d'arriver sur les gravillons pour éviter de déraper. La plupart des accidents impliquant des conducteurs étrangers sont dus à une vitesse excessive et inadaptée aux routes non revêtues. Si votre voiture commence à déraper, lâchez la pédale d'accélérateur et tournez doucement le volant pour orienter la voiture dans la direction où vous voulez qu'aillent les roues avant. Ne freinez pas.

Côtes sans visibilité La plupart des routes ont deux voies, avec des talus escarpés et sans bas-côté. Attendez-vous à voir des véhicules arriver au milieu de la route et ralentissez en gardant votre droite à l'approche des côtes sans visibilité, indiquées par le panneau "Blindhæð".

Ponts à voie unique Ralentissez et préparez-vous à céder le passage à l'approche des ponts à voie unique (indiqués "Einbreið Brú"). Le véhicule le plus proche du pont est prioritaire.

Éblouissement Le soleil étant souvent bas sur l'horizon, des lunettes de soleil sont recommandées.

Conditions hivernales En hiver, assurez-vous que votre véhicule est équipé de pneus-neige ou de chaînes, et emportez une pelle, des couvertures, de la nourriture et de l'eau.

Cendres et tempêtes de sable Les cendres volcaniques et de violentes tempêtes de sable peuvent écailler la peinture, voire renverser le véhicule. Les zones à risques sont signalées par des panneaux orange.

Routes F Les "routes F" conviennent uniquement aux 4x4.

Franchissement de cours d'eau Sur les routes de l'intérieur, les ponts sont rares. Les passages à gué sont indiqués sur les cartes par un "V".

Location

- Être motorisé constitue souvent le seul moyen d'accéder à certaines parties de l'île. Même si la location d'une voiture revient très cher par rapport à d'autres pays, c'est tout de même plus intéressant que le bus ou l'avion sur les lignes intérieures, surtout si vous êtes plusieurs pour partager les frais.
- Pour louer une voiture, il faut avoir 20 ans au

FRANCHIR UN COURS D'EAU

Si vous randonnez ou conduisez dans les hautes terres, vous serez certainement amené à franchir un cours d'eau dépourvu de pont. Voici quelques règles à respecter.

- La neige, en fondant, fait monter le niveau des cours d'eau. Mieux vaut donc franchir une rivière tôt le matin, avant que le soleil ne réchauffe l'air, et de préférence pas dans les 24 heures après un orage.
- Évitez les zones où le cours d'eau est étroit, qui ont toutes les chances d'être profondes. Plus le gué est large, plus il est susceptible d'être peu profond. C'est au centre des portions droites et à l'extérieur des méandres que le courant est le plus fort. Choisissez un point où l'eau est calme.
- Ne franchissez jamais une rivière juste au-dessus d'une cascade, et évitez de traverser des cours d'eau en crue (que l'on reconnaît à leur eau boueuse et lisse, charriant débris et végétation).

Pour les randonneurs

- Une surface lisse trahit une rivière trop profonde pour être franchie à pied. Si l'eau arrive plus haut que la cuisse, la rivière est infranchissable sans une solide expérience et un équipement spécial.
- Avant de tenter le franchissement d'un cours d'eau profond ou rapide, assurez-vous de pouvoir vous débarrasser de votre sac à mi-course si nécessaire.
- Les randonneurs en solo utiliseront un bâton de randonnée pour sonder le fond de la rivière afin de trouver le meilleur passage et pour se stabiliser dans le courant.
- Ne traversez jamais un cours d'eau pieds nus. Si vous ne voulez pas mouiller vos chaussures de randonnée, emportez avec vous des bottes ou des sandales.
- Lors de la traversée, faites face au courant et évitez de regarder en bas : vous pourriez avoir le vertige et perdre l'équilibre. Deux marcheurs peuvent se stabiliser mutuellement en se tenant par les épaules.
- Si vous tombez dans le cours d'eau, n'essayez pas de vous relever. Retirez votre sac (mais ne le lâchez pas), roulez sur le dos, et pointez les pieds vers l'aval. Essayez ensuite de vous diriger vers une zone peu profonde ou vers la rive.

Pour les conducteurs

- Si vous ne voyagez pas en convoi, il est plus prudent d'attendre d'autres voitures. Regardez où et comment traversent les conducteurs expérimentés. Vous devrez peut-être d'abord vérifier la profondeur du cours d'eau et la rapidité du courant à pied (en recourant aux techniques et outils des randonneurs, notamment le bâton de marche). Une règle d'or : si vous n'avez pas l'impression de pouvoir franchir un cours d'eau à pied, ne vous y essayez pas non plus avec un véhicule.
- Aidez-vous du courant : traversez en diagonale dans le sens du courant, en petite vitesse. Gardez une vitesse constante, sans vous arrêter ni changer de rythme, en allant un tout petit peu plus vite que le courant (si vous allez trop lentement, vous risquez de rester coincé ou que de l'eau entre dans le pot d'échappement).

minimum (23 à 25 ans pour un 4x4) et présenter un permis de conduire valide.

- Les voitures les moins chères à disposition (généralement une petite voiture à hayon, ou assimilée) coûtent environ 12 000 ISK/jour en haute saison (juin à août). Pour le plus petit modèle de 4x4, comptez un minimum de 24 000 ISK. Si ce type de véhicule a une garde au sol plus haute qu'une voiture classique, il n'est cependant pas conseillé pour franchir les rivières et cours d'eau. Les tarifs incluent le kilométrage illimité et la TVA, et, en général, une assurance-collision sans franchise (collision damage waiver – CDW). Les tarifs à la semaine sont un peu plus avantageux. De septembre à mai, vous trouverez de bien meilleurs prix.
- Vérifiez les clauses en petits caractères, car les coûts additionnels (assurance complémentaire, prise en charge à l'aéroport,

restitution dans un lieu différent de celui de départ) peuvent vite chiffrer.

➡ De nombreuses agences sont dévalisées en été. Réservez bien à l'avance.

➡ Certaines agences de voyages (comme Hostelling International Iceland, Icelandic Farm Holidays) proposent des forfaits incluant la location d'une voiture.

➡ La plupart des agences de location sont basées dans les régions de Reykjavík et Keflavík, avec des antennes en ville et à l'aéroport. Les plus grandes agences sont présentes dans tout le pays (généralement Akureyri et Egilsstaðir).

➡ Les passagers de ferry qui arrivent en Islande par Seyðisfjörður trouveront des loueurs de voitures à Egilsstaðir, tout près.

AGENCES DE LOCATION DE VOITURE

Átak (www.atak.is)

Avis (www.avis.is)

Budget (www.budget.is)

Cheap Jeep (www.cheapjeep.is)

Europcar (www.europcar.is). La plus grosse compagnie de location d'Islande.

Geysir (www.geysir.is). Détaille ses tarifs à la journée/semaine en été et en hiver pour tous ses véhicules sur son site Web.

Go Iceland (www.goiceland.com). Loue également de l'équipement de camping (tentes, matelas, réchauds).

Hertz (www.hertz.is)

SADcars (www.sadcars.com). Véhicules plus anciens, et donc moins chers (en théorie).

Saga (www.sagacarrental.is)

LOCATION DE CAMPING-CAR

Alliant hébergement et transport, la location de camping-car est une option très prisée. Outre qu'elle permet de réduire les coûts, elle a cet atout supplémentaire d'offrir en été une grande liberté de mouvement (contrairement à tous les autres hébergements, les emplacements de camping ne nécessitent pas de réservation).

Les grandes agences de location de voiture proposent généralement des camping-cars, mais il existe des solutions plus originales : véhicules aménagés spécifiquement pour les voyageurs sac au dos, les familles, ou véritables 4x4.

Camper Iceland (www.campericeland.is)

Happy Campers (www.happycampers.is)

JS Camper Rental (www.js.is). Camping-cars 4x4.

Kúkú Campers (www.kukucampers.is). Camping-cars décorés d'œuvres d'art, location de matériel (tentes, barbecues, guitares, planches de surf, etc.).

LOCATION DE MOTO

Biking Viking (www.bikingviking.is). Location de motos, circuits et services.

Permis de conduire

Les Français, les Belges, les Suisses et les Canadiens peuvent conduire en Islande avec leur permis de conduire national.

Transport de véhicules

➡ Vu le prix des locations, il peut être intéressant d'arriver avec son propre moyen de locomotion. En été, le ferry de Smyril Line en provenance du Danemark sert en grande partie à transporter jusqu'en Islande des véhicules venant de toute l'Europe (réservez longtemps à l'avance).

➡ Pour l'exemption de taxe à l'importation, les conducteurs doivent se munir des papiers de leur véhicule, d'une attestation d'assurance (ou d'une "carte verte" si le véhicule n'est pas immatriculé dans un pays scandinave ou de l'UE) et de leur permis de conduire.

➡ L'exemption de taxe à l'importation d'un véhicule est accordée au point d'arrivée pour 12 mois maximum et suppose de s'engager à ne pas prêter ou vendre le véhicule. Pour plus de détails, adressez-vous à la **direction des Douanes** (www.customs.is).

➡ Pour un séjour de longue durée, il peut être plus avantageux de faire venir son véhicule par **Eimskip** (www.eimskip.is). Attention : ce service est onéreux et implique de nombreuses tracasseries administratives. Mais il peut être utile à ceux qui ont beaucoup de matériel à transporter ou possèdent un camping-car/4x4 bien équipé. Eimskip compte six lignes de navigation dans l'Atlantique Nord.

Transports locaux

Bus

➡ Reykjavík possède un important réseau de bus locaux couvrant tous les faubourgs et allant jusqu'à Akranes, Borgarnes, Hveragerði, Selfoss et Hvalfjarðarsveit. Renseignements sur les itinéraires, les tarifs et les horaires sur www.straeto.is.

➡ Des services de bus municipaux fonctionnent à Akureyri, à Ísafjörður et dans la région de Reykjanesbær.

Taxi

➡ La plupart des taxis sont établis dans la région de Reykjavík, mais on en trouve aussi dans les autres grandes villes. En dehors de Reykjavík, il est préférable de réserver.

➡ Les taxis sont équipés d'un compteur et peuvent coûter assez cher. Les chauffeurs n'escomptent pas de pourboire.

Langue

L'islandais fait partie de la famille des langues germaniques, comme l'allemand, l'anglais, le néerlandais et toutes les langues scandinaves à l'exception du finnois. C'est une langue proche du vieux norrois qui conserve d'ailleurs certaines lettres anciennes telles que le "eth" *(ð)* et le "thorn" *(þ)* qui existaient en vieil anglais. Attention : les noms de lieux peuvent être orthographiés de différentes manières en fonction du contexte grammatical. Ne l'oubliez pas en lisant les horaires de bus ou les panneaux routiers.

La plupart des Islandais parlent l'anglais, mais assez rarement le français. Si vous parlez l'anglais, vous n'aurez donc pas de mal à vous faire comprendre, mais prononcer quelques mots d'islandais sera fort apprécié.

En lisant notre transcription phonétique colorée comme si c'était en français, vous serez compris. Les doubles consonnes correspondent à un son long. Dans notre transcription, öy se prononce "œil", et kh correspond au 'ch' allemand, comme dans "*Buch*", ou à la *jota* espagnole. L'accent tonique porte généralement sur la première syllabe du mot.

LIRE L'ISLANDAIS

Lettre	Prononciation
Á á	ao (comme dans "Mao")
Ð ð	dh (comme le "th" anglais proche de "z")
É é	ié (comme dans "pied")
Í í	i (comme dans "vie")
Ó ó	o (comme dans "bateau")
Ú ú	ou (comme dans "cou")
Ý ý	i (comme dans "vie")
Þ þ	th (comme le "th" anglais proche de "s")
Æ æ	aï (comme dans "ail")
Ö ö	eu (comme dans "neuf")

CONVERSATION ET EXPRESSIONS DE BASE

Bonjour.	*Halló.*	*ha*·lo
Au revoir.	*Bless.*	bles
Merci.	*Takk./ Takk fyrir.*	tak/ tak *fi*·rir
Excusez-moi.	*Afsakið.*	*af*·sa·kidh
Pardon.	*Fyrirgefðu.*	*fi*·rir·gev·dhu
Oui.	*Já.*	yao
Non.	*Nei.*	nay

Comment allez-vous ?
Hvað segir þú gott? — kvadh *se*·yir thou got

Bien. Et vous ?
Allt fínt. En þú? — alt fint en thou

Comment vous appelez-vous ?
Hvað heitir þú? — kvadh *hay*·tir thou

Je m'appelle...
Ég heiti... — iékh *hay*·ti...

Parlez-vous anglais ?
Talar þú ensku? — *ta*·lar thou *ens*·ku

Je ne comprends pas.
Ég skil ekki. — iékh skil *e*·ki

ORIENTATION

Où est (l'hôtel) ?
Hvar er (hótelið)? — kvar er (*ho*·te·lidh)

Pouvez-vous me montrer (sur la carte) ?
Geturðu sýnt mér (á kortinu)? — *ge*·tur·dhu sint miér (ao *kor*·ti·nu)

Quelle est votre adresse ?
Hvert er heimilisfangið þitt? — kvert er *hay*·mi·lis·fan·gidh thit

AU RESTAURANT

Que me recommandez-vous ?
Hverju mælir þú með? — *kver*·yu *maï*·lir thou medh

Avez-vous des plats végétariens ?
Hafið þið grænmetisrétti? — *ha*·vidh thidh *graïn*·me·tis·rié·ti

Je vais prendre...
Ég ætla að fá... iékh *aït*·la adh fao...

Santé !	*Skál!*	skaol
Je voudrais ..., s'il vous plaît.	*Get ég fengið..., takk.*	get iékh *fen*·gidh... tak
une table pour (quatre)	*borð fyrir (fjóra)*	bordh *fi*·rir (*fyo*·ra)
addition	*reikninginn*	*rayk*·nin·gin
carte des boissons	*vínseðillinn*	*vin*·se·dhit·lin
menu	*matseðillinn*	*mat*·se·dhit·lin
ce plat	*þennan rétt*	*the*·nan riét
bouteille de (bière)	*(bjór)flösku*	(*byor*)·*fleus*·ku
(tasse de) café/thé	*kaffi/te (bolla)*	*ka*·fi/te (*bot*·la)
verre de (vin)	*(vín)glas*	(*vin*)·glas
eau	*vatn*	vat
petit-déjeuner	*morgunmat*	*mor*·gun·mat
déjeuner	*hádegismat*	*hao*·de·yis·mat
dîner	*kvöldmat*	*kveuld*·mat

URGENCES

Au secours !	*Hjálp!*	hyaolp
Laissez-moi !	*Farðu!*	*far*·dhu
Appelez... !	*Hringdu á...!*	*hring*·du ao...
un médecin	*lækni*	*laïk*·ni
la police	*lögregluna*	*leu*·rekh·lu·na

Je suis perdu/e.
Ég er villtur/villt. iékh er *vil*·tur/vilt

Où sont les toilettes ?
Hvar er snyrtingin? kvar er *snir*·tin·gin

COMMERCES ET SERVICES

Je cherche...
Ég leita að... iékh *lay*·ta adh...

Combien cela coûte-t-il ?
Hvað kostar þetta? kvadh *kos*·tar *the*·ta

Panneaux

Inngangur	Entrée
Útgangur	Sortie
Opið	Ouvert
Lokað	Fermé
Bannað	Interdit
Snyrting	Toilettes

Nombres

1	*einn*
2	*tveir*
3	*þrír*
4	*fjórir*
5	*fimm*
6	*sex*
7	*sjö*
8	*átta*
9	*níu*
10	*tíu*
20	*tuttugu*
30	*þrjátíu*
40	*fjörutíu*
50	*fimmtíu*
60	*sextíu*
70	*sjötíu*
80	*áttatíu*
90	*níutíu*
100	*hundrað*

C'est trop cher.
Þetta er of dýrt. *the*·ta er of dirt

Il y a un défaut.
Það er gallað. thadh er *gat*·ladh

Où se trouve... ?	*Hvar er...?*	kvar er...
la banque	*bankinn*	*baon*·kin
le marché	*markaðurinn*	*mar*·ka·dhu·rin
la poste	*pósthúsið*	*post*·hou·sidh

TRANSPORTS

Est-ce accessible en transport public ?
Er hægt að taka rútu þangað? er haïkht adh *ta*·ka *rou*·tu *thaon*·gadh

Où puis-je acheter un billet ?
Hvar kaupi ég miða? kvar *köy*·pi iékh *mi*·dha

Est-ce le/l'... pour (Akureyri) ?
Er þetta... til (Akureyrar)?
er *the*·ta... til (*a*·ku·ray·rar)

bateau	*ferjan*	*fer*·yan
bus	*rútan*	*rou*·tan
avion	*flugvélin*	*flukh*·vié·lin

À quelle heure est le... bus ?
Hvenær fer... strætisvagninn? *kve*·naïr fer... *straï*·tis·vag·nin

premier	*fyrsti*	*firs*·ti
dernier	*síðasti*	*si*·dhas·ti

Un billet... (pour Reykjavík), s'il vous plaît.
Einn miða... (til Reykjavíkur), takk.
aïtn *mi*·dha... (til *rayk*·ya·vi·kur) tak

aller simple	*aðra leiðina*	*adh*·ra *lay*·dhi·na
aller-retour	*fram og til baka*	fram okh til *ba*·ka
J'aimerais un taxi...	*Get ég fengið leigubíl...*	get iékh *fen*·gidh *lay*·gu·bil...
à (9h)	*klukkan (níu fyrir hádegi)*	*klu*·kan (*ni*·u *fi*·rir *hao*·de·yi)
demain	*á morgun*	ao *mor*·gun

Combien cela coûte-t-il pour... ?
Hvað kostar til... ? kvadh *kos*·tar til...

Arrêtez-vous ici, s'il vous plaît.
Stoppaðu hér, takk. *sto*·pa·dhu hiér tak

S'il vous plaît, conduisez-moi à (cette adresse).
Viltu aka mér til (þessa staðar)? *vil*·tu *a*·ka miér til (*the*·sa *sta*·dhar)

GLOSSAIRE

Reportez-vous au chapitre *Cuisine islandaise* (p. 368) pour connaître le vocabulaire et les expressions utiles à table.

á – rivière (comme dans Laxá, ou rivière du saumon)
álfar – elfes
austur – est

basalte – roche volcanique sombre, qui se solidifie souvent sous la forme de colonnes hexagonales
bíó – cinéma*
brennivín – alcool local
bær – ferme

caldeira – cratère formé par l'effondrement d'un cône volcanique

dalur – vallée

Eddas – anciens livres de poésie de l'âge viking, source de connaissance sur les mythes et les légendes scandinaves
ey – île

fjall (ou fell) – montagne
foss – chute d'eau, cascade
fjörður – fjord
fumerolle – échappement de gaz émanant d'un volcan

gata – rue
geyser – source chaude jaillissant par intermittence
gistiheimilið – pension (*guesthouse*)
gjá – fissure, rift
goðar/*goði* (s/p) – chefs politiques et religieux de certaines régions, avant la christianisation

hákarl – chair de requin faisandée
hestur – cheval
höfn – port
hot pot – bain chaud en plein air (sorte de Jacuzzi ou de bassin thermal) que l'on trouve dans les piscines et dans certains hébergements. En islandais, *hot pot* se dit *heitur pottur.*
hraun – champ de lave
huldufólk – peuple caché
hver – source chaude

Íslands – Islande

jökull – glacier, calotte glaciaire (*ice cap*)

kirkja – église
kort – carte

Landnámabók – *Livre de la colonisation* ; texte historique décrivant de façon très détaillée la colonisation de l'Islande par les Scandinaves
laug – piscine
lón – lagune
lopapeysa/lopapeysur (s/pl) – pull de laine islandais
lundi – macareux

mudpot – type de source chaude contenant des boues que les gaz volcaniques font bouillonner
mörk – bois ou forêt

nes – cap, promontoire
norðure – nord

puffling – bébé macareux

reykur – fumée, comme dans Reykjavík (littéralement, "baie des Fumées")

safn – musée
sagas – légendes islandaises
sandur – plaine de sable glaciaire
scories – produits volcaniques riches en vacuoles, de très faible densité
sími – téléphone
skáli – cabane ; snack-bar
stræti – rue
suður – sud
sumar – été
sundlaug – piscine chauffée

téphra – produits volcaniques, en dehors de la lave
tjörn – mare, lac
torg – place de la ville
tunnel de lave – tunnel souterrain créé par un écoulement de lave sous une croûte solide (*lava tube*)

vatn – lac (comme dans Mývatn, ou "lac des Moucherons"), eau
vegur – route
vestur – ouest
vetur – hiver
vík – baie
vogur – crique, baie
volcan bouclier – volcan en pente douce formé par des coulées de lave fluide (*shield volcano*)

En coulisses

VOS RÉACTIONS ?

Vos commentaires nous sont très précieux et nous permettent d'améliorer constamment nos guides. Notre équipe lit toutes vos lettres avec la plus grande attention. Nous ne pouvons pas répondre individuellement à tous ceux qui nous écrivent, mais vos commentaires sont transmis aux auteurs concernés. Tous les lecteurs qui prennent la peine de nous communiquer des informations sont remerciés dans l'édition suivante, et ceux qui nous fournissent les renseignements les plus utiles se voient offrir un guide.

Pour nous faire part de vos réactions, prendre connaissance de notre catalogue et vous abonner à notre newsletter, consultez notre site Internet : **www.lonelyplanet.fr**.

Nous reprenons parfois des extraits de notre courrier pour les publier dans nos produits, guides ou sites Web. Si vous ne souhaitez pas que vos commentaires soient repris ou que votre nom apparaisse, merci de nous le préciser. Notre politique en matière de confidentialité est disponible sur notre site Internet.

À NOS LECTEURS

Merci à tous les voyageurs qui ont utilisé la dernière édition de ce guide et qui nous ont écrit pour nous faire part de leurs conseils, de leurs suggestions et de leurs anecdotes :
Julien Beauvais, Violette Boiveau, Delphine Boniver, V. Cherpillod, Christophe Clin, Sophie Galibert, Louise Hanquet, Laurie Lethrosne, Daniel Leverrier, Damien Locqueneux, Patrick Louazel, Laure Maurin, Claire Mudry, Martine Sculati, et Stéphanie et Yves-Loïc Tépho.

UN MOT DES AUTEURS

Carolyn Bain

Je remercie de tout cœur James pour m'avoir confié la mission de mes rêves ! Un grand merci également à ma coauteure Alexis pour son enthousiasme et sa prose sans défaut. Une fois encore, je pourrais citer ici la moitié de l'annuaire islandais, vu le nombre de personnes qui m'ont aidée, renseignée ou reçue lors de ce voyage, de Kyle Clunies Ross, Ragnheiður Sylvia Kjartansdóttir et Kristjana Rós Guðjohnsen de Reykjavík, à Elín Þorgeirsdóttir de Hrífunes. En chemin, j'ai bénéficié de la compagnie de Sigrun Kalyan Sigurðardóttir, Þórhildur Gísladóttir et Jón Thor Hannesson ; des compétences de pilotes et de guides d'Anton Freyr Birgisson, de Mirjam Blekkenhorst et des hommes des hautes terres : Óðinn et Agnar ; et du savoir de Sævar Freyr Sigurðsson, Guðmundur Ögmundsson et Helga Árnadóttir. Parmi les habitants qui m'ont si chaleureusement accueillie à mon retour en Islande, Knútur, Vicki, Pálína, Sibba, Þórir et Erla, Örn, Bjarni et Heiða, Valla, Hlynur, Berglind, Cathy, Ásmundur et tant d'autres. Villi Vernharðsson à Möðrudalur a fait preuve d'une grande gentillesse, tout comme Áskell Heiðar Ásgeirsson à Bræðslan, et Bergþór Karlsson. Cette liste pourrait couvrir plus d'une page – tant de gens merveilleux, tant de gestes de bienveillance. À tous, un sincère *takk fyrir*.

Alexis Averbuck

Travailler sur l'Islande a été un pur bonheur, et cela n'aurait pu être possible sans les nombreuses personnes qui m'ont aidée. Heimir Hansson m'a tout appris sur les fjords de l'Ouest ; Jónas Gunnlaugsson m'a accueillie à l'Arctic Fox Centre ; l'anthropologue Eva Dal de "Reykjavik 871±2", à l'enthousiasme communicatif, m'a fourni de magnifiques explications ; Helga Garðarsdóttir de Ferðafélag Íslands m'a prodigué ses conseils d'initiée sur le Laugavegurinn ; et Jón Magnússon et Hallgrímur Stefans ont inlassablement corrigé mon islandais, de *rúntur* à *djammið*. Carolyn a été une collaboratrice d'une générosité sans bornes. L'attention précise et le soin que James a portés au livre commandent le respect. Kristinn Viggósson a fait plus que m'accueillir, et m'a fait me sentir chez moi en Islande. Yva et John font maintenant partie de ma famille. Et Ryan, comme toujours, a été un complice génial.

CRÉDITS PHOTOGRAPHIQUES

Les cartes climatiques sont adaptées de Peel MC, Finlayson BL & McMahon ta (2007) "Updated World Map of the Köppen-Geiger Climate Classification", Hydrology and Earth System Sciences, 11, 163344

Photo de couverture : Skógafoss, Skógar, sud de l'Islande, Guido Cozzi / 4Corners ©.

À PROPOS DE CET OUVRAGE

Cette 3e édition française du guide *Islande* est une traduction-adaptation de la 9e édition du guide *Iceland* (en anglais) commandée par le bureau de Londres de Lonely Planet.

Traduction
Nathalie Berthet, Hélène Demazure, Vincent Guilluy

Direction éditoriale
Didier Férat

Coordination éditoriale
Cécile Duteil

Responsable prépresse
Jean-Noël Doan

Maquette
Sébastienne Ocampo

Cartographie
Cartes originales de Valentina Kremenchutskaya adaptées en français par Caroline Sahanouk

Couverture
Adaptée par Annabelle Henry pour la version française

Remerciements à
Claude Albert, Christophe Corbel, Chantal Duquénoy et Sylvie Rabuel pour leur précieuse contribution au texte. Merci également à Claire Chevanche pour la préparation du manuscrit, à Margaux Pigois pour le référencement, et à toute l'équipe du bureau de Paris. Enfin, merci à Clare Mercer, Joe Revill et Luan Angel du bureau de Londres, ainsi qu'à Darren O'Connell, Chris Love, Sasha Baskett, Angela Tinson, Jacqui Saunders, Ruth Cosgrave et Glenn van der Knijff du bureau australien.

Index

Référence des cartes
Référence des photos

Références des cartes
Références des photos

Références des cartes
Références des photos

INDEX DES ENCADRÉS

Activités et itinéraires

Histoire, culture et société

Nature, géographie et géologie

INDEX DES ENCADRÉS (SUITE)

Pratique

Légende des cartes

À voir
- Château
- Monument
- Musée/galerie/édifice historique
- Ruines
- Église
- Mosquée
- Synagogue
- Temple bouddhiste
- Temple confucéen
- Temple hindou
- Temple jaïn
- Temple shintoïste
- Temple sikh
- Temple taoïste
- Sentō (bain public)
- Cave/vignoble
- Plage
- Réserve ornithologique
- Zoo
- Autre site

Activités, cours et circuits organisés
- Bodysurfing
- Plongée/snorkeling
- Canoë/kayak
- Cours/circuits organisés
- Ski
- Snorkeling
- Surf
- Piscine/baignade
- Randonnée
- Planche à voile
- Autres activités

Où se loger
- Hébergement
- Camping

Où se restaurer
- Restauration

Où prendre un verre
- Bar
- Café

Où sortir
- Salle de spectacle

Achats
- Magasin

Renseignements
- Banque
- Ambassade/consulat
- Hôpital/centre médical
- Accès Internet
- Police
- Bureau de poste
- Centre téléphonique
- Toilettes
- Office du tourisme
- Autre adresse pratique

Géographie
- Plage
- Refuge/gîte
- Phare
- Point de vue
- Montagne/volcan
- Oasis
- Parc
- Col
- Aire de pique-nique
- Cascade

Agglomérations
- Capitale (pays)
- Capitale (région/État/province)
- Grande ville
- Petite ville/village

Transports
- Aéroport
- Poste frontière
- Bus
- Téléphérique/funiculaire
- Piste cyclable
- Ferry
- Métro
- Monorail
- Parking
- Station-service
- Station de métro
- Taxi
- Gare/chemin de fer
- Tramway
- U-Bahn
- Autre moyen de transport

Les symboles recensés ci-dessus ne sont pas tous utilisés dans ce guide

Routes
- Autoroute à péage
- Voie rapide
- Nationale
- Route secondaire
- Petite route
- Chemin
- Route non goudronnée
- Route en construction
- Place/rue piétonne
- Escalier
- Tunnel
- Passerelle
- Promenade à pied
- Promenade à pied (variante)
- Sentier

Limites et frontières
- Pays
- État/province
- Frontière contestée
- Région/banlieue
- Parc maritime
- Falaise
- Rempart

Hydrographie
- Fleuve/rivière
- Rivière intermittente
- Canal
- Étendue d'eau
- Lac asséché/salé/intermittent
- Récif

Topographie
- Aéroport/aérodrome
- Plage/désert
- Cimetière (chrétien)
- Cimetière (autre)
- Glacier
- Marais/mangrove
- Parc/forêt
- Site (édifice)
- Terrain de sport

LES GUIDES LONELY PLANET

Une vieille voiture déglinguée, quelques dollars en poche et le goût de l'aventure, c'est tout ce dont Tony et Maureen Wheeler eurent besoin pour réaliser, en 1972, le voyage d'une vie : rallier l'Australie par voie terrestre via l'Europe et l'Asie. De retour après un périple harassant de plusieurs mois, et forts de cette expérience formatrice, ils rédigèrent sur un coin de table leur premier guide, *Across Asia on the Cheap*, qui se vendit à 1 500 exemplaires en l'espace d'une semaine. Ainsi naquit Lonely Planet, dont les guides sont aujourd'hui traduits en 12 langues.

NOS AUTEURS

Carolyn Bain

Auteure coordinatrice ; Préparer son voyage, le Nord, l'Est, le Sud-Est, les hautes terres, Comprendre l'Islande, Carnet pratique. Née à Melbourne, Carolyn est amoureuse des pays nordiques depuis son adolescence passée au Danemark. Elle ravive constamment la flamme en écrivant depuis quatorze ans des guides sur les pays magnifiques que sont l'Islande, le Danemark, la Suède et l'Estonie (voir son site carolynbain.com.au). C'est la seconde fois qu'elle participe au guide *Islande*, nourrissant ainsi sa passion pour le *skyr*, les fjords, les *hot pots* secrets, les randonnées glaciaires, les macareux, les *lopapeysur* et la musique d'Ásgeir. Le voyage pour préparer ce guide a donné lieu à d'extraordinaires moments : un bain dans un *hot pot* au soleil de minuit, l'Askja par 20°C (si, si !), un billet pour le festival de Bræðslan, et de la spéléologie dans une grotte de glace.

Pour en savoir plus sur Carolyn :
lonelyplanet.com/members/carolynbain

Alexis Averbuck

Itinéraires, Reykjavík, le Sud-Ouest et le Cercle d'or, l'Ouest, les fjords de l'Ouest, Culture. La passion d'Alexis pour les paysages glacés et pour les chaînes de montagnes vierges est née de l'année qu'elle a passée en Antarctique et a grandi avec l'Islande. Dingue de glaciers, Alexis adore explorer les endroits les plus reculés du pays : des champs de lave surréalistes et des fjords étincelants aux étendues de glace bleue. Elle raffole aussi de culture islandaise, dévore les sagas et suit de près la scène musicale très active. Alexis écrit des livres de voyage depuis vingt ans, couvrant pour Lonely Planet l'Antarctique, la France et la Grèce. Elle a traversé le Pacifique à la voile, et est artiste peintre – on peut voir ses œuvres sur www.alexisaverbuck.com.

Pour en savoir plus sur Alexis :
lonelyplanet.com/members/alexisaverbuck

REJETÉ | DISCARDED

Islande
3e édition
Traduit et adapté de l'ouvrage *Iceland, 9th Edition, May 2015*
© Lonely Planet Publications Pty Ltd 2015
© Lonely Planet et Place des éditeurs 2015
Photographes © comme indiqué 2015
Dépôt légal Juin 2015
ISBN 978-2-81614-849-7
Imprimé par Pollina-L72352, Luçon, France

Bien que les auteurs et Lonely Planet aient préparé ce guide avec tout le soin nécessaire, nous ne pouvons garantir l'exhaustivité ni l'exactitude du contenu. Lonely Planet ne pourra être tenu responsable des dommages que pourraient subir les personnes utilisant cet ouvrage.

En Voyage Éditions | un département

Tous droits de traduction ou d'adaptation, même partiels, réservés pour tous pays. Aucune partie de ce livre ne peut être copiée, enregistrée dans un système de recherches documentaires ou de base de données, transmise sous quelque forme que ce soit, par des moyens audiovisuels, électroniques ou mécaniques, achetée, louée ou prêtée sans l'autorisation écrite de l'éditeur, à l'exception de brefs extraits utilisés dans le cadre d'une étude.

Lonely Planet et le logo de Lonely Planet sont des marques déposées de Lonely Planet Publications Pty Ltd.

Lonely Planet n'a cédé aucun droit d'utilisation commerciale de son nom ou de son logo à quiconque, ni hôtel ni restaurant ni boutique ni agence de voyages. En cas d'utilisation frauduleuse, merci de nous en informer : www.lonelyplanet.fr